C0-AKD-957

GaultMillau

LE GUIDE DE PARIS

Avec la collaboration de
Marianne Rufenacht

assistée de Isabelle Baumgartner, Françoise Boisard, Michel Creignou, Dorothée Farman, Jean-Pierre de Lucovich, Jean-Luc de Rudder et Valérie Wevers

Illustrations de
Roland Sabatier

Direction artistique et technique
Dominique Migeon

GAULT-MILLAU

210, rue du Faubourg-Saint-Antoine, 75012 Paris
372.37.81

Copyright : Agence Presse-Loisirs 1979
ISBN 2 - 902968 - 03-5

Réponse à des questions que personne ne nous a posées.

QUOI ? Encore vous ! Mais vous êtes inépuisables...

— Non, nous sommes seulement épuisés. Enfin, nous voulons dire, notre dernier Guide de Paris est épuisé. Et c'est même pourquoi nous avons l'honneur de vous en présenter un nouveau et l'avantage d'essayer de vous le vendre.

— *Entre nous, à part la couverture, rien n'a changé ?*

— Si, le prix.

— *Vous êtes d'un cynisme révoltant. C'est vraiment tout ?*

— Mais non. Vous savez bien qu'en deux ans, Paris a énormément bougé. C'est d'ailleurs ce qui fait son charme unique au monde. Tel restaurant que l'on adorait est devenu une infâme gargote, tel bistrot où l'on se régalait de confit d'oie a les yeux bridés à la chinoise, tandis que des nouveaux ont ouvert leurs portes et révélé leur talent. Et cela vaut pour tout le reste : les boîtes de nuit, les hôtels, les charcutiers, les antiquaires aussi bien que les marchands de vin, de tête de veau ou de boutons de culotte. Paris est un immense Frégoli qui n'arrête pas de changer de visage. Vous pourrez aller à Rome tous les dix ans, vous verrez que chacun (ou presque) est toujours à sa place. Ici, c'est le grand chambardement à répétition.

— *Vous exagérez...*

— C'est la première fois que vous vous en apercevez ? Oui, bien sûr, nous exagérons. Parmi nos quelque six mille adresses, il en est heureusement des tas qui sont insubmersibles, increvables et pour tout dire éternelles. Ici un fabricant d'andouillette sublime, là un décoinceur de fermetures « éclair », un ébéniste génial, un revendeur de bidets d'occasion, un musée secret, un chocolatier divin ou une petite couturière inspirée. Certains ne cessent de claironner la mort des artisans et la fatale extinction des petits commerçants amoureux de leur métier mais, grâce au ciel, ils sont toujours là, plus nombreux et plus vivants que dans n'importe quelle autre grande ville du monde occidental.

— *Vous voyez que vous êtes tout de même obligés de vous répéter !*

— Pas vraiment... Ne prenez pas ces gens pour des momies ! Eux aussi évoluent, changent et il y a toujours à leur propos quelque chose de neuf et d'utile à raconter. Ne serait-ce éventuellement qu'un peu de mal...

— *Je savais bien que vous étiez méchants.*

— Oui bien sûr, mais pas autant que certains restaurateurs, commerçants et marchands de lune en tous genres qui vous vendent cher des produits qui ne valent rien. N'est-ce pas faire preuve de bonté d'âme de vous les signaler d'un clin d'œil?

— *En conclusion, vous seriez plutôt contents de vous?*

— Contents et mécontents. Contents parce que nous sommes passionnément amoureux de Paris et qu'en révélant ses charmes et ses secrets, nous avons un peu l'impression de lui présenter nos hommages comme à une jolie femme. Mais comment ne pas être en même temps mécontents ? Songez un instant à ses 3 000 rues, ses 100 boulevards, ses 300 avenues et autant de passages et d'impasses, ses 238 places, ses 52 quais, sa vingtaine de galeries, ses 3 sentes, ses 2 chaussées, son chemin de ronde, à ses kilomètres d'asphalte pleins de secrets et de trésors. Que de découvertes exaltantes mais aussi que d'occasions manquées, de rencontres qui ne se font pas et d'adresses précieuses qui resteront encore ignorées ! Avec notre petite équipe, nous lançons chaque jour notre filet mais nous savons bien que l'océan parisien est inépuisable et que nous ratons beaucoup de belles pièces.

— *Ne me faites pas pleurer. Les poissons manqués aujourd'hui seront votre pêche de demain et cela vous donnera l'occasion dans deux ans de m'obliger à racheter un Guide de Paris.*

— Vous nous avez parfaitement compris.

Henri Gault et Christian Millau

P.S. : Soucieux de garder à cet ouvrage que nous mettrons périodiquement à jour une certaine actualité, nous avons tenu à faire mention des prix aussi souvent que possible. Ils n'ont, hélas, que valeur indicative et n'engagent ni le gouvernement ni les intéressés ni, par conséquent, nous-mêmes. Les numéros de téléphone, les raisons sociales, les adresses elles-mêmes, peuvent dans certains cas ne plus correspondre à la réalité. Quel que soit le soin apporté à nos vérifications, il peut s'agir d'erreurs de notre part. Mais ne nous rendez pas responsables des fluctuations de l'annuaire, de l'âge de la retraite et de la bougeote des commerçants.

GaultMillau

SOMMAIRE

Restaurants

Toques rouges = nouvelle cuisine
Toques blanches = cuisine classique

Au sommet avec 19/20

L'ARCHESTRATE (7e)

Avec 18/20

FAUGERON (16e)
TAILLEVENT (8e)
LE VIVAROIS (16e)
LA VIEILLE FONTAINE
(à Maisons-Lafitte)

LA TOUR D'ARGENT (5e)

Avec 17/20

LA BELLE ÉPOQUE *(à Chateaufort)*
LE CAMÉLIA *(à Bougival)*
DODIN-BOUFFANT (5e)
LE DUC (14e)
OLYMPE (15e)
PRÉ-CATELAN (16e)
LES SEMAILLES (18e)
LES TROIS MARCHES *(à Versailles)*

LE GRAND VÉFOUR (1er)
LASSERRE (8e)
LA MARÉE (8e)
MAXIM'S (8e)

Avec 16/20 ou 15/20

Restaurant ou bistrot de grande cuisine

Avec 14/20 ou 13/20

Bonne table, sûre et parfois originale

Trois catégories
12/20 - 11/20 - 10/20
Restaurant d'un niveau honorable

Paris 1er

12/20
L'ABSINTHE

● *24, pl. du Marché-Saint-Honoré (261.03.32).*
F. sam. (à déj.) et dim. Jusqu'à 23 h 30.

Depuis neuf ans l'Absinthe est le premier restaurant cité dans le Guide de Paris. Généralement en termes assez flatteurs car la petite maison de M. Malabard est joliment située, joliment décorée en style 1900, très joliment fréquentée; et sa cuisine (pâté de poisson aux légumes, salade des demoiselles, charlotte d'agneau, magret aux baies de cassis, goujonnette de foie de veau aux poireaux, soupe de fruits) est joliment faite, au plus près de la mode. Il n'en est pas autrement cette année. Service toujours charmant. 130-140 F.

10/20
JOE ALLEN

● *30, rue Pierre-Lescot (236.70.13).*
Tous les jours. Jusqu'à minuit 30.

Style « club », ouvert à toute heure et à tous. Clientèle bigarrée et décontractée (en majorité américaine) où ne manquent pas les jolies filles. Joe, tout comme au Harry's Bar, sait recréer l'atmosphère bien particulière de ces bars-restaurants de New York, San Francisco, Los Angeles : un des rares clubs de ce style à Paris. Cuisine copieuse : chili con carne, salades diverses, hamburger, apple pie. Serveurs rapides et souriants. 90-100 F.

L'ARTIGNY

● *Forum des Halles, niveau - 1 (296.50.50).*
Parking Sud, par la rue Berger
F. dim. (à dîner). Jusqu'à 22 h.

L'ouverture de L'Artigny, le restaurant de luxe du Forum des Halles, a provoqué chez la plupart des chroniqueurs gastronomiques une boulimie, une frénésie de dégustation qui les a fait défiler en rangs serrés dans le décor Marie-Antoinette bleu pâle de ce nouveau et déjà illustre restaurant. Nous n'avons pas échappé à ce mouvement moutonnier, mais, au contraire des jugements définitifs, éperdument favorables ou violemment déçus, de nos confrères, nous restons dans l'expectative prudente que conseillent trois expériences (nous réservons donc notre note). Trois repas dont, il faut le dire, le dernier fut de loin le plus agréable et valait largement deux toques. La parfaite qualité des produits et l'esprit de création maîtrisé, la prédilection pour les cuissons brèves (trop brèves parfois) compensant largement un goût prononcé pour les sauces riches et quelques idées désuètes, comme la chapelure saugrenue sur le poisson (un admirable rouget), le lourd appareil d'une terrine (de saumon ou homard), la stupide mousseline (quenelle) de loup avec des huîtres tièdes exquises. Ce qui est certain, quel que soit le choix du chef auquel s'arrêtera René Traversac, le propriétaire, c'est que ce restaurant a devant lui le plus grand avenir. Traversac fait et fera tout pour atteindre les sommets. La direction et le service y sont déjà parvenus; la cuisine, en se cherchant, comme il se doit, en prend le chemin. D'ores et déjà, courez (retenez à l'avance), goûtez la salade de cèpes au foie de canard chaud, les rougets au poivre (sans chapelure, de grâce), la soupe de sole et de coquilles Saint-Jacques au safran et l'étonnant biscuit de lapin dans son dôme d'aubergine. (Environ 200 F par personne).

Juste au-dessous de l'Artigny, au niveau - 2 (même téléphone), René Traversac propose, dans ses trois petits restaurants, des cuisines régionales, autour de menus à 95 F, vin et service compris, et d'une carte de spécialités : cuisine des pays de Loire aux **Tuffeaux,** provençale au **Castillon** et alsacienne à **l'Isenbourg.** Toutes trois parfaitement honnêtes et d'une simplicité de bon aloi.

16/20
BARRIÈRE POQUELIN

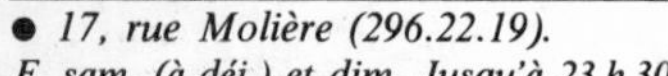

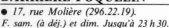

● *17, rue Molière (296.22.19).*
F. sam. (à déj.) et dim. Jusqu'à 23 h 30.

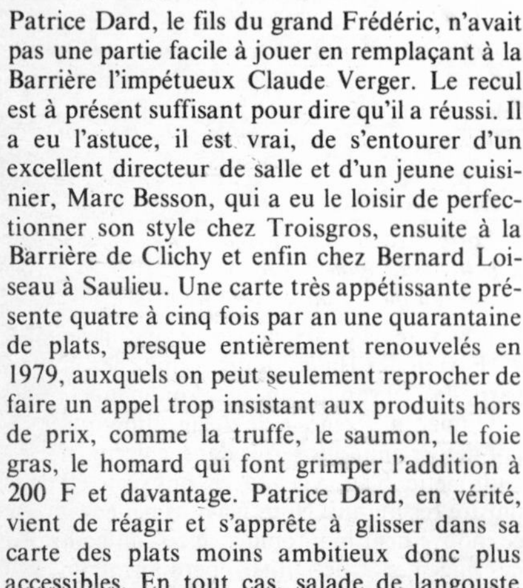

Patrice Dard, le fils du grand Frédéric, n'avait pas une partie facile à jouer en remplaçant à la Barrière l'impétueux Claude Verger. Le recul est à présent suffisant pour dire qu'il a réussi. Il a eu l'astuce, il est vrai, de s'entourer d'un excellent directeur de salle et d'un jeune cuisinier, Marc Besson, qui a eu le loisir de perfectionner son style chez Troisgros, ensuite à la Barrière de Clichy et enfin chez Bernard Loiseau à Saulieu. Une carte très appétissante présente quatre à cinq fois par an une quarantaine de plats, presque entièrement renouvelés en 1979, auxquels on peut seulement reprocher de faire un appel trop insistant aux produits hors de prix, comme la truffe, le saumon, le foie gras, le homard qui font grimper l'addition à 200 F et davantage. Patrice Dard, en vérité, vient de réagir et s'apprête à glisser dans sa carte des plats moins ambitieux donc plus accessibles. En tout cas, salade de langouste aux herbes fraîches, assiette des quatre foies gras « maison » (poivre vert, armagnac, menthe verte et noix), saumon d'Ecosse au citron vert, poissons « du jour » cuits à la vapeur et nappés, au choix, d'huile d'olive ou de beurre blanc, salade de cervelle aux deux poivres ou tarte légère et chaude aux pommes (un cadeau de Guérard à Verger), voilà bien des plats délicats et délicieux. Un seul mauvais souvenir : un foie de veau filandreux, noyé dans un excès de vinaigre à l'estragon. La place est comptée et l'on est un peu serré mais le décor moderne, dans des tonalités de brun, est discrètement élégant et la peite salle, surtout au déjeuner, ne désemplit pas, 200-230 F.

10/20
BATELEURS DU PONT-NEUF

● *14-16, rue du Pont-Neuf (233.38.47).*
Tous les jours. Jusqu'à 1 h du matin.

Une gentille petite adresse pour les couche-tard qui se contentent de grillades bien faites et de charmantes salades, le tout servi dans un décor que certains qualifieront hardiment de médiéval. 50-60 F environ.

12/20
BAUMANN-BALTARD

● *9, rue Coquillière (236.22.00).*
Tous les jours. Jusqu'à 2 h du matin.

Baumann a mis en plein dans le trou. Le trou des Halles, bien sûr, au bord duquel il a ouvert, presque en face de Battendier, une brasserie dont la simple vue fait saliver. Le grand bar, les banquettes douces, les tables de bistrot, les lampes enjuponnées de torchons à carreaux ont l'air d'être là depuis Baltard et le bonheur de ce décor, signé Slavik, est que justement il ne ressemble pas à un décor. Quant à la carte de Guy-Pierre Baumann, elle nous va droit à l'estomac, avec ses plats de bistrot qu'on ne trouve plus guère dans les bistrots (estomac de porc à l'ancienne, salade de tripes à la ciboulette, soupe de pois cassés au lard, sans oublier un plat que nous adorons, les pieds, queues et oreilles de cochon), mais aussi ses douze fameuses choucroutes, croquantes, fermes et originales (au poisson, au pot-au-feu, etc.), son chariot de desserts et ses excellents vins d'Alsace en pichet. Une adresse bénie pour les déjeuners d'affaires sans chiqué, quand du moins le chef est bien inspiré, car certains jours, ce n'est pas cela. 80-110 F.

15/20
GÉRARD BESSON

● *5, rue Coq-Héron (233.14.74).*
F. sam. (à déj.) et dim. Jusqu'à 22 h 30.

Deux ans chez Garin, trois chez Chapel, un titre de Meilleur Ouvrier de France, Gérard Besson a réalisé, aux approches de la trentaine, le rêve de tout cuisinier, en se mettant dans ses meubles. Des meubles d'un style d'ailleurs moins léger et plus convenu que sa cuisine qui a de l'esprit et de la grâce. Besson aime les légumes. Cela tombe bien, nous aussi. Ses fonds d'artichauts à la tomate fraîche, sa salade des quatre saisons, son ragoût d'artichauts, ses haricots verts au velouté d'avocat sont des réussites. Qu'elles ne vous fassent toutefois pas oublier de merveilleux œufs brouillés à la façon de Garin, ni le turbot à la crème et aux pâtes fraîches, ni le poussin landais à la vapeur d'estragon. Environ 130-160 F.

16/20 LE BISTRO D'HUBERT

● *36, pl. du Marché-Saint-Honoré (260.03.00).*
F. dim., lundi et jrs fériés. Jusqu'à 22 h 30.

Porcelaine de Limoges sur les tables, verres en cristal, belle argenterie, huit personnes pour vous accueillir et vous servir, un sommelier et une petite boutique de produits à emporter, le Bistro d'Hubert n'est plus tout à fait un bistro et si l'on en doutait, il suffirait de jeter un coup d'œil sur les prix de la carte qui, eux aussi, ont été « aménagés ». Hubert vous répondrait, d'ailleurs non sans raison, qu'on ne peut pas tout avoir : le luxe, le service et une addition de cocher de fiacre. De toute façon, c'est sur sa cuisine qu'il faut juger ce personnage enthousiaste, cet autodidacte des fourneaux qui en quelques années est devenu un professionnel émérite. Certes, il a beaucoup appris des autres, mais il a su aussi s'élever très au-dessus du niveau de la simple copie, se créer une carte bien à lui et un style tout à fait personnel. Il lui arrive comme à tout le monde de tomber à côté de la plaque. Nous oublierons par exemple ses coquilles Saint-Jacques à la nage aux oranges pour nous souvenir plutôt de son ragoût de champignons sauvages, de son turbot aux choux verts, de sa fricassée de petits homards au haut-barsacq, de son exquis rognon de veau braisé à la moutarde menthée, de ses escalopes de ris de veau aux navets glacés, de son aérien feuilleté de poires caramélisées et de ses vins parfaits. Vous paierez à la carte au moins 200 F et en plus de son menu à 120 F, Hubert propose le soir un beau menu-dégustation à 180 F. Ce sont évidemment des prix qui vont obliger saint Hubert à faire une cuisine toujours céleste.

12/20 LE BŒUF DU PALAIS-ROYAL

● *18, rue Thérèse (296.04.29).*
F. sam. et dim. Jusqu'à 21 h 45.

Deux excellents professionnels, Claude Verger (Barrière de Clichy, Bistro de Lyon, Barricades) et Pierre Nouyrigat (Pierre Traiteur) se sont associés pour donner vie à ce bistrot qui est une complète réussite et propose l'un des meilleurs rapports qualité-prix de Paris. Comptez environ 80 F pour une salade aux lardons, une cuisse de canard au vinaigre, du brie de Meaux, une mousse au chocolat et une demi-bouteille de gamay de Touraine. Excellentes frites et très beaux beaujolais signés Dubœuf.

11/20 LA CIGOGNE

● *17, rue Duphot (260.36.07).*
F. dim. Jusqu'à 21 h 30.

Cette Cigogne-là ne souffre assurément pas du mal du pays puisqu'elle tend à noyer les plats alsaciens sous une avalanche de tournedos Rossini, ris de veau Clamart, chateaubriand béarnaise et autres spécialités de partout et nulle part. Nous sommes quant à nous beaucoup plus chauvins et apprécions, par dessus tout, le foie gras frais de Strasbourg, les escargots à l'alsacienne, la choucroute strasbourgeoise, le coq au riesling. 100 F environ.

12/20 LA CLEF DES CHAMPS

● *38, rue Croix-des-Petits-Champs (261.36.24).*
F. sam. et dim. Jusqu'à 22 h.

Des travaux ont été effectués (une terrasse fermée notamment) pour que respire un peu ce minuscule restaurant, tout serré autour de ses neuf tables. Jean-Pierre Henault y prépare avec sérieux une cuisine du Sud-Ouest — foie gras de canard, magret, anguille à la bordelaise, paletot de canard, chevreau persillé, tourtière à l'armagnac, etc. — qui en fait l'un des rares « landais » fréquentables de la rive droite. Gentils vins (de là-bas, eux aussi), beaux armagnacs et alcools blancs. Excellent menu à 45 F service compris. A la carte : 80 F et plus.

11/20 CHEZ CLOVIS

● *33, rue Berger (233.97.07).*
F. dim. Jusqu'à 23 h 30.

Terrine de lapin, haricot de mouton, plat de côtes aux légumes, blanquette de veau à l'oseille, toute la sympathique litanie de la bonne vieille « cuisine de ménage », gentiment présentée dans ce bistrot des Halles d'autrefois qui vient de s'offrir, grâce à une salle « panoramique » au premier étage, une vue imprenable sur les Halles d'aujourd'hui. Environ 80 F.

13/20 AU COCHON D'OR

● *31, rue du Jour (236.38.31).*
F. dim. et jrs fériés. Jusqu'à 22 h 15.

La bonne Mme Saunière a vendu son bistrot au propriétaire de l'excellent Cochon d'Or de La

Villette mais n'a pas rendu son tablier pour autant. En compagnie d'un jeune chef, elle continue de préparer avec le même amour la terrine de lapin, la grillade de porc à l'ail et le clafoutis chers à ses vieux fidèles. Mais la petite salle tristounette a laissé place à un décor intime et presque élégant qui ne jure pas avec l'esprit des Halles et la carte s'est enrichie de quelques plats fort bien tournés comme une terrine de poisson, de savoureux morceaux du boucher, de la jambonnette de canard aux navets et une très fine mousse au chocolat amer. Environ 95 F avec un aimable beaujolais-villages.

10/20
CONWAY'S

● *73, rue Saint-Denis (508.07.70).*
F. lundi. Jusqu'à 1 h du matin.

La cuisine régionaliste new-yorkaise la plus franche qui puisse exister, de ce côté-ci de la mare aux harengs : spareribs, meatloaf, B.Q. chicken, chili et background jazz, rock, pop and folk. Si vous préférez Mozart, vous pouvez emporter un hamburger chez vous. Pour Boulez, adressez-vous à Beaubourg, c'est juste à côté. Mais vous ne verrez pas la belle Avia, dans son bistrot supercool, et vous perdrez quelque chose. Comptez une bonne soixantaine de francs.

11/20
CÔTÉ JARDIN

● *22, rue Mondétour (508.11.35).*
Dîner seult. Tous les jours. Jusqu'à 1 h du matin.

Côté Jardin, on n'a pas tellement l'obsession des quatre saisons et d'un bout de l'année à l'autre, la carte reste à peu près la même. Il n'y a d'ailleurs pas lieu de se plaindre puisque la cuisine se révèle simple et fraîche : salade de champignons à la crème, ou des mesclun au chèvre poêlé, raie aux câpres, lapereau à la ciboulette, selle d'agneau à la menthe et plats en sauce (ce sont ceux qui ont les faveurs du chef). Joli décor rétro de palmiers, laques et bambous. Dîners aux chandelles. Les chiens ne restent pas dans la cour. On va même jusqu'à leur offrir une soupe. L'addition ? Une soixantaine de francs.

10/20
LE DIABLE DES LOMBARDS

● *64, rue des Lombards (233.81.84).*
Tous les jours. Jusqu'à minuit 30.

Loubards des beaux quartiers en cuir de chez Smalto, mannequins, photographes de mode, journalistes, petits génies de la « pub » se retrouvaient dans ce bistrot sans âge mais terriblement « in ». Nous en parlons à l'imparfait, par prudence, mais il se peut très bien que la fête continue. Allez donc voir, aux dernières nouvelles la cuisine était honnête. 70-90 F.

10/20
LES DIABLES VERTS

● *60, rue des Lombards (261.46.60).*
F. dim. Jusqu'à 2 h du matin.

Toute la faune des Halles, en salopette et en robe disco, débarque le soir dans ce bistrot sans chiqué mais sans crasse qui a été lancé par les comédiens du Splendid. Pour s'amuser, mieux vaut être « dans le coup ». Quant à la cuisine, n'y voyez qu'un prétexte (honnête) pour se retrouver autour d'une tranche de gigot et d'une bouteille de beaujolais. Environ 80 F.

13/20
ESCARGOT MONTORGUEIL

● *38, rue Montorgueil (236.83.51).*
F. sam. (à déj.). Jusqu'à minuit.

L'Escargot s'est fabriqué un petit frère qui sort ses cornes à l'angle des rues Etienne-Marcel et Montorgueil pour y appeler la nouvelle clientèle des Halles, moins argentée. Mais en créant l'Escargot Bar qui communique avec le vieil et illustre Escargot, Kouikette Terrail a réussi à donner très habilement, en prolongeant les plafonds moulurés, l'illusion qu'une seule et même coquille abrite les deux établissements. L'idée était bonne, puisque les deux Escargots font le plein et si nous n'avons pas encore goûté les petits plats de bistrot de la nouvelle formule, nous avons trouvé dans l'exquise salle du fond une grande carte intelligemment renouvelée où les classiques de la maison (escargots, turbot Montorgueil) côtoient des créations plus modernes, en particulier une très bonne terrine chaude de poisson au coulis d'écrevisses et un foie de veau au blanc de poireau à l'aigre-doux. Une déception : les beignets de fraises à la crème anglaise qui, pourtant, étaient jadis si bons. 150-160 F (et à l'Escargot-Bar : 70-80 F).

12/20
L'ESPADON (Hôtel Ritz)

● *15, pl. Vendôme (260.38.30).*
F. lundi. Jusqu'à 22 h 15.

Tables bien espacées, éclairées le soir par d'élégants chandeliers, salle chaleureuse au confort feutré, l'Espadon nage dans le luxe mais pas dans l'imagination. La carte se maintient dans la convention des œufs pochés Bénédictine, des coquilles Saint-Jacques à la Vieille Chartreuse, du foie gras au porto, de la brouillade périgourdine, des filets de sole Ritz, du caneton en cocotte. 200 à 250 F.

Attention !
Certains restaurateurs changent, sans crier gare, leur jour de fermeture ou la date de leurs vacances. Téléphonez-leur donc pour être assuré de l'ouverture du restaurant.

10/20
ANDRÉ FAURE

● *40, rue du Mont-Thabor (260.74.28). F. dim. Jusqu'à 22 h.*

Grillades au déjeuner et plats « fermiers » le soir. Rien d'étonnant, mais du savoir-faire dans cette brave et abondante cuisine bourgeoise, qui n'a pas oublié les saveurs simples et vraies du petit salé, du bœuf mode et de la blanquette. 40 à 50 F.

11/20
CHEZ GABRIEL

● *123, rue Saint-Honoré (233.02.99). F. dim. (à dîner) et lundi. Jusqu'à 21 h 15.*

Une bonne et honnête cuisine classique de bistrot qui vient de prendre un salutaire coup de neuf (le bistrot, pas la cuisine). Quelques incursions régionales, notamment en direction du Berry. « La maison, est-il précisé sur la carte, ne sert que des produits frais », et c'est vrai aussi bien du suprême de turbot au sauvignon, des coquilles Saint-Jacques, du gibier ou des rognons de veau berrichonne. Autour de 100 F.

11/20
LE GLOBE D'OR

● *158, rue Saint-Honoré (260.23.37). F. sam. et dim. Jusqu'à 23 h.*

Le Lot-et-Garonne en vadrouille dans une salle rustique et sage. Spécialités sympathiques : cassolette de cagouilles paysanne, aillade d'escargots gasconne, boudin grillé, pavé de foie de veau au fenouil, confit de canard et surtout le petit salé de canard aux petits légumes. 130 F.

12/20
AU GRAND COMPTOIR

● *4, rue Pierre-Lescot (233.56.30). F. sam. (à dîner) et dim. Jusqu'à 22 h.*

Déprimé par les travaux de restauration des Halles, qui aveuglent son entrée, M. Astor a perdu sa bonne humeur et même son bon sens, puisque lui demandant l'autre jour au téléphone de nous préciser ses dates de fermeture, il nous a répondu : « Envoyez-moi des clients, c'est tout ce que j'ai à vous dire ». L'ouverture du Forum va, espérons-le, lui faire retrouver ses esprits et aux Parisiens le chemin de ce vieux et authentique bistrot d'un autre âge. Une centaine de francs pour manger de la palette aux lentilles et du clafoutis corrézien en buvant de sincères beaujolais.

17/20
LE GRAND VÉFOUR

● *17, rue de Beaujolais (296.56.27). F. sam. (à dîner) et dim. Jusqu'à 21 h.*

Si, à la suite de quelque legs fabuleux, l'Université donnait un jour ses cours de civilisation française au restaurant, espérons qu'elle n'oublierait pas le Grand Véfour. Où trouver ailleurs que sous ces arcades du Palais-Royal pareil décor, gracieusement piqué par deux siècles de souvenirs, pareille atmosphère toute en finesse parisienne que même une tablée de touristes trop voyants ne parvient pas à ternir, pareil service, élégant sans servilité, détendu sans familiarité ? Et où imaginer ailleurs que sous ces plafonds peints et ces fragiles fixés sous verre à l'antique ce formidable bonhomme qu'est Raymond Oliver auquel on ne rendra jamais assez hommage pour toute la verve et l'esprit neuf qu'il a apportés à la cuisine française. Bien sûr, il serre plus souvent les mains que les queues de ses casseroles, mais il est là tout entier, avec son génie, quelquefois ses erreurs et toujours son inépuisable abattage par lequel il dissimule — qui s'en douterait — une modestie vraie. La cuisine d'Yves Labrousse, certains de nos lecteurs la critiquent, la trouvant trop sage, trop conventionnelle. Le dernier repas que nous avons fait au Véfour ne nous incite pas à rejoindre le rang des bougons. De bout en bout, du feuilleté de rouget au beurre de basilic au ragoût de brochet et d'écrevisses à l'anis, du poulet sauté au vinaigre de miel à la côte de veau poêlée aux petits légumes, il était parfait. Reste que la carte de Raymond Oliver était infiniment plus excitante au Grand Phœnix qui ne lui appartenait pas qu'au Grand Véfour qui lui appartient. C'est tout de même paradoxal. Environ 250 à 350 F et toujours de délicieux bordeaux.

13/20
LE JARDIN DU LOUVRE

● *2, pl. du Palais-Royal (297.00.33). Tous les jours. Jusqu'à 1 h 30 du matin.*

Pierre Cardin, Maurice Béjart, Yves Mourousi : Tout-Paris s'est précipité dès l'ouverture, dans cet immense sous-sol du Louvre des Antiquaires, transformé en jardin d'hiver par un décorateur qui connaît ses classiques new-yorkais : panneaux en trompe-l'œil, bouquets de verdure, plafonds recouverts de treillage, lampadaires un peu clinquants et tout le long des murs, des sortes d'alcôves qui sont autant de salons particuliers où l'on est à la fois retiré et en communication avec la salle. Le même raffinement a présidé au choix de la lingerie, des flambeaux, des couverts et des assiettes de porcelaine, choisis avec un goût irréprochable par le flamboyant Gérard Pédron, qui est en train de devenir une figure de la vie parisienne. Mais son coup de génie, c'est de servir à côté d'une belle carte, plus dispendieuse, un menu à 115 F avec vin à volonté, ce qui dans un endroit aussi spectaculaire, peut presque passer pour un cadeau. Un menu qui change d'ailleurs chaque semaine, propose sept ou huit entrées, six plats, une salade au roquefort et de bons desserts. Tout cela, bien composé, beaucoup plus qu'honnêtement préparé.

11/20 KINKELIBA

● *5, rue des Déchargeurs (508.96.61).*
F. dim. Jusqu'à 23 h.

Ce petit O.N.U. en miniature, avec ses tambours, ses calebasses et ses tapisseries naïves, est, dans son irréprochable authenticité, l'un des tout premiers ambassadeurs de la gastronomie africaine dans le pays du Blanc : poulet yassa, mafe d'agneau, poisson fumé aux gombos, brochettes de mérou, buffle fumé à l'odika. C'est vous l'Africain ? Continuez ! (Version expurgée). Environ 70 F.

10/20 LOUIS XIV

● *1 bis, pl. des Victoires (261.39.44).*
F. sam. et dim. Jusqu'à 22 h.

Le saucisson chaud, l'andouillette au vin blanc, l'entrecôte beaujolaise, le canard aux navets, voilà une cuisine faite pour nous réjouir, mais il faut bien avouer qu'elle était meilleure au temps du père Fredy. A présent, elle se contente de se laisser manger, ce qui n'est pas tout à fait suffisant car ce vieux troquet, avec sa terrasse devant la statue de Louis XIV, devrait avoir toutes les raisons de nous enchanter. 100 F environ.

14/20 LA MAIN A LA PÂTE

● *35, rue Saint-Honoré (508.85.73).*
F. dim. Jusqu'à minuit.

Des rouspéteurs, comme partout, qui se plaignent de l'accueil, du service, de l'atmosphère, des prix, de la cuisine bien sûr et même des vins, choisis pourtant parmi les meilleurs d'Italie. Que répondre sinon que nous connaissons cette maison depuis ses débuts, que nous y allons souvent, qu'elle a eu ses hauts et ses bas mais qu'au fil des ans, ses défauts ont diminué et ses qualités se sont renforcées. Bien sûr, tout ne ravit pas sur cette carte qui bouge beaucoup (ce n'est pas un reproche) mais qui oserait nier que les neuf variétés de pâtes fraîches, roulées ici chaque matin, sont les meilleures de Paris, que la rouelle de veau à la Cantarelli à la crème et aux oignons est presque aussi savoureuse que son modèle original, que les charcuteries importées directement d'Italie par M. Bassano sont sans commune mesure avec celles que l'on sert d'ordinaire dans nos restaurants italiens ou que Mme Bassano fait d'une toute simple purée de betteraves un véritable régal ? Les pâtisseries sont faiblardes (notamment la zuppa inglese trop alcoolisée) ? C'est vrai. Il n'empêche que si pour vous, la vraie cuisine italienne est autre chose que les pizzas du coin, allez donc à La Main à la Pâte où l'on vous offrira en prime le spectacle d'un public très parisien et, du premier étage, une vue sur les nouvelles Halles. 100-130 F.

12/20 LE MANDARIN DU FORUM

● *Forum des Halles, niveau - 3 (297.52.46).*
Tous les jours. Jusqu'à 22 h 30.

Le Mandarin du Forum que viennent de créer aux Halles « Petit Nuage blanc » et son mari, « Constellation brillante », un joli couple pékinois qui a mangé du dragon ne va pas tarder à faire fortune. Nous avions déjà remarqué leur activité débordante et leur talent dans un petit restaurant de la rue des Lombards, Aux Délices de Chine. Mais cette fois, au Forum, ils ont trouvé un espace à la mesure de leur ambition, un restaurant de cent trente places qui a presque fait le plein dès le premier jour, et où l'on mange de délicieux « dim-sum » à la vapeur, ces petits amuse-gueule chinois qui permettent de déjeuner pour trois fois rien, mais aussi toutes sortes de plats assez peu connus, comme le porc sauté aux poireaux sauce piquante, le canard à la sauce de citron, les cailles sauce au miel ou un superbe canard rôti à la cantonaise comme nous n'en avions pas mangé depuis longtemps. C'est assez bruyant, pas très joli, mais cela reste une très bonne adresse. Environ 60 à 90 F.

14/20 LE MERCURE GALANT

● *15, rue des Petits-Champs (297.53.85).*
F. sam. (à déj.) et dim. Jusqu'à 22 h 30.

Excellent footballer, le chef Pierre Ferrandi lui-même formé aux meilleures écoles, sait mener une équipe. Avec son patron Henri Caille, il fait aussi peu à peu progresser cette très jolie maison fin de siècle avec une cuisine distinguée, délicate et, de plus, moderne, comme vous en conviendrez en goûtant : les trois salades, la terrine de ris et foie de veau aux fraises au vinaigre, la soupe d'écrevisses, le rognon de veau à la moutarde de Meaux et aux pâtes fraîches, le millefeuille Mercure. 150-180 F.

11/20 PARIS-PARME

● *9, rue d'Argenteuil (260.56.22).*
F. sam. et dim. Jusqu'à minuit.

Une cuisine classique et paysanne. Elmo Coppi sait trouver les bons produits de son Italie (excellent jambon de Parme), et faire, d'après les recettes de sa « nonna », les quelques très bons plats de son terroir : lasagne aux fruits de mer, tortelli alla parmigiana, tagliatelle alla Alfredo, piccata de veau au citron, osso buco de nonna Lucia. Accueil et service pleins de gentillesse.

14/20
CHEZ PAULINE

● *5, rue Villedo (296.20.70).*
F. sam. (à dîner) et dim. Jusqu'à 22 h 30.

André Génin, le fils de Paul, maître-cuisinier, gouverne désormais les fourneaux de ce bon vieux bistrot et, sans abandonner les plats ultra-traditionnels : bœuf bourguignon, ris de veau en croûte, rognon rôti à l'ancienne, il se dirige à petits pas vers une cuisine plus légère et plus moderne. Raison de plus pour aller goûter l'une et l'autre techniques en une fois, dans un décor émouvant, en essayant la terrine de légumes, la salade de coquilles Saint-Jacques, le chou farci, le bœuf gros sel. Avec de merveilleux beaujolais : 130 F environ.

14/20
LE PHARAMOND

● *24, rue de la Grande-Truanderie (233.06.72).*
F. dim., lundi (à déj.). Jusqu'à 22 h 30.

Paris est envahi par de faux bistrots 1900, tandis que d'autres, authentiques, sont atrocement « rénovés » par des décorateurs à la main lourde. Grâces soient rendues aux propriétaires de Pharamond d'avoir redonné toute sa grâce à l'un des plus charmants décors Belle Epoque de Paris, à ses céramiques, ses glaces, ses fixés sous verre (les petits salons du deuxième étage sont particulièrement réussis), sans surcharge inutile et bien dans l'esprit de l'époque. En cuisine, on reste fidèle aux bons vieux classiques (tripes à la mode de Caen, andouillette à la ficelle, aiguillettes de canard à la rouennaise, sans oublier un très bon foie gras frais maison) mais M. Hyvonnet et son chef suivent également le mouvement, avec quelques plats plus modernes, comme le pot-au-feu de poisson, les coquilles Saint-Jacques au cidre ou le saint-pierre à la crème de ciboulette. 100 à 120 F.

11/20
AU PIED DE COCHON

● *6, rue Coquillière (236.11.75).*
Tous les jours, 24 h sur 24.

Agréablement modernisée (jolies gravures des anciennes Halles), l'immortelle maison de la famille Blanc reste l'étape obligée de la nuit cosmopolite. Ouverte 8 760 heures par an (8 784 en 1980 : record du monde) elle est le dernier recours, le dernier refuge de ceux pour qui une gratinée ou un pied de porc grillé, au petit matin, sert de café au lait. Bons coquillages. 100 F environ.

15/20
PIERRE TRAITEUR

● *10, rue Richelieu (296.09.17).*
F. sam. et dim. Jusqu'à 22 h.

La cuisine, élaborée par le sympathique Guy Nouyrigat et son jeune chef, Marc Faucheux, transfuge de Chez Allard, continue, comme par le passé d'osciller entre une tradition du terroir, agréablement mise au goût du jour, avec des plats comme le chou vert tiède au confit de canard, le jésus de Morteau poché au beaujolais, le bœuf à la ficelle ménagère et la galette de boudin aux oignons, et des préparations plus « dans le vent » comme le turbot au blanc de poireaux, les filets de saint-pierre à la graine de moutarde ou le sorbet à la rhubarbe, le tout ayant comme point commun d'être réalisé avec savoir-faire. Bon choix de petits vins bien sélectionnés. Un regret, l'atmosphère excessivement bruyante. Environ 150 F.

11/20
PORTE DU BONHEUR

● *8, rue du Mont-Thabor (260.55.99).*
Tous les jours. Jusqu'à 23 h.

M. et Mme Félix Chong, comme ils le disent eux-mêmes, savent recevoir leurs clients. Leur chef, M. Nu, de son côté, a une certaine audace dans les mariages d'épices et cherche même à mettre au point une sorte de « nouvelle cuisine d'Extrême-Orient ». Jugez-en vous-même en goûtant la ratatouille de fruits de mer, les brochettes d'agneau au saté ou les langoustines au sésame. 75-100 F.

16/20
PRUNIER-MADELEINE

● *9, rue Duphot (260.36.04).*
F. lundi. Jusqu'à 22 h 30.

Tel un vieux poisson fatigué, Prunier flottait entre deux eaux. Depuis l'automne dernier, il frétille à nouveau, dans un aquarium rajeuni et transformé par les deux Bretons les plus parisiens de Paris, Gilbert Le Coze et sa sœur Maguy. Aldo Funaro qui avait repris, sans grand succès, la vieille maison de la rue Duphot a eu, en effet, l'excellente idée de s'adjoindre les jeunes propriétaires du Bernardin où se rue depuis des mois le Tout-Paris des amateurs de poisson. Gilbert et Maguy ont commencé par donner des couleurs à la salle du bas. Des couleurs mauves qui surprennent un peu mais, finalement, s'harmonisent assez bien avec les motifs néo-1900 d'un décor plutôt mondain et plaisant. Bientôt, le haut sera lui aussi complètement rajeuni, à l'exception d'un ou deux petits salons 1930 (et bien sûr des fabuleuses toilettes 1900, qui devraient être classées) qui méritent d'être conservés intacts, et ainsi Prunier retrouvera-t-il une seconde jeunesse. Et, avec Gilbert Le Coze qui procède aux achats et surveille les fourneaux (sans lâcher pour autant les siens au quai de la Tournelle) en parfaite intelligence avec toute l'équipe en place, plus d'inquiétude à se faire sur la qualité des produits et le style de la cuisine. Pas de poissons qui traînent au réfrigérateur (la maison, d'ailleurs, est désormais fermée le lundi et ouverte le dimanche), plus de plats emberlificotés ou faussement modernes mais, au contraire, une cuisine fraîche, franche, délicate et, pour tout dire, parfaitement réussie (à l'exception d'une bouillabaisse de l'Atlantique qu'on ferait mieux de remplacer par une soupe de poisson). Des huîtres parfaites, de la salade de raie, d'exquises langoustines à la nage ou au four, de succulents fritots de sole, du bar rôti au beurre blanc, une admirable fricassée de coquillages, un superbe turbot au curry, du saumon à la menthe, un grand plat de crustacés à la nage, de très bonnes petites pâtisseries : jamais, depuis longtemps, on n'avait aussi bien mangé chez Prunier (même le pain et le beurre sont fabuleux). Reste maintenant à remplir la cave qui fut l'une des plus prestigieuses de Paris et à faire savoir que Prunier est ressuscité. Environ 150-250 F.

12/20 RÔTISSERIE RIVOLI (Hôtel Intercontinental)

● *3, rue de Castiglione (260.37.80).*
Tous les jours. Jusqu'à 23 h.

Selon les humeurs du soleil vous déjeunerez à la terrasse fleurie — l'une des cours intérieures les plus charmantes, élégantes (et bien situées) des grands hôtels parisiens. Ou bien dans le décor intime, quoique très international de la Rôtisserie. La cuisine, avec le chef Barbier, évolue assez nettement ces temps-ci vers plus d'originalité qu'on en montre en général dans les palaces et le haddock cru au gingembre, la soupe de grenouilles, le poussin à la broche aux gousses d'ail, comme la salade d'orange à la menthe fraîche sont d'aimables réussites. Prix presque abordables. Cela vaut un point de plus et l'espoir d'une toque. 150 F environ.

12/20 AU ROY GOURMET

● *4, pl. des Victoires (508.10.16).*
F. sam., dim. et jrs fériés. Jusqu'à 22 h.

Moleskine et verre gravé, chicorée aux lardons et andouillette, rognons de veau et beaujolais bien frais, un chef qui ne se pousse pas du col mais qui fait bien proprement son travail, une addition raisonnable (100-120 F), quelques tables sur le trottoir, une clientèle plaisante, un service souriant : voilà qui de temps en temps repose de la « grande cuisine », de ses pompes et de ses œuvres.

10/20 ROYAL MONDÉTOUR

● *14, rue Mondétour (236.85.50).*
F. dim. Jusqu'à 22 h 30.

Un vieux bistrot 1935 encore authentique où la tarte au poireau, la morue à l'auvergnate et la bonne tarte Tatin ne grèveront pas gravement le portefeuille du client curieux de voir un immense bar tout en marbre comme on en voit rarement. 60-80 F.

10/20 SAINT-ANTOINE

● *1, rue des Prêtres-Saint-Germain-l'Auxerrois (233.50.12).*
F. lundi. Déj. seult.

Le Saint-Antoine a ouvert à nouveau sa porte depuis juillet 79. Espérons que ce brave et très « correct » restaurant de quartier évitera désormais les « flambages » bien inutiles car le pied de porc grillé serait fort bon s'il n'était flambé au cognac. Quant à la choucroute luxembourgeoise, elle est assez bien réussie. 90 F environ.

11/20 LE SAMOVAR

● *14, rue Sauval (261.77.79).*
F. dim. Jusqu'à minuit.

Le caviar étant tout à fait facultatif et les blinis aux harengs beaucoup plus nourrissants, vous ne risquez pas, même avec un peu de vodka, de perdre ici votre chemise. Le service peut être assuré par une jeune princesse caucasienne ou pas assuré du tout. Qu'à cela ne tienne, l'atmosphère, dans ce couloir orné de poupées gigognes, est si naturelle, sincère et gaie, les guitaristes, les balalaïkaïstes accourus, tard le soir, des quatre coins de Paris et de Saint-Petersbourg font de telles fêtes, que tous, clients et copains, grands-ducs et moujiks, en rient et pleurent de joie, en mangeant les pelmenis (ravioli sibériens), le chachlick, le chou farci et le vatrouckta (gâteau au fromage blanc). 110 à 120 F.

11/20 LA SARDEGNA

● *23, pl. du Marché-Saint-Honoré (260.54.69).*
F. dim. Jusqu'à 23 h 30.

Dans un décor naïvement sinistre (des tableaux évoquent, dans les tons lie de vin, d'ineffables et douloureux soucis digestifs), un patron cocasse et barbu, bien secondé par une équipe accueillante et efficace, propose les pâtes fraîches les plus sincères du monde (tagliatelle, lasagne, ravioli farcis aux épinards), que vous apprécierez d'autant mieux que vous ne succomberez pas à la tentation des scampi, plats de viandes et desserts, qui ne leur arrivent pas à la cheville. Jolie petite carte de (bons) vins italiens bien commentée, et quelques entrées amusantes (salades, viande séchée). Délicieux café. Environ 80 F.

Pensez à retenir votre table par téléphone. Et n'oubliez surtout pas, au besoin, de vous décommander.

12/20
LA TOQUE LORRAINE

● *9, rue de l'Échelle (260.63.99).*
F. dim. Jusqu'à 22 h 30.

Par un temps maussade et gris, rien ne vaut la potée lorraine de Michel Thiébaut pour vous remettre d'aplomb. Si vous avez tout dévoré (elle est généreuse), il vous faudra donc revenir pour l'andouille de Val d'Ajol ou le gandoyau (servi chaud et garni de haricots) et le porcelet en gelée ou encore le bœuf fumé à la purée de pois. Et ne partez pas sans avoir goûté un des plus délicieux géromé fermier qu'on puisse manger à Paris. 130 F environ.

11/20
LA TOUR DE MONTLHÉRY (Chez Denise)

● *5, rue des Prouvaires (236.21.82).*
F. dim. Ouvert jour et nuit.

Aux vieux copains de Denise qui, jour et nuit, sur les traces de Brassens et de Moretti étaient depuis des années fidèles à ce vieux bistrot, à son zinc, à ses demi-soldes, à ses jambons suspendus et à son patron aux moustaches en guidon de vélo, de nous dire si elle a eu raison ou tort de débarrasser de sa crasse cette arche de Noé. Apparemment, ils approuvent car ils sont toujours là, fidèles au rendez-vous de l'andouillette, de l'onglet de bœuf et du pot-au-feu du jeudi. Environ 60-80 F.

12/20
ROBERT VATTIER

● *14, rue Coquillière (236.51.60).*
Tous les jours. 24 h sur 24.

Un vieux monument des anciennes Halles que l'on visite toujours avec plaisir. Les jolis plateaux de fruits de mer (oursins et bouquets en particulier), la raie à la moutarde, l'andouillette et la solide choucroute sont servis à toute heure du jour ou de la nuit par un personnel efficace et empressé. Autour de 100 F.

13/20
LE VERT GALANT

● *42, quai des Orfèvres (326.83.68).*
F. sam. Jusqu'à 22 h 15.

Le Palais, diraient les hommes d'esprit début de siècle, n'est pas seul à en avoir, et ce n'est pas seulement le Tout-Paris de la magistrature qui vient ici voir couler la Seine et goûter la bonne cuisine classique, très traditionnelle et très réussie dans le genre, mais aussi les éditeurs voisins et leurs auteurs, les gens de cinéma et les politiciens. Ce qui fait une jolie salle à manger — la cave, elle, est superbe. Les plats que nous aimons? La salade mélangée aux gésiers d'oie tièdes, le soufflé de barbue, la poule au pot Henri IV, les aiguillettes de canard au vinaigre de miel, le pannequet Vert Galant. 160 F.

12/20
CHEZ LA VIEILLE

● *37, rue de l'Arbre-Sec (260.15.78).*
F. sam. et dim. Déj. seult.

Adrienne fêtera bientôt ses quarante ans de quartier. Mais n'attendez pas qu'elle vous offre le champagne pour aller respirer le parfum des Halles d'autrefois et goûter le pot-au-feu, le navarin ou le sauté d'agneau de cette « mère » parigote, mauvaise tête, bon cœur, qui ne s'en laisse pas compter. (Comptez quand même une bonne centaine de francs).

Paris 2e

10/20
A L'ABBÉ CONSTANTIN

● *13, rue du 4-Septembre (297.50.93).*
F. sam. (à déj.) et dim. (d'oct. à mars); sam. (à dîner) et dim. (d'avril à sept.). Jusqu'à 22 h.

L'Abbé Constantin, repris voilà six ans par un ancien élève de l'Ecole hôtelière de Paris n'est pas un cabaret mais un authentique restaurant où un chef passé par les fourneaux de Ledoyen propose une cuisine qui épouse résolument tous les courants de la mode actuelle. Espérons qu'il saura l'adapter à sa propre personnalité. En tout cas vous ne serez pas déçu par sa gelée de lapin à la vinaigrette de xérès, son parfait de poisson en gelée, son escalope de saumon au cerfeuil, son magret de canard au cassis et son gâteau au chocolat sauce au café. 150 F environ.

10/20
L'ASSIETTE AU BŒUF

● *9, bd des Italiens (742.74.35).*
Tous les jours. Jusqu'à 1 h du matin.

L'ancien Poccardi a refait peau neuve sous la main magique de Slavik. Michel Oliver propose toujours l'aloyau-frites et quelques délicieuses pâtisseries. Cette formule de plats simples et imposés continue à trouver de nombreux adeptes. 55-90 F.

12/20
BISTRO DE LA GARE

● *38, bd des Italiens (828.49.61).*
Tous les jours. Jusqu'à 1 h du matin.

Charmant décor du même Slavik, un bataillon d'expertes jeunes serveuses et un choix de trois entrées (dont un bon feuilleté chaud aux légumes) et de trois plats dont deux de viandes : un cœur d'aloyau superbement cuit et un « paillard » de veau, tous deux accompagnés d'honnêtes petites frites. Ensuite, pour une dizaine de francs au plus, d'excellents desserts (mousse au chocolat, île flottante, etc.). De bons vins (de

19,50 à 39 F) et même quelques premiers grands vins de Bordeaux (mais pas de très grandes années) à des prix étonnants : 92 F un Château Latour 72.

11/20
AU COCHON DORÉ

● *16, rue Thorel (233.29.70).*

Tous les jours. Jusqu'à 22 h.

Dans un rutilant décor alsacien d'opérette s'entassent, à mi-chemin du boulevard de Bonne-Nouvelle et de la rue Beauregard, de tout jeunes aspirants cadres des deux sexes, extrêmement coquets, ma foi. Oubliez la prétentieuse quenelle dite de « homard » du premier menu, riez de la petite brioche très subsidiairement « au foie gras » qui retarde l'arrivée sur la table de la choucroute garnie du second, et commandez plutôt celle-ci, à tout prendre fort honnête, à la carte dont elle reste, ne vous faites pas d'illusion, le plus beau fleuron. Aimables petits vins d'Alsace et bonnes tartes aux fruits (notamment aux raisins) de même terroir. A partir de 60-70 F.

12/20
DELMONICO (Hôtel Edouard-VII)

● *39, av. de l'Opéra (261.44.26).*

F. dim. Jusqu'à 22 h.

La routine marquerait-elle enfin le pas au Delmonico ? Angéliquement patients comme nous sommes, nous continuons de l'espérer, rêvant qu'enfin les efforts de rajeunissement entrepris par le nouveau chef vont l'emporter sur la force d'inertie de l'antique et solennel répertoire de grands-ducs auxquels il ne reste plus, nous le craignons bien, qu'à tourner la page. Mais quand donc se décidera-t-il à tourner la page une fois pour toutes ? Cave remarquable. Excellent service. Décor d'une époque où le style n'en avait guère. 150 F et plus.

12/20
DROUANT

● *Place Gaillon (742.56.61).*

F. sam. Jusqu'à 22 h 30 (restaurant) et 1 h 30 du matin (Grill).

Les Goncourt continuent imperturbablement de se réunir dans ce monument (presque) historique de la petite place Gaillon. Leurs débats sont sans doute plus littéraires que gastronomiques puisqu'ils ne se sont jamais plaints de l'ordinaire. A moins qu'ils apprécient cette cuisine parfois un peu figée et que les prix soient moins redoutables pour eux que pour les autres clients. Mais le décor désuet et élégant, lui, n'a pas changé tandis que celui du Grill voisin qui permet de dîner après le spectacle, reste délicieusement (et authentiquement) 1925. Les plats que nous aimons (au restaurant) : la sole au gratin, l'escalope de saumon à l'oseille, le turbotin grillé. Au Grill : le poulet de Bresse sauté à l'estragon. Environ 200 F, 150 F (au Grill).

11/20
GÉRARD

● *4, rue du Mail (296.24.36).*

F. dim. et jrs fériés. Jusqu'à 22 h 30.

Un de nos lecteurs nous raconte fort spirituellement l'extravagante soirée passée dans le bistrot de Mme Léonetti, parmi une faune des plus pittoresques et sous le feu des coups de gueule du personnel. Nous le soupçonnons d'en rajouter un peu mais il faut bien avouer que Gérard n'est pas un endroit ordinaire. On y voit de curieuses gens, parfois des célébrités, de gros chiens, des journalistes, des dames qui reposent leurs pieds fatigués, on peut fort bien s'y faire engueuler ou accueillir le plus gentiment du monde, y faire un repas quelconque ou au contraire manger un bon pot-au-feu. Environ 60-100 F.

12/20
LA GRILLE

● *50, rue Montorgueil (236.24.64).*

F. dim. Jusqu'à 22 h 30.

Guère de changement depuis 1913, malgré le nouveau chef... M. Lenoble conserve toute sa tendresse pour la brave cuisine « bourgeoise » (navarin aux pommes, bœuf aux carottes, plat de côtes gros sel) avec quelques ajouts de poissons. Même l'addition qui ne change presque pas (80 à 90 F), ni le choix rêvé des beaujolais.

12/20
LA LOCOMOTIVE

● *6, rue Chabanais (296.52.90).*

F. sam. (à déj.) et dim. Jusqu'à 22 h.

Cette Locomotive sait éviter le train-train et nous lui en sommes reconnaissants. L'an dernier, par exemple, M. Purgato, gérant-cuisinier, a créé de nouveaux plats, à base de poisson essentiellement, où s'est exprimé, une fois encore, son indéniable talent. Aussi oublierons-nous que, de manière assez bizarre, il nous réclame une meilleure note « pour le standing de sa clientèle ». Vous apprécierez chez lui, entre autres bonnes choses : les scampi frits sauce tartare, les papillotes de saint-pierre aux petits légumes, la selle d'agneau rôtie, les sorbets de chez Christian Constant. Remarquons, avec mélancolie, que deux petites ailes ont poussé à l'addition qui s'envole jusqu'à 120 F.

12/20
AUX LYONNAIS

● *32, rue Saint-Marc (742.65.59).*

F. dim. Jusqu'à 22 h.

Cette bonne vieille maison qui fut illustre ne redeviendra sans doute jamais au temps du père Viollet, quand la mode était aux lyonnaiseries. La mode est passée, c'est un peu dommage, elle était à la simplicité, à la générosité, aux bons légumes mitonnés, et à ces plats robustes et délicieux que sont les pieds de mouton à la rémoulade, le gras-double à la crème, la salade au saucisson chaud. 120 à 140 F.

13/20
PALAIS IMPÉRIAL

● *6, rue d'Antin (261.25.52).*
F. dim. Jusqu'à 23 h.

Un des décors les plus élégants des restaurants chinois de Paris et un atout majeur avec le maître d'hôtel qui prend le temps de vous expliquer les plats originaux et souvent exquis, comme le turbot à la vapeur, les pinces de crabes aux haricots noirs, le poulet au citron. Prix également peu conventionnels pour un « chinois » : 120 F environ.

16/20
GÉRARD PANGAUD

● *154, rue Montmartre (261.30.87).*
F. sam. et dim. Jusqu'à 22 h 15.

Pangaud veut sa troisième toque. Il l'aura. Mais pas encore cette année. Nous avons suffisamment manié l'encensoir en son honneur pour lui dire aujourd'hui que s'il a incontestablement un grand talent — tout le monde le sait, sauf Courtine qui parle à son sujet d'« élucubrations » et de « relents mal digérés de la cuisine des Troisgros » —, il lui arrive parfois de manquer de rigueur. Témoin notre dernier repas qui comportait un plat merveilleux (le ragoût de homard), un autre imparfait (le feuilleté d'asperges au caviar, dans une sauce montée au beurre sans grande finesse) et un troisième, carrément raté, que nous ne citerons pas car cela pouvait fort bien être un accident. Comme, par ailleurs, nous avons fait chez lui des repas parfaits de bout en bout, nous en concluons que sa maîtrise n'est pas encore complètement assurée. Nous le soupçonnons de vouloir peut-être en « faire trop » mais ce n'est qu'une hypothèse. En tout cas, les échos très favorables le concernant sont assez nombreux pour que nous ne nous fassions pas trop de bile à son sujet. Pour l'instant, il est, du moins à nos yeux, de ces sujets très brillants dont on attend beaucoup et dont on écrit provisoirement : « Peut faire encore mieux ». Petite salle, mais très brillante au déjeuner (les grands P.-D.G. de Paris), un peu froide le soir. Environ 150-200 F. Menu-dégustation à 150 F d'une richesse peut-être même excessive. Jugez-en : soupe de homard aux fèves, coquilles Saint-Jacques aux avocats, minute de rouget au caviar, sorbet à la menthe fraîche, feuilleté de ris de veau à la vanille et aux asperges, émincé d'agneau au cresson, plateau de fromages, soufflé aux fruits de la Passion, coulis de kiwis, mignardises...

15/20
LE PETIT COIN DE LA BOURSE

● *16, rue Feydeau (508.00.08).*
F. sam. et dim. Déj. seult. Dîn. les jeudi et vendredi. Jusqu'à 22 h.

L'un des tout premiers « rapport qualité-prix » de Paris et aussi l'un des premiers « qualité-gentillesse ». Guy Girard, jeune patriarche à la barbe fleurie, a toujours le même enthousiasme, le même esprit créateur, la même honnêteté, la même modestie et le même sens des bons produits pour préparer la cuisine la plus moderne comme la plus régionale (celle du Languedoc), la plus légère comme la plus roborative. Son étonnante choucroute de poissons, le canard au sel, la chartreuse nouvelle au gibier, la salade de coquilles Saint-Jacques, les terrines de thon frais, de langoustines, de tourteau, les poireaux vinaigrette aux truffes, le contrefilet à l'aveyronnaise sont une bénédiction, sans oublier cette dernière grâce : la climatisation de son joli vieux bistrot. 120 F environ.

12/20
CHEZ PIERROT

● *18, rue Etienne-Marcel (508.17.64).*
F. sam. et dim. Jusqu'à 22 h 30.

On ne change pas chez Pierrot, l'accueil est toujours aussi sympathique et l'on vous sert toujours aussi bien et sans plus de façon le salmis de volaille, l'onglet poêlé et la rognonnade de veau. 120 F environ.

11/20
LA PORTE DU DRAGON

● *24, rue Saint-Augustin (742.35.46).*
F. dim. Jusqu'à 22 h 30.

Rassurez-vous, aucun dragon n'a été engagé pour vous ouvrir la porte. Bien au contraire, l'accueil et le service sont ici souriants, et le très courtois maître d'hôtel vous proposera de choisir entre les hors-d'œuvre chinois, le poulet en papillote, les pinces de crabe et beaucoup d'autres choses encore que vous apprécierez sans doute autant que nous, en dépensant une quarantaine de francs.

11/20
LA QUETSCH

● *6, rue des Capucines (261.27.82).*
F. sam. (à dîner), dim. et jrs fériés. Jusqu'à 22 h.

Cuisine classique et immuable quel que soit le temps ou le chef aux cuisines. Buffet rapide au rez-de-chaussée où l'on sert de bonnes grillades (steak au poivre, mixed-grill, etc.). Une carte sage et bien honnête (andouillette à la berrichonne, rognons de veau à la moutarde). Pas de menu, mais des « plats du jour ». 100 F. environ. (Buffet : 50 F).

11/20
SAINT-AMOUR

● *8, rue de Port-Mahon (742.63.82).*
Tous les jours. Jusqu'à 22 h 30.

Un mariage du Beaujolais et du Sud-Ouest dans un décor agréable. Malgré nos appels du pied, le jeune chef, Jean-Luc Lainé, ne va pas plus loin, toutefois, que le magret, le haricot de mouton, le confit, les œufs en meurette et le jambon persillé. Menus toujours honnêtes et généreux : 49,50 F (vin et s.c.). Environ 110-120 F à la carte.

11/20
TANNHAUSER

● *16, rue Saint-Augustin (742.75.39).*
F. sam. (à déj.) et dim. Jusqu'à minuit.

M. Guillot, le nouveau propriétaire du Tannhauser, se prépare peut-être à secouer le bon train-train régulier de son prédécesseur. Espérons qu'il saura lui aussi servir les bonnes spécialités bavaroises tels le cochon de lait rôti à la bière, la choucroute au jarret (ou à la bavaroise), et le goulasch de bœuf aux spätzle. 80 F environ.

14/20
LA TOUR DE JADE

● *20, rue de la Michodière (742.07.56).*
Tous les jours. Jusqu'à 22 h 15.

Le bon M. Nhung, ancien Président de l'Assemblée nationale du temps de l'empereur Bao Daï, ne décroche pas, même si sa femme et son fils le secondent à plein temps. Il veut lancer de nouveaux plats vietnamiens (à manger sur place ou à emporter), il rafraîchit son décor et améliore l'aération, sans pour autant augmenter ses additions, parmi les plus basses de Paris pour cette qualité (50 à 70 F). Goûtez donc sa «fondue» vietnamienne, ses crevettes en galette, son canard farci aux « fleurs d'or », les oreilles de porc confites, le bœuf à la citronnelle, le poulet au gingembre.

12/20
VISHNOU

● *11 bis, rue Volney (297.56.46).*
F. dim. Jusqu'à 23 h.

Vous aimez l'excellent Indra de la rue du Commandant-Rivière ? Alors qu'attendez-vous pour vous précipiter dans cette succursale jolie et raffinée, entre Opéra et Madeleine, où la carte fait la part belle aux savoureuses spécialités de Lucknow et du Cachemire, à côté des exquis tandooris du Pendjab et de la région de Delhi, des curries en provenance de toutes les régions de l'Inde et de ces petits merveilles : les blancs de poulet à la crème fraîche et aux épices et les consommés de mouton liés au yaourt, aux oignons et à la crème. 70-80 F.

Paris 3e

12/20
L'ACADIEN

● *35, bd du Temple (272.27.94).*
F. sam. à déj. (en hiver), dim. (en été). Jusqu'à 22 h 30.

Jean-Marie Neveu, Acadien de La Roche-Posay (aux confins de la Touraine et du Poitou), sert dans cet établissement confortable et agréablement décoré, avec la complicité d'un service joyeusement intelligent, une cuisine classique et éclectique (un peu trop peut-être) qui ne s'est pas encore débarrassée de toutes ses préciosités. Aux solennelles délices de la brioche chaude au foie gras ou du bar farci en croûte « Auguste Escoffier », vous préférerez les plaisirs simples et sûrs des filets de sole à la crème de ciboulette ou aux nouilles fraîches, ou bien des excellentes coquilles Saint-Jacques aux gousses d'ail. Belle variété de très bons desserts et pâtisseries. Plats de chasse en saison. Environ 120 F.

14/20
L'AMBASSADE D'AUVERGNE

● *22, rue du Grenier-Saint-Lazare (272.31.22).*
F. dim. Jusqu'à 23 h.

Robert Courtine s'est converti à la nouvelle cuisine qu'il qualifiait de « ridicule » et accablait de ses sarcasmes. Nous avons en effet trouvé sous sa signature un éloge vibrant, et d'ailleurs parfaitement mérité, des nouveaux plats que M. Petrucci et son chef et gendre, Emmanuel Moulier, ont inscrit à leur carte : huîtres chaudes, soupe de haddock au pur malt, rognons roses aux épinards, foies blonds en aigre-doux de poireaux, compote de volaille aux petits légumes, foie d'agneau sauté au gingembre... La bonne vieille Ambassade ne trahit pas pour autant sa vocation auvergnate et, au contraire, elle a même augmenté son répertoire régional, ajoutant à ses grands classiques (la poitrine de mouton farcie « falette », la potée, le boudin aux châtaignes), d'autres jolis plats auvergnats, plus ou moins adaptés ou modernisés, comme la fondue de chevreau au lait caillé, le veau à la verveine du Velay ou l'estofinado, version aveyronnaise du stockfisch niçois, avec de l'huile de noix. Les Petrucci, leurs deux filles et leurs maris qui donnent à cette maison un charme très familial, viennent en tout cas de nous prouver que les traditions ne les avaient pas étouffés. Avec leur complicité, le passé et le présent font le plus heureux des mariages sous les poutres et les jambons suspendus de cette auberge de campagne, aux portes du Marais.

Bons vins de pays pas trop chers (saint-pourçain, chanceaux, madiran) et très riche carte de grands crus. Environ 100-130 F.

15/20 L'AMI LOUIS

● *32, rue du Vertbois (887.77.48).*
F. mardi. Jusqu'à 22 h 30.

Toujours bon pied, bon œil, l'ami Antoine qui trotte gaiement vers ses 79 ans. Notre suggestion au conservateur du Musée Pompidou de transporter chez lui, tout entier, ce vestige fabuleux d'un des vrais bistrots parisiens comme il n'en existe plus, n'a éveillé aucun écho. Tant pis pour lui. Nous garderons pour nous et nos amis le décor le plus miséreux (et le plus malin) de Paris, les cuisines de l'ère paléolithique, les toilettes du Néanderthal, les admirables bourgognes et les portions pour ogres dont chacune permet de gaver deux ou trois convives d'admirable jambon des Landes, de foie gras, de côte de bœuf à convertir un végétarien, d'agneau de lait, de cèpes et de perdreaux. Partagez, partagez et alors, vous ne dépenserez « que » 150 ou 160 F par personne, au lieu de 200...

16/20 LA CIBOULETTE

● *60, rue Rambuteau (271.72.34).*
F. sam. (à déj.), dim., et lundi (à déj.). Jusqu'à minuit 30.

Malgré les efforts répétés et le grand talent qu'il déploie pour se faire passer pour un comédien, pour un écrivain, pour un homme d'affaires, pour un chanteur de charme, Jean-Pierre Coffe ne parvient pas à faire oublier qu'il est d'abord un grand restaurateur. La prodigieuse clientèle qui se presse dans le jardin fleuri qu'est son beau restaurant 1930 se réjouit certes de l'entendre chanter « Tango, Tango », de le voir surgir en Frégoli au théâtre et au cinéma et de le lire, dans « Gourmandise au singulier », exprimant une philosophie facétieuse et impertinente. Mais elle ne lui pardonnerait pas de la priver pour autant d'une cuisine où le chef Claude Ségal, flirtant avec la troisième toque, illustre deux fois par jour la sereine perfection de la nouvelle cuisine — et quelques roboratifs attraits de l'ancienne. Elle n'excuserait pas davantage qu'il ne lui réserve plus cet accueil (à chacun selon son mérite) virevoltant mais prodigieusement attentif, intelligent et efficace, ces réparties malicieuses, ces conseils si habilement donnés qu'on croit avoir réellement choisi, après qu'il nous les a recommandés, telle merveilleuse salade de ris de veau tiède, de langoustines ou de foie de canard, tel magret à la choucroute, tel râble de lapin escalopé, tel bourguignon aux pâtes fraîches, tel poisson aux courgettes, tel petit vin inconnu et enchanteur. 160 à 190 F.

10/20 L'ENCLOS DU MARAIS

● *3, rue Notre-Dame-de-Nazareth (887.77.91).*
F. dim. Déjeuner seult.

Les bons vieux plats mijotés de nos grands-mères (haricot de mouton, plat de côtes, sauté de bœuf à la bourguignonne, aiguillette de bœuf mode, cassoulet de canard) sont à l'honneur dans cet établissement sage, aimable et raisonnable (60-70 F).

16/20 AU PETIT MONTMORENCY

● *26, rue de Montmorency (272.31.04).*
F. sam. et dim. Jusqu'à 22 h.

Pour Daniel Bouché, 1980 sera un grand millésime. Coup sur coup, il publie à l'Atelier Marcel Jullian un délicieux livre de recettes où il mêle ses souvenirs (L'Invitation à la cuisine buissonnière), et surtout il quitte sa cuisine-placard de la rue de Montmorency (où nous avons accumulé, quant à nous, bien des souvenirs heureux) pour s'installer, 5, rue Rabelais, dans le 8e (tél. 225.11.19), à deux pas de l'avenue Matignon, en face du Jockey Club. Nous aimions bien ce petit bistrot du Marais que nous avions découvert un soir d'été, totalement vide et où, peu à peu, la plus belle clientèle du monde entier est venue défiler, mais il faut bien avouer que le pauvre Bouché, coincé entre son fourneau et son four à pâtisserie, souffrait dans son réduit, où pourtant il arrivait à préparer tout seul un nombre impressionnant de plats extrêmement élaborés sans jamais cesser d'en inventer de nouveaux, car, de tous les très bons chefs parisiens, il est certainement l'un des plus « productifs ». A l'heure où paraît ce livre, peut-être n'est-il pas encore rue Rabelais, mais c'est une question de jours ou de semaines. Tout ce que nous pouvons dire est qu'il n'a pas du tout l'intention de créer un grand restaurant où il pourrait entasser les clients qu'il refusait rue de Montmorency. Il veut simplement s'offrir un peu plus d'espace afin de pouvoir travailler dans de meilleures conditions et soigner au maximum un nombre de couverts limités. Il a également veillé à ne pas trahir l'esprit « bistrot » de la rue de Montmorency et, avec sa femme Nicole, douée comme lui d'une délicatesse et d'une grâce naturelles, il a imaginé un nouveau décor sans la moindre prétention mais auquel ses collections d'objets anciens de cuisine et de gravures à thème gastronomique donnent un cachet tout à fait charmant. Un environnement idéal, en tout cas, pour l'admirable feuilleté au caviar, le homard à la crème de cerfeuil, le clafoutis chaud aux truffes, l'étonnant foie gras de canard au caramel poivré, le tendron de veau aux nouilles et truffes, l'admirable daube de bœuf aux pieds de veau, la terrine de lièvre au rhum, le grandiose pot-au-feu en gelée aux sept viandes, le soufflé aux violettes fraîches, la glace caramélisée au miel, les œufs à la neige au coulis de fraises des bois et tous les autres plats, délicieux et aux goûts toujours nuancés, que Daniel Bouché pourra vous préparer enfin dans l'allégresse. 130-200 F environ.

12/20
LES ROSEAUX

• *14, rue Portefoin (887.61.03).*
F. sam. (à déj.), dim. et jrs fériés. Jusqu'à 23 h 30.

Mettons amicalement en garde Pierre-Jean Lefour contre les dangers que fait peser le modernisme sur la nouvelle cuisine. Il ne suffit pas de mélanger les saveurs et de marier le ris de veau à la mousse d'avocat, faut-il encore conclure des mariages toujours heureux. Notre dernière expérience, soyons francs, ne nous a pas emballés et nous aimerions que tout ici, dans cet amusant petit restaurant-galerie de peinture, soit au même niveau que les forts bons desserts. 130-150 F.

13/20
TAVERNE DES TEMPLIERS

• *106, rue Vieille-du-Temple (278.74.67).*
F. sam. et dim. Jusqu'à 22 h 30.

Le décor « médiéval » de la Taverne nous attire nettement moins que la cuisine raffinée de Michel Cousin. La terrine d'alose et de saumon est délicieuse et l'on trouve ici un gibier particulièrement bien traité : noisette de chevreuil, fricassée de canard aux figues. 120 à 150 F.

Paris 4e

10/20
AUBERGE DE JARENTE

• *7, rue de Jarente (277.49.35).*
F. dim. et lundi. Jusqu'à 22 h.

Le menu à 42 F (vin à discrétion et service compris) est passé à 43 F (sans vin et sans service) et pour 4 F de plus, vous pourrez bénéficier d'une demi-bouteille de vin. Les plats, eux, n'ont guère changé, à ceci près que vous aurez désormais du confit d'oie à la place du confit de canard, et sans aucun supplément cette fois.

13/20
BENOÎT

• *20, rue Saint-Martin (272.25.76).*
F. sam. et dim. Jusqu'à 22 h.

Après avoir longtemps balancé entre la tradition lyonnaise et la tentation moderniste, Michel Petit a trouvé son équilibre en modernisant la cuisine lyonnaise. Et les compotiers de bœuf et de museau, la soupe d'étrilles, la meurette de lapin ou le pintadeau en chartreuse qui vous seront servis dans ce décor de bistrot tout près de la Raffinerie Beaubourg sont d'incontestables réussites. Bons petits vins, accueil amical. Prix assez élevés : 130 à 160 F.

11/20
BOFINGER

• *5, rue de la Bastille (272.87.82).*
Tous les jours. Jusqu'à 1 h du matin.

Belle et luxueuse brasserie dont le décor 1900 des plus authentiques et la situation, à l'orée du Marais, mériterait de Tout-Paris une fréquentation plus assidue. Nous ne détestons pas y manger la choucroute aux vraies saucisses de Francfort, le confit de canard maison, le pot-au-feu et la carré d'agneau. 130 F environ.

11/20
AU BOUGNAT DE SÉVIGNÉ

• *5, rue de Sévigné (272.77.43).*
F. dim. Jusqu'à 23 h.

Des spécialités lyonnaises dont la qualité ne semble pas être très suivie. Essayez l'andouillette et le filet de bœuf en papillote à la moelle et aux cèpes. 100 F environ.

12/20
LE BRISE-MICHE

• *10, rue Brise-Miche (278.44.11).*
F. dim. Jusqu'à 22 h 30.

Brise-Miche : une enseigne malicieuse qui, précisons-le, n'est en rien coquine et rappelle seulement les distributions de pain que faisaient les chanoines de la collégiale voisine. De bons pères qui auraient bien du mal à reconnaître leur quartier depuis que l'on a gommé des rues et que l'Eglise Saint-Merri fait face au mille-feuille pompidolien. Entre les deux, le Brise-Miche compte les points et draine une clientèle d'habitués qui aime se retrouver dans ce bistrot au décor contemporain, tendance « Habitat » (murs de briques, petites tables et grand bar de bois clair). Vous ferez vite partie de la famille si vous aimez les endroits frais et pimpants et la cuisine honnête. Honnête, ce mot ne veut plus dire grand-chose, mais rendons-lui son sens exact en saluant d'abord les bons produits : l'andouille de Vire, le saucisson sec et le jambon de Corrèze, le saucisson fumé à l'ail, la belle sélection de vins et ensuite l'application apportée à la réalisation de plats certes simples mais fort bien tournés : rosbif aux légumes, onglet à l'échalote, foie de veau au vinaigre ou confit de canard. Jolis desserts et prix raisonnables : 70-80 F.

Retenez votre table par téléphone.

13/20
LA CHAMAILLE

● *81, rue Saint-Louis-en-l'Ile (633.35.46).*
F. sam. et dim. Jusqu'à 22 h 15.

Voici une toque rouge que nous ne regrettons pas d'avoir passée sur la tête, encore pas trop grosse, de Pierre Siri. Loin de s'assoupir, ce quadragénaire entreprenant démontre au contraire que sa petite maison paisible et raffinée de l'île Saint-Louis peut prétendre à encore beaucoup mieux. C'est du moins ce que laissent apparaître des plats aussi intelligemment réussis que la mousse de canard aux navets au sauternes, les girolles sautées à l'ail doux, la cassolette de homard frais aux petits légumes, le foie de veau au citron confit à la compote d'oignons, le millefeuille aux fraises et les sorbets maison. Excellents petits vins peu coûteux empêchant l'addition de s'envoler trop loin. (140 F tout de même).

10/20
LA CHARRETTE

● *15, rue Quincampoix (271.31.03).*
F. lundi. Jusqu'à 23 h.

La Charrette fait partie des petits restaurants qui ont éclos sur le pavé des rues piétonnes ceinturant le Centre Pompidou. Un menu à 49.50 F s.c., sans surprise, pour une cuisine à l'ancienne : terrine, frisée aux lardons, filets de hareng servent d'introduction à la fricassée de rascasse, l'andouillette au muscadet ou l'escalope ; on termine par une tarte, une mousse au chocolat ou une glace. Une Charette-sœur dans l'île Saint-Louis, 8, rue Le Regrattier, 4e (329.44.93).

12/20
COCONNAS

● *2 bis, pl. des Vosges (278.58.16).*
F. lundi (à dîner) et mardi. Jusqu'à 22 h 30.

Le plus joli restaurant de la place des Vosges piquait de la tête dans la plus banale des tambouilles. Une hôtesse charmante et un chef compétent : il n'en fallait pas plus à Claude Terrail pour redresser la situation et nous redonner l'envie de retrouver le chemin de Coconnas. Certes, la cuisine n'a pas de grandes ambitions. Elle se veut tout simplement honnête et y réussit, notamment grâce à un menu à 95 F, vin et service compris qui, par sa variété, est assez exemplaire. Pour commencer, une salade de canard aux petits légumes, un tartare de saumon frais macéré au citron ou une salade de blanc de volaille, pour suivre un bon pot-au-feu, un petit-salé de canard ou un turbot rôti et pour finir, un joli assortiment de tartes ou de sorbets. Coconnas fait le plein, à midi et le soir, dans un quartier qui n'est pas facile, c'est un signe qui ne trompe pas.

11/20
LA COLOMBE

● *4, rue de la Colombe (633.37.08).*
F. dim. Jusqu'à minuit.

Vous ne serez pas en paix tant que vous n'aurez pas été visiter La Colombe, qui réunit deux monuments en un. C'est à la fois le plus vieux bistrot de Paris, logé sous une adorable treille, et le musée vivant de la cuisine grande-bourgeoise début de siècle. Par exemple, la caille farcie aux noix, le tournedos en croûte sauce Périgueux et le médaillon Sarah Bernhardt : un filet mignon de veau dans une sauce à la crème déglacée au marasquin et servi sur un toast aux champignons ! Vous aimez ? Il vous en coûtera une bonne centaine de francs.

11/20
LA COUR SAINTE-CATHERINE

● *7, rue Caron (277.46.15).*
F. mardi, merc. (à déj.). Jusqu'à 22 h 30.

La maison, avant de connaître la décadence et les affres d'une anonyme gargote, se pâmait jadis dans le chachlik flambé — et la vodka pour tout le monde ! Un trio juvénile a tout repris à zéro et n'est pas loin de tirer son épingle du jeu. Le décor est charmant, l'ambiance sympathique et la cuisine, si elle n'est pas tout à fait maîtrisée, ne manque pas d'imagination. Qu'elle parie sur la simplicité, plutôt que sur les fâcheux excès de la mode (poulet au melon, veau au miel) et le tour sera joué. Si les petits oiseaux de la place ne le mangent pas, Alain Michaud épanouira son talent dans les salades d'endive, civets de canard et autres sautés d'agneau aux poireaux dont on ne voit vraiment pas pourquoi il devrait avoir honte. 100 à 120 F.

12/20
AUX DÉLICES DE CHINE

● *26, rue des Lombards (278.38.62).*
F. dim. (à déj.). Jusqu'à 23 h.

A deux pas du Centre Pompidou, Victor Chow et son épouse, qui viennent en plus d'ouvrir un très séduisant restaurant au Forum des Halles, proposent maintenant, à côté des spécialités pékinoises, cantonaises ou shanghaïennes pleines de finesse que nous apprécions (caille aux cinq parfums, pinces de crabe grillées ou sautées, crevettes géantes à la sauce pimentée, canard laqué à la pékinoise, langouste à la sauce de haricots noirs, etc.), un certain nombre de préparations à la vapeur, non moins délicates : ravioli aux crevettes, boulettes de porc étuvées, poulet étuvé aux champignons parfumés, brioche au porc laqué, etc. Un conseil : pour profiter au mieux de toutes ces bonnes choses, commandez votre repas 24 h à l'avance. Une soixantaine de francs environ.

13/20
LA FALCATULE

● *14, rue Charles-V (277.98.97).*
F. sam. et dim. Jusqu'à 22 h.

Ce petit restaurant tranquille au cœur du Marais demeure le conservatoire de la plus classique des cuisines : celle que l'on mitonnait, un bon livre de recettes à la main, dans les appartements grand-bourgeois d'avant-guerre : des plats bien faits mais un peu trop sérieux, un rien trop riches, et le plus souvent noyés sous la sauce. Qu'importe puisque une clientèle de fidèles vient toujours se régaler ici de poulette de moules ou de langoustines, de timbale de loup au beurre blanc, de jambon de canard, de rognon de veau sauce poivrade, d'aiguillettes de canard aux fruits. Souhaitons, pour notre part, que cette Falcatule, en renouvelant un peu sa carte, trouve un second souffle. 120-140 F environ.

11/20
GALAN

● *36, bd Henri-IV (272.17.09).*
F. sam. (à déj.) et dim. Jusqu'à 21 h 30.

Saucisson pommes à l'huile, merlan frit, bœuf mode, riz au lait et compagnie. Nous aussi, nous aimons. Du moins, quand c'est bien fait. Ce qui ne semble pas être toujours le cas dans ce petit restaurant très provincial et paisible où vous mangerez également avec des bonheurs divers, de la bouillabaisse, du cassoulet et de l'ailloli. Environ 100 F.

12/20
AU GOURMET DE L'ISLE

● *42, rue Saint-Louis-en-l'Ile (326.79.27).*
F. lundi et jeudi. Jusqu'à 21 h 45.

Jules Bourdeau tient à nous faire savoir, en lettres énormes, que le service n'est pas compris dans son sympathique établissement. Ça ne nous empêchera pas de répéter que c'est, à Paris et a fortiori dans l'île, l'une des maisons dont le « rapport qualité-prix » mérite le plus d'être inscrit à notre tableau d'honneur. Une valeur modeste, donc, mais une valeur sûre, et pour des produits d'une grande fraîcheur. Cuisine de style rustico-bourgeois : barbe de sapeur, andouillette aux haricots rouges, pintade grillée aux lentilles vertes, tourte aux fruits. 70 F environ.

12/20
LE GRENIER SUR L'EAU

● *14, rue du Pont-Louis-Philippe (277.80.96).*
Tous les jours. Jusqu'à 23 h 30.

De douces lumières roses au milieu des plantes vertes. Un service bon enfant et une carte pleine de promesses — pas toujours rigoureusement tenues. Essayez les filets de sole à l'orange ou les bonnes aiguillettes de canard aux mangues. 120 à 130 F tout de même...

12/20
JARDINS DU « M »

● *12, rue des Lombards (277.38.85).*
F. dim. Jusqu'à 22 h 30.

L'annexe bucolique du « M », tout entière vouée au menu — 68 F, service et vin du patron servi à volonté compris — particulièrement varié, avec plus de vingt hors-d'œuvre différents (avocat à l'oignon, achard de légumes, caviar d'aubergine, céleri au fromage blanc, poivrons sautés) et de nombreux plats du jour qui témoignent d'une certaine recherche : fricassée de pintadeau aux écrevisses, blanquette de roussette, navarin de bœuf aux pâtes fraîches, gigot d'agneau, etc. Pour le même prix, vous aurez droit à un fromage ou à un dessert : sorbet aux fruits de saison ou gâteau glacé au chocolat, par exemple.

12/20
CHEZ JULIEN

● *1, rue du Pont-Louis-Philippe (278.31.64).*
F. dim. Jusqu'à 23 h.

Le charme d'une boulangerie d'autrefois qui a conservé son exquis décor et où l'on sert à des prix tout à fait honnêtes une cuisine qui ne l'est pas moins. Le menu à 75 F s.c. est d'un assez remarquable rapport qualité-prix mais vous pouvez aussi, à la carte, dépenser une bonne centaine de francs, avec de la tarte aux poireaux, du feuilleté de ris de veau, de la cassolette de canard, de la raie au beurre rouge, du civet de lapin, des œufs à la neige. Bien agréable, en tout cas, pour un déjeuner d'affaires inhabituel ou un dîner d'amoureux.

12/20
KING MERRI

● *23, rue Saint-Merri (272.80.36).*
F. lundi (à dîner) et mardi. Jusqu'à 22 h 15.

L'aspect d'un petit snack bien fignolé, mais dans le fond de la salle quelques tables où l'on vous sert le plus aimablement du monde une cuisine fraîche, franche et soignée. Avec une terrine de légumes, un plat du jour (par exemple un petit salé) ou encore un magret aux pêches, une excellente tarte Tatin et un honnête petit vin, on dépense environ 85 F. Clientèle très « Beaubourg ».

12/20
M

● *14, rue des Lombards (278.44.68).*
F. dim. et jrs fériés. Jusqu'à 23 h 30.

Il ne suffisait pas de creuser le sol d'un des plus vieux quartiers de Paris, ni même d'y découvrir de beaux vestiges de la chapelle souterraine de l'ancienne prison Saint-Merri. Fallait-il encore y faire venir les Parisiens, peu enclins sans doute à s'égarer dans cette rue « chaude ». Mais le quartier Beaubourg s'est transformé, la rue des Lombards, devenue piétonnière, a perdu la majorité de ses « piétonnes », et surtout, François Le Bret a su réunir dans son restaurant à l'enseigne énigmatique (« M » est, paraît-il, sa lettre porte-bonheur) tout ce qui peut séduire les Parisiens du soir : un grand bar élégant, à l'entrée, des couleurs chaudes, la surprise, au sous-sol, d'un décor de piliers et de voûtes gothiques, des tables dressées avec un grand raffinement et où l'on soupe aux chandelles. La cuisine s'est considérablement affinée et a pris même un tour original, avec, par exemple, le saumon fumé à l'avocat tiède, le foie gras aux épinards cuit à la vapeur, l'embeurrée de poissons aux choux verts, la rognonnade de veau au cassis ou l'aiguillette d'oie aux abricots. Cela vaut presque une toque mais nous attendrons que le chef, Claude Davin, noie un peu moins ses plats dans le beurre (en tout cas, félicitons-le de ne pas mettre de farine dans ses sauces). Un très bon agneau de lait rôti à la purée d'ail et d'estragon et d'excellents vins à des prix très étudiés (30 F le côtes-de-Buzet 72, 66 F le délicieux Auxey-Duresses 77 de chez Roulot). 130-150 F en moyenne.

12/20 LE MONDE DES CHIMÈRES

● *69, rue Saint-Louis-en-l'Ile (354.45.27).*
F. sam. et dim. Jusqu'à 22 h 30.

Avec leur nouveau chef made in U.S.A., Jeannine Coureau et son amie Francine s'efforcent de maintenir la bonne petite réputation qu'avait acquise leur jolie maison avec l'aide de Jacques Manière. Le style est encore cependant indécis et les cuissons — à la vapeur pourtant — un peu longues. De beaux poissons, des produits de saison et quelques spécialités amusantes comme le hareng cru au poivre vert, le foie de veau à la vapeur et le délicieux jarret de veau au citron. 120 F environ.

13/20 L'ORANGERIE

● *28, rue Saint-Louis-en-l'Ile (633.93.98).*
Dîner seult. Jusqu'à minuit 30.

On y rencontre parfois le propriétaire, Jean-Claude Brialy, et ses brillants amis, mais M. Miguel fait tourner plus régulièrement cette très charmante maison de l'île décorée avec quelques jolis objets et tableaux. Quelques nouveaux plats à côté de la célèbre côte de bœuf du menu, dans un esprit moderne et raffiné, comme le navarin de lotte aux petits légumes, la cassolette de poissons au basilic, la belle viande rouge. Prix raisonnablement augmentés : 145 F, vins et service compris.

12/20 LE TOURTOUR

● *20, rue Quincampoix (887.82.48).*
Tous les jours. Jusqu'à 1 h 30 du matin.

Une formule intelligente et bien rodée par un ancien d'H.E.C., Jean-Pierre Dumas, qui a fait de cette vieille maison de la rue Quincampoix un restaurant élégant et une table à prix très modérés. Pour 48,20 F en effet, il vous sert, par exemple, de bonnes rillettes d'oie, un train de bœuf sauce Tourtour, pommes frites et un sorbet de chez Berthillon. Avec un gamay de Touraine (30 F) ou un saumur champigny (34 F), on est assuré de faire un honnête repas sans se ruiner. Mais il existe également une carte avec quelques plats sympathiques (saumon poché au fenouil, selle d'agneau aux poireaux) qu'on arrosera d'un bon Château-Soutard 1973 à 75 F seulement.

10/20 LE TRUMILOU

● *84, quai de l'Hôtel-de-Ville (277.63.98).*
F. lundi. Jusqu'à 21 h 30.

Pas de changement intempestif à la carte de ce vieux bistrot de quartier. Vous y trouverez — et c'est très bien ainsi — la même potée auvergnate, le chevreau à la provençale, le cassoulet « maison », toujours aussi honnêtement préparés. Autour de 50 F.

13/20 LES URSINS DANS LE CAVIAR

● *3, rue de la Colombe (329.54.20).*
F. dim. et lundi. Jusqu'à 23 h 30.

Christine, la jolie cuisinière de cette charmante et vieille maison de l'île de la Cité, n'a plus d'associé et est donc seule dans ses meubles. Des meubles d'ailleurs ravissants qui, avec des gravures anciennes et d'élégants bibelots, font de cette petite salle un véritable magasin d'antiquités. La différence est qu'on ne peut plus rien y acheter, si ce n'est les plats très sympathiques que ce petit bout de femme prépare — et réussit — avec beaucoup de finesse. Une délicieuse terrine de foies de volaille, du porcelet en gelée, des moules gratinées sur des feuilles d'épinard, du chevreau à la provençale, du foie de veau à la crème de poireau, un exquis pigeonneau de Bresse à l'ail en chemise et, pour terminer, de bons desserts parmi lesquels des glaces et sorbets de Berthillon : voilà qui vous conduira à dépenser pour une soirée de charme 120 à 140 F et moins si vous suivez le menu (85 F) fort bien composé et susceptible d'attirer les déjeuners d'affaires peu conventionnels.

Toques blanches = cuisine classique.

12/20
VOLTERRA

● *25, rue Charles-V (272.71.81).*
F. lundi. Jusqu'à 22 h.

12/20, oui, mais un très gros 12 (nous ne servons pas de demis dans ce Guide de Paris), et qui très bientôt se transformera probablement en confortable 13, avec une toque à la clé, pour peu que la cuisine préparée entre les vieilles poutres et les vieilles pierres de ce délicieux endroit du vieux Marais continue d'utiliser de beaux produits et de se démarquer de la cuisine franco-italienne habituellement proposée à Paris (notamment grâce à un intéressant choix de plats de viandes et de volailles). Avec chaque plat (tagliatelle, spaghetti sauce piquante, porc grillé aux haricots à l'huile, côte de bœuf florentine, hors-d'œuvre à l'italienne, etc.) est servi un généreux verre du vin qui lui convient le mieux, les crus étant tous choisis chez les propriétaires. Confort simple et douillet. Service primesautier. Additions assez allègres, elles aussi (facilement plus de 100 F).

Paris 5e

13/20
ATELIER MAÎTRE ALBERT

● *1, rue Maître-Albert (633.13.78).*
F. dim. Dîner seult. Jusqu'à minuit.

Une formule réellement astucieuse puisque pour 80 F, vin compris, on dîne (même tard, après le spectacle) à la lueur des chandelles dans un décor agréable : magnifique cheminée blanche et poutres anciennes. Une cuisine très soignée et qui sort même des sentiers battus : salade de mâche aux coquilles Saint-Jacques tièdes, excellente poêlée d'agneau à l'estragon, bon brie de Meaux, belle assiette d'œufs à la neige et une demi-bouteille de gamay de Touraine. Difficile pour 80 F de faire mieux. Une addition qui attire un public d'un peu partout dont on mentirait si l'on disait qu'il est celui de chez Maxim's.

13/20
AUBERGE DES DEUX SIGNES

● *46, rue Galande (325.46.56).*
F. dim. et lundis fériés. Jusqu'à 23 h.

Ancien « charbonnier », M. Dhulster est maître chez lui, ce dont personne ne se plaindra car c'est le meilleur des hommes et il aime tellement son auberge que chaque année il l'embellit un peu plus. Cette fois, c'est l'argenterie qui a bénéficié de ses largesses et bientôt, il aura une autre cave, jouxtant ses celliers du Moyen Age, vestiges de la chapelle Saint-Blaise où s'ordonne sur deux niveaux cette belle auberge au décor discret et à l'atmosphère chaleureuse mais paisible. La cuisine se partage équitablement entre les vieux plats du Massif Central (lentilles au lard, talmouse, tripoux de Maurs, cuisse d'oie fumée, etc.) et son opposé, la cuisine légère (terrine de daurade à la julienne de légumes, rouget en papillote au fenouil, noisette d'agneau aux artichauts). Le foie gras « maison » est remarquable et la vue (au premier étage) sur Notre-Dame ne l'est pas moins.

10/20
LE BALZAR

● *49, rue des Ecoles (354.13.67).*
F. mardi. Jusqu'à minuit trente.

Chaleureuse et bruyante, une vraie brasserie comme on les aime : banquettes de moleskine et cuivres bien astiqués. On y rencontre tout le monde : comédiens, « intellectuels », jolies femmes, vieux habitués du Quartier, venus se faire servir, par une escouade empressée de garçons en gilet noir et long tablier blanc qui les saluent par leur nom, un cervelas rémoulade, un foie de veau provençale ou une raie au beurre noir. Addition très raisonnable : 60 à 80 F environ.

16/20
LE BERNARDIN

● *35, quai de la Tournelle (633.36.42).*
F. dim. et lundi. Jusqu'à 23 h 30.

L'hiver dernier, Gilbert Le Coze et sa sœur, la belle Maguy, avaient presque décidé de tout planter-là et d'aller s'installer à New York. Ils en avaient assez de leur petit restaurant-couloir où, tous les jours, ils refusent du monde. Heureusement, ils ont remisé leur rêve américain. Peut-être un jour trouveront-ils à Paris un plus grand restaurant à leur mesure mais pour l'instant, ils se cramponnent à leur joli petit Bernardin qui est un peu devenu la cantine de la mer du Tout-Paris et des copains de Gilbert et Maguy. Etonnant duo que celui de ces deux Bretons qui font la bise aux vedettes, vont danser chez Castel et boire un dernier verre au Paradis Latin, chez leur ami Jean-Marie Rivière. Ils travaillent en fait comme des forcenés, et tous ses confrères peuvent en témoigner : quand l'aube se lève sur Rungis, Gilbert est toujours là le premier, pour rafler les meilleurs poissons et les plus beaux crustacés. Loin de l'endormir, son succès lui a donné des ailes. On parle toujours de ses huîtres merveilleuses, de ses oursins verts de Bretagne, de ses civelles et de ses plateaux de fruits de mer. Oui, sans doute mais il n'a que le mérite de les trouver. Or, il est devenu au fil des ans un très bon cuisinier, qui a le sens parfait des cuissons, un saucier remarquable qui traite le poisson avec un art consommé des nuances, lui apportant, ici avec des truffes, là avec de la menthe fraîche ou de la coriandre, une grâce supplémentaire mais jamais rien de superflu. Oubliez donc pour une fois ses « plates », ses tourteaux, ses équilles et goûtez sa cuisine, ses coquilles Saint-Jacques aux truffes, son étonnante fricassée de coquillages, son escalope de saumon à l'oseille, son admirable turbot au curry, son saint-pierre à la coriandre et son assez sublime gâteau au chocolat car ce marin breton aurait pu devenir un pâtissier de première force. Mais si vous avez envie d'un steak, n'insistez pas. La maison ne sert pas de viande. Lisez attentivement la carte des vins qui pense aussi à ceux qui aiment boire un bon bordeaux rouge avec un plat de poisson. Elle est petite mais d'une qualité rare chez un spécialiste de la mer (de plus, les grands vins sont à des prix plutôt raisonnables : 126 F le superbe Haut-Batailley 70, 130 F le La Conseillante 73, 250 F le sublime Pétrus 74). Carte : environ 140 F (le plateau de mer : 100 F).

15/20 LA BÛCHERIE

● *41, rue de la Bûcherie (354.78.06).*
Tous les jours. Jusqu'à 1 h du matin.

Convenons avec quelques-uns de nos lecteurs que l'espace est un peu trop compté dans cette jolie Bûcherie, au point que les serveurs disent avoir des talents d'acrobates. Rançon d'un succès que justifient plus que jamais la sagesse des additions et l'intelligente et légère cuisine de Bernard Bosque, du simple foie de veau poché au pot-au-feu de faisan, du sandre à la rhubarbe au foie gras chaud aux pêches, du feuilleté d'asperge au caviar au navarin de ris de veau. Excellents vins, grands et petits. Signalons que même à l'heure du thé, même très tard le soir, les petites salles sont combles et qu'il convient de réserver. 100 à 120 F.

11/20 LE BUISSON ARDENT

● *25, rue Jussieu (354.93.02).*
F. sam. (à déj.) et dim. Jusqu'à 21 h 30.

Bernard Héligon, un jeune Breton, sait maintenir ses prix et la qualité de ses plats d'une rigoureuse honnêteté : turbot au beurre blanc, gigot d'agneau au gratin dauphinois, foie de veau à l'échalote, rognon de veau à la dijonnaise, frisée aux lardons... 70 F à 80 F.

12/20 LE COUPE-CHOU

● *11, rue de Lanneau (633.68.69).*
F. dim. Jusqu'à 1 h du matin.

Ces messieurs du Coupe-Chou nous expliquent : « Nous allégeons nos sauces qui sont faites sans farine, mais avec beaucoup de soin »... Bravo. Le cuisine, en tout cas évolue dans le bon sens, plus inventive, plus légère sinon plus simple. Décor ancien, voûtes, cheminées, lumières tendres, aussi agréable au déjeuner que le soir. La toque, peut-être, n'est pas très loin. Jugez-en avec les filets de loup et de saumon, la sole au thym frais, le rouget à la crème de saumon, le gigot de poulet aux pruneaux au basilic, l'agneau à la menthe fraîche et le soufflé glacé aux fraises. 130-150 F.

17/20 DODIN-BOUFFANT

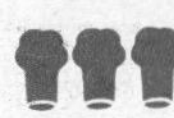

● *25, rue Frédéric-Sauton (325.25.14).*
F. sam. et dim. Jusqu'à minuit 45.

Eprouverions-nous pour Jacques Manière une tendresse et une admiration excessive ? Quelques lecteurs semblent le penser qui critiquent sévèrement Dodin-Bouffant, son décor « froid », « impersonnel » (ce n'est pas complètement faux), son service « cafouilleux » (en effet, cela arrive), et s'en prennent même à la cuisine. Sur ce dernier terrain nous ne les suivrons pas car ayant pris depuis des années chez Manière plus de repas que ses détracteurs, nous savons à quoi nous en tenir. Néanmoins, nous devons une explication : Jacques Manière a été sévèrement éprouvé par un accident qui a nécessité plusieurs interventions sérieuses. Avec un courage magnifique, il a chaque fois fait face, mais il est bien évident que malgré l'extrême compétence de son directeur, Maurice, et le talent de son équipe de cuisine, Manière sans Manière n'est plus vraiment Manière. D'où, quelquefois, des bavures et plus généralement, un état d'esprit un peu différent de celui que l'on connaissait et aimait. Manière, heureusement, est un homme invincible et quand il nous a dit l'autre jour qu'il retournait le matin à Rungis et qu'il y avait soulevé pour la première fois depuis longtemps une caisse, nous avons compris qu'à nouveau Dodin serait sans reproche. Un nouveau repas — feuilleté d'huîtres, ris de veau « à ma façon », grande assiette de desserts — est venu d'ailleurs le confirmer. En vérité, c'était à peine nécessaire car sur les dizaines et les dizaines de repas que nous avons fait chez lui depuis que nous le connaissons, rares sont ceux qui nous ont déçus. Le décor, c'est vrai, ne ressemble pas à la cuisine et il faudra qu'un jour, Manière y songe. Et il y a dans sa salle trop de jeunes serveurs inexpérimentés. Cela aussi doit être revu. Grâce à une sélection de très bons vins à des prix étonnamment sages, l'addition tourne autour de 150 F.

11/20 LES « DUC »

● *4, rue Saint-Séverin (633.04.03).*
F. dim. (à dîner). Jusqu'à 22 h 30.

Une cuisine authentiquement saïgonnaise ser-

Retenez toujours votre table à l'avance.

vie dans un décor assez misérable et sur toile cirée. Nous vous conseillons plus spécialement les boulettes de crevettes aux légumes, les nouilles croustillantes au porc, bœuf ou crabe, et le pho qui est une soupe typiquement tonkinoise. Une trentaine de francs.

10/20
ESCALE DE CANTON

● *10, rue Lagrange (326.92.47).*
F. mercredi. Jusqu'à 23 h.

Une escale amusante et à des prix des plus modestes (autour de 50 F). Les dim-sum, « estouffades » de viandes ou de poissons cuites à la vapeur (six francs en moyenne) dont joliment présentés dans des paniers de bambou et servis avec une grande gentillesse.

12/20
AUX ILES PHILIPPINES

● *17, rue Laplace (633.18.59).*
F. lundi. Dîn. seult. Jusqu'à minuit.

La Chine, la Malaisie, l'Inde, l'Indonésie et même l'Espagne se sont glissées dans la marmite des Philippines pour créer une cuisine qui ne ressemble à aucune de celles-là et trouve le moyen d'avoir son accent propre. Vous aimerez le potage aux grosses crevettes, délicieusement acidulé, le crabe à la crème, le canard mariné aux herbes et cuit au four, l'agneau aux épices, beaucoup moins les escargots au lait de coco et énormément le gâteau au chocolat. Charmant décor, exotique sans pacotille, au bord d'un patio-jardin où l'été, on dîne au frais, servi par des Philippins agités qui sourient en français. Environ 80 F. Bon menu à 72 F (vin et s.c.).

13/20
LA MARÉE VERTE

● *9, rue de Pontoise (325.89.41).*
F. dim. et lundi (à déj.). Jusqu'à 21 h 45.

Après avoir travaillé dans la « haute couture » au Pactole, puis au Dodin-Bouffant, Jacques Manière se lance dans le « prêt-à-porter », en ouvrant ce restaurant à prix fixe, démontrant qu'il est possible de faire une bonne cuisine avec des produits frais et des additions raisonnables. Il a, pour ce faire, construit une carte courte, avec un foie gras superbe et des huîtres fraîches qui sortent des cuisines et des viviers du Dodin-Bouffant, avec des plats qui sentent bon le marché, un poisson du jour qui varie avec la marée et des viandes avec l'imagination de Manière (délicieux chou farci, tête de veau, foie de veau parfaitement cuit, accompagné de gratin de pommes de terre). Les fromages sont bons, le gâteau au chocolat avenant, le sorbet au cassis un peu froid et le gamay de Marionnet se laisse boire. Décor frais et « écologique », qui supporte assez mal un éclairage bien pesant et des tables bien serrées. Table d'hôte pour ceux qui arrivent le nez au vent. Environ 100 F.

12/20
MOISSONNIER

● *28, rue des Fossés-Saint-Bernard (329.87.65).*
F. dim. (à dîner) et lundi. Jusqu'à 21 h 30.

Un lecteur affirme que c'est à nous et à nous seuls que Louis Moissonnier réserve son accueil grognon. Cela tombe mal car, au contraire, nous l'avons toujours trouvé fort aimable et ce sont des lecteurs qui l'an passé se plaignaient — à tort ou à raison — de l'accueil. Tournons la page et revenons dans ce gentil bistrot d'un autre âge (l'ère beaujolaise) manger une solide cuisine lyonnaise (saladiers lyonnais, pieds de mouton ravigote, tablier de sapeur, onglet poêlé) qui passe toute seule, en même temps que les excellents beaujolais du patron. Environ 100 F.

16/20
LE PACTOLE

● *44, bd Saint-Germain (633.31.31).*
F. sam. et dim. Jusqu'à 23 h.

Roland Magne qui a succédé, on s'en souvient, à Jacques Manière, modernise son style, bouleverse sa carte et, avec par exemple, une délicieuse terrine d'avocat au kiwi, un pot-au-feu de poisson au basilic, de la compote de lapereau aux légumes ou du magret de canard au vinaigre de framboise, nous donne l'occasion de rougir sa toque. Cela ne l'empêche pas de songer à ceux qui ne peuvent plus dépenser 140 ou 160 F pour un repas et de leur proposer un très bon menu à 90 F, service compris, qui, avec une excellente entrée, un plat du jour bien mitonné (si ce jour-là, il vous propose de la fricassée de chevreau à la menthe fraîche, sautez sur l'occasion, c'est un plat exquis) et par exemple un délicieux gâteau au chocolat et aux cerises confites, est exemplaire. Un intéressant choix de vins dont certains à des prix très raisonnables comme l'excellent bourgueil de Paul Maître.

11/20
LE PETIT NAVIRE

● *13, rue des Fossés-Saint-Bernard (354.22.52).*
F. dim. et lundi. Jusqu'à 22 h.

Si ce n'est lui, c'est son chef et patron, le brave Cousty, qui a des jambes. Il court chaque matin aux Halles pour en rapporter de quoi confectionner d'honnêtes, fraîches et immuables bourrides, joues de raie en blanquette, aiolli (parfois), tapenade ou saint-pierre à l'oseille. Décor très marin et prix serrés au plus près : 80 à 100 F.

12/20
LE PETIT PRINCE

● *12, rue Lanneau (354.77.26).*
F. mardi. Dîner seult. Jusqu'à 1 h du matin.

Rien de changé, fort heureusement : décor aimable, accueil tout en douceur et cuisine à la mode de chez nous, de style nouvelle grand-mère : cassolette d'escargots à l'oseille, salade de saison aux coquilles Saint-Jacques tièdes, lotte au concombre, magret de canard à l'orange, blanquette, potée, pot-au-feu, charlotte au chocolat. 100 F environ.

12/20
PORT SAINT-BERNARD

● *1, rue de Poissy (326.37.28).*
F. sam. (à déj.). Jusqu'à 22 h 15.

La soupe aux choux et les tripoux de Maurs (au safran) hissent sur ce décor aimablement rustique le drapeau de la cuisine auvergnate et rouergate. Laquelle contribue — avec le magret de canard et la tarte à l'envers — à de bons gros repas qui tiennent à l'estomac, réchauffent le cœur et reviennent à une centaine de francs environ.

10/20
LE POT DE TERRE

● *22, rue du Pot-de-Fer (331.15.51).*
F. dim. Dîner seult. Jusqu'à 1 h du matin.

Si vous aimez le style troubadour et les vieilles chansons françaises, vous ne serez pas déçus et c'est en chantant vous-même que vous attaquerez les cuisses de grenouilles et les escargots. Environ 120 F.

12/20
LE PUITS DES ARÈNES

● *9, rue des Boulangers (633.17.79).*
F. sam. (à déj.) et dim. (à dîner). Jusqu'à 23 h.

Rien à dire, sinon du bien, de la carte astucieusement conçue où se reflète la personnalité d'un jeune chef très adroit, Pascal Loué, qui fut saucier au Relais de Sèvres-Sofitel. Ses plus belles réussites se nomment : ballotine de canard au poivre rose, terrine de lapin, bisque d'étrilles, coquilles Saint-Jacques à la nage au cerfeuil, ragoût de lotte, saucisson de pattes de grenouilles au beurre blanc. Carte des vins assez variée. Décor biscornu et sombre, éclairé le soir aux chandelles. 110 F minimum.

10/20
LE RACARD (Crans-sur-Seine)

● *20, rue Descartes (325.27.27).*
F. dim. Dîner seult. Jusqu'à minuit 30.

Pour une bonne et gentille petite fondue dans une atmosphère bien suisse et reposante. Raclette, tarte aux myrtilles, sorbet à la poire. 70-80 F.

13/20
CHEZ RENÉ

● *14, bd Saint-Germain (354.30.23).*
F. sam. et dim. Jusqu'à 22 h 15.

On était serrés comme harengs en caque, c'était bruyant et pas très confortable mais bigrement sympathique. Adieu, bistrot ! René est aujourd'hui un « vrai » restaurant avec moquette fleurie, fers forgés, doubles rideaux et W.C. qu'on est fier de vous faire visiter. Bon... En tout cas, l'assiette de cochon, les délicieuses andouillettes au pouilly, l'entrecôte Bercy, le haricot de mouton du mardi ou la blanquette du vendredi sont toujours là, préparés avec la même honnêteté, et c'est l'essentiel. Et M. Cinquin n'en a pas profité pour gonfler ses additions. Comptez environ 80 F.

10/20
LA TAVERNE DESCARTES

● *35, rue Descartes (325.67.77).*
F. sam. (à déj.). Jusqu'à minuit.

C'est le fils du père Vellu, installé, lui, au pied de la Montagne. Ce fils confectionne une convenable cuisine passe-partout et pas trop coûteuse, s'exprimant à travers deux menus et une courte carte où figurent, entre autres, le jambon cru, le sauté d'agneau aux aubergines, le cœur de gigot au beurre d'ail. 60 F environ à la carte.

10/20
LA TAVERNE DU POTIER

● *10, rue Laplace (633.04.95).*
F. dim. Jusqu'à 22 h.

Une bonne grosse cuisine, familiale et honnête (daube, bourguignon, cassoulet), servie dans un décor « médiéval » revu 5e République — progrès oblige. 60 F en moyenne.

18/20
LA TOUR D'ARGENT

● *15-17, quai de la Tournelle (354.23.31).*
F. lundi. Jusqu'à 22 h 30.

Sauf pour le journaliste américain Tom Curtiss qui, habitant l'immeuble depuis toujours, y a son rond de serviette, un dîner à La Tour d'Argent est une fête à laquelle on se prépare de longue date. On téléphone huit jours à l'avance, on implore pour obtenir la meilleure table, près de la verrière, face à Notre-Dame et le jour dit, avec sa plus belle cravate et, à son bras, la femme de ses rêves, on grimpe au sixième ciel, déposé, en un soupir, par un ascenseur aussi distingué qu'une chaise à porteurs. Il y a dans ce salon, suspendu au-dessus de la Seine illuminée, une sorte de magie à laquelle les plus bla-

Toques rouges = nouvelle cuisine.

sés n'échappent pas, mais bien sûr, on pourrait toujours évoquer la tendre complicité de la nuit et la tromperie des éclairages tamisés qui font les femmes toujours belles et les hommes toujours exquis. Or, notre vice à nous, c'est d'aller déjeuner à La Tour d'Argent et de constater chaque fois que, contrairement à ces beautés surprises trop tôt au lever du lit, son charme opère en plein jour. Que ce monde somme toute irréel, où scintillent les bijoux et volent les billets de cinq cents francs, ne s'évanouisse pas sous la lumière crue est, peut-être, le plus grand compliment qu'on puisse adresser à Claude Terrail, à son décor et, surtout, à son escadron de maîtres d'hôtel, de garçons et de sommeliers qui, comme de bons comédiens, donnent l'illusion de ne jamais jouer la comédie. Un matin, profitez de ce que votre femme soit passée chez son coiffeur la veille, appelez-là depuis votre bureau et invitez-la, au débotté, à déjeuner à La Tour d'Argent. Elle se souviendra longtemps de cet impromptu. Vous aussi, d'ailleurs... Mais est-ce bien le moment de parler d'argent ? Jetons un voile pudique sur les additions de La Tour (cette année, les plats sont chiffrés autour de 150 F et une addition de 500 F par personne n'a rien que de très banal) et parlons plutôt de notre dernier repas qui fut parfait de bout en bout : merveilleux homard Lagardère (un homard froid coupé en petits cubes et servi dans sa carapace, nappé d'une mayonnaise aux herbes d'une légèreté et d'une finesse exceptionnelles), caneton Bourdaloue à la julienne de citron, trop cuit mais tellement tendre et tellement bon que cette surcuisson devenait presque sans importance (en revanche, les pommes soufflées, de tradition à La Tour, ne parviendront jamais à nous émouvoir), enfin, pour conclure, une délicieuse poire Charpini. Le tout, arrosé d'un grandiose Corton-Charlemagne 1974. Précisons, quand même, que nos repas à La Tour n'ont pas tous été aussi inspirés. Nous avons souvenir, notamment, d'un œuf Mornay et d'une sole Cardinal peu glorieux. Mais est-il besoin de rappeler qu'on vient ici manger du caneton, accommodé de seize ou dix-huit manières différentes, et pour lequel Georges Harray qui, depuis trente ans, célèbre le « rite canardier » ne manquera pas de vous remettre un carton numéroté (le premier dont Terrail ait conservé la trace fut remis à Edouard VII en 1890 et portait le n° 380. Aujourd'hui, on atteint les 560 000. Le caneton de Raymond Barre, en 1976, portait le numéro 503 844 et celui de Simone Weil, en 1976, le numéro 516 776...). Le repas fini, vous descendrez, bien entendu, dans les caves — les plus belles de Paris — où un « son et lumière » vous contera spirituellement l'aventure du vin. N'oubliez pas que La Tour d'Argent affiche complet tous les soirs (c'est aussi pour cela que nous préférons les déjeuners : on y est « entre soi » et les touristes — distingués — se fondent dans le décor). Aussi est-il indispensable de retenir à sa table longtemps à l'avance. Ah, nous allions oublier de parler de la « cave à cigares ». Claude Terrail devrait au plus vite offrir une, digne de La Tour, la sienne ne ressemble à rien.

12/20

CHEZ TOUTOUNE

● 5, rue de Pontoise (326.56.81).
F. dim. et lundi. Jusqu'à 22 h 30.

Dans sa salle minuscule, la blonde Toutoune offre son sourire provençal et son menu unique à 50 F, renouvelé chaque jour et comprenant cinq services : la soupière (par exemple un tourin à l'ail), les entrées (terrines, confiture de cochon, tarte aux moules), les plats du jour (un très bon chou farci, un poisson du marché, un morceau du boucher), le fromage et, enfin, un dessert. Simple et bon. Avec un pichet de minervois et le service, il vous en coûtera environ 65 F.

12/20

LES TRABOUCAYRES

● 12, rue de l'Hôtel-Colbert (354.61.99).
F. dim., et lundi (à déj.). Jusqu'à 23 h.

Si vous fermez les yeux sur l'accueil un peu bourru de M. Escoffier (nom dont il n'est pas peu fier), sur le service un peu élémentaire et sur le décor alliant la pierre au fer forgé, ouvrez-les tout grand, en revanche, devant le superbe menu qui vous est proposé pour une soixantaine de francs, avec, par exemple, des filets de lisette marinés, un feuilleté d'asperge au beurre d'échalote et citron vert, un sorbet champagne, du ris de veau en navarin et pour finir, un soufflé glacé à la fraise. Un excellent rapport qualité-prix, en dépit de quelques petits problèmes de cuisson que le jeune chef venu de chez Beauvilliers devrait pouvoir résoudre. Environ 110 F.

12/20

LA VALLÉE DES BAMBOUS

● 35, rue Gay-Lussac (354.99.47).
F. mardi. Jusqu'à 22 h 15.

Les chinoiseries du décor n'ôtent rien à la délicatesse des nombreux dim-sum à la vapeur, des viandes laquées (porc, cochon de lait, canard) et des bonnes crevettes grillées au poivre. Vous dépenserez dans cette Vallée une soixantaine de francs.

Attention !
Certains restaurateurs changent, sans crier gare, leur jour de fermeture ou la date de leurs vacances. Téléphonez-leur donc pour être assuré de l'ouverture du restaurant.

Paris 6e

15/20
ALLARD

● *41, rue Saint-André-des-Arts (326.48.23). F. sam. et dim. Jusqu'à 22 h 30.*

Le dernier grand bistrot de Paris, serein, immortel. Toujours complet pour qui a la naïveté de ne pas retenir au moins 24 h à l'avance, toujours accueillant à la riche clientèle plus ou moins parisienne et souvent bruyante qui, sous le regard paternel d'André Allard, mange la généreuse et ultra-traditionnelle cuisine de la bonne Fernande. A gauche en entrant, décor émouvant de l'ancien bistrot, plus élégant, à droite. Si vous aimez la vraie cuisine bourgeoise, vous serez comblés avec les terrines faites à la maison, le gras double, les poissons au beurre blanc, le canard aux navets, la charlotte au chocolat. 150 F environ.

10/20
L'ASSIETTE AU BŒUF

● *22, rue Guillaume-Apollinaire (260.88.44). Tous les jours. Jusqu'à 1 h du matin.*

Il y a toujours foule pour manger au ratelier de ce Bœuf. Il faut dire qu'on peut difficilement rêver situation plus pleine d'agréments : la place Saint-Germain et le clocher du village presque au bout de son assiette. Il faut aussi, bien sûr, ajouter que le prix du menu à 33,25 F s.c. (lequel grimpe d'ailleurs régulièrement de quelques centimes sans qu'on y prenne garde et sans qu'il soit d'ailleurs besoin de crier au scandale : ainsi va le coût de la vie...) est loin d'être décourageant. Salade aux pignons, cœur d'aloyau sauce « bœuf » et pommes allumettes « fraîches » : tout cela est bien convenable et mérite un petit coup de béret à Michel Oliver, le grand gardien de ce troupeau d'Assiettes au Bœuf.

11/20
ATHÈNES

● *13, rue Serpente (354.52.76). F. lundi. Jusqu'à 23 h.*

Un des rares bistrots grecs de Paris où nous mettons les pieds sans arrière-pensée. Le sympathique Alex y est certes pour beaucoup et aussi sa façon de préparer les kebabs, l'agneau en papillote ou le poêlon d'aubergines. Agréable décor refait récemment. 70-80 F.

12/20
L'ATTRAPE-CŒUR

● *9, rue Christine (354:43.42). F. dim. Dîner seult. Jusqu'à 1 h du matin.*

Joli décor 1930 et clientèle jeune pour une cuisine en progrès constant et sans cesse renouvelée (terrine de rouget barbet, ris de veau aux petits légumes). De là, cette année, un point supplémentaire qui ne nous paraît pas volé. Nombreux plats classiques également (canard aux navets, daube de porc aux aubergines, bavette à l'anchoïade). Une centaine de francs.

11/20
LE BILBOQUET

● *13, rue Saint-Benoît (548.81.84). F. dim. Dîner seult. Jusqu'à 1 h 30 du matin.*

Une salle chaleureuse où, du haut de la loggia, on observe les jolies filles tout en écoutant une très bonne musique de jazz qui fait oublier une cuisine assez convenue et passe-partout, dont la qualité semble suivre un rythme temporel réglé sur des lois qui restent à découvrir : terrine de canard à la pâle saveur, bœuf gros sel assez agréable, aimable foie de veau au vinaigre de xérès, assez bon desserts et addition confortable : 100 à 120 F.

11/20
BISTRO DE LA GARE

● *59, bd du Montparnasse (548.38.01). Tous les jours. Jusqu'à 1 h du matin.*

On connaît désormais la formule conçue par Michel Oliver — ici et ailleurs — : pour une cinquantaine de francs on vous sert une entrée, par exemple une amusante terrine de légumes frais, puis une belle viande grillée aux pommes allumettes et un des nombreux et beaux desserts. Le décor 1900 de l'ancien Rougeot est toujours étonnant, rafraîchi et complété grâce au génie de Slavik. Atmosphère gaie, assez élégante (c'est cantine du « Point ») et carrément bruyante. Gentils petits vins.

12/20
BISTRO D'ISA

● *3, rue Saint-Benoît (260.80.83). F. dim. Jusqu'à minuit 30.*

Un décor tendre de jardin d'hiver, se reflétant dans les miroirs où l'on aperçoit à l'occasion un visage connu de Saint-Germain-des-Prés. La gourmande Isa, qui adore les bons vins et sait les choisir, va elle-même acheter à Rungis ses huîtres, ses poissons, ses très belles viandes — parfaitement rassises — et sa carte qui hésite en peu entre le classique et le moderne est bien servie par un chef sérieux. Avec une hure d'huîtres, un bon foie de veau au vinaigre et un dessert, vous dépenserez environ 130 F.

14/20
BOGA

● *29, rue Mazarine (634.11.85). F. dim., lundi (à déj.). Jusqu'à 22 h 30.*

José Ortiz a fait ce qu'il a pu pour rendre chaleureux ce petit restaurant qui a la forme d'un couloir, mais le plus chaleureux, c'est encore lui-même qui vous accueille comme savent le faire les Espagnols même lorsqu'ils ont quitté le pays depuis longtemps. La référence au pays natal ne va d'ailleurs pas au-delà de l'enseigne (boga, à Barcelone désigne la friture d'éperlans) et le jeune chef Marc Hamel, qui a travaillé chez Denis puis à Montmartre, à L'Assommoir, ne perd pas son français dans la paella. Il préfère préparer des feuilletés d'artichaut, du sandre à l'estragon, du suprême de volaille au sabayon de poireau, du magret de canard au cassis et des desserts qui changent tous les jours. Il ne marque pas toujours suffisamment les goûts mais il fait une cuisine fine, intelligente et pour 125 à 130 F, on déjeune ou on dîne agréablement avec d'excellents petits vins choisis par Chaudet.

11/20
BRASSERIE LUTÉTIA

● *23, rue de Sèvres (544.38.10).*
Tous les jours. Jusqu'à 1 h du matin.

Slavik a encore frappé. Il faudra bientôt élever une statue au plus parisien des décorateurs russes pour sa contribution à l'histoire de la restauration des années 60 à 70. Il n'a certes pas tout réussi mais il a su imposer un style, son style. Le dernier décor sorti de ses cartons — celui du Lutétia — est certainement l'une de ses plus belles réussites. Du bon Slavik, sans pastiche ni référence : de grands miroirs où se reflètent les tables couvertes de nappes blanches et les assiettes de Sonia Rykiel, des banquettes capitonnées et de superbes lampes-potiron. On regrettera que cette brasserie new-look et chaleureuse n'ait pas su donner un ton à sa cuisine ; on s'attend à trouver de la queue de cochon grillée et de la choucroute au jarret de porc et l'on découvre une carte sans style ni personnalité. Hésitation dans les entrées où le jambon de pays côtoie le saumon fumé bizarrement accompagné de kiwis; bonne compote de lapin, fruits de mer en escabèche sans éclat. Flottement aussi dans les plats de résistance qui sont pour la plupart d'assez bonnes grillades (selle d'agneau, faux-filet), ou dans d'autres plus contestables (noisettes de porcelet au miel), voire carrément curieux (blanc de volaille fourré aux fromages). Jolis desserts, en revanche, intéressante sélection de vins de pays et prix sans aménité particulière : 80 à 100 F.

15/20
JACQUES CAGNA

● *14, rue des Grands-Augustins (326.49.39).*
F. sam., dim. et jrs fériés. Jusqu'à 22 h 30.

Notre promesse est tenue : deux toques cette année pour une cuisine que ce chef enthousiaste a peu à peu débarrassée de ses fanfreluches inutiles comme de ses sauces trop lourdes. Les petits feuilletés, par exemple, sont des chefs-d'œuvre de légèreté et de raffinement dans la simplicité. La salade de homard aux algues (en été), le consommé en gelée d'écrevisse, la lotte aux pleurotes, le ris de veau aux huîtres, le pigeonneau aux oignons confits, l'émincé de pommes chaudes, glace à la vanille, la reine de Saba au chocolat ne sont pas moins remarquables. Une cave superbe, un service attentif, une table élégante dans un décor de bon goût, un accueil féminin souriant : tout va bien désormais, sauf le portefeuille durement touché (250 F environ).

12/20
CALVET

● *165, bd Saint-Germain (548.93.51).*
F. dim. Jusqu'à 22 h 30.

La bouillabaisse en gelée est un plat remarquable, mis au point, à notre connaissance, par Prunier. Son apparente simplicité doit cacher quelque piège car bien rares sont les cuisiniers qui la réussissent. Celle de Calvet, en particulier, manque de safran et les poissons en sont fades. De même n'avons-nous pas raffolé des rognons à la moutarde. Et notre dernière visite dans ce petit restaurant ravissant aurait été un échec si la barbue à l'aneth et surtout la fricassée de fruits de mer au Noilly ne nous avaient au contraire enchantés. Décor en plusieurs niveaux toujours très séduisant. Accueil beaucoup plus aimable que l'addition (160 à 180 F).

11/20
AU CHARBON DE BOIS

● *16, rue du Dragon (548.57.04).*
F. dim. Jusqu'à 23 h 30.

Ce plaisant bistrot est un des pionniers de la « formule » Saint-Germains-des-Prés qui associe avec plus ou moins de bonheur le style rétro aux plats de ménage, grillades et desserts de grand-mère, tardivement servis pour un prix raisonnable (autour de 90 F). La différence avec bon nombre d'autres restaurants de ce genre c'est qu'ici, on n'en profite pas trop pour vous servir n'importe quoi.

12/20
AUX CHARPENTIERS

● *10, rue Mabillon (326.30.05).*
F. dim. Jusqu'à minuit.

L'antique siège des Compagnons Charpentiers du Devoir de Liberté est en passe de retrouver une nouvelle jeunesse : l'âge de ses nouveaux habitués en témoigne en effet. Succès mérité pour le principal, si l'on met de côté quelques plats de petit prestige, comme le canard aux olives et au porto, certaine salade « composée » et le filet de bœuf nappé lui aussi de sauce au porto. Il reste tous les agréables plats du jour : le sauté de veau du lundi, le bœuf mode du mardi, le petit salé, le pot-au-feu, l'ailloli du jour « maigre » (nous sommes à égale distance de Saint-Germain et de Saint-Sulpice) et le chou farci du samedi, sans oublier les plats « à l'année », comme le boudin, le saucisson chaud, l'andouillette à la ficelle ou la pintade rôtie. Une soixantaine de francs.

12/20
LE CHERCHE-MIDI

● *22, rue du Cherche-Midi (548.27.44).*
Tous les jours. Jusqu'à minuit 30.

Une salle en forme de tranchée-abri se terminant en boyau jusqu'à la popote, des banquettes de moleskine, des chaises d'école communale, des murs blancs et, pour tout ornement, deux fresques de l'Ecole de Fos-sur-Mer représentant, l'une des joueurs de pétanque, l'autre des footballeurs. Le vide absolu, le pittoresque sans pittoresque, le folklore sans folklore. Il fallait y penser. C'est justement ce qu'a fait Dino, le directeur très parisien d'une galerie de tableaux de Saint-Germain-des-Prés qui, avec un associé, a ouvert ce bistrot anti-snob où tous les snobs sont aussitôt accourus. On y mange d'excellentes pâtes bien assaisonnées, de bonnes charcuteries, quelques plats pas mal tournés, on y boit de petits bordeaux bien choisis et on laisse environ 75 F par personne.

11/20
LA CHOPE D'ALSACE

● *4, carrefour de l'Odéon (326.67.76).*
Tous les jours. Jusqu'à 2 h du matin.

Dans un vaste et sympathique décor de Weinstube, envahi à l'heure du déjeuner, on sert ici (pour une cinquantaine de francs) une cuisine alsacienne sans surprise, mais parfaitement honnête : charcuteries de Strasbourg, schwiebelküche (tarte à l'oignon) et six sortes de choucroute.

12/20
LA CLOSERIE DES LILAS

● *171, bd du Montparnasse (326.70.50).*
Tous les jours. Jusqu'à minuit 45.

Jacqueline Milan a eu l'excellente idée de recouvrir sa terrasse de verdure — la plus agréable de Montparnasse — d'un dais mobile qui permet une utilisation par tous les temps. Espérons qu'elle ne s'arrêtera pas en si bon chemin et reverra un jour toute la décoration de cette maison, quasiment historique (de Lénine à Hemingway, quelle fabuleuse pléiade de clients !) et qui pourrait devenir extraordinaire si l'on donnait cohésion et grâce à cet assemblage de salles et de bars, disparates et décorés sans esprit. La cuisine, en tout cas, a pris une bien meilleure direction en laissant tomber les plats « genreux » au profit de plats moins ambitieux mais bien exécutés (comme l'excellent pigeon de Bresse rôti, la côte de bœuf au gros sel, le carré d'agneau à la crème d'estragon, sans oublier bien sûr l'andouillette 5 A). Une carte des vins courte mais de première qualité et à des prix raisonnables (60 F le Château-Soutard 74, 56 F l'excellent Ramage La Bâtisse 70). Environ 140-170 F. A la « brasserie », plats du jour de 28 à 30 F.

10/20
LA COUR SAINT-GERMAIN

● *156, bd Saint-Germain (326.85.49).*
Tous les jours. Jusqu'à 1 h du matin.

Signe des temps : la formule qui allèche le chaland est passée de 25,50 à 29,50 F en moins d'un an. Nous aurions mauvaise grâce à fustiger la direction si, hélas, pour arriver au terme du repas (avec une demi-bouteille de la méchante réserve maison, un dessert et un café), il ne fallait laisser 65 F, ce qui n'est plus tout à fait donné. Menu toujours identique, avec une entrée — une salade aux noix — et un plat — une pièce de bœuf assez tendre, malheureusement accompagnée de pommes allumettes pas très vaillantes, qui montrent que l'on devrait changer d'huile plus souvent. Rien à dire, en revanche, sur les bons desserts maison : tarte au citron, œufs à la neige, gâteau au chocolat, charlotte, tarte Tatin (un peu fade). Accueil prévenant dans un fringant décor néo-rustique : poutres authentiques, plantes vertes et reproductions de toiles agrestes signées Bruegel et Renoir.

12/20
DOMINIQUE

● *19, rue Bréa (327.08.80).*
Tous les jours. Jusqu'à 22 h 30.

Fêté ses cinquante ans, le plus vieux sanctuaire russe de Paris part allègrement à la conquête d'un nouveau demi-siècle et le miracle, c'est que le fameux charme slave continue d'opérer, sous la garde vigilante du vieux M. Aronson, que ses souvenirs rendent intarissable, et de son fils, Parisien bon teint, qui a l'œil à tout et se permet quelques audaces comme par exemple de faire refaire sa cuisine, tandis que s'égrène, dans les salles à manger ou le merveilleux petit bar à l'entrée, l'éternelle litanie du bortsch, des pirojkis, du caviar, du saumon fumé, de l'okrochka, du chachlik et de la tarte au fromage. Environ 100 F (sans caviar).

11/20
DRUGSTORE SAINT-GERMAIN

● *149, bd Saint-Germain (222.92.50)*
Tous les jours. Jusqu'à 1 h du matin.

Constatons une fois de plus, et pour nous en réjouir, que, dans un des rares décors de Slavik que nous nous obstinons à ne pas trouver réussi, le Drugstore maintient deux traditions respectables : celle de la cuisine simple, généreuse et soignée, préparée à partir de bons produits, et celle des additions raisonnables (une soixantaine de francs). Service aimable et complaisant, ce qui, aux abords de l'église du Village n'est pas toujours le cas.

13/20
L'ÉCHAUDÉ SAINT-GERMAIN

● *21, rue de l'Échaudé (354.79.02).*
F. dim. Dîner seult. Jusqu'à 1 h du matin.

Avec son charmant décor fait de rideaux de dentelle, de petits miroirs, de banquettes dodues, et un clin d'œil humoristique entretenu par de vieilles affiches de cirque, l'Échaudé demeure une bonne adresse pour dîner le soir en tête-à-tête. Le jeune chef doué, qui a fait ses classes, notamment, chez Manière et Bocuse, sacrifie aux rites de la nouvelle cuisine dans ce qu'elle a de plus institutionnalisé, ce qui signifie pas mal de plaisir et peu de surprise. Vous apprécierez avec nous la mousse de rouget, le feuilleté d'escargot, le turbotin au thym, les coquilles Saint-Jacques aux petits légumes, le canard aux framboises et un certain nombre d'autres plats de même inspiration. Prix très « nouveaux », eux aussi : 140 F environ.

13/20
L'ÉPICURIEN

● *11, rue de Nesle (329.55.78).*
F. sam. (à déj.), dim. et jrs fériés. Jusqu'à 22 h 30.

Le succès s'affirme pour ce très joli restaurant qui cache dans une des plus vieilles rues de Paris ses trois petites salles autour d'un jardin de poche vitré. C'est le patron lui-même qui a conçu cet élégant décor moderne et sans froideur où le vert sombre des chaises laquées s'harmonise avec le rose tendre des nappes. Evidemment, puisqu'il était architecte, avant de devenir cuisinier... Il présente une carte assez courte et sympathique (mousseline de cresson, fricassée de rognons et coquilles Saint-Jacques au citron, bar braisé en poche, volaille à la ciboulette) dont néanmoins, cette année, un plat nous a déçus par son exécution : le salmis de canard aux cèpes qui n'avait plus rien d'un plat mijoté. Environ 110-130 F.

12/20
LA FOURCHETTE EN HABIT

● *75, rue du Cherche-Midi (548.82.74).*
F. dim. (en été) et lundi. Jusqu'à 23 h (1 h du mat. les vend. et sam.).

Plus de filet de pêcheur et un meilleur confort, dans cet aimable restaurant de copains dont la cuisine chaque année s'allège sans se départir de son parti pris marin et de sa simplicité (daurade à l'estragon, brandade de morue, lotte à la paysanne). Prix très raisonnables (70-80 F), et généreux menus.

12/20
LA FOUX

● *2, rue Clément (354.09.53).*
F. dim. Jusqu'à 23 h.

Charme et bonne humeur sont au rendez-vous, dans cet aimable bistrot où se fait sentir sans ambages l'influence lyonnaise : saucisson chaud pommes à l'huile, tablier de sapeur, andouillette de Fleurie, omelette lyonnaise, cervelle de canut, etc. Ce qui n'empêche pas Alex Guini de servir aussi ses cannelloni à la niçoise, justement célèbres, une fraîche salade de Californie, des crêpes normandes et une omelette norvégienne. Joli décor moderne (souriant salon particulier à l'étage). 110-120 F environ.

12/20
CHEZ GRAMOND

● *5, rue de Fleurus (222.28.89).*
F. dim. Jusqu'à 21 h 30.

Une dizaine de tables seulement accueillent les académiciens, sénateurs et autres diplomates qui, avec raison, ont fait de cette maison au décor intime une de leurs cantines les plus secrètes. Mais qui ne pouvait guère le rester tant M. Gramond a l'amour de son métier et des vigoureuses traditions provinciales, exprimées à travers une carte raisonnablement courte, qui fluctue au rythme des arrivages de Rungis. Tant mieux pour vous si vous pouvez, comme nous, goûter ses écrevisses fraîches à la marinière, sa fricassée de coquilles Saint-Jacques au blanc de poireau, son turbotin grillé ou son civet de lièvre (frais) ou de chevreuil. Un seul reproche : l'absence de petits plats bon marché qui permettraient à l'addition de ne pas trop facilement s'envoler au-dessus de la barre des cent francs.

11/20
LE GRAND CHARIOT

● *59, rue de Seine (326.96.68).*
F. dim. Jusqu'à minuit 30.

Ouvert à quelques influences polynésiennes — assiette de poissons marinés, escalopes de coquilles Saint-Jacques, saumon tartare, le tout cru et dit « à la tahitienne », le chef se montre d'une honnête compétence dans les préparations plus élaborées : bar en mousseline ou au beurre blanc, pot-au-feu de poisson, suprême de canard, carré d'agneau, côte de bœuf au beurre d'échalote, etc. Sorbets incomparables : ils proviennent de chez Berthillon. Décor moderno-1900. A la carte : 120 F, ce qui est, à l'évidence, bien trop cher.

LE GRAND PHŒNIX

● *11, rue Saint-Benoît (260.87.41).*
F. dim et lundi. Jusqu'à 22 h 30.

Christian Ignace, dont la cuisine nous avait

emballés, avait décidé de quitter le Grand Phœnix en même temps que Raymond Oliver qui en était le conseiller culinaire. Ignorant pour le moment ce qu'il va advenir de ce restaurant, nous indiquons cette adresse, uniquement pour mémoire.

11/20
LE GRENELLE

● *8, rue de Grenelle (222.40.59).*
F. dim. et lundi. Jusqu'à 21 h 45.

Provincialisme et simplicité de bon aloi sont à la carte de ce restaurant voué à la cuisine rustico-bourgeoise (moules farcies à la charentaise, confit de canard, jolis poissons), pour le plus grand plaisir d'une clientèle composée essentiellement de petits employés babillards. Service efficace et souriant. « Petit » menu intéressant. A la carte environ 70 F.

12/20
LA GROSSE HORLOGE

● *22, rue Saint-Benoît (222.22.63).*
Tous les jours. Jusqu'à 1 h du matin.

Grosse horloge qui domine la pièce en étage, au décor plus charmeur que celui de la salle d'entrée, aménagée dans le goût néo-rustique mareyeur. Joli banc de coquillages et cuisine en léger progrès avec le sandre aux épinards, les filets de barbue aux poireaux, le turbotin simplement rôti et d'agréables desserts de type entremets. Maligne carte des vins mais service insuffisant. 120-140 F.

12/20
GUY

● *6, rue Mabillon (354.87.61).*
F. à déj. (sauf jeudi et sam.) et dim. Jusqu'à 1 h du matin.

N'envenimons pas une querelle qui dure depuis quatre ans entre Guy Leroux, meilleur restaurateur brésilien de France, et nous-mêmes, supportés par quelques-uns de nos lecteurs. C'est là une vieille querelle d'amoureux : la plus belle cuisine du Brésil ne peut donner que ce qu'elle a. Dans ce décor exquis, que fait vibrer la bossa-nova, réjouissons-nous donc sans arrière-pensée avec la feijoada (le samedi au déjeuner), les crevettes aux christofines, la muqueca de siri (crabe au lait de coco), la vatapá (crème de crustacés pimentés) et le civet de poule, plats que Guy propose également à emporter. 120 F environ.

11/20
L'HÔTEL

● *13, rue des Beaux-Arts (325.27.22).*
Tous les jours. Jusqu'à 1 h du matin.

Un soir où vous êtes très amoureux, allez donc respirer les parfums aux relents vénéneux de cet Hôtel où Oscar Wilde rendit son dernier souffle la première année de ce siècle, et laissez-vous prendre au charme de ce jardin d'hiver-salle à manger-bar, avec sa fontaine dégoulinante d'eau et de fleurs, ses tables joliment dressées, perdues dans les palmes, en écoutant le pianiste égréner des ragtimes de Scott Joplin. Malheureusement, la félicité est vite contenue à la lecture de la carte, qui oscille entre l'académisme et l'innovation : quelques salades que l'on voudrait folles mais qui manquent de délicatesse, un bar aux endives décevant et trop cuit. La bonne surprise vient plutôt d'une hure de saumon, des aiguillettes de canard à l'orange ou encore de plats plus convenus : filet grillé, carré d'agneau, ou encore rognon de veau à la moutarde. Un bon point pour la glace caramélisée et la tarte aux pommes. Prix « confortables » : de 130 à 180 F environ.

11/20
LA HULOTTE

● *29, rue Dauphine (633.75.92).*
F. dim. et lundi. Jusqu'à 22 h 30.

Bernard Guys ne s'endort pas en cuisine et confectionne avec soin, pour un prix raisonnable, des plats d'autrefois comme nous les aimons : veau berrichonne, lapin sauce poulette, carré de porc Joséphine. 70 F environ.

13/20
JOSÉPHINE (Chez Dumonet)

● *117, rue du Cherche-Midi (548.52.40).*
F. sam. et dim. Jusqu'à 23 h.

Jean Dumonet n'a pas gagné la « transat en double », mais on a dû mieux manger sur son voilier que chez Riguidel ou chez Tabarly. Dans son éternel grand bistrot, on ne quitte pas les eaux tranquilles de la cuisine campagnarde (surtout celle du Sud-Ouest : morilles farcies, foie de canard « maison », cassoulet, cèpes, timbale de gésiers) servie généreusement avec des vins admirables dont quelques millésimes rarissimes. Prix assez sévères : 140 à 150 F. Dans la maison voisine, La Brocherie, Dumonet propose de belles viandes à la broche et quelques poissons bien frais grillés.

12,9/20
LAPÉROUSE

● *51, quai des Grands-Augustins (326.68.04).*
F. dim. Jusqu'à minuit.

Depuis des années, Lapérouse naviguait à vue, dans la purée de pois. Aurait-il enfin franchi l'océan de la médiocrité ? Il convient d'être prudent car si, à nouveau, le vent tournait, on nous mettrait aux fers pour avoir propagé une fausse nouvelle. Mais en ne faisant pas savoir que, très franchement, depuis quelque temps, cela va beaucoup mieux sur le quai des Grands-Augustins, nous nous accuserions nous-mêmes de ne pas avoir encouragé des efforts qui commencent à porter des fruits. Avant de parler du présent, il faut rapidement régler son compte au passé. Il y a encore des gens qui parlent de l'ancien Lapérouse avec des larmes dans la voix. Or, pendant les dernières années du règne de M. Topolinski, le navire avait commencé de sombrer bel et bien. Dès notre premier Guide Julliard de Paris, en 1963, nous nous étions émus de l'incroyable vétusté des lieux — pour ne pas dire leur saleté — du laisser-aller du service et de la décrépitude d'une cuisine incontrôlée. Ce n'était donc pas facile de remonter le courant. Le nouveau propriétaire, Lucien Bicheron, qui a contre lui de ne pas être, à l'origine, un homme du milieu et pour lui d'être en train de le devenir, s'y emploie, modestement, patiemment et sérieusement. Peu à peu, Lapérouse retrouve sa bonne mine — la façade vient d'être remise en état — et si ce n'est pas encore la gloire, on est à nouveau tenté de remettre les pieds dans cet étonnant vestige, l'un des derniers, avec Maxim's. Le Grand Véfour ou Lucas-Carton, de ce qui fut la grande vie parisienne. Très franchement, sans crier au miracle, on n'a nullement à le regretter. Le patron reçoit avec beaucoup d'affabilité, le service est devenu attentif et le jeune chef qui s'est installé aux fourneaux, Jean-Pierre Bonjean, prépare une cuisine qui, sans susciter de superlatifs, est nette, claire, bonne, moderne sans excès et classique sans ennui, faisant coexister la mousseline de saumon aux pointes d'asperges et les cuisses de grenouilles aux fines herbes, le tronçon de turbot aux poireaux (bonne cuisson, bonne sauce, mais les poireaux devraient être coupés plus fins) et le bar aux algues, le carré d'agneau au gratin savoyard et le foie de veau au miel, servi rose et bien fondant dans la bouche. Pour que la cuisine devienne encore meilleure et que Lapérouse retrouve son éclat, la recette est simple : il suffit que vous et nous y retournions. Pour la première fois, depuis bien longtemps, c'est une idée qui ne nous paraît pas absurde. Environ 150-180 F.

P.S. Nous n'avions encore jamais donné 12,9 à un restaurant. 12,9, c'est la « toque » qui frôle la tête, juste avant de s'y poser.

13/20
LIPP

● *151, bd Saint-Germain (548.53.91).*
F. lundi. Jusqu'à 1 h du matin.

A part un incendie dans les cuisines, au moment du coup de feu, rien à signaler dans le sanctuaire Cazes, si ce n'est que Lipp, pour la qualité constante de sa cuisine de brasserie, continue contre vents et marées d'offrir un des meilleurs rapports qualité-prix de Paris. Est-il une autre maison où l'on mange aussi honnêtement pour moins de cent francs, servi par le personnel le mieux rôdé du marché, avec, en prime, la contemplation de François Mitterrand ou de Jean Lecanuet, d'Alice Sapritch ou d'Yves Mourousi (tous les jours à partir de 14 heures), de vous et nous, sans oublier le sourire de sphinx de Roger Cazes qui aura un jour sa statue, place Saint-Germain. Avis aux amis : le bœuf mode, c'est le mercredi, la tête de veau, le vendredi et le bœuf gros sel, le samedi et le dimanche. Les plats les plus servis ? Le hareng Baltique, l'entrecôte, le cassoulet et la raie au beurre noir, qui est à la carte chaque vendredi pair. Curieusement, on boit dans cette brasserie davantage de vin que de bière (excellente bière brune à la pression). On sert ici entre 500 et 600 repas par jour. Les premiers clients arrivent vers 11 h 30 : ce sont les gens du quartier (commerçants, retraités, etc.), qui libèrent les bonnes tables pour la deuxième vague.

11/20
LA LOZÈRE

● *4, rue Hautefeuille (354.26.64).*
F. dim., lundi (à déj.). Jusqu'à 22 h 30.

Sympathique et active petite annexe de l'Office de tourisme de la Lozère. Cette dernière province s'y trouve chantée par un petit nombre de nourriture solides et franches où culminent, bien sûr, les cochonnailles et les fromages. Goûtez aussi l'omelette aux oignons, le gâteau « maison » et le vin du Tarn. Réservez votre table, car la salle n'est pas grande. 80 à 90 F.

11/20
CHEZ MAÎTRE PAUL

● *12, rue Monsieur-le-Prince (354.74.59).*
F. dim. et lundi. Jusqu'à 22 h 30.

Une belle collection de vins du Jura met en valeur la très traditionnelle cuisine comtoise proposée par le maître Gaugain (qui d'ailleurs ne se prénomme pas Paul, mais Armand) : matelote d'anguilles au vin d'Arbois, filet de sole ou ris de veau au Château-Châlon, fricassée de veau au vin du Jura, coq au vin d'Arbois, etc. Environ 100 F.

12/20
LA MARLOTTE

● *55, rue du Cherche-Midi (548.86.79).*
F. sam. et dim. Jusqu'à 23 h.

Une joyeuse, alerte et séduisante cuisine bourgeoise. Le soir on dîne à la lueur des chandelles dans ce très agréable établissement où le bon ton et la courtoisie sont de rigueur. On ne risque pas d'être déçu par l'andouillette au sancerre, le canard au bourgueil ou au cidre, le lapin au basilic, les poissons aux légumes, les œufs à la neige, la tarte au citron ou la mousse au chocolat. Et l'on dépense une centaine de francs.

Envoyez-nous vos bonnes adresses.

11/20
LES MASCAREIGNES

• *8, rue du Dragon (544.12.53).*
F. lundi. Jusqu'à 23 h.

Un petit tour dans l'océan Indien, par le biais de ces Mascareignes, qui, depuis quelques années déjà, offrent aux Parisiens un joli dépaysement, avec le massalé, les rougailles, les achards, le ravototo au coco, et bien d'autres plats épicés aux noms chantants. L'addition, elle, a presque de la douceur : 70-80 F environ (et un petit menu à 28,75 F s.c.). Poutres, pierres grattées et cocotiers en papier photographique, mais le petit punch réunionnais aidant, on part en voyage.

10/20
MITSUKO

• *8, rue du Sabot (222.17.74).*
Tous les jours. Jusqu'à minuit.

Un sage petit restaurant japonais qui ne ruinera pas son client. Poissons crus aux algues, teppan-yaki (émincé de bœuf, de seiche et de crevettes, cuit sous vos yeux), brochette de fruits de mer. 50 F environ.

11/20
LE MONTAGNARD

• *24, rue des Canettes (326.47.15).*
F. lundi. Jusqu'à 1 h du matin.

Tout est en place : l'atmosphère savoyarde s'installe bien gentiment dans les chaudes odeurs de fondue, mais ce que nous aimons surtout, ce sont les viandes qui sont excellentes. 90 à 150 F.

11/20
LA MOUSSON D'ASIE

• *4, rue Bernard-Palissy (548.92.27).*
F. lundi. Jusqu'à 23 h 30.

Le décor de ce restaurant vietnamien reste un des plus agréables du quartier, l'accueil est aimable, le service souriant mais nous regrettons qu'il faille dépenser à coup sûr sept à huit billets de dix francs pour goûter une cuisine qui, elle, n'est pas toujours certaine de ses effets, en dépit d'indéniables réussites : pinces de crabe farcies, boulettes de crevettes garnies, brochettes de bœuf cheveux d'ange.

12/20
LE MUNICHE

• *27, rue de Buci (633.62.09).*
Tous les jours. Jusqu'à 3 h du matin.

Le règne de la vapeur sèche en cuisine, qui convient parfaitement aux poissons, ne risque pas, bien au contraire, de menacer celui de cette brasserie toujours aussi courue, aussi vivante, et aussi bien fréquentée. Des plats sympathiques sont préparés avec un joli coup de patte et joyeusement servis, accompagnés de petits vins fort bien choisis : choucroute garnie, tête de veau avec langue et cervelle sauce gribiche, civet d'agneau, foie de veau, trois confits avec choucroute, pot-au-feu — sans parler des huîtres et des coquillages, excellents d'un bout de l'année à l'autre. Bon rapport qualité-prix, surtout pour ce quartier. 80-100 F environ.

11/20
CHEZ NANTY

• *10, rue Jacob (354.53.53).*
F. le dim. Jusqu'à minuit 45.

Jacques (Chazot) y tient salon. Thierry (Le Luron) adore. Amanda (Lear) en est folle. Marie (Daems) y dîne tous les soirs. L'inévitable Sapritch (Alice) vient y jouer — mal — les vedettes. La grosse Manouche ? Une habituée, bien sûr ! « Chez Nanty » est devenu, en quelques mois, une petite cantine de nuit à la mode. C'est, au cas où vous l'auriez oublié, l'ancienne Échelle de Jacob que Gérald Nanty (« La Nanty », dit Manouche, toujours discrète), un vrai professionnel qui a fait ses classes rue Sainte-Anne, a reprise et transformée avec une décoration qui ne fait pas mal aux yeux. Murs sombres, nappes à carreaux, bougies sur les tables, que demander de plus ? Les amis du patron, les habitués, les gens dont on parle, vous les trouverez au rez-de-chaussée, papotant de table à table, échangeant quelques croustillants ragots entre deux bouchées de gigot. Les autres... et bien, qu'ils montent ! Au-dessus, en effet, il y a une salle où l'on dîne aussi mais, comme chez Lipp, il est tout à fait obligatoire d'être vu en bas. Et puis, lorsqu'on se fait descendre en flammes par Chazot ou Manouche, cela fait moins mal en tombant. Ce bar-restaurant est ouvert tard dans la nuit (Nanty déplore, malgré tout, qu'à Paris, on se couche de plus en plus tôt) et on peut y passer une soirée amusante si l'on est « dans le coup » et si l'on ne craint pas une clientèle où les femmes sont en minorité. Cuisine honnête (brochette de poulet au citron, œufs cocotte à l'oseille, pavé maldoise) et prix raisonnables : 80 F environ.

13/20
LE PALANQUIN

• *12, rue Princesse (329.77.66).*
F. dim. Jusqu'à 22 h 30.

La cuisine, typiquement tonkinoise, est préparée ici par la patronne, une femme aux mains adroites et inspirées qui excelle tout particulièrement dans la réalisation des pinces de crabe aux crevettes, du bœuf xaté, des nouilles croquantes, du canard farci mariné aux graines de lotus, de la marmite de riz au poulet et de la brochette de bœuf à la citronnelle. Le décor, lui, n'est pas typique du tout (pierres et poutres apparentes, chandelles) : quant à nous, nous ne saurions nous en plaindre. 70 F environ.

10/20
LE PETIT SAINT-BENOÎT

● *4, rue Saint-Benoît (260.27.92).*
F. sam. et dim. Jusqu'à 22 h.

Cochers d'abord, chauffeurs ensuite, puis, au lendemain de la dernière guerre, locomotives du dernier bateau existentialiste, et, pour finir, le tout-venant germanopratin. La clientèle change, la cuisine demeure. Il y a 125 ans que Le Petit Saint-Benoît résiste, par le simple effet de sa cuisine simple, aux assauts des modes de Saint-Germain. Aux odeurs de pizza qui se répandent à tous les vents du quartier, M. Gervais — c'est le patron — riposte par celles d'un hachis Parmentier, ou d'une pièce de bœuf à la chicorée, ou d'une tête de veau ravigote. Tout cela est servi en portions si mesurées que le bon usage et la raison imposent de les faire précéder d'un hors-d'œuvre (museau, cervelas, tomate, poireau, concombre à la vinaigrette) et de terminer par une pâtisserie (tarte). 50 F environ, vin courant honnête compris. Décor authentique de vieux bistrot français, que tous les Slavik hollywoodiens nous envient : long comptoir, porte à tambour, plus trottoir-terrasse où chaque nuit d'été dispose un assortiment de toutes petites gloires locales.

12/20
LE PETIT ZINC

● *25, rue de Buci (354.79.34).*
Tous les jours. Jusqu'à 3 h du matin.

Huîtres et coquillages de première fraîcheur, solides plats paysans, foie de veau tranché épais, petits vins de pays et l'inépuisable savoir-faire des frères Layrac qui supportent avec la même modestie et la même patience le choc d'un succès qui ne se dément pas. Un coup de peinture, toutefois, ne serait pas malvenu. Environ 90 F.

13/20
LA PETITE COUR

● *8, rue Mabillon (326.52.26).*
F. sam. et dim. (à déj.). Jusqu'à 23 h 30.

Le succès de ce ravissant restaurant du soir (bien qu'il soit ouvert aussi à midi), niché dans une cour fleurie, n'a pas été un feu de paille. Nicole Robert a su s'attacher aux moindres détails : qualité assez exceptionnelle du décor Napoléon III, douceur des éclairages, amabilité de l'accueil, fraîcheur des produits — en particulier une belle sélection de poissons — et parfaite honnêteté d'une cuisine simple, fine et de bon goût : mousse chaude de turbot, pleurotes à la bordelaise, lapin au citron, terrine de fruits frais à la gelée d'orange. L'addition est nettement moins légère : environ 160 F, avec un saint-amour de chez Dubœuf.

Consultez le sommaire, p. 5.

11/20
POLIDOR

● *41, rue Monsieur-le-Prince (326.95.34).*
F. dim. Jusqu'à 22 h.

Verlaine, Jaurès, Barrès, James Joyce, Léautaud, Valéry, Hemingway et, plus près de nous, Boris Vian, Wolinski, Claire Bretecher, Robert Sabatier, Jean Piat, Serge Reggiani : qui n'est pas allé au siècle précédent et au nôtre dépenser trois sous dans cette crémerie-restaurant à laquelle Marie-Christine, ex-étudiante en droit, a redonné vie, il y a deux ans ? Vous, peut-être... Eh bien comblez sans tarder cette grande lacune culturelle et allez vous asseoir au-dessus des vestiges du rempart de Philippe-Auguste pour manger le lapin à la moutarde, le bourguignon ou le ragoût de porc à l'ancienne de cette jeune dame très maligne et prodigieusement organisée (son « press-book » est le mieux fait de toute la restauration parisienne) qui ressuscite les précieux « bouillons » d'autrefois, avec des plats à 18 F. En Amérique, elle aurait déjà lancé sa « chaîne » et serait milliardaire. Mais qui sait ?

15/20
PRINCESSE (Castel)

● *15, rue Princesse (326.90.22).*
Dîner seult. F. dim.

Jean Castel, ne supportant plus les tenues débraillées, fussent-elles portées par les plus belles filles ou les plus riches héritiers du monde, les a invités à aller se rhabiller. Vous n'avez donc aucune chance de dîner à côté d'un clochard, même pas au rez-de-chaussée dans la cantine des copains où, au coude à coude sur la toile cirée, les élus sont initiés aux plaisirs de la blanquette et du miroton. Mais c'est toujours au premier étage, bien sûr, dans le décor exubérant qui fait la pige à Maxim's, que les meilleurs serveurs de Paris (avec ceux de Lipp), dirigés par Michel, au sourire légendaire, vous apporteront les plats toujours sûrs, d'une carte qui ferait tout de même bien de bouger un peu et les bons vins que Jean-Lou et Thierry Nicolas extraient de leurs fabuleuses caves. Vous laisserez 200 ou 250 F, à condition, bien sûr, d'être inscrit sur les listes de Castel, de plus en plus inflexible sur les conditions d'accès à son club sportif. (Vous ne le saviez peut-être pas mais « Castel » est en effet, avant tout, un club sportif, avec une préférence pour le rugby, la voile, le vélo et le ballon chic).

11/20
LE PROCOPE

● *13, rue de l'Ancienne-Comédie (326.99.20).*
Tous les jours. Jusqu'à 1 h 30 du matin.

Après quatre ans de travaux, le ravissant « plus ancien café du monde » où fréquentèrent Diderot, Bonaparte, Verlaine et tant d'autres est donc désormais soigneusement remis à neuf. Et du coup, la cuisine tente elle aussi de se rafraîchir un peu par quelques plats nouveaux et des cuissons moins appuyées. Mention soit faite, dans ce sens, de la daurade au four et du magret de canard à la ficelle servi saignant. Environ 80 F.

11/20
PUB SAINT-GERMAIN-DES-PRÉS

• *17, rue de l'Ancienne-Comédie (329.38.70).*
Tous les jours. 24 h sur 24.

Dans ce temple de la bière qui est le siège de l'Archiconfrérie des Cervoisiers de France (300 marques différentes avec, chaque mois, une nouvelle bière à la pression à découvrir), vous pourrez aussi choisir entre 132 whiskies ou goûter aux honnêtes plats du jour qui vous sont proposés : moules façon grande Cervoise, escalope de veau Gambrinus, sauté de bœuf divine Cervoise, mais aussi grillades et fruits de mer (ceux-ci toute l'année). 70 F environ.

14/20
RELAIS LOUIS XIII

• *1, rue du Pont-de-Lodi (326.75.96).*
F. dim. Jusqu'à 22 h 15.

On change souvent de chef dans ce superbe et vénérable Relais, vestige du couvent des Grands Augustins. Le dernier en date, le jeune Didier Housseau continue de préparer des plats modernes (nombreux poissons cuits à la vapeur d'algues) avec un évident talent, tandis que le propriétaire accroît sa passion pour les meubles, tapisseries et tableaux anciens qui font le décor exceptionnel de sa maison. Tout cela coûte cher, et explique l'ampleur de l'addition (170-190 F), que font pardonner quelques grandes réussites, comme la terrine d'anguille à l'anis, le turbot aux écrevisses, le foie de canard aux raisins, la noisette d'agneau à l'estragon, la poule faisane au vinaigre de miel, la soupe de fruits frais. Très belle cave.

10/20
RESTAURANT DU DRAGON

• *14, rue du Dragon (548.75.58).*
F. sam. et dim. Jusqu'à 22 h.

Les cailles au porto sur canapé continuent de s'aimer d'amour tendre aux prémices d'une carte classique, annonciatrice de plaisirs sans façon baptisés cassoulet, confit ou gibiers de saison. Authentique décor limonadier d'antan et additions à peine plus modernes : une soixantaine de francs.

Attention ! certains restaurateurs changent, sans crier gare, leur jour de fermeture. Téléphonez-leur : c'est la sagesse.

10/20
RESTAURANT DES SAINTS-PÈRES

• *175, bd Saint Germain (548.56.85).*
F. merc. (à dîner) et jeudi. Jusqu'à 22 h.

Un décor de bistrot centenaire, une famille qui tient la maison depuis 1930, un chef qui a vingt ans de maison et une cuisine antédiluvienne mais bien sympathique quand même, avec sa tarte aux poireaux, son petit salé aux lentilles, son rôti de veau aux endives. 80 F environ.

12/20
LA ROSE DES PRÉS

• *54, rue de Seine (325.25.54).*
F. dim. Jusqu'à 22 h 30.

Quelques plats intéressants comme le potage au tamarin, le porc à la vietnamienne ou les boulettes de crevettes grillées dans ce très vieux classique sino-vietnamien du quartier Buci. La salle du haut a été refaite et les prix restent très doux pour une cuisine sincère et soignée. 60 F environ.

10/20
LE SABOT

• *6, rue du Sabot (222.21.56).*
Tous les jours. Jusqu'à minuit.

Avec ce Sabot, peut-être avons-nous trop vite cru trouver chaussure à notre pied. Dans notre mensuel d'octobre 1978, nous vantions la générosité et l'honnêteté de la cuisine. Mais, depuis, nous nous demandons si l'équipe de Jean Hureau, dans sa préoccupation d'agrandir son « empire », n'en vient pas à négliger sa cuisine et ses clients. En espérant nous tromper et revoir fumer sur les tables les bons plats du jour (navarin, bœuf mode, poulet à l'estragon) de ses débuts.

11/20
CLAUDE SAINLOUIS

• *27, rue du Dragon (548.29.68).*
F. dim. Jusqu'à 23 h.

Ancien cascadeur, Claude Sainlouis ne prend en tout cas pas de risques et n'en fait pas courir à ses clients. Depuis vingt ans, il s'en tient sagement à une formule éprouvée, celle du prix unique (35 F, plus le service) et du menu sans surprise mais parfaitement honnête, avec sa salade « spéciale », ses grillades et sa savoureuse mousse au chocolat.

11/20
SAINT-GERMAIN DE LA MER

• *2, rue du Sabot (222.84.90).*
Tous les jours. Jusqu'à 1 h du matin.

On s'y croirait : chemin de graviers, guirlandes de filets, vues portuaires et même bruitages de bord-bord et de grincements de mouettes...

Pour la cuisine, non moins innocemment marine, elle a le mérite de la fraîcheur et celle même de proposer quelques plats originaux et soignés comme la daurade aux aubergines ou le merlan aux poireaux. 70-80 F.

11/20

AU SAVOYARD

● *16, rue des Quatre-Vents (326.20.30).*
F. lundi. Jusqu'à 22 h 30.

Le docteur de Pomiane et Francis Amunatégui fréquentèrent assidûment cette chaleureuse maison dont l'ancienne patronne était « Mère » des Compagnons bourreliers-celliers du Tour de France. Ses fils et petits-fils sont aujourd'hui aux fourneaux et préparent comme avant une brave cuisine savoyarde à base de fondues, de saucisses, de gratins et de bonnes potées. Accueil et service charmant. Décor désuet et rustique. Environ 80 F.

CHEZ TANTE MADÉE

● *11, rue Dupin (222.64.56).*
F. sam. (à déj.) et dim. Jusqu'à 22 h 30.

Au moment où nous mettons sous presse, le restaurant est fermé. Il devrait rouvrir, en principe, assez prochainement sous la direction du fils de tante Madée qui a travaillé longtemps avec ce remarquable cordon bleu. Ne manquez pas de téléphoner afin de savoir si, comme nous l'espérons, ce charmant restaurant est toujours en activité.

10/20

LE TEMPS PERDU

● *54, rue de Seine (634.12.08).*
F. dim. Jusqu'à minuit.

Un restaurant nouveau et pas très enthousiasmant, Cadre banal. Petite carte classique (cervelas rémoulade, harengs à l'huile, onglet aux échalotes, sole à l'oseille), où l'escalope aux herbes, plutôt agréable, serait encore le meilleur choix. Les prix devraient garder un peu plus de modestie : 80 F environ.

11/20

TIBURCE

● *28, rue du Dragon (548.57.89).*
F. dim. Jusqu'à 22 h 30.

Louis Lavigne dirige depuis vingt ans ce petit restaurant modeste en tout et qui ne fait guère parler de lui. Rompons comme chaque année le silence pour dire l'agrément de son décor intime et douillet, de son service féminin et de sa simple cuisine vaguement colorée par la Bourgogne : ratatouille froide, jambon persillé, aiguillette de bœuf en gelée, sauté de bœuf bourguignon, andouillette au vin blanc.

Les prix changent : nous n'y pouvons rien.

11/20

LA TRAMONTANE

● *10, rue Stanislas (222.51.94).*
F. dim. Jusqu'à 23 h.

Cuisine du Sud-Ouest où se glissent quelques spécialités corses qui font s'envoler l'addition un peu haut, mais la maison est tout de même sympathique : tripes sartenaises, chevreau rôti ou en sauce, figatelli grillés, magret de canard, entrecôte aux cèpes. Environ 130 F.

10/20

LES TROIS CANETTES

● *18, rue des Canettes (326.29.62).*
F. sam. (à dîner) et dim. Jusqu'à 23 h.

Un charmant bistrot avec sa patronne souriante, ses quelques jolies filles de passage, ses banquettes usées, ses tables serrées et ses nombreuses et amusantes gravures de la baie de Naples. On fait ici fi des grillades aux herbes, ce qui est normal, et des pizzas, ce qui l'est moins, d'autant que la carte avoue sans détour un penchant transalpin. Les habitués du quartier s'y retrouvent, dans une très franche gaieté, pour partager les charcuteries italiennes, le jambon de Parme, les cannelloni, les escalopes milanaises et les involtini ; précisons tout de même que la cuisine ne dépasse pas le seuil d'une très honorable médiocrité. 50 F environ.

Paris 7e

14/20

CHEZ LES ANGES

● *54, bd Latour-Maubourg (705.89.86).*
F. dim. (à dîner) et lundi. Jusqu'à 22 h 30.

Armand Monassier, avec sa bonne trogne et ses admirables bourgognes, avait opéré à merveille le mariage de la province et du parisianisme. Son successeur, François Benoist, qui nous vient du nord, maintient cette tradition, avec un peu plus de réserve et l'atmosphère des Anges n'est plus exactement ce qu'elle était. Ce n'est pas un reproche mais une constatation. En tout cas, le décor et le confort ont été grandement améliorés et la cuisine a évolué lentement mais sûrement, ajoutant aux meilleurs classiques de la maison — notamment la grosse tranche de foie de veau, cuite rose — des saveurs nouvelles, avec par exemple la terrine de rascasse au basilic (le poisson est en morceaux et non réduit en mousse, c'est bien meilleur), la salade de coquilles Saint-Jacques aux queues d'écrevisses, la barbue au blanc de poireau ou le rognon de veau au vinaigre. Une belle et bonne cuisine qui serait encore meilleure si les goûts étaient davantage marqués. Environ 150-180 F.

19/20
L'ARCHESTRATE

● *84, rue de Varenne (551.47.33).*
F. sam. et dim. Jusqu'à 22 h 30.

A part un lecteur médecin et grincheux que le fabuleux repas-dégustation a laissé sur sa faim et qui reproche à Senderens de se cacher derrière une barbe (« C'est bien la preuve qu'il a honte » !), à part aussi quelques autres que l'addition épouvanta, le meilleur restaurant de Paris continue d'enchanter ceux qui ont la chance d'y obtenir une table (réservez plusieurs jours à l'avance). Les attentions du service, les vins admirables, le décor intime sont, au jardin de l'Eden, la moindre des choses. Mais c'est l'extraordinaire invention — géniale, le mot n'est pas trop fort —, les mariages fous, les produits inimaginablement frais, qui chaque fois nous laissent plus éblouis, même si certains plats de la courte carte, comme le foie gras au chou ou le homard à la vanille, paraissant conçus dans un autre monde, même si certaines cuissons sont tellement déconcertantes que les clients tout-venant n'en reviennent pas et n'y reviendront jamais. Au lieu de dire étrangement, comme ce lecteur, qu'Alain Senderens « a honte derrière sa barbe », nous avancerons plutôt que c'est le diable, chez qui nous dînons sans remords, avec une petite cuiller (les portions sont un peu avares mais le vrai raffinement veut qu'on regrette chaque plat plutôt qu'en être écœuré). A moins que ce soit le Bon Dieu, et la salade de langouste aux mangues, le turbot aux fèves, la fricassée de fruits de mer aux asperges et au basilic, l'escalope de ris de veau à la crème de poivron, le pigeon rôti aux pois gourmands, l'avant-goût du Paradis. Il ne nous reste qu'un vœu à formuler : c'est qu'Alain Senderens trouve le plus vite possible un restaurant vraiment digne, par son espace, son décor et son confort, d'une cuisine à quatre toques. Ici, il finira par étouffer. Et ses clients aussi. 300 F environ.

10/20
LE BABYLONE

● *15, rue de Babylone (548.72.13).*
F. dim. Déj. seult.

Un bon vieux troquet des familles où, pour 35 à 40 F, on mange entre habitués des plats de ménage très honnêtement préparés : navarin, pot-au-feu, petit salé. Rien de glorieux, mais par les temps qui courent...

14/20
BELLECOUR

● *22, rue Surcouf (551.46.93).*
F. dim. Jusqu'à 22 h 30.

Après le rafraîchissement du décor et l'accélération du service, voici une nette amélioration de la carte, clairement séparée en deux plaisantes tendances : l'une carrément lyonnaise, depuis la salade de pieds de mouton, le saucisson chaud, le chou farci, la salade de joue de bœuf, jusqu'au tablier de sapeur ; l'autre franchement moderne, depuis le homard aux « passe pierres », le turbot à la crème de légumes, le gâteau de ris de veau aux écrevisses, la salade de foie gras aux écrevisses jusqu'aux aiguillettes de canard au cassis et aux poires. C'est dans l'ensemble bien servi, allégé, cuit avec précision : un point de plus. Peut-être un jour une seconde toque. L'addition ne s'arrange pas : 130 à 160 F.

15/20
BISTROT DE PARIS

● *33, rue de Lille (261.16.83).*
F. sam. et dim. Jusqu'à minuit.

Aussi curieux que cela puisse paraître à ceux qui connurent les inégalités d'antan, le bistrot de Michel Oliver est devenu (jusqu'à nouvel ordre) un modèle de constance. La cuisine nouvelle, somme de tant de félicités mais aussi de catastrophes a produit sur le jeune chef Nicoleau des effets régulateurs. Fait exceptionnel, la liberté (et la fraternité) conduit ici à l'égalité : d'une fois sur l'autre, des préparations aussi extravagantes (et exquises) que les rillettes de harengs et de foies de volailles, le homard à l'anis et à l'ail doux, les crépinettes de canard à la vapeur, ou le sauté d'agneau au gingembre ne s'affadissent ni ne perdent de leur délicatesse. A plus forte raison les plus classiques comme la terrine de bouillabaisse, le ris de veau aux pâtes fraîches, le grand pot-au-feu ou le gâteau au chocolat amer sont-ils toujours égaux à eux-mêmes. Charmant décor de bistrot mondain absolument inchangé, clientèle des plus brillantes, petits et grands bordeaux étonnants, prix assez raisonnables (130 à 150 F), et Michel Oliver, lion superbe et généreux.

14/20
LE BORVO

● *19, rue Malar (551.80.69).*
F. sam. et dim. Jusqu'à 22 h.

La cuisine est à l'image du décor, qui vient d'ailleurs d'être rénové : légère, fine, discrètement rustique avec des plats qui permettent au patron, Daniel Raymond, d'exprimer son remarquable talent de saucier. On ne se lasse pas de son saumon frais à la ciboulette, sa sole au vert, son saumon fumé (par ses propres soins), son turbot aux petits oignons, son foie de veau au vinaigre de xérès, son aiguillette de canard Borvo et son grand dessert. Environ 120-140 F.

Vous voulez dîner au frais l'été ?
Regardez vite notre liste de restaurants à terrasse, à jardin, ou climatisés, ***p. 110.***

13/20 LA BOULE D'OR

13, bd Latour-Maubourg (705.50.18).
F. lundi. Jusqu'à 22 h.

Dans un décor frais et agréable, Annick Guinot reçoit avec le sourire une clientèle d'habitués qui apprécie la cuisine du jeune chef Claude Pommerai. Une cuisine sage et sympathique, beaucoup moins alambiquée que dans le passé : soupe d'écrevisses au safran, mitonnée aux trois poissons, suprême de loup à l'aneth, daurade au beurre de cresson, rognon de veau aux échalotes, pintadeau à la crème d'estragon. 130 à 140 F.

14/20 LE BOURDONNAIS (La Cantine des Gourmets).

113, av. de La Bourdonnais (705.47.96).
F. dim., lundi (à déj.) et jrs fériés. Jusqu'à minuit.

Hiro n'est pas de la famille mais c'est tout comme. Hiro Nahamura est un jeune Japonais qui est entré dans la cuisine française par la grande porte (celles d'Outhier, Troisgros et Senderens) et dont Micheline Coat est si satisfaite qu'elle en a fait son chef de cuisine, tandis que sa fille Carole, également aux fourneaux, épousait le second, Christian. Grâce à ce quatuor franco-japonais, La Cantine des Gourmets bourdonne de contentement. Hiro collectionne les compliments, Carole est ravie d'avoir un mari qui aime les tuiles (elle les fait à merveille), les clients savourent à la lueur des chandelles la rognonnade de pâtes fraîches, la lotte au beurre de cerfeuil, la fricassée de volaille à la mousse d'ail, les œufs à la neige aux pralines, et Micheline, qui porte ses sourires et ses conseils de table en table, a le droit de se dire, somme toute, que ses efforts ont servi à quelque chose. Plus de déjeuners d'affaires que l'an dernier, grâce sûrement à l'existence d'un très généreux menu à 86 F, vin et service non compris. 130 à 145 F à la carte.

13/20 LE CHAMP DE MARS

17, av. de La Motte-Picquet (705.57.99).
F. lundi. Jusqu'à 22 h 15.

Jacques Gellé qui a repris et rajeuni ce grand restaurant rustique répond à la question « Quel est votre passe-temps favori? » par : « Mes achats à Rungis... » On a les loisirs qu'on mérite, et aussi une nouvelle toque, que la recherche des bons produits et une ouverture franche et intelligente à la fois vers la cuisine moderne et vers les recettes régionales rendent elle aussi des plus méritées. Comme en témoignent le turbot à la rhubarbe, l'onglet au roquefort, la tête de veau gribiche et le chou farci. 100 à 120 F.

14/20 LES CHAMPS D'OR

22, rue du Champ-de-Mars (551.52.69).
F. dim. et lundi. Jusqu'à 22 h 45.

L'océan dépose au pied de la tour Eiffel dans cette petite maison au décor frais et à l'accueil cordial ses merveilleuses récoltes que le Bruxellois Georges Cloët accommode avec talent et un sens certain des cuissons justes et des sauces légères. Soupe d'étrilles, lotte à la vapeur de poireau, délicieuse salade de mâche aux coquilles Saint-Jacques, huîtres pochées : une cuisine très « cuisinée », à des prix relativement sages (120 à 140 F).

11/20 LA CHAUMIÈRE

35, rue de Beaune (261.26.09).
F. dim. Jusqu'à 22 h.

Le cœur de cette Chaumière bat dans la poitrine d'un chef honnête et scrupuleux. Le grenadin de veau aux pêches, le sauté de bœuf au poivre vert ou le gibier (en saison) sont les spécialités les plus célébrées par sa clientèle d'habitués intellectuels du quartier. Plaisante Chaumière, en vérité, refaite à neuf l'an passé, où vous dînerez pour moins de 100 F.

12/20 LE CHIROUBLES (Hôtel Duquesne)

23, av. Duquesne (705.59.17).
F. dim. Jusqu'à 22 h.

Chiroubles, bien entendu, mais aussi cuisine de terroirs (bourguignon et lyonnais) dans un décor à la rusticité quelque peu appuyée, sauf sur l'étroite terrasse simplement vitrée. Le menu est sans gloire particulière et toutes les spécialités de la carte ne se valent pas. Nous retiendrons surtout, en ce qui nous concerne, le petit jambonneau aux haricots rouges qui nous semble être la plus notable réussite du chef. Quand on aime, les bourgogneries ne sont pas mal non plus : œufs en meurette, jambon persillé, coq au vin, lapin farci à la dijonnaise, etc. Une centaine de francs.

13/20 CHOPE D'ORSAY

10, rue du Bac (261.21.89).
F. sam., dim. et jrs fériés. Jusqu'à 22 h.

La bonne petite maison familiale où l'on aurait envie d'avoir son rond de serviette. On s'y retrouve entre habitués, on se serre un peu les coudes, on fait un brin de conversation avec la patronne et ses filles et tandis que le patron, au fond de la salle, s'affaire tout seul à ses fourneaux, on découvre les plats du jour qui, au gré des saisons et du marché seront aujourd'hui une daube, demain un navarin, un canard aux figues, ou une andouillette au vinaigre. Une cuisine plutôt sage et aussi bonne que celle qu'on aimerait chez soi. Environ 110 F.

12/20 LES COPAINS

• *44, rue de Verneuil (261.26.61).*
F. dim. et lundi (à déj.). Jusqu'à minuit.

Un couple sympathique prépare pour une clientèle de « copains » (vous en serez vite) un menu à 75 F, vin, service et gentillesse compris : une bonne entrée « cuisinée » (comme une terrine de ris de veau, écrevisses et bar), un plat du jour (daube de poisson, lapin braisé) qui change continuellement et un dessert : par exemple, des œufs à la neige ou des pruneaux au vin rouge. Le tout servi avec une pointe d'accent bordelais, ce qui ne gâche rien.

11/20 LA CROQUE AU SEL

• *131, rue Saint-Dominique (705.23.53).*
F. sam. (à déj.) et dim. Jusqu'à 22 h 45.

Gentil petit bistrot derrière la fontaine de Mars et qui se veut dynamique... Effectivement Denise Barrier ne dort pas et décide rapidement votre choix entre le pot-au-feu de viande ou le pot-au-feu de pêcheur, le ris de veau au citron vert ou le rognon au genièvre pour vous faire tourner dans « l'assiette de desserts en farandole ». Dans un tel élan les prix eux-mêmes s'agitent... et peut-être un peu trop. (140 F environ).

13/20 LE DAUPHIN (Sofitel Bourbon).

• *32, rue Saint-Dominique (555.91.80).*
Tous les jours. Jusqu'à 22 h.

Tables rondes, musique douce, lumière tamisée : tous les attributs désormais classiques des salles à manger de grands hôtels modernes. Cela manque un peu de charme et de personnalité, mais non de personnalités car l'Assemblée nationale et le Quai d'Orsay sont de l'autre côté de la rue et parlementaires et diplomates apprécient le calme et le bon service du Dauphin. En même temps que sa cuisine où perce un régionalisme de bon ton. Le chef est Aveyronnais et son cassoulet va droit au cœur, paraît-il, de certains. Nous avons goûté sa crème d'avocat, un peu amère, ses papanas à la roumaine (fromage blanc frit et assez gras), son ris de veau aux courgettes, bien fait, son aiguillette de bœuf aux carottes, malheureusement un peu desséchée et une très bonne mousse de chocolat au curaçao. Les recettes de « grand-mère » (épaule de veau farcie, langue de bœuf en pot-au-feu) se retrouvent au menu à 74 F s.c., mais pas systématiquement semble-t-il. Environ 120-140 F à la carte.

15/20 LA FERME SAINT-SIMON

• *6, rue Saint-Simon (548.35.74).*
F. sam. (à déj.) et dim. Jusqu'à 22 h 30.

Francis Vandenhende a tout pour réussir. Un palais remarquable, un vrai talent de cuisinier, une élégance naturelle, une gaieté communicative, un sens spontané de l'accueil, une foule d'amis et l'une des jolies femmes les plus populaires de France: Et, en effet, l'ancien bras droit de Gaston Lenôtre vient de réussir son entrée dans Paris. Depuis son ouverture, dans les derniers jours d'août, La Ferme Saint-Simon ne désemplit pas. Bien sûr, il y a les curieux qui viennent se décrocher la tête pour apercevoir Mme Vandenhende, alias Denise Fabre, en train de manger sa salade nocturne, au sortir des studios. Mais au-delà de l'événement parisien, il y a la découverte d'une cuisine délicieuse, intelligente, légère (même si quelques sauces s'encombrent encore de trop de fonds), pleine d'invention et, déjà, admirablement contrôlée : les poissons crus à l'aneth, les terrines, le foie gras, le fondant de légumes au basilic, le canard sauvage à la mousseline d'épinards aux poires, les mignonnettes d'agneau à la compote de gigot, les desserts exquis, qui évidemment ne sont pas étrangers à Lenôtre, sont des plats qui, sans hésitation, méritent leurs deux toques. Le décor, lui, mériterait plutôt un bonnet d'âne. C'est l'héritage « petit bourgeois rustique » des propriétaires précédents et, pressé d'ouvrir, Francis n'a pas encore eu le temps, ni peut-être les moyens, de lui donner le petit ton élégant, intime et charmant qui conviendrait si bien à sa cuisine, à Denise et à lui-même (la petite salle du fond, elle, est infiniment plus sympathique ; il est vrai que ce papier à fleurs, c'est eux qui l'ont posé). Il n'est sûrement pas dans la vocation de La Ferme Saint-Simon de devenir une grande boîte chichiteuse et hors de prix. Elle a raison de ne pas se pousser du col et de présenter des additions relativement sages (environ 130-140 F), mais il faudrait qu'elle donne l'envie, très vite, aux Parisiens d'y venir dîner en amoureux, avec de jolies femmes.

14/20 LA FLAMBERGE

• *12, av. Rapp (705.91.37).*
F. dim. Jusqu'à 22 h.

Une atmosphère un brin provinciale, des tables bien espacées autorisant la conversation, un calme qu'apprécie la fine crème de la Télévision voisine. Louis Albistur s'en tient aux recettes éprouvées et apporte tous ses soins au choix des produits, à la justesse des cuissons, à la finesse des sauces. Pas de grandes émotions certes, mais l'assurance de bien déjeuner (ou dîner) avec des belons au champagne, une terrine de rognon et ris de veau, de l'agneau de lait rôti à la provençale. Bonne cave. 150-180 F.

14/20
LA FONTAINE AUX CARMES

● *124, rue de Grenelle (551.77.23).*
F. vend. (à dîner) et sam. Jusqu'à 22 h.

Un point de plus, en attendant peut-être mieux, pour Clément Lausecker qui, sans renier ses attaches alsaciennes — la sole aux nouilles fraîches, le coq au riesling et le baeckeoffe en témoignent — pratique une cuisine plus fine et plus légère, avec des plats très réussis comme les escargots aux grains d'anis, les coquilles Saint-Jacques aux huîtres ou le soufflé d'oursins. Sans oublier de superbes foies gras d'oie au marc de gewurztraminer et une excellente choucroute. Décor « bourgeois » et accueil charmant, « à l'alsacienne ». Environ 130 F.

12/20
LA FONTAINE DE MARS

● *129, rue Saint-Dominique (705.46.44).*
F. sam. (à dîner) et dim. Jusqu'à 21 h 30.

Gentil bistrot comme on n'en fait plus et qui enchante les touristes comme on en fait beaucoup. Rideaux bonne femme, sourire de la patronne et la brave et honnête cuisine de M. Launay, mitonnée, généreuse et pas chère (70 à 80 F). Les simples poireaux vinaigrette, le foie gras frais, les superbes fromages avec du cahors ne vous laisseront que d'excellents souvenirs.

12/20
CHEZ FRANÇOISE

● *Aérogare des Invalides (705.49.03).*
F. dim. (à dîner) et lundi. Jusqu'à 22 h 15.

Ce n'est pas parce que cette maison, très célèbre il y a une vingtaine d'années quand on partait de la gare des Invalides prendre son avion, l'est beaucoup moins aujourd'hui qu'il faut oublier sa cuisine. Il faut la redécouvrir au contraire, dans ce sous-sol, avec beaucoup de plaisir. Un décor agréable sous une grande verrière où grimpent les plantes vertes, un accueil charmant, un service rondement mené et une cuisine sage, parfaitement exécutée qu'il s'agisse du foie gras frais à la gelée de sauternes, de la barbue aux petits légumes, du gigot d'agneau de lait, du canard aux navets, du lapereau sauté au vinaigre, sans oublier un brie fermier remarquable et des vins à des prix rares (14 F la carafe de bordeaux de 50 cl). 110 F environ à la carte.

13/20
LE GALANT VERRE

● *12, rue de Verneuil (260.84.56).*
F. sam. (à déj.) et dim. Jusqu'à 22 h 30.

Impossible d'oublier, quand on franchit la porte du Galant Verre, le bon Guy Girard et son feu d'artifice culinaire. Admettons malgré tout que la salle est moins inconfortable que dans le passé, que le décor a même du charme, l'accueil de Gérard Cohen de l'agrément et la cuisine de son jeune chef Pascal Daguet de réelles qualités. Une cuisine assez moderne, bien qu'un peu encombrée de sauces pas toujours légères : canette au vinaigre de xérès, huîtres chaudes au beurre de truffe, pintadeau poêlé au chou croquant, filet d'agneau à la gousse d'ail, mignon de volaille au concombre. Environ 130-150 F, ce qui ne fait pas un rapport qualité-prix idéal.

10/20
CHEZ GERMAINE

● *30, rue Pierre-Leroux (273.28.34).*
F. sam. (à dîner) et dim. Jusqu'à 21 h.

Germaine s'appelle Fernand, et c'est Pierre qui est aux fourneaux. Ce vrai petit bistrot de quartier, aux tables recouvertes de toile cirée, toujours plein comme un œuf — dès midi, on fait la queue sur le trottoir —, propose à des prix défiant toute concurrence (une trentaine de francs tout au plus), d'humbles délices nommés pâté de campagne, bœuf mode, sauté de veau, petit salé aux pommes, pot-au-feu ou clafoutis.

13/20
LES GLÉNAN

● *54, rue de Bourgogne (551.61.09).*
F. sam. (à déj.) et dim. Jusqu'à 22 h.

Le jeune Daniel Huard, un ancien de La Tour d'Argent ne s'est pas endormi sous la toque dont nous l'avions coiffé l'an passé. Bien au contraire, stimulé par notre note il est allé de l'avant, multipliant, aux côtés des grands classiques de la restauration marine comme la soupe de poissons, les moules farcies et le tourteau mayonnaise, les plats qui dénotent son sens aigu de la création. En témoignent la ratatouille de maquereau en gelée, la terrine d'huîtres à la mousse de cresson, l'escalope de turbot aux navets nouveaux beurre rouge, la truite de Bretagne farcie au bouzy et le ragoût de joues de lottes, réalisés avec des produits de la mer venant directement de Bretagne. 150 F environ.

12/20
LEFEBVRE

● *Port de La Bourdonnais, quai Branly (556.11.23).*
F. dim. Jusqu'à 22 h 30.

Vue de l'extérieur, cette péniche amarrée au pied de la tour Eiffel, inciterait plutôt à changer de quai et à embarquer sur le « Mayflower ». Pourtant, une fois à bord, on est plutôt séduit par un décor moderne de bon ton, un confort parfait (tables bien espacées) et un accueil stylé. La cuisine n'a pas vraiment choisi son cap, hésitant entre le bar au beurre blanc au vinaigre de fraise et le feuilleté de ris de veau financière. Ce n'est pas grave; ce qui l'est, en revanche, c'est de vouloir en faire un peu trop. Plutôt que de viser à la « grande cuisine », le chef devrait s'attacher à traiter tout naturellement ses très beaux poissons. A signaler un grand choix de desserts, inspirés par les recettes de Lenôtre. (140 à 160 F).

10/20
LUCIE (Lou Mino)

• *15, rue Augereau (555.08.74).*
F. dim. et lundi. Jusqu'à 22 h 30.

La Martinique, gaie, bon enfant et sans trop de confort, vingt-deux couverts servis avec beaucoup d'amour par la bonne Lucie qui prépare, toute seule dans sa petite cuisine, le crabe farci, les gombos en salade chaude, le gratin de christophines, le porc Colombo ou le macadam de morue, qui nous mettent le soleil dans le ventre. Environ 70 F.

13/20
CHEZ MARIUS

• *5, rue de Bourgogne (551.79.42).*
F. sam. Jusqu'à 22 h 30.

Pas d'histoire chez Marius qui, à l'ombre du Palais-Bourbon, nourrit les Républiques, les majorités et les minorités, avec des huîtres bien grasses, du poulet à l'estragon, du loup grillé aux herbes (un des meilleurs de Paris), du rognon Jules et de la vraie tarte Tatin. Mais les prix suivent les Républiques (130-150 F). A ce propos, comptez vos billets avant de laisser le maître d'hôtel vous composer un plateau de fruits de mer.

11/20
L'ŒNOTHÈQUE

• *37, rue de Lille (261.23.40).*
F. dim. Jusqu'à minuit.

Toujours 360 vins au répertoire (des bordeaux essentiellement) soit plus d'un cru par jour ouvrable. La carte, elle, offre moins de choix, ce qui est tout à fait normal, mais se signale également par une absence de variété et de fantaisie qu'il nous faut bien déplorer, même si, des truites fumées Petrossian aux desserts en passant par la viande, les produits sont de belle qualité. Puisque la direction a changé, pourquoi ne pas en profiter pour renouveler la cuisine? Sombre décor, vaguement éclairé par une lumière diffusée au travers d'un rideau de bouteilles. Environ 120 F.

13/20
PANTAGRUEL

• *20, rue de l'Exposition (551.79.96).*
F. dim. Jusqu'à 22 h.

Elle est passée, dépassée, la période de mise en route pendant laquelle Freddy Israël, après avoir fait merveille aux fourneaux de Chez Albert, barbotait un peu (dans la crème notamment). Il maîtrise aujourd'hui parfaitement sa cuisine, aussi savoureuse que légère, souvent pleine d'imagination, toujours intelligente, et fondée sur l'utilisation d'excellents produits. Parmi ses plus grandes réussites, vous nous direz des nouvelles de la sole soufflée, des escargots en cassolette, de la mousse de coquilles Saint-Jacques, du foie de canard chaud aux myrtilles et de la fricassée de poulet. 130-140 F environ.

11/20
LA PETITE CHAISE

• *36-38, rue de Grenelle (222.13.35).*
Tous les jours. Jusqu'à 23 h.

Pour moins de 50 F, service et demi-bouteille de vin compris, vous ferez, dans cette maison du XVIIIe siècle, un repas tout à fait honorable en choisissant parmi les dizaines et les dizaines de plats proposés chaque jour dans un très économique menu à moins de 45 F, vin et service compris (pissaladière, saucisson chaud, escalope milanaise, gras-double provençale, bœuf braisé, lapin à la moutarde, etc.) et quelques plats avec supplément de 8 F (crêpes gratinées aux crustacés, tournedos madère, faux filet au poivre vert, etc.). Encore faudra-t-il trouver la petite chaise convoitée dans ce restaurant littéralement pris d'assaut.

10/20
LE PETIT NIÇOIS

• *10, rue Amélie (551.83.65).*
F. dim. Jusqu'à 22 h 30.

Nous ne tenons jamais compte des critiques que formule à l'égard de notre appréciation, l'excellent M. Ruols qui, dans son émotion, nous affirme être âgé de quatre ans! C'est peut-être que nous conservons sur une maison qui ne change pas, en toute bonne logique, une opinion qui reste la même. Et cette fois encore, nous ne pourrons que vanter à leur juste valeur les sûrs et discrets mérites de la bouillabaisse, de la paella, des beignets de calamars, des côtes d'agneau accompagnées de beignets d'aubergine, du loup de mer et de la raie aux câpres, immuablement servis dans la bonne humeur et dans la joie. 80 F environ.

11/20
AUX PETITS OIGNONS

• *20, rue de Bellechasse (705.48.77).*
F. dim. Jusqu'à minuit.

Avec un pot de peinture, des tables de bistrot, des nappes à fleurs et beaucoup de sourires, Edith, que nous avions connue à La Terrasse à Saint-Tropez, et son associée américaine ont transformé un vieux troquet de quartier en un petit restaurant chaleureux et toujours bondé (par la meilleure société du quartier) où elles servent des plats tout simples mais pas bêtes, comme la mousse d'anchois en gelée, la compote de bœuf à la moutarde, l'agneau au citron confit et un bon gâteau au chocolat. 80 F environ. Bon menu à 44 F.

10/20
LE PIED DE FOUET

● *45, rue de Babylone (705.12.27).*
F. sam. (à dîner) dim. et jrs fériés. Jusqu'à 21 h.

Pas de mauvaise surprise dans ce vrai bistrot de quartier, voué à la clientèle intellectuelle et à la cuisine de ménage, qui ne triche pas sur la qualité des produits et propose à ses nombreux habitués des plats du jour honnêtement préparés : poulet au vinaigre ou à la crème d'estragon, bœuf miroton ou bourguignon, lapin au citron, lotte au poivre, etc. Autour de 30 F.

14/20
AU QUAI D'ORSAY

● *49, quai d'Orsay (551.58.58).*
F. dim. Jusqu'à 22 h 30.

On est toujours heureux de se retrouver dans ce petit restaurant, plein de gaieté, de visages connus et souvent aussi de jolies femmes. Mais plus encore depuis qu'Etienne Bigeard a fait resonoriser ses deux salles où, il faut bien l'avouer, on ne s'entendait plus manger. Quand il n'est pas à ses fourneaux, cet homme charmant et passionné est au marché, toujours parmi les premiers à rafler les produits les plus frais et les plus beaux. Son péché mignon — et celui de son chef — est de trop forcer à notre goût sur les sauces riches. Mais le voilà qui se décide à faire de plus en plus de sauces à la minute et de plats au dernier moment (sauf bien sûr sa cuisine mijotée). Il est sur la bonne voie et, de même, a-t-il parfaitement raison de changer si souvent ses plats. Aucun risque ainsi de s'endormir ! Citons-en tout de même quelques-uns parmi nos préférés : la salade de pleurotes et de vernis à l'huile de cerfeuil, la lotte rôtie au panaché de fruits frais, le canard aux pêches étuvées au brouilly, la fondue d'agneau au basilic et à la pipérade, le contre-filet cru au gros sel. Environ 170 F.

12/20
QUE HUONG

● *66, av. Bosquet (551.93.36).*
Tous les jours. Jusqu'à minuit.

Décor tarabiscoté peu exaltant mais une cuisine qui s'évertue à quitter les sentiers très empruntés de l'exotisme sino-vietnamien habituel, avec par exemple les brochettes de canard ou les crevettes au caramel. Addition raisonnable : une soixantaine de francs.

Ecrivez-nous,
pour critiquer nos critiques,
en bien ou en mal,
dans tous les cas, vous nous rendrez service.
210, rue du Faubourg Saint-Antoine,
75012 Paris.

15/20
LE RÉCAMIER

● *4, rue Récamier (548.86.58).*
F. dim. Jusqu'à 22 h 30.

Par la grâce du maire de Paris, la rue Récamier qui s'achève en impasse sur un charmant jardin public — et quasi secret — est devenue voie piétonnière et s'est embellie de superbes massifs de fleurs. Profitez du soleil pour vous asseoir à l'une des plus plaisantes terrasses de Paris ou bien prenez une table dans la petite salle à manger du Récamier où vous retrouverez une assemblée distinguée (éditeurs et gens de lettres entre autres), venue chez Martin Cantegrit pour goûter une cuisine assez classique, délicate et parfaitement réussie : merveilleuse mousseline de légumes frais, terrine de saint-pierre, petit bar au court-bouillon, exquis ris de veau aux trompettes de la mort, foie de veau auvergnate, rognons au mercurey, contre-filet à la moelle, légère tarte aux pommes. Les produits sont parfaits — Cantegrit est l'un des restaurateurs les plus assidus de Rungis, mais il fait également son pain et fait venir son beurre, ses œufs et même son cochon de sa ferme —, les cuissons sont très exactes et c'est un bonheur que de se plonger dans la carte des vins où derrière la longue liste des bordeaux et des bourgognes surgissent les châteauneuf-du-pape et les côtes-rôties. Des vins superbes, relativement peu chers et dont on se demande pourquoi les Parisiens les boudent. (120-130 F).

RELAIS SAINT-GERMAIN

● *190, bd Saint-Germain (548.11.73).*
F. dim. Jusqu'à 22 h 30.

Le Relais Saint-Germain n'est plus Le Relais Saint-Germain puisque, malheureusement, Jean-Marie Frugier l'a quitté. L'ancien chef-patron de La Coquelle (dans le 15e) aura donc fait un passage-éclair boulevard Saint-Germain. Regrettons-le. A l'heure où nous écrivons ces lignes, il s'apprêterait à ouvrir un nouveau restaurant dans le quartier. Ou ailleurs? De toutes façons, nous vous en parlerons dans notre magasine mensuel...

13/20
LA SOLOGNE

● *8, rue de Bellechasse (705.98.66).*
F. sam. et dim. Jusqu'à 22 h.

La carte de La Sologne n'a jamais été aussi tentante depuis que Christian Guillerand, assisté en cuisine de Christian Genon, a repris cette amusante auberge, réplique fidèle de celles que l'on rencontre dans les parages de La Ferté-Saint-Aubin. Il est vrai que lorsqu'on peut inscrire sur son curriculum vitae Troisgros, Lasserre et Guérard, il n'y a pas lieu de se faire de souci. A quoi tient alors que notre dernier repas ne nous ait pas comblé. Pas de graves erreurs mais pas non plus la petite étincelle que l'on pouvait attendre. Une jolie cuisine mais qui manquait de caractère. Aussi bien la terrine de légumes frais que le flan de carottes au haddock et le sandre aux girolles. Un accident? Peut-être. La prochaine fois, nous goûterons le pied de porc fait maison, les pieds de mouton poulette, le civet de lièvre et, pourquoi pas, le pot-au-feu de gibier. Une atmosphère en tout cas très attachante, un accueil parfait et une addition très raisonnable: 100 à 120 F (sans gibier).

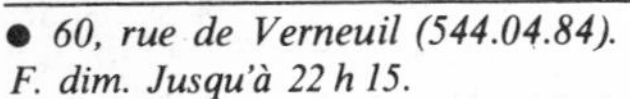

14/20
TAN DINH

• *60, rue de Verneuil (544.04.84).*
F. dim. Jusqu'à 22 h 15.

M. Vifian souhaite que nous « le conseillions pour obtenir deux toques rouges ». Eh bien, il n'a qu'à continuer à réinventer la cuisine asiatique, à mettre au point de nouvelles recettes, à rajeunir, en les mettant à la portée des produits français, celles du Vietnam, peut-être aussi à simplifier et à « laisser aux choses le goût de ce qu'elles sont ». Alors, son joli restaurant s'ornera sans doute d'une deuxième toque. Mais en attendant, vous aimerez comme nous la salade chaude, les ravioli à la coriandre et au basilic, la soupe de grenouilles, les pâtes fraîches aux crevettes, le rouget au gingembre, les rouleaux de crevettes au céleri et le portefeuille d'huîtres aux asperges. Service un peu lent, mais très souriant. Merveilleux vins de tous les vignobles de France. 90 à 100 F.

12/20
THAN

• *42, rue des Saints-Pères (548.36.97).*
F. dim. Jusqu'à 23 h.

« Notre clientèle, nous écrit M. Truong Van Than, est moins snob que vous ne le dites ». De toute façon, qu'il se rassure, snob ou pas, ce n'est pas elle qui nous empêchera d'apprécier la cuisine toujours fraîche et parfumée de la talentueuse Marie Ta, qu'il a formée lui-même. Et notamment les crevettes piquantes, le filet ou les travers de porc, le bœuf à la citronnelle ou au gingembre, le poulet à la citronnelle, les nouilles craquantes. 60 F environ.

Attention !
Certains restaurateurs changent, sans crier gare, la date de leurs vacances – d'été ou d'hiver – Téléphonez-leur donc : c'est la sagesse.

13/20
AU VERT BOCAGE

• *96, bd Latour-Maubourg (551.48.64).*
F. sam. (à dîner) et dim. Jusqu'à 22 h.

Le Vert Bocage ne perd rien de ses charmes : cadre discret, cuisine délicate et sauces légères. Les poissons sont parfaitement cuits (essayez le turbot au beurre blanc nantais) et la carte (pas de menu) propose, à défaut de grandes créations, de très bons petits plats (ris de veau à la crème, poulet sauce moutarde). 140-150 F.

Paris 8e

12/20
CHEZ ANDRÉ

• *12, rue Marbeuf (359.75.07).*
F. mardi. Jusqu'à 23 h 30.

La grande foule, soir et (surtout) matin, vient chercher, dans cette atmosphère à la fois très provinciale et très parisienne une brave cuisine de bistrot, pas audacieuse pour un sou, ni même pour les cent francs que coûte un honnête repas (la bouillabaisse du vendredi, la poularde à l'estragon, le gigot aux haricots). Bons produits et des cuisines toutes neuves. Service survolté.

12/20
ANDROUET

• *41, rue d'Amsterdam (874.26.90).*
F. dim. Jusqu'à 22 h.

Pierre Androuet, maître incontesté de l'univers fromager français (ou du moins ce qui en reste), va porter la bonne parole dans le monde entier mais comme il n'est pas lui-même cuisinier, ses absences ne portent nullement ombrage à la bonne marche de cette vieille institution parisienne où, non seulement, on achète les derniers vrais fromages de France mais aussi, au premier étage, dans un décor gothisant, on les goûte, nature ou « cuisinés », ainsi que des plats « bourgeois » ou classiques d'une qualité très régulière. Superbe cave. 120 à 140 F.

11/20
L'ARC-EN-CIEL D'ORIENT

• *34, rue de Ponthieu (225.57.36).*
Tous les jours. Jusqu'à 23 h.

Le chef Nguy Dac a fait inscrire à la carte un certain nombre de spécialités vietnamiennes, qui sont autant de raisons supplémentaires de fréquenter ce restaurant de poupée, chaleureusement décoré et joliment fleuri, où nous aimons aller manger, entre autres bonnes choses, le poulet façon Arc-en-Ciel, le crabe farci et les ravioli aux crevettes. 60 F en moyenne.

12/20
L'ARTOIS

• *13, rue d'Artois (225.01.10).*
F. sam. et dim. Jusqu'à 22 h.

Un point de plus pour cette bonne vieille maison où il ne fait pas bon venir sans avoir retenu sa table. Aussi bien dans la salle rustique qu'aux fourneaux, la famille Rouzeyrol entretient le culte de l'ouvrage « bien faite » et des vertus simples de l'Auvergne, matérialisées par les tripoux d'Aurillac, le petit salé aux choux, et le confit d'oie. 100-120 F.

10/20
L'ASSIETTE AU BŒUF

• *123, Champs-Elysées (720.01.13).*
Tous les jours. Jusqu'à 1 h du matin.

Excellent aloyau-frites, salade aux pignons, charlotte, île flottante : choix facile puisqu'il n'y a pas de choix. Le décor, lui, est légèrement plus compliqué, Michel Oliver et Slavik ont gentiment déliré et leur délire vaut le détour. 55-90 F.

12/20
L'AUVERGNAT 1900

• *11, rue Jean-Mermoz (359.21.47).*
F. dim. Jusqu'à 22 h 45.

Sympathique mariage de plats paysans et de la mode. Il n'est pas déplaisant de manger de la potée, de la poitrine de veau et du chou farci dans un décor de style Belle Epoque. Mais le jeune chef, qui est aux fourneaux, depuis un an, ne s'en tient pas là et sa carte s'ouvre également à la cuisine moderne. 120-140 F.

10/20
BAR DES THÉÂTRES

• *6, av. Montaigne (359.34.88).*
Tous les jours. Jusqu'à 1 h 30 du matin.

L'un des théâtres d'activités des mannequins de Dior et de Ricci, où l'on est en outre assuré de rencontrer « tout le monde ». La cuisine n'est, comme au théâtre, qu'un accessoire (foie de veau, petit salé aux lentilles ou plus simplement croque-monsieur). 50-80 F environ.

12/20
LE BŒUF SUR LE TOIT

• *34, rue du Colisée (359.83.81).*
F. dim. Dîn. seult. Jusqu'à 1 h du matin.

Le passé de ce Bœuf sur le Toit est en vérité beaucoup moins chargé de souvenirs et de nostalgie qu'on le croit en général. C'était au Bœuf de la rue Boissy-d'Anglas que le Tout-Paris des écrivains, des musiciens et des peintres se ruait dans le sillage de Radiguet et de Cocteau, de Blaise Cendrars et de Georges Auric, de Picasso et d'Erik Satie, autour du piano de Jean Wiener. Ressuscité rue du Colisée, le Bœuf sur le Toit n'eut à accueillir au lendemain de la dernière guerre que Gréco et quelques amuseurs en rupture de Saint-Germain-des-Prés. Quoi qu'il en soit, après une longue fermeture, il vient de rouvrir dans un nouveau décor sans originalité mais pas déplaisant et Gérard Moreau, qui avait ouvert La Boutargue à Neuilly, a suffisamment de copains pour remplir son « piano-bar » (le pianiste est excellent) et un restaurant où pour environ trois billets de cinquante francs on mange une cuisine sans prétention et appétissante, dans le registre salade de langoustines, turbot, filet de bœuf et ris de veau à la crème.

12/20
BISTRO DE LA GARE

• *73, Champs-Elysées (359.67.83).*
Tous les jours. Jusqu'à 1 h du matin.

Un décor particulièrement réussi à l'omniprésent Slavik ressuscitant avec audace et talent les vieux « bouillons » d'autrefois. C'est de la restauration populaire mais de la très bonne puisqu'on fait la queue parfois entre gens du « meilleur monde » pour se voir proposer, pour une soixantaine de francs, une entrée joyeuse et originale du style terrine de légumes ou céleri rémoulade saucisson chaud, suivie d'un paillard de veau ou d'une belle grillade, avec de (bonnes) frites et d'un merveilleux dessert. Agréables vins, fort bien sélectionnés, à tout petits prix.

12/20
LE BONAVENTURE

• *35, rue Jean-Goujon (225.02.58).*
F. sam. (à dîner) et dim. Jusqu'à 22 h 30.

Bon vent à ce Bonaventure qui mérite d'aller loin — il frise déjà la toque — même s'il souffre encore de quelques défauts de jeunesse (un décor un peu raide, un éclairage un peu clinquant, une musique de fond envahissante le soir). Voilà en tout cas une adresse très agréable pour des repas d'affaires, les tables sont bien espacées, le petit jardin intérieur crée une diversion heureuse et la cuisine de Noël Gutrin oscille équitablement entre un classicisme qui n'est pas ennuyeux (volaille de Bresse aux girolles, paillard de bœuf, jambon persillé) et un modernisme qui n'est pas aventureux (en particulier un délicieux pot-au-feu de volaille aux légumes croquants, la « montgolfière aux trois poissons » ou le saumon sauvage aux groseilles). Tout cela, cuit avec précision et d'un goût bien marqué, même si ce Bourguignon abuse un peu des sauces. Quelques bons desserts et des vins abordables comme le Larose Trintandon à 60 F. Toutefois, vous ne vous en tirerez pas à moins de 130 F.

11/20
BOULANGERIE SAINT-PHILIPPE

● *73, av. Franklin-Roosevelt (359.78.76).*
F. sam. Déj. seult.

C'est de pâtisseries, surtout, que vous viendrez vous gaver ici, dans cette arrière-boutique aménagée en restaurant de style rustique — si toutefois vous trouvez de la place ! On s'y bouscule, en effet, et c'est bien naturel puisque ces pâtisseries sont exquises (notamment la tarte Tatin à la crème fraîche, les religieuses et les macarons) et que le chef a encore quelques beaux tours dans ses casseroles, comme l'andouillette de Coesnon, la bavette à l'échalote, la brochette de coquilles Saint-Jacques à la ciboulette, ou pour les amateurs d'antiquités prestigieuses, le coq en croûte. 80-100 F en moyenne.

11/20
LA BOUTIQUE A SANDWICHES

● *12, rue du Colisée (359.56.69).*
F. dim. Jusqu'à minuit 30.

Précieuse petite maison qui propose depuis vingt-trois ans aux malheureux affamés des Champs-Elysées, employés ou cinéphiles, quarante sortes de bons sandwiches (de 4 à 10 F) et dans deux petites salles (dont une nouvelle cette année), quelques préparations austro-alsaciennes, comme le pickelfleish au raifort, la langue de bœuf, les pâtisseries viennoises. On dépense très raisonnablement 40 à 60 F.

15/20
LE BRISTOL

● *112, fg Saint-Honoré (266.91.45).*
Tous les jours. Jusqu'à 22 h.

Dans la merveilleuse salle à manger oblongue de l'Hôtel Bristol, sous la verrière, entre les boiseries Régence, les progrès sont pharamineux. Les nouveaux propriétaires ont eu la finesse de prendre un directeur remarquable, M. Rorhe, qui s'est adjoint un cuisinier de très grand talent, Jean-Paul Bouin, plein d'invention et d'un sens extrême des poissons et des sauces légères. Finie la cuisine faussement créatrice de ces dernières années et ses lourdes fanfreluches. D'un bout à l'autre, la carte fait venir l'eau à la bouche : terrine de ris de veau aux champignons, mousse d'avocat aux fruits de mer tièdes, salade de langouste sauce grelette, feuilleté d'écrevisses aux artichauts, filets de rougets au fumet de basilic, escalope de rognons et de betterave, pintadeau à la crème d'échalote, charlotte aux fruits de la Passion, tout est exquis, léger, délicat, avec d'infinis raffinements et des vins superbes. Cela vaut deux toques d'emblée et, hélas ! deux billets de cent francs.

> ***Attention !***
> ***Certains restaurateurs changent, sans crier gare, leur jour de fermeture ou la date de leurs vacances. Téléphonez-leur donc pour être assuré de l'ouverture du restaurant.***

13/20
LE CHÂTEAU DE CHINE

● *9, rue de La Trémoille (359.73.47).*
Tous les jours. Jusqu'à 23 h.

C'est donc toujours en tremblant que nous donnons les adresses de nos dernières découvertes, qui, délicieuses aujourd'hui, peuvent se révéler très médiocres demain. La seule garantie est de trouver des restaurants dont le patron est lui-même aux fourneaux. Le Château de Chine fait partie de ces heureux élus, et l'on peut, sans inquiétude, recommander cette élégante maison qui s'est ouverte récemment à proximité des Champs-Elysées et où nous avons goûté l'un des meilleurs canards laqués pékinois, à la peau bien croquante, actuellement préparés à Paris (180 F à quatre). M. Ting, originaire de Shanghaï, appartient à cette catégorie relativement rare de cuisiniers chinois qui n'utilisent que des produits de toute première qualité et jettent ce dont ils ne se sont pas servis, plutôt que de déguiser les restes — au risque de vous ruiner l'estomac. Après avoir goûté ses exquises crevettes épicées à la shanghaïenne, ses coquilles Saint-Jacques au vin chinois, son poulet en papillote ou son poisson frit à la sauce aigre-douce, vous sortez de table aussi léger qu'un criquet, et il n'est pas de meilleur compliment que l'on puisse adresser à un cuisinier chinois. Environ 70-90 F pour un repas « normal ».

16/20
CHIBERTA

● *3, rue Arsène-Houssaye (563.77.90).*
F. sam., dim. et jrs fériés. Jusqu'à 22 h 30.

Pas étonnant que le Chiberta ait brûlé en novembre 78 : le chef Jean-Michel Bédier n'arrêtait pas de faire des étincelles. En tout cas, après ce malheureux intermède, il a retrouvé ses fourneaux et c'est d'une main toujours aussi légère qu'il prépare une cuisine qui ne cesse pas d'enchanter par sa finesse et son invention : salade de mesclun et de homard au basilic, feuilleté d'artichauts à la confiture d'oignons, ragoût d'écrevisses aux truffes, turbot à la chiffonnade de laitue, bar à la vapeur au beurre rouge, paletot de canard rôti au miel, charlotte d'aubergines aux noisettes d'agneau, lapereau au gingembre et pâtes fraîches, et chaque jour quelques nouveaux plats et aussi une dizaine de desserts dont un bien bon biscuit à la mousse de cassis. M. Richard a le don de dénicher les meilleurs bourgognes et ses clients les moyens de régler d'assez fastueuses additions (150-

200 F) mais parfaitement justifiées par la qualité de la cuisine, le raffinement d'un décor moderne très réussi, l'atmosphère ouatée et élégante de ce restaurant de luxe où l'on commence à rencontrer tout Paris.

12/20 CHINA TOWN

• *6, rue de la Pépinière (522.86.90).*
Tous les jours. Jusqu'à 23 h 30.

Nouveau maillon d'une chaîne internationale, immense (il occupe sur deux niveaux les spacieuses salles à manger de l'ancienne Reine Pédauque), prêt à recevoir des centaines de clients dans un décor de temple chinois en plastique, animé par dix musiciens, sans parler du trancheur qu'on voit officier à la devanture, le China Town est le plus déconcertant des restaurants asiatiques de Paris : on y est traité pardessus la jambe, comme dans un vulgaire buffet de gare. Le service est bruyant, trop rapide ou trop lent, peu francophone, et c'est en cela qu'il est authentique : on se croirait à Londres ou même à Hong Kong. Nous y avons néanmoins nos habitudes à cause des excellents dim sum (petites entrées cuites à la vapeur), raffinées et économiques. Nous aimons aussi le crabe au soja noir, les combinaisons de viandes laquées, le potage de canard et les boulettes de crevettes. 75 F environ.

15/20 CLOVIS (Hôtel Windsor)

• *4, av. Bertie-Albrecht (561.15.32).*
F. sam. et dim. Jusqu'à 22 h 30.

Un mauvais point pour le service qui, lors de notre dernier passage, était d'une lenteur et d'une confusion assez agaçantes (comme quoi, d'ailleurs, le fait d'être Gault et Millau ne fausse pas les cartes). C'était d'autant plus dommage que la cuisine de Paul Pagnon — un jeune ancien de La Marée — ne nous avait jamais paru aussi bonne et aussi sûre. Des plats admirablement présentés, des goûts nuancés mais toujours bien marqués, des sauces remarquables de légèreté au service d'une carte intelligente et très appétissante qui emprunte à la nouvelle cuisine le meilleur de son inspiration : une remarquable terrine de légumes au coulis de tomate (un plat-bateau, hélas, souvent fade), des filets de turbot à la fondue de fenouil, du rognon de veau aux artichauts, des aiguillettes de canard aux épinards crus, de délicieuses salades, de parfaits desserts, en particulier un admirable sorbet aux griottes. La cave est de la même qualité mais chèrement tarifée et si le décor contemporain commence déjà à dater un peu, cette grande salle très confortable permet de faire de très agréables déjeuners au calme, même lorsque toutes les tables sont occupées. Le soir, le public commence à venir mais ce n'est pas encore la grande affluence. 140-180 F.

13/20 COPENHAGUE et FLORA DANICA

• *142, Champs-Elysées (359.20.41).*
F. (Copenhague) dim. et jrs fériés. Jusqu'à 22 h 30 (23 h 30 au Flora Danica).

Au premier étage de La Maison du Danemark, cette belle salle un peu sombre mérite vraiment de connaître un succès qu'elle n'obtient pas tout à fait. Les tables, en effet, sont dressées avec un goût remarquable, les sièges sont mœlleux, le service d'une élégance et d'une efficacité toute nordique et enfin la cuisine, conçue avec les conseils de Roger Vergé, fait appel aux meilleurs produits, préparés avec un talent sûr. Une fête permanente pour les amateurs de saumon (frais ou fumé, il s'en consomme ici près de trois tonnes et demi par mois) qu'ils découvriront ici accommodé de toutes les façons : poché aux algues avec une mousseline de cresson, mariné à l'aneth avec une sauce moutarde, en escalope à la crème d'œufs d'ablettes, ou encore grillé à l'unilatéral, c'est-à-dire d'un seul côté (c'est notre préféré). Ne négligez pas non plus les harengs, préparés eux aussi de toutes les façons imaginables, ni l'excellent canard au sel, ni de bons gâteaux fourrés aux fruits qui nourriraient un bûcheron affamé. L'aquavit et la bière danoise font glisser tout cela, y compris l'addition qui n'est pas légère (autour de 150 F). Au rez-de-chaussée, dans un décor de faïence bleue à motifs floraux, le Flora Danica est plus intime, extrêmement confortable et tout à fait indiqué pour un repas rapide ou un souper d'après spectacle. Enfin, sur les Champs-Elysées mêmes, un snack-pâtisserie très populaire.

11/20 DRUGSTORE DES CHAMPS-ÉLYSÉES

• *133, Champs-Elysées (723.54.34).*
Tous les jours. Jusqu'à 1 h du matin.

La cuisine des drugstores en général et de celui-ci en particulier est de celles qui ne suscitent pratiquement jamais de commentaires indignés de nos lecteurs. Ils savent ce qu'il faut en attendre et sont plutôt surpris que le poulet Maryland du mercredi, le pavé de rumsteak du samedi, les huîtres, les club-sandwiches, les salades composées, les énormes glaces, soient tout compte fait si convenablement préparés et servis. Quelques agréables vins de pays servis en carafe. Environ 80 F.

11/20 DRUGSTORE MATIGNON

• *1, av. Matignon (359.38.70).*
Tous les jours. Jusqu'à 1 h du matin.

La carte est modifiée chaque trimestre dans cet établissement qui — le croiriez-vous ? — propose une franche et honnête cuisine culminant avec ses plats du jour. Les petits vins en carafe ne sont pas désagréables non plus. Nouveau décor Slavik et, dans le contexte actuel, prix très abordables : de 60 à 80 F.

14/20
CHEZ EDGARD

● *4, rue Marbeuf (359.85.92).*
F. dim. Jusqu'à 1 h du matin.

Vive Edgard, décidément, même quand Edgard n'est pas là. Cet excellent homme a laissé l'affaire entre de bonnes mains, celles de son cousin Paul Benmussa, qui d'ailleurs la dirigeait avec lui depuis 1969. Dans un décor refait à neuf, vous viendrez et reviendrez dans cette honnête maison où règne toujours une joyeuse animation, peut-être pour y coudoyer Georges Marchais ou d'autres célébrités, mais aussi et surtout pour goûter une cuisine fraîche, franche, à laquelle l'intelligence ne fait jamais défaut (même si l'imagination tend quelquefois à s'assoupir) : noix de coquilles Saint-Jacques au basilic, suprême de volaille aux blancs de poireaux, magret de canard au mesclun, travers salé aux lentilles. Toujours de remarquables produits et des prix que l'on pourrait presque qualifier de raisonnables, dans un quartier où ils prennent si facilement les chemins de la liberté. 100-120 F en moyenne.

14/20

ÉLYSÉES-MATIGNON

● *2, av. Matignon (225.73.13).*
F. dim. Jusqu'à 2 h du matin.

Malgré la mode et à cause, peut-être, du décor déconcertant et des additions décourageantes, le restaurant d'Issartel périclitait. Ses deux sauveurs, Alain Senderens (L'Archestrate) et Jean-Pierre Coffe (La Ciboulette) ont eu pour lui une idée de génie : au déjeuner, pour les hommes d'affaires, un plat unique exquis et tout ce qu'il y a de bourgeois : blanquette d'agneau, chou farci, épaule boulangère, haricot de mouton, bourguignon, tête de veau, servi à volonté, tout comme le café et l'incomparable petit côtes-du-Rhône de La Ciboulette. Cela fait une addition fixe à 70 F tout compris. Miracle aux Champs-Elysées ! Vous pourrez aussi bien, même au déjeuner, dépenser beaucoup plus d'argent en faisant un repas à la carte avec quelques plats très délicats et modernes, la salade de confit aux navets, le flan de broccoli aux écrevisses, les grenouilles au gingembre, le suprême de canard à la citronnelle, les crêpes à l'orange confite. A la carte : 180 F environ.

13/20

LE FOUQUET'S

● *99, Champs-Elysées (723.70.60).*
Tous les jours. Jusqu'à 23 h.

Tout arrive : même le Fouquet's, abonné aux producteurs à gros cigares, aux additions légendaires et à la « grande » cuisine, se démocratise. Enfin presque, en proposant, pour un petit billet de cent francs un déjeuner tout compris offrant trois plats bourgeois du style navarin d'agneau ou gigot, un dessert et une carafe de bordeaux. Pour le reste, rien de changé, on va toujours plus au Fouquet's pour voir et être vu que pour manger, même si parfois la carte fait de brèves incursions (nage de barbue aux poireaux et truffes, médaillon de veau en crépinette sur lit de blettes, fricassée de lotte aux pâtes et piments doux) en direction d'une cuisine moins banale. Le personnel, toujours aussi « fougeux » n'en revient pas, et nous non plus. 180-200 F.

12/20
GARNIER

● *111, rue Saint-Lazare (387.50.40).*
Tous les jours. Jusqu'à minuit 30.

Sans doute le choix de coquillages le plus riche de Paris et généralement de belle qualité (toute l'année) et des poissons cuits sans manière (surtout grillés) et de bonne provenance. Décor moderne, prix assez élevés (120-130 F).

10/20
GERMAIN

● *19, rue Jean-Mermoz (359.29.24).*
F. dim. Jusqu'à 22 h.

Un vrai bistrot à deux pas des Champs-Elysées, on croit rêver. Frisée aux lardons, côte de veau à la crème, potée auvergnate, blanquette de veau (selon les jours), légumes frais, le tout servi sur des nappes et avec de grandes serviettes. Environ 38 F.

10/20
HIPPOPOTAMUS

● *6, avenue Franklin-Roosevelt (225.77.96).*
Tous les jours. Jusqu'à 1 h du matin (1 h 30 les vend. et sam.).

L'Hippopotamus continue son bonhomme de chemin en faisant régulièrement des petits à travers Paris. Vous en trouverez dans le 2e (1, bd des Capucines, 742.75.70), dans le 5e (9, rue Lagrange, 354.13.99), dans le 15e (12, av. du Maine, 222.36.75) et — le dernier-né — dans le 17e (place des Ternes). C'est dire si la formule à 31,50 F (il faut compter en plus le dessert, le vin et le service) a su trouver une clientèle qui ne trouve rien à redire à la salade « hippo » (concombre, carotte, céleri et salade verte) et à la pièce du boucher : du faux-filet servi avec de bonnes frites à volonté. L'ambiance évoque volontiers le métro aux heures de pointe mais le personnel sait en toute occasion garder le sourire.

Où dîner le dimanche ? Voir p. 108.

11/20
HOLLYWOOD CAFÉ

● *68, rue de Ponthieu (225.01.77).*
F. dim. Jusqu'à 1 h du matin.

Ni le nouveau patron, ni la nouvelle enseigne ne paraissent avoir perturbé la bonne qualité des huit sortes de hamburgers servis dans le décor « Manhattan » (briques, glaces teintées, éclairages parcimonieux) de l'ex-Great American Disaster. Additions sages (50 à 60 F) et clientèle amusante.

12/20
IMPÉRIAL SÉLECT

● *23, rue Vignon (742.69.14).*
F. dim. Jusqu'à 22 h 15.

Bonnes spécialités vietnamiennes et cantonaises : pâté impérial vietnamien, crevette orchidée, pinces de crabe farcies de crevettes ou à la sauce pékinoise, poulet sauce spéciale du chef, dans un décor beaucoup moins « sélect » que ne le suggère l'enseigne. 60 F et plus.

13/20
INDRA

● *10, rue du Cdt-Rivière (359.46.40).*
F. sam. (à déj.) et dim. Jusqu'à 23 h.

Le personnel de ce restaurant indien fait ce qu'il peut pour sourire en français et vous expliquer les mystères du Tandori chicken (poulet au four), du Goan prawn curry (crevettes de Goa), des akouri (œufs à la façon parsi), du chutneymala (poisson farci à la pâte d'épices, sucrée et acide) ou du rogan josh mutton. Mais en définitive, c'est le hasard qui, ici est le meilleur des guides car tout est bon — en tout cas à notre goût — dans cette cuisine indienne lorsqu'elle est préparée avec une pareille délicatesse. Le décor est un peu froid mais les plats sont « chauds » certains même brûlants. Environ 100-110 F.

13/20
LES JARDINS D'EDGARD

● *92, rue La Boétie (359.08.20).*
F. sam. (à déj.) et dim. Jusqu'à 1 h du matin.

On se posait de sérieuses questions sur l'avenir du restaurant que l'impétueux Edgard avait repris et transformé, après avoir laissé son cousin Paul rue Marbeuf. Mais finalement, tout s'est arrangé. Edgard est resté, ses problèmes de cuisine ont été surmontés, et les clients ne boudent plus ces deux grandes salles élégantes, la première décorée dans l'esprit des années 25, l'autre dans le style « colonial » (boiseries blanches et plantes vertes) où, au bord d'une charmante cour intérieure et fleurie, ils déjeunent dans un calme parfait, en des boxes bien séparés : une aubaine particulièrement heureuse pour les repas d'affaires. Une grande carte variée et appétissante, avec, par exemple, de la soupe de tomates fraîches au pistou, de la terrine de canard aux noisettes, du saumon frais mariné à l'huile de basilic, un bon turbotin à la vapeur de safran, des coquilles Saint-Jacques aux poireaux, de la rouelle de gigot, d'excellentes pâtes fraîches, une parfaite crème caramel ou l'admirable millefeuille Lenôtre. Nous avons goûté un remarquable bordeaux Château Haut-Bailly 1973 et découvert avec une certaine surprise que c'était les hommes et non les femmes qui se jetaient sur les plats « minceur ». La cuisine a trouvé à présent sa vitesse de croisière et Les Jardins d'Edgard est certainement un des refuges les plus sympathiques des Champs-Elysées. Environ 120 F.

14/20
AU JARDIN DU PRINTEMPS

● *32, rue de Penthièvre (359.32.91).*
F. dim. Jusqu'à 22 h 30.

Mois après mois, les frères Tan, vêtus de blanc comme des gymnastes, ont assuré leur position de meilleur « chinois » de Paris. Le décor est souriant et feutré, joliment éclairé, l'accueil plein de sourires, de prévenances, de bons conseils. Et surtout se distingue l'extrême originalité de la cuisine, en particulier celle de Tchao-Tséou (où c'est ? Eh bien, entre Canton et Fou-Kien...). Ne craignez pas de vous lancer ici dans de nouvelles expériences chinoises. Vous ne serez jamais déçus, surtout avec les crevettes aux feuilles de Fou-Hen, celles de Hai-Nam, le poulet en ivresse, les toasts « Madame Butterfly », les boulettes de bœuf au saté, le canard hangchowienne. 80-100 F.

11/20
JOSEPH

● *56, rue Pierre-Charron (359.63.25).*
F. dim. Jusqu'à 22 h.

Tiré de sa grisaille, ce restaurant au décor toujours rétro a bien meilleure allure. La carte, elle aussi, a reçu un coup de plumeau : on a rangé fort judicieusement la sole Dugléré au grenier, pour se mettre au goût du jour avec, par exemple, l'escalope de saumon à l'oseille ou les blancs de turbot au vin gris. A parler franc, la réalisation de certaines de ces nouvelles spécialités n'est pas encore à la hauteur des intentions (terrine de mer et de rivière au foie gras inutilement compliquée et un peu terne, escargots à l'oseille et gratin de queues d'écrevisses au basilic plutôt indifférents). Bref, il y a encore des progrès à faire pour que nous acceptions les très audacieuses ambitions de l'addition, qui maintenant dépasse allègrement les 150 F.

11/20
KATOU

● *79, rue La Boétie (359.07.83).*
F. dim. Jusqu'à minuit 30.

La nouvelle décoration (quasiment la forêt

vierge) des grandes salles à manger est pleine de charme et M. Kane s'emploie à mettre à sa carte quelques plats nouveaux et aussi camerounais que possible (le n'dollé — ragoût de bœuf aux arachides et au manioc —, le poulet aux pistaches, le foufou aux gombos). La daurade à la patate douce, le poulet au citron vert, le tibou-dienne (riz au poisson) sont des plats honnêtes et sincères sans doute, mais qui ne convainquent pas tout à fait de la nécessité de se faire naturaliser camerounais. 120 à 140 F.

15/20
LAMAZÈRE

● *23, rue de Ponthieu (359.66.66).*
F. dim. Jusqu'à minuit 30.

Roger Lamazère n'a pas besoin d'être magicien pour attirer et retenir, dans son décor « grand bourgeois », une clientèle cossue qui possède les moyens de son appétit. Sa cuisine s'en charge et en particulier ses spécialités exceptionnelles qui le rendent imbattable sur le terrain, miné de gros chèques : du foie gras frais, du véritable cassoulet, des confits vieillis en pot de grès et de la truffe qui, grâce à un procédé secret mais fort simple, conserve son parfum et sa fraîcheur toute l'année. D'autres viennent ici manger de la sole aux courgettes ou de la côte de bœuf (les plats « genreux » ont à peu près tous disparu de la carte) et n'ont aucune raison de se plaindre mais, pour nous, la vraie fête chez Lamazère, c'est de se faire servir dans une assiette une tranche de foie gras, dans une autre une salade de truffes et d'opérer dans un silence religieux ce mariage divin avec, pour vin de messe, un sauternes bien frais. Avec six spéciales, un cassoulet et un sorbet à l'armagnac, on peut dépenser 150 F avec un petit vin, mais en suivant nos conseils, on ne manquera pas de doubler et même de tripler cette somme.

17/20
LASSERRE

● *17, av. Franklin-Roosevelt (359.53.43).*
F. dim. Jusqu'à 22 h.

René Lasserre est le seul restaurateur qui ne soit jamais, absolument jamais, satisfait des commentaires flatteurs que nous écrivons avec constance sur son incomparable restaurant. La tentation nous vient alors d'en profiter pour dire de lui le plus grand mal afin de le faire pleurer pour quelque chose. Hélas, incapables de mentir, nous reprendrons cette année encore la litanie des compliments, agrémentée cette fois d'un hommage à l'addition qui, de nos jours, dans une maison d'un si haut niveau, est étonnamment sage (on peut fort bien dîner, sans les vins, pour quelque 160 F : avocat Saint-Germain, canard à l'orange — le meilleur du monde — et des poires à la crème). Le service est toujours admirablement efficace et prévenant, la vaisselle d'un luxe éclaboussant, les vins superbement choisis, et la cuisine d'un classicisme bon teint, coquinement ouverte vers quelques nouveautés : la terrine de tourteau au Ricard, des grenouilles aux gousses d'ail, le poussin aux écrevisses, le pigeon aux courgettes, la mousse de mangue glacée... Qu'est-ce que Lasserre va bien pouvoir trouver cette fois pour nous maudire ? Carte : 250 F environ.

Envoyez-nous vos bonnes adresses, vos critiques, vos commentaires. Nous vous en serons obligés.

15/20
LAURENT

● *41, avenue Gabriel (225.00.39).*
F. sam. et dim. Jusqu'à 23 h.

Rappelez-vous les débuts difficiles de Laurent renaissant : le style de cuisine incertain, l'addition qu'on prétendait la plus lourde de Paris, le décor tellement somptueux qu'on le croyait rébarbatif. Eh bien, Laurent a surmonté tous les obstacles : la cuisine est désormais d'un niveau remarquable, intelligente et sûre (pas très audacieuse, c'est notre seul regret), l'addition élevée, certes, mais plutôt moins, à qualité égale, que chez ses grands concurrents, et le décor, d'un extrême raffinement comme son service parfait, est digne d'une clientèle qu'on voit aussi bien chez Taillevent ou chez Maxim's. Parmi les plats que nous préférons, citons les nombreux et tout frais petits hors-d'œuvre de la superbe voiture, la terrine de canard sauvage aux cèpes, les œufs pochés au caviar, la salade de homard frais, les œufs de cailles aux truffes, les coquilles Saint-Jacques au riz sauvage, les rougets à l'huile d'olive au basilic, le biscuit aux framboises. Très belle et riche cave. 250 F environ.

14/20
LA LIGNE

● *30, rue Jean-Mermoz (359.15.16).*
F. sam. et dim. Jusqu'à 22 h 30.

Toujours sur la bonne route, cette charmante Ligne qui dissimule ses petites salles élégantes et très « new-yorkaises » dans un sous-sol de la rue Jean-Mermoz. Avant de recevoir le sourire de Mme Speyer, qui est une hôtesse exquise, on passe devant les cuisines vitrées où Jean, son mari, prépare du turbot aux écrevisses, de la fricassée de homard aux petits légumes, du jambonneau de canard aux pêches, du faisan aux figues, du foie de veau aux navets sautés et de très fins desserts pour une clientèle fidèle qui apprécie aussi bien son talent, ses sauces, ses bons produits que l'atmosphère de cette petite maison à la fois amicale et élégante. Une bonne idée : la « bouteille du mois » qui est toujours une excellente découverte à prix modéré. Environ 130-140 F.

14/20
LE LORD GOURMAND

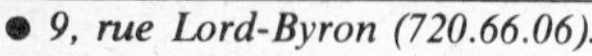

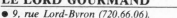

• *9, rue Lord-Byron (720.66.06).*
F. sam. à déj. (de sept. à mars), sam. et dim. (d'avril à oct.). Jusqu'à 22 h 15.

Daniel Météry, ancien chef de Bocuse et qui, à Paris, avait fait la renommée de Clovis, a gardé cette vertu rarissime de savoir écouter les reproches amicaux. Nous lui en avions fait juste avant l'été 79, trouvant qu'il ne marquait pas suffisamment ses plats dont certains étaient même d'une fadeur absolue. Aussi, quel plaisir de constater à la rentrée d'octobre que ces erreurs avaient été rectifiées et que sa cuisine, relevée comme il faut, avait retrouvé sa séduction de jadis, même si la sole au coulis d'écrevisse est en définitive un plat bien peu intéressant, qu'il ferait mieux d'oublier (il n'y a pas, pour la sole, de pire ennemi que toutes ces sauces). En tout cas, nous avons adoré le petit gâteau de légumes à la menthe, admirablement dosé, celui de foies blonds aux herbes fraîches, le rognon de veau poêlé au persil, et vous aimerez aussi le ragoût de langoustines aux fines herbes, l'effiloché d'artichaut aux queues d'écrevisses, le mignon d'agneau sur un lit d'épinards, le panaché de chocolat à la crème anglaise ou la tourte aux abricots que l'on vous servira le plus gracieusement du monde (Mme Météry est une hôtesse parfaite) dans une salle aux tonalités beiges où, malgré ses petites dimensions, on ne s'entend pas d'une table à l'autre, ce qui est une bénédiction pour les repas d'affaires et les dîners en tête-à-tête. Avec un excellent saint-émilion Château Lyonnat, l'addition tourne autour de 130 F. C'est tout à fait raisonnable.

10/20
LOUIS XVI

• *27, rue Pasquier (265.52.90).*
F. sam., dim. (à déj.). Jusqu'à 22 h.

Un joli décor, une charmante patronne, des idées qui fusent sur la carte, mais la dernière expérience que nous avons faite en ces lieux ne nous engage pas à suivre l'excellent M. Cremer dans la fort élogieuse appréciation qu'il a de ses propres talents. Filets de sole fumée secs et trop cuits, émincé de bœuf cru aux truffes très alléchant, mais confit dans une sorte de marc offusquant, ou encore saladier de roquefort mélangé d'alcool non moins envahissant : il suffirait de bien peu de choses pour que cette cuisine s'évade de toutes ces complications inutiles et s'épanouisse. Mais à quand ce peu de choses ? Service charmant, vins bien choisis et addition sans grande douceur (140-150 F).

14/20
LUCAS-CARTON

• *9, pl. de la Madeleine (265.22.90).*
Tous les jours. Jusqu'à 22 h.

La vieille maison au sublime décor 1900 est toujours bourdonnante, à l'heure du déjeuner, du babil des hommes d'affaires et du frou-frou des queues de pie. Mais c'est le soir, dans l'atmosphère infiniment rétrograde et sereine et dans la quasi-solitude (sauf le dimanche soir, toujours très achalandé), que vous retrouverez le souvenir de ce qui fut l'un des plus grands restaurants du monde et qui l'est encore lorsqu'on choisit de manger la cassolette de queues d'écrevisses, la raie au beurre blond, le caneton à la rouennaise ou l'incomparable bécasse flambée. 250 à 300 F.

12/20
LA MAISON DU CAVIAR

• *21, rue Quentin-Bauchart (723.53.43).*
Tous les jours. Jusqu'à 2 h du matin.

Un des succès les plus durables des Champs-Elysées. Le soir, avant ou après la sortie des cinémas, on y rencontre « tout le monde », malgré un confort des plus spartiates. Mais l'assiette de saumons fumés (Norvège, Écosse, Danemark), le bortsch avec les pirajoks, les blinis, la tarte au fromage et, bien sûr, les caviars n'ont, eux, rien de spartiate et leur qualité constante explique le succès de cette drôle de cantine. A partir de 70-80 F (beaucoup plus si l'on est affamé de caviar).

12/20
LA MAISON DU VALAIS

• *20, rue Royale (260.22.72).*
F. dim. Jusqu'à 23 h.

« Que faut-il faire pour avoir 13 sur 20 ? », nous écrivent les propriétaires de cet accueillant chalet suisse entre Madeleine et Concorde. Réponse : poursuivre des efforts auxquels nous sommes très sensibles et qui vous valent déjà un 12,5 (qui n'est que moral, parce que notre guide annuel se refuse de mettre les notes à moitié). Nos lecteurs, cependant, comprendront sans peine que c'est ici qu'ils doivent venir s'ils aiment la viande séchée, les filets de perche, l'émincé de veau valaisan et bien sûr (ça n'a jamais fait de mal à personne) la raclette et la fondue. 90 F environ.

15/20
LE MARCANDE

• *52, rue Miromesnil (265.76.85).*
F. dim. Jusqu'à 22 h 30.

« Jean-Claude Ferrero s'envole à tire d'aile vers la vraie grande cuisine simple, intelligemment

Attention !
Certains restaurateurs changent, sans crier gare, la date de leurs vacances – d'été ou d'hiver –
Téléphonez-leur donc : c'est la sagesse.

nouvelle et renouvelée. » C'est ce que nous écrivions en 1978 dans le Guide de la France alors que cet excellent cuisinier se trouvait à Serre-Chevalier. Il vient de s'envoler vers Paris où il a ouvert, près de Saint-Augustin, au rez-de-chaussée d'un immeuble neuf, un élégant restaurant au bord d'une cour-jardin où une fontaine murmure entre les massifs de fleurs et un bouquet — encore maigre — de jeunes bouleaux. De la salle aux murs blancs et au plafond à caissons de bois qui apporte une note discrètement savoyarde à cet ensemble de qualité (les tapisseries, en revanche, sont moins heureuses), on aperçoit, en surplomb, comme un poste de commandement, les cuisines vitrées où étincellent les cuivres. Et dans ces cuisines, la haute silhouette de montagnard de Jean-Claude Ferrero, un garçon dont on parlera car sa cuisine témoigne d'un souci de raffinement et d'invention qui devrait lui valoir vite des salles pleines. Des Alpes, il a rapporté son four où il fume lui-même un exquis jambon d'agneau, dont vous mangerez une lichette avant de goûter la confiture de lapereau au romarin, le feuilleté chaud au saumon, la salade tiède de langouste, ou le bouillon de queue de bœuf aux truffes en croûte (un avatar de la soupe VGE de Bocuse) ; puis vous ferez votre choix entre une remarquable fricassée de ris et rognons de veau aux cèpes, une poularde en vessie aux légumes nappée d'une grandiose sauce crémée aux truffes, un steak de foie de veau, cuit bien rose, au vinaigre de miel et bien d'autres plats car Jean-Claude Ferrero n'est pas monté à Paris pour s'y endormir sur une carte immuable et statique. De bons desserts, une cave excellente (comment résister à l'admirable châteauneuf-du-pape Château Rayas 71 — rouge et blanc — à 120 F ?) où l'on trouve à côté de grandes bouteilles de très bons petits vins à des prix accessibles (côtes-de-Buzat à 40 F, Listrac Château Semeillan à 45 F et une addition qui a vite fait d'atteindre 200 F. Néanmoins la carte est bien composée car, en choisissant bien, on peut dîner parfaitement pour 150 F. Un service nombreux, compétent et un accueil exemplaire de Mme Ferrero qui reçoit comme on sait encore le faire dans les grandes maisons de province.

17/20
LA MARÉE

• *1, rue Daru (227.59.32).*
F. dim. Jusqu'à 22 h 30.

La perfection immobile nous agace un peu. Nos mauvais instincts nous poussent à espérer quelque cataclysme qui bousculerait la majestueuse sérénité d'une maison comme celle-ci. Hélas, pas le moindre poisson fatigué, la moindre surcuisson, le moindre écart d'un maître d'hôtel ne viennent nous aider à jouer les affreux jojos. Marcel Trompier, c'est Dieu le père, et sa cuisine est angélique. Certes, nous aimerions plus d'invention, un peu moins de sauces, des prix moins lourds, mais cela n'est pas nouveau et il serait stupide de s'en indigner aujourd'hui. Quant au décor, notre seule source de ricanement, voilà qu'il est aujourd'hui, avec ses admirables tableaux de l'école flamande, superbement rénové, intime, confortable, digne des trois toques. Il nous faut donc encore une fois avouer que La Marée est belle, ses huîtres sublimes, son homard à la nage somptueux, ses petits rougets au pistou incomparables comme sa terrine de coquilles Saint-Jacques, sa salade de queues d'écrevisses, son loup à l'estragon, ses ris de veau grenobloise, ses prodigieuses petites pâtisseries, que son service est parfait et son Trompier un seigneur. 250 F environ.

13/20
MARIUS ET JANETTE

• *4, av. George-V (723.41.88).*
F. dim. Jusqu'à 22 h.

Marius et Janette, comme les gens heureux, n'ont pas d'histoire. Il ne s'y passe donc strictement rien que vous ne sachiez déjà, si ce n'est que le prix de la marée monte comme partout. Depuis vingt-cinq ans, le même chef prépare la même bourride, la même bouillabaisse, les mêmes rougets grillés, les mêmes loups au fenouil et mérite les mêmes compliments, sans excès. Addition de la mer, bien salée (200 F et plus). Agréable terrasse fleurie.

11/20
MARTIN ALMA

• *44, rue Jean-Goujon (359.28.25).*
Tous les jours. Jusqu'à 22 h 30.

Pour être d'avant-guerre, le décor n'en est pas particulièrement pittoresque. La cuisine, elle, demeure des plus convenables en son genre : ni la pastilla, ni la paella, ni le méchoui, ni le couscous, servis par de vieilles dames efficaces, ne devraient vous décevoir. 90-100 F environ.

17/20
MAXIM'S

• *3, rue Royale (265.27.94).*
F. dim. Jusqu'à 1 h du matin.

Depuis des années, nous décrivons Maxim's-le-magnifique avec la flamme et parti-pris que l'on sait mais nous avons oublié une petite précision : c'est Maxim's du soir que nous racontons. Or, celui-là n'a pas grand chose à voir avec celui du déjeuner. Par exemple, pour dîner il « faut » être dans la grande salle, tandis qu'il « vaut mieux » déjeuner dans le grill (sur la façade) ou dans « l'omnibus ». C'est là que la clientèle la plus pétillante, les jeunes patrons du « Business club », les très jolies femmes pour le plus grand bonheur de qui ces jeunes patrons font des affaires, les acteurs entre-soi, les émirs en rupture d'ascese, les artistes et les écrivains de la nouvelle gauche, les grandes mondaines et les demi-bourgeoises mènent le train de la mi-journée parisienne, buvant du bordeaux souple et grignotant les nourritures délicates que Michel Menant a conçues pour leur estomac de soie fragile. Ce chef qui ne cesse de faire des progrès depuis que le bon père Guillot, professeur de grande cuisine légère, lui dispense ses astucieux conseils. Le feuilleté aux huîtres, le petit homard à la russe, la fricassée de sole et d'écrevisse, le caneton au vinaigre de framboise, le contre-filet à la ficelle, le feuilleté aux fraises des bois en sont les exquis témoignages. 320 à 350 F.

10/20
MIGNONNETTE DU CAVIAR

● *13, rue du Colisée (225.30.35).*
F. dim. Jusqu'à 23 h.

Qui ne rêverait d'avoir une gentille tante russe toujours prête à offrir zakouskis, blinis, bortsch, chachlik, tarte chaude aux pommes et à la crème fraîche, lorsque justement le cœur est à la romance? La vodka aidant, c'est toujours une soirée gagnée, un peu cher évidemment si Mme Polkovnikoff n'est pas votre tante, mais l'endroit n'en reste pas moins charmant. 100 F environ (sans le caviar).

13/20
LE MOULIN DU VILLAGE

● *25, rue Royale (265.08.47).*
F. dim. Jusqu'à 22 h.

Dans cette vraie rue de village, ignorée de la plupart des Parisiens, à mi-chemin entre Madeleine et Concorde, Steven Spurrier, un des meilleurs cavistes de Paris, a transformé juste à côté de sa boutique un bistrot qui pantouflait dans la blanquette. Il en a fait un des plus charmants petits restaurants de Paris, avec un éclairage pimpant, des tableaux pleins de couleurs, un bar très sympathique (bien qu'inconfortable) pour manger sur le pouce, des tables serrées sur deux niveaux et une cuisine alerte, enjouée qui évite les pièges de la sophistication. Gérard Coustal, venu en voisin de chez Maxim's, fait valser les plats du marché avec beaucoup de brio (la carte est changée tous les jours) et il suffit de goûter sa terrine de ris de veau à la mousse d'épinards, sa mousseline de brochet à la ciboulette, sa barbue grillée à la crème d'oursin, son foie de veau au vinaigre de cidre et aussi ses très bons desserts, pour comprendre pourquoi ce moulin tourne bien. Ajoutez-y les vertus d'une cave riche en petits vins inattendus et l'atmosphère « bon chic » assez inimitable d'un « winebar » anglo-saxon. Environ 100-130 F. Bon menu.

Toques rouges = nouvelle cuisine.

14/20
NAPOLÉON

● *38, av. de Friedland (227.99.50).*
Tous les jours. Jusqu'à 22 h.

Partagé entre les Halles — sa dernière création —, les Ternes et l'Etoile, Guy-Pierre Baumann mène son petit empire avec la régularité d'un métronome. Un empire confortablement assis sur un lit de choucroute, dans une débauche de confits, de saucisses, d'oreilles de cochon, de queue de bœuf, de pintade et même de poissons et d'huîtres, car ce diable d'Alsacien, adorateur du chou, est capable, on le sait, de le marier avec tout. Les choucroutes Baumann trônent, bien sûr, en bonne place sur la carte du Napoléon mais est-ce bien le lieu, dans cette salle élégante, de s'en empiffrer ? Quand nous venons ici déjeuner ou dîner, nous choisissons plutôt le foie gras au torchon, les rougets à la vapeur d'algues, l'exquis saint-pierre au lard, la sole aux cèpes ou le ris de veau aux épinards qui permettent au bon Baumann et à son chef de sortir un peu de leur fameuse « lessiveuse à choucroute » (une machine de son invention, en inox, où l'humidité est parfaitement répartie. Le secret, selon lui, de l'exceptionnelle qualité de sa choucroute). Très agréable endroit pour un déjeuner d'affaires. On y songe moins pour le dîner et c'est un tort. Environ 140-160 F.

10/20
PAVILLON ÉLYSÉE

● *10, Champs-Elysées (265.23.14).*
F. dim. Jusqu'à 22 h.

Elégant, désuet, reposant, on y retrouve toujours les plats de la bonne époque 1900 : la crème Saint-Germain aux croûtons, la « célèbre cassolette de homard Newburg », toutes sortes de soufflés et le charme des Champs-Elysées devant lesquels il est bien agréable de déjeuner l'été. Même pas très bien. 200 F environ.

10/20
LE PÊCHEUR

● *27, bd des Batignolles (387.56.87).*
F. sam. et dim. Jusqu'à 22 h.

Une brave cuisine bourgeoise (renouvelée au rythme des arrivages et des saisons) qui, pour être servie sur des nappes en papier, n'est pas de quatre sous — mais au bas mot de 50 F, si l'on est décidé à faire une folie ! Au programme : mulet ou daurade aux herbes, lapin aux girolles (en saison), brochettes de lotte à l'estragon, soupe de poisson (le vendredi seulement). Plantes vertes. Ambiance rose.

11/20
LA PERGOLA

● *144, Champs-Elysées (359.70.52).*
Tous les jours. Jusqu'à 22 h.

Pour moins de 50 F, vous pourrez manger par

exemple des petits pâtés de Béziers, du confit de porc « carcassonnaise » et un soufflé glacé « vigneronne ». C'est la formule originale et réussie qu'a choisi de promouvoir ce géant de la restauration à la chaîne en proposant tous les quinze jours des plats et des vins typiques d'une région de France.

16/20
AU PETIT MONTMORENCY

● *5, rue Rabelais (225.11.19).*

Voir « Paris - 3e arrondissement ».

12/20
LA POULARDE LANDAISE

● *4, rue Saint-Philippe-du-Roule (359.20.25).*
F. sam., dim. et jrs fériés. Jusqu'à 22 h 30.

Le nouveau chef, un ancien de chez Charlot montre, on s'en doute, un goût prononcé pour les fruits de mer. Bravo, mais ce n'est toujours pas lui qui vous fera découvrir cette fameuse poularde à la landaise... Toujours une bonne adresse dans ce quartier de bureaux, agréablement tranquille le soir. Goûtez le cou d'oie farci, les pieds et paquets, les terrines de poisson et gardez une place pour la tarte aux amandes : elle est exquise. 110-120 F.

13/20
LES PRINCES (Hôtel George-V)

● *31, av. George-V (723.54.00).*
Tous les jours. Jusqu'à minuit.

Avec ses fleurs somptueuses, sa pelouse où picore un faisan, c'est sans doute le plus séduisant jardin intérieur de tous les grands hôtels de Paris. De sa table, on mange le jardin avec les yeux. C'est le meilleur plat, avec en saison, un superbe banc d'huîtres, d'une carte un peu ennuyeuse, faite pour contenter les palais les plus étrangers. Facilement 200 F, avec, en plus, l'accueil parfait de M. Frison, un des meilleurs directeurs de salle de Paris.

13/20
RÉGENCE-PLAZA

● *25, av. Montaigne (359.85.23).*
Tous les jours. Jusqu'à 22 h 15.

Le départ insolite et internationalement commenté de Paul Bougenaux n'a pas, aux dernières nouvelles, brisé la carrière des deux restaurants du Plaza, la luxueuse salle à manger aux boiseries Régence et le merveilleux patio fleuri, au cœur du palace. Tant mieux pour les belles Sud-Américaines et pour nos chers émirs qui continuent de chipoter le soufflé de homard, le rouget aux cèpes, le ris de veau des maraîchers. L'irremplaçable et malicieux Roland, directeur des restaurants, Dieu merci, est toujours là. 250 F environ.

14/20
RÉGINE'S

● *49, rue de Ponthieu (359.21.13).*
F. le dim. Jusqu'à 1 h du matin.

Les oiseaux de nuit que nous évoquions naguère ne se sont pas tous envolés. Certains portent de grosses moustaches noires, d'autres, qui souvent les accompagnent, ressemblent aux plus jolies femmes de Paris. Rien de changé en somme dans ce merveilleux décor 1925. Sinon que la cuisine s'éloigne peu m peu des principes que Michel Guérard lui imposa à ses débuts. Sans, pour autant, démériter au-delà d'un petit point. L'addition, elle reste très à cheval sur les grands principes (200-300 F, ou plus).

12/20
LE RELAIS BOCCADOR

● *20, rue du Boccador (225.32.47).*
F. sam. Jusqu'à 22 h 30.

Une clientèle très parisienne dans ce petit restaurant italien et, surtout, beaucoup de confrères de Paris-Match, ce qui n'a rien de surprenant car Mario, le patron, fut jadis le cuisinier d'Hervé Mille, un des dirigeants du magazine. Mario pense le plus grand bien de sa carte et de ses plats. Cela tombe bien. Nous aussi. Dans un registre tout simple, il prépare la plus honnête des cuisines : remarquables pâtes fraîches (fettucine à la crème, agnelotti ou ravioli), délicieux petits hamburgers aux deux poivres et à la crème, excellente tarte au citron et des plats du jour, légers et appétissants. Environ 80-100 F.

11/20
RELAIS-PLAZA

● *21, av. Montaigne (225.40.96).*
Tous les jours. Jusqu'à 1 h du matin.

Commode (service sans interruption de 11 h à 1 h 30 du matin), très cher, très chic, on se sent confortable, sécurisé, heureux dans ce décor paquebot 1935, même s'il s'agit de grignoter un toast Relais-Plaza (anguille fumée sur œufs brouillés) ou le bœuf mode en gelée ou, à la rigueur, la brochette de rognons au bacon.

12/20
LA ROSE DES SABLES

● *19, rue Washington (563.36.73).*
F. dim. Jusqu'à 23 h.

Il fallait rafraîchir un peu le décor : c'est à peu près fait et la taille des cuisines a doublé. Le couscous ne s'en trouve pas plus mal, à la marocaine, comme au pays du brave Ahmed Mernissi, ancien de La Mamounia. L'agneau continue d'être parfaitement préparé à toutes les sauces. Goûtez aussi, pour des prix assez raisonnables, les tagines et la pastilla, ainsi que les cornes de gazelle. 70 F environ.

14/20 ROYAL MONCEAU

● *37, av. Hoche (561.98.00).*
Tous les jours. Jusqu'à 22 h 30.

Les efforts entrepris depuis quelques années pour rajeunir ce palace distingué portent leurs fruits et, au déjeuner, surtout lorsque le temps permet de dresser les tables dans la cour-jardin, on aperçoit sous le grand dais rayé la « belle clientèle » parisienne qui s'active autour du buffet. La « grande carte », réduite et dépoussiérée, propose des plats classiques mais beaucoup d'autres qui le sont moins, comme la salade d'écrevisses aux artichauts, le blanc de turbot à la rhubarbe, les trois poissons en blanquette aux concombres, ou le foie de veau rôti à la purée d'oseille. Un pianiste le soir. Prix plutôt raisonnables (140-150 F environ).

12/20 SAINT-MORITZ

● *33, av. de Friedland (561.02.74).*
F. sam. et dim. Jusqu'à 22 h 30.

Erreur : les boiseries sont en merisier, non en chêne. Pour le reste, ne changeons pas d'un iota notre commentaire de l'an passé : clientèle élégante, atmosphère de club, produits bien frais, cuisine sérieuse et soignée qui ne prétend pas nous transporter jusqu'aux cimes (terrine de canard, barbue à l'oseille, rognons aux morilles). 120 F environ.

11/20 LA SALAMANDRE

● *54, rue Pierre-Charron (261.85.11).*
F. dim. Jusqu'à 22 h 45.

Toujours la même formule avec un nouveau chef, qui était le second du précédent : de bonnes viandes, de gentilles salades et un petit vin des coteaux d'Aix, à volonté. 70-100 F.

13/20 SAVY

● *23, rue Bayard (225.41.47).*
F. sam. (à dîner) et dim. Jusqu'à 23 h.

Gabriel Savy poursuit avec bonheur la conversion des gourmands et des gourmets du quartier aux humbles et robustes délices gastronomiques de son Auvergne natale : jambonneau aux lentilles, pot-au-feu, estofinade rouergate, chou farci aveyronnais, navarin d'agneau. Et nous acceptons volontiers, quand nous passons par-là, de nous faire les disciples de ce bon prophète. 90 F environ.

13/20 LE SÉOUL

● *13, rue Montalivet (266.14.10).*
F. sam. (à déj.) et dim. Jusqu'à 22 h.

A part le maître d'hôtel — charmant et très efficace —, parfois le mari de la belle Mme Kang, et vos serviteurs, on ne voit guère d'Européens dans ce joli restaurant au décor des plus authentiquement coréens. C'est, à deux pas de l'Elysée, la cantine de la colonie du Pays du Matin Calme qui s'y fait servir des nourritures incroyables (certaines, épouvantablement épicées, ne sont même pas traduites à la carte) et d'autres, plus accessibles, comme le boulgogui qui rappelle le suki yaki des Japonais. Nous, nous y avons nos habitudes délectables avec la daurade crue, les petits hors-d'œuvre chauds, les tripes tièdes à l'orange, les brochettes de courgettes à la viande, les crevettes frites, le poulet au caramel, la queue de bœuf aux navets et les légumes salés. 100 F environ.

11/20 SOMA

● *10, rue du Cdt-Rivière (359.36.72).*
F. sam. et dim. Déj. seult.

Ouverte seulement au déjeuner, la petite annexe d'Indra est une manière de « snack indien » où, dans un décor assez charmant et confortable, on mange très agréablement pour 40 ou 50 F avec par exemple des beignets de poisson, un bon curry et un gâteau aux noix.

11/20 LA SOURICIÈRE

● *12, rue de l'Arcade (265.51.95).*
F. sam. et dim. Jusqu'à 2 h du matin.

Un minuscule restaurant dont Lou, la maîtresse-chatte, s'occupe avec beaucoup de charme et de brio. Une chatte très occupée qui trouve le moyen d'être à la fois avec ses clients et à ses fourneaux. La cuisine est à son image, simple et gaie : coques sautées, brochettes de gigot d'agneau, gambas à l'orientale, rumsteak, crottins de Chavignol aux épices, très bonne mousse au chocolat. 80 F environ.

11/20 STRESA

● *7, rue Chambiges (359.49.82).*
F. sam. (à dîner) et dim. Jusqu'à 21 h 45.

Cuisine classique de la péninsule et « plats italiens comme chez soi » sont à l'affiche de ce bon petit établissement tout simple et tout sincère où officient les Mazzucato depuis plus d'un quart de siècle. Vous apprécierez leurs scampi, leurs escaloppine al limone, leur foie de veau vénitienne et toutes leurs opulentes pâtes fraîches, oubliant même que la radio joue en sourdine chaque soir de 20 heures à 23 heures (précises). Ancien décor moderne. 90 F et plus en moyenne.

Ne nous accablez pas si les prix indiqués ont grimpé depuis la sortie de ce Guide, nous n'y pouvons rien, hélas !

18/20
TAILLEVENT

● *15, rue Lamennais (563.39.94).*
F. sam. et dim. Jusqu'à 22 h 30.

Sans provoquer de guerre de religion, Jean-Claude Vrinat met tout le monde d'accord — modernistes et passéistes — grâce à une cuisine ni trop folle ni trop sage mais lumineuse, harmonieuse et admirablement juste. « La nouvelle cuisine, dit-il, m'a ouvert des horizons beaucoup plus larges » et sans elle, en effet, le vieux Taillevent, menacé par la routine, ne serait pas aujourd'hui ce qu'il est. C'est-à-dire une grande maison qui ne se laisse pas écraser par son luxe et où même, au niveau le plus haut, une sorte de simplicité supérieure efface toute tentation de faste inutile. Jean-Claude Vrinat, en fait, a modelé cette maison à son image et ce n'est pas là un mince compliment quand on connaît la pesanteur propre aux grands restaurants où le moindre désir de changement déclenche, dans les cuisines comme dans la salle, des tirs de barrage. Ici, l'on sent que chacun participe au bonheur de l'évolution et le chef Claude Deligne ne s'est certainement pas offusqué qu'on l'envoie en stage chez Troisgros, Girardet et Guérard. C'est tout le contraire, et il en est revenu, riche d'idées neuves qu'il applique avec le plus grand talent sans jamais donner le sentiment de copier qui que ce soit. C'est bien simple, si l'an prochain on continue de nous servir des repas aussi parfaits que cette année, Taillevent est bon pour la quatrième toque. Nos plats préférés ? Difficile de répondre car chaque jour sont présentés trois ou quatre plats différents mais nous ne sommes pas près d'oublier le foie de canard aux navets, le saumon aux poireaux, la noix de ris de veau aux dés de homard, la poularde à la mousse de cresson, le caneton de Challans au cassis, le blanc-manger au lait d'amandes ni le soufflé chaud aux fruits exotiques. Une belle cave, contenant moins de « reliques » que dans le passé mais qui se renouvelle régulièrement et propose aussi de très bons vins de « second rang » (Cap de Mourlin, Gloria, Balestard-la-Tonnelle, etc.) à des prix raisonnables. D'ailleurs, d'une manière générale, Taillevent offre, à son niveau, un rapport qualité-prix tout à fait remarquable. Autour de 290 F.

12/20
TANTE LOUISE

● *41, rue Boissy-d'Anglas (265.06.85).*
F. dim. Jusqu'à 22 h.

Les nouveaux patrons de Tante Louise ont gardé le décor de bois ciré et de tissus qui donne à cette bonne vieille maison son allure désuète, charmante et provinciale. Leur carte n'a pas tout à fait quitté les rivages du Sud-Ouest, mais prend timidement le cap d'une cuisine plus moderne et plus légère avec, par exemple, la compote de lapereau en gelée, la terrine de légumes sauce aux poivrons, les escalopes de ris de veau, ou la fricassée de coquilles Saint-Jacques au pineau. Sage mesure. Mais attention à l'addition, assez décourageante : environ 160 F.

12/20
TONG YEN

● *1 bis, rue Jean-Mermoz (225.04.23).*
Tous les jours. Jusqu'à 22 h 45.

Une valeur toujours sûre, grâce à l'accueil charmant de Thérèse, la fille de Paul Luong Lap, au décor particulièrement raffiné et à l'atmosphère très parisienne de ce restaurant sino-vietnamien où l'on fait rarement de repas bouleversants mais où l'on n'est jamais déçu. 90 F environ.

12/20
LES TROIS LIMOUSINS

● *8, rue de Berri (256.35.97).*
F. dim. Jusqu'à minuit.

Interdit aux végétariens, ce joli restaurant, au bord des Champs-Elysées conserve sa formule de menus dont le montant est celui du plat principal — hors-d'œuvre, dessert et vin étant servis gratuitement et à discrétion. Ce qui ne veut pas dire que cette formule soit bon marché. Mais la viande (« spécial au couteau », pièce du boucher, civet de bœuf, notamment) est bien choisie et le service intelligent et actif. Menus : de 121 à 135 F, vin et service compris.

13/20
LES TROIS MOUTONS

● *63, av. Franklin-Roosevelt (225.26.95).*
F. dim. Jusqu'à minuit 30.

Le décor, rafraîchi l'an passé, aux multiples petites salles, crée une atmosphère à la fois intime et bruissante dans le quartier calme (le soir) de Saint-Philippe-du-Roule. La formule, identique à celle des Trois Limousins, mais basée principalement cette fois sur l'agneau, est aussi astucieuse, généreuse et coûteuse. Bien que nous ne préférions pas fondamentalement le mouton au bœuf, l'originalité de la cuisine ici nous lui fait donner un point de plus, donc une toque. Menus : 121 à 139 F, vin et service compris.

11/20
VALENTIN

● *19, rue Marbeuf (359.80.11).*
Tous les jours. Jusqu'à 23 h.

Pourquoi ne pas aller le soir aussi dans ce restaurant bondé à midi, où l'on sert immuablement, fidèlement, la même brave cuisine pas chère : pot-au-feu à l'os, cochon de lait ou andouillette sauce moutarde, petit salé aux lentilles, lotte au citron vert ? Moins de 50 F.

12/20
VIA VENETO

● *13, rue Quentin-Bauchart (723.76.84).*
F. dim. Jusqu'à 22 h 30.

L'intimisme franco-italien pour les dîners aux chandelles. La patron est bordelais. On n'est donc pas obligé de boire du chianti. Le chef est un ancien de Lucas Carton. On n'est donc pas tenu de manger les scalopines au marsala, mais plutôt la soupe de poisson, les pâtes fraîches double beurre, la salade de daurade crue macérée, le vrai carpaccio. 120 F environ.

12/20
AU VIEUX BERLIN

● *45, rue Pierre-Charron (225.88.96).*
F. dim. Jusqu'à 23 h.

Le Vieux Berlin vieillit bien, sans cesser de berliniser à tout rompre à la plus vive satisfaction des amateurs de cuisine allemande traditionnelle, de confort et de paix. A la nôtre aussi, car de temps à autre, nous ne dédaignons pas, loin de là, les filets de hareng bonne femme, l'assiette de charcuteries, la choucroute, le bœuf braisé rhénan, le coq au vin de Bade, le filet de porc à la bière et au cumin, voire le potage de pois cassés. 120-130 F.

14/20
CHEZ VONG

● *22, rue de Ponthieu (359.77.12).*
F. dim. Jusqu'à 23 h.

M. et Mme Vong ont de bonnes réactions : menacés dans leur suprématie par plusieurs nouveaux « chinois » dont la cuisine a les mêmes raffinements, la même originalité, et dont le décor est aussi élégant et intime, ils agrandissent leur petite maison et mettent au point toute une série de nouveaux plats qu'ils proposent chaque mois, comme les cuisses de grenouille épicées, les ravioli vietnamiens, les crevettes grillées aux fines herbes, le poulet printanier au gingembre, la caille aux cinq parfums, etc. Accueil charmant, service efficace et discret. 75 F environ.

Paris 9e

11/20
ANARKALI

● *4, pl. Gustave-Toudouze (878.39.84).*
F. lundi. Dîner seult. Jusqu'à minuit 45.

Cuisine authentique du Nord de l'Inde, le Pendjab, faite « suivant l'humeur du jour » nous dit le patron : alors il a l'humeur heureuse, car le mouton et le bœuf sautés aux herbes et aux épices ont un parfum subtil et le résultat est assez bien réussi. 70 F environ.

11/20
L'ANTRE DE BACCHUS

● *1, rue Papillon (770.84.61).*
F. dim. Jusqu'à 22 h.

Le patron qui a beaucoup navigué avant de jeter l'ancre à l'Antre de Bacchus estime qu'« on en fait jamais assez pour ses clients ». Tant mieux. Le service de sa petite salle (il a sagement diminué le nombre des couverts et choisi de plus grandes tables) est agréable, tout comme le feuilleté de trois rognons au citron, la terrine aux légumes croquants, la bavette aux écrevisses (?) et le crottin au vinaigre qui prouvent que le tout jeune chef n'a pas arrêté son apprentissage à la cuisine classique et routinière. 80 F environ.

13/20
AUBERGE DU CLOU

● *30, av. Trudaine (878.22.48).*
F. sam. (à déj.) et dim. Jusqu'à 23 h.

Jean-Robert Chelot semble tenir terriblement à ce que nous parlions de ses moustaches Napoléon III, de son humour acide (il le dit) et de son mauvais caractère (il l'affirme). Voilà donc qui est fait. Que cela ne nous empêche pas d'écrire que nous apprécions la version élégante et bien comprise qu'il donne des créations de ses confrères les plus inventifs. Courez donc dans cet ancien haut lieu cabaretier du vieux Montmartre où Satie rencontra Debussy, pour goûter, parmi les nombreuses réussites de ce chef prometteur, la terrine chaude de langoustine aux bolets, la mousseline de grenouille à la ciboulette, le mesclum aux filets d'oie fumés, les écrevisses chaudes du curé ou le filet de bœuf aux oursins, sans parler du soufflé au citron vert ni du cocktail de tartes chaudes. Jolie carte des vins. Environ 150 F.

14/20
AUBERGE LANDAISE

● *23, rue Clauzel (878.74.40).*
F. dim. et jrs fériés. Jusqu'à 22 h.

Le jeune Dominique Morin, rafraîchit un peu son décor mais lui laisse sa simplicité rustique. Il n'a pas tort, au fond, tout comme en cuisine il fait bien de garder les bonnes manières du Sud-Ouest, non sans leur donner, à l'occasion, le coup de pouce de la légèreté. Avec le talent qu'il y met, ses plats campagnards (foie de veau épais, magret au poivre, confit de canard aux pommes persillées, tarte Tatin) ont bien de la grâce. Amusants petits vins. 80 à 100 F.

13/20
AUBERGE MÉDIÉVALE

● *29, rue Saint-Lazare (874.53.47).*
F. sam. (à dîner) et dim. Jusqu'à 21 h 30.

Le bon Fred Peyraud ne fait pas fortune dans cet arrière-quartier Saint-Lazare. C'est deux fois scandaleux. D'abord parce qu'avec un peu d'argent il rajeunirait son décor Jean II-le-Bon (c'est par erreur que nous l'avions décrit comme datant du règne de Charles V). Ensuite parce que sa viande, son beaujolais, ses coquilles Saint-Jacques à l'ail, son saucisson chaud, ses frites, son gigot, tous ces plats que nous aimons depuis le temps de « Fred », boulevard Péreire, méritent autrement plus d'hommages et de succès.

11/20
CHARLOT (Le Roi des Coquillages)

• *12, pl. Clichy (874.49.64).*
F. lundi. Jusqu'à 1 h du matin.

Assis sur les confortables banquettes de la salle en étage on peut se faire servir quelques-uns des plus beaux et des plus frais coquillages de Paris. Depuis quelques temps, les poissons (eux aussi d'une merveilleuse fraîcheur) y sont moins mal traités que naguère par les flambages et les surcuissons (sardines crues au citron vert, saumon braisé aux concombres, paupiette de lotte aux poireaux). Prix assez redoutables : 160 F environ.

10/20
CHARTIER

• *7, fg Montmartre (770.86.29).*
Tous les jours. Jusqu'à 21 h 30.

Sciure de bois, mobilier Thonet, architecture 1900, carte à l'encre violette : c'est le dernier « bouillon » de Paris, un monument de la restauration populaire où le plat du jour dépasse rarement 8 à 10 F. Pour le coup d'œil plus que pour le coup de fourchette, même si ce dernier ne démérite pas.

12/20
CHEZ CHICHOIS

• *65, rue de Douai (874.80.87).*
F. lundi. Jusqu'à 22 h 30.

Chichois a le cœur trop grand — et nous le ventre — pour que nous ne le récompensions pas de servir, avec chaleur et générosité, l'un des plus francs et des plus savoureux couscous de Paris, un merveilleux riz espagnol (au délicat goût de fumé), d'onctueuses merguez « maison » et les exquises préparations qui accompagnent l'apéritif. Décor ibéro-mauresque renouvelé Chasseur Français, mais les nappes (blanches) sont de vraies nappes, l'argenterie est vraiment de l'argenterie, et les fleurs sont fraîches. Bref, dans le genre minuscule, un des très sympathiques restaurants de Paris. A partir de 70 F.

Pour dîner tard le soir et même après minuit, consultez notre liste de restaurants, p. 106.

13/20
LA CLOCHE D'OR

• *3, rue Mansart (874.48.88).*
F. dim. Jusqu'à 4 h du matin.

Une toque cette année pour M. Marc, un professionnel comme on aimerait en rencontrer davantage. Propriétaire d'un des rarissimes vrais bistrots de nuit (qui marche également au déjeuner), protégé contre la mauvaise fortune par une réputation en béton armé, ainsi que par un réseau d'amitiés solides parmi les gens du spectacle (qui continuent d'être ses plus fidèles clients et attirent chez lui amateurs de célébrités et provinciaux exorbités), il pourrait se laisser vivre et se contenter de servir du bout de la louche des baquets de soupe à l'oignon : nul n'y verrait malice. Tout au contraire, il ne cesse de progresser. On goûte chez lui une cuisine toujours plus fine, plus légère, préparée avec des produits d'excellente qualité (très beaux poissons, merveilleuses viandes de bœuf et d'agneau, huîtres superbes). De l'opulente choucroute au fondant navarin (servi avec des carottes encore un peu croquantes), de la lotte au poivre vert (très équilibrée) à la délicate tartelette au citron, tout ce que nous avons goûté au cours de ces derniers mois nous a semblé remarquable y compris le choix de bons petits vins. A deux pas de la place Blanche, où l'expression « se taper la cloche » a repris tout son sens — pour 100 F en moyenne par personne, ce qui est, somme toute, raisonnable.

11/20
LES DIAMANTAIRES

• *60, rue La Fayette (770.78.14).*
F. lundi (à dîner) et mardi. Jusqu'à 22 h.

Les vieux habitués, tous plus ou moins moyen-orientaux et hellènes (aucun armateur, beaucoup de marchands de diamants moins que de tapis), se retrouvent pour goûter le tarama, les aubergines « en caviar », les feuilles de vigne au riz, les keuftés (boulettes diverses), les kebabs à toutes les modes : du chiche classique (d'agneau) au chiche spécial (de veau mariné), en passant par le pidelli (d'agneau sur galette), via le yaourthlou (d'agneau sur yaourth), sans oublier la rigoureuse estouffade ou l'étrange variation « maison » sur le thème du couscous, qui combine la viande de mouton à une sorte de ratatouille sur un fond de haricots blancs. Intéressant fromage de brebis (servi frit à la demande), et desserts désespérément suaves (à notre goût), à l'exception toute relative du snout-chabour composé de germe de blé cuit, de fruits secs et d'eau de rose à la cannelle... Le décor est moins pittoresque dans sa tonalité beigeasse mal vieillie. Retzinaï, entre autres vins grecs, dont un capiteux rouge de Crète. Plat du jour de 15 à 30 F environ. Carte : autour de 80 F.

12/20
DUCS DE BOURGOGNE

● *2, place d'Anvers (878.35.21).*
F. dim. Jusqu'à 22 h 30.

Cuisinier traditionnel et, comme on dit, de « la vieille école », Michel Mariel n'en taquine pas moins la cuisine davantage inspirée qui conduit chez lui à quelques plats intéressants comme les coquilles Saint-Jacques au citron vert, le pigeon à l'ail doux, l'aiguillette de canard aux herbes. Décor « rendez-vous de chasse ». 120-150 F environ.

12/20
LA MENARA

● *8, bd de la Madeleine (742.06.92).*
F. dim. Jusqu'à minuit.

Immense et rutilante caverne d'Ali Baba, dans le style maghrébin où l'on sert — avec une noble lenteur — une très honorale cuisine de Marrakech : crevettes aux olives et à la tomate, poulet au citron, tajine de mouton aux artichauts, méchoui et une satisfaisante pastilla.

13/20
OPÉRA (Café de la Paix)

● *Place de l'Opéra (260.33.50).*
Tous les jours. Jusqu'à 23 h.

Malgré le va-et-vient de nouveaux propriétaires, le beau Café de la Paix, et son extraordinaire décor Napoléon III dans la salle à manger Opéra, maintient son excellent et luxueux niveau. Toutefois, les plats du chef Dury se cachent toujours derrière ce masque, ce fard qui faisaient tellement chic au siècle dernier. Ne serait-il pas plus intelligent de présenter en termes clairs la « salade Opéra », la « gourmandise bourbonnaise », le « mariage d'Edouard » ou les « trois mignons des gourmets » qui sont quelques-unes des plus brillantes créations de ce classique, mais très enthousiaste cuisinier ? Très belle cave, prix élevés (150-180 F), remarquable service.

13/20
PAGODA

● *50, rue de Provence (874.81.48).*
Tous les jours. Jusqu'à 22 h 30.

Randons à M. Tan Dinh la toque que mérite à nouveau le prodigieux canard laqué (commander à l'avance : 160 F pour trois ou quatre personnes), que son chef Tang Hin Kwong cuit dans son four importé de Hong Kong et qu'un service attentionné sert dans un décor tout ce qu'il y a de folklorique. Mais n'oubliez pas les autres plats : crevettes sautées aux légumes, pinces de crabe frites, poisson à la vapeur, poulet en papillote. 70-80 F.

Consultez le sommaire, p. 5.

12/20
LE QUERCY

● *36, rue Condorcet (878.30.61).*
F. dim. Jusqu'à 21 h 30.

Cela fait plus de vingt ans qu'André Simon voue le même culte à la cuisine du Quercy dont il est originaire et aux vins de Cahors dont il présente une belle sélection dans sa salle de style « château médiéval ». Ceux-ci accompagnent la fricassée aux cèpes, le confit d'oie ou de canard pommes du Bougnat, le cassoulet quercynois (« synthèse de tous les cassoulets », affirme-t-il) et les vrais cabecous de Rocamadour. Beaux poissons et somptueuses grillades également. Environ 100 F.

12/20
LE SAINTONGEAIS

● *62, fg Montmartre (280.39.92).*
F. dim. Jusqu'à 22 h.

Un décor « folklo » mais ce petit restaurant, toujours bondé à midi, annonce la couleur : Joël Girodot y défend en effet, et avec un joli talent, la bonne cuisine de la Saintonge dont il connaît les vieilles recettes depuis son enfance : « fondant » aux herbes et aux épinards, fricassée au jambon de pays, chaudrée, caillebotte (délicieux gâteau à l'angélique) et aussi, bien sûr, des poissons, d'excellents poissons, cuits comme il faut. Accueil souriant de Mme Girodot. 100-130 F environ.

13/20
SAVOIE-BRETAGNE

● *21, rue Saint-Lazare (878.91.94).*
F. sam. (à dîner) et dim. Jusqu'à 21 h 30.

C'est toujours pour les excellents produits de la mer, parfaitement cuits, que nous attribuons sans réserve notre toque à Jean Le Grand et à sa sérieuse petite maison dont, un jour ou l'autre, le décor s'égaiera peut-être. Cela dit, le reste, composé de bons plats au classicisme plus ou moins revu et corrigé (saumon à l'oseille, ris de veau au concombre), lui fait également honneur. Vous en conviendrez avec nous en dépensant ici 110 F environ.

13/20
TY COZ

● *35, rue Saint-Georges (878.42.95).*
F. dim. Jusqu'à 23 h.

Membre des plus honorables et trésorière de l'Association des Restauratrices Cuisinières, Mme Libois est une ardente féministe, ce qui ne l'empêche pas de donner dans toutes les bretonneries les plus traditionnelles, depuis les bibelots en bois tourné jusqu'à la mie de pain dans les palombes farcies. Tant qu'à faire, elle défendrait encore mieux sa Bretagne en remettant à l'honneur des vieux plats oubliés de l'Armor.

Vous aimerez en tous cas ses poissons bien frais, bien cuits (viande interdite), le bon beurre et le muscadet. 120 à 150 F.

Paris 10e

12/20 BRASSERIE FLO

● *6, cour des Petites-Ecuries (770.13.59).*
F. dim. Jusqu'à 1 h 30 du matin.

Un succès qui ne se dément pas et attire chaque soir une foule en général assez jeune et très parisienne dans cette sombre brasserie authentiquement 1900, cachée au fond d'un passage. C'est qu'on y est toujours parfaitement accueilli, servi par des garçons-obus et qu'on y mange la plus honnête des cuisines de brasserie, sans craindre de se ruiner. Autour de 85 F pour du foie gras frais au riesling, une choucroute spéciale, un millefeuille aux fraises et une carafe d'un très honnête riesling. Mais aussi de bonnes huîtres et de jolis desserts.

13/20 CASIMIR

● *6, rue de Belzunce (878.32.53).*
F. sam. Jusqu'à 21 h 30.

Dans cette petite rue lointaine mais gastronomique (Michel est au n° 10) ce bistrot intime décoré d'étiquettes de vins poursuit sa carrière paisible et sûre. Clientèle d'habitués gourmets que remplissent d'aise les foies gras d'oie et de canard, la terrine de gibier, l'andouillette de Troyes, la salade d'écrevisses aux petits légumes, le ragoût de ris et de cervelle d'agneau, le feuilleté aux fruits. 150 F environ.

15/20 AU CHATEAUBRIAND

● *23, rue de Chabrol (824.58.94).*
F. dim. et lundi. Jusqu'à 22 h.

Il en faut du talent, de la persévérance, de l'amour du métier pour réussir à côté de la gare de l'Est : les « Parisiens » ne dînent guère du côté de la rue de Chabrol. Pourtant, depuis trente-quatre ans, Jean Forno et sa femme nagent dans la réussite. Il est vrai qu'on peut toujours chercher ailleurs que chez eux, même en Italie, de tels scampi frits dans le jaune d'œuf, des tagliarini aux fruits de mer aussi merveilleusement cuits, d'aussi bons ravioli (double beurre : un rêve), du veau cru au citron aussi « nouvelle cuisine », des brochettes de poissons et crustacés si indiciblement frais, une aussi belle cave, française et italienne, un accueil si touchant, un pareil décor de lithographies contemporaines... 150 à 170 F.

Pensez à retenir votre table par téléphone. Et n'oubliez surtout pas, au besoin, de vous décommander.

12/20 LE CURVEUR

● *9, bd Denain (280.34.10).*
Tous les jours. Jusqu'à minuit 30.

Si l'on fait exception de la choucroute (plutôt vilaine), les plats du jour de ce Curveur au décor moderne assez agréable comptent désormais parmi les plus généreux du quartier des deux gares. Néanmoins, nous leur préférons encore les spécialités aunisiennes : saucisses au pineau, fruits de mer crus ou cuits, pétoncles au four, mouclade, soupe de poisson, poissons grillés ou pochés. Honnêtes desserts de ménage. Choix étendu et convenable de petits vins pas trop chers. 80 F environ.

12/20 JULIEN

● *16, fg Saint-Denis (770.12.06).*
F. dim. Jusqu'à 1 h du matin.

Dans cet étonnant « bouillon » qui a gardé intact son décor des années 1890, le Tout-Paris s'était précipité, lorsque Jean-Paul Bucher, propriétaire de Flo, l'avait racheté. Celui-ci avait commis l'erreur d'inscrire à sa carte des plats beaucoup trop ambitieux. Maintenant que la clientèle mondaine l'a délaissé, il fait un retour fort sage à la cuisine bourgeoise (cassoulet, train de côtes rôti, etc.). Du coup sa salle ne désemplit pas de clients « sérieux », fort satisfaits d'une formule qui inclut dans le prix des plats du jour (environ 55 F) des hors-d'œuvre ou une entrée chaude. Avec un bon dessert et une demi-bordeaux, on dîne très agréablement (bien que dans une ambiance bruyante) pour moins de 100 F.

11/20 LING NAM

● *10, rue de Mazagran (770.02.27).*
Tous les jours. Jusqu'à 22 h 25.

Non, il n'est pas vraiment enivrant le décor, mais Thomas Liang nous assure que des travaux de rénovation vont être entrepris sous peu. Et cela ajoutera encore à l'attrait de l'établissement, ouvert tous les jours que Dieu fait et voué notamment à la cuisine du Sud de la Chine. Il nous a semblé toutefois que les estouffades cantonaises (ravioli Harkau aux crevettes, travers de porc sauce noire, feuilles de lotus farcies Nomaïkaï, pâté de navet Lobaco) n'avaient pas la délicatesse d'antan. Il se pourrait bien que le chef Kar Yiu ait besoin d'un recyclage à Hong-Kong d'où il vient. Prix toujours sages : une cinquantaine de francs au maximum.

15/20 LOUIS XIV

● *8, bd Saint-Denis (208.56.56).*
F. lundi et mardi. Jusqu'à 1 h du matin.

Pas un lecteur, cette année, pour se plaindre de l'accueil toujours empressé, du décor un peu pompier 1935, de l'exiguïté des tables suroccupées par une considérable clientèle, surtout provinciale, des prix qui font pourtant vite grimper les fruits de mer et le gibier, et encore moins de la cuisine, sérieuse, classique, inattaquable. Produits superbement choisis et cuissons parfaites (si on en exprime le souhait). Vous adorerez les coquillages, les grillades au charbon de bois, le gibier rôti, le turbotin aux petits légumes. 130 à 170 F.

15/20 CHEZ MICHEL

● *10, rue de Belzunce (878.44.14).*
F. sam. et dim. Jusqu'à 21 h 45.

Encore jeune mais cuisinier depuis plus de vingt ans, Michel Tournissoux n'a pas craint de faire évoluer sa cuisine vers plus de légèreté, plus d'invention (belons pochées à l'estragon, salade aux crustacés, saumon à la mousseline de céleri, foie de veau au miel et au citron vert, sorbets). Après deux saisons de cette nouvelle pratique il s'en dit enchanté, ses clients aussi, nous aussi. D'autant qu'on est moins serré dans sa petite salle douillette et rafraîchie l'été dernier. Prix toujours assez sévères : 160 à 180 F.

11/20 LA MOUTARDIÈRE

● *12, av. Richerand (205.96.80).*
F. sam. (à déj.), dim. et lundi (à dîner). Jusqu'à 21 h 30.

Les repas à prix fixe du chef Sermoise (43 F à déjeuner, 53 F à dîner) sont parfaitement honnêtes et dépourvus de toute surprise désagréable. Ils comportent hors-d'œuvre, plat du jour, fromage, dessert et vin au tonneau à volonté. Décor discrètement rafraîchi et sonorisé, accueil et service sympathiques.

14/20 NICOLAS

● *12, rue de la Fidélité (770.10.72).*
F. sam. Jusqu'à 22 h 30.

Un vieux client, fidèle à la Fidélité depuis vingt-cinq ans, menace de prendre le deuil : « On ne voit plus Julien François dans la salle où à chacun il disait un petit mot aimable et à présent ce n'est plus pareil ». C'est un point de vue. Le nôtre est que la fille et le gendre du président des Restaurateurs sont d'excellents professionnels qui maintiennent avec beaucoup de sérieux la tradition de cette maison bourgeoise, avec son service de la vieille école et sa cuisine classique d'une qualité constante où la tête de veau et la raie au beurre noir alternent avec le foie de veau rosé et le navarin ou la côte de bœuf au gratin dauphinois. 80 à 120 F.

12/20 LE PAILLON

● *4, cour des Petites-Ecuries (523.02.77).*
F. dim. et lundi. Jusqu'à 1 h du matin.

Un très gros 12 pour ce chef passionné par son métier qui confectionnera pour vous avec la plus grande sincérité du monde des plats typiquement niçois : ailloli de morue aux légumes cuits à la vapeur, bourride provençale, sardines farcies d'une fraîcheur exemplaire, brandade de morue, excellentes salades niçoises et nombreuses autres préparations variant suivant les arrivages et l'humeur de Roger Roux. Accueil souriant. Décor décevant malgré l'authenticité des portes et des poutres. Vous dépenserez une centaine de francs.

11/20 PINOCCHIO

● *49, rue d'Enghien (770.01.98).*
F. dim. Jusqu'à 22 h.

Dans ce restaurant intime et chaud vous goûterez une petite cuisine italienne de qualité préparée avec brio par Bruno Salvatore. Produits d'une extrême fraîcheur sélectionnés avec beaucoup de soin : saltimbocca, piccata marsala, osso buco et huit sortes de pâtes fraîches « maison ». Autour de 70 F.

12/20 LA P'TITE TONKINOISE

● *56, fg Poissonnière (246.85.98).*
F. dim. Jusqu'à 23 h.

Dans cet agréable restaurant sobrement décoré, vous pourrez choisir sur une carte étonnamment concise quelques spécialités inattendues aux cuissons précises et aux parfums déroutants, offrant une version asiatique de la cuisine de marché : lotte à la rhubarbe, salade de coquilles Saint-Jacques à la mangue verte, soupe de moules à l'ananas, maquereaux au thé, émincé de bœuf au brocoli. Ou d'autres plats plus classiques mais également appréciables : pigeonneau laqué, magret de canard aux cinq parfums, pinces de crabe au citron vert, porc au caramel. Plat du jour à emporter sur commande. 70 à 100 F.

12/20 RESTAURANT DE LA GRILLE

● *80, fg Poissonnière (770.89.73).*
F. sam. et dim. Jusqu'à 21 h 30.

Passé la grille ancienne de façade, le décor, pour classé qu'il soit, n'est pas particulièrement enjôleur. Mais le jeune chef patron nantais, Yves Gulière, propose une jolie et fraîche petite

Toques blanches = cuisine classique.

carte marine : turbot bien grillé, coquilles Saint-Jacques vite poêlées, petits maquereaux au vin blanc, etc., et aussi des viandes grillées ou en sauce, une franche tête de veau gribiche et de bons desserts de ménage (œufs au lait ou à la neige). 90 F environ.

12/20
TERMINUS-NORD

● *23, rue de Dunkerque (824.48.72).*
Tous les jours. Jusqu'à minuit 30.

Jean-Paul Bucher (le patron de Flo et de Julien) a la modestie de s'étonner du succès de cette brasserie où depuis qu'il l'a reprise, on rencontre un peu tout le monde et les autres. Les parages de la gare du Nord n'ont en effet rien d'exaltant mais ce succès durable, il le doit incontestablement à l'agrément d'un astucieux décor Belle Epoque et Années Folles, à la qualité et à la gentillesse du service, au sérieux d'une brave cuisine de brasserie sans prétentions (choucroute, bavette poêlée, lapin à la moutarde, bonnes huîtres) et à la sagesse remarquable de ses prix (27 F le foie gras frais au riesling, 26 F la choucroute spéciale, 69 F la bouteille de champagne Deutz rosé).

Paris 11e

14/20
CARTET

● *62, rue de Malte (805.17.65).*
F. dim. Déj. seult.

L'infatigable Mme Cartet, toujours seule devant les fourneaux de sa cuisine-cagibi, prépare et sert avec le même bonheur ses petits plats mijotés avec l'amour qu'en Provence on porte encore à la vraie cuisine bourgeoise. Pieds de mouton poulette, brandade, bœuf à la ficelle, soufflé de tourteau, grosses tartes de grand-mère : tout ici respire la vertu. Il suffit d'accepter d'en payer de prix (130-160 F), de serrer les coudes et de ne pas avoir de prétention à l'espace vital.

12/20
LE CHARDENOUX

● *1, rue Jules-Vallès (371.49.52).*
F. sam. et dim. Jusqu'à 22 h 30.

Passé du canon de rouge à la restauration et du monde des « ébénos » à une clientèle plus raffinée, Le Chardenoux demeure l'un des plus merveilleux bistrots de quartier avec son comptoir en marbre, ses verres gravés et son plafond rocailleux. Dommage qu'après un départ en fanfare, la cuisine soit rentrée dans le rang. A certains plats contestables (escargots aux griottes) ou nappés de pesantes sauces, nous préférons le saumon frais mariné, la salade Chardenoux, le feuilleté au roquefort, la noisette d'agneau à l'estragon, le ris de veau aux écrevisses, le poussin en crapaudine aux grains de cassis. 110 à 140 F.

15/20
CHEZ PHILIPPE (Auberge Pyrénées-Cévennes).

● *106, rue de la Folie-Méricourt (357.33.78).*
F. sam. et dim. Jusqu'à 22 h 30.

Les effluves d'un cassoulet moelleux et lentement mijoté mais aussi un délicieux foie gras au naturel, de savoureuses côtes de bœuf, de tendres confits et des vins toujours remarquables attirent, sans jamais la lasser, la clientèle des « beaux quartiers » accueillie par l'inépuisable sourire de Philippe Serbource. Environ 130-140 F.

14/20
A SOUSCEYRAC

● *35, rue Faidherbe (371.65.30).*
F. sam. et dim. Jusqu'à 22 h.

Le fait que des poires entrent dans la dernière version (superbe) de la hure de porcelet ne sera pas, gageons-le, pris en mauvaise part par ses habitués de longue date (gros négociants en bois de placage, entre autres industriels de l'ameublement du Faubourg) : ils savent, en effet, que demain a peu de chance d'être la veille du jour où le bon Gabriel Asfaux et son chef Legrand s'abandonneront à des recherches de saveurs non cautionnées par d'ancestraux usages quercynois. De fait, dans la dernière carte, rien d'autre ne les surprendra et c'est très bien ainsi. Passé les toujours solides pieds de porc, gras-double et terrines, on y retrouve en effet quelques plats aussi robustes et plus ou moins saisonniers (cassoulet, lièvre à la royale, etc.). Suivent les mêmes spécialités en sauces vigoureuses, du type « riche », qu'on n'oublie pas... Enfin pas tout de suite : sauces au vin (curieuse estouffade roulée), sauces à la crème (et aux mousserons : ris de veau ; et aux morilles : saucisson chaud ; et aux asperges : escalope de merveilleux rognons présentés plus que roses), en variante roborative « de périgueux » : poulet des gastronomes, etc. On notera encore la constance dans l'intelligent choix des vins, avec la « bouteille du jour » (par exemple, un beau Rauzan-Gassiès à 59 F), dans la composition du menu à 60 F (volaille exclusivement ou presque), dans la tristesse de l'éclairage de la salle lambrissée de chêne, et dans le caractère toujours raisonnable des prix (120 F environ, pour le moins, quand même).

Critiquez nos critiques : nous vous en serons obligés.

Paris 12e

12/20
LA CONNIVENCE

● *1, rue de Cotte (628.46.17).*
F. lundi. Jusqu'à 23 h 30.

Ancien journaliste, Jean-Claude Trastour pratique une cuisine en dents de scie (qui lui vaut 12/20 dans le meilleur des cas), et à mi-chemin de l'innovation et de la tradition, selon l'inspiration que lui fournissent les arrivages et son humeur. Aussi sa carte varie-t-elle de dix à vingt plats selon les jours. En principe, on devrait vous proposer l'un ou l'autre de ceux-ci, qui nous semblent les plus réussis : tarte au roquefort, œufs en cocotte à l'estragon, turbot étuvé sur salade cuite, terrine de sole aux légumes, grenadins de veau au cidre, ris de veau aux légumes, mousse au chocolat. Portions opulentes. Décor moderne d'une aimable sobriété. 80 F environ et, à déjeuner, un excellent menu à 30 F.

11/20
LES FLEURS

● *197, av. Daumesnil (343.24.61).*
F. dim. Jusqu'à 22 h.

Le chef et patron est un passionné de la cuisine florale, mais il s'exprime mieux encore lorsqu'il se souvient qu'il est aussi Berrichon. Goûtez sa côte berrichonne en chemise, son jarret de veau en meurette, son lapin en gelée à l'estragon ; tout cela est gentiment fait et servi. Vins de Châteaumeillant et Menetou-Salon, agréables et frais. 80 à 90 F environ.

11/20
CHEZ JACQUES

● *62, rue Crozatier (343.97.39).*
F. sam. et dim. Jusqu'à 21 h 15.

Jacques Rebeuf nous annonce qu'il a mis au point une nouvelle carte. Voilà qui va faire du bruit dans les ronds de serviettes du Faubourg Antoine, car jusqu'ici, c'est le filet de maquereau mariné, la frisée aux lardons et le haricot de mouton qui tenaient le haut du pavé. Tenons-nous bien et espérons que ceci (ragoût de lotte au concombre, aloyau cru au saint-émilion) ne nous fera pas regretter cela qui était parfait dans son genre. Environ 100 F.

12/20
LE MORVAN

● *22, rue Chaligny (307.47.66).*
F. sam. et dim. Jusqu'à 21 h 15.

Retrouver son Morvan natal, sa province, son « chez soi », c'est ce que Denis Guyard sait vous offrir avec son omelette morvandelle, ses escargots maison, ses rognons de veau dijonnaise, son boudin « de pays », etc. 70 à 90 F.

10/20
CHEZ PEPPINO

● *7, rue Rondelet (307.38.72).*
F. sam. Jusqu'à 21 h.

Peinture toute fraîche qui n'a pas effacé pour autant la chaleur corse et italienne qui fait de ce petit bistrot une halte fort sympathique : nous y avons aimé les lasagnes au four, l'osso buco et surtout le bœuf gros sel. 45 F environ.

10/20
LE PETIT POT

● *180, fg Saint-Antoine (372.91.13).*
Tous les jours. Jusqu'à 22 h 30.

Un menu tout compris (34,50 F et un honnête côtes-du-Languedoc) fait au déjeuner et à dîner le plein de ce petit bouchon du Faubourg : hors-d'œuvre amusants, plat du jour (andouillette, grillade) et desserts de famille. Coude à coude et brouhaha.

12/20
LA PETITE ALSACE

● *4, rue Taine (343.21.80).*
F. dim. (à dîner) et lundi. Jusqu'à 22 h.

La « kolossale » choucroute (77 F pour deux) sait être miraculeusement légère quand on a la chance de ne pas tomber sur un « fond de gamelle ». Ce n'est pas tout à fait le cas du baeckeoffe ni de l'addition (100 F et plus). Service gentil et bon enfant.

13/20
AU PRESSOIR

● *257, av. Daumesnil (344.38.21).*
F. dim. (à dîner) et lundi jusqu'à 22 h.

Le décor a changé dans ce gigantesque petit restaurant de quartier, et c'est tant mieux car il jurait avec l'ambiance, le style de la clientèle et les prix pratiqués qui, il faut bien le dire, ne sont pas les plus humbles de Paris. Au demeurant, le jeune Henri Seguin ne demande pas mieux que d'évoluer. Côté cuisine, il vise une toque rouge et l'obtiendra probablement s'il nous donne des sauces plus légères, plus dépouillées, et marque plus nettement le goût de ses plats. D'ores et déjà, certaines de ses créations (libres variations à partir de thèmes chers à son maître, André Guillot) sont remarquables. Par exemple le pigeonneau aux mûres, la fricassée de langue et de joue d'agneau aux groseilles, le foie de veau aux oignons en marmelade ou l'émincé de rognon à l'orange, que nous préférons aux préparations plus classiques de poissons, de crustacés et de viandes. Excellent choix de fromages (dont, bien sûr, les chèvres de M. Seguin). 150 F et plus en moyenne.

12/20
LE QUINCY

● *28, av. Ledru-Rollin (628.46.76).*
F. sam., dim. et lundi. Jusqu'à 22 h.

Vous trouverez dans le décor rustique de cette bonbonnière une agréable cuisine régionale dont les plus jolies réussites s'intitulent : tarte aux poireaux, terrine de choux à l'ail, lapin aux échalotes, poulet aux écrevisses ou cassoulet landais. Et vous serez servi avec le sourire, ce qui ne gâte rien. 100 F environ.

12/20
RÔTISSERIE DU PLATEAU DE GRAVELLE

● *2, route du Pesage, Bois de Bincennes (368.00.13).*
Tous les jours. Jusqu'à 21 h 30.

Le Bois se donne ici des allures de forêt et l'illusion de la campagne la plus reculée est à peu près complète depuis les baies largement vitrées de cette salle cossue et confortable. L'ancien chef est parti, son second a pris la toque et la direction des fourneaux. La cuisine du coup pourrait évoluer vers plus de légèreté (salade folle, escalope de saumon à la crème de cresson). Les repas au grill, en plein air quand il fait beau sont plus simples et sensiblement moins coûteux. 170 F environ. Au grill : 38 à 97 F.

12/20
LA SOLOGNE

● *164, av. Daumesnil (307.68.97).*
F. lundi (à dîner) et dim. Jusqu'à 22 h.

Tandis que l'ancien propriétaire, Jean-Pierre Morot-Gaudry, s'abandonne désormais, rue de la Cavalerie dans le 15e, aux charmes de la nouvelle cuisine, M. et Mme Médard et leur chef, Michel Pombet, s'installent dans la cuisine classique, tournée vers le gibier et le poisson. Mais est-ce bien raisonnable, de nos jours, de vouloir établir sa réputation sur la biche Grand Veneur et le lièvre à la Royale? Quant à nous, nous préférons le gibier rôti, la chartreuse de faisan, la paupiette de saumon et le ragoût de joues de bœuf. Service en progrès. Environ 100 F.

12/20
LE TRAIN BLEU (Gare de Lyon)

● *20, bd Diderot (343.09.06),*
Au premier étage.
Tous les jours. Jusqu'à 21 h 45.

Nous avons suffisamment vanté — et les premiers, semble-t-il, il y a près de vingt ans — les beautés de ce prodigieux décor fin de siècle, classé depuis Monument historique, pour nous y attarder plus longtemps. La nouveauté est que M. Albert Chazal fait de grands efforts, avec son chef Jean Thauvin, pour sortir la cuisine de la banalité ferroviaire, en insistant particulièrement sur les spécialités foréziennes, sa province natale. Plus que pour la quenelle de brochet ou la chiffonnade de saumon cru, il faut venir ici manger des cochonnailles, du gigot du Forez, des fromages frais à la crème et quelques autres plats campagnards comme l'andouillette pommes en l'air et la daube de bœuf. 100 à 130 F.

16/20
LE TROU GASCON

● *40, rue Taine (344.34.26).*
F. sam. et dim. Jusqu'à 22 h.

Les Parisiens n'ignorent plus rien des charmes de la place Daumesnil depuis que règnent dans le quartier les moustaches glorieuses d'Alain Dutournier. Ils courent chez lui pour goûter, dans le cadre joliment désuet de ce bistrot fin de siècle, l'une des cuisines les plus accomplies, les plus intelligentes de Paris. A mi-chemin entre le vieux Sud-Ouest et l'avenir le plus audacieux, cette cuisine magnifie la garbure et le foie gras, et tient serrées les rênes d'une nouvelle cuisine pleine de saveurs riches et infiniment variées. Vous en jugerez avec la galantine de lapereau en saupiquet, le jambon d'oie, la terrine de crevettes roses, la salade de ris de veau à la grecque, les huîtres en crépinettes, la mousse au piment, la daube de gras double, la daurade aux oursins, les pruneaux au vin d'orange. Les prix sont toujours revêches mais l'accueil devient souriant. 150 à 170 F.

Paris 13e

12/20
CHEZ GRAND-MÈRE

● *92, rue Broca (707.13.65).*
F. sam. (à déj.) et dim. Jusqu'à 21 h 30.

Une jeune grand-mère tout à fait dans le coup a transformé cette ancienne buvette en un petit restaurant au décor cent pour cent rétro où elle prépare la plus sincère des cuisines « de ménage ». Tout cela est bien fait, simple et largement servi : hors-d'œuvre, bourguignon, pot-au-feu, échine de porc aux lentilles, admirable brie de Melun et desserts de famille, pour une cinquantaine de francs avec un petit vin ordinaire.

12/20
LES MARRONNIERS

● *53 bis, bd Arago (707.58.57).*
F. dim. Jusqu'à 23 h.

Une maison aimable, la plus agréable de l'arrondissement, avec sa terrasse sous les marronniers, où l'on mange avec plaisir une cuisine sage, généralement bien préparée, avec des sauces fines mais dont le rapport qualité-prix boitille quelque peu : 41 F l'andouillette au vin blanc, 68 F le filet aux herbes fraîches, 56 F le steak de canard à l'échalote. On peut se demander si Gilbert Lorenzatti n'a pas été impressionné à l'excès par son passage chez Denis. Un peu de sagesse et il retrouvera sa toque. 130-160 F.

11/20
CHEZ MICHÈLE

● *39, rue Daviel (580.09.13).*
F. dim. Jusqu'à 22 h 15.

Les mamans-chiens vont pouvoir être satisfaites : leurs toutous ont le droit de participer aux joyeux repas de Mme Bonnigal : couscous, méchoui, grillades au charbon de bois et ils « s'en lècheront les babines ». 90 à 120 F.

13/20
VIEUX MÉTIERS DE FRANCE

● *13, bd Auguste-Blanqui (588.90.03).*
F. dim. et lundi. Jusqu'à 23 h.

Si Michel Moisan n'a pas hésité à créer son petit « îlot » Louis XIII, il n'hésite pas non plus devant les efforts et son désir de mieux faire. Allez essayer son foie gras d'oie « cuit au torchon » : il semble le tenir et y tenir. Vous trouverez aussi un grand menu très varié, amusant, cher aussi : pot-au-feu de la mer, émincé de bar aux pâtes fraîches à la crème de pistou, etc. 180 F environ.

Paris 14e

14/20
CHEZ ALBERT

● *122, av. du Maine (320.21.69).*
F. lundi. Jusqu'à 22 h 15.

Avec une conscience professionnelle irréprochable et l'aide d'un chef d'expérience et de talent (Jacques Boldron), M. et Mme Beaumont sont installés fermement sur leurs positions. Vous ne viendrez pas chez eux, par conséquent, pour goûter tous les trois mois (ou même tous les trois ans) de nouvelles créations, mais pour jouir, sans risque de mauvaise surprise, de ce qui fait le succès mérité de la maison depuis longtemps : accueil courtois, service attentif et cuisine classique extrêmement soignée (avec ces immuables et délicieux chevaux de bataille : coquilles Saint-Jacques en brochette, homard poché aux herbes, carré d'agneau aux aromates, gibier en saison). 150-200 F environ.

Pour retrouver rapidement une adresse consultez l'index, p. 641.

14/20
LES ARMES DE BRETAGNE

● *108, av. du Maine (320.29.50).*
F. dim. (à dîner) et lundi (sauf jrs fériés). Jusqu'à minuit.

L'océan dépose ses meilleurs produits dans ces amusants boudoirs qui pastichent le Second Empire et où, dans un confort parfait, on goûte la cuisine raffinée et même savante du chef André Laurier qui a profité de ses passages chez Pic et chez Maxim's pour mettre au point sa terrine de turbot, son homard rôti à l'oseille, ses coquilles Saint-Jacques aux pâtes fraîches, son bar au beurre rouge, son caneton poivré « Rose de Chine » et d'autres petits plats qui composent une carte merveilleusement présentée mais dont on se demande toutefois si on ne l'aurait pas vue jadis à La Tour d'Argent... Environ 150-200 F.

13/20
AUBERGE DE L'ARGOAT

● *27, av. Reille (589.17.05).*
F. dim. Jusqu'à 22 h.

Marcel Goareguer n'est pas une vedette et l'on parle rarement de cette petite auberge bretonnante, à la lisière du parc Montsouris où il cache discrètement sa tribu bretonne — femme, filles et gendres — dans une sorte de ferme écologique. Les produits naturels jouent en effet un rôle majeur dans cette maison où un camion vient directement de l'ouest apporter, chaque semaine, une provision de beurre, de crème, de lait et d'œufs de la ferme. M. Goareguer qui a travaillé dans de grandes maisons — notamment Lasserre — est fou de poissons et les accommode de manière très personnelle. Goûtez son filet de saint-pierre au vinaigre de mûres (fabriqué bien sûr à la maison), sa terrine de lotte et de colin au pamplemousse, son mulet au beurre monté, son thon frais aux épinards, ses coquilles Saint-Jacques de Loctudy, ses huîtres farcies aux échalotes et au tourteau, que vous arroserez de muscadet ou, mieux, d'étonnantes vieilles bouteilles qui ont l'air d'avoir été oubliées là. L'addition tourne autour de 100 F.

12/20
AUBERGE DU CENTRE

● *10, rue Delambre (326.67.77).*
F. dim. Jusqu'à 22 h 45.

Très accueillante petite maison rustique où se mitonnent des spécialités qui sont du Centre, certes, mais aussi d'autres provinces françaises, le Sud-Ouest et la Bourgogne notamment. Un 12/20, donc, mais un très gros 12 (12,5 dans notre mensuel) pour la chaleur de l'ambiance, l'efficacité du service et ces gentils plats qui nous font venir l'eau à la bouche : tourte bourbonnaise, œufs en meurette, truite à la crème et à l'estragon, coquilles Saint-Jacques au vermouth, côte de bœuf aux cèpes ou marchand de vin, gésiers d'oie. 100 F environ.

12/20
LE BOURBONNAIS

● *29, rue Delambre (320.61.73).*
F. dim. Jusqu'à 22 h.

Une salle entièrement refaite pour accueillir une clientèle d'habitués fidèles à la poule au pot, au bœuf aux carottes et au pot-au-feu, toujours bien servis. 80 à 100 F.

11/20
CAFÉ FRANÇAIS (P.L.M. Saint-Jacques)

● *17, bd Saint-Jacques (589.89.80).*
Tous les jours. Jusqu'à 22 h 30.

Un menu régional proposé « autour » d'un vin de la même région (chaque région restant à peu près deux mois à l'affiche). Nous trouvons la formule bonne et puisque nous ne sommes pas les seuls, loin de là, semble-t-il, il n'y a pas lieu de perdre le sourire. Piano et orgue au dîner. Menus : 85 et 105 F, vin et service compris.

13/20
LA CHAUMIÈRE DES GOURMETS

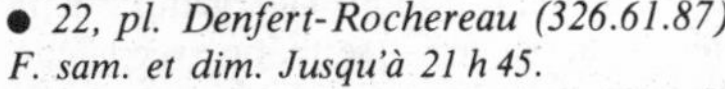

● *22, pl. Denfert-Rochereau (326.61.87).*
F. sam. et dim. Jusqu'à 21 h 45.

Jean Bequet a appris, jadis, chez Prunier puis chez Mahu, à Villerville, l'exacte cuisson du poisson et, de plus en plus, il fait de sa petite auberge une annexe de la mer et de l'océan, préparant avec le même plaisir la marmite dieppoise que le ragoût de lotte provençale, la bouillabaisse en gelée que la matelote d'anguilles au beaujolais. Une cuisine sérieuse, dans une atmosphère de « bonbonnière » normande. 150 F environ.

13/20
LA CHAUMIÈRE PAYSANNE

● *7, rue Léopold-Robert (320.76.55).*
F. dim. et lundi (à déj.). Jusqu'à 22 h 30.

Elle est bien rouge la toque de La Chaumière Paysanne et nous voici rouges de confusion devant l'erreur involontaire commise dans notre Guide de la France 1979... Il n'y a aucune raison de voir pâlir la toque : aux plats que nous aimons — la chiffonnade de salade aux écrevisses, les huîtres chaudes, le ragoût de coquilles Saint-Jacques, le cassoulet au confit de canard maison — s'ajoute un menu de plus en plus varié. 120 à 150 F (menu 56 F).

Envoyez-nous vos bonnes adresses, vos critiques, vos commentaires. Nous vous en serons obligés.

12/20
LE CIEL DE PARIS

● *Tour Montparnasse, 56e étage (538.52.35).*
Tous les jours. Jusqu'à 23 h 30 (minuit les vend. et sam.).

Le si beau spectacle de Paris aux quatre points cardinaux est gâché par le « modernité » d'un décor où il reste tout à faire pour que le bonne clientèle parisienne se sente chez elle à cette altitude. La cuisine, en revanche, est en constant progrès. De bons produits, un peu d'audace, beaucoup de générosité, d'excellents vin, le cou et le foie d'oie, la crêpe au saumon, le turbot à la farigoulette, le carré d'agneau aux aubergines, le foie de veau au miel, le délice au chocolat amer, la charlotte à l'orange effacent, pour une centaine de francs, les mauvais souvenirs que nous avions gardés du Ciel à ses débuts. Le 56e étage de la Tour Montparnasse mérite bien désormais le grand voyage express en ascenseur.

11/20
LA COUPOLE

● *102, bd du Montparnasse (320.14.20).*
Tous les jours. Jusqu'à 2 h du matin.

Si par hasard elle disparaissait ou tombait dans les pattes de quelque décorateur, Montparnasse, aussitôt, s'arrêterait de respirer. Cathédrale des années 30 pour les uns, salle des pas perdus pour les autres, cette salle immense mêle dans le plus prodigieux des remue-ménage le Tout-Paris d'hier et d'aujourd'hui, les peintres de tout poil, les bourgeois du samedi soir, les Japonais en goguette, les boudins, les filles ravissantes et toutes les curiosités bien parisiennes qui tournoyent autour des tables toujours occupées, en suivant le marathon des serveurs agités. La cuisine n'est qu'un prétexte, mais un prétexte honnête si on sait se contenter d'un hareng, de six huîtres ou d'une queue de cochon grillée. Environ 80-100 F.

11/20
LA CRÉOLE

● *122, bd du Montparnasse (320.62.12).*
F. dim. Dîner seult. Jusqu'à 2 h du matin.

Sympathique restaurant du soir où l'on dîne en musique : crabe farci, ragoût de queues de cochon aux haricots rouges, blaff de poulet, et les messieurs suivent du coin de l'œil le postère chaloupant des jolies serveuses au large sourire. 80-100 F.

17/20
LE DUC

● *243, bd Raspail (320.96.30).*
F. sam., dim., lundi et jrs fériés. Jusqu'à 22 h 30.

Malgré tous leurs efforts de propagande, les frères Minchelli n'ont pas encore pu prouver qu'ils avaient vraiment inventé le poisson. En revanche, pour ce qui concerne les préparations de tous les fruits de la mer, ils sont intraitables. « On nous copie », s'écrient-ils losqu'on évoque devant eux telle recette, telle nouveauté. Il faut avouer que tout ce qu'on peut créer dans ce domaine immense et difficile, Paul Minchelli l'a fait avant les autres, du plus simple au plus fou, et Jean, son frère, a déjà réussi à le faire adorer de ses clients. Ne boudons pas notre joie émerveillée, dans le décor intime (avec une telle réputation et de pareilles additions, on pourrait quand même rêver plus luxueux), en mangeant ces coquillages incomparablement frais et ces plats prodigieux et toujours renouvelés, le tartare de saumon, les coquilles Saint-Jacques crues en fines lamelles, les langoustines « en folie », juste saisies à l'huile de palme, les huîtres chauffées au curry, les goujonnettes de sole au poivre, le homard à l'orange, la soupe de langouste et étrilles et l'étonnante « bouille » de poissons, sans oublier leur fameux cassoulet toulousain. 150 F environ.

12/20
LE FLAMBOYANT

● *11, rue Boyer-Barret (541.00.22).*
F. lundi et mardi (à déj.). Jusqu'à 23 h.

Le sourire, la chaleur, la cuisine des Antilles avec ses plats que nous aimons : le crabe farci, les acras, le poisson « flamboyant » au citron, le porc ou le mouton Colombo..., toujours précédés d'un punch. 60 à 70 F.

12/20
LA GUÉRITE DU SAINT-AMOUR

● *209, bd Raspail (320.64.51).*
F. dim. Jusqu'à 22 h 30.

Un des rares établissements où pour moins de cent francs (beaujolais maison compris) on peut encore s'offrir une petite fête. Délicieuse salade de chou aux lardons, terrine de cochon de lait aux petits légumes, rognons blancs à la purée d'oignons rouges, remarquables viandes servies sur la planche : telles sont les spécialités rustiques et franches comme l'or préparées par M. Trompesauce, le mal nommé. La sincérité de ces plats, la sagesse des prix et l'exiguïté des lieux font que vous aurez intérêt à réserver votre table.

12/20
LES ILES MARQUISES

● *15, rue de la Gaîté (320.93.58).*
F. dim. Jusqu'à 23 h.

Cette vieille maison de produits de la mer qui eut jadis son heure de gloire, partait à vau-l'eau. Patrick Dard, le propriétaire de la Barrière Poquelin, l'a rattrapée de justesse dans son épuisette et si rien n'est changé de l'inénarrable décor marin, les produits désormais sont de première fraîcheur et l'on peut sans crainte aller après le spectacle manger une bouillabaisse en gelée à la rouille au fenouil, une belle daurade et un dessert pour 110 F, service compris.

12/20
JARDIN DE LA PARESSE (Restaurant du Parc Montsouris)

● *20, rue Gazan (588.38.52).*
Tous les jours. Jusqu'à minuit 30.

Une nouvelle oasis à Paris. La grande serre-salle à manger, décorée avec beaucoup de goût, donne l'impression que l'on dîne dans le parc, au milieu de ses bosquets fleuris et de ses beaux arbres. La cuisine est à l'image du décor : fraîche, charmante, reposante, même si à ses débuts tout n'était pas encore parfaitement au point. Vous aimerez en tout cas les rillettes de saumon, les escalopines de bœuf aux graines de moutarde, les filets d'agneau à l'estragon et les petites serveuses, souriantes et gracieuses. 130 à 150 F.

15/20
LOUS LANDÈS

● *9, rue Georges-Saché (543.08.04).*
F. dim. et lundi. Jusqu'à minuit.

Depuis que Jean-Pierre Descat s'est mis au rouleau à pâtisserie dans le placard qui sert de cuisine à sa mère, l'adorable Georgette, la pâte feuilletée — aérienne — se marie avec la cuisine landaise et les poissons du nouveau style dans le décor familial et subtilement kitsch de cette rue paumée. Du cassoulet au confit, du magret à la ficelle, de la potée landaise, du tourin blanchi, du jambon de ferme et du foie gras en papillote jusqu'aux créations les plus modernes (salade de haddock, poissons en gelée de menthe, tortillons de sole à l'étuvée, canette au riz sauvage, et tous les plats d'humeur et d'imagination), la cuisine de Jean-Pierre et de Georgette continue de nous conduire au paradis, gavés de sourires, de bon vin et d'accent landais. Citons aussi le délicieux « repas d'affaires à moins de 100 F », généreux, divers et gentiment arrosé. Lous Landès déménage (en février 80?) au 157, av. du Maine, 14e, et conserve le même n° de téléphone.

14/20
LE MONIAGE GUILLAUME

● *88, rue de la Tombe-Issoire (322.96.15).*
F. dim. Jusqu'à 23 h.

Le décor est un peu « ronflant » pour ne pas dire tapageur mais c'est tout de même une agréable surprise, dans ce quartier ingrat, de se retrouver presque comme à la campagne, entouré de fleurs, d'ouvrir une grande carte — un peu confuse mais d'une remarquable richesse —, de voir sortir du viviers langoustes et homards et de goûter une cuisine d'esprit nouveau bien que, quelquefois, trop surchargée (le chef Archimbeaud a travaillé chez Manière), faite à partir de produits de la mer d'une superbe fraîcheur. Rouget en chemise farci à la mousse de poisson et à la purée d'anchois, saumon frais au broccoli, escalope de bar à la vapeur de cidre, ailerons de raie au citron vert mais aussi un bon foie gras frais, quelques plats de viande et un agréable feuilleté chaud aux fraises : voilà des plats appétissants et bien faits qui vous conduisent allégrement à dépenser 180 ou 200 F. Mais en restant sage et en se contentant d'un sancerre, on peut ne pas dépasser 150 F.

11/20

MON PETIT BAR

● *7, rue Campagne-Première (320.93.04).*
F. dim. Jusqu'à 22 h.

Brave petit « auvergnat » généreux et pas trop cher. Clientèle sympathique, amateur de bon chou farci, de potée auvergnate et de civet de lapin. 50-60 F.

12/20

LE PRÉ CARRÉ

● *25, rue de la Gaîté (320.26.47)*
F. dim. Dîn. seult. Jusqu'à 1 h 30 du matin.

Emilio n'est pas content que nous ayons remarqué le coq au vin et la rognonnade de veau aux épinards de son chef, qui ne sont presque jamais inscrits à la carte : il faut quand même bien parler de ce que nous connaissons et nous ne pouvons pas, hélas ! récrire ce guide tous les deux jours, selon les modifications qui interviennent dans les milliers d'établissements que nous citons. Ceci posé, notre opinion sur ce Pré Carré n'a, elle, pas changé : bonne cuisine fraîche, simple et sincère, souvent élaborée à la dernière minute à partir d'honnêtes produits. Joli décor intime. Prix adaptés à la clientèle d'acteurs et de metteurs en scène de cinéma : 130-140 F.

14/20

CHEZ PROVOST

● *1, rue de Coulmiers (539.86.99).*
F. sam. (à dîner) et dim. Jusqu'à 21 h 30.

Ce ne sont pas les clients de passage qui risquent d'envahir cette jolie maison basse, presque campagnarde, pour la bonne raison qu'il ne passe jamais personne dans cette rue perdue. Si André Provost fait le plein, c'est tout simplement parce que ce grand charcutier a redonné aux Parisiens le goût d'un vrai jambon à l'os, d'un saucisson chaud, d'un pied de porc farci, d'un boudin ou d'une andouillette, comme on n'en sert plus jamais dans les restaurants. Mais aussi parce qu'il ne se contente pas de piocher dans ses réserves. Passionné de cuisine et de bonnes sauces, il est tout aussi capable de réussir des quenelles de brochet qu'un turbot au basilic, un foie de veau aux échalotes ou une fricassée de Bresse au vinaigre de xérès. C'est un pâtissier tout aussi adroit et un caviste de première force. 110-140 F.

Envoyez-nous vos bonnes adresses.

11/20

LA ROUTE DES ANDES

● *38, rue Pernety (542.87.97).*
F. dim. Dîn. seult. Jusqu'à minuit.

Un ancien reporter-photographe de L'Express sert ici (décor séduisant et folklo) une cuisine andine ou avoisinante, tout feu et tout flamme. Les pâtés à la viande (empanadas) péruviens, le poisson cru mariné (ceviche), le chili con carne mexicain, les moules farcies contribuent à un divertissement exotique dans un quartier qui en manque singulièrement. 90 à 100 F.

11/20

LA ROUTE DU CHÂTEAU

● *36, rue Raymond-Losserand (320.09.59).*
F. dim. Jusqu'à minuit 30.

Plus de château ni de châtelain mais un quartier bouleversé par les pelleteuses et bien tranquille le soir quand repose la poussière des gravats. Le décor de cette sympathique maison est superbe derrière ses vitres gravées et la cuisine de style bistrot ne trompe pas son monde : lapin sauté au cidre, petit salé au chou ou aux lentilles, coquelet au bleu d'Auvergne. Environ 90 F.

10/20

TAVERNE DE MAÎTRE KANTER

● *68, bd du Montparnasse (326.88.40).*
Tous les jours. Jusqu'à 1 h du matin.

Ce n'est pas Byzance, mais c'est un tout petit peu Mulhouse, telle que pourrait l'imaginer, au fin fond de la Californie, un scénariste érudit. Andouillette au riesling, jarret de porc, choucroute, bière et orchestre. Un brin de cirque pour faire bonne mesure, mais il ne faut pas s'en étonner : le patron se nomme Jean Richard. Environ 60 F.

12/20

LE VALLON DE VÉRONE

● *53, rue Didot (543.18.87).*
F. dim. Jusqu'à 22 h 30.

Les patrons sont restés fidèles à leurs racines du Sud-Ouest et ce qu'ils proposent dans cet ancien débit de boissons (ou, près des imposants vestiges d'un monte-charge en fonte, les tables, hélas ! sont aujourd'hui rapprochées au maximum) ne vous en laissera rien ignorer : jambon de Tonneins, tripes (joliment combinées à de la fraise de veau), ragoût au confit, magret, foie gras « au torchon », pastis (c'est un dessert) et, pour accompagner tous ces aimables mets, côtes-de-Buzet blanc ou rouge, ou petit vin du patron (venu tout droit du Lot-et-Garonne). Accueil enjoué. Addition moins enjôleuse : 100 F environ.

11/20
YAKITORI

● *64, rue du Montparnasse (320.27.76).*
F. lundi. Jusqu'à 23 h.

Le nouveau chef, M. Ohtaka n'a pas bouleversé les bonnes habitudes de ce petit « japonais » : pas de folklore, mais du bon travail, avec d'excellents produits, en très petites quantités comme dans la plupart des restaurants nippons. C'est là qu'est le vrai dépaysement. Si vous commandez des brochettes, (elles sont exquises) prenez-en beaucoup ou bien vous mourrez de faim une heure plus tard. 50-70 F.

Paris 15e

11/20
L'AMANGUIER

● *51, rue du Théâtre (577.04.41).*
F. dim. Jusqu'à 23 h 30.

Une fontaine susurrante et des plantes vertes : on se croirait dans un jardin d'hiver échappé d'un quartier morose. L'Amanguier a adopté la formule du menu à 31 F, mais au lieu de copier bêtement la salade et la grillade-pommes allumettes obligatoires, il a innové en étendant son registre. Trois entrées fixes : terrine de foies de volaille à l'orange, salade de frisée, chou rouge et pommes, et clafoutis aux fruits du potager, plus une qui change tous les jours. Ensuite, vous choisirez l'estouffade de bœuf à la moelle, la lotte à la tomate fraîche, la côte de veau au cerfeuil ou l'entrecôte sauce Choron. Avec une mousse aux fruits de la Passion ou une charlotte au chocolat et une demi-bouteille de bourgueil, vous dépenserez 80 F environ. Même maison, même décor, même cuisine à L'Amanguier-frère au 110, rue de Richelieu, 2e (296.37.79).

14/20
L'AQUITAINE

● *54, rue de Dantzig (828.67.38).*
F. dim. et lundi. Jusqu'à 23 h 30.

« Un morceau de ferraille dans la glace à la noisette, un morceau d'échalote dans l'assiette du gâteau au chocolat »... Une lectrice médecin, qui aimait bien L'Aquitaine nous demande si tout cela est bien normal. Nous ne pouvons que lui confirmer que la glace à la ferraille et le gâteau à l'échalote ne figurent pas au nombre des spécialités de Christiane Massia qui se contente, d'ordinaire, de nous délecter de gratin de joues de lotte, de sole au beurre de légumes, de bouillabaisse de maquereaux aux petits pois, de panaché de poissons à la sauce de cèpe, de mousse glacée au chocolat amer et de madeleines tièdes aux confitures, qui reflètent beaucoup mieux l'esprit d'une appétissante cuisine de terroir, mitonnée par six jeunes dames, belles, heureuses, passionnées, et servie dans un frais décor d'auberge de campagne, au bord d'une charmante terrasse suspendue qui domine les jardins et les ateliers d'artistes de la Ruche. Chaque jour, des suggestions inscrites sur « l'ardoise du marché ». Excellente sélection de bordeaux. Environ 130-150 F.

13/20
AUBERGE DE LA TOUR

● *6, rue Desaix (306.58.37).*
F. sam. (à déj.) et dim. Jusqu'à 22 h 15 (23 h le sam.).

Des Italiens du Nord ont succédé à Antoinette Carnet, et ils ont mis à l'honneur la cuisine de leur pays, dont ils proposent une version qui ne manque pas de finesse. La carte ne vous laisse que l'embarras du choix entre les délicates pâtes à la bolognaise, à la romaine ou à la ligurienne, les tortellini alba, les délicieux beignets de courgette accompagnant la classique et fort bien faite escalope au citron, l'exquis pâté de pintade, le rustique osso buco, la variante italienne (au marsala) de nos rognons de veau à la bordelaise et le remarquable zabaglione, le plus réussi des bons desserts réalisés par Ivano, chef jeune mais fort adroit. Vins de la péninsule. Prix parisiens : une bonne centaine de francs.

16/20
BISTRO 121

● *121, rue de la Convention (828.13.85).*
F. dim. (à dîner) et lundi. Jusqu'à 22 h 30.

Jean Moussié ne nous pardonne pas une sombre histoire de menu conventionné (à sa place, c'est-à-dire 121, rue de la Convention, nous ferions un menu à 121 F...). Oublions tout cela, y compris le droit qu'il nous dénie de nous vanter de l'avoir lancé, il y a une centaine d'années. Comme des milliers de Parisiens, de provinciaux, d'étrangers, nous aimons Jean Moussié d'un amour profond et filial qu'entretiennent les petites disputes et la grande cuisine, intelligente, où se mêlent la tradition, le terroir et l'invention : le ragoût de homard et de langoustines aux asperges, la tête de veau gribiche, le filet de saumon à la menthe, le faux-filet cru

Attention !
Certains restaurateurs changent, sans crier gare, la date de leurs vacances – d'été ou d'hiver – Téléphonez-leur donc : c'est la sagesse.

aux trois sauces, les légumes « à la vapeur sèche », la poule farcie, la tarte caramélisée. Décor « bistrot Slavik » sans changement. 160 à 190 F.

12/20 LE BOCAGE FLEURI

● *19, rue Duranton (558.43.17).*
F. dim. Jusqu'à 22 h.

Dans cette tranquille maison dirigée avec poigne par Mme Grau, vous pourrez goûter une cuisine sérieuse et traditionnelle qui culmine avec les filets de turbotin au brouilly, les filets de sole normande, le saumon au champagne et le homard grillé à l'estragon. 100 F environ.

14/20 LE CAROUBIER

● *8, av. du Maine (548.14.38).*
F. dim. (à dîner) et lundi. Jusqu'à 22 h 30.

Pierre Michel tient à rassurer nos lecteurs : son chien est un animal d'une grande douceur et il ne mord pas. Quant à nous, nous pouvons leur affirmer qu'ils trouveront au Caroubier, dans un décor agréable, parce que discrètement folklorique, l'un des meilleurs couscous de Paris (au poulet, au mouton ou royal) ; d'excellents tagines et, à condition de l'avoir commandée à l'avance, une pastilla dont ils se souviendront. 70-80 F.

15/20 LES CÉLÉBRITÉS (Hôtel Nikko)

● *61, quai de Grenelle (575.62.62).*
Tous les jours. Jusqu'à 22 h 30.

Dans un décor renouvelé — heureusement — dans le genre Louis XV japonais, confortable et intime malgré les dimensions des salles à manger de cet hôtel ultra-moderne, Jackie Fréon, dirigé par le jeune et remarquable cuisinier qu'est Joël Robuchon, va faire, comme on dit, un malheur, pour peu que Tout-Paris aille se perdre, près du pont Mirabeau, dans ce déconcertant ensemble futuriste du quai de Grenelle. Merveilleuse cuisine, toute belle, toute nouvelle, toute légère : court-bouillon de fruits de mer aux pleurotes, salade de langoustines aux algues, bar poché au sel de morue, fricassée de champignons sauvages aux ris et rognons et l'exquise pâtisserie d'un Meilleur Ouvrier de France, Michel Foussard. 160 à 190 F.

Chaque mois,
un restaurant ouvre, un autre ferme.
Aussi va la vie parisienne...
Lisez notre Guide mensuel
pour en être régulièrement informé.

11/20 CHARLY DE BAB-EL-OUED

● *215, rue de la Croix-Nivert (828.76.78).*
Tous les jours. Jusqu'à 24 h.

Charly n'a rien perdu de sa bonne humeur et a remplacé les nappes en papier par des nappes en tissu, ce qui constitue une raison supplémentaire d'aller goûter chez lui, vive et bien troussée, la cuisine du soleil (couscous, tagines, méchoui, pastilla, etc.). Décor pas trop agressivement folklorique : merci. Environ 80 F.

11/20 CLAUDE

● *401, rue de Vaugirard (828.42.05).*
Tous les jours. Jusqu'à minuit.

« Le Guignol n'a pas changé », nous écrit gaiement Claude Drigues, faisant allusion à l'évocation que nous faisions l'an dernier de son chef, récitant avec talent ses classiques nord-africains dans une cage vitrée. Cette persistance dans la continuité est un gage de vertu et la garantie d'être heureux en cette « annexe » de Charly de Bab-el-Oued, parmi les senteurs de couscous, de méchoui et de poisson grillé. 80 F environ.

12/20 LE CLOS DOMBASLE

● *6, rue Dombasle (531.59.09).*
F. dim. (à dîner). Jusqu'à 22 h 15.

Les Belles Vénitiennes s'en sont allées, emportées au gré des flots dans leur gondole. Seul le décor, confortable et douillet est resté. On respire ici une atmosphère « bourgeois-parvenu », que le classicisme appliqué de la carte vient encore souligner : terrines, compote de lapereau, salade aux queues d'écrevisses, steak au roquefort, etc. Le cuisinier gagnerait à modérer ses ardeurs saucières. En revanche, il peut être fier de sa tarte Tatin et de ses œufs à la neige. Une centaine de francs.

14/20 LE CROQUANT

● *28, rue Jean-Maridor (558.50.83).*
F. dim. et lundi. Jusqu'à 22 h.

Bel itinéraire que celui de Vincent Vignalou, cadre supérieur dans l'industrie pharmaceutique qui est passé directement de la chimie aux bons produits de la ferme. A ses patients enchantés, il sert des médicaments de la meilleure origine périgourdine : foie gras poché, magret grillé, œufs cocotte au foie gras, confit de canard pommes sarladaises, confit de porc aux poireaux ou daube de bœuf à l'armagnac. Entre deux sauces périgueux, il écrit des chansons, redécore sa petite salle, emplit ses bocaux et vend un très bon cassoulet à emporter. Très bons menus à 70 F et 110 F, dont les prix n'ont pas changé depuis trois ans.

12/20
FOO-LIM

● *27, rue Cambronne (566.88.89).*
Tous les jours. Jusqu'à 22 h 30.

Décor douillet et confortable et accueil de grand style. La carte abonde en plats du Setchouan (plutôt rares à Paris), c'est-à-dire aux saveurs puissantes et épicées : daurade à la setchouanaise, émincé d'agneau à la ciboulette, crevettes géantes, pâté impérial. Tout ici est préparé selon les grandes traditions, sans chichi ni concession au goût européen, sauf peut-être en ce qui concerne les prix qui font facilement grimper l'addition jusqu'à cent francs.

13/20
LA GAULOISE

● *59, av. de La Motte-Picquet (734.11.64).*
F. sam. et dim. Jusqu'à 23 h 45.

Si Jean-Paul Aphécetche a décidé de tout refaire à neuf y compris la qualité de la cuisine que nous avons goûtée avec plaisir, il faut toutefois qu'il garde la main légère et continue sur la lignée de sa très bonne compote de canard en gelée, le bar au beurre de ciboulette, le ragoût de rognons et de ris de veau aux écrevisses tout en évoluant doucement et sûrement vers la cuisine « classico-nouvelle » qu'il désire réaliser. 120 F environ.

14/20
LE GRAND VENISE

● *171, rue de la Convention (532.49.71).*
F. dim. et lundi. Jusqu'à 22 h 30.

Quelques lecteurs gardent un souvenir cuisant de l'addition, en oubliant de se rappeler la générosité, la diversité, l'honnêteté des festins à l'italienne que prépare le vieil Angelo Lani. Repas pour Gargantua, inspirés de la plus ancienne tradition des provinces transalpines, dont vous aimerez les légumes à l'huile, les lasagnes aux fruits de mer, les ravioli frais, les riches antipasti, le foie de veau à la vénitienne, le sabayon aux fruits macérés. Décor folklorique banal, accueil et service empressés. 160 à 200 F.

13/20
LONG YUEN

● *27, av. du Maine (548.62.59).*
Tous les jours. Jusqu'à 22 h 30.

Un « chinois » pas facile à trouver dans le dédale des sens interdits, au pied de la Tour Montparnasse. En revanche, on le retrouve toujours — et avec bonheur — pour la délicatesse et l'originalité de la cuisine du jeune M. Chang, apôtre de ce qu'il nomme la « nouvelle cuisine chinoise » : sauces allégées, plats classiques modifiés à sa façon, comme les cailles au sel et aux quatre épices, flanquées d'œufs de caille posés sur des toasts aux crevettes, les exquises coquilles Saint-Jacques au vin chinois, la sole à la vapeur aux champignons noirs et au jambon salé du Hunnan, sans parler du rituel canard laqué, particulièrement réussi. Pour goûter à tout cela, commandez donc votre menu à l'avance (autour de 160 F).

10/20
CHEZ MAÎTRE CHAN

● *50, bd du Montparnasse (548.07.83).*
F. mardi. Jusqu'à minuit.

Maître Chan est l'un des très rares parmi les trop et très nombreux « chinois » du quartier à proposer de petits plats à la vapeur (dim-sum salés ou sucrés) aussi légers à l'estomac qu'au portefeuille : 40 F environ.

14/20
MOROT-GAUDRY

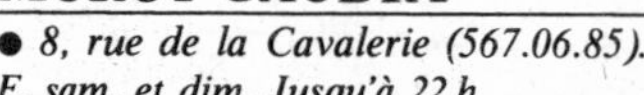

● *8, rue de la Cavalerie (567.06.85).*
F. sam. et dim. Jusqu'à 22 h.

Un confrère que, depuis des années, notre seule existence rend malade faisait l'autre jour l'éloge de Morot-Gaudry en ces termes : « Sa carte est intelligente, loin des banalités de l'ancienne et des sottises de la nouvelle cuisine. » Et, sans complexe, citait pour appuyer sa thèse des plats comme la salade de pieds de veau aux kumquats, la compote de lapereau au concombre, les aiguillettes de canard aux pommes fruits et aux pruneaux, etc., qui sont précisément tout à fait dans l'esprit de la nouvelle cuisine. Mais quelle importance ? Laissons tomber, bien que cela fasse mal du haut de ce huitième étage où s'est installé l'ancien propriétaire de La Sologne. Un drôle d'immeuble, entre parenthèses, du plus pur style 1925, occupé en partie par des garages et en partie par des jeux de paume, le tout offrant un air vaguement abandonné. En tout cas, de ce dernier étage agréablement aménagé, on a une vue amusante sur les toits, les terrasses fleuries du quartier et pour tout dire, on y est plaisamment dépaysé. Un excellent maître d'hôtel vous prend en charge et la lecture de la carte achève de vous mettre à l'aise, avec son braisé de ris de veau aux crêtes et rognons de coq, son foie de canard au vieux barsac, son ragoût de joue de bœuf au pinot franc (plat délicieux), son estouffade de langue d'agneau à la menthe, son saumon au blanc de poireau et Noilly et ses nombreux desserts. Sa terrine d'asperges sauce cressonnette et sa terrine de barbue et de saumon pèchent, à notre avis, par manque de goût (même remarque pour les légumes accompagnant la joue de bœuf) et il nous semble que c'est davantage dans la cuisine mijotée que Morot-Gaudry est le plus à l'aise. En tout cas, une fort sympathique adresse : les tables sont très joliment dressées et la cave est superbe. Le choix judicieux des vins vous permettra de dépenser, à la carte, de 120 à 170 F, à moins que vous préfériez le menu-dégustation — très bien composé — à 140 F, service compris.

13/20
NAPOLÉON ET CHAIX

● *46, rue Balard (554.09.00).*
F. dim. Jusqu'à 23 h 45.

Généreusement, André Pousse, ci-devant coureur cycliste et présentement acteur spécialisé dans les rôles de brigand, ne facture pas le pittoresque qu'il déverse à la tonne entre les quatre murs de ce joli bistrot perdu dans le décor expressionniste des anciennes usines Citroën. Avec sa femme Jocelyne, il sert aux gens du Tout-Paris et aux autres, une très bonne cuisine qui, préparée par un ancien de L'Archestrate, tient le milieu entre la tradition et l'innovation sage : pot-au-feu d'écrevisse, beaux poissons, pâtes fraîches aux truffes, feuilleté de ris de veau aux morilles, magret de canard au poivre rose. 130-150 F environ.

17/20
OLYMPE

● *8, rue Nicolas-Charlet (734.86.08).*
F. lundi. Dîn. seult. Jusqu'à 1 h du matin.

La petite déesse de l'Olympe est descendue de son Montparnasse pour trôner, à un jet de sauce du métro Pasteur, dans une salle où elle peut enfin — ses clients aussi — respirer. Dominique et son mari Albert ont arrangé leur décor avec beaucoup de goût, dans un esprit résolument 1930, en y introduisant de très séduisants panneaux de l'Orient-Express et quelques meubles de qualité de l'époque des Années Folles. Dans cette atmosphère élégante, les jolies femmes sont encore plus jolies et le nouvel Olympe est devenu une des grandes étapes du Paris nocturne. Souhaitons seulement que leur clientèle brillante n'incite pas les Nahmias à négliger les autres. Nous le leur disons amicalement mais le leur disons quand même. Dans un endroit aussi charmant, l'accueil se doit d'être parfait. Suggérons-leur aussi de refaire leur carte dont la présentation laisse à désirer. Quant à la cuisine qui est l'affaire exclusive de ce joli petit bout de femme, elle n'a jamais été plus délicieuse et plus imaginative, avec son assiette de daurade crue, ses fleurs de courgettes frites, ses écrevisses sautées ou à la nage, son pigeon aux échalotes et au persil, son gigot d'agneau en civet aux oignons confits, sa sole au thym, son exquis rouget au court-bouillon d'herbes, son canard légèrement fumé et ses fines tartes maison. Sagement, Dominique n'a pas augmenté le nombre de ses couverts et, travaillant dans de bien meilleures conditions, elle maîtrise admirablement sa cuisine, qui devient à notre avis l'une des toutes premières de Paris. A tel point même que nous n'hésitons pas à faire de Dominique Nahmias la première femme du Guide coiffée de trois toques. 150-180 F environ.

12/20
LE PETIT MÂCHON

● *123, rue de la Convention (250.08.60).*
F. dim. (à dîner) et lundi. Jusqu'à 22 h 30.

Un des meilleurs rapports qualité-prix de Paris vous attend dans le charmant décor de bistrot (reconstitué par Slavik) de ce « petit frère » du Bistro 121. On y sert une cuisine fraîche et amusante, marquée par l'influence lyonnaise mais également soucieuse de légèreté. Si vos goûts ressemblent aux nôtres, vous aimerez la salade de pieds de mouton, celle de gésiers d'oie, les pieds de porc farcis, le tablier de sapeur, le pot-au-feu, la poule au pot. Très intéressant menu : 49 F, service compris. A la carte : 70-80 F environ.

13/20
LE PLANTEUR

● *2, rue de Cadix (828.34.39).*
F. sam. (à déj.) et dim. Jusqu'à 22 h 30.

L'excellent chef Jacky Joubert a été remplacé par un autre jeune, également formé à la bonne école (La Ciboulette et Pétrus), Gilbert Dugast, qui travaille dans le même esprit moderne que son prédécesseur et, avec d'ailleurs à peu près la même carte. Une cuisine attrayante, joliment présentée et aux saveurs bien marquées où les légumes et les poissons ont la part belle : salade tiède aux goujonnettes de poissons crus marinés, une curieuse fricassée de fruits de mer au roquefort, saumon au pamplemousse rose, navarin de ris de veau et fruits de mer, coquilles Saint-Jacques à la fondue d'endive. Avec ensuite du crottin de Chavignol mariné aux herbes et de la salade frisée, puis une île flottante aux fraises, vous ferez dans un décor très féminin un repas plein de charme pour 110-120 F environ.

12/20
RAAJMAHAL

● *192, rue de la Convention (533.15.57).*
F. dim. (à déj.). Jusqu'à 23 h.

Il y a quinze ans les restaurants indiens de Paris se singularisaient par leur crasse princière. Nous nous souvenons d'un, en particulier, qui se trouvait justement dans le 15e et où l'on regrettait presque de ne pas être aveugle. Depuis, s'est levée une génération d'« indiens » bien propres, comme L'Annapurna, Indra et il faut y ajouter, à un niveau plus modeste, le tout récent Raajmahal, ouvert par une famille de Bombay qui n'a pas lésiné sur le détail folklorique mais offre aussi une cuisine scrupuleusement authentique. Les délicieux pains sont cuits au tandoor, un four en terre cuite où brûle du charbon de bois. Vous prendrez grand plaisir à goûter les beignets de légumes dans une sauce au yaourt (pakora), les tandoori de bœuf et d'agneau, préalablement macérés dans de savants cocktails d'épices, les curries, dosés à la demande, le merveilleux riz basmati et vous laisserez environ 80-90 F.

14/20

RELAIS DE SÈVRES (Sofitel Paris)

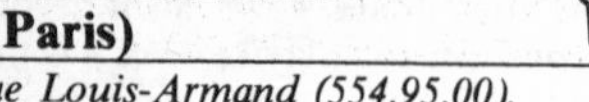

• *8-12, rue Louis-Armand (554.95.00).*
Tous les jours. Jusqu'à 22 h.

Guy Girerd est à Lyon où il remplace le brave Alix. Mais Roland Durand l'a promptement relayé sans remettre en cause, nous promet-on, une cuisine désormais délicate et légère, l'une des plus intéressante de l'hôtellerie parisienne, servie dans un décor d'une surprenante intimité au beau milieu d'un aussi gigantesque hôtel. Il nous faudra certes vérifier pour être assurés que Durand mérite bien la toque de Girerd, ses terrines, sa salade au foie gras, son turbot aux légumes et son feuilleté de ris de veau au ragoût de champignons. 130 à 150 F. Signalons aussi, tout en haut, au 23e étage, le charmant Montgolfier, au-dessus de la piscine, et sa cuisine légère et exotique (brochettes à l'indienne, porc antillaise, bœuf teri-yaki, poitrine de canard laqué).

10/20

AU RENDEZ-VOUS DES CHAUFFEURS

• *166, bd de Grenelle (783.54.38).*
F. dim. Jusqu'à 22 h.

Echappé d'une autre époque, ce petit bistrot des familles, que nous avions signalé il y a des années, vous servira un gentil hors-d'œuvre, un plat du jour (lapin chasseur, langue de bœuf, petit salé aux lentilles, etc.), un fromage blanc ou un anodin dessert, plus un quart de vin, il est vrai sans intérêt. Mais rien de tout cela n'est mauvais et pour le prix (26 F), c'est une performance.

14/20

RESTAURANT DU MARCHÉ

• *59, rue de Dantzig (828.31.55).*
F. sam. et dim. Jusqu'à 23 h 30.

Elle est trop jeune et trop mignonne pour qu'on l'appelle la « mère Massia ». C'est pourtant la même énergie et la même passion que l'on connaissait aux mères lyonnaises d'antan qui animent Christiane Massia, ce petit bout de Bretonne infatigable, huit heures par jour dans ses casseroles, dirigeant avec le brio d'un voltigeur son bataillon de cuisinières, courant de l'Aquitaine au Marché où elle a installé sa sœur Yvette et trouvant encore le moyen d'aller danser à deux heures du matin, après avoir nourri ses chats et rangé son linge. Douce pasionaria de la cause de la femme aux fourneaux, elle est devenue une vraie professionnelle et il nous semble qu'au Marché, les ratés se font de plus en plus rares, même si le service est toujours assez brouillon. Comment, en tout cas, ne pas aimer ce bistrot-musée, conservatoire du Sud-Ouest où l'on imaginerait volontiers des banquets de notaires gascons, se repaissant de haricots blancs aux peaux de canard, de foie gras en papillote, de sautés de gésiers, de fricassée de cœurs d'oie, de poule au pot farcie, de tourtières, de bons bordeaux et de grandioses armagnacs ? D'ailleurs, une femme qui fait un cassoulet comme celui-là (dans une étonnante sauce, ultra-légère) ne peut être qu'une sainte. Lui dirons-nous que l'hiver dernier, un foie gras nous a bien déçus? Non, nous le dirons plutôt à Michel, son prince consort, qui ne le lui rappellera pas de peur de lui faire de la peine. Environ 110-140 F.

12/20

AUX SENTEURS DE PROVENCE

• *295, rue Lecourbe (557.11.98).*
F. dim. et lundi. Jusqu'à 22 h.

Supporter de l'Olympic de Marseille avant tout, Jean Gras trouve quand même le moyen de préparer une bourride (sur commande) et surtout une bouillabaisse « complète » fort bien cuite, précédée de soupe, flanquée de rouille et relevée de croûtons à l'ail, qu'il faut compter parmi les plus sincères de Paris. Dommage que le décor (brun, beige et gris) ne soit pas aussi ensoleillé et que les autres plats s'efforcent de lui ressembler (évitez, notamment, les cœurs d'artichaut « maison », qui sortent de la boîte). Vins de Cassis moyens et excellents desserts. Environ 90 F.

12/20

LA TOISON D'OR

• *29, rue Castagnary (531.52.44).*
F. mardi. Sur réservation.

Derrière une lugubre devanture où se dissimule une amusante isba toute en bois, les Georgiens de Paris au nez busqué et aux grosses moustaches viennent taper la carte, avaler de grandes rasades de cognac et parler du pays, en mangeant des haricots rouges aux noix, du poulet à la coriandre, du goulasch de mouton, d'exquis petits fromages de brebis grillés et du gâteau au fromage, aussi bons qu'à Tiflis (ce n'est pas un propos en l'air, nous sommes allés à Tiflis...). Environ 50-60 F.

Les toques sanctionnent la qualité de la cuisine d'un restaurant. Elles n'ont rien à voir avec les prix, le décor ou l'accueil.

11/20
AUX TROIS HORLOGES

● *73, rue Brancion (828.24.08).*
F. dim. (à dîner) et lundi. Jusqu'à 22 h.

Comme au pays, mon frère ! Sardines en escabèche, paëlla, bon couscous et la clientèle joyeuse et bruyante qui se souvient de ses origines pied-noir. Environ 70 F.

12/20
TY COZ

● *333, rue de Vaugirard (828.42.69).*
F. dim. Jusqu'à 23 h.

Marie-Françoise Lachaud donne un coup de plumeau à sa salle à manger, la modernise et donne un peu d'aise à ses clients. Elle s'affranchit aussi peu à peu de la tutelle morale de sa mère, l'illustre Mme Libois du Ty Coz de la rue Saint-Georges, en créant pour ses poissons et fruits de mer de nouvelles compositions ornées de légumes frais. Ainsi les coquilles Saint-Jacques aux asperges et artichauts, la terrine de poisson, la lotte au curry, la galette de fruits de mer. 100 à 120 F.

15/20 
PIERRE VEDEL

● *50, rue des Morillons (828.04.37).*
F. sam. et dim. Jusqu'à 22 h 30.

Un Méridional charmant et chaleureux (il est de Sète, comme ses amis Brassens et Lino Ventura) qui emplit ce simple bistrot, assez inconfortable, de sa bonne humeur et d'une cuisine pleine d'accent et de soleil. Sa « cuisine du marché » — sa carte bouge donc beaucoup — le tire par la manche du côté du Languedoc, avec le bouillasson de poissons à l'ail doux, la bourride comme à Bouzigues, le confit de lapin au coulis de tomate ou l'admirable sanquette de cochon (hauts de côtes et couenne, liés au sang frais) qu'il accompagne d'une purée de choux de Bruxelles tout à fait extraordinaire. Ce Méditerranéen est, en effet, aussi un roi de la mousse. Si le terroir l'inspire, il ne l'étouffe pas et Pierre Vedel sait lui apporter de petites touches modernes, comme par exemple avec l'exquis filet de rascasse aux petits légumes et à la crème d'estragon ou le remarquable filet de saint-pierre à la mousse de carotte. La tête de veau est une autre de ses grandes réussites. Coupée en fines tranches, il la sert comme un pot-au-feu, avec des carottes. Mais son chef-d'œuvre, c'est sans doute le foie de canard frais, cuit quinze minutes avec un peu d'armagnac et une pointe de paprika. De bons desserts et un excellent rapport qualité-prix, puisqu'avec un agréable petit rouge du Languedoc à 19,50 F on peut faire un très bon repas pour 80 F, mais disons qu'en moyenne on dépense plutôt 100 à 110 F.

12/20
LE WESTERN (Hilton Paris)

● *18, av. de Suffren (273.92.00).*
Tous les jours. Jusqu'à 23 h.

De délicieuses viandes venues des Etats-Unis par avion et des desserts montés en neige comme à Squaw Valley, voilà qui devrait inciter les Américains à franchir l'Atlantique pour goûter l'une de leurs meilleures cuisines. De surcroît, le décor style western n'est pas fait pour les dépayser. 120-150 F.

Paris 16e

10/20
AUBERGE DU BONHEUR

● *Bois de Boulogne (derrière la Cascade) (772.40.75).*
Tous les jours. Jusqu'à 22 h.

On n'a toujours pas voulu admettre, dans ce coin perdu du Bois de Boulogne (à côté, quand même de la Grande Cascade) quel plaisir ce serait de dîner ici en automne, et même en hiver aux chandelles. On n'a pas compris non plus qu'une vraie cuisine campagnarde, dans ce décor ad hoc ferait sûrement un malheur.

12/20
LE BŒUF SUR LE GRILL

● *47, av. Raymond-Poincaré (727.98.40).*
F. dim. Jusqu'à 22 h 15.

Qu'il mette effectivement, et avec talent, le bœuf sur le grill ou le veau dans la cocotte (voire les langoustines dans la salade, comme tout le monde), le chef moustachu de cette agréable maison au décor moderne justifie largement le bon renom de sa cuisine d'un bout à l'autre de l'avenue Poincaré. Les plats que nous aimons : les grillades, le sauté de ris de veau au foie gras, les rognons de veau poêlés au vinaigre, le tendron de veau aux petits légumes. Environ 120 F.

12/20
LE BOUVET

● *52, rue Lauriston (727.74.51).*
F. sam., dim. et jrs fériés. Jusqu'à 21 h.

Le chef est un ancien de la « Royale ». Sa cambuse du plancher des vaches fonctionne à bon régime mais avec une bonne tendance à l'assoupissement classique de la vitesse de croisière. Les produits sont de bonne qualité et généreusement préparés et servis : terrine aux sardines, œufs en cocotte, gibelotte de lapin, filet de bœuf au poivre. Agréable décor. 100-120 F.

12/20
BRASSERIE STELLA

● *133, av. Victor-Hugo (727.60.54).*
Tous les jours. Jusqu'à 2 h du matin.

Sur les banquettes, la fine fleur du 16e, au coude à coude pour manger des huîtres, du ragoût d'agneau, du chou farci, et dans la salle, le ballet des garçons virtuoses qui n'oublient pas pour autant de sourire ou de lancer un mot aimable. Ah, si toutes les brasseries de Paris étaient menées comme celle-là... Environ 90 F.

11/20
AU CHARBON DE BOIS

● *10, rue Guichard (288.77.49).*
F. dim. Jusqu'à 22 h 30.

Après de nouveaux propriétaires voici un nouveau chef. Mais la carte, la cuisine, le gentil et vivant décor germanopratin n'ont pas bougé, et mêmes les prix qui paraissent immobiles. Rien de grave à craindre, donc, avec les grillades au feu de bois, la blanquette de veau à l'ancienne, ou la brochette de moules. Addition raisonnable pour le quartier : 80 F environ.

14/20
PAUL CHÊNE

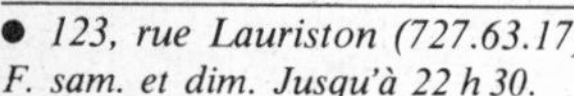

● *123, rue Lauriston (727.63.17).*
F. sam. et dim. Jusqu'à 22 h 30.

Depuis des années, nous répétions à Paul Chêne que le meilleur cuisinier finit par tomber dans la routine s'il considère sa carte comme un texte sacré auquel il ne faut plus jamais toucher. La preuve que nous n'avions pas tort est qu'il vient de nous donner raison en inaugurant, avec son jeune chef Alain Kerfaut, une nouvelle politique. Les vieux classiques de la maison (beignets de brandade, poule au pot, boudin géant) demeurent mais s'y ajoutent maintenant des plats du jour souvent renouvelés, comme par exemple l'aiguillette de bœuf mode, la côte de bœuf béarnaise, le cassoulet, le chou farci, la raie au beurre blond, la blanquette à l'ancienne, qui s'inscrivent chaque jour sur un très bon « menu du marché » à 87 F, vin et service compris, ce qui est d'un rapport qualité-prix remarquable. Pour le reste — le décor, l'atmosphère, le service —, c'est toujours la bonne vieille province de papa et c'est très bien ainsi.

12/20
CHEZ NOUS

● *136, rue de la Pompe (727.50.26).*
F. dim. et lundi. Jusqu'à 22 h 15.

Jambonnade persillée, coquelet aux morilles, navarin d'agneau aux légumes : la bonne et immuable cuisine bourgeoise (100 F environ) pour les immuables et bons bourgeois du 16e, dans un décor bien de chez nous. L'accueil, lui, déborde de gentillesse.

12/20
CONTI

● *72, rue Lauriston (727.74.67).*
F. sam. et jrs fériés. Jusqu'à 22 h 15.

Propriété du célèbre voisin, Paul Chêne, et dirigé par un jeune cuisinier français, Jean-Pascal Fayet, Conti n'en est pas moins cent pour cent italien, avec ce que cela implique de charme, de générosité, et de facilités. Décor intime assez élégant, clientèle fortunée (l'addition est sévère : 150 F environ), excellent accueil. Goûtez donc le « cocktail » de pâtes fraîches, l'escalope de veau aux truffes noires, la brochette de scampi, la terrine de lapin aux légumes, et, s'il vous reste un petit creux, les délicieux fromages italiens.

13/20
L'ESTOURNEL

● *88, av. Kléber (553.10.79).*
F. sam. et dim. Jusqu'à 22 h 30.

Tout au fond de l'Hôtel Baltimore, il y avait un petit salon en rotonde, abandonné. Un nouveau groupe a repris cet hôtel endormi et Michel Boyer, un de nos meilleurs décorateurs, lui a redonné vie, luxe et confort, en même temps qu'il aménageait en un très joli restaurant le salon en question. Portes dorées à la feuille d'or, meubles laqués noir, velours grenat, belles tables rondes, dressées avec élégance : on pourrait se croire sur un grand paquebot dans les années 37. Le chef, débarqué en voisin de chez Jamin, prépare une carte courte, sagement moderne et élégante sans mièvrerie : très bonne salade à l'aile de canard, marmite de poissons finement relevée de bon safran, daurade rose aux herbes, d'une cuisson parfaite, poussin poché à l'infusion d'aromates, rognon de veau aux graines de moutarde, charlotte aux poires et coulis de framboises, mousse au chocolat à l'orange. Une cuisine nette, des sauces légères, des assaisonnements justes. Environ 140-160 F.

18/20
FAUGERON

● *52, rue de Longchamp (704.24.53).*
F. sam., dim. et jrs fériés. Jusqu'à 22 h.

Pas d'imbécile cette année pour nous écrire que la cuisine de Henri Faugeron est « abominable ». Juste une plainte, assez compréhensible, contre les nombreux plats qu'il faut être obligatoirement deux à commander. Le reste du courrier de nos lecteurs abonde dans notre sens : l'élégance du décor (quoique certains le trouvent « pompeux »), le joli sourire de Gerlinde Faugeron, l'efficacité du service (même désormais pour le long menu-dégustation), la relative sagesse de l'addition pour tant de raffinements, et bien sûr, la saveur exquise, la délicatesse, la légèreté, l'invention de la cuisine, l'une des plus originales de Paris. A côté de ses

« classiques » (terrine de ris de veau, œuf à la coque à la purée de truffes, ragoût de homard, foie de veau rôti, le crottin de Chavignol chaud, le soufflé aux fraises), Faugeron a créé cette année quelques autres merveilles, comme l'escalope de foie gras en salade d'asperges, les huîtres tièdes en salade ou la fricassée de Brest à la menthe. 200 à 230 F.

12/20
LES FAUSTINES

● *6, rue Faustin-Hélie (520.02.33).*
F. dim. et lundi (à déj.). Jusqu'à 22 h 30.

Après un passage-éclair de la sœur de Michel Oliver, Stéphane, ce restaurant qui fut autrefois la célèbre boîte de nuit russe Le Novy a changé de nom. Mais pas de propriétaire (Anne-Françoise Mariaud de Serres est jolie et charmante), ni de décor (une salle rouge comme l'enfer qui appelle les balalaïkas), ni de chef. Un chef de style très provincial qui prépare une cuisine honnêtement bourgeoise (hareng mariné, bœuf bourguignon, pot-au-feu de canard), éclairée de quelques modestes audaces (fenouillade de crevette, terrine de loup aux pignons de pin). La blanquette de veau dans un décor pour « nuits de prince », c'est inattendu mais, finalement, pas désagréable. Environ 90-110 F.

13/20
LE GRAND CHINOIS

● *6, av. de New-York (723.98.21).*
F. lundi. Jusqu'à 22 h 30.

Colette Tan a longtemps travaillé chez son père, au Pagoda dont nous avons contribué à faire connaître le remarquable canard laqué et les incomparables crevettes sautées aux légumes. Dans ce riche décor chinois classique, au bord d'un petit jardin et devant la Seine, Colette Tan propose bien sûr ces mêmes deux plats, mais aussi quelques préparations qui sont en quelque sorte, de la « nouvelle cuisine chinoise », utilisant des produits indigènes (français) comme les huîtres creuses ou les moules de manière très étonnante. Une toque, d'emblée, n'est pas excessive pour ce raffinement et cette belle imagination. Le pigeonneau farci, le poulet laqué, le poisson et le jambon à la vapeur ne sont pas les moindres réussites de cette bonne maison qui propose, de surcroît d'excellents vins. 70 à 80 F.

14/20
LA GRANDE CASCADE

● *Bois de Boulogne (506.33.51).*
(près du champ de courses de Longchamp)
F. du 17 déc. au 17 janv. et le soir (à dîner) du 15 oct. au 15 mai. Jusqu'à 22 h.

André Menut n'a jamais voulu suivre l'évolution qui a fait de ses voisins du Bois, Le Pré Catelan et Le Pavillon Royal, des restaurants non seulement à la mode, mais aussi réputés pour leur cuisine moderne et inventive. Libre à lui de maintenir une tradition qui met sa cuisine au diapason de ce merveilleux pavillon Napoléon III, sa verrière, ses poutrelles et ses tentures. Cela ne veut pas dire qu'on vous servira ici (avec beaucoup de style et d'égard d'ailleurs) une cuisine stupide et vieillotte. Mais le chef, encore jeune et fort doué (Meilleur Ouvrier de France en 1976), devrait pouvoir suivre son inclination vers la cuisine nouvelle, exprimée déjà dans les salades de ris de veau, de foie de canard, de langouste, les coquilles Saint-Jacques à la vapeur d'algues, le canard au citron vert, ou le grenadin de veau à l'orange. 200 F environ.

14/20
ILE DE FRANCE

● *Face au 32, av. de New-York (723.60.21).*
F. sam. (à déj.) et dim. Jusqu'à 22 h 30.

En vous donnant cette adresse, nous ne risquons pas de vous mener en bateau. Néanmoins, ne vous embarquez pas sans biscuit. Le très beau décor colonial, les raffinements du service et le privilège d'avoir les pieds à la fois sous la table et sur l'eau annoncent des prix en tempête. Ceci posé, nous avons surtout des compliments à écrire sur la fraîche et inventive cuisine de chef Constant qui a fait dans le domaine des entrées l'effort que nous lui demandions. Vous apprécierez comme nous, en dehors des excellents coquillages, les fonds d'artichaut à la crème de cerfeuil, la terrine de sole au salpicon de homard, le navarin de lotte aux poivrons doux, le pot-au-feu de poisson à la julienne de légumes ou le foie de veau poêlé à la compote d'oignon. Accueil charmant d'Isabel Benoist dans un établissement qui, les Parisiens l'oublient quelquefois, est aussi un restaurant d'hiver. 190-200 F en moyenne.

16/20
JAMIN

● *32, rue de Longchamp (727.12.27).*
F. sam. et dim. Jusqu'à 22 h 45.

Le bon Jamin qui, dans le passé, a eu pas mal de tracas avec ses chefs, gardera, souhaitons-le lui, le jeune Dominique Bouchet qui a su faire évoluer avec beaucoup de finesse le style de la maison, très classique, vers une cuisine plein de légèreté et d'imagination, sans du tout tomber dans la fantaisie débridée. Sa cuisine très franche, sans fioritures, conserve intactes les saveurs et comme Bouchet est également un très bon saucier, l'avenir est à lui. D'ailleurs à l'heure qu'il est, Jamin, si tout se passe comme prévu, a fait de lui son associé. En tout cas, la « belle clientèle » est revenue et vous en comprendrez les raisons après avoir goûté un admirable foie gras frais de canard, un exquis émincé de langouste à la salade croquante, la fricassée de poissons aux petits légumes, la daurade braisée à la crème de curry, des noix de coquilles Saint-Jacques à la fondue d'endive, un délicieux filet d'agneau à la crème d'estragon, le rognon de veau au vinaigre de cerise, l'effiloché de lapereau aux nouilles fraîches et une parfaite charlotte aux poires et au coulis de framboise (la carte change tous les deux mois). Lorsque la salle était clairsemée, les faiblesses d'un décor assez conventionnel (et remarquablement confortable) se remarquaient. Mais aujourd'hui la cuisine et le succès éclipsent tout. Surtout, lorsqu'à la table voisine dîne Catherine Deneuve... La troisième toque n'est pas loin du tout, mais par prudence, nous voulons être sûrs que Bouchet a définitivement posé la sienne ici. Environ 160 à 200 F.

13/20
LE MAREYEUR

● *38, rue Vital (525.90.90).*
F. sam. (à déj.) et dim. Jusqu'à 22 h 30.

Ce beau petit hôtel particulier et son jardin exotique mènent une vie paisible et luxueuse depuis que la riche clientèle du quartier Paul Doumer en a fait sa cantine. Elle y mange de beaux coquillages, une bonne bouillabaisse (désarêtée) et des poissons cuits sur les algues, servis avec égards dans une vaisselle somptueuse. 160 à 180 F.

12/20
MARIUS

● *82, boulevard Murat (651.67.80).*
F. dim. (à dîner) et lundi. Jusqu'à 21 h 45.

Quelques lecteurs sont intrigués de ce que nous trouvions « fade » la bouillabaisse de cette bonne petite maison. Peut-être ne sont-ils pas allés depuis longtemps à Marseille. Nous préférons les coquillages de Marius, ses moules farcies, son saint-pierre à l'oseille et l'ailloli du vendredi. Accueil souriant, service efficace, prix trop élevés (150 à 180 F), même pour le 16e.

14/20
LE MOÏ

● *7 et 14, rue Gustave-Courbet (704.95.10).*
F. lundi. Jusqu'à 22 h 30.

Depuis des mois, Huguette et Claude refusaient chaque soir des dizaines de couverts, et c'était bien normal car Le Moï est un des meilleurs restaurants de Paris, mais aussi l'un des plus petits. Par bonheur, juste en face, un magasin d'antiquités est devenu disponible. Sans lâcher le premier Moï, Huguette et Claude en ont ouvert tout récemment un second, plus grand, sans être pour autant moins intime et où, dans un décor très réussi (lumières tamisées, peintures laquées, bambous), on retrouve toutes les fraîches spécialités qui ont fait le succès du Moï (ravioli à la coriandre, mi-xao, boulettes de crevettes grillées, potage au tamarin, grenouilles au riz sauvage, porc caramelisé au lait de coco), plus quelques autres, nouvelles, comme un délicieux potage impérial à la menthe, des poissons et crabes au four. D'excellents petits vins, et une addition toujours aussi raisonnable (environ 60 F). Le numéro de téléphone est le même pour les deux maisons.

13/20
MORENS

● *10, av. de New-York (723.75.11).*
F. vend. (à dîner) et sam. Jusqu'à 21 h 45.

Les Morens jouent franc jeu : ils n'ont aucune prétention à la haute gastronomie et leur seule ambition est de servir de bons produits, préparés simplement et avec le plus grand soin. Un programme qu'ils appliquent à la lettre, depuis le début et avec une régularité de métronome. Il serait absurde de les inciter à forcer leur talent alors que l'on est toujours assuré, en entrant chez eux, de manger d'excellentes huîtres, un bon cassoulet, de belles viandes, d'être accueilli et servi d'une façon charmante et de passer un très bon moment sous la verrière de leur jardin d'hiver. Environ 120-130 F.

10/20
LE PANDA

● *14, rue du Bouquet-de-Longchamp (553.95.04).*
F. dim. Jusqu'à 23 h.

Un « chinois » bien propre et assez agréablement décoré pour la clientèle bon genre du quartier. Spécialités cantonaises honnêtement préparées : crevettes grillées aux cinq parfums, bœuf sauté au saté, pigeon rôti à la cantonaise (sur commande). 60 à 80 F.

14/20

MICHEL PASQUET

● *59, rue La Fontaine (288.50.01).*
F. sam. et dim. Jusqu'à 23 h.

Le George Sand était un restaurant très convenable, assez bon et extrêmement ennuyeux. Depuis un mois, il est plutôt gai, toujours « très seizième » et bien meilleur. En outre les plats sont présentés d'une manière des plus artistiques. C'est que, tout simplement, Michel Pasquet est un ancien du « France » et qu'à la Transat on savait transformer le moindre préparation en tableau de maître. Le décor vieux rose est chaleureux, frais et tout ce qu'il y a de chic, le service plein de zèle et surtout, la cuisine est conduite avec talent et beaucoup d'honnêteté. Pour ne pas faire éclater la tête de ce chef, d'ailleurs tout à fait modeste, nous ne lui donnerons pas deux toques du premier coup, mais certains plats les valent, les huîtres tièdes aux bigorneaux à la crème de safran, par exemple, ou d'admirables filets de rougets au cerfeuil avec leurs gratins de brocoli et d'endive. Les rognons de veau en fricassée ne sont pas mal non plus, mais leur sauce brun-orange et passe-partout rappelle les croisières transatlantiques, la salade d'écrevisses est accompagnée de gésiers confits trop mous, et sans la mousse d'huîtres — extraordinaire —, la terrine de légumes serait bien fade. Défauts mineurs, reliquats d'habitudes anciennes qui seront bientôt oubliées. Un détail, en revanche, qui ne s'oublie pas, c'est l'addition : 150 à 200 F.

13/20 PASSY-MANDARIN

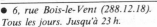

● *6, rue Bois-le-Vent (288.12.18).*
Tous les jours. Jusqu'à 23 h.

Depuis environ un an, c'est dans de nouvelles assiettes que vous goûtez ici les délicieux « touche-cœur » (dim-sum), qui n'ont pas beaucoup d'équivalents à Paris. Gageons que cela ne vous les fera que mieux aimer. Comme la plupart des restaurants exotiques installés en France, celui-ci a ses hauts et ses bas, mais les bas ne descendent jamais très bas, tandis que les hauts peuvent monter vraiment très haut, les soirs où M. Vong Vai Pui est inspiré. Le personnel, en smoking, est d'une décontraction qui frise parfois la désinvolture et dont se plaignent, en tout cas, certains de nos lecteurs, pas forcément plus grincheux que d'autres. Décor raffiné et prix très raisonnables : 60-80 F.

15/20 LE PAVILLON ROYAL

● *Route de Suresnes, Bois de Boulogne (500.51.00).*
F. lundi. Jusqu'à 22 h.

La Belle au Bois s'est réveillée. Jacques Vandeghen et le chef Jean Guinot sont les princes charmants de ce luxueux vestige de l'empire Drouant, entièrement restauré, rajeuni, redécoré avec beaucoup de goût, devant le miroir du grand lac. La cuisine aussi, délicate, inventive — et fort coûteuse — devient la meilleure du Bois après celle du Pré Catelan. Aussi de nombreux lecteurs s'accordent-ils avec nous pour illustrer d'une seconde toque cette résurrection, en particulier pour la salade de langoustines à la menthe, le homard sauté aux nouilles truffées, la montgolfière de turbot aux primeurs et la soupe de fruits au champagne. 200 F environ.

12/20 LE PETIT BEDON

● *38, rue Pergolèse (500.23.66).*
F. sam. (à déj.) et dim. Jusqu'à 23 h 30.

A part la moquette et les chaises, rien n'a changé dans cet élégant, confortable et sérieux petit restaurant de quartier, dont la cuisine et la clientèle se ressemblent : richement bourgeoises toutes les deux. Aussi notre appréciation restera-t-elle la même : tous ces plats « de style » (coquilles Saint-Jacques au champagne, jambonneau de canard à la bourguignonne, etc.) sont exécutés avec beaucoup de soin, mais sont, en toute honnêteté d'ailleurs, prétexte à des additions que ce genre de cuisine nous fait trouver un peu élevées : 120 F et plus.

10/20 LE PETIT VICTOR HUGO

● *143, av. Victor-Hugo (553.02.68).*
Tous les jours. Jusqu'à minuit.

Le nouveau décor ne déchaînera pas une nouvelle bataille d'Hernani : on s'accorde en général à le trouver assez réussi. On peut regretter, en revanche, dans un local aussi vaste (et sur plusieurs niveaux) que les tables soient à touche touche. Quant à la cuisine, elle ne brille ni par l'audace ni par le caractère. A vrai dire, le génie — et un brin de poésie — lui fait défaut. Une centaine de francs tout de même.

13/20 PORTE FORTUNE

● *4, rue Beethoven (520.02.37).*
F. dim. Jusqu'à 22 h 30.

Porte Fortune : un nom qui devrait apporter, sinon la fortune, du moins le succès à Jean Pasqualini, propriétaire de ce nouveau restaurant chinois, à deux pas des jardins du Trocadéro. Un personnage hors du commun que ce Jean Pasqualini, fils d'une Chinoise et d'un Corse qui, après des années au service de l'ambassade de France à Pékin, a publié un retentissant témoignage, Prisonnier de Mao, aux Éditions Gallimard. Expert en cuisine chinoise, il propose, secondé en cuisine par un excellent chef ramené de Formose et en salle par une délicieuse hôtesse « made in Hong Kong », des plats raffinés et rigoureusement authentiques, comme les crevettes épicées, le porc à la pékinoise, le poulet aux quatre épices ou le bœuf aux fils d'argent, à des prix d'une extrême honnêteté : 55-60 F environ.

17/20 PRÉ CATELAN

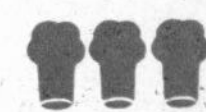

● *Route de Suresnes, Bois de Boulogne (524.55.58).*
F. dim. (à dîner) et lundi. Jusqu'à 22 h 30.

En été, Gaston et Colette Lenôtre attirent dans leurs merveilleux jardins la grande clientèle dépensière où se glisse, notamment le dimanche, celle des familles heureuses de s'offrir le chant des petits oiseaux. Et en hiver, c'est Tout-Paris qui traverse le Bois pour s'installer devant la cheminée dans une salle à manger princière mais intime. La cuisine de Patrick Lenôtre (neveu de Gaston), il est vrai, a atteint un niveau de qualité absolument remarquable. A la grande carte dont les morceaux de bravoure sont les admirables langoustines tièdes à l'huile de noix et au citron (si fraîches qu'on les croirait pêchées à l'instant), la fricassée de sole et de homard, le foie gras chaud aux asperges, la volaille de Bresse à l'étuvée et à la crème de légumes ou le ris de veau aux pois gourmands, les Lenôtre ont ajouté un magnifique menu-dégustation à 195 F, y compris les chocolats, le café, l'alcool, sans oublier les toujours fabuleux millefeuilles.

16/20
PRUNIER-TRAKTIR

● *16, av. Victor-Hugo (500.89.12).*
F. lundi. Jusqu'à 22 h 30.

Océanophile distingué, Claude Barnagaud continue, avec son chef Thaissen, d'amener la mer et ses fruits tout frais dans l'assiette de la plus distinguée des clientèles parisiennes (nombreux centenaires et de fort jolies femmes). Les salons du premier étage et surtout le « bar » sublimement 1925 du rez-de-chaussée proposent une cuisine des plus traditionnellement marines avec quelques pointes d'audace qui ont tôt fait de devenir des classiques. Ainsi le filet Boston (steak poêlé dans une sauce aux huîtres), l'exquise bouillabaisse en gelée, les salades de poissons crus ou de langoustines aux choux fleurs et capucines. Service toujours remarquablement efficace et courtois. Superbe carte de vins fort chers. Intéressants plats de fruits de mer à emporter (bouillabaisse, marmite dieppoise, etc.). Autour de 200 F.

12/20
RAMPONNEAU

● *21, av. Marceau (720.59.51).*
Tous les jours. Jusqu'à 22 h 30.

La cuisine bourgeoise est immuablement à l'honneur dans cette grande et bonne auberge rustique qui, néanmoins, ajoute chaque année à sa carte quelques nouvelles spécialités (à défaut d'être des spécialités nouvelles). Par exemple, récemment, la terrine de lapin, le poulet aux cèpes ou la lamproie à la bordelaise. Ces plats iront rejoindre la liste des classiques de la maison : fricassée de volaille, confit d'oie aux pommes, ris de veau braisé aux champignons, navarin aux petits légumes, daube de bœuf. Grande terrasse. Prix très grand-bourgeois, eux aussi : 160 F environ.

12/20
SULLY D'AUTEUIL

● *78, rue d'Auteuil (651.71.18).*
F. dim. Jusqu'à 23 h.

Nous attendions beaucoup de Gilles Jouanin, dont la carte de visite annonçait des séjours flatteurs au Moulin de Mougins, à La Marée et chez Bocuse. Avouons-le simplement, nos espoirs ont été quelque peu déçus. Ce restaurant cossu et bourgeois, qui a trouvé refuge sous la gare d'Auteuil, avance une carte courte qui ne surprendra guère tant l'imagination semble avoir été mise à l'écart. On navigue entre une salade folle baptisée printanière, une terrine de sole presque réussie, une soupe de moules au safran presque avenante, un loup farci, un filet de bœuf aux raisins et un suprême de canard vigneronne. Soyons justes tout de même : les produits sont de qualité, la présentation consciencieuse, la réalisation attentive. Ce que nous regrettons, ce sont les sauces bien pesantes qui demanderaient un coup de plumeau salutaire. Il manque aussi, pour tout dire, le petit rien qui fait la différence, la fraîcheur et l'astuce, ce qui nous contraint à mettre en réserve la toque que nous espérions donner à ce Sully. Environ 150 F.

12/20
LA TOUR CÉLESTE

● *66, rue de la Tour (520.55.19).*
Tous les jours. Jusqu'à 22 h 30.

Un décor enchinoisé qui, pour une fois, n'est pas lugubre, un accueil très souriant, un public très seizième et une cuisine qui a des hauts et des bas, les hauts étant généralement le canard fumé au thé, la grillade d'agneau Grande Muraille et le gigot à la pékinoise. Environ 70 F en moyenne.

10/20
VAN MING

● *7, av. de Versailles (288.42.42).*
Tous les jours. Jusqu'à 23 h.

Ce nouveau restaurant qu'une décoration désespérément neutre ne rend certes pas follement gai, a le mérite de « vouloir travailler l'art des cuissons à la vapeur » : les dim-sum, ces amuse-gueules cantonais à la vapeur ne sont pas encore tout à fait au point mais montrent que le chef est capable de bien faire. Le nombre en est assez limité, six plats seulement, mais que nous préférons de beaucoup au reste de la carte ultra-classique et conventionnelle. 60 F environ comme chez la plupart des « chinois ».

18/20
LE VIVAROIS

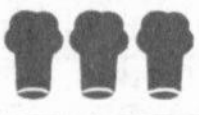

● *192, av. Victor-Hugo (504.04.31).*
F. sam. et dim. Jusqu'à 21 h 30.

Claude Peyrot se morfond dans ce fin fond de Paris trop bourgeois, dans ce décor moderne épuisé qu'il laisse jaunir comme une vieille banquise. Sans l'avouer (il n'avoue jamais ses phantasmes professionnels), il rêve d'une maison gaie et bruissante, d'une clientèle fidèle et nombreuse. Il rêve qu'on ne l'oublie pas. Peut-être aussi rêve-t-il de la quatrième toque, que mérite son inimaginable talent, sans doute le plus pur du monde et le plus artistique — le mot, tout compte fait, ne convient guère qu'à lui et à Freddy Girardet —, mais son éblouissante cuisine a besoin d'un cadre plus chaleureux, au cœur de Paris, pour atteindre l'absolue perfection, pour qu'enfin le monde entier accoure manger le bavarois de poivrons, les coquilles Saint-Jacques au fenouil confit, le pourpre de turbot, la queue de bœuf en crépine et la gelée de foie gras à la mousse de canard. Très beaux vins, en particulier de rares grands côtes-du-Rhône. 220 F environ.

14/20
YAN - LE TOIT DE PASSY

● *94, av. Paul-Doumer (524.55.37).*
F. sam. (à déj.) et dim. Jusqu'à 22 h.

Dans un décor ridicule, nous avions fait au Toit de Passy un repas si nul que le courage nous avait manqué de retourner en haut de cet immeuble moderne de l'avenue Paul-Doumer où l'on entre en se faufilant bizarrement entre les voitures d'un hall d'exposition. Un jeune couple que nous avions apprécié à Courchevel (« A Paris, on leur prédirait un grand avenir », écrivions-nous en 1973) a repris ce Toit, fort mal fichu, avec l'intention de transformer la salle et la grande terrasse, dominé à l'horizon par la tour Eiffel, en une sorte de jardin d'hiver. Peut-être leur rêve aura-t-il déjà été réalisé quand paraîtront ces lignes. En tout cas, la cuisine de Yan est délicieuse, quel que soit le décor. Vous aimerez son feuilleté de haddock aux poivrons doux — un mariage hardi mais parfait —, son mesclun aux ris d'agneau tièdes, ses filets de rascasse à la fondue de fenouil, son délicieux sauté d'agneau au basilic, son superbe émincé de bœuf à la moelle dans une très fine sauce au cornas, son gratin de fruits à la mandarine, sa bavaroise au coulis de fraise et son délicieux gâteau au chocolat parfumé au café. La cave est encore très pauvre mais le chiroubles 78 de Jean Desvignes est superbe. Environ 120-130 F.

12/20
YVONNE

● *13, rue de Bassano (720.98.15).*
F. vend. (à dîner) et sam. Jusqu'à 21 h 45.

M. et Mme Hurez n'ont manifestement que faire de nos appréciations, encore qu'ils le disent avec courtoisie et remplissent scrupuleusement notre questionnaire chaque année. Ils ont pour eux leur conscience et la bénédiction de leurs habitués, de même que nous avons, pour nous inciter à parler d'eux, l'aimable souvenir que nous ont laissé certains plats servis dans leur petit restaurant sans histoire, tels que les œufs en meurette, l'andouillette, l'aiguillette de bœuf ou la carbonnade de bœuf aux endives. Une centaine de francs.

Pensez à retenir votre table par téléphone. Et n'oubliez surtout pas, au besoin, de vous décommander.

Paris 17e

11/20
AUBERGE DE RECOULES D'AUBRAC

● *150, bd Péreire (754.63.22).*
F. sam. et dim. Jusqu'à 22 h 30.

Rien ici n'évoque réellement l'Aubrac, que ce soit le décor passe-partout ou la carte, dominée par de belles spécialités de poissons, des plats « cuisinés » (à déjeuner) et de bons desserts. En tout cas, du turbot au vin blanc et échalotes au mignon de porc flamande, la cuisine de Kléber Bonnet respire la plus grande honnêteté. Environ 120 F.

12/20
AUBERGE DE SAINT-JEAN-PIED-DE-PORT

● *123, av. de Wagram (227.61.50).*
F. dim. Jusqu'à 23 h.

Que se passe-t-il aux fourneaux de Robert Goby ? Ses spécialités ont quelque peu perdu de leur accent et son poulet basquaise est devenu bien quelconque. Heureusement, on peut encore aimer chez lui son cassoulet au confit d'oie, son foie gras chaud aux raisins et son bon soufflé aux framboises. Nous continuons donc à lui faire confiance et espérons que la qualité de la cuisine suivra l'évolution des prix (150 F environ). Joli choix de bordeaux.

14/20
CHEZ AUGUSTA

● *98, rue de Tocqueville (924.39.97).*
F. dim. et jrs fériés. Jusqu'à 21 h 45.

Rien que pour l'ineffable plaisir de manger de pareils pieds et paquets, il faut se précipiter dans ce charmant restaurant intime et un peu provincial où l'on vous accueille comme un ami de la famille. Et y revenir pour les sardines sauvages au citron vert, la salade de langoustines, les rougets au basilic, la langouste tiède, le ragoût de lotte, la bouillabaisse et la bourride. La fraîcheur des poissons et crustacés, la précision des cuissons, le parfum de la Côte d'Azur et même une certaine imagination, dans la simplicité, voilà une maison sûre et attachante. 150 F environ.

13/20
LES BARRICADES

● *275, bd Péreire (574.33.32).*
Tous les jours, jusqu'à 22 h.

« Les contrôles fiscaux sont mon passe-temps favori », nous confie Claude Verger qui a toujours de l'humour (et des idées) à revendre.

Alors un de plus, ou de moins... Le voilà donc qui ajoute un fleuron à son empire gastronomique (La Barrière de Clichy, La Côte d'Or à Saulieu) avec toujours, le souci d'assurer la promotion d'un jeune en qui il croit. Et ce dénicheur de talent a visé juste en confiant les fourneaux de ses Barricades à Joël Valero dont il a suivi les débuts et qui peut, dans un décor rénové des cuisines à la salle, faire la preuve de sa grande maîtrise. Une toque d'ores et déjà pour illustrer tout le bien que nous pensons de son lapereau en gelée au porto, de son navarin de coquilles Saint-Jacques et de son ris de veau « Verger ». En revanche, nous pensons beaucoup de mal du décor des Barricades, tout juste digne d'un snack, de l'accueil inexistant et du service désinvolte. Environ 150 F.

LA BARRIÈRE DE CLICHY

● *2, bd de Douaumont (737.05.18).*
F. sam. (à déj.) et dim. Jusqu'à 22 h.

Seul restaurateur au monde à posséder deux établissements à trois toques (celui-ci et la Côte d'Or à Saulieu), Claude Verger réussit ce tour de force en installant dans ses différentes maisons — et en les intéressant à l'entreprise — les excellents cuisiniers qui se forment les uns les autres en une chaîne sans fin. D'autres, avec son aide, volent ensuite de leurs propres ailes. C'est le cas de Guy Savoy qui quitte la Barrière. Nous ne connaissons pas encore le nom de son successeur — ce qui nous oblige à mettre provisoirement de côté nos trois toques rouges — mais le ton de la cuisine, légère, inventive, ne devrait pas changer et servis avec égards, en buvant des vins admirables, vous continuerez certainement de manger ici avec le même émerveillement les rougets aux huîtres, la terrine de homard, la soupe de moules au safran, le « méli-mélo » de la marée, le pigeonneau dans son jus, le ris de veau rôti et les sublimes desserts. 160-180 F.

13/20 BAUMANN-TERNES

● *64, av. des Ternes (574.16.66).*
F. dim. et lundi. Jusqu'à 1 h du matin.

Le quartier dit des Ternes devient chez Baumann, dans le décor de Slavik, celui du brillant (et, tard le soir, des bruyants !). Une clientèle, joyeuse et à la mode, s'engouffre ici pour sacrifier au rite rustique et gourmand de la choucroute, présentée d'une douzaine de manières : aux poissons, en pot-au-feu, à l'orientale, en feuilleté aux trois poissons, etc. Et comme le chou est toujours tel qu'il doit être, c'est-à-dire ferme, croquant et savoureux, nous ne pouvons que l'approuver. Jolis plats du jour. Belles charcuteries et tartes alsaciennes. 80-110 F.

14/20 BESSIÈRE

● *97, av. des Ternes (574.08.46).*
F. dim. Jusqu'à 22 h.

Jean-Dominique Bessière est un homme de droiture et de foi. Aussi nous est-il difficile de le faire quitter la voie, qu'il croit royale, des sauces riches et des préparations nobles. Tel qu'il est, dans son décor confortable et bourgeois, il fait honneur aux grandes traditions sans verser, d'ailleurs, dans la routine, et il s'efforce de rajeunir quelques beaux plats anciens comme la poule à l'aveyronnaise, la potée d'escargots, le navarin de canard ou la compote d'escargots, le navarin de canard ou la compote d'oie. Remarquable choix de vins de propriétaire. Service actif, prix élevés. Autour de 200 F.

12/20 LE BEUDANT

● *97, rue des Dames (387.11.20).*
F. sam. (à déj.) et dim. Jusqu'à 22 h 30.

Toute petite maison (vingt couverts environ), où le patron vous reçoit presque « à ses fourneaux », en toute simplicité, avec tout le sérieux qu'il y apporte. Jacques Gonthier aime les sauces, des sauces tout en finesse : turbot au beurre, barbue à la crème, coquilles proposées de six façons différentes, ris de veau lui aussi préparé de multiples manières, salade de moules au basilic, etc. Jolis desserts. 130 à 150 F.

11/20 LA BOURRICHE

● *18 bis, rue Pierre-Demours (572.28.51).*
Tous les jours. Jusqu'à 22 h 30.

Un nouveau bistrot de quartier dont l'originalité est de servir toute l'année de bonnes huîtres, en provenance directe de Bretagne. Pour 50 F, vin et service compris, on vous sert donc des « creuses », un plat du jour gentiment cuisiné et un dessert.

12/20 LA BRAISIÈRE

● *54, rue Cardinet (763.40.37).*
F. sam. et dim. Jusqu'à 22 h.

M. Gillac nous informe qu'il affiche toujours complet. C'est donc que sa clientèle apprécie comme nous la solide cuisine, essentiellement périgourdine, du chef Camy (salade périgourdine, cassoulet, etc.) et le décor chaleureux de la salle. Et c'est aussi qu'elle ne regarde pas à la dépense. Nous ne saurions hélas ! en dire autant. 150 F en moyenne.

10/20 BRASSERIE LORRAINE

● *281, rue des Ternes (227.80.04).*
Tous les jours. Jusqu'à 1 h du matin.

Les gens qui sortent peu fréquentent encore

cette vaste brasserie-mausolée, pour ses « fameux » plateaux de fruits de mer, ses filets de sole normande ou sa choucroute, servis avec une lenteur accablante par un personnel fort peu empressé. 130-150 F environ.

13/20 LE BRAZAIS

• *42, bd Péreire, (763.82.17).*
F. sam. (à déj.) et dim. Jusqu'à 22 h.

Le nouveau propriétaire qui était un cadre supérieur de la chaîne Sofitel a eu la sagesse de conserver son chef, Lyonel Mouquet, et celui-ci sa carte marquée par la Normandie (marmite dieppoise, barbue au cidre) mais aussi, au chapitre des poissons, par un style plus moderne (brochet à la ciboulette, barbue aux poireaux, turbotin aux aromates). De bonnes sauces légères, une atmosphère assez chaleureuse (l'accueil, à présent, ne souffre aucun reproche) et une addition autour de 120-130 F.

12/20 LA BROCHETTE

• *45, rue Brochant (627.63.83).*
F. lundi (à dîner) et mardi. Jusqu'à 22 h.

Outre la brochette de saint-pierre grillée qui justifie l'enseigne, vous trouverez ici, encore plus aimables à notre goût, la friture d'éperlan, l'escalope de ris de veau, le turbot poché, le foie de veau à la lyonnaise et le gibier. 80-90 F.

14/20 LE CHALUT

• *94, bd des Batignolles (387.26.84).*
F. dim. et lundi. Jusqu'à 22 h.

Depuis trente quatre ans, Mme Bernardi maintient une réputation égale à cette maison vieillotte et charmante où l'on mange sous les filets de pêche quelques-unes des meilleurs grands classiques marins de Paris : bouillabaisse, loup au fenouil, aiolli, rougets au beurre d'anchois, pour des prix tout à fait à la mode d'aujourd'hui. 160 à 180 F.

12/20 LE CHURRASCO

• *277, bd Péreire (574.09.10).*
Tous les jours. Jusqu'à 22 h 30.

Le bœuf argentin, lorsqu'il n'est pas maltraité par la congélation et surtout une mauvaise décongélation, est l'un des meilleurs du monde, avec l'angus écossais ou américain et le bœuf japonais de Kobé. Les amateurs de viandes s'en feront éclater dans ce nouveau restaurant, très chaleureux et sympathique où tout le monde a l'air de se connaître plus ou moins et se parle d'une table à l'autre. Commencez avec un empanada — une sorte de pâté de viande qui ressemble à nos rissoles —, poursuivez avec une grillade à la braise (de 180 à 300 grammes) accompagnée d'une variété de bonnes sauces au choix, terminez par une coppa Churrasco (sorbet au citron vert, fruit de la Passion et tequila) et faites connaissance avec le vin argentin, parfaitement honnête et d'excellents rioja rouges d'Espagne. Un succès qui sera certainement durable. 70-80 F.

11/20 LE CONGRÈS

• *80, av. de la Grande-Armée (574.17.24).*
Tous les jours. Jusqu'à 2 h du matin.

Toujours beaucoup de monde dans cette pseudo brasserie-pub dans le goût 1900. C'est que le cuisine servie ici — huîtres et fruits de mer (toute l'année), viandes bien grillées au feu de bois, légumes cuits à la vapeur « sèche » — n'est pas du tout « pseudo » mais honnête et franche. Il n'en faut certes pas davantage dans ce quartier. Environ 80 F.

13/20 LA COQUILLE

• *6, rue du Débarcadère (574.25.95).*
F. dim. et lundi. Jusqu'à 22 h.

Passé le 20 mai, Paul Blache ne sert plus les coquilles Saint-Jacques au naturel qui ont donné son nom à cette bonne vieille maison. Scrupule qui l'honore et témoigne d'un respect des saisons, de moins en moins partagé. Une carte toujours appétissante et immuable (sauf pour les poissons qui varient selon le marché), avec le boudin grillé flamande aux deux purées, la fricassée de poulet aux morilles, l'estouffade de canard aux cèpes, les ris de veau sautés au sancerre ou les tripoux de Saint-Pardou, plats robustes s'il en est, qu'on fera suivre d'un léger et délicat soufflé au praslin de noisettes. Le décor néo-1900 commence à se patiner. Tant mieux. 135 à 150 F environ.

12/20 LA CÔTE DE BŒUF

• *4, rue Saussier-Leroy (227.73.50).*
F. sam. (à dîner) et dim. Jusqu'à 22 h.

Dieu sait pourquoi, cette malheureuse Côte de Bœuf, depuis des années, apparaît et disparaît de nos guides sans la moindre raison. C'est stupide car les amateurs de côte de bœuf en trouveront difficilement de mieux rassise, de plus tendre et de plus goûteuse que dans ce petit restaurant de quartier, ni très confortable ni bien joli mais où, pour moins de cent francs, avec une entrée, un dessert et un bon bordeaux, on suit le bœuf les yeux fermés.

13/20 DESSIRIER

• *9, pl. du Maréchal-Juin (754.74.14).*
Tous les jours. Jusqu'à minuit 30.

La famille Kaufmann-Veillat a délégué ses pouvoirs à un jeune gendre enthousiaste et passionné. Celui-ci devrait toutefois se méfier d'une routine qui semble s'installer dans les cuisines. Quant aux célèbres banc d'huîtres, il faut savoir qu'une sérieuse concurrence commence à lui être faite ici et là. Atmosphère de brasserie amusante et parisienne. Service efficace, excellents vins en carafe. En dépit des prix élevés (150-180 F), il reste que nous aimons toujours chez Dessirier tous les coquillages et les poissons (quand ils sont préparés simplement), le foie gras maison et l'aiguillette de canard au vinaigre de xérès.

13/20 L'ÉTOILE D'OR (Concorde-La Fayette)

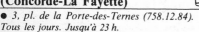

● *3, pl. de la Porte-des-Ternes (758.12.84).*
Tous les jours. Jusqu'à 23 h.

Le pianiste est un peu perdu, le soir, dans cette salle immense, mais le jeune Joël Renty réchauffe l'atmosphère avec sa cuisine certes encore inégale mais intelligente et assez originale. Malgré leur prix sévère, vous pouvez commander sans crainte la soupe de moules aux herbes fraîches, l'effilochée de baudroie, les filets de rouget à la moelle, les petites tartes et entremets. 170 à 200 F.

11/20 LE GAUCHO

● *18 bis, rue Pierre-Demours (380.28.44).*
F. dim. (à dîner) et lundi. Jusqu'à 23 h.

L'exotisme souvent brûlant de la pampa argentine au travers d'excellentes grillades (churrascos) et, sur commande, d'un étonnant « poulet hirondelle » cuit à grande friture et accompagné d'ail frit.70-90 F.

13/20 GEORGES

● *273, bd Péreire (574.31.00).*
F. sam. Jusqu'à 22 h 30.

Les adorateurs irréductibles du passé feraient quand même bien de noter que ce bon vieux bistrot « à l'ancienne » a été rajeuni par Slavik et que le chef Merle non seulement s'est lancé dans la cuisson des poissons à la vapeur mais qu'il s'est mis à réduire ses sauces en appliquant les préceptes d'André Guillot, du Vieux Marly. Comme quoi la meilleure façon de respecter la tradition est encore de savoir se renouveler. Pas de table, si vous avez oublié de retenir, pour manger le gigot rôti aux flageolets, le train de côte de bœuf au gratin dauphinois et le petit salé aux choux qui, avec le pot-au-feu géant, le haricot de mouton et quelques autres plats « bourgeois » sont le capital immuable de cette très sympathique (et bruyante) maison. Excellents petits vins de propriétaire et un parfait brie de Meaux. 130-140 F environ.

Toques blanches = cuisine classique.

11/20 CHEZ GORISSE

● *84, rue Nollet (627.43.05).*
F. sam. (à dîner) et dim. Jusqu'à 22 h.

Les prix montrent ici un peu plus d'audace que la carte, mais ils restent très abordables et nous n'avons rien contre la cuisine bourgeoise de tradition (ragoût de coquilles Saint-Jacques, brioche à la moelle, escargots à la barigoule, turbot au beurre rouge, sole aux queues d'écrevisses, tendre et onctueux pot-au-feu, etc.), du moins lorsqu'elle est réussie et ce n'est pas toujours le cas. 90-100 F environ.

12/20 LE GRAND VENEUR

● *6, rue Pierre-Demours (574.61.58).*
F. sam. (à déj.) et dim. Jusqu'à 21 h 50.

Dans ce décor hétéroclite où voisinent trophées de cerf, lustres modernes et commode Louis XV, la bonne clientèle du quartier prend un bain de tradition — gibiers (en saison), cassoulet au confit, pintadeau aux morilles, soufflé aux framboises —, encore que M. Dattas se lance dans la nouveauté, cette année, avec une audacieuse terrine de lotte... 130 à 150 F.

14/20 CHEZ GUYVONNE

● *14, rue de Thann (227.25.43).*
F. sam., dim. et jrs fériés. Jusqu'à 21 h 45.

De plus en plus audacieux — mais dans les limites des bonnes manières du quartier — Guy Cros fait évoluer sa cuisine vers plus d'invention et de légèreté, par un goût marqué pour les légumes en particulier (poireaux avec le saint-pierre, chou vert avec la raie, trévise avec le saumon, épinards avec les ris d'agneau). Les deux petites salles sont redécorées avec simplicité et quelques aimables bibelots, le service est souriant et vous ferez un bon repas en choisissant parmi les salades de petite pêche, ris de veau au cassis, soupe d'huîtres et de coquilles Saint-Jacques, rougets en fondue de bouillabaisse, foie gras frais maison, excellents fromages de ferme et mousses aux fruits. 130-140 F environ.

13/20 LAUDRIN

● *154, bd Péreire (754.87.40).*
F. sam. (à déj.) et dim. Jusqu'à 22 h 30.

Depuis des lustres, l'accueillant Jacques Billaud vous propose, sur une carte agréablement calligraphiée et dessinée par Barberousse, « le bon choix » : celui qui vous fera balancer entre des fruits de mer, des préparations marines classiques et variées (moules marinière, sole meunière, turbotin grillé béarnaise et gratin de langouste) et des plats de ménage comme le bœuf en miroton, les tripes à la façon de la mère Billaud et la queue de cochon farcie. Prix élevés : 160 F environ.

11/20

CHEZ LAURENT

● *11, rue des Acacias (380.56.27).*
F. sam. et dim. Jusqu'à 22 h.

Gentil bistrot familial où l'honnête cuisine de femme attire, avec des plats à tendance provençale, la clientèle du quartier. Décor paysan, prix plus parisiens (100 F environ). Nous aimons bien le chou farci, l'omelette froide et la quiche au crabe.

12/20

CHEZ LÉON

● *32, rue Legendre (227.06.82).*
F. sam. (à dîner) et dim. Jusqu'à 21 h 45.

M. Saccaro travaille en famille selon des préceptes éprouvés, c'est-à-dire avec cœur et avec soin. D'où, à sa carte, cette cascade d'excellents petits plats de ménage : escargots « maison », onglet aux échalotes, cassoulet au confit d'oie, filet au poivre, tartes maison, etc., interrompue de temps à autre par la lente parade d'une spécialité moins roturière : foie gras de canard, coquilles Saint-Jacques ou turbot au beurre blanc. Décor soigné, mais peu revigorant. 100 F en moyenne.

12/20

MAITRE PIERRE

● *2, rue Waldeck-Rousseau (574.20.28).*
F. dim. Jusqu'à 21 h 45.

Depuis trente ans, Renée Boetsch reçoit en maîtresse de maison accomplie dans son authentique bistrot « garanti d'avant-guerre » dont nous espérons seulement qu'il ne sera pas rénové avant le prochain déluge. Et en cuisine, Maurice Tanquerel a, lui, tout juste trente ans, ce qui ne l'empêche pas de connaître sur le bout du doigt les humbles et précieux secrets de la sole soufflée fourrée à l'oseille, du rouget barbet niçoise aux tomates fraîches, des noix de coquilles Saint-Jacques au naturel, du lapereau du Gâtinais au cidre, du navarin d'agneau, de la mousse au chocolat et de beaucoup d'autres bonnes choses. 80-90 F environ.

12/20

LA MÈRE MICHEL

● *5, rue Rennequin (763.59.80).*
F. sam., dim., et jrs fériés. Jusqu'à 22 h 30.

De nouvelles assiettes, une nouvelle argenterie mais toujours les coquilles Saint-Jacques au naturel et les poissons au fameux beurre blanc qui faisaient la gloire de la bonne Mère Michel dont le patron, Bernard Gaillard, a presqu'hérité le tour de main. Il maintient honorablement la tradition et ses clients sont contents. 110-130 F environ.

12/20

LA MOUCLADE

● *18, rue Bayen (380.54.97).*
F. dim. Jusqu'à 21 h 30.

Les moules sont à l'honneur : sous forme de mouclade bien sûr, mais aussi en soupe, en salade aux épinards, en salade dite du Perthuis d'Antioche (une recette originale mêlant chicorée et omelette aux crevettes). Pour le reste, Jacques Hingant puise largement dans le répertoire charentais : de la matelote d'anguille à l'agneau aux mojettes (haricots) en passant par les céteaux, les cagouilles (escargots) et la daurade au beurre de basilic. Saluons encore les œufs brouillés aux piballes et les petits pâtés chauds de gibier (en saison), admirons au passage le choix de fromages de chèvre, la remarquable truffe glacée au chocolat et convenons enfin qu'à Champerret, l'Aunis se porte le mieux du monde, même si la carte des vins est encore faible et si le décor a besoin d'une bonne purge. Autour de 120 F.

12/20

CHEZ MICHEL PÉREIRE

● *122, av. de Villiers (380.19.66).*
F. sam. Jusqu'à 22 h.

Le décor a été rénové et vous n'en apprécierez que mieux la cuisine savoureuse et vertueusement classique d'un professionnel (Yvon Rouillec) comme on aimerait qu'il en existât davantage. Vous ne serez déçus ni par les spécialités permanentes (terrine de canard aux pistaches, gigot de mer, caneton grillé, moules farcies en cocotte, ris de veau normande), ni par les suggestions du jour (sole écossaise, filet de lotte homardine, blanquette de lapin, etc.). En outre, on parle ici l'espagnol et l'anglais mais, en toutes les langues, l'addition se lit de la même manière, et c'est une manière un peu rude : 140-150 F en moyenne.

13/20 

LE PETIT COLOMBIER

● *42, rue des Acacias (380.28.54).*
F. sam. et dim. (à déj.). Jusqu'à 22 h 30.

Bernard Fournier n'est pas aventureux. Mais il ne rejette pas certaines audaces (filet d'anchois frais au citron vert, aspic de saumon aux herbes, terrine d'anguille aux cèpes) comme il s'emploie à sauver de l'oubli quelques vieilles recettes paysannes (foie de veau paysanne, chou farci, poule quercynoise, manouls du Gévaudan). Quelques bons petits vins. Service attentif. Prix assez élevés. Décor « à l'ancienne » mais confortable, encore rafraîchi cette année. 140 F environ.

Ne nous accablez pas si les prix indiqués ont grimpé depuis la sortie de ce Guide, nous n'y pouvons rien, hélas !

14/20
LA PETITE AUBERGE

● *38, rue Laugier (924.85.51).*
F. dim. et lundi. Jusqu'à 22 h.

Comme c'est reposant, un cuisinier qui n'a pas de génie mais se contente d'avoir du talent. Léo Harbonnier qui travaillait jadis chez Camille Renault, le restaurateur amateur de peinture, a choisi une fois pour toutes de réussir un nombre limité de plats, qui ne changent pour ainsi dire jamais, et de s'y tenir. Un style net, des sauces légères au service de produits excellents et l'assurance de faire chaque fois un repas classique sans jamais être bête, avec des plats élégants et discrets comme le turbot Camille Renault, les œufs Victor Pagès, pochés avec une sauce à l'orange, le lapereau aux pruneaux, le canard aux choux, le pain de bœuf au coulis de tomate et olives vertes et d'exquis desserts, en particulier le millefeuille, la tarte aux pommes et le soufflé au citron.

15/20
PÉTRUS

● *12, pl. du Maréchal-Juin (754.53.52).*
F. dim. et lundi. Jusqu'à 23 h.

Toujours conseillé par l'illustre chef Denis, le jeune Jean-Pierre Cario prépare une cuisine de la mer intelligente et délicate, celle que nous aimons : le saucisson d'huîtres, le foie gras Denis, le pot-au-feu de poisson, le farci de crustacés aux houx verts, le saint-pierre à la rhubarbe. La salle à manger et la terrasse sont rajeunis depuis l'an passé : l'éclairage en est plus gai, grâce au jeu des miroirs et des fleurs. Intéressants petits vins servis par un sommelier attentif, pour accompagner (toute l'année) les coquillages toujours bien frais et superbement choisis. Addition très salée : 150 à 180 F.

15/20
ROSTANG

● *10, rue Gustave-Flaubert (763.40.77).*
F. sam. (à déj.) et dim. Jusqu'à 22 h 30.

Un enthousiasme un peu hâtif, suivi d'une déception accidentelle, nous avaient fait juger le restaurant de Michel Rostang avec trop peu d'objectivité au printemps dernier. Certes les sauces brillantes qui firent sa gloire au temps de Grenoble (à Sassenage) continuent de nous paraître accablantes, à Paris de nos jours. Mais Rostang fait un effort très louable pour les alléger et se mettre ainsi au diapason de son évident talent. Son invention, sa liberté d'expression, sa science des cuissons, lui valent en tous cas deux toques d'emblée, en attendant peut être mieux. Intéressant mais encore trop coûteux « déjeuner d'affaires » (95 F plus le service plus le vin) et exquis menu-dégustation qui vous fait, entre autres, découvrir le consommé de homard en gelée, la salade tiède de langouste aux artichauts et la fricassée de sole au chou nouveau. Agréable décor très intimiste. Environ 180 F.

11/20
CHEZ SOPHIE

● *2, rue Truffaut (387.96.79).*
F. sam. (à dîner) et dim. Jusqu'à 21 h 30.

Sophie a deux passions dans la vie : les livres d'histoire et la cuisine bourgeoise. Jamais de surprises dans son gentil bistrot où l'on vient et revient manger de la blanquette, du lapin en civet, de la tête de veau grand-mère et régler des additions ultra-sages qui dépassent rarement 65 F et c'est très bien ainsi.

13/20
LE TIMGAD

● *21, rue Brunel (574.23.70).*
F. dim. Jusqu'à 23 h.

Cuisine raffinée et aussi légère que faire se peut quand il s'agit de pastillas, de tagines, de couscous et autres keftas. Décor de palais oriental, mais certains lecteurs se plaignent qu'on ne leur ait pas servi de rations royales. Environ 120 F.

11/20
CHEZ TONTON YANG

● *11, rue Biot (522.36.75).*
F. lundi. Jusqu'à 22 h 15.

Une salle triste dans une rue sans joie mais où il arrive — pas toujours — qu'on fasse des repas délicieux et pimentés, pour moins de cinquante francs, avec par exemple d'exquises crevettes sautées aux haricots noirs (qui ont presque le goût de truffes), du poulet sauce aigre-douce, du porc setchouan ou du bœuf sauté au piment.

13/20
LA TOQUE

● *16, rue de Tocqueville (227.97.75).*
F. dim. Jusqu'à 22 h.

C'est au Planteur, dans le 15e, que nous furent révélés voici deux ans les talents du jeune Jacky Joubert, volant désormais à son compte et de ses propres ailes dans ce décor agréablement cossu. On y retrouvera intacte sa cuisine imaginative et réussie dont les secrets résident dans la fraîcheur des produits de saison et la légèreté des sauces. Et vous aimerez comme nous la salade frisée aux foies de volailles, le suprême de rascasse à la crème de thym, l'aiguillette de caneton au vinaigre de cidre, le feuilleté de ris

Attention !
Certains restaurateurs changent, sans crier gare, leur jour de fermeture ou la date de leurs vacances. Téléphonez-leur donc pour être assuré de l'ouverture du restaurant.

de veau à la ciboulette, l'escalope de saumon frais sur coulis de cresson et la soupe de fruits rouges. Environ 120 F.

13/20
LA TRUITE VAGABONDE

● *17, rue des Batignolles (387.77.80).*
F. dim. Jusqu'à 22 h 15.

Alexandre Fiocre, que nous bénissons car il offre des coquillages tout frais aux Parisiens de l'été, aime changer de décor : sa terrasse fleurie, les grandes photos de jardins printaniers ou d'alpages sous la neige, les éclairages intimes pour les soirées amoureuses. A part un carré d'agneau toujours très réussi, c'est de la mer que viennent presque tout ceci : le civet de lotte, le saint-pierre au safran, le filet de sole aux écrevisses. 150 à 170 F.

10/20
AU VIEUX LOGIS

● *68, rue des Dames (387.72.27).*
F. dim. Jusqu'à 22 h.

Un sympathique bistrot d'habitués qui découvrent chaque jour, inscrits au tableau noir, les bons plats de la cuisine de femme que leur mitonne la patronne, comme le lapin à la moutarde, le gigot aux herbes ou la blanquette de veau, à des prix qui font oublier que le décor aurait besoin d'une sérieuse cure de rajeunissement. 60 F environ.

Paris 18e

12/20
L'ASSOMMOIR

● *12, rue Girardon (264.55.01).*
F. dim. (à dîner) et lundi. Jusqu'à 23 h 30.

Toujours amusant de venir dîner tard le soir dans cette ancienne buvette-épicerie, discrètement élégante et pour laquelle les gens du spectacle ont un faible. Une cuisine assez moderne (cervelas de poisson, filet de rascasse à la mousse citronnée, terrine de rouget à la pistache) qui se laisse manger avec plaisir, sans risque de se ruiner. Environ 110 F.

11/20
BATEAU-LAVOIR

● *8, rue Garreau (606.02.00).*
Tous les jours. Jusqu'à 22 h.

Picasso qui, au début du siècle, habitait à deux pas de là (place Emile-Goudeau, au vrai Bateau-Lavoir) n'inspire nullement la cuisine de Raymond Jallais dont les créations restent très figuratives et très traditionnelles — maquereau au vin blanc, poularde à l'estragon, lapin à la moutarde ou entrecôte marchand de vin. Addition raisonnable : 70 à 80 F.

16/20
BEAUVILLIERS

● *52, rue Lamarck (254.19.50).*
F. dim. et lundi (à déj.). Jusqu'à 22 h 30.

Cette fois, nous cédons aux charmes d'Edouard Carlier, du décor merveilleux englouti dans les fleurs, de l'une des cuisines les plus inventives de Paris et aussi, désormais, les moins accablées par les sauces abusives : nous lui donnons ce point supplémentaire qui lui fait rejoindre la petite cohorte de ceux qui piaffent devant la troisième toque. En été, assis comme à la campagne, aux terrasses qui dégringolent les pentes du Montmartre, en hiver, dans les exquises petites salles romantiques, décorées avec un goût parfait, vous nous donnerez raison devant cette cuisine tellement intelligente, les quatre salades au rognon de veau, les rougets grillés froids au piment, le ris de veau en gelée au cresson, la galantine de daurade au safran, le pigeon braisé au miel, le chou farci, le colvert aux figues, le saumon au caviar d'aubergine, le « grand dessert », et vous pardonnerez les folies de l'addition. 180 à 200 F.

13/20
LA CERISAIE

● *108, rue Lepic (606.19.29).*
F. dim. (à déj.) et lundi. Jusqu'à minuit.

Depuis quelques mois, un trio juvénile a mis la rue Lepic à l'heure de Tchekhov en ouvrant un restaurant au pimpant décor tout en nuances pastel, séduisant par son atmosphère intime. Allez donc escalader la Butte pour le découvrir et découvrir aussi une cuisine avenante et bien faite qui tourne autour d'un menu à 72 F et d'une carte où vous trouverez, par exemple, une salade de feuilles de chêne rouge et fond d'artichaut sur lequel on pose un œuf poché, un morceau du boucher : la « poire », servie avec des pommes sautées et des échalotes, un filet de truite de mer avec une sauce au cerfeuil, une blanquette d'agneau à l'ail doux et au vinaigre de xérès. Jolis petits vins à prix raisonnables.

12/20
CHARLOT Ier

● *128 bis, bd de Clichy (522.47.08).*
F. du 15 mai au 1er sept. Jusqu'à 1 h 30 du matin.

M. Cornic est l'un des rares restaurateurs parisiens que l'on voit régulièrement à Rungis avant l'aube. Grâce à quoi, il nous offre des poissons (bel ailloli de morue) et des coquillages bien frais pendant tous les mois avec « R » de l'année. En revanche, nous n'avons pas constaté le rajeunissement promis dans le type de cuisine encore trop alambiquée à notre goût (sauf le bon navarin de lotte). 140 à 160 F.

15/20
CLODENIS

● *57, rue Caulaincourt (606.20.26).*
F. dim. (à dîner) et lundi. Jusqu'à 22 h 30.

Joli décor de shantung saumon et accueil amène. Vous découvrirez ici (dans un mouchoir de poche) une cuisine légère, inventive et toujours d'une exquise fraîcheur, sans jamais sombrer dans le maniérisme. Denys Gente et son associé Claude Lesage, un ancien pâtissier, trouvent sûrement que leurs deux toques sont bien à l'étroit. En tout cas, nous nous félicitons de les avoir sortis de l'anonymat : leur salade de homard en chiffonnade, leur escalope de saumon au beurre blanc sur une purée de cresson, leur fricassée de coquilles Saint-Jacques au gingembre, leur gigot d'agneau de lait rôti, leurs purées de topinambour, de salsifis ou de céleri, leur chèvre chaud ou leur biscuit au citron à la poudre d'amande, tout ici est d'une grande finesse et d'une qualité constante. Environ 130-140 F.

12/20
CHEZ FRÉZET

● *181, rue Ordener (606.64.20).*
F. sam. et dim. Jusqu'à 22 h.

Dans un décor rénové, Claude Frézet sert avec la complicité d'un bon chef (Robert Antoine) une saine et franche cuisine rustico-bourgeoise, sans mystère et sans (mauvaise) surprise. Vous êtes à peu près certain de trouver votre bonheur dans le plat du jour qui, notez-le, n'est servi que le soir (bouillabaisse le lundi et le jeudi, cassoulet au confit d'oie le mardi, marmite dieppoise le mercredi, gigot en feuilleté le vendredi), mais certaines préparations inscrites à la carte ne sont pas mal non plus : le feuilleté d'escargots et roquefort, la terrine de ris de veau, la charlotte aux fruits de saison, la tarte Tatin. Une centaine de francs en moyenne.

14/20
LIONEL

● *26, rue Yvonne-Le-Tac (606.20.51).*
F. sam. (à déj.) et dim. Jusqu'à 21 h 45.

Lionel Daury paraît avoir laissé son imagination au point mort cette année. Mais nous sommes persévérants, nous espérons toujours. Et nous avons pour cela d'excellentes raisons, puisque nous constatons que ce jeune cuisinier est capable de réussir ses feuilletés d'huîtres ou d'écrevisses, son foie de veau aux framboises fraîches, son filet de bœuf cru (en lamelles, à la sauce aux herbes) ou cuit (tout juste à point, au beurre rouge) et ses desserts (sorbets divers ou, mieux encore, soupe de fruits frais au caramel). Sans oublier le café « pluriel » (au choix : nicaragua ou brésil). Charmant décor beige (moderne), charmant service (jeune), et carte des vins, elle, en réel progrès. Comme les prix en général : comptez en moyenne 130 F et plus.

11/20
MARIE-LOUISE

● *52, rue Championnet (606.86.55).*
F. dim. et lundi. Jusqu'à 22 h.

Nous ferons à M. Coillot un grand compliment : sa petite cuisine faite avec cœur (bœuf à la ficelle, entrecôte marchand de vin, poularde Marie-Louise) ressemble beaucoup à de la cuisine de femme. Pour le reste, rien de changé : toujours — et tant mieux ! — ce même décor de bistrot plus vrai que nature, caché derrière un dépôt de la gare du Nord. 70 F en moyenne.

11/20
LE PETIT MARGUERY

● *8, rue Aristide-Bruant (264.95.81).*
F. dim. et lundi. Jusqu'à 21 h 30.

Grâce à la très honnête cuisine familiale de Jeanne Huin (sole meunière pommes vapeur, bœuf bourguignon, coq au riesling, côte de veau à la crème, entrecôte marchand de vin), on se sent « comme chez soi » dans ce gentil petit restaurant, rendu plus sympathique encore par un patron qui est aux petits soins pour sa clientèle. Innocent décor bien bichonné. Et toujours de braves menus très peu chers. A la carte : 70-80 F environ.

12/20
RELAIS DE LA BUTTE

● *12, rue Ravignan (606.16.18).*
F. jeudi, vend. (à déj.). Jusqu'à 22 h 30.

Il a raison, M. Jouan, de ne pas transiger sur l'essentiel : un accueil charmant, une cuisine pas trop ambitieuse et bien faite (coquilles Saint-Jacques aux filets de sole, terrine de congre à la chantilly de cresson, soupe de congre à la menthe poivrée), des prix raisonnables. Cela suffit pour tailler honorablement sa route dans l'océan de l'arnaque montmartroise. 80-90 F environ.

17/20
LES SEMAILLES

● *3, rue Steinlen (606.37.05).*
F. dim. et lundi. Jusqu'à 22 h 30.

« Merveilleux. Enthousiasmant. Des saveurs nouvelles qui emplissent votre assiette de bonheur. L'addition ne compte pas devant une telle recherche ». Ce lecteur bruxellois n'est pas le seul à couvrir de lauriers les jeunes toques de Jean-Jacques Jouteux. D'autres, toutefois, sont plus réservés et les critiques qui reviennent le plus souvent — en nombre, il est vrai, très limité — concernent les portions, « perdues dans ces grandes assiettes, écrit l'un d'eux, comme un canot sur l'océan », et le confort. De cela, Jouteux est évidemment conscient et, malgré toute la tendresse qu'il porte à son bistrot romantique, il a hâte de le quitter pour un vrai restaurant où ses clients pourraient bouger leurs chaises, ses serveurs évoluer librement et où, lui-même, dans une cuisine digne de ce nom pourrait vraiment donner son maximum. Pour l'instant, la Butte Montmartre le retient toujours et il est impossible de ne pas admirer l'éclatante réussite de ce tout jeune homme qui pétille d'idées et voue à son métier un enthousiasme explosif. Depuis que nous le connaissons, il ne cesse de progresser et de s'affirmer, même si de temps en temps il lui arrive de se tromper à propos d'un plat ou d'un mélange de saveurs. En tout cas, on ne risque pas de s'ennuyer à sa table, en passant de la terrine de poissons fumés au caviar aux laitues farcies aux œufs de cabillaud, de la terrine de girolles sauce potiron au boudin de homard beurre d'algues, du saint-pierre aux betteraves rouges au ris de veau à la vapeur de vinaigre de cidre, sans parler du millefeuille au coulis d'oursin, du pigeon aux abricots et de toutes ses créations qui vont et viennent sur sa courte carte, assez fréquemment renouvelée. Ni des vins choisis avec un rare discernement par lui-même et son charmant associé, René Salmon, qui, chargé de la salle, aimerait bien, lui aussi, avoir droit à quelques mètres carrés de plus. Deux, trois ou même quatre jours sont nécessaires pour obtenir une table, le soir. Moins de problèmes au déjeuner mais la fréquentation augmente. 150-180 F.

12/20
TARTEMPION

● *15 bis, rue du Mont-Cenis (606.10.40).*
Tous les jours. Jusqu'à 23 h.

Le charme du vrai Montmartre, qui résiste encore à force de gentillesse et de sincérité à la « marée noire » du tourisme. De vieilles pierres, de jolis tableaux et dessins modernes, une atmosphère détendue, un accueil charmant, une cuisine sans imagination (moules farcies, terrine de canard truffé, lapin à la moutarde, carré d'agneau aux herbes) que Jean Billon aimerait bien, semble-t-il, faire évoluer mais son chef n'est pas d'accord. Telle qu'elle est, elle a du moins le mérite d'être honnête. 100 F environ.

12/20
CHEZ TOI OU CHEZ MOI

● *8, rue du Marché-Ordener (229.58.24).*
F. dim. Jusqu'à 22 h.

Dans un décor de bonbonnière parme, un jeune chef frais émoulu des cuisines des Semailles offre, c'est bien le mot, un très remarquable menu à 45 F (deux entrées et un plat) où s'exprime sa prédilection pour une cuisine moderne et pleine d'idées. Selon son humeur, il vous servira une terrine de champignons, de poisson ou de volaille ou une paupiette de truite ; ensuite une mousse de poisson ou une cassolette d'escargots au gingembre, et comme plat, une tranche de filet de bœuf aux confits de légumes, de la cervelle au curry ou une côte de veau aux courgettes ; pour terminer enfin, un fromage ou un dessert : charlotte ou bavarois. A suivre.

11/20
AU TOURNANT DE LA BUTTE

● *46, rue Caulaincourt (606.39.86).*
F. lundi. Jusqu'à 22 h.

Dans une ambiance joyeuse et bon enfant se réunissent ici les vrais Montmartrois du quartier pour goûter le généreux menu à 35 F qui propose un hors-d'œuvre (salade de lentilles, rillettes de dinde ou museau en vinaigrette), une entrée (crêpe au jambon ou moules marinières), un plat de résistance (petit salé ou véritable andouillette de Troyes grillée, bœuf bourguignon), fromage enfin ou crème caramel maison. D'autres préparations à la carte et un plat du jour copieux complètent cet alléchant programme. Et comme il faudra bien faire passer tout ça, demandez au sympathique M. Wamber de vous faire découvrir les perles de sa collection d'eaux de vie blanches (une bonne dizaine de sortes).

13/20
LE VERGER DE MONTMARTRE

● *37, rue Lamarck (252.12.70).*
F. sam. (à déj.) et dim. Jusqu'à 22 h 30.

Dans une penderie de deux mètres carrés, Georges (le Chtimi) et Michel (le Breton) font prendre corps à leur soudaine, exclusive et attendrissante passion pour la nouvelle cuisine. L'enthousiasme supplée avec surabondance à l'exiguïté de ce laboratoire, et les expériences qui s'y déroulent ne laissent pas d'être heureuses. Goûtez le confit de canard aux deux pommes, le civet de lièvre aux kumquats, ou encore l'exquis ris de veau aux framboises fraîches. Et glissez comme nous sur les entrées trop sommaires, certaines erreurs de stratégie (la même sauce pour deux plats différents, au demeurant fort bons) et une carte des vins pratiquement inexistante. Excellentes pâtisseries « maison », jolie vaisselle et décor de boudoir romantique. Environ 110 F.

12/20
WALLY

● *76, rue du Mont-Cenis (264.48.70).*
F. dim. et jrs fériés. Jusqu'à 23 h.

Le seul restaurant « saharien » de Paris — du moins à notre connaissance — où, dans un décor qui n'a rien de désertique (nombreux bibelots du Sahara), on vous sert un couscous très particulier, sans légumes, ni bouillon, accompagné de méchoui et d'une extrême finesse (38 F). Les amateurs de graines (Wally roule lui-même son couscous et cela lui prend cinq bonnes heures) sont à la fête. Egalement de la pastilla et, sur commande, des tagines et une bonne paella.

Paris 19e

12/20
AU BŒUF COURONNÉ

• *188, av. Jean-Jaurès (607.89.52).*
F. dim. Jusqu'à 21 h 30.

L'animal se porte comme un charme et coule des jours paisibles, bercé par le ronron de la routine. Pourtant, comment ne pas aimer cette grande salle provinciale, égayée par une escouade de serveuses toujours souriantes, ces viandes parfaites (onglet aux échalotes, contre-filet marchand de vin, pavé Villette), ces bonnes frites et ces sympathiques entrées de bistrot : maquereaux au vin blanc, harengs pomme à l'huile ou museau vinaigrette? N'en demandez pas plus. Le Bœuf ignore la mode et c'est bien ainsi. 100 à 140 F.

15/20
AU COCHON D'OR

• *192, av. Jean-Jaurès (607.23.13).*
Tous les jours. Jusqu'à 22 h.

Malgré le cadre, chaque année plus confortable et plus élégant, le Cochon d'Or reste l'un des derniers vrais grands bistrots de Paris, fait pour les appétits robustes, carnassiers et rustiques (la clientèle n'en est pas moins des plus parisienne). En lisant bien la jolie carte on découvre pourtant, à côté de célèbres spécialités de viande, quelques plats originaux comme la mousse de lotte au safran, les rognons d'agneau au roquefort, la salade de crustacés, réussis avec délicatesse par l'excellent chef François Medina. Prix, hélas, saignants. Vins remarquablement choisis. 170 à 200 F.

13/20
DAGORNO

• *190, av. Jean-Jaurès (607.02.29).*
F. sam. Jusqu'à 22 h 30.

Temple de la viande dans les années 20, Dagorno s'était fait un peu oublier depuis qu'on ne « tue » plus à La Villette. De récentes visites nous prouvent que nous aurions tort de dédaigner ce grand bistrot vieillot, son service attentif, ses viandes superbes et les plats intelligents préparés avec amour par le jeune chef Alain Donnard comme la terrine d'artichaut au crabe frais, ou de rouget au basilic, la soupe de grenouilles à la menthe fraîche, la tête de veau gribiche, le filet de bœuf à la ficelle, le vacherin au miel et chocolat amer. Nombreux petits bordeaux. Prix très parisiens. Environ 150-180 F.

11/20
FERME DE LA VILLETTE

• *184, av. Jean-Jaurès (607.60.96).*
F. dim. Jusqu'à minuit.

Inégal, du moins de l'avis de plusieurs de nos lecteurs qui un jour sont contents des viandes de M. Charmes et le lendemain le sont moins. Cette année, en tout cas, nous n'avons pas été mécontents du pied de cochon grillé et de l'onglet aux échalotes. Ni de l'accueil du charmant M. Charmes. 100 à 120 F.

12/20
LA MER

• *192, av. Jean-Jaurès (208.39.81).*
Tous les jours. Jusqu'à 22 h.

Les vents de l'imagination ne soufflent pas sur cette mer tranquille, où l'on fait de sympathiques petites croisières dans le monde des poissons et des coquillages soigneusement choisis. Principales escales : la soupe de poisson, les moules farcies, la friture d'éperlan, la raie au beurre noir. 120 F environ.

10/20
LE PAVILLON DU LAC

• *(Parc des Buttes-Chaumont) (202.08.97).*
F. merc. Dej. seult.

Un pavillon de verre « fin de siècle » tout à fait charmant, (le décor à tentures l'est moins) d'où l'on ne se lasse pas d'admirer le spectacle du lac et de son pont suspendu. La terrine « maison », le boudin grillé, l'excellent tournedos sont moins exaltants mais d'une parfaite honnêteté, ainsi d'ailleurs que le confortable menu à 95 F, avec vin à volonté. Le Pavillon propose également quelques salles pour séminaires.

14/20
LE PETIT PRÉ

• *1, rue Bellevue (208.92.62).*
F. sam. et dim. Jusqu'à 22 h.

Au pied des tours qui ont bétonné la charmante place des Fêtes du vieux Belleville, Christian et Jacqueline Vergès apportent un petit air de « fête champêtre », comme l'a justement écrit notre bon confrère Michel Piot, à ce fichu quartier. Leur gentillesse, leur sincérité, leur enthousiasme donnent vie et chaleur à leur petite maison au style rustique un peu imprécis mais dont le confort ne cesse de s'améliorer. Christian Vergès fait les plats qu'il aime manger ce qui, curieusement, est relativement rare chez les cuisiniers. Des plats sans fioritures mais pleins de finesse et de légèreté (ses sauces sont à base de jus de cuisson de légumes), avec une note rustique bien sympathique, qui n'exclut pas, bien au contraire, la recherche et le goût de la cuisine moderne : fond d'artichaut au vinaigre de melon, salade tiède de ris de veau et d'avocat, petites laitues farcies au coulis de pistou, fricassée de lotte et ris de veau, lapin en fricassée d'aubergines et, chaque jour, selon le marché, un nouveau plat. La cave, qui était un peu faiblarde, s'est bien étoffée. 120-150 F environ.

10/20
LES SALONS WÉBER

• *Avenue de la Cascade, parc des Buttes-Chaumont (607.58.14).*
F. merc. Déj. seult.

Charmant pavillon d'architecture « parcs et jardins » Second Empire, ouvrant tout grand sur la verdure délicieuse du parc. Excellents petits menus (moins de 50 F) et carte train-train où culminent la terrine de lapin et la côtelette d'agneau vert-pré.

Paris 20e

12/20
AUX BECS FINS

• *44, bd de Ménilmontant (797.51.52).*
F. dim. Jusqu'à 22 h.

« J'aimerais que vous veniez me voir ». Mais notre équipe est allée vous voir, chère Edith, sinon comment pourrions-nous recommander vos plats copieusement servis et bien préparés comme la terrine Edith, le cassoulet périgourdin, le gras double lyonnais ou le pigeonneau Saint-Front, en dépit de prix que nous jugeons un peu élevés. Il est vrai que la chaleur se paie du côté du Père Lachaise... Environ 70 F.

11/20
AU BŒUF GROS SEL (Chez Léon)

• *70, rue du Volga (373.96.58).*
F. sam. et dim. Jusqu'à 21 h 30.

Chaque année, les « prix fixes » nous jouent des tours, en grimpant en douce, après la parution du guide. Et ensuite, c'est nous qui nous faisons incendier. C'est donc, sous toutes réserves, que nous annonçons le prix de 34 F, plus le service, pour le « repas-maison » qui, selon la formule inusable, lancée il y a vingt ans par le regretté « Gros Léon », comprend une dizaine de hors-d'œuvre et entrées (à volonté), le bœuf gros sel aux légumes, le brie fermier et la tarte.

12/20
RELAIS DES PYRÉNÉES

• *1, rue du Jourdain (636.65.81).*
F. sam. Jusqu'à 22 h.

Du temps de M. Longe qui faisait la meilleure cuisine basco-béarnaise de Paris, nous raffolions de cette grande salle de sous-préfecture, bruyante à déjeuner et endormie le soir mais où, de la piperade à la grandiose garbure à l'oie, un repas était toujours une fête. Son successeur fait de son mieux. L'ennui est qu'à présent, pour 150 F par personne, on trouve bien d'autres occasions d'honorer le Sud-Ouest.

TOUT à fait arbitrairement — mais, à la vérité, pourquoi pas ? — nous avons considéré que Boulogne et Neuilly faisaient partie intégrante de Paris. Vous trouverez donc ces deux localités (et leurs restaurants) à la suite du 20e arrondissement. Non moins arbitrairement, nous avons décidé, pour les autres localités de la banlieue parisienne, de ne parler que de leurs restaurants « à toques », faute de place.

Neuilly-sur-Seine

12/20
L'AQUITAINE

• *4, rue des Poissonniers (747.14.33).*
F. dim. Jusqu'à 22 h 30.

Cuisine du Sud-Ouest qui n'est pas sans charme : foie gras de canard, magret grillé, côte de bœuf aux échalotes et à la moelle. Décor tout simple. Le patron reste aussi sûr de lui que de ses prix. L'addition est tout de même bien chère : 150 F au moins.

Envoyez-nous vos bonnes adresses, vos critiques, vos commentaires. Nous vous en serons obligés.

11/20
BOUGNAT-BOUTIQUE

• *12, av. de Madrid (747.88.92).*
F. dim. Jusqu'à 21 h 30.

Dans un style résolument rustique, une formule que l'on retrouve chez les homologues parisiens de cet établissement où l'on peut savourer pour une soixantaine de francs (ou emporter quelquefois) les charcuteries d'Auvergne, grillades, fromages fermiers, pâtisseries garanties pur beurre et petits vins de pays.

13/20 
BOURRIER

• *1, place Parmentier (624.11.19).*
F. sam. et dim. Jusqu'à 23 h.

Les cuisiniers font eux-mêmes le service dans cette salle minuscule et pleine de charme où l'on se sent comme en famille et qui, dès son ouverture, n'a pas eu de mal à faire le plein. Yves Bourrier a répudié la carte, ce qui lui permet de renouveler chaque jour ses deux menus, à 130 F et 150 F (service compris), parfaitement équilibrés et dont les plats sont cuisinés d'une main légère, qu'il s'agisse de la langouste à la Fernand Point, cuite à la perfection, du foie gras poêlé, des poissons en sauce ou des desserts, particulièrement réussis.

11/20
LA BOUTARDE

● *4, rue Boutard (745.34.55).*
F. dim. Jusqu'à 22 h 30.

Un bistrot sympathique pour les Parisiens « dans le coup » (c'est-à-dire qui ont leurs entrées chez Castel) qui viennent y célébrer les joies simples du pot-au-feu, du lapin à la moutarde, de la poule au pot, du jarret aux choux et tout de même aussi... de la salade de mesclun. 90 F environ.

12/20
LE CHAMBORD

● *17, rue Paul-Chatrousse (747.73.17).*
F. dim. Jusqu'à 23 h.

Agréable et proprette maison de banlieue au décor banalement intime et discrètement rustique. La cuisine est toute sincère et généreuse, comme on s'y attend, et vous aimerez le foie gras maison, l'omelette aux truffes et le cassoulet au confit de canard entre autres spécialités (coûteuses) du Sud-Ouest. 150 F environ.

12/20
CLUB MÉDITERRANÉE

● *58, bd Victor-Hugo (758.11.00).*
Tous les jours. Jusqu'à 23 h.

A quelques minutes de l'Étoile, vous retrouverez ici l'ambiance « club » et ces buffets réputés fabuleux qui proposent à discrétion les spécialités, chaudes ou froides, des pays où le Club est implanté, y compris des plats typiquement français dans la réalisation desquels le chef applique à l'occasion les principes de la cuisine nouvelle. Joli cadre de verdure et de fleurs, au cœur du Neuilly paisible. Menu : 95 F (s.c.).

11/20
L'ÉPICERIE DU GOLFE

● *61, av. du Roule (745.70.80).*
Tous les jours. Jusqu'à minuit.

Un nouveau et élégant petit restaurant où l'on peut également manger en plein air de la cuisine russe, gentiment troussée : blinis au saumon fumé ou au caviar, bortsch, bœuf Stroganoff, etc. 100-120 F.

Vous voulez dîner au frais l'été ? Regardez vite notre liste de restaurants à terrasse, à jardin, ou climatisés, p. 110.

12/20
L'ESCARGOT BORDELAISE

● *4, rue Paul-Chatrousse (624.48.11).*
F. sam. et dim. Jusqu'à 21 h.

Mme Jacour à l'amabilité de nous remercier. Eh bien, nous lui retournons le compliment. C'est toujours une bonne chose que d'avoir sur son carnet l'adresse d'une petite maison simple et sûre, où l'on ne risque pas de se ruiner. Cuisine sage et classique : filets de harengs aux pommes chaudes, escargots, foie de veau, entrecôte bordelaise, plats du jour. Décor de vieux bistrot (terrasse aux beaux jours). Service souriant. 80 F environ.

14/20
JACQUELINE FÉNIX

● *42, av. Charles-de-Gaulle (624.42.61).*
F. sam. et dim. Jusqu'à 22 h.

La charmante Jacqueline Fénix à qui nous posions la question ne nous fera pas croire que dormir est son passe-temps favori, car elle ne s'endort pas sur ses lauriers, n'utilisant, avec son jeune chef Michel Rubod, qui a travaillé avec Guérard, que les produits de saison. De leur collaboration naît, dans cette agréable maison au charme très féminin, une cuisine fine et originale. De bons bordeaux, suivis d'excellents armagnacs accompagneront la salade de poireaux tièdes à la julienne de truffes, le filet de turbot au beurre blanc et la marquise au chocolat avec crème anglaise au café qui, au déjeuner, font le régal du monde de la « pub » et le soir, celui de la clientèle des beaux quartiers. 130 à 150 F.

12/20
LES ILES CHAUSEY

● *24, rue de Chartres (624.48.41).*
F. dim. Jusqu'à minuit.

Faisons confiance à Jean-Pierre Montagné — ancien officier de marine — pour avoir des idées et toujours savoir trouver des poissons et des crustacés d'une parfaite fraîcheur. Avec son jeune et nouveau chef, Robert Pascal, il vient de créer une toute nouvelle carte qui mérite un point de plus. Allez goûter le petit gâteau de barbue au basilic, le blanc de turbot à l'orange, les rougets de roche au fenouil : une cuisine très jeune, variée et pleine d'invention. Bons petits vins blancs. 130-150 F.

14/20
LE MANOIR

● *4, rue de l'Eglise (624.04.61).*
F. sam. et dim. Jusqu'à 22 h.

Dans cette partie de Neuilly qui fait encore un peu province, une maison bourgeoise et honnête où Patrick Juveneton, qui a collectionné les séjours dans les bonnes maisons, pratique une cuisine de plus en plus nouvelle, quoique sans les inventions spectaculaires qui dérouteraient peut-être sa clientèle d'hommes d'affaires du déjeuner. A l'honneur les poissons (turbot au concombre, sandre au beurre blanc, feuilleté aux coquilles Saint-Jacques), quelques spécialités du Sud-Ouest (brouet de canard et de ris de veau) et des vins tourangeaux, le tout impeccablement servi. 120 à 150 F.

13/20
MOMMATON

● *79, av. Charles-de-Gaulle (747.43.64).*
F. dim. Jusqu'à 22 h 15.

Les prix volent nettement plus haut que la cuisine faite essentiellement d'huîtres et de poissons honnêtement préparés selon des recettes consacrées : saint-pierre à l'oseille, turbot rôti au four Médard et les crêpes flambées Paris. Décor intime et chaud, rénové assez récemment. 150-180 F environ.

10/20
LES PIEDS DANS L'EAU

● *39, bd du Parc (747.64.07).*
F. dim. et lundi. Jusqu'à 22 h 30.

Un hâvre de fraîcheur, ce gentil caboulot au bord de la Seine et niché dans la verdure : petit paradis à deux pas de béton de la Défense, plus recherché pour son dépaysement que pour la finesse de ses plats (daurade farcie aux légumes, lapin à la moutarde, blanquette d'agneau). Environ 140 F.

12/20
PIZZA LIVIO

● *6, rue de Longchamp (624.81.32).*
Tous les jours. Jusqu'à 22 h 45.

C'est plus qu'une pizzeria, un bon « italien » qui ne désemplit pas depuis quinze ans, où vous découvrirez, dans un charmant jardin d'hiver (et... d'été) qui vient d'être heureusement complété par un second, une cuisine sincère : toutes les pâtes faites maison, les lasagne vertes, les ravioli à la crème, les tagliatelle au basilic, le foie de veau à la vénitienne, l'osso buco et les escalopines au marsala. Prix raisonnables : 70 F environ. Plats à emporter.

13/20
LA RASCASSE

● *10, av. de Madrid (624.05.30).*
F. dim. et lundi. Jusqu'à 22 h 30.

A La Rascasse, le poisson est merveilleusement frais, très simplement « traité » et délicieux aussi : saumon frais au concombre, filets de sole au citron, turbot braisé au thym, saint-pierre au basilic et tous les poissons simplement pochés et servis avec de l'huile d'olive au basilic. Les prix, quant à eux, manqueraient plutôt de simplicité (150-180 F et plus). Cadre agréable. Excellent service. Jolis vins.

12/20
SÉBILLON (Paris-Bar)

● *20, av. Charles-de-Gaulle (624.71.32).*
Tous les jours. Jusqu'à 21 h 15.

« Vieille maison, vieille méthode. » A vrai dire, il faudrait canoniser les créateurs de cette vénérable institution qui sert depuis la guerre (pas celle-ci, l'autre) les spécialités immuables (gigot d'agneau aux haricots blancs, petit salé aux choux, cassoulet et plates-côtes gros sel) dont se délecte une clientèle d'habitués inconditionnels. 110 F environ.

Boulogne

14/20
LA BRETONNIÈRE

● *120, av. Jean-Baptiste-Clément (605.73.56).*
F. sam. (à déj.) et dim. Jusqu'à 22 h 15.

Après un passage malheureux chez Lapérouse, Joël Leduc révolutionne cette rustique Bretonnière par une cuisine originale et intéressante. Beaucoup de poissons sur sa carte fort séduisante : salade de sole au vinaigre de framboise, panaché de poissons Bretonnière, filet de saint-pierre au beurre de carottes, ragoût de coquillages, crustacés et ris de veau au coulis de cresson. 150 F environ.

16/20
AU COMTE DE GASCOGNE

● *89, av. Jean-Baptiste-Clément (603.47.27).*
F. sam., dim. et jrs fériés. Jusqu'à 22 h.

Deux toques rouges à Gérard Vérane qui ne cesse de nous surprendre avec sa carte courte, équilibrée, riche en saveur et en originalité, renouvelée deux fois par an, en avril et en octobre. Cet ancien ingénieur électronicien, qui paraît avoir programmé sa réussite sur un ordinateur, a encore entrepris l'an passé quantité de travaux pour améliorer son décor, en particulier son extraordinaire jardin exotique, où, été comme hiver, vous apprécierez la cuisine du jeune Guy Lemercier, ses foies gras (de canard au melon par exemple), son gratin d'écrevisses au beurre de poivron, sa lotte crue à l'huile d'olive et au gingembre, son feuilleté d'asperge tiède aux œufs de saumon, son tournedos de veau à la ciboulette, son émincé de magret de canard aux figues fraîches, ses amourettes de bœuf et langue de veau aux olives et sa splendide assiette de desserts. Intéressant menu-dégustation et des prix royaux. Ce Comte est bon mais cher. 180-200 F.

Retenez votre table par téléphone.

12/20
LA GALÈRE

● *112, rue Général-Gallieni (605.64.51).*
F. sam., dim. Jusqu'à 21 h.

Pas désagréable de mettre le pied dans cette galère-là : le décor n'a pas d'attrait particulier mais la cuisine, toute classique, simple et honnête, sait proposer pour une centaine de francs des plats préparés avec infiniment de soin (caillette provençale, œufs en cocotte à l'oseille, rognon de veau à la dijonnaise, civet de porcelet aux pruneaux, ris de veau vallée d'Auge, brochette de gigot d'agneau).

10/20
LAUX A LA BOUCHE

● *117, av. Jean-Baptiste-Clément (825.43.88).*
F. sam. et dim. Jusqu'à 22 h 30.

« Je sais que vous n'aimez pas trop le genre de cuisine que je pratique, nous écrit en substance André Laux, mais votre critique est juste ». Aussi ne pouvons-nous moins faire que de la reproduire, la cuisine en question n'ayant pas varié d'un pouce (plateau de fruits de mer, filet de poisson cru à la scandinave, blanquette de lotte, turbotin grillé béarnaise). André Laux n'est pas un révolutionnaire : ses méthodes sont gentiment et fondamentalement classiques, ce qui n'est pas un reproche et l'atmosphère est sympathique, ce qui est un compliment. Autour de 100 F.

13/20
LA PETITE AUBERGE FRANC-COMTOISE

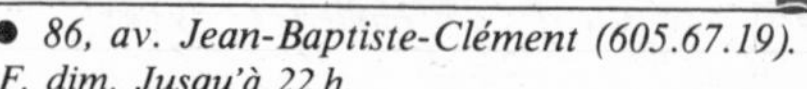

● *86, av. Jean-Baptiste-Clément (605.67.19).*
F. dim. Jusqu'à 22 h.

Une agréable maison, chaleureuse et rustique, installée avenue Jean-Baptiste-Clément, l'allée gourmande de Boulogne où les restaurants se suivent et ne se ressemblent pas. Dans cette Auberge franc-comtoise les spécialités du Jura font une place (encore très réduite) à quelques plats plus nouveaux : compote de lapereau aux petits légumes, rillettes d'anguille, filet de sandre aux framboises, aiguillettes de canard au vin de paille, servis parfois, il est vrai, en bien maigres portions. 130 F environ.

PROCHE BANLIEUE UNE SÉLECTION DES MEILLEURS RESTAURANTS

EXCEPTION faite pour Boulogne et Neuilly, si proches que nous les considérons — arbitrairement — comme faisant partie de Paris, nous étions convenus initialement de passer sous silence — faute de place et la mort dans l'âme — le vraiment trop grand nombre de bons restaurants de la banlieue parisienne. Nous ne résistons pas au plaisir d'évoquer ici, brièvement, les meilleurs d'entre eux, ceux que nous connaissons et que nous jugeons dignes d'une, deux ou trois toques.

Argenteuil

13/20
FERME D'ARGENTEUIL

● *2 bis, rue Verte (980.14.40).*
F. dim. et lundi (à dîner). Jusqu'à 22 h.

Nous promettons un bien bel avenir à ces deux jeunes sympathiques associés, formés au Chiberta et chez Taillevent, installés comme Guérard à ses débuts dans une lointaine banlieue où il faut savoir les dénicher. Vos efforts (financiers aussi) seront largement récompensés et vous pourrez dire s'ils parviennent un jour au sommet (ils sont bien partis) : « Nous étions les premiers. » Décor « rustique chic ». Les plats que nous aimons : la salade aux escalopes de canard tièdes, des feuilletés d'une grande légèreté, le bavarois d'asperge au coulis de tomate et le pigeon au fondant de maïs. 150 F environ.

Barbizon

15/20
LE BAS-BRÉAU

● *22, rue Grande (066.40.05).*
F. de déb. janv. à mi-fév. Jusqu'à 21 h 30.

A peu près coupés du monde extérieur, l'hiver dernier, quand la région parisienne s'était transformée en Alaska, les Fava ont décidé cette année de déplacer la date de leur fermeture annuelle. Une bonne idée puisqu'elle permettra aux riches clients de cette superbe hostellerie d'y réveillonner. Mais quelle que soit la saison, c'est toujours un vrai bonheur d'aller

passer un week-end dans un de ces pavillons de style colonial que Mme Fava, grande fouineuse en antiquités, a aménagé avec un goût exquis, parmi les arbres centenaires et les massifs de roses, à l'orée de la forêt où Corot peignait ses fameux sous-bois. Et vous constaterez que, sous l'œil expert du fils Fava, la cuisine du jeune Alain Tavernier, formé par le chef Saboureau, s'est embellie et enrichie de plats nouveaux, plus subtils et imaginatifs, comme les escalopes de foie gras chaud aux épinards, le gâteau de saumon au homard et aux truffes, le suprême de bar au varech sauce antiboise, les aiguillettes de canard au vinaigre de champagne ou l'émincé de foie de veau au citron vert. Il paraît que les clients du Bas-Bréau qui, depuis quelques temps boivent plus de bourgognes que de bordeaux, ne s'intéressent guère aux vins à moins de 200 F. Ce n'est donc pas à ces virtuoses du portefeuille que nous nous adressons en indiquant que l'on peut faire ici de très beaux repas pour 180 à 250 F.

Bougival

17/20 LE CAMÉLIA

• *7, quai Georges-Clemenceau (969.03.02). F. dim. (à dîner) et lundi. Jusqu'à 21 h 15.*

Alexandre Dumas fils, Marie Duplessis (« La Dame aux Camélias »), les grands impressionnistes, les châtelains de la Belle Epoque qui menaient la grande vie sur les bords de la Seine, Jean Delaveyne vous en parle comme s'il les avait personnellement connus. Avec la même passion, la même gouaille, la même intarissable érudition autodidacte qu'il met à vous raconter les secrets du souterrain qui de sa cave file en face, sous la Seine, de la voie romaine enfouie, juste là, sous la nationale, des quelques trois cents espèces de champignons qu'il a dénombrées en forêt de Fontainebleau, de la cuisine « bidon » de certains que nous ne nommerons pas, de ses grandes virées maritimes et bretonnes avec ses copains, Gwenn Ael Bolloré — l'éditeur de la « Table Ronde » —, Gérard Boyer — de La Chaumière à Reims — et le cuisinier de l'Elysée, des dernières chèvres de la « campagne » de Bougival qui, il n'y a pas si longtemps, donnaient de si bons fromages ou des saumons que l'on pêchait, jadis, à cinquante mètres du Camélia. Parler n'est évidemment pas l'occupation principale de cet attachant bonhomme qui est toujours fidèle à ses fourneaux mais, si le cœur vous en dit, sachez qu'il ne faut pas trop le pousser pour qu'il se « mette à table » avant que vous n'ayez pu vous mettre à la vôtre et si vous ne tombez pas sous le charme, c'est que vous ne comprendrez pas non plus sa cuisine, bouillonnante d'idées, de trouvailles, quelquefois de bizarreries et qui nous fait souvenir chaque fois du rôle de Delaveyne, père spirituel de Guérard (dont le style est d'ailleurs très différent), dans le grand mouvement que nous avons baptisé par la suite « nouvelle cuisine » et qui n'était que le besoin de se secouer de trop vieilles habitudes.

Tout l'inspire. Actuellement, c'est l'Extrême-Orient. Il nous a servi cette année un extraordinaire repas « chinois » à sa manière qui a laissé tout le monde pantois, et l'autre jour encore, il nous a sorti de dessous son tablier sa dernière création, le soyeux d'agneau au vinaigre ; ce sont de petits morceaux d'agneau fabuleusement attendris par une sorte de marinade au fromage blanc et relevés de gingembre (il en avait mis d'ailleurs trop). Plat exquis qui faisait un peu songer à l'agneau à la pékinoise que, pourtant, Delaveyne n'a jamais mangé de sa vie... Le Maroc, également, vient de montrer le bout de son nez sur sa carte, avec un poulet sauté au citron, très différent, bien entendu, de la recette originale et c'est l'amusement et aussi le régal car c'est exquis.

Donc, vous avez compris, filez vite au Camélia, dites comme nous que c'est dommage qu'une cuisine pareille n'ait pas un décor (et un grand jardin) à sa mesure, et constatez que cela n'a pas tellement d'importance en vous extasiant devant les croûtons à la moelle, les petits gris en fricassée, l'omelette soufflée aux huîtres, les boudins d'écrevisse en barbouille, la poêlée de homard aux légumes, le fabuleux pigeonneau à l'ail doux, les fromages normands affinés ici-même, la vraie tarte des demoiselles Tatin, la glace à la vanille à la marmelade de cèpes au gingembre, les vins choisis par un sommelier remarquable qui nous a fait découvrir l'exquis tokay de Léon Beyer. Et c'est à peine si vous vous rendrez compte d'avoir dépensé 220 ou 250 F pour tant de gaieté et tant de plaisir.

14/20 LE COQ HARDI

• *16, quai Rennequin-Sualem (969.01.43). F. merc. Jusqu'à 22 h.*

Un luxe et un raffinement superbes que le Coq Hardy n'hésite pas — mais c'est ici une vieille tradition — à se faire lourdement payer... Il faut dire que le jardin avec sa forêt d'hortensias est un rêve, que le service est exemplaire, que la cave est bouleversante et que la cuisine, de plus en plus intéressante et inventive, a enfin rompu avec les débordements de grand style, en proposant en toute simplicité — mais à prix d'or : 200 à 300 F — des pointes d'asperges en feuilleté, un exquis poulet de Bresse rôti à l'estragon, des ris de veau à la rhubarbe, de la sole aux épinards, de la compote de queue de bœuf en hochepot, du gigot des Alpilles aux légumes nouveaux et de très bons desserts.

Les prix changent : nous n'y pouvons rien.

Boulogne

Voir plus haut, Restaurants de Paris.

Chalo-Saint-Mars

13/20
AUBERGE DES ALOUETTES

• *Rue du Docteur-Solon (495.40.20).*
F. merc. et jeudi. Jusqu'à 21 h.

Cette confortable auberge n'est pas un miroir aux alouettes : vous pouvez lui faire entièrement confiance. On y sert une vraie et bonne cuisine à l'ancienne mode, fraîche, fine, généreuse (brochette de moules, coquilles Saint-Jacques en saison, tête de veau sauce gribiche, canard braisé aux navets, cochon de lait rôti à la broche), et proposée à des prix qu'il convient de citer en exemple. Superbe menu à 65 F.

Châteaufort

17/20
LA BELLE ÉPOQUE

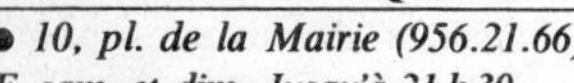

• *10, pl. de la Mairie (956.21.66).*
F. sam. et dim. Jusqu'à 21 h 30.

Si lors d'un prochain week-end, il vous vient l'idée d'emmener votre petite famille déjeuner ou dîner à la campagne, oubliez La Belle Époque, en dépit de ses trois toques qui scintillent depuis l'an passé au-dessus de ce charmant village de la vallée de Chevreuse. Michel Peignaud, tenace, s'en tient à la règle qu'il s'est fixée : le samedi et le dimanche, c'est lui qui part en week-end. La vraie raison, en fait, est que ce cuisinier intransigeant se méfie comme de la peste de la clientèle des fins de semaine. Plutôt que de risquer d'être débordé, il préfère se consacrer à ses déjeuners d'affaires et à ses dîners en semaine, ce qui n'est sûrement pas si bête puisque du lundi au vendredi, il fait le vplein, derrière la nouvelle façade Art Nouveau de sa grande salle à manger et de sa petite « loge » 1900, fouillis très cocasse de bibelots, de meubles et de photos de la Belle Époque. Personnage lui-même pittoresque (certains lecteurs, cher Michel Peignaud, vous trouvent excessivement bavard !), il retourne chaque année à Tokyo, où il fit l'ouverture du Maxim's et, de ce pélerinage sentimental, ne manque pas de rapporter des idées, des techniques et même des plats qu'il accommode, bien sûr, à sa sauce. Aussi ne vous étonnez pas de vous voir proposer une assiette de poissons crus d'Hokkaïdo, une salade de Pékin, du canard au gingembre, un ragoût de légumes à la coriandre ou un homard cuit à la vapeur d'algues, dans un tamis tressé. Cet exotisme, brillamment francisé, ne fait oublier à ce Berrichon pur sang, pas plus qu'à son ami Jean Delaveyne, son goût pour la mer et le poisson (sa joue de lotte à la mousse de safran ou la morue à l'ail et aux chevriers verts comptent parmi ses plats « à succès ») ni son plaisir à inventer, quoique cette année il ne semble pas avoir créé grand-chose de nouveau. Une carte en tout cas bien plaisante, avec ses creuses de Bretagne à la mousse de cerfeuil, son pigeonneau en bécasse, son ris de veau et foie de canard au vinaigre, son croustillon de caneton au vinaigre de malvoisie, sa délicieuse soupe de fraises au miel d'acacia et à la menthe fraîche ou son feuilleté aux poires à la chartreuse verte. 220 F environ.

Chatou

13/20
L'ÉTOILE DE MARRAKECH

• *107, av. du Maréchal-Foch (952.25.02).*
F. lundi. Jusqu'à 22 h 30.

En toute confiance, vous pouvez suivre cette bonne étoile : elle mène à la terre promise des délices méchouiesques et couscoussières. Et si le service vous paraît un peu farouche, ne craignez rien : il ne vous veut que du bien ! Décor au pittoresque moins scintillant qu'à la maison mère, l'Étoile de Marrakech, qui brille à Nanterre. Les plats que nous aimons : couscous divers, ramana aux citrons, pastilla, brick, zalouk, méchoui. 80 F en moyenne.

Clichy

BARRIÈRE DE CLICHY

Voir Paris 17e.

14/20
LE BISTRO DE LYON

• *11, rue de Paris (737.82.47).*
F. sam. (à déj.) et dim. Jusqu'à 22 h.

Un jeune cuisinier formé par Bernard Loiseau (La Côte-d'Or à Saulieu), met tout son cœur et son talent à préparer des plats « fermiers » avec un vrai souci de perfection. Il s'appelle Patrick Venhenden et ce n'est certainement pas la dernière fois que vous entendrez parler de lui. Un bon point également pour Claude Verger, son patron, qui reste, dans les petits matins blêmes de Rungis, l'un des meilleurs acheteurs de la profession. Décor sobre et accueillant, ce qu'on ne saurait plus tout à faire dire des additions (mais les produits superbes, sur les marchés, ne sont pas précisément donnés non plus). Vous aimerez comme nous le foie gras frais de canard, la terrine du pêcheur, la terrine de lapin en gelée, la lotte au coulis de homard, le poulet fermier à l'estragon, le foie de veau fermier, le lapereau du Gâtinais rôti et la tarte légère aux pommes. 120 F en moyenne.

13/20
LA BONNE TABLE

● *119, bd Jean-Jaurès (737.38.79).*
F. dim. et lundi. Jusqu'à 21 h.

Le cassoulet est à la morue, le bourguignon à la lotte, la choucroute au poisson, la terrine au maquereau, les lasagne au saumon frais. Et le chef qui vous surprendra ainsi n'est autre que Gisèle Berger, la dynamique présidente de l'ARC (Association des restauratrices cuisinières). Une « bonne table », agréable et intime, qui n'usurpe pas son nom. 100-120 F.

Courbevoie

13/20
AU GUI FLEURI

● *85, bd Saint-Denis (333.03.58).*
F. sam. (à dîner) et dim. Jusqu'à 21 h 30.

Prenant à cœur nos conseils et nos critiques, M. et Mme de Jésus, qui avouent quatre-vingt-dix ans à eux deux, ont entamé la « première phase anti-hétéroclite » de rajeunissement. Dans un décor heureusement allégé, vous découvrirez une aimable cuisine venue d'un peu partout mais bien acclimatée : fricassée de langoustines et de lotte, noisettes de lapin aux queues d'écrevisse, filet de daurade au safran, foie gras poêlé aux oranges. 150 F environ.

La Garenne-Colombes

14/20
ROSE

● *10, pl. Jean-Baillet (242.22.07).*
F. lundi. Jusqu'à 21 h 30.

En même temps que « l'habillage de la façade » et tous les travaux de restauration envisagés pour la rentrée, Joël Granier nous prépare une nouvelle carte : ses dons aidant, ajoutés aux très précieux conseils de son ami Guérard, souhaitons que les salades « compliquées » disparaissent à jamais de la carte et que la délicatesse qu'il est capable de porter à sa cuisine se retrouve dans les prochaines et nouvelles « créations » dont nous nous réjouissons d'avance. Et en attendant les nouveautés promises, essayez donc le filet de canard frais, la cassolette de ris et rognons de veau, le carré d'agneau persillé et de merveilleuses pâtisseries comme le feuilleté léger aux fruits frais. A la carte : 150 F et plus. Service charmant.

Gennevilliers

15/20
JULIUS

● *6, bd Camélinat (798.79.37).*
F. sam. (à déj.) et dim. Jusqu'à 22 h.

Nous ne dirons plus que Gennevilliers (surtout avec sa nouvelle mairie dont Julius nous vante les charmes architecturaux) est une banlieue grise et suicidaire, nous nous contenterons désormais de le penser. En revanche, nous ne pouvons que redire tout le bien que nous pensons de ce charmant restaurant où le jeune chef Gérard Granier, venu du Comte de Gascogne de Boulogne, fait merveille avec les plats qui ont assis la réputation de l'établissement et quelques autres, comme la terrine tiède d'artichaut, l'émincé de bar au vin rouge, le filet de daurade au citron vert, le pot-au-feu de poisson, l'émincé de râble de lapereau au miel et la soupe de kiwi au sorbet de fruit de la Passion. Accueil souriant et spontané de Julius et de sa femme Michèle. Prix beaucoup moins souriants : 150-200 F.

Houilles

13/20
LE GAMBETTA

● *41, rue Gambetta (968.52.12).*
F. dim. (à dîner) et lundi. Jusqu'à 22 h.

Un décor charmant de bistrot de luxe, aussi séduisant que la cuisine du patron. Celui-ci (il a trente ans) s'est attaché avec intelligence à ne pas faire ce qu'on lui a enseigné chez Drouant : il pratique donc une cuisine légère et assez inventive : mousse de foie blond à la confiture d'oignons, feuillantine d'asperges à l'oseille, pigeon de Bresse aux oignons nouveaux. 130 F environ.

Levallois-Perret

14/20
CHEZ POINTAIRE

● *46, rue de Villiers (757.44.77).*
F. vend. (à dîner), sam., dim. et jrs fériés. Jusqu'à 20 h 45.

Prenez votre temps pour attendre et déguster les plats élégants, extrêmement délicats et subtils parfois, que l'excellent Pierre Pointaire réalise à partir du répertoire classique dont il propose une interprétation pleine d'intelligence. La maîtrise et le bon goût n'ont pas d'âge : ils ne risquent donc pas de se démoder et c'est en toute confiance que vous pouvez aller, dans le frais et charmant décor de buffet de petite gare, demander et redemander la terrine truffée du chef, ou celle de brochet, saumon et turbot, le civet de langouste Maître Pierre, les goujonnettes de saint-pierre à l'oseille, la beuchelle à la tourangelle, le confit de canard sur paillasson, la marquise mexicaine. 150-200 F.

Livry-Gargan

13/20 AUBERGE SAINT-QUENTINOISE

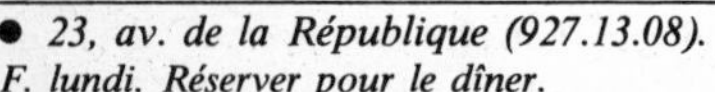

• *23, av. de la République (927.13.08).*
F. lundi. Réserver pour le dîner.

Dans une rue de banlieue plutôt triste (à deux pas de la gare), un décor à l'avenant, mais un service aimable quoiqu'un peu lent et une agréable terrasse. La patronne n'a guère modifié les spécialités qui avaient fait la gloire de l'établissement dès l'origine (en 1910), mais leur exécution est remarquable et les cuissons, en particulier, sont très soignées. Vous aimerez comme nous les fonds d'artichaut aux langoustines, le filet de daurade au vin rouge et poireaux, le blanc de turbot à la vapeur, la marmite du pêcheur, les rognons et ris de veau préparés de multiples façons, le foie de veau au vinaigre de framboise. Belle carte des vins. 150 F environ.

Louveciennes

13/20 AUX CHANDELLES

• *12, pl. de l'Église (969.08.40).*
F. dim. (à dîner) et mercr. Jusqu'à 21 h 45.

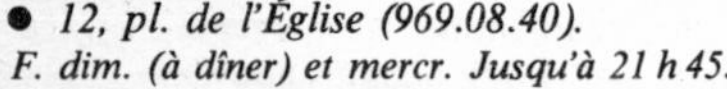

Une carte saisonnière parle en faveur des conceptions du jeune chef Guy Fontana, que nous nous obstinons à trouver plus à l'aise et mieux inspiré lorsqu'il réinterprète avec un talent indéniable la tradition que lorsqu'il ajoute à certains tics de la « nouvelle cuisine » pas trop bien comprise. Décor charmeur dans une vieille maison biscornue. Bon service. Carte des vins courte mais bien conçue. 110 F et plus en moyenne.

Pensez toujours à retenir votre table à l'avance par téléphone.

Maisons-Laffitte

13/20 LE LAFFITTE

• *5, av. de Saint-Germain (962.01.53).*
F. merc. (à dîner) et jeudi. Jusqu'à 21 h 30.

Depuis que nous avons félicité Daniel Ballester de la relative modestie de ses additions, il s'est empressé de les augmenter. Comme il n'est pas le seul et qu'il a, lui, un talent incontestable, nous ne l'enverrons pas à la trappe pour autant. Mais enfin, ce n'est pas ainsi que l'on combattra l'inflation... Cuisine fraîche, légère et pleine d'imagination, où se remarquent plus particulièrement le feuilleté d'asperge au basilic, la terrine de brochet au beurre blanc, le bar en papillote, les coquilles Saint-Jacques au coulis de homard, la jambonnette de poulet aux asperges, la charlotte aux poires. 130-140 F.

13/20 LE TASTEVIN

• *7, av. Sainte-Hélène (962.11.67).*
F. lundi (à dîner) et mardi. Jusqu'à 22 h.

Michel Blanchet (secondé par sa femme Amélia) avoue « ne pas avoir la grosse tête mais du métier » (acquis chez Maxim's notamment). C'est vrai qu'il a réussi, avec son talent et sa persévérance, à faire une agréable étape gastronomique de ce restaurant dont les lads de Maisons-Laffitte apprécient le calme de la terrasse, le charmant décor de la salle dont le moindre détail est constamment revu, la belle carte des vins et une cuisine qui sait gentiment évoluer avec les filets de sardine Tastevin, la paupiette de bar aux écrevisses, le filet de rouget en papillote, les goujonnettes de sole au poivre vert. Environ 110-140 F.

18/20 LA VIEILLE FONTAINE

• *8, av. Grétry (962.01.78).*
F. dim. (à dîner) et lundi. Jusqu'à 22 h.

François Clerc ne fut pendant longtemps qu'un « cuisinier du dimanche », qui étudiait les recettes et ne tournait les sauces que pour son seul plaisir. Puis, un beau jour, lassé des humeurs des chefs qui se succédaient à La Vieille Fontaine, il s'installe aux fourneaux. Au bout de quelques mois, la maison devient un bon restaurant, puis un très bon restaurant et le voilà, l'an passé, qui, avec ses trois toques, accède au rang des meilleures tables de France. Une réussite-éclair que vous applaudirez après vous être assis dans le délicieux jardin d'hiver de cette maison de notaire, noyée dans la verdure du parc de Maisons-Laffitte qui n'est qu'à une demi-heure du pont de Neuilly. Accueilli et conseillé par Manon Letourneur, qui possède au plus haut degré l'art de recevoir, ne vous contentez pas de goûter aux exquis coquillages qui gardent toute leur fraîcheur dans de grands viviers d'eau de mer. Explorez hardiment cette carte, ni trop grande ni trop petite, qui change souvent et cette cuisine savante, imaginative, parfaitement franche, éblouissante, à laquelle nous ne résistons pas de donner un point de plus. Huîtres chaudes au curry, aumonières de caviar, salade tiède de ris d'agneau aux truffes, cuisses de grenouilles à la cuillère à l'ail doux, étuvée de homard breton aux légumes et aux pâtes fraîches, aiguillettes de canette de Barbarie aux mangues, rognon de veau au bouzy, feuilleté aux fruits frais, charlotte au chocolat, profiteroles au miel, tous ces plats que nous avons eu le bonheur de goûter cette année étaient un enchantement. Et qu'on nous permette de sourire lorsque certains confrères qui vomissent la nouvelle cuisine sont enthousiasmés, comme nous, par celle de François Clerc. La voilà, justement, cette nouvelle cuisine, libre, inventive et exquise, pour laquelle nous nous battons et qui ne souffre d'aucun tic ni d'aucun snobisme. Pour une telle fête, osons dire qu'une addition de 150 F ou même de 200 F (la carte des vins ouvre la porte à bien des tentations), ce n'est pas cher, si l'on songe à ce que l'on doit avaler, pour le même prix, dans certains autres restaurants. Egalement un remarquable menu-dégustation à 170 F.

Marly-le-Roi

14/20
AU ROY SOLEIL

• *19, av. des Combattants (958.67.57).*
F. dim. (à dîner) et lundi. Jusqu'à 21 h 30.

Le Roi-Soleil aurait sans doute aimé faire étape à l'ombre des arbres centenaires de cette demeure qui abritait ses blanchisseuses. Mais il aurait été surpris de découvrir dans une grande salle joliment rénovée une cuisine nouvelle, légère et créative (à côté des plats classiques réalisés eux aussi avec talent) : boudin de lapereau à la mousse de carottes, foie de veau au vinaigre de framboise, gigot de volaille à la vapeur de céleri, magret grillé crème de ciboulette, qu'il est bien agréable de manger l'hiver devant un feu de bois et l'été dans ce délicieux jardin. 100-120 F.

Meudon-Bellevue

14/20
RELAIS DES GARDES

• *42, av. du Général-Gallieni (534.11.79).*
F. dim. soir (à dîner) et lundi. Jusqu'à 22 h.

A Meudon, dans une maison datant de 1760, M. et Mme Oudina ont su garder une gentillesse toute provinciale : « un petit air de campagne » à un quart d'heure de Paris. Pas de menu proposé, seule une carte belle et coûteuse. Daniel Bertholom poursuit avec bonheur l'élaboration d'une excellente cuisine qu'il qualifie de « nouvelle cuisine bourgeoise » et qu'il traite de main de maître. Parmi ses nombreuses spécialités, goûtez donc la salade de canard et d'avocat, le feuilleté au roquefort, la cotriade des Glénan, les filets de sole en civet, la blanquette de ris de veau et la charlotte aux fruits ou au chocolat. 160-180 F et plus.

Nanterre

13/20
L'ÉTOILE DE MARRAKECH

• *84, av. Georges-Clemenceau (204.14.98).*
F. mardi. Jusqu'à 22 h 30.

Avec beaucoup d'amour et de talent toujours, sont mitonnés ici tous les grands classiques du répertoire marocain. Et les cinq sortes de couscous, les brochettes, les tagines, le kefta, le briouat, la pastilla, les pâtisseries ne vous laisseront que de bons souvenirs. 90 F en moyenne.

LE FOUZIK

• *83-87, av. du Maréchal-Joffre (724.10.44).*

Aux dernières nouvelles, ce charmant restaurant en lisière de Rueil, où l'on mangeait avec plaisir des poissons principalement et d'excellents desserts, préparés par le jeune chef Biscaye — formé à bonne école puisqu'il fut second à La Marée — a fermé ses portes. C'est bien dommage, mais nous espérons retrouver bientôt Biscaye, avec le même tour de main, installé devant d'autres casseroles...

Neuilly

Voir plus haut, Restaurants de Paris.

Orly

14/20
MAXIM'S

• *Aérogare Orly-Ouest (687.16.16).*
Tous les jours. Jusqu'à 22 h 30.

Pastiche du Maxim's de la rue Royale fort réussi. L'ensemble (grill et restaurant) est ravis-

Pour retrouver rapidement une adresse consultez l'index, p. 641.

sant, l'ambiance extrêmement raffinée, et tout ce luxe donne à l'aérogare d'Orly une belle image de marque. Le restaurant, attirant et par son nom et par la variété de sa carte, manque malheureusement de régularité : le chef, Roger Grandin, devrait se méfier des difficultés qui guettent un restaurant d'aéroport et éviter les noms pompeux de ses plats qui ne justifient pas toujours des prix très élevés (180 F environ). Les plats que nous aimons : ballottine de poisson aux langoustines parfumée aux morilles, bar braisé au Saran nature dans sa robe de tétragone, foie de veau poêlé au citron et pamplemousse.

Le Pré-St-Gervais

13/20
LE POUILLY-REUILLY

• *68, rue André-Joineau (845.14.59).*
F. dim. et jrs fériés. Jusqu'à 22 h.

Atmosphère, atmosphère... C'est d'abord pour elle que l'on se presse, à midi surtout, dans cette rue sinistre d'une banlieue guère plus gaie, mais où le mariage d'un patron-cuisinier solognot et d'une patronne berrichonne fait merveille depuis une quinzaine d'années. La fréquentation de quelques locomotives comme François Mitterrand, la présentation de la carte et le style brasserie de luxe en ont fait le petit Lipp de la banlieue est. Un petit menu attendrissant, bien composé et fort bon marché. Vous aimerez comme nous les filets de hareng pommes à l'huile, le pied de veau vinaigrette, la paupiette de veau berrichonne et l'andouillette grillée au pouilly. Et bien sûr la gloire locale, le pinot gris de Reuilly (essayez, vous verrez bien). 70-100 F. Menu : 52,10 F service compris.

Puteaux

15/20
GASNIER

• *7, bd Richard-Wallace (506.33.63).*
F. sam., dim. et jrs fériés. Jusqu'à 21 h.

Pour mieux les servir, Hubert Gasnier, à nouveau à ses fourneaux après cinq mois d'inactivité forcée, a limité le nombre de ses clients. Pour mieux les séduire, il a encore plus qu'auparavant le souci d'alléger les sauces, de ne choisir que les meilleurs produits (il a les mêmes fournisseurs que Taillevent où il a été saucier) et de raffiner cette cuisine du terroir qu'il aime tant. Vous retrouverez l'imagination créatrice de ce bon professionnel dans son ragoût de truffes, ses petits-gris du contrebandier, sa blanquette de langouste au sauternes, son civet de lotte aux pruneaux, sa croustade de ris de veau landaise et son gras-double au jurançon. Accueil jugé condescendant par certains de nos lecteurs et additions, comme la cuisine, somptueuses. 200 F et plus.

Rueil-Malmaison

14/20
EL CHIQUITO

• *126, av. Paul-Doumer (751.00.53).*
F. dim. et jrs fériés. Jusqu'à 22 h.

Cet agréable restaurant dont le jardin est noyé sous les roses a tout pour plaire : une salle agréable et même élégante, un service excellent et une carte de poissons de toute première fraîcheur, cuits come il faut : marmite dieppoise, lotte au pistil de safran, sole farcie au homard, escalope de saumon à l'oseille, bouillabaisse. L'addition, elle, est beaucoup moins souriante (180 à 220 F).

St-Germain-en-Laye

14/20
CAZAUDEHORE

• *1, av. du Pdt-Kennedy (973.36.60).*
F. lundi. Jusqu'à 22 h.

Pour manger dehors, Cazaudehore... Comment résister devant ce (mauvais) jeu de mots quand on sait que ce relais de campagne est le plus charmant endroit où déjeuner en plein air aux environs de Paris. A l'orée de la forêt de Saint-Germain-en-Laye, dans un cadre fleuri, on vous servira avec gentillesse une cuisine du Sud-Ouest qui ne ferme pas la porte du garde-manger aux préparations nouvelles : délicieux foie gras maison, confit de porc à l'ail, mais aussi sandre au blanc de poireaux, poulet fermier au vinaigre de cidre, pintadeau aux baies roses, etc. 130 F et plus.

Saint-Rémy-les Chevreuses

13/20
LA CRESSONNIÈRE

• *46, route de Port-Royal (052.00.41).*
F. mardi (à dîner) et merc. Jusqu'à 21 h 30.

Une maison rustique mangée par la vigne-vierge, et des prix qui ne se cachent pas sous le cresson : le menu est à 160 F mais mérite bien, il est vrai, son nom de « menu festin ». Essayez donc les fonds d'artichaut aux crustacés, l'aiguillette de bœuf à la ficelle, les aiguillettes de caneton au Côtes-de-Beaune, le feuilleté aux poires.

La Varenne Saint-Hilaire

13/20
LA BRETÈCHE

● *171, quai de Bonneuil (883.38.73).*
F. dim. (à dîner) et lundi. Jusqu'à 21 h 30.

M. Lamoureux assure chaque année davantage la réputation de sa maison champêtre au bord de la Marne. Les produits qu'il n'achète pas lui-même, chaque matin, à Rungis, il les demande aux meilleurs fournisseurs (Poilâne pour le pain, Berthillon pour les glaces, Jouanno pour la viande) et son jeune chef s'inspire du marché quotidien pour composer une cuisine pleine de fraîcheur et de délicatesse : coquilles Saint-Jacques à la gelée de sauternes, gratin de crevettes aux pâtes fraîches, saint-pierre à la coriandre, filet mignon de veau aux poireaux, sorbets de chez Berthillon. Salle un peu triste et portions volontiers congrues, se plaignent quelques lecteurs. Merveilleux vins de propriétaire choisis par le patron. 120-140 F environ.

Versailles

13/20
LA BOULE D'OR

● *25, rue du Maréchal-Foch (950.22.97).*
F. dim. (à dîner) sauf juil. et août, et lundi. Jusqu'à 21 h 30.

Auberge depuis 1696 (la plus ancienne de Versailles), La Boule d'Or se spécialise avec un rare bonheur dans la cuisine franc-comtoise qui, sous les doigts de Jean Hautin, devient aussi légère que possible : écrevisses au Château-Châlon (en saison), feuilleté aux morilles, faisan aux choux rouges. Accueil excellent dans une salle élégante, emplie de vieux meubles et de bons tableaux. 130 à 140 F.

13/20
TRIANON

● *1, bd de la Reine (950.34.12).*
Tous les jours. Jusqu'à 21 h 30.

Ne vous fiez ni à l'allure massive et désuète de cet énorme palace fin de siècle (le dernier) ni au décor pompeux de ses salons. Laissez-vous plutôt séduire, l'été, sur la terrasse donnant sur un charmant parc, par la carte du jeune Alain Bayle (passé notamment par le Sofitel de Bordeaux), séduisante et légère, à mille lieues de la traditionnelle cuisine d'hôtel qui, en revanche, n'a pas totalement déserté les deux menus proposés. A la carte : 150-170 F.

Envoyez-nous vos bonnes adresses.

17/20

LES TROIS MARCHES

● *1, rue du Maréchal-Joffre (950.13.21).*
F. dim. (à dîner) et lundi. Jusqu'à 21 h 45.

Gérard Vié n'est finalement pas venu s'installer au Forum des Halles de Paris. C'est peut-être dommage pour lui, en tout cas pour les Parisiens. Mais cet anxieux fantasque, ce nomade de luxe a une autre folie en tête : il va — jusqu'à nouvel ordre — bientôt s'installer dans un superbe hôtel (particulier) à trois pas du château, au coin de la grande place. Le décor fastueux sera digne de son talent, mais en attendant, dans les petites salles à manger sombres, intimes et charmantes des Trois Marches, désormais servis par un personnel stylé, vous découvrirez ce que sa prodigieuse imagination vient juste de mettre au point. Car un client des Trois Marches est un cobaye, et un cobaye heureux. Certes, quelques plats restent à la carte pendant plusieurs mois, comme le flan chaud de foie gras et d'huîtres, le haddock d'Écosse cru, la prodigieuse salade de sandre aux pleurotes ou le foie gras « sous vide ». Mais l'autre jour, c'étaient des coquilles Saint-Jacques au beurre monté au montbazillac, la terrine d'artichaut, l'ailloli au foie de lapin, des huîtres et du foie de canard avec des épinards dans une gigantesque coquille, d'étonnants ris d'agneau au coulis de trompettes de la mort, une salade de pigeonneau aux feuilles de chêne... Autant de merveilles de simplicité et d'audace maîtrisée. Peu de sauces mais des jus et des mariages d'amour entre des saveurs inattendues. Décidément, quoiqu'il s'en défende par snobisme à rebours, Gérard Vié est l'un des exemples les plus réussis de la nouvelle école, de la nouvelle cuisine : un style, de la rigueur, mais jamais deux fois le même plat. C'est ça, l'art. Et les artistes sont rares dans la profession.

Le Vésinet

14/20
CHEZ NARBONNE

● *86, Route de Montesson (976.69.24).*
F. dim. (à dîner) et lundi. Jusqu'à 21 h 30.

Les clients de Chez Narbonne et nous-mêmes ne savions plus à quel chef nous vouer, tant les changements se sont succédé à un rythme rapide ces derniers temps. Espérons cette fois que M. Auriot, dont nous avions souligné l'an passé d'une toque rouge la présence aux fourneaux du Relais Louis XIII à Paris, s'est fixé pour longtemps au Vésinet où il pratique une cuisine élégante et raffinée qui s'orne, en fonction des possibilités du marché, de créations intéressantes (fonds d'artichaut frais à la moelle, sandre au beurre rouge, jambonnette de saumon sauvage au champagne, escalope de ris de veau au vinaigre de miel, crottin de Chavignol rôti, gâteau au chocolat « Fernand Point »), proposées, hélas, à des prix qui le sont nettement moins (150-180 F). Décor gentillet, encore un peu modeste.

Villemomble

14/20
LE PARC

● *1, rue Marc-Viéville (854.16.27).*
F. dim. (à dîner) et lundi. Jusqu'à 21 h 30.

Rien de changé au Restaurant du Parc sinon que l'intrépide Christiane, toujours derrière ses fourneaux, a repris son nom de jeune fille. Mais elle sert toujours, dans cette maison au décor terriblement moyenâgeux, une cuisine résolument moderne, avec les produits qu'elle trouve chaque jour au marché et qu'elle accommode avec une originalité quelquefois insistante : la petite douceur au foie gras et écrevisses tièdes, les coquilles Saint-Jacques escalopées à l'ail doux, le gigot de mer braisé au beurre rouge, le gigot de volaille à la vapeur de verveine et la tête de veau à la citronnelle. Mais il vous faudra payer cher ces sensations gustatives (les desserts, eux, ont nettement dépassé la cote d'alerte). 200 F et plus.

Viry-Châtillon

13/20
LA DARIOLE

● *21, rue Pasteur (944.22.40).*
F. sam. et dim. Jusqu'à 21 h 30.

Ce quadragénaire bourlingueur et passionné collectionne les moules à darioles et les utilise volontiers pour confectionner les nombreux « flans » de légumes qui accompagnent ses jolis plats pleins de fantaisie et d'invention. Le décor, mi-moderne mi-rustique, est tout éclairé par le sourire de la patronne, Jacqueline, et par le raffinement du service de table. Vous ne regretterez pas de dépenser 150 F environ, après avoir goûté à la poêlée de foie gras aux haricots verts au jus de truffes, au gigot de lotte rôti à la sauce au poivre rose, aux filets de lièvre à la moutarde (en saison), aux pets de nonne au coulis d'abricot (en hiver), ou à la charlotte aux marrons et au rhum.

Index des restaurants

A Paris, Boulogne et Neuilly

A

B

C

M

12/20 - « M », 4e
14/20 - Main à la Pâte (La), 1er
10/20 - Maître Chan (Chez), 15e
11/20 - Maître Paul (Chez), 16e
12/20 - Maître Pierre, 17e
12/20 - Maison du Caviar (La), 8e
12/20 - Maison du Valais (La), 8e
12/20 - Mandarin du Forum (Le), 1er
14/20 - Manoir (Le), Neuilly
15/20 - Marcande (Le), 8e
17/20 - Marée (La), 8e
13/20 - Marée Verte (La), 5e
13/20 - Mareyeur (Le), 16e
11/20 - Marie-Louise, 18e
13/20 - Marius (Chez), 7e
12/20 - Marius, 16e
13/20 - Marius et Janette, 8e
12/20 - Marlotte (La), 6e
12/20 - Marronniers (Les), 13e
11/20 - Martin Alma, 8e
11/20 - Mascareignes (Les), 6e
17/20 - Maxim's, 8e
12/20 - Menara (La), 9e
12/20 - Mer (La), 19e
14/20 - Mercure Galant (Le), 1er
12/20 - Mère Michel (La), 17e
15/20 - Michel (Chez), 10e
11/20 - Michèle (Chez), 13e
10/20 - Mignonnette du Caviar, 8e
10/20 - Mitsuko, 6e
14/20 - Moï (Le), 16e
12/20 - Moissonnier, 5e
13/20 - Mommaton, Neuilly
12/20 - Monde des Chimères (Le), 4e
14/20 - Moniage Guillaume (Le), 14e
11/20 - Montagnard (Le), 6e
13/20 - Morens, 16e
14/20 - Morot-Gaudry, 15e
12/20 - Morvan (Le), 12e
12/20 - Mouclade (La), 17e
13/20 - Moulin du Village (Le), 8e
11/20 - Mousson d'Asie (La), 6e
11/20 - Moutardière (La), 10e
12/20 - Muniche (Le), 6e

N

11/20 - Nanty (Chez), 6e
14/20 - Napoléon, 8e
13/20 - Napoléon et Chaix, 15e
14/20 - Nicolas, 10e
12/20 - Nous (Chez), 16e

O

11/20 - Oenothèque (L'), 7e
17/20 - Olympe, 15e
13/20 - Opéra (Café de la Paix), 9e
13/20 - Orangerie (L'), 4e

P

16/20 - Pactole, 5e
13/20 - Pagoda, 9e
12/20 - Paillon (Le), 10e
13/20 - Palais Impérial, 2e
13/20 - Palanquin (Le), 6e
10/20 - Panda (Le), 16e
16/20 - Pangaud (Gérard), 2e
13/20 - Pantagruel, 7e
11/20 - Paris-Parme, 1er
14/20 - Pasquet (Michel), 16e
13/20 - Passy-Mandarin, 16e
14/20 - Pauline (Chez), 1er
10/20 - Pavillon Elysée, 8e
10/20 - Pavillon du Lac (Le), 19e
15/20 - Pavillon Royal (Le), 16e
10/20 - Pêcheur (Le), 8e
10/20 - Peppino (Chez), 12e
12/20 - Péreire (Chez Michel), 17e
11/20 - Pergola (La), 8e
11/20 - Petit Bar (Mon), 14e
15/20 - Petit Coin de la Bourse (Le), 2e
13/20 - Petit Colombier (Le), 17e
12/20 - Petit Mâchon (Le), 15e
11/20 - Petit Marguery (Le), 18e
16/20 - Petit Montmorency (Au), 3e et 8e
11/20 - Petit Navire (Le), 5e
10/20 - Petit Niçois (Le), 7e
10/20 - Petit Pot (Le), 12e
14/20 - Petit Pré (Le), 19e
12/20 - Petit Prince (Le), 5e
10/20 - Petit Saint-Benoît, 6e
10/20 - Petit Victor-Hugo, 16e
12/20 - Petit Zinc (Le), 6e
12/20 - Petite Alsace (La), 12e
14/20 - Petite Auberge (La), 17e
11/20 - Petite Chaise (La), 7e
13/20 - Petite Cour (La), 6e
11/20 - Petits Oignons (Aux), 7e
15/20 - Pétrus, 17e
14/20 - Pharamond (Le), 1er
15/20 - Philippe (Chez), 11e
11/20 - Pied de Cochon (Au), 1er
10/20 - Pied de Fouet (Le), 7e
10/20 - Pieds dans l'Eau (Les), Neuilly
15/20 - Pierre Traiteur, 1er
12/20 - Pierrot (Chez), 2e
11/20 - Pinocchio, 10e
12/20 - Pizza Livio, Neuilly
13/20 - Planteur (Le), 15e
11/20 - Polidor, 6e
12/20 - Port Saint-Bernard, 5e
12/20 - Porte du Bonheur, 1er
11/20 - Porte du Dragon (La), 2e
13/20 - Porte Fortune, 16e
10/20 - Pot de Terre (Le), 5e
12/20 - Poularde Landaise (La), 8e
12/20 - Pré Carré (Le), 14e
17/20 - Pré Catelan, 16e
13/20 - Pressoir (Au), 12e
13/20 - Princes (Les), 8e
15/20 - Princesse (Castel), 6e
11/20 - Procope (Le), 6e
14/20 - Provost (Chez), 14e
16/20 - Prunier-Madeleine, 1er
16/20 - Prunier-Traktir, 16e
12/20 - P'tite Tonkinoise (La), 10e
11/20 - Pub St-Germain-des-Prés, 6e
12/20 - Puits des Arènes (Le), 5e

Q

14/20 - Quai d'Orsay (Au), 7e
12/20 - Que Huong, 7e
12/20 - Quercy (Le), 9e
11/20 - Quetsch (La), 2e
12/20 - Quincy (Le), 12e

R

12/20 - Raajmahal, 15e
10/20 - Racard (Le), 5e
12/20 - Ramponneau, 16e
13/20 - Rascasse (La), Neuilly
15/20 - Récamier (Le), 7e
13/20 - Régence-Plaza, 8e
14/20 - Régine's, 8e
12/20 - Relais Boccador (Le), 8e
12/20 - Relais de la Butte, 18e
14/20 - Relais Louis XIII, 6e
11/20 - Relais-Plaza, 8e
12/20 - Relais des Pyrénées, 20e
- Relais Saint-Germain, 6e
14/20 - Relais de Sèvres, 15e
10/20 - Rendez-vous des Chauffeurs, 15e
13/20 - René (Chez), 5e
10/20 - Restaurant du Dragon, 6e
12/20 - Restaurant de la Grille, 10e
14/20 - Restaurant du Marché, 15e
10/20 - Restaurant des Saints-Pères, 6e
12/20 - Rose des Prés (La), 6e
12/20 - Rose des Sables (La), 8e
12/20 - Roseaux (Les), 3e
15/20 - Rostang, 17e
12/20 - Rôtisserie du Plateau de Gravelle, 12e
12/20 - Rôtisserie Rivoli, 1er
11/20 - Route des Andes (La), 14e
11/20 - Route du Château (La), 14e
12/20 - Roy Gourmet (Au), 1er
14/20 - Royal Monceau, 8e
10/20 - Royal Mondétour, 1er

S

10/20 - Sabot (Le), 6e
11/20 - Sainlouis (Claude), 6e
11/20 - Saint-Amour, 2e
10/20 - Saint-Antoine, 1er
11/20 - Saint-Germain de la Mer, 6e
12/20 - Saint-Moritz, 8e
12/20 - Saintongeais (Le), 9e
11/20 - Salamandre (La), 8e
10/20 - Salons Wéber (Les), 19e
11/20 - Samovar (Le), 1er
11/20 - Sardegna (La), 1er
13/20 - Savoie-Bretagne, 9e
11/20 - Savoyard (Au), 6e
13/20 - Savy, 8e
12/20 - Sébillon, Neuilly
17/20 - Semailles (Les), 18e
12/20 - Senteurs de Provence, 15e
13/20 - Séoul (Le), 8e
13/20 - Sologne (La), 7e

En proche banlieue

Ouverts tard le soir

Tous les restaurants cités ci-après vous recevront au moins jusqu'à 23 h. Ceux dont les noms sont suivis d'un point noir (●) vous accueilleront jusqu'à 1 h du matin, parfois même plus tard.

1er arrondissement

12/20 - Absinthe
10/20 - Allen (Joe)
16/20 - Barrière Poquelin ♟♟
10/20 - Bateleurs du Pont-Neuf ●
12/20 - Baumann-Baltard ●
11/20 - Clovis (Chez)
10/20 - Conway's ●
11/20 - Côté Jardin ●
10/20 - Diable des Lombards
10/20 - Diables Verts ●
13/20 - Escargot Montorgueil ♙
11/20 - Globe d'Or
13/20 - Jardin du Louvre ●
11/20 - Kinkeliba
14/20 - Main à la Pâte ♙
11/20 - Paris-Parme
11/20 - Pied de Cochon ●
11/20 - Porte du Bonheur
12/20 - Rôtisserie Rivoli
11/20 - Samovar
11/20 - Sardegna
11/20 - Tour de Montlhéry ●
12/20 - Vattier (Robert) ●

2e arrondissement

10/20 - Assiette au Bœuf ●
12/20 - Bistro de la Gare ●
13/20 - Palais Impérial ♙
11/20 - Tannhauser
12/20 - Vishnou

3e arrondissement

14/20 - Ambassade d'Auvergne ♙
16/20 - Ciboulette ♟♟
12/20 - Roseaux

4e arrondissement

11/20 - Bofinger ●
11/20 - Bougnat de Sévigné
10/20 - Charrette
11/20 - Colombe
12/20 - Délices de Chine
12/20 - Grenier sur l'Eau
12/20 - Julien (Chez)
12/20 - « M »
13/20 - Orangerie ♙
12/20 - Tourtour ●
13/20 - Ursins dans le Caviar ♙

5e arrondissement

13/20 - Atelier Maître Albert ♙
13/20 - Auberge des Deux Signes ♙
10/20 - Balzar
16/20 - Bernardin ♟♟
15/20 - Bûcherie ♟♟ ●
12/20 - Coupe-Chou ●
17/20 - Dodin-Bouffant ♟♟♟
10/20 - Escale de Canton
12/20 - Iles Philippines
16/20 - Pactole ♟♟
12/20 - Petit Prince ●
10/20 - Pot de Terre ●
12/20 - Puit des Arènes
10/20 - Racard
10/20 - Taverne Descartes
12/20 - Traboucayres

6e arrondissement

10/20 - Assiette au Bœuf ●
11/20 - Athènes
12/20 - Attrape-Cœur ●
12/20 - Bilboquet ●
11/20 - Bistro de la Gare ●
12/20 - Bistro d'Isa
11/20 - Brasserie Lutétia ●
11/20 - Charbon de Bois
12/20 - Charpentiers
12/20 - Cherche-Midi
11/20 - Chope d'Alsace ●
12/20 - Closerie des Lilas
10/20 - Cour Saint-Germain ●
11/20 - Drugstore Saint-Germain ●
13/20 - Echaudé Saint-Germain ♟●
12/20 - Fourchette en Habit
12/20 - Foux
11/20 - Grand Chariot
12/20 - Grosse Horloge ●
12/20 - Guy ●
11/20 - Hôtel ●
13/20 - Joséphine (Chez Dumonet) ♙
12/20 - Lapérouse
13/20 - Lipp ♙ ●
12/20 - Marlotte
11/20 - Mascareignes
10/20 - Mitsuko
11/20 - Montagnard ●
11/20 - Mousson d'Asie
12/20 - Muniche ●
11/20 - Nanty (Chez)
13/20 - Petite Cour ♙
12/20 - Petit Zinc ●
15/20 - Princesse (Castel) ♙♙ ●
11/20 - Procope ●
11/20 - Pub Saint-Germain-des-Prés ●
10/20 - Sabot
11/20 - Sainlouis (Claude)
11/20 - Saint-Germain-de-la-Mer ●
10/20 - Temps Perdu
11/20 - Tramontane

7e arrondissement

15/20 - Bistrot de Paris ♟♟
14/20 - Bourdonnais ♟
12/20 - Copains
11/20 - Œnothèque
11/20 - Petite Chaise
11/20 - Petits Oignons
12/20 - Que Huong
12/20 - Than

8e arrondissement

12/20 - André (Chez)
11/20 - Arc-en-ciel d'Orient
10/20 - Assiette au Bœuf ●
10/20 - Bar des Théâtres ●
12/20 - Bœuf sur le Toit ●
12/20 - Bistro de la Gare ●
11/20 - Boutique à Sandwiches
13/20 - Château de Chine ♙
12/20 - China Town
11/20 - Drugstore des Champs-Elysées ●
11/20 - Drugstore Matignon ●
14/20 - Edgard (Chez) ♙ ●
14/20 - Elysées-Matignon ♙ ●
13/20 - Flora Danica ♙
13/20 - Fouquet's ♙
12/20 - Garnier
10/20 - Hippopotamus ●
11/20 - Hollywood Café ●
13/20 - Indra ♙
13/20 - Jardins d'Edgard ♟●
11/20 - Katou
15/20 - Lamazère ♙♙
15/20 - Laurent ♙♙
12/20 - Maison du Caviar ●
12/20 - Maison du Valais
17/20 - Maxim's ♙♙♙ ●
10/20 - Mignonnette du Caviar
13/20 - Princes ♙
14/20 - Régine's ♟ ●
11/20 - Relais-Plaza ●
12/20 - Rose des Sables
13/20 - Savy ♙
11/20 - Souricière ●
12/20 - Trois Limousins
13/20 - Trois Moutons ♙
11/20 - Valentin
12/20 - Vieux Berlin (Au)
14/20 - Vong (Chez) ♙

9e arrondissement

11/20 - Anarkali
13/20 - Auberge du Clou ♟
11/20 - Charlot ●
13/20 - Cloche d'Or ♙
12/20 - Menara
13/20 - Opéra (Café de la Paix) ♙
13/20 - Ty Coz ♙

10e arrondissement

12/20 - Brasserie Flo
12/20 - Curveur
12/20 - Julien
15/20 - Louis XIV ● ♙♙
12/20 - Paillon ●

12/20 - P'tite Tonkinoise
12/20 - Terminus-Nord

12e arrondissement

12/20 - Connivence

13e arrondissement

12/20 - Marronniers
13/20 - Vieux Métiers de France ♡

14e arrondissement

14/20 - Armes de Bretagne ♡
12/20 - Ciel de Paris
11/20 - Coupole ●
11/20 - Créole ●
12/20 - Flamboyant
12/20 - Iles Marquises
12/20 - Jardin de la Paresse
15/20 - Lous Landès ♥♥
14/20 - Moniage Guillaume ♥
12/20 - Pré-Carré ●
11/20 - Route des Andes
11/20 - Route du Château
10/20 - Taverne de Maître Kanter ●
11/20 - Yakitori

15e arrondissement

11/20 - Amanguier
14/20 - Aquitaine ♥
11/20 - Charly de Bab-el-Oued
11/20 - Claude
13/20 - Gauloise ♡
10/20 - Maître Chan (Chez)
13/20 - Napoléon et Chaix ♡
17/20 - Olympe ● ♥♥♥
12/20 - Raajmahal
14/20 - Restaurant du Marché ♡
12/20 - Ty Coz
12/20 - Western

16e arrondissement

12/20 - Brasserie Stella ●
10/20 - Panda
14/20 - Pasquet (Michel) ♥
13/20 - Passy-Mandarin ♡
12/20 - Petit Bedon
10/20 - Petit Victor-Hugo
12/20 - Sully d'Auteuil
10/20 - Van Ming

17e arrondissement

12/20 - Auberge de Saint-Jean-Pied-de-Port
13/20 - Baumann-Ternes ● ♡
10/20 - Brasserie Lorraine ●
11/20 - Congrès ●
13/20 - Dessirier ♡
13/20 - Etoile d'Or
11/20 - Gaucho
15/20 - Pétrus ♥♥
13/20 - Timgad ♡

18e arrondissement

12/20 - Assommoir
13/20 - Cerisaie ♡
12/20 - Charlot 1er ●
12/20 - Tartempion
12/20 - Wally

19e arrondissement

11/20 - Ferme de La Villette

Neuilly

13/20 - Bourrier ♡
12/20 - Club Méditerranée
11/20 - Epicerie du Golfe
12/20 - Iles Chausey (Les)

Ouverts le dimanche

1er arrondissement

12/20 - Absinthe
10/20 - Allen (Joe)
- Artigny (déj. seult)
10/20 - Bateleurs du Pont-Neuf
12/20 - Baumann-Baltard
10/20 - Conway's
11/20 - Côté Jardin
10/20 - Diable des Lombards
13/20 - Escargot Montorgueil ♡
12/20 - Espadon
13/20 - Jardin du Louvre ♡
12/20 - Mandarin du Forum
11/20 - Pied de Cochon
11/20 - Porte du Bonheur
16/20 - Prunier-Madeleine ♥♥
12/20 - Rôtisserie Rivoli
10/20 - Saint-Antoine (déj. seult)
12/20 - Vattier (Robert)
13/20 - Vert Galant ♡

2e arrondissement

10/20 - Assiette au Bœuf
12/20 - Bistro de la Gare
11/20 - Cochon Doré
12/20 - Drouant
11/20 - Saint-Amour
14/20 - Tour de Jade ♡

3e arrondissement

12/20 - Acadien (l'hiver seult)
15/20 - Ami Louis ♥♥

4e arrondissement

11/20 - Bofinger
10/20 - Charrette
12/20 - Coconnas
11/20 - Cour Sainte-Catherine
12/20 - Gourmet de l'Isle
12/20 - Grenier sur l'eau
12/20 - King Merri
13/20 - Orangerie (dîner seult) ♡
12/20 - Tourtour
10/20 - Trumilou
12/20 - Volterra

5e arrondissement

10/20 - Balzar
15/20 - Bûcherie ♥♥
10/20 - Escale de Canton
12/20 - Iles Philippines
12/20 - Petit Prince
12/20 - Port Saint-Bernard
12/20 - Puit des Arènes (déj. seult)
10/20 - Taverne Descartes
18/20 - Tour d'Argent ♡♡♡
12/20 - Vallée des Bambous

6e arrondissement

10/20 - Assiette au Bœuf
11/20 - Athènes
11/20 - Bistro de la Gare
11/20 - Brasserie Lutétia
12/20 - Cherche-Midi
11/20 - Chope d'Alsace
12/20 - Closerie des Lilas
10/20 - Cour Saint-Germain
12/20 - Dominique
11/20 - Drugstore Saint-Germain
12/20 - Grosse Horloge
11/20 - Hôtel
13/20 - Lipp ♡
11/20 - Mascareignes
10/20 - Mitsuko
11/20 - Montagnard
11/20 - Mousson d'Asie
12/20 - Muniche
12/20 - Petit Zinc
11/20 - Procope
11/20 - Pub Saint-Germain-des-Prés
10/20 - Restaurant des Saints-Pères
10/20 - Sabot
11/20 - Saint-Germain-de-la-Mer
11/20 - Savoyard

7e arrondissement

14/20 - Chez les Anges (déj. seult) ♡
13/20 - Boule d'Or ♡
13/20 - Champ de Mars ♡
13/20 - Dauphin ♡
14/20 - Fontaine aux Carmes ♡
13/20 - Marius (Chez) ♡
11/20 - Petite Chaise
12/20 - Que Huong

8e arrondissement

12/20 - André (Chez)
11/20 - Arc-en-Ciel d'Orient

10/20 - Assiette au Bœuf
10/20 - Bar des Théâtres
12/20 - Bistro de la Gare
11/20 - Boulangerie Saint-Philippe (déj. seult)
15/20 - Bristol ♔♔
13/20 - Château de Chine ♔
12/20 - China Town
11/20 - Drugstore des Champs-Elysées
11/20 - Drugstore Matignon
13/20 - Fouquet's ♔
12/20 - Garnier
10/20 - Hippopotamus
14/20 - Lord Gourmand (l'hiver seult) ♚
14/20 - Lucas-Carton ♔
12/20 - Maison du Caviar
11/20 - Martin Alma
14/20 - Napoléon ♔
11/20 - Pergola
13/20 - Princes ♔
13/20 - Régence-Plaza ♔
12/20 - Relais-Boccador
11/20 - Relais-Plaza
14/20 - Royal Monceau ♚
12/20 - Tong Yen
11/20 - Valentin

9e arrondissement

11/20 - Anarkali (dîner seult)
11/20 - Charlot
10/20 - Chartier
12/20 - Chichois (Chez)
11/20 - Diamantaires
13/20 - Opéra ♔
13/20 - Pagoda ♔

10e arrondissement

13/20 - Casimir ♔
12/20 - Curveur
11/20 - Ling Nam
15/20 - Louis XIV ♔♔
14/20 - Nicolas ♔
12/20 - Terminus-Nord

12e arrondissement

12/20 - Connivence
10/20 - Peppino (Chez)
10/20 - Petit Pot
12/20 - Rôtisserie du Plateau de Gravelle
12/20 - Train Bleu

14e arrondissement

14/20 - Albert (Chez) ♔
14/20 - Armes de Bretagne (déj. seult) ♔
11/20 - Café Français
12/20 - Ciel de Paris
11/20 - Coupole
12/20 - Flamboyant
12/20 - Jardin de la Paresse
10/20 - Taverne de Maître Kanter
11/20 - Yakitori

15e arrondissement

15/20 - Célébrités ♚♚
11/20 - Charly de Bab-el-Oued
11/20 - Claude
12/20 - Clos Dombasle (déj. seult)
12/20 - Foo-Lim
13/20 - Long Yuen ♚
17/20 - Olympe (dîner seult) ♚♚♚
12/20 - Petit Mâchon (déj. seult)
12/20 - Raajmahal (dîner seult)
14/20 - Relais de Sèvres ♔
12/20 - Toison d'Or
12/20 - Trois Horloges (déj. seult)
12/20 - Western

16e arrondissement

10/20 - Auberge du Bonheur
12/20 - Brasserie Stella
12/20 - Conti
13/20 - Grand Chinois ♚
14/20 - Grande Cascade ♔
12/20 - Marius
13/20 - Morens ♔
13/20 - Passy-Mandarin ♔
15/20 - Pavillon Royal ♚♚
10/20 - Petit Victor-Hugo
16/20 - Prunier-Traktir ♔♔
12/20 - Ramponneau
12/20 - Tour Céleste
10/20 - Van Ming
12/20 - Yvonne

17e arrondissement

13/20 - Barricades ♚
11/20 - Bourriche
10/20 - Brasserie Lorraine
12/20 - Brochette
12/20 - Churrasco
11/20 - Congrès
13/20 - Dessirier ♔
13/20 - Etoile d'Or ♔
11/20 - Gaucho
13/20 - Georges ♔
12/20 - Péreire (Chez Michel)
11/20 - Tonton Yang (Chez)

18e arrondissement

11/20 - Bateau-Lavoir
12/20 - Charlot-Ier
12/20 - Relais de la Butte
12/20 - Tartempion
11/20 - Tournant de la Butte

19e arrondissement

15/20 - Cochon d'Or ♔♔
13/20 - Dagorno ♔
12/20 - Mer
10/20 - Pavillon du Lac
10/20 - Salons Weber

20e arrondissement

12/20 - Relais des Pyrénées

Boulogne

10/20 - Laux à la Bouche (sauf en juillet et août)

Neuilly

12/20 - Club Méditerranée
11/20 - Epicerie du Golfe
14/20 - Manoir ♔
12/20 - Pizza Livio
12/20 - Sébillon

Ouverts en août

Voici une liste de restaurants qui — en principe — sont ouverts au mois d'août. L'information nous a été donnée par les restaurateurs eux-mêmes, à l'automne 1979. Ceux-ci peuvent changer en 1980 la date de leurs vacances et nous vous conseillons de téléphoner au restaurant pour vous assurer de son ouverture.

1er arrondissement

12/20 - Absinthe
10/20 - Allen (Joe)
15/20 - Barrière Poquelin ♚♚
10/20 - Bateleurs du Pont-Neuf
12/20 - Bœuf du Palais-Royal
11/20 - Cigogne
12/20 - Clé des Champs
13/20 - Cochon d'Or ♔
10/20 - Conway's
11/20 - Côté Jardin
10/20 - Diable des Lombards
10/20 - Diables Verts
12/20 - Espadon
11/20 - Globe d'Or
12/20 - Jardin du Louvre
11/20 - Kinkeliba
14/20 - Main à la Pâte ♔
14/20 - Mercure Galant ♔
14/20 - Pauline (Chez) ♔
14/20 - Pharamond ♔
11/20 - Pied de Cochon
11/20 - Porte du Bonheur
12/20 - Rôtisserie Rivoli
12/20 - Roy Gourmet
10/20 - Saint-Antoine
11/20 - Sardegna
13/20 - Vert Galant ♔

2e arrondissement

3e arrondissement

4e arrondissement

5e arrondissement

6e arrondissement

7e arrondissement

8e arrondissement

9e arrondissement

10e arrondissement

12e arrondissement

14e arrondissement

12/20 - Jardin de la Paresse
15/20 - Lous Landès
14/20 - Moniage Guillaume
12/20 - Pré-Carré
10/20 - Taverne de Maître Kanter
11/20 - Yakitori

15e arrondissement

15/20 - Célébrités
12/20 - Clos Dombasle
14/20 - Morot-Gaudry
12/20 - Petit Mâchon (2e quinz. seult)
13/20 - Planteu
10/20 - Rendez-vous des Chauffeurs

16e arrondissement

12/20 - Bœuf sur le Grill
12/20 - Faustines (1re quinz. seult)
13/20 - Grand Chinois (du 1er au 10 seult)
14/20 - Grande Cascade
14/20 - Ile-de-France
12/20 - Nous (Chez) (à partir du 21)
10/20 - Panda
13/20 - Passy-Mandarin
15/20 - Pavillon Royal
10/20 - Petit Victor-Hugo
17/20 - Pré Catelan
12/20 - Tour Céleste
10/20 - Van Ming
13/20 - Yan-Le Toit de Passy

17e arrondissement

13/20 - Barricades
11/20 - Bourriche
13/20 - Brazais
13/20 - Etoile d'Or
14/20 - Guyvonne (Chez)
13/20 - Laudrin
12/20 - Péreire (Chez Michel) (2e quinz. seult)
13/20 - Petit Colombier (2e quinz. seult)
15/20 - Rostang (2e quinz. seult)
13/20 - Truite Vagabonde (sauf le 15)

18e arrondissement

16/20 - Beauvilliers
14/20 - Lionel (1re quinz. seult)
13/20 - Verger de Montmartre (2e quinz. seult)

19e arrondissement

12/20 - Bœuf Couronné
15/20 - Cochon d'Or
13/20 - Dagorno
12/20 - Mer
14/20 - Petit Pré (2e quinz. seult)

20e arrondissement

12/20 - Becs Fins (1re et dernière semaines seult)
11/20 - Tour de Montlhéry (2e quinz. seult)

Boulogne

14/20 - Bretonnière
10/20 - Laux à la Bouche (sauf le 15)

Neuilly

12/20 - Aquitaine
11/20 - Bougnat Boutique
11/20 - Boutarde
12/20 - Chambord (1re quinz. seult)
12/20 - Club Méditerranée
11/20 - Epicerie du Golfe
10/20 - Pieds dans l'Eau

Où déjeuner (ou dîner) au frais quand il fait très chaud?

Restaurants climatisés

1er arrondissement

Artigny
10/20 - Allen (Joe)
15/20 - Barrière Poquelin
10/20 - Bateleurs du Pont Neuf
13/20 - Cochon d'Or
10/20 - Diable des Lombards
10/20 - Faure (André)
11/20 - Gabriel (Chez)
12/20 - Jardin du Louvre
12/20 - Mandarin du Forum
14/20 - Pauline (Chez)
16/20 - Prunier-Madeleine
12/20 - Rôtisserie Rivoli

2e arrondissement

10/20 - Assiette au Bœuf
11/20 - Cochon Doré
12/20 - Delmonico
15/20 - Petit Coin de la Bourse
12/20 - Pierrot (Chez)
11/20 - Quetsch

3e arrondissement

12/20 - Acadien
14/20 - Ambassade d'Auvergne
16/20 - Ciboulette

4e arrondissement

11/20 - Colombe
12/20 - Délices de Chine
12/20 - King Merri
12/20 - « M »

5e arrondissement

15/20 - Bûcherie
12/20 - Coupe-Chou
12/20 - Petit Prince
10/20 - Pot de Terre
10/20 - Taverne du Potier

6e arrondissement

15/20 - Allard
11/20 - Bistro de la Gare
12/20 - Bistro d'Isa
14/20 - Boga
13/20 - Calvet
11/20 - Charbon de Bois
10/20 - Cour Saint-Germain
12/20 - Dominique
11/20 - Drugstore Saint-Germain
13/20 - Echaudé Saint-Germain
12/20 - Foux
12/20 - Guy
13/20 - Lipp
12/20 - Muniche
12/20 - Petit Zinc
11/20 - Pub Saint-Germain
14/20 - Relais Louis XIII
12/20 - Rose des Près

7e arrondissement

14/20 - Anges (Chez les)
14/20 - Borvo
13/20 - Boule d'Or
12/20 - Copains
12/20 - Dauphin
13/20 - Galant Verre
12/20 - Lefebvre
11/20 - Œnothèque
14/20 - Quai d'Orsay
15/20 - Récamier
13/20 - Sologne
13/20 - Vert Bocage

8e arrondissement

12/20 - André (Chez)
11/20 - Arc-en-Ciel d'Orient
10/20 - Assiette au Bœuf
12/20 - Bonaventure
12/20 - Bœuf sur le Toit
11/20 - Boutique à Sandwiches
15/20 - Bristol
12/20 - China Town
16/20 - Chiberta

15/20 - Clovis ♚♚
13/20 - Copenhague ♔
11/20 - Drugstore Champs-Elysées
11/20 - Drugstore Matignon
14/20 - Edgard (Chez) ♔
14/20 - Elysées-Matignon ♔
12/20 - Garnier
13/20 - Indra ♔
13/20 - Jardins d'Edgard ♚
14/20 - Jardin du Printemps ♔
11/20 - Katou
15/20 - Lamazère ♔♔
14/20 - Ligne ♚
12/20 - Maison du Valais
15/20 - Marcande ♚♚
17/20 - Marée ♚♚♚
13/20 - Marius et Janette ♔
17/20 - Maxim's ♔♔♔
14/20 - Napoléon ♔
11/20 - Pergola
13/20 - Régence-Plaza ♔
11/20 - Relais-Plaza
12/20 - Rose des Sables
12/20 - Saint-Moritz
11/20 - Salamandre
18/20 - Taillevent ♚♚♚
12/20 - Tante Louise
12/20 - Tong Yen
13/20 - Trois Moutons ♔
12/20 - Vieux Berlin
14/20 - Vong (Chez) ♔

9e arrondissement

11/20 - Charlot 1er
12/20 - Ménara
13/20 - Opéra ♔
13/20 - Pagoda ♔

10e arrondissement

15/20 - Châteaubriand ♔♔
15/20 - Michel (Chez) ♚♚
12/20 - P'tite Tonkinoise

11e arrondissement

15/20 - Philippe (Chez) ♔♔

12e arrondissement

10/20 - Petit Pot
12/20 - Sologne
16/20 - Trou Gascon ♚♚

13e arrondissement

13/20 - Vieux Métiers de France ♔

14e arrondissement

14/20 - Armes de Bretagne ♔
11/20 - Café Français
11/20 - Créole
17/20 - Duc (Le) ♚♚♚
12/20 - Guérite de Saint-Amour
12/20 - Pré Carré
10/20 - Taverne de Maître Kanter

15e arrondissement

13/20 - Auberge de la Tour ♔
14/20 - Aquitaine ♚
16/20 - Bistro 121 ♚♚
15/20 - Célébrités ♚♚
12/20 - Clos Dombasle
12/20 - Foo-Lim
13/20 - Long Yuen ♚
14/20 - Morot-Gaudry ♚
17/20 - Olympe ♚♚♚
14/20 - Relais de Sèvres ♔
11/20 - Trois Horloges
12/20 - Ty Coz
12/20 - Western

16e arrondissement

11/20 - Charbon de Bois
14/20 - Chêne (Paul) ♔
12/20 - Conti
13/20 - Estournel ♔
12/20 - Faustines
14/20 - Ile-de-France ♔
16/20 - Jamin ♔♔
13/20 - Passy Mandarin ♔
12/20 - Petit Bedon
10/20 - Petit Victor-Hugo
12/20 - Tour Céleste
18/20 - Vivarois ♚♚♚

17e arrondissement

11/20 - Auberge de Recoules d'Aubrac
12/20 - Auberge de Saint-Jean-Pied-de-Port Barrière de Clichy
13/20 - Baumann-Ternes ♔
12/20 - Beudant
13/20 - Brazais ♚
14/20 - Chalut ♔
12/20 - Churrasco
13/20 - Coquille ♔
13/20 - Etoile d'Or ♔
13/20 - Laudrin ♔
13/20 - Petit Colombier ♔
15/20 - Pétrus ♚♚
15/20 - Rostang ♚♚
13/20 - Timgad ♔
11/20 - Tonton Yang

19e arrondissement

15/20 - Cochon d'Or ♔♔

Boulogne

16/20 - Comte de Gascogne ♚♚

Neuilly

12/20 - Aquitaine
11/20 - Bougnat Boutique
12/20 - Club Méditerranée
12/20 - Iles Chausey
13/20 - Manoir ♔
12/20 - Pizza Livio

Où déjeuner (ou dîner) au frais quand il fait très chaud?

Restaurants à jardin, patio, terrasse découverte

1er arrondissement

10/20 - Bateleurs du Pont-Neuf
16/20 - Bistro d'Hubert ♚♚
11/20 - Clovis (Chez)
10/20 - Louis XIV
14/20 - Pharamond ♔
11/20 - Pied de Cochon
12/20 - Rôtisserie Rivoli
12/20 - Roy Gourmet
10/20 - Royal Mondétour
11/20 - Sardegna
13/20 - Vert Galant ♔

4e arrondissement

11/20 - Bougnat de Sévigné
11/20 - Colombe
12/20 - Grenier sur l'Eau
12/20 - Julien (Chez)
12/20 - King Merri
12/20 - Tourtour
10/20 - Trumilou

5e arrondissement

12/20 - Coupe-Chou

6e arrondissement

11/20 - Bistro de la Gare
12/20 - Bistro d'Isa
11/20 - Chope d'Alsace
12/20 - Closerie des Lilas
10/20 - Cour Saint-Germain
11/20 - Drugstore Saint-Germain
12/20 - Fourchette en Habit
12/20 - Grosse Horloge
11/20 - Hôtel (L')
12/20 - Muniche
13/20 - Petite Cour ♔
12/20 - Petit Zinc
10/20 - Restaurant des Saints-Pères
11/20 - Tramontane

7e arrondissement

14/20 - Bourdonnais ♚
12/20 - Chiroubles
11/20 - Croque au Sel

12/20 - Fontaine de Mars
14/20 - Quai d'Orsay
15/20 - Récamier
13/20 - Sologné

8e arrondissement

12/20 - André (Chez)
12/20 - Bonaventure
13/20 - Copenhague
14/20 - Edgard (Chez)
14/20 - Elysées-Matignon
14/20 - Fouquet's
13/20 - Jardins d'Edgard
15/20 - Laurent
15/20 - Marcande
13/20 - Marius et Janette
10/20 - Pavillon de l'Elysée
10/20 - Pêcheur
13/20 - Princes
14/20 - Royal Monceau
11/20 - Souricière
11/20 - Valentin
12/20 - Vieux Berlin

10e arrondissement

13/20 - Casimir
12/20 - Curveur

12e arrondissement

11/20 - Jacques (Chez)
10/20 - Petit Pot

12/20 - Rôtisserie du Plateau de Gravelle

13e arrondissement

12/20 - Marronniers

14e arrondissement

12/20 - Jardin de la Paresse

15e arrondissement

14/20 - Aquitaine
13/20 - Gauloise
13/20 - Napoléon et Chaix
14/20 - Relais de Sèvres
14/20 - Restaurant du Marché

16e arrondissement

10/20 - Auberge du Bonheur
14/20 - Grande Cascade
15/20 - Pavillon Royal
17/20 - Pré Catelan
16/20 - Prunier-Traktir
12/20 - Ramponneau
12/20 - Sully d'Auteuil
10/20 - Van Ming

17e arrondissement

12/20 - Auberge de Saint-Jean-Pied-de-Port
13/20 - Baumann-Ternes
12/20 - Brochette
13/20 - Georges
14/20 - Guyvonne (Chez)
12/20 - Maître Pierre
15/20 - Pétrus
13/20 - Truite Vagabonde

18e arrondissement

16/20 - Beauvilliers
12/20 - Tartempion
13/20 - Verger de Montmartre
12/20 - Wally

19e arrondissement

12/20 - Mer
10/20 - Pavillon du Lac
10/20 - Salons Wéber

20e arrondissement

12/20 - Becs Fins

Boulogne

16/20 - Comte de Gascogne

Neuilly

11/20 - Boutarde
12/20 - Club Méditerranée
10/20 - Pieds dans l'Eau

Où manger quoi?

Cuisine française

Bouillabaisse

12/20 - Calvet (en gelée) (6e)
13/20 - Marius et Janette (8e)
13/20 - Chaumière des Gourmets
14/20 - Aquitaine (de maquereaux aux petits pois) (15e)
13/20 - Mareyeur (16e)
12/20 - Marius (16e)
16/20 - Prunier-Traktir (en gelée) (16e)
14/20 - Augusta (17e)
14/20 - Chalut (17e)
14/20 - Guyvonne (rouget en fondue de bouillabaisse)

Choucroute

12/20 - Baumann-Baltard (1er)
11/20 - Cigogne (1er)
11/20 - Cochon d'Or (2e)
11/20 - Tannhauser (2e)
11/20 - Bofinger (4e)
11/20 - Chope d'Alsace (6e)
13/20 - Lipp (6e)
12/20 - Muniche (6e)
14/20 - Fontaine aux Carmes (7e)
14/20 - Napoléon (8e)
12/20 - Vieux Berlin (8e)
13/20 - Cloche d'Or (9e)
12/20 - Brasserie Flo (10e)
12/20 - Terminus-Nord (10e)
12/20 - Petite Alsace (12e)
10/20 - Taverne de Maître Kanter (14e)
13/20 - Baumann-Ternes (17e)
10/20 - Brasserie Lorraine (17e)

Cuisine « de ménage »

12/20 - Grand Comptoir (1er) : *palette aux lentilles, clafoutis*
14/20 - Pauline (Chez) (1er) : *bœuf bourguignon*
12/20 - Toque Lorraine (1er) : *bœuf fumé à la purée de pois*
12/20 - Vieille (Chez la) (1er) : *sauté d'agneau*
11/20 - Gérard (2e) : *pot-au-feu*
12/20 - Grille (2e) : *bœuf aux carottes*
12/20 - Lyonnais (2e) : *gras double à la crème*
12/20 - Pierrot (Chez) (2e) : *rognonnade de veau*
14/20 - Ambassade d'Auvergne (3e) : *boudin aux châtaignes, potée*
13/20 - Benoît (4e) : *museau de bœuf, meurette de lapin*
12/20 - Gourmet de l'Isle (4e) : *andouillette aux haricots rouges, pintade aux lentilles*
12/20 - King Merri (4e) : *petit salé*
13/20 - Auberge des Deux Signes (5e) : *lentilles au lard*
12/20 - Moissonnier (5e) : *pieds de mouton ravigote, tablier de sapeur*
12/20 - Petit Prince (5e) : *blanquette, potée, pot-au-feu*
12/20 - Port Saint-Bernard (5e) : *soupe aux choux, tripoux*

13/20 - René (Chez) (5e) : *haricot de mouton, blanquette*
15/20 - Allard (6e) : *gras double et plats « bourgeois »*
12/20 - Muniche (6e) : *civet d'agneau, pot-au-feu*
12/20 - Petit Zinc (6e) : *plats « paysans »*
15/20 - Bistrot de Paris (7e) : *grand pot-au-feu*
13/20 - Chope d'Orsay (7e) : *daube*
12/20 - André (Chez) (8e) : *gigot aux haricots*
12/20 - Artois (8e) : *petit salé aux choux*
12/20 - Auvergnat 1900 (8e) : *chou farci*
13/20 - Savy (8e) : *jambonneau aux lentilles, pot-au-feu, chou farci*
13/20 - Cloche d'Or (9e) : *navarin*
14/20 - Cartet (11e) : *bœuf à la ficelle*
12/20 - Train Bleu (12e) : *daube de bœuf*
12/20 - Grand-Mère (Chez) (13e) : *échine de porc aux lentilles*
12/20 - Bourbonnais (14e) : *poule au pot*
14/20 - Provost (Chez) (14e) : *saucisson chaud*
12/20 - Petit Mâchon (15e) : *pot-au-feu*
15/20 - Vedel (Pierre) (15e) : *tête de veau*
12/20 - Brasserie Stella (16e) : *ragoût d'agneau*
12/20 - Nous (Chez) (16e) : *navarin d'agneau*
12/20 - Yvonne (16e) : *carbonade de bœuf aux endives*
13/20 - Georges (17e) : *petit salé aux choux, gigot aux flageolets*
13/20 - Laudrin (17e) : *bœuf miroton*
12/20 - Léon (Chez) (17e) : *escargots, onglet à l'échalote*
12/20 - Maître Pierre (17e) : *lapereau au cidre, navarin d'agneau*
12/20 - Becs Fins (20e) : *gras double lyonnais*
11/20 - Boutarde (Neuilly) : *poule au pot, jarret aux choux*
12/20 - Sébillon (Neuilly) : *plat de côtes gros sel, petit salé aux choux*

Cuisine du Sud-Ouest

12/20 - Clé des Champs (1er)
13/20 - Joséphine (6e)
15/20 - Lamazère (8e)
14/20 - Auberge Landaise (9e)
12/20 - Quercy (9e)
15/20 - Philippe (Chez) (11e)
16/20 - Trou Gascon (12e)
15/20 - Lous Landès (14e)
12/20 - Vallon de Vérone (14e)
14/20 - Aquitaine (15e)
14/20 - Croquant (15e)
14/20 - Restaurant du Marché (15e)
15/20 - Vedel (Pierre) (15e)
16/20 - Jamin (16e)
12/20 - Auberge de Saint-Jean-Pied-de-Port (17e)
12/20 - Braisière (17e)
12/20 - Relais des Pyrénées (20e)
12/20 - Aquitaine (Neuilly)
12/20 - Chambord (Neuilly)

Grands desserts

16/20 - Barrière Poquelin (1er)
16/20 - Bistro d'Hubert (1er)
16/20 - Pangaud (Gérard) (2e)
16/20 - Ciboulette (3e)
16/20 - Petit Montmorency (3e)
17/20 - Dodin-Bouffant (5e)
19/20 - Archestrate (7e)
15/20 - Bistrot de Paris (7e)
15/20 - Ferme Saint-Simon (7e)
17/20 - Lasserre (8e)
15/20 - Laurent (8e)
17/20 - Marée (8e)
16/20 - Petit Montmorency (8e)
18/20 - Taillevent (8e)
16/20 - Trou Gascon (12e)
18/20 - Faugeron (16e)
16/20 - Jamin (16e)
17/20 - Pré Catelan (16e)
18/20 - Vivarois (16e)
Barrière de Clichy (17e)
16/20 - Beauvilliers (18e)
17/20 - Semailles (18e)
16/20 - Comte de Gascogne (Boulogne)

Grillades

10/20 - Assiette au Bœuf (2e)
12/20 - Bistro de la Gare (2e)
10/20 - Assiette au Bœuf (6e)
11/20 - Bistro de la Gare (6e)
11/20 - Charbon de Bois (6e)
11/20 - Montagnard (6e)
11/20 - Sainlouis (Claude) (6e)
10/20 - Assiette au Bœuf (8e)
12/20 - Bistro de la Gare (8e)
10/20 - Hippopotamus (8e)
12/20 - Trois Limousins (8e)
13/20 - Trois Moutons (8e)
15/20 - Louis XIV (10e)
12/20 - Guérite du Saint-Amour (14e)
11/20 - Charbon de Bois (16e)
12/20 - Churrasco (17e)
11/20 - Congrès (17e)
12/20 - Côte de Bœuf (17e)
11/20 - Gaucho (17e)
12/20 - Bœuf Couronné (19e)
15/20 - Cochon d'Or (19e)
13/20 - Dagorno (19e)
11/20 - Ferme de La Villette (19e)

Huîtres

16/20 - Prunier-Madeleine (1er)
12/20 - Delmonico (2e)
17/20 - Dodin-Bouffant (5e)
12/20 - Grosse Horloge (6e)
12/20 - Muniche (6e)
12/20 - Petit Zinc (6e)
11/20 - Pub Saint-Germain (6e)
19/20 - Archestrate (7e)
13/20 - Glénan (7e)
13/20 - Marius (Chez) (7e)
12/20 - Garnier (8e)
17/20 - Marée (8e)
13/20 - Marius et Janette (8e)
17/20 - Maxim's (8e)
13/20 - Princes (8e)
13/20 - Ty Coz (9e)
11/20 - Charlot (9e)
15/20 - Louis XIV (10e)
12/20 - Terminus-Nord (10e)
11/20 - Coupole (14e)
17/20 - Duc (Le) (14e)
12/20 - Iles Marquises (14e)
14/20 - Moniage Guillaume (14e)
14/20 - Aquitaine (15e)
12/20 - Ty Coz (15e)
12/20 - Brasserie Stella (16e)
13/20 - Mareyeur (16e)
12/20 - Marius (16e)
13/20 - Morens (16e)
16/20 - Prunier-Traktir (16e)
14/20 - Augusta (Chez) (17e)
10/20 - Brasserie Lorraine (17e)
11/20 - Bourriche (17e)
14/20 - Chalut (17e)
13/20 - Dessirier (17e)
15/20 - Pétrus (17e)
13/20 - Truite Vagabonde (17e)
12/20 - Charlot 1er (18e)
12/20 - Mer (19e)
13/20 - Mommaton (Neuilly)

Poissons, crustacés

16/20 - Prunier-Madeleine (1er)
16/20 - Bernardin (5e)
17/20 - Dodin-Bouffant (5e)
13/20 - Marée Verte (5e)
13/20 - Glénan (6e)
13/20 - Marius (Chez) (7e)
17/20 - Marée (8e)
13/20 - Marius et Janette (8e)
13/20 - Marius (Chez) (7e)
13/20 - Cloche d'Or (9e)
13/20 - Ty Coz (9e)
15/20 - Louis XIV (10e)
13/20 - Chaumière des Gourmets (14e)
17/20 - Duc (Le) (14e)
14/20 - Moniage Guillaume (14e)
13/20 - Planteur (15e)
13/20 - Mareyeur (16e)
15/20 - Pavillon Royal (16e)
16/20 - Prunier-Traktir (16e)
13/20 - Brazais (17e)
14/20 - Chalut (17e)
13/20 - Dessirier (17e)
13/20 - Etoile d'Or (17e)
13/20 - Laudrin (17e)
15/20 - Pétrus (17e)
13/20 - Truite Vagabone (17e)
14/20 - Bretonnière (Boulogne)
12/20 - Iles Chausey (Neuilly)
13/20 - Rascasse (Neuilly)

Où manger quoi?

Cuisine étrangère ou « exotique »

Afrique Noire

11/20 - Kinkeliba (1er)
11/20 - Katou (8e)

Afrique du Nord

11/20 - Martin Alma (8e)
12/20 - Rose des Sables (8e)
12/20 - Chichois (Chez) (9e)
12/20 - Menara (9e)
11/20 - Michèle (Chez) (13e)
14/20 - Caroubier (15e)
11/20 - Charly de Bab-el-Oued (15e)
11/20 - Claude (15e)
11/20 - Trois Horloges (15e)
13/20 - Timgad (17e)
12/20 - Wally (18e)

Allemagne

11/20 - Tannhauser (2e)
12/20 - Vieux Berlin (8e)

Amérique du Sud

12/20 - Guy (6e) *(Brésil)*
11/20 - Route des Andes (14e) *(Pérou, Mexique)*
12/20 Churrasco (17e) *(Argentine)*
11/20 - Gaucho (17e) *(Argentine)*

Antilles, Réunion

11/20 - Mascareignes (6e)
10/20 - Lucie (Lou Mino) (7e)
11/20 - Créole (14e)
12/20 - Flamboyant (14e)

Chine, Vietnam, Thaïlande, Cambodge

12/20 - Mandarin du Forum (1er)
11/20 - Porte du Bonheur (1er)
13/20 - Palais Impérial (2e)
11/20 - Porte du Dragon (2e)
14/20 - Tour de Jade (2e)
12/20 - Délices de Chine (4e)
11/20 - « Duc » (Les) (4e)
10/20 - Escale de Canton (5e)
12/20 - Vallée des Bambous (5e)
11/20 - Mousson d'Asie (6e)
12/20 - Rose des Prés (6e)
12/20 - Que Huong (7e)
14/20 - Tan Dinh (7e)
13/20 - Than (7e)
11/20 - Arc-en-ciel d'Orient (8e)
13/20 - Château de Chine (8e)
12/20 - Impérial Select (8e)
14/20 - Jardin du Printemps (8e)
12/20 - Tong Yen (8e
14/20 - Vong (Chez) (8e)
13/20 - Pagoda (9e)
11/20 - Ling Nam (10e)
12/20 - La P'tite Tonkinoise (10e)
12/20 - Foo-Lim (15e)
13/20 - Long Yuen (15e)
10/20 - Maître Chan (15e)
13/20 - Grand Chinois (16e)
14/20 - Moï (16e)
10/20 - Panda (16e)
13/20 - Passy-Mandarin (16e)
13/20 - Porte Fortune (16e)
12/20 - Tour Céleste (16e)
10/20 - Van Ming (16e)
11/20 - Tonton Yang (17e)

Etats-Unis

10/20 - Allen (Joe) (1er)
10/20 - Conway's (1er)
11/20 - Hollywood (Hilton) (8e)
12/20 - Western (Hilton) (15e)

Grèce

11/20 - Athènes (6e)
11/20 - Diamantaires (9e)

Inde

12/20 - Vishnou (2e)
11/20 - Soma (9e)
11/20 - Anarkali (9e)
12/20 - Raajmahal (15e)

Italie

12/20 - Main à la Pâte (1er)
11/20 - Paris-Parme (1er)
11/20 - Sardegna (1er)
12/20 - Volterra (4e)
12/20 - Relais Boccador (8e)
11/20 - Stresa (8e)
12/20 - Via Veneto (8e)
15/20 - Chateaubriand (10e)
11/20 - Pinocchio (10e)
10/20 - Peppino (Chez) (12e)
13/20 - Auberge de la Tour (15e)
14/20 - Grand Venise (15e)
12/20 - Conti (16e)
12/20 - Pizza Livio (Neuilly)

Japon, Corée

10/20 - Mitsuko (6e)
13/20 - Séoul (8e)
11/20 - Yakitori (14e)

« Russie » (et caviar)

11/20 - Samovar (1er)
12/20 - Dominique (6e)
12/20 - Maison du Caviar (8e)
10/20 - Mignonnette du Caviar (8e)
12/20 - Toison d'Or (15e)
11/20 - Epicerie du Golfe (Neuilly)

Scandinavie

13/20 - Copenhague et Flora Danica (8e)

Suisse

12/20 - Maison du Valais (8e)

Où donner une réception

OÙ convier ses amis pour fêter une première communion ou un mariage ? Où inviter ses relations d'affaires pour un lunch ou un cocktail ? Chacun connaît, bien entendu, les salons des grands hôtels parisiens (Hilton, Intercontinental, George V, P.L.M. Saint-Jacques, Méridien, Sofitel, Ritz, Crillon, Meurice, Grand Hôtel, Bristol, Plaza, etc.). Pour être très classiques, ils n'en sont pas moins de grande qualité, et permettent de recevoir des milliers de personnes. Vous pouvez cependant préférer des adresses plus insolites ou plus intimes. En voici de plusieurs sortes : des salons de réception (plus ou moins) classiques, des caves, des monuments, des châteaux aux environs de Paris, des restaurants à salons particuliers à Paris et aux environs (dans un rayon de 80 km).
Et si nous mentionnons les salons des restaurants réputés, tels que Maxim's, La Tour d'Argent, Lasserre, La Marée, Lucas-Carton, Jamin, etc., précisons que la très grande qualité de leur cuisine et leur cadre les destinent à des réceptions plus solennelles.

DANS UN MONUMENT

CAISSE NATIONALE DES MONUMENTS HISTORIQUES ET DES SITES (Service Location)

● **4e** - *62, rue Saint-Antoine (274.22.22).*

Une quarantaine de châteaux ou demeures historiques se louent dans la France entière pour des réceptions privées, des mariages, des congrès, etc. Ainsi, à Paris et dans la région parisienne, pouvez-vous louer les châtelains d'un jour à la Conciergerie (location : 15 000 F), au château de Maisons-Laffitte (de 2 000 à 14 000 F), à l'Orangerie du château de Versailles, dans les casemates ou à la chapelle royale de Vincennes, etc. Pour cela, adressez-vous au Service Locations de la Caisse Nationale des Monuments Historiques et des Sites.

DANS UNE CAVE

BAR DE LA TABLE D'EUGÉNIE

● **4e** - *27, rue du Petit-Musc (272.14.95).*

Deux caves voûtées aux pierres apparentes (50 à 60 personnes assises, une centaine de personnes debout). M. Daubin propose deux formules, soit des repas sur commande pris à la cave : de 80 à 150 F par personne (et de 50 à 100 F pour un buffet), soit la location de ces mêmes caves (autour de 1 000 F par soirée), où l'on peut organiser la réception que l'on souhaite, en prenant le traiteur de son choix. Danse possible jusqu'à 2 h du matin.

CAVES DE LA TOUR EIFFEL

● **16e** - *5, square Dickens (524.50.02).*

Sous la colline de Passy, des caves du XVe siècle restaurées et dotées de l'air conditionné peuvent recevoir 300 personnes (150 en dîner assis). Location : 3 000 F, jusqu'à 2 h du matin. Cuisine équipée pour traiteur.

SUR UN BATEAU

VEDETTES PARIS-TOUR EIFFEL

● **7e** - *Port de La Bourdonnais (705.00.32).*

Embarquement pont d'Iéna, rive gauche. Parking.

A bord du « Bretagne » vous pouvez recevoir jusqu'à 230 convives pour un déjeuner ou un dîner — et 400 pour un buffet — à condition de réserver 3 mois à l'avance. A partir de 140 F par personne. Un minimum de 50 personnes en hiver et 100 en été est exigé.

DANS UN SALON DE RÉCEPTION

LA GRANDE CASCADE

● **16e** - *Allée de Longchamp, Bois de Boulogne (772.78.49).*

La campagne à Paris dans un décor Napoléon III. Plusieurs salons. Dîners (80 personnes) ou lunchs (200 personnes). On peut danser.

MAISON DES CENTRAUX (Salons Jean Goujon)

● **8e** - *8, rue Jean-Goujon (359.52.41).*

Trois étages de salles et salons pouvant être loués pour des conférences, des réunions de travail, des réceptions, des ventes de charité, des expositions, des arbres de Noël. Plusieurs réceptions ont lieu en même temps et l'on risque de ne pas assister à celle à laquelle on était invité... Réceptions de 9 h à 13 h, de 13 h à 19 h ou de 18 h à 24 h : de 1 500 à 2 000 F pour une salle de 250 personnes. Nombreuses formules possibles.

MAISON DE LA CHIMIE

● **7e** - *28 et 28 bis, rue Saint-Dominique (705.10.73).*

Salons de réception jusqu'à 1 800 personnes. Salles à manger : de 60 à 550 couverts.

MAISON DES MINES

● **5e** - *270, rue Saint-Jacques (354.77.25).*

Pas de réunions bruyantes. Trois salles contiguës (on peut les réunir) qui peuvent accueillir pour une conférence, 250 personnes, et plus pour un cocktail. Prix assez modiques : la grande salle : 450 F, avec la seconde : 650 F, les trois salles : 700 F.

PALAIS DE CHAILLOT

● **16e** - *Pl. du Trocadéro (505.14.50).*

Le plus grand foyer pour des repas de 1 000 couverts et des cocktails de 3 000 personnes. Traiteur exclusif : Potel et Chabot. Vue « imprenable » sur la tour Eiffel, les jardins du Trocadéro, le Champ de Mars.

PAVILLON DE L'ALCAZAR D'ÉTÉ Jardins des Champs-Elysées

● **8e** - *5, av. Gabriel (260.34.90).*

Dans l'ancien grand « Caf'Conc' » de la Belle Époque, repas (jusqu'à 550 convives) ou cocktails (1 500 à 2 000 personnes), éventuellement dansants. La cuisine est faite sur place. Salles de conférence et de projection.

PAVILLON D'ARMENONVILLE

● **16e** - *Allée de Longchamp, Bois de Boulogne (747.83.00).*

Toutes sortes de réceptions. Six salons de tailles différentes (de 50 à 800 m²) et de décors variés (tous très jolis), avec jardin et pièce d'eau, pour des cocktails de 50 à 2 000 personnes ou des repas de 12 à 800 couverts. Salles de conférence, de spectacle ou de projection. Possibilité de feu d'artifice.

PAVILLON KLÉBER

● **16e** - *7, rue Cimarosa (704.46.22).*

Dans un hôtel particulier du XIXe siècle doté d'un très beau jardin intérieur, sept salons permettant de recevoir jusqu'à 1 500 personnes. Repas de 15 à 200 couverts.

PAVILLON ROYAL

● **16e** - *Route de Suresnes, Bois de Boulogne (500.51.00).*

Dans un cadre de verdure et dominant le lac, cinq salons fort agréables pouvant accueillir 200 personnes pour des dîners. On peut aussi organiser des soirées dansantes au « club » Martine's (ex-Samantha) au rez-de-chaussée (jusqu'à 600 personnes).

PRÉ CATELAN

● **16e** - *Bois de Boulogne (524.55.58).*

Gaston Lenôtre s'y est installé depuis peu. Douze salons emplis de marbres et de lustres permettent de recevoir (splendidement) de 12 à 2 000 personnes, autour des plus beaux buffets de Paris.

RÉSIDENCE DU BOIS

● **16e** - *16, rue Chalgrin (500.50.59).*

Un ancien hôtel particulier Napoléon III, avec un adorable jardin intérieur. Location de deux salons et du jardin pour un lunch de 60 personnes environ. Les 2 salons : 4 000 F, avec le jardin : 5 000 F.

SALLES DES HORTICULTEURS

● **7e** - *84, rue de Grenelle (548.81.00).*

Salles de conférence, projection ou réception. Salle de 100 personnes : 462 F la demi-journée; 40 personnes : 286 F.

SALONS HOCHE

● **8e** - *9, av. Hoche (924.88.40).*

Trois salons pouvant accueillir 50 à 800 personnes (3 000 et 4 000 F jusqu'à 1 h du matin) pour des réceptions de toutes sortes et également des conférences (matériel de projection et sonorisation). Service traiteur assuré par la maison ou bien laissé à votre libre choix.

SALONS DE ROBECH

● **16e** - *5, rue Charles-Lamoureux (553.86.00).*

Dans un hôtel particulier, salons pour réceptions et dîners. De 2 800 à 3 500 F. Trois salons pouvant accueillir 350 personnes environ.

DANS UN RESTAURANT...

UNE bonne formule consiste à donner ses réceptions dans des restaurants dont beaucoup possèdent un ou plusieurs salons. En voici quelques-uns à Paris et aux environs, où vous ne manquerez pas de téléphoner pour commander votre repas à l'avance, en vous mettant d'accord avec le restaurateur sur un prix précis. Même dans un restaurant assez cher, vous pouvez très bien commander un repas simple mais qui sera bien fait et bon. Nous n'indiquons pas les prix, qui dépendent évidemment du menu commandé. Les notes (sur 20) concernent la qualité de la cuisine.

... A PARIS...

L'AQUITAINE *14/20*

● **15e** - *54, rue de Dantzig (828.67.38).*

L'agréable « succursale » du Restaurant du Marché. Repas de 20 à 35 personnes.

AUBERGE DES DEUX-SIGNES *13/20*

● **5e** - *46, rue Galande (325.46.56).*

Aux accents des motets de la Renaissance, dans d'admirables caves médiévales. Repas de 15 à 100 personnes, lunchs jusqu'à 120 personnes. On peut danser.

BEAUVILLIERS *16/20*

● **18e** - *52, rue Lamarck (254.19.50).*

Une cascade de terrasses fleuries chez le plus précieux des cuisiniers parisiens. Repas de 8 à 30 personnes.

Chaque mois, le Guide de Paris Gault-Millau complète cet ouvrage et agrandit votre carnet d'adresses.

BISTROT DE PARIS *15/20*

● **7e** - *33, rue de Lille (261.16.83).*

Décor de style bistrot, ravissant. Repas de 8 à 30 personnes.

LA BOÉTIE *12/20*

● **8e** - *62, Champs-Élysées (225.07.45).*

Elégant, moderne et réussi. Repas de 10 à 100 personnes.

CALVET *13/20*

● **6e** - *165, bd Saint-Germain (548.93.51).*

Quatre salles fraîches et fleuries. Repas jusqu'à 30 personnes.

CASIMIR *13/20*

● **10e** - *6, rue de Belzunce (878.32.53).*

Aimables petites salles et repas jusqu'à 10 personnes.

CHIBERTA *16/20*

● **8e** - *3, rue Arsène-Houssaye (225.51.90).*

Tout paré d'acier et de laque noire. Repas de 15 à 30 personnes.

CLOSERIE DES LILAS *12/20*

● **6e** - *171, bd Montparnasse (326.70.50).*

Une salle très « design » au premier étage. Déjeuners ou dîners pour une quarantaine de personnes.

LE COUPE-CHOU *12/20*

● **5e** - *9, rue de Lanneau (633.68.69).*

Vieilles poutres et petits salons charmeurs. Repas de 15 à 25 personnes.

CHEZ EDGARD *14/20*

● **8e** - *4, rue Marbeuf (359.85.92).*

Beaucoup de déjeuners politiques. On y a vu Marchais. Repas de 8 à 35 personnes.

ESCARGOT MONTORGUEIL *13/20*

● **1er** - *38, rue Montorgueil (236.83.51).*

Un ravissant Escargot noir et or (de 1830). Repas jusqu'à 30 personnes.

LA FALCATULE *13/20*

● **4e** - *14, rue Charles-V (277.98.97).*

Dans le Marais. Charmant et discret. Repas de 20 personnes.

AUX ILES PHILIPPINES *12/20*

● **5e** - *17, rue Laplace (633.18.59).*

Cuisine à l'exotisme raffiné et tous azimuts. Une terrasse plaisante, un jardinet. Jusqu'à 60 personnes.

JAMIN *16/20*

● **16e** - *32, rue de Longchamp (727.12.27).*

Accueil exquis et sobre élégance du décor. Repas de 10 à 45 personnes.

JARDIN D'EDGARD *13/20*

● **8e** - *92, rue La Boétie (359.08.20).*

Pianiste et joli décor 1930. Salon pour 10 à 50 personnes.

LAMAZÈRE *15/20*

● **8e** - *23, rue de Ponthieu (359.66.66).*

Somptueux, sinon pompeux, décor. Repas de 4 à 35 personnes.

LASSERRE *17/20*

● **8e** - *17, av. Franklin-Roosevelt (359.53.43).*

Accueil et service incomparables. Très beaux salons de 6 à 50 personnes.

LAURENT *15/20*

● **8e** - *41, av. Gabriel (359.14.49).*

Ravissants salons particuliers entièrement refaits dans le goût 1840 d'origine. Repas de 4 à 48 personnes.

LA MAIN A LA PÂTE *14/20*

● **1er** - *35, rue Saint-Honoré (508.85.73).*

Vieilles pierres et design à l'italienne (comme la cuisine). Repas d'une quinzaine de personnes.

LA MARÉE *17/20*

● **8e** - *1, rue Daru (227.59.32).*

Très confortables salons au sous-sol. Repas de 25 à 30 personnes.

LE MAREYEUR *13/20*

● **16e** - *38, rue Vital (525.90.90).*

Patio fleuri et fontaines. Repas de 12 personnes.

LA MARLOTTE *12/20*

● **6e** - *55, rue du Cherche-Midi (548.86.79).*

Très charmante salle à manger. Elégant petit salon pour 6 à 9 personnes.

MAXIM'S *17/20*

● **8e** - *3, rue Royale (265.27.94).*

Les griseries de la Belle Époque et de somptueux salons. Repas de 30 à 90 personnes.

MERCURE GALANT *14/20*

● **1er** - *15, rue des Petits-Champs (297.53.85).*

Décor fin de siècle austère et raffiné. Repas jusqu'à 40 et 50 personnes.

NICOLAS *14/20*

● **10e** - *12, rue de la Fidélité (770.10.72).*

La vertu faite restaurant. Repas de 12 à 40 personnes.

AU PETIT RICHE *11/20*

● **9e** - *25, rue Le Peletier (770.86.50).*

Un authentique bistrot 1880. Repas de 6 à 50 personnes.

LE PETIT ZINC *12/20*

● **6e** - *25, rue de Buci (354.79.34).*

Petit bistrot parisien plaisant et à la mode. Repas jusqu'à 60 personnes ; lunchs jusqu'à 150 personnes.

PETRUS *15/20*

● **17e** - *12, pl. Péreire (754.53.52).*

Chez l'ancien « Schmitt ». Repas de 10 à 20 personnes.

PHARAMOND *14/20*

● **1er** - *24, rue de la Grande-Truanderie (233.06.72).*

Etonnants salons 1900. Repas de 4 à 18 personnes.

LE PLANTEUR *14/20*

● **15e** - *2, rue de Cadix (828.34.39).*

Décor joliment « colonial », cuisine française et « exotique ». Repas de 15 personnes.

CHEZ PROVOST *14/20*

● **14e** - *1, rue de Coulmiers (539.86.99).*

Décor élégant et intime. Vous dînez chez le meilleur charcutier de Paris. Repas de 10 à 15 personnes.

LE RÉCAMIER *15/20*

● **7e** - *4, rue Récamier (548.86.58).*

Sobre et très élégant décor. Repas de 8 à 14 personnes.

RELAIS LOUIS XIII *14/20*

● **6e** - *8, rue des Grands-Augustins (326.75.96).*

Boiseries, tableaux anciens, belle argenterie, éclairages tendres. Repas de 6 à 24 personnes.

RESTAURANT DU MARCHÉ *14/20*

● **15e** - *59, rue de Dantzig, (828.31.55).*

Plein de charme. Repas de 10 à 30 personnes.

Vous voulez dîner au frais l'été ? Regardez vite notre liste de restaurants à terrasse, à jardin, ou climatisés, p. 110.

LA SOLOGNE *13/20*

● **7e** - *8, rue de Bellechasse (705.98.66).*

La réplique d'une petite ferme solognote. Repas de 18 à 25 personnes.

TAILLEVENT *18/20*

● **8e** - *15, rue Lamennais (359.39.94).*

Bel hôtel particulier. Repas de 8 à 32 couverts.

TARTEMPION *12/20*

● **18e** - *15 bis, rue du Mont-Cenis (606.10.40).*

Vieilles pierres, tableaux modernes. Repas de 12 personnes.

LA TOUR D'ARGENT *18/20*

● **5e** - *15-17, quai de la Tournelle (354.23.31).*

Le septième ciel et Notre-Dame sous vos yeux. Repas de 15 à 50 personnes dans les plus beaux salons particuliers de Paris.

LE VIVAROIS *18/20*

● **16e** - *192, av. Victor-Hugo (504.04.31).*

Décor moderne. Repas de 10 personnes (à déjeuner seulement).

... AUX ENVIRONS DE PARIS

L'AIGLE NOIR *11/20*

● **77 Fontainebleau** - *27, pl. Napoléon-Bonaparte (422.20.27).*

A 65 km S.-E. de Paris.

L'ancien hôtel du cardinal de Retz. Repas de 15 à 150 personnes, lunchs jusqu'à 250 personnes. On peut danser jusqu'à minuit.

L'AUBERGADE *14/20*

● **78 Pontchartrain** - *N 12 (489.02.63).*

A 40 km O. de Paris.

Une jolie maison cossue qui croule sous les fleurs. Repas jusqu'à 60 personnes.

AUBERGE DU CŒUR VOLANT

● **78 Louveciennes** - *64, route de Versailles (969.94.53).*

A 24 km O. de Paris.

Dans un joli jardin, une des auberges les mieux équipées de la région parisienne pour toutes les réceptions. Repas de 15 à 500 personnes, lunchs jusqu'à 450 personnes. On peut danser.

Pensez à retenir votre table par téléphone.
Et n'oubliez surtout pas, au besoin,
de vous décommander.

AUBERGE DE QUINCANGROGNE *15/20*

● **77 Dampmart** - *Rue de l'Abreuvoir (430.08.52).*

A 32 km E. de Paris.

Charmante auberge au bord de la Marne. Repas de 30 à 100 personnes, lunchs jusqu'à 200 personnes. On peut danser.

LE BAS BRÉAU *15/20*

● **77 Barbizon** - *22, rue Grande (066.40.05).*

A 57 km S.E. de Paris.

Une des plus belles hostelleries d'Ile-de-France dans un jardin fleuri. Repas de 25 à 30 personnes.

CAZAUDEHORE *14/20*

● **78 Saint-Germain-en-Laye** - *Av. du Pt-Kennedy (963.08.93).*

A 21 km O. de Paris.

Belle maison accueillante et grand jardin fleuri. Repas de 15 à 30 personnes, lunchs de 200 à 300 personnes. On peut danser.

LE MOULIN D'ORGEMONT *12/20*

● **95 Argenteuil** - *Rue du Clos-des-Moines (961.11.56).*

A 14 km N.-O. de Paris.

Incroyable moulin sur une colline, joli jardin. Repas de 15 à 30 personnes, lunchs jusqu'à 400 personnes.

LA TOQUE BLANCHE *12/20*

● **78 Les Mesnuls** - *12, Grande-Rue (486.05.55).*

A 50 km O. de Paris.

Jolie auberge confortable. Repas de 8 à 70 personnes.

LA TOURELLE

● **92 Vanves** - *10, rue Larmeroux (642.15.59).*

A 14 km S.-O. de Paris.

On domine le parc Pic, chanté par La Fontaine. Agréable jardin. Repas de 10 à 200 personnes.

LA VIEILLE FONTAINE *18/20*

● **78 Maisons-Laffitte** - *8, av. Grétry (962.01.78).*

A 20 km N.-O. de Paris.

Une solide et bourgeoise maison blanche au-dessus d'une grande pelouse. Repas de 25 à 100 personnes.

DANS UN CHÂTEAU DES ENVIRONS DE PARIS

CHÂTEAU DE BEAULIEU

● **77 Jouy-le-Châtel** - *Pécy (401.52.05).*
A 62 km S.-E. de Paris.

Un château du XVIIIe siècle, à six poivrières, dans un grand parc. Trois salons de 50 m² chacun, une salle à manger de 35 m². De 1 000 à 4 000 F par jour suivant les salons loués, de midi à minuit. Réceptions, bals, lunchs de mariage, repas d'affaires et journées d'études.

CHÂTEAU DE BRETEUIL

● **78 Chevreuse** - *Choisel (052.05.11).*
A 32 km S.-O. de Paris.

Immense et très beau château Henri IV, parc de 70 hectares, dans la vallée de Chevreuse. Location de 2 salons (140 m², 150 personnes): 4 000 F; 4 salons (300 m², 500 personnes): 7 600 F; 6 salons (420 m², 800 personnes): 10 400 F; l'orangerie (170 m², 150 personnes): 2 600 F. Ces prix sont réduits de 10 % si vous recevez un jour de semaine. Aucune limite d'heure n'est imposée et quel que soit le nombre des salons loués, le château n'assure qu'une seule réception à la fois.

CHÂTEAU DE MAISONS

● **78 Maisons-Laffitte** - *(962.01.49).*
A 21 km N.-O. de Paris.

Construit par Mansart en 1641 (dix ans avant Versailles) et propriété de l'Etat depuis 1905. Les réceptions peuvent être organisées dans tout ou partie du château (200 à 1 000 personnes debout; 50 à 750 personnes assises) et même dans le parc (8 hectares). Le château de Maisons dépend de la Caisse Nationale des Monuments Historiques.

CHÂTEAU DE MALESHERBES

● **45 Malesherbes** - *(38/03.80.18).*
A 82 km S. de Paris.

Dans un parc de 92 hectares, un château des XVIe et XVIIe siècles. Cinq salons (jusqu'à 500 personnes) autour d'un verger intérieur, pouvant être loués ensemble ou séparément, plus une orangerie et des communs (le nombre total des invités peut aller jusqu'à 1 000 personnes). De 1 200 à 5 000 F. Réceptions, concerts ou séminaires.

CHÂTEAU DE MAUVIÈRES

● **78 DAMPIERRE** - *Saint-Forget-les-Sablons (052.54.76).*
A 36 km S.-O. de Paris.

Dans la vallée de Chevreuse, un charmant château-gentilhommière du XVIIIe siècle, avec boiseries d'époque, entouré d'un parc de vingt hectares. Ensemble de quatre salons (200 m² environ): 5 200 F pour la journée, 500 F de l'heure en supplément après 1 h du matin.

CHÂTEAU DE NEUVILLE

● **78 Gambais** - *(487.02.70).*
A 58 km 0. de Paris.

En lisière de la forêt de Rambouillet, un magnifique château du XVIIe siècle, en briques et pierres, classé Monument Historique. Parc de cent hectares, étang entouré de rhododendrons sauvages. Salons (290 m²).: de 4 500 à 6 000 F.

Drugstores

DRUGSTORE DES CHAMPS-ÉLYSÉES

● **8e** - *133, Champs-Elysées (723.54.34).*

Ouvert de 8 h 30 à 2 h du matin.

Façade de verre et décoration hardie, c'est un endroit très bien fréquenté mais peu propice à la conversation, compte tenu du brouhaha permanent qui y règne. On y déjeune ou dîne pas mal du tout, avant ou après le cinéma ; des plats sympathiques : poussin grillé (25,50 F), steak de jambon (25 F), salade « maraîchère » ou « soleil » (11 F), etc., et de gigantesques desserts noyés sous la crème chantilly industrielle (7 à 16 F). Le rayon de livres et journaux est excellent, les cigares parfaitement conservés, les cadeaux de dernière minute variés : gadgets, transistors, machines à calculer, disques, jouets, maroquinerie, etc. Si le rayon de « mode » est sans intérêt particulier, celui d'épicerie fine est fort bien fourni et on y trouve également un grand choix de plats tout préparés. Et pour mémoire : pharmacie, papeterie et de très tranquilles cabines téléphoniques.

DRUGSTORE MATIGNON

● **8e** - *1, av. Matignon (359.38.70).*

Ouvert de 9 h à 2 h du matin.

Le plus complet. Sa réussite qui a bouleversé les activités diurnes et nocturnes de cette portion du Rond-Point autrefois déserte, tient aux multiples services qu'on y propose : cinéma, librairie (et journaux), bagagerie, parfumerie, alcools, cadeaux, tabac, pharmacie (avec en particulier, un grand choix de plantes médicinales : coquelicot, chiendent, marjolaine, mauve, matricaire, etc.), disquaire, une petite armurerie, et aussi un service de location de voitures et de places de théâtre. Au restaurant du premier étage, agréablement climatisé, on peut s'offrir une grillade pour une trentaine de francs, une salade composée (12 F), ou le plat du jour (lapin à la moutarde : 25 F) et les « gourmandises Publicis », opulentes et variées (7 à 16 F), à base de crèmes glacées.

DRUGSTORE DE NEUILLY

● **92 Neuilly** - *14, pl. du Marché (637.58.88).*

Ouvert de 8 h à 2 h du matin.

Un petit drugstore pas prétentieux et dont le restaurant s'ouvre agréablement l'été sur une terrasse tranquille. On y sert à des prix raisonnables une plaisante cuisine « de ménage » : maquereaux à l'escabèche, raie au beurre noir, poulet chasseur, blanquette de veau (25 à 35 F le plat). Convenable menu à 46 F. Autres services : une librairie (et journaux) bien fournie, une épicerie fine et les inévitables gadgets.

DRUGSTORE OPÉRA

● **9e** - *6, bd des Capucines (266.90.27).*

Ouvert de 9 h 30 à 2 h du matin.

Deux entrées : l'une boulevard des Capucines donnant sur la cafétéria et sa jolie terrasse, l'autre rue Halévy où l'on accède directement à une pâtisserie et à une boutique de « vins et spiritueux » très bien approvisionnée. A l'intérieur, on trouve pratiquement de tout : bagages, chaussures, parfums, cadeaux, gadgets, jouets, livres, journaux, disques, un stand Locatel, un stand photo-cinéma, papeterie, photo d'identité minute, pharmacie, et encore une banque-change ouverte tous les jours de 10 h 30 à 19 h 20 (le dimanche, permanence de 12 h à 19 h 50). Mais le plus étonnant ici, c'est la concentration des restaurants : pas moins de six. Au rez-de-chaussée, où l'on trouve difficilement une place et où les serveuses sont parfois trop débordées pour être souriantes : La Corbeille (menu à 25 F), le Scotch Pub, plus intime avec ses dix sortes de cocktails, ses grillades diverses et ses plats du jour (canard au navet : 22 F), et Le Bœuf où l'on vous sert une demi-livre de bœuf grillé pour 28 F. Au premier étage : une crêperie-pizzéria, un restaurant au décor alvéolaire assez agréable : Au Rôtisseur (menu à 46 F); enfin Aux Provinciales : jolie vue sur l'Opéra, une carte plus sophistiquée et un accueil très agréable.

DRUGSTORE SAINT-GERMAIN

● **6e** - *149, bd Saint-Germain (222.92.50).*

Ouvert de 9 h à 2 h du matin.

Quelques frais de toilette : le décor de Slavik dans le goût « Restauration » a été l'objet d'un sérieux dépoussiérage, ce qui donne plus qu'une pointe d'agrément aux rencontres — éphémères ou durables — qu'on peut faire ici. Au restaurant-labyrinthe du premier étage, un bon choix de salades composées (10 à 15 F), de grillades (28 à 37 F), de plats du jour du type « farcis » de Provence, sauté de veau au basilic, gigot aux trois purées. Belle librairie (et journaux) en sous-sol : toutes les nouveautés et beaucoup de B.D. Pour le reste, alimentation (conserves, alcools, plats préparés), cadeaux, bagages, gadgets, parfumerie, un bon rayon de disques (avec tous les derniers « hit »), une large sélection de tabacs humidifiés, une pharmacie tardive. Et aussi location de places de théâtre et service Europ-Assistance.

INTERDRUGSTORE

● **9e** - *15, rue de Rome (522.32.80).*

Ouvert de 7 h 30 à 23 h.

La décoration « utilitaire » et la proximité de la gare Saint-Lazare ne contribuent ni au charme, ni à la tranquillité de l'endroit, voué à l'alimentation minute : bruyant self-service Le Bailly au premier étage (assiette froide : 10,50 F, grillades, glaces), et au commerce de dépannage rapide pour banlieusards et passants pressés : livres et journaux, pharmacie, libre-service (alimentation et diététique), quelques disques et une agence de voyage.

NEW STORE

● **8e** - *63, Champs-Elysées (225.96.16).*

Ouvert de 8 h 30 à 2 h du matin.

Très fréquenté et passablement bruyant. Mais quelle que soit l'affluence, on parvient généralement à trouver une place au grill, au restaurant ou au self-service en sous-sol, tous d'intérêt limité. En revanche, le Bar Belge a tout ce qu'il faut pour retenir les amateurs : plus de cent bières différentes de tous les pays européens, mais aussi du Canada, des Etats-Unis, de la Chine et du Japon (de 6 à 23 F). Et la boutique d'alimentation est très agréable : salades et plats préparés (poulets, rôtis divers), gâteaux, conserves, vins fins et alcools. Et encore : disques, cadeaux, journaux, gadgets, chemiserie.

PUB RENAULT

● **8e** - *53, Champs-Elysées (256.18.40).*

Ouvert de 9 h à 2 h du matin.

L'attraction principale des lieux est fournie par l'étonnant petit musée de l'automobile, au premier étage, où l'on peut admirer les splendides torpédos Renault d'avant-régie. Au rez-de-chaussée, sont exposés les récents modèles de Renault. Un rayon de gadgets et de jouets un peu maigrichon. Et dans des boxes en forme de voiture, on se fait servir des salades, des grillades, le plat du jour (lapin en papillote, moussaka, etc.) et les mêmes spectaculaires glaces qu'aux autres drugstores Publicis.

Salons de thé

ANGÉLINA

● **1er** - *226, rue de Rivoli (260.82.00).*

Proust n'y reconnaîtrait certes plus les siens. D'abord parce que les pièces d'accueil, en façade, y sont aujourd'hui dévolues à la gloire touristique de l'Afrique, ensuite parce que les guéridons de marbre hauts sur pied dissimulent mal la moleskine verte qui recouvre les sièges bizarrement Louis XV. Restent assurément les six compositions du paysagiste, Lorrant-Heilbronn pour rappeler que ce salon de thé fut l'un des plus hauts lieux de la mondanité modern style sous le nom de Rumpelmeyer, son plus glorieux propriétaire. Cela dit, on peut aussi bien y déjeuner (salades mélangées, plats du jour) qu'y prendre le thé (excellents mélanges). Dans l'un et l'autre cas, si les pâtisseries « maison » sont bonnes (tartelettes délicieuses, Mont-Blanc — dont raffolait l'Aga Khan — un peu surfait), le service, en revanche, est tout sauf agréable.

BELUSA

● **6e** - *86, rue du Cherche-Midi (222.52.58).*

Ouvert récemment par de charmants jeunes gens ayant du goût pour la brocante et un penchant pour les douceurs. Excellentes pâtisseries de genre « ménage » — en particulier les pies —, servies dans un décor de salle à manger bourgeoise où jolies choses et horreurs se sont accumulées au fil des ans. On peut aussi y déjeuner agréablement d'une tourte au poireau ou au saumon et d'un mixed-grill, par exemple, et y faire l'emplette de quelque délicate pièce de linge : mouchoirs brodés, bavoirs, serviettes.

BOULANGERIE SAINT-PHILIPPE

● **8e** - *73, av. Franklin-Roosevelt (359.78.76).*
F. samedi.

On y fait la queue à l'heure du déjeuner mais on y prend très agréablement le thé à partir de 15 heures. La vraie passion de M. Chaumontet, propriétaire d'un petit hôtel de charme très discret à Saint-Germain-des-Prés, c'est en vérité cette arrière-boutique de boulangerie, décorée avec amour de tableaux naïfs, pierres grattées et poutres à l'ancienne. Délicieuses tartes Tatin à la crème fraîche ou au citron vert, buns grillés, macarons, tartes feuilletées aux fruits frais de saison, ou excellents gâteaux au beurre, servis avec des thés de Chine ou de Ceylan. Le dimanche, aux alentours de midi, après la messe de Saint-Philippe-du-Roule, un repaire d'attendrissants vieux couples dont certains pourraient servir de modèles à Faizant.

LA BOURDONNAIS

● **7e** - *36, av. de La Bourdonnais (551.27.67).*

Un tout petit salon de thé-pâtisserie (8 tables) qui sert à l'heure du déjeuner un plat du jour et une salade, pour 20 F, à une clientèle très fidèle. Vous pourrez y rencontrer à l'heure du thé Dominique Sanda, familière de la maison, et dont millefeuilles et mounas (brioches algériennes) se partagent les faveurs.

CARETTE

● **16e** - *4, pl. du Trocadéro (727.88.56).*

Cet agréable salon de thé, situé face au Palais de Chaillot et quasiment déserté par les vieilles dames du quartier, est devenu le rendez-vous privilégié de la jeunesse bien nourrie du 16e arrondissement. Laquelle discute — de préférence sur la terrasse, aux beaux jours — de tous les sujets sérieux et surtout de ceux qui ne le sont pas, tout en faisant bonne consommation de sandwiches à la salade, de croissants, de macarons au chocolat ou, plus rarement, de friandises sophistiquées : trocadéro (à la ganache et aux amandes) ou mont-blanc (meringue marron et crème Chantilly). A l'heure du déjeuner, des plats chauds, convenables mais bien chers : escalopes viennoises, pizzas, etc., ou, plus simplement, des œufs à la coque (ou brouillés) exquis, servis avec des toasts beurrés. Les serveuses, dans le tohu-bohu permanent, ont bien du mal à rester accortes.

CLICHY

● **4e** - *5, bd Beaumarchais (887.89.88).*

Entre la confection d'une marjolaine (gâteau aux amandes, kirsch et chocolat) et celle d'une tarte aux pommes caramélisées, Paul Bugat a trouvé le temps de peindre le décor de son petit salon de thé (vues du Marais). Ne manquez pas de goûter l'une de ses délicieuses charlottes : au citron, au café, aux fruits rouges, ou aux fruits de la Passion.

CHRISTIAN CONSTANT

● **7e** - *26, rue du Bac (544.12.24).*

Madeleine Renaud et Jean-Louis Barrault se retrouvent certains beaux jours dans ce fort bien fréquenté petit salon de thé où les gâteaux demeurent toujours aussi délicats, les variétés de thés aussi nombreuses (40 provenances différentes), les glaces et sorbets aussi joliment imaginatifs et les serveuses aussi souriantes. Ouvert tous les jours de 8 h à 20 h.

COQUELIN AÎNÉ

● **16e** - *1, pl. de Passy (288.21.74).*

Les quelques tables et chaises de bois clair entassées au fond de la boutique ne connaissent pratiquement jamais de vacuité. Rançon d'une gloire méritée à cette vénérable maison par une prodigieuse constance dans la qualité de ses pâtisseries et l'excellence de ses glaces et sorbets ainsi que par l'étonnante faiblesse de ses prix (Coquelin demeure, après une longue pratique de notre part, l'une des maisons les moins chères de la place). En regrettant toujours la sombre devanture détruite en 73, on grignote le « gâteau du jour » ou bien le puits d'amour, immuable et fameuse spécialité de la maison.

DALLOYAU

● **8e** - *101, fg Saint-Honoré (359.15.58).*
● **15e** - *69, rue de la Convention (577.84.27).*

Au premier étage rive droite, au rez-de-chaussée rive gauche. Mais toujours les merveilleux gâteaux et les remarquables glaces dont nous avons chanté les louanges à ces deux rubriques.

AUX DÉLICES

● **17e** - *39, av. de Villiers (924.71.36).*

Puisse Mme Prié, petite-fille de M. Michel, préserver longtemps encore l'adorable aménagement intérieur de sa pâtisserie-salon de thé à l'ancienne mode, avec sa dizaine de guéridons devant lesquels Sarah Bernhardt, Mistinguett, Clemenceau, Sacha Guitry sont venus s'asseoir, et où la politique délègue de nos jours quelques-uns de ses ténors en exercice (d'Alain Peyrefitte à Edgar Faure). Le malgache, la marjolaine, le succès et la polka demeurent toujours les valeurs sûres de ces excellentes Délices. Les macarons y atteignent des sommets, et le petit choix de glaces y est d'une qualité exemplaire. La maison est fermée le lundi et le mardi.

L'ÉBOUILLANTÉ

● **4e** - *6, rue des Barres (278.48.62).*
De 10 h à 20 h. F. lundi et mardi.

A l'ombre de Saint-Gervais, un salon minuscule et véritablement délicieux, ni tout à fait restaurant, ni vraiment salon de thé, au décor joliment rétro — poutres au plafond, rideaux de dentelles, peintures naïves aux murs. Un couple charmant prépare à votre intention, lui des bricks tunisiens aux œufs (18 F), un birchermuesli, un taboulé (15 F), un gaspacho ou une salade parfumée aux herbes ; elle, un gâteau au chocolat ou une tarte au citron (12 F). Comme boisson, rien d'alcoolisé, mais vous avez le choix entre un képhyr (lait fermenté) bien frais, un café turc (ou irlandais) et une cinquantaine de thés différents, dont un agréable thé vert.

FANNY TEA

● **1er** - *20, pl. Dauphine (325.83.67).*
Ouvert de 13 h à 20 h (de 15 h 30 à 20 h 30 le dimanche). F. lundi.

La clientèle des dames habituées y vient très tôt dans l'après-midi occuper les meilleures places, près de la vitrine où s'encadrent les plus augustes façades parisiennes. Il est vrai qu'il n'est jamais trop tôt pour prendre un bon thé, et ceux qu'on vous propose ici (Chine, darjeeling, à la vanille, à la rose, etc.) sont délicieux (10 F). Mais rien ne vous empêche de déjeuner ou de dîner (de bonne heure) dans ce plaisant décor empli de bibelots et de piécettes d'argenterie, ou sur la terrasse, à la belle saison : œufs brouillés au saumon (28 F) ou aux épinards, tartes aux poireaux ou à la tomate (16 F), pie aux fruits nappés de crème anglaise (15 F).

FAUCHON

● **8e** - *26, pl. de la Madeleine (742.60.11).*

On choisit au comptoir son gâteau (son sandwich, ou son plat cuisiné), on prend son ticket et on passe à la caisse ; on revient au comptoir, on donne son ticket, on prend son gâteau (son sandwich ou son plat) et on va manger debout sur de petits guéridons fixes dénués de confort. Si on a encore un petit creux, il faut faire à nouveau le parcours complet. Comme on voit, le bon ordre règne dans cette excellente maison. Ajoutons qu'on est récompensé par la qualité des plats : salades variées, club-sandwiches, croque-monsieur, tourte aux champignons, tartes diverses, etc., dont les prix — très raisonnables dans l'ensemble — expliquent à eux seuls le succès de cette cafétéria.

LA FERME DES CHAMPS-ÉLYSÉES

● **8e** - *84, Champs-Élysées (225.50.92).*

Une petite épicerie-fermette au fond de la galerie Les Champs. Au déjeuner, les quelques tables recouvertes de tissu à carreaux sont prises d'assaut. On y sert d'honnêtes plats du jour et quelques « assiettes » vite (et bien) préparées : croque-monsieur au saumon, salades au jambon et au fromage, steak tartare, etc. (autour de 15-20 F). Les fromages sont nombreux et bien choisis et les pâtisseries campagnardes très convenables. Vente à emporter.

FLORA DANICA

● **8e** - *142, Champs-Élysées (359.20.41).*
Jusqu'à minuit.

Attenante à la boutique de produits danois, une petite salle au décor scandinave sobre mais sans froideur, où l'on se fait servir toutes sortes d'assiettes composées à base de harengs marinés et de poissons flumés (flétan, anguille, saumon). Ou encore du rosbif aux oignons, du saumon mariné et de délicieux harengs préparés de diverses manières. 50 F environ avec la meilleure Tuborg à la pression de Paris.

LA GRANDE CASCADE

● **16e** - *Bois de Boulogne (772.78.49).*

Toujours bien animée, surtout les jours de courses à Longchamp, cette baraque Napoléon III (ce fut un pavillon de chasse de l'Empereur) est arrangée dans le style Belle Epoque, et sa grande terrasse pleine de fleurs et peuplée de moineaux est tout bonnement exquise les jours ensoleillés. En hiver, on se réfugie dans le salon de thé en rotonde ultra-classique et confortable ; mais quelle que soit la saison, les pâtisseries témoignent de la plus constante médiocrité et le thé (Lipton en sachet) d'une étrange absence d'imagination. Ajoutons que les serveurs, comme la dame préposée au plateau de pâtisseries, vous prient — aimablement mais fermement — de régler votre ticket de consommation sitôt que vous êtes servi, ce qui ne laisse pas de surprendre (désagréablement) dans un établissement de cette « classe ».

LADURÉE

● **8e** - *16, rue Royale (260.21.79).*

Les boiseries claires et dorées, les minuscules guéridons de marbre noir, les chérubins extatiques et gavés du plafond, les autres plus turbulents qui renversent la théière, les visons du troisième âge prospère et gourmand : comme son nom l'indique, Ladurée brave tous les caprices du temps. Le décor 1900 en est toujours charmant. Et les croissants et les macarons comptent parmi les meilleurs de Paris. Minuscules mais délicats petits canapés.

MAGASINS RÉUNIS

● **17e** - *30, av. des Ternes (380.20.00).*

L'endroit est plutôt agréable et tranquille, au troisième étage, devant les grandes baies qui illuminent le plaisant petit salon de thé.

LA MOSQUÉE

● **5e** - *39, rue Geoffroy-Saint-Hilaire.*

On y fait éventuellement sa prière, et l'on goûte aussi, dans l'un des plus dépaysants et des plus agréables salons de thé de Paris, un délicat thé à la menthe à l'ombre d'un minaret.

MUSCADE

● **1er** - *36, rue de Montpensier (297.51.36).*

Cette agréable maison à double entrée (l'autre est 67, galerie Montpensier) s'ouvre donc sur les arcades et les jardins du Palais-Royal. Elle propose divers thés (ceylan, chine vert, thés parfumés à la menthe, au jasmin, au cassis, à l'orange amère), des macarons et des tartes aux fruits. On peut aussi y déjeuner d'une assiette de viandes froides ou d'un plat du jour.

PANDORA

● **2e** - *24, passage de Choiseul (297.56.01).*

Un « salon » plein de charme, dans le passage de Choiseul — murs ocre-rose, tables juponnées de batik, assiettes fleuries — où l'on vous servira le plus aimablement du monde quelques bons petits plats : tians de courgettes (15 F), tarte au fromage (14 F) ou aux fruits, gâteau au chocolat, etc. Les thés (8 variétés) viennent de chez Corcellet (à deux pas de là) et le chocolat glacé (9 F) est exquis. L'accueil également.

PENY

● **8e** - *3, pl. de la Madeleine (265.06.75).*

On a refait voici quelques années le décor de ce salon de thé dont les Américains colonisent tout l'été la terrasse. Nous préférions à tout prendre l'ancien, de goût Directoire, auquel au moins nous étions habitués, il était si vieux ! Toujours l'inévitable « Peny », spécialité pâtissière qui fut révélée aux Parisiens dès l'année 1910.

A LA PETITE MARQUISE

● **15e** - *50, av. de La Motte-Picquet (734.94.03).*

Cette excellente petite pâtisserie dispose d'une dizaine de tables et d'un personnel souriant pour vous servir, avec de bons thés d'Inde ou de Chine, ses brioches, chaussons aux pommes et croissants qu'on serait mal venu de ne point trouver parfaits puisqu'ils le sont.

LA PHOTOGALERIE

● **6e** - *2, rue Christine (329.01.76).*
Ouvert de 12 h 30 à minuit. F. samedi soir et dimanche.

Un salon de thé à la mode qui s'est récemment refait une beauté, et agrandi — aux dépens de la librairie. Plus de livres de photographie donc, mais toujours des expositions régulièrement renouvelées. Des heures d'ouverture plus tardives aussi — on peut maintenant y dîner — et une carte passablement augmentée puisqu'aux salades diverses, aux délicieuses tartes aux légumes ou aux fruits et au gâteau au chocolat qui ont contribué largement au succès de la Galerie, s'ajoutent désormais des plats du jour plus élaborés comme le pot-au-feu de canard, le poulet à la ciboulette, le jarret de porc au citron et sa purée d'aubergines. Plein comme un œuf à déjeuner, le salon ne désemplit pas à l'heure du thé — des thés, devrait-on dire ; ceylan, assam, kerman, chine, grand yunnan, goût russe, etc.

PONS

● **6e** - *2, pl. Edmond-Rostand (329.31.10).*

Face aux frondaisons du Luxembourg. On y rencontre moins d'étudiants et étudiantes que de collégiens sages qui engloutissent sans sourciller des Chanoine Fac, coupes Montaigne, pêches Cardinal, entre autres bonnes glaces, tandis que leurs distinguées grands-mères trempent délicatement un macaron dans deux doigts de thé. On peut aussi déjeuner agréablement — mais sans hâte — dans les salons du premier étage ou à la terrasse, quand la saison le permet, d'une dodine de légumes (12 F), d'un gnocchi (7 F), ou d'une coquille Saint-Jacques (22 F).

ROLLET

● **7e** - *6, rue de Bourgogne (551.78.36).*

Députés, sénateurs, ministres ont goûté les « députés », « sénateurs », et « ministres » de cette maison plus que centenaire, moitié restaurant, moitié salon de thé.

LA ROUTE DU THÉ ET DE LA SOIE

● **3e** - *157, rue Saint-Martin (271.37.35).*
De 12 h à 19 h. F. lundi et mardi.

Une petite maison blanche, sur la route du thé et de la soie, sans aller plus loin que Beaubourg. On s'arrête d'abord aux comptoirs du rez-de-chaussée : diverses variétés de thés, classiques ou parfumés, des fleurs et des plantes à infuser, des boîtes à thé et des théières (japonaises, en fonte, ou chinoises en terre) ; et des tissus : lourdes et superbes soies thaïlandaises et batiks vendus au mètre, nappes imprimées ou brodées à la main, kimonos anciens en soie, etc. Puis on monte au « salon » du premier étage (tables de bois et fauteuils en rotin) pour se faire servir un thé — justement — et de bons et solides gâteaux « faits à la maison » : reine de saba, cake, charlotte, tartes aux fruits, ou encore (les samedi et dimanche) des sushis, ces boulettes de riz au poisson cru, qui accompagnent si bien le thé, quand on a du goût pour les japonaiseries.

LE SATAY

● **5e** - *10, rue Saint-Julien-le-Pauvre (354.31.33).*
De 12 h à 2 h du matin.

Voici des fruits, des fleurs, des feuilles (exotiques) et par-delà la vitrine, les branches enchevêtrées des arbrisseaux du square Viviani. Les fruits entrent, frais, dans divers cocktails et sorbets, confits, dans d'assez bons cakes, et leurs graines séchées, dans de fines tisanes. Les fleurs sont disposées aux différents niveaux de la salle et sur les tables basses, et les feuilles montent à l'assaut des tuteurs sauf celles des thés les plus divers, mêlées sur demande expresse à des jus de fruits ou à des fleurs (de mandarinier) voire à des écorces (cannelle). La maison ouvre ses portes dès midi pour servir aux lève-tard un copieux « brunch » composé d'œufs à la coque et de pâtisseries, accompagnés de thé et de jus de fruits. Le soir à partir de 21 h, petits menus à base de curry de langoustines, d'agneau ou de poulet.

SINEAU

● **16e** - *79, rue de la Tour (504.75.23).*

Agréable petit salon où, pendant les heures de cours du lycée Janson-de-Sailly, il est bien agréable de venir au calme grignoter un macaron, une tarte au citron ou un petit marquis (au chocolat) ou encore goûter le café glacé et les bonnes glaces de Mme Royer-Sineau (pas moins de 18 parfums).

W. H. SMITH

● **1er** - *248, rue de Rivoli (260.37.97).*

Les petits carreaux de verre dépoli encastrés dans les boiseries contribuent, autant que la douceur des lumières et l'immensité des lieux, à la perfection d'une atmosphère unique à Paris (Smith à ouvert en 1903). Il n'y a pas que de jolies Anglaises pour goûter les scones, buns, crumpets et autres muffins qui constituent les agréables accessoires d'un five o'clock réussi, avec un très bon thé et de délicieuses tartes au citron. Breakfasts à l'anglaise pour les lève-tard (à partir de 10 h 15), et petits plats à la britannique (steak and kidney pie, beans on toast, saucisses de Cambridge, irish stew) servis — avec une lenteur éprouvante — de 12 h à 18 h.

THE TEA CADDY

● **5e** - *14, rue Saint-Julien-le-Pauvre (354.15.56).*

Boiseries de chêne, vitres plombées et poutres, un tea-room réservé aux lève (relativement) tôt et autres couche (pas trop) tard : on y déjeune dès midi tapé, mais l'on n'y dîne sous aucun prétexte (dernier goûters à 19 h). Les après-midi restent voués ici au thé (chine, ceylan, earl grey, jasmin, etc.) et à tout ce qui l'accompagne outre-Channel (buns, muffins, scones), voire — plus curieusement — sur les bords du beau Danube bleu (sachertorte, linzertorte), mais toujours dans la stricte obédience du salon de thé tel que le concevait Miss Kinklin, fondatrice de la maison en 1929. Toutes les douceurs précitées sont de confection extrêmement

Où bien (et agréablement) manger sur le pouce

Les établissements qui ne comportent pas de commentaires sont décrits à la rubrique « Salons de thé ».

Rive gauche

BELUSA
● **6e** - *86, rue du Cherche-Midi (222.52.58).*

DOMINIQUE
● **6e** - *19, rue Bréa (327.08.80).*

Blinis et goulasch au comptoir de ce « russe ».

LA FACTORERIE
● **8e** - *5, bd Malesherbes (265.96.86).*

Des plats aux fruits (canard aux figues) ou aux épices (saumon au gingembre, porc au curry), des gâteaux et des glaces de chez Lenôtre, dans le décor le plus dépaysant de Paris.

FANNY TEA
● **1er** - *20, pl. Dauphine (325.83.67).*

MUSCADE
● **1er** - *67, galerie Montpensier (297.51.36).*

LA PHOTOGALERIE
● **6e** - *2, rue Christine (329.01.76).*

PONS
● **6e** - *2, pl. Edmond-Rostand (329.31.10).*

LE SATAY
● **5e** - *10, rue Saint-Julien-le-Pauvre (354.31.33).*

LA SORBETIÈRE
● **6e** - *27, rue Saint-Sulpice (633.38.26).*

Salades composées, assiettes froides et les fameux sorbets « maison ».

THE TEA CADDY
● **5e** - *14, rue Saint-Julien-le-Pauvre (354.15.56).*

Rive droite

ANGÉLINA
● **1er** - *226, rue de Rivoli (260.82.00).*

BOUTIQUE À SANDWICHES
● **8e** - *12, rue du Colisée (359.56.69).*

Les meilleurs sandwiches de Paris.

CAFÉ TERMINUS (Hôtel Saint-Lazare-Concorde)
● **8e** - *108, rue Saint-Lazare (261.51.20).*

Dans un décor 1900 très réussi, dû aux talents conjugués de Slavik et de Sonia Rykiel, un service « à l'assiette » rondement mené : plats du jour ou sandwiches au bon pain de chez Poilâne.

CARETTE
● **16e** - *4, pl. du Trocadéro (727.88.56).*

DANSK POP
● **1er** - *184, rue de Rivoli (260.63.04).*

Confortable « self », et poissons fumés à la scandinave. Vente à emporter. Jusqu'à 21 h.

FAUCHON
● **8e** - *26, pl. de la Madeleine (742.60.11).*

FLORA DANICA
● **8e** - *142, Champs-Elysées (359.21.79).*

LADURÉE
● **8e** - *16, rue Royale (260.21.79).*

PANDORA
● **2e** - *24, passage Choiseul (297.56.01).*

LA ROUTE DU THÉ
● **3e** - *157, rue Saint-Martin (271.37.35).*

W.H. SMITH
● **1er** - *248, rue de Rivoli (260.37.97).*

---

soignée et « maison ». Comme d'ailleurs la marmelade d'accompagnement des toasts (à la cannelle : 6 F).

VERLET
● **1er** - *256, rue Saint-Honoré (260.67.39).*

Cette excellente brûlerie dispose de quelques tables où l'on peut goûter n'importe quel mélange de café ou de thé à son choix. Croque-monsieur, toasts, sandwiches délicieux préparés par la jolie patronne, pâtisseries viennoises et, pour apaiser les appétits les plus vifs, un birchermuesli à base de céréales, noisettes et raisins secs. La maison est souvent fréquentée par les comédiens du Théâtre-Français et par les journalistes du Canard Enchaîné qui n'ont qu'à traverser la rue pour venir ici alimenter leur verve.

Cafés
Cafés-brasseries

L'ARC EN CIEL

• **5e** - *2, bd de l'Hôpital (336.22.64).*

Chateaubriand y déjeunait souvent en compagnie d'Hortense Allart après ses promenades dans le jardin des Plantes. Autre assidu de la maison : Victor Hugo qui avait une connaissance dans l'immeuble. Mais ce grand café d'angle et de gare a été entièrement modernisé depuis lors — au détriment des céramiques animalières qui ornaient sa façade.

MA BOURGOGNE

• **8e** - *133, bd Haussmann (563.50.61).*

On peut commander, au comptoir de ce café-restaurant, siège de l'Académie Rabelais et des Francs Mâchons de Paris, des bourgogne d'années et d'appellations dignes de l'attention du connaisseur. Le Morvandiau Louis Prin (Meilleur Pot 1962) y fait preuve en effet, sous des dehors modestes, voire timides, d'une des plus belles autorités qui se puissent voir en matière de vin. Il va lui-même choisir ses beaujolais (fleurie, morgon, juliénas), son mâcon blanc ou rosé, son rully ou son pouilly pour le plus grand bonheur des nombreux (souvent excessivement nombreux) fidèles de sa maison. Bons plats du jour servis à déjeuner (de 20 à 25 F) et toujours une spécialité bourguignonne (coq au vin, bœuf bourguignon, potée, andouille, etc.).

BRASSERIE DU LION

• **14e** - *5, av. du Général-Leclerc (331.45.67).*

Décor « rétro » flambant neuf. Rappelons que Lénine et Trotsky passèrent ici de longs moments, penchés sur un échiquier.

LE BRÉBANT

• **9e** - *32, bd Poissonnière (770.25.55).*

Il connut sous le Second Empire une gloire à nulle autre pareille. C'est là en effet, que les Goncourt fondèrent leurs « Dîners des Spartiates » avec Dalloz et Jules Claretie, ouvrant ainsi la voie aux déjeuners beaucoup moins spartiates de l'Académie qui devait porter leur nom. Zola, Daudet, Flaubert, Coppée, Bourget, Mirbeau et quelques autres avaient également ici leurs dîners du « Bœuf Nature », dont l'un ne se termina pas sans que fût créé le terme d'« école naturaliste ». Citons encore les « Dîners Bixio » où la haute finance régalait la littérature (Mérimée, Sainte-Beuve, Alexandre Dumas, Sardou), les plus frugaux « Dîners Rigobert » où Edouard Detaille et Alphonse de Neuville payaient le patron d'un croquis, et enfin les fameux « Dîners Magny » animés par Sainte-Beuve. Le Brébant accueille de nos jours les banquets des amicales d'anciens combattants.

CAFÉ DE LA MOSQUÉE

• **5e** - *39, rue Geoffroy-Saint-Hilaire (331.18.14).*

Son patio à murs blancs, bassin et figuiers, est annexé dès les beaux jours par la clientèle estudiantine de la faculté Censier. Elle y apprécie les prix très doux du thé à la menthe, du café turc et du sirop d'orgeat.

CAFÉ DE LA PAIX

• **9e** - *12, bd des Capucines (260.33.50).*

Le Relais Capucine (honnête restaurant rapide), au merveilleux décor « opéra » admirablement restauré (et classé Monument historique), consacre ses horaires d'entre les repas à la limonade classique et au service salon de thé.

LA CHOPE DU CROISSANT

• **2e** - *146, rue Montmartre (233.35.04).*

Une inscription et quelques pieux souvenirs ornent encore le décor de ce vieux café où Jean Jaurès fut assassiné, le 31 juillet 1914, époque où le célèbre « Journal des Voyages » tenait encore ses bureaux juste au-dessus de l'établissement.

LA COUPOLE

• **14e** - *102, bd du Montparnasse (320.14.20).*

Jusqu'à 2 h du matin.

Cette salle des pas perdus est d'une laideur affligeante, et il faut beaucoup d'obstination pour se souvenir que, du temps de Soutine, Breton, Foujita et Kiki, elle fut le salon permanent de l'intelligence et du talent. Ce n'est pas en contemplant les fameuses fresques qui décorent le haut des douze colonnes carrées qu'on se fera une haute opinion de l'art des années folles. Y compris une misérable œuvrette bâclée par Othon Friesz, elles sont l'œuvre de barbouilleurs de dernier ordre. Le miracle, pourtant, se perpétue dans le va-et-vient des poètes chevelus, des commerçants du quartier, des intellectuels en chômage chronique, des peintres hollandais, des modèles scandinaves, des ophélies droguées et des badauds de partout et de nulle part. Bonnes bières.

AU COURRIER DE LYON

● **7e** - *17, rue du Bac (261.12.98).*

L'équipe de France de rugby est venue maintes fois dans ce café d'angle, si semblable à tant d'autres, chanter le triomphe de nos couleurs (au bourgogne aligoté) ou noyer (dans le beaujolais) le désarroi de la défaite. C'est Antoine Blondin qui assurait le déroulement orthodoxe de ces cérémonies. Ces expériences, parmi d'autres, lui inspirèrent dans plusieurs de ses romans quelques pages d'une déchirante beauté.

LES DEUX MAGOTS

● **6e** - *170, bd Saint-Germain (548.55.25).*

Rémy de Gourmont, Léautaud et d'autres rédacteurs du Mercure de France eurent leurs habitudes ici. Ce sont eux qui firent croire qu'Alfred Jarry sortant un jour un pistolet de sa poche tira à blanc contre une vitre avant de dire à une belle dame inconnue qui lui faisait vis-à-vis : « Maintenant que la glace est rompue, causons... ». Jean Giraudoux, grand buveur de « roses », apprécia l'établissement, Sartre et Simone de Beauvoir se montrèrent à la terrasse comme ils se montraient partout ailleurs, Breton les y rencontra. Si la réputation des Deux Magots doit beaucoup à l'ensemble de ses fréquentations illustres, elle est aussi constamment entretenue par l'intelligente direction de son patron. Les garçons présentent encore sur des plateaux d'argent la bouteille de whisky (quelques-uns sont admirables) avant de le servir, et c'est sans doute l'un des derniers cafés de Paris où l'on pratique encore cet usage, comme, le seul où se prépare toujours à l'ancienne un chocolat mousseux et onctueux longuement battu et cuit à partir de tablettes suisses fondues dans le lait. Telles sont les louanges que nous nous devions d'adresser à M. Mathivat. Ajoutons ici celles que mérite le café, mélange exclusif des meilleurs arabicas, et enfin les glaces très soignées, aux œufs et à la crème fraîche. Et réjouissons-nous que l'un des plus célèbres cafés de Paris en soit aussi le plus sérieux et le plus scrupuleusement attentif à la qualité.

Chaque mois, le Guide de Paris Gault-Millau complète cet ouvrage et agrandit votre carnet d'adresses.

LE DÔME

● **14e** - *108, bd du Montparnasse (354.53.61).*

De 7 h à 2 h du matin.

Le décor en est un peu lourd et l'on peut trouver que les références pasticheuses à l'esprit « Art Déco » manquent d'ironie dans la caricature. Mais à tout prendre, préférons-le à l'ancien, il était hideux et, dans les derniers temps de son agonie, sordide. On a beaucoup exagéré le rôle de ce café dans l'histoire de l'art moderne. Le nouveau Dôme est devenu un grand café bien sage. C'est dire qu'il mêle quelques vieilles célébrités assagies du quartier à de braves bourgeois d'ailleurs, dont les raisons de se retrouver là restent assez vagues à nos yeux.

LE FLORE

● **6e** - *172, bd Saint-Germain (548.55.26).*

Jusqu'à 2 h du matin.

Le patron se souvient-il encore des tables autour desquelles Sartre, Simone de Beauvoir, Camus, Audiberti, les frères Prévert et tant d'acteurs, penseurs et cinéastes se réunissaient (près du poêle constamment rechargé) pour exprimer à mi-voix mais toujours « à la barbe de l'Allemand » les idées avancées qui allaient rendre ce lieu célèbre ? Un plus lointain passé distingue ce café littéraire qui fut fondé à la fin du Second Empire dont les premiers clients furent Huysmans et Rémy de Gourmont et, un peu plus tard, l'équipe de l'Action Française. Chaque mardi, de cinq à huit, Maurice Barrès et Paul Bourget y rencontraient Moréas tandis que son presque homonyme Maurras rédigeait — ailleurs — « Au signe de Flore ». Apollinaire les suivit et fonda en ce lieu la revue « Les Soirées de Paris » avant la venue de Léon-Paul Fargue. C'est dans les années 50 que Boubal crut bon d'aménager en bar-salon son ancien appartement du premier étage, annexé bientôt par les petits rois de la « Reine Blanche » et, dès lors, promu centre international de l'homosexualité masculine. Mais les garçons, sans s'en soucier continuent de servir la génération inlassablement montante des hommes de lettres parisiens et la clientèle des vieux Germanopratins pour qui un verre au Flore — vers 17 h et à l'intérieur bien sûr — constitue toujours l'un des rites les mieux ancrés du « Village ».

LA GALOCHE D'AURILLAC

● **11e** - *41, rue de Lappe (700.77.15).*

Siège de l'association « Cabrettes et Cabretaires » composée pour l'essentiel de garçons de café qui se réunissent dans la cave pour jouer de la cabrette, le biniou auvergnat. Les galoches suspendues sont à vendre. Le saucisson sec aussi.

LA GRILLE

● **6e** - *1, rue Guisarde (354.16.87).*

« Vieille grille de marchand de vin », signalent, sans autres commentaires, les divers guides historiques des rues de Paris. La grille en question est en tout cas toujours là et fort belle. Elle cache un café bien banal, et bien attachant à ce titre; presque un café de village. La patronne ne ménage ni ses sourires ni son temps pour feuilleter les pages de son plan de Paris et vous indiquer votre chemin, même si vous êtes un « étranger ». Café aussi rude et âcre qu'ailleurs.

LIPP

● **6e** - *151, bd Saint-Germain (548.53.91).*
Jusqu'à 1 h du matin. F. lundi.

Sous la conduite de l'empereur malicieux Roger Cazes, soixante-cinq personnes — dont vingt-cinq garçons — travaillent chez Lipp. Depuis la départ du fameux Bouboule qui était « dans la maison » depuis 1933, c'est Gérard Jaeger le plus ancien des garçons. Ceux-ci vendraient leur charge à leur successeur? Une légende qui court depuis bien longtemps. Elle est fausse. Lipp est très convoité; on fait toujours une enquête de moralité avant d'engager quiconque et il vaut mieux être recommandé — mais pas question de vendre sa charge comme un agent de change. Berthe est un pilier de la maison, qui n'hésite pas à dire ce qu'elle pense aux ministres qui déjeunent là, et Jacqueline est chargée du vestiaire, des cigarettes et du téléphone (discrétion assurée). Les temps et les Républiques ont changé depuis l'époque (1920) où Marcellin Cazes acheta à l'Alsacien Lippman sa « brasserie des bords du Rhin » pour que celui-ci pût enfin tenir dans le verre des Parisiens, mais c'est toujours le même merveilleux décor de boiseries, de cuivre et de moleskine, avec les si laides céramiques de Fargue, père de Léon-Paul. Et cette admirable maison demeure l'un des deux ou trois établissements de Paris où il continue de se passer à tout instant quelque chose. Cela tient presque exclusivement à la vigilence extrême apportée par Roger Cazes à l'ordonnance de ses parterres de célébrités, chaque jour reconsidérée. Un provincial ou un touriste étranger qui se présente naïvement chez Lipp devra généralement se contenter de la petite terrasse volontairement sinistre installée sur le trottoir du boulevard. Au mieux, on l'expédiera avec ses pairs dans la salle du premier étage où jamais le moindre événement ne survient. Mais si l'on appartient à ces quelques milliers de privilégiés dont les traits sont gravés dans l'étonnante mémoire de Roger Cazes, on a droit alors à un sourire (gradué selon la personnalité du client), voire même à une poignée de main...

Consultez le sommaire, p. 5.

LE MADRID

● **9e** - *8, bd Montmartre (824.97.22).*
Jusqu'à 2 h du matin.

En face du Théâtre des Variétés, ce survivant des grands cafés des Boulevards fut dans les années 1860 le centre de l'activité politique française. Républicaine avec le jeune Gambetta et Henri Rochefort, pré-communarde avec Jules Vallès. Baudelaire y fréquentait assidûment. Et aussi Alphonse Allais qui, sur la terrasse, demandait : « Garçon, un bock, s'il vous plaît, et un peu moins de vent ».

AU MARRONNIER

● **16e** - *75, rue d'Auteuil (651.28.43).*
Jusqu'à 21 h 30.

Ce tout petit café-bistrot populaire égaré dans la très bourgeoise rue d'Auteuil a gardé quelques lambeaux de céramique décorée et un superbe comptoir de bois où se débitent de la Salers et du vouvray. Sur un coin de table, M. Compain, le patron en casquette, fait ses écritures à la plume sergent-major et à l'encre violette, en gourmandant les femmes qui caquettent au fond d'une cuisine où s'élabore pour les habitués un sincère petit fricot. La maison ferme en fin de semaine sauf les dimanches de courses à Auteuil ou à Longchamp.

LE PETIT MAXIME

● **9e** - *9, bd de Clichy (878.47.90).*

Dans ces murs méconnaissables fréquentèrent jusque vers 1875 la fine fleur des Impressionnistes, Renoir, Monet, Manet, Pissaro, etc., et même Zola conduisant quelques écrivains naturalistes à sa dévotion. L'établissement de M. Morabito reçoit de nos jours un peu moins de célébrités, jusque sur le coup de 5 h du matin.

LE PROCOPE

● **6e** - *13, rue de l'Ancienne-Comédie (326.99.20).*

C'est au milieu de l'après-midi, quelques heures à peine entre les deux services, que ce restaurant retrouve furtivement sa vocation première. Le « plus vieux café du monde » déploie alors dans le calme son exquis décor aux murs rouges baignant dans la lumière douce des lustres de cristal, et l'on s'y fait servir un café dont on peut penser qu'il n'est pas très différent de celui que Francesco Procopio fit découvrir aux Parisiens dans les années 1685. Les grands portraits des « clients » célèbres (Voltaire, Diderot, Danton, Gambetta, Huysmans, etc.), diverses inscriptions, le chapeau sous vitrine qu'oublia ici le fiévreux Bonaparte, la table où Voltaire troussa son quatrain homicide à Fréron, tout cela ébranle sans peine le grand cortège des souvenirs.

AUX QUATRE SERGENTS DE LA ROCHELLE

● **5e** - *25, rue Descartes (354.64.14).*

Cette annexe studieuse du lycée Henri-IV tire son nom de l'« Affaire des Quatre Sergents » qui tentèrent, en 1822, de se réfugier en ces lieux alors nommés « Cabaret du Roi Clovis ».

RHUMERIE MARTINIQUAISE

● **6e** - *166, bd Saint-Germain (354.28.94).*
Jusqu'à 2 h du matin.

Reste l'un des endroits de Paris où il est le plus difficile de trouver une place assise, à n'importe quelle heure de la journée. La clientèle s'en est définitivement embourgeoisée, mais les punchs « maison » n'ont rien perdu de la saveur et de l'énergie qui les rendirent célèbres dans le Tout-Saint-Germain altéré de l'immédiat après-guerre.

LE SÉLECT

● **6e** - *99, bd du Montparnasse (548.38.24).*
Jusqu'à 2 h 30 du matin.

Tout est resté en place du décor d'origine (1923). Le nouveau patron, M. Plegat, perpétue ici l'esprit de clocher du vieux Montparnasse tendu vers la recherche d'une esthétique universelle, et qui fait tout l'attrait des lieux. S'y ajoutent, certes, le sancerre du patron et les bières belges qu'il propose à la pression. Mais l'essentiel, ce sont ces jeunes gens sourcilleux qui se relaient ici depuis cinquante ans (et plus) pour entretenir à petit feu la « tradition », purement locale, de l'avant-garde saisonnière.

TAVERNE DE MAÎTRE KANTER

● **14e** - *68, bd du Montparnasse (326.88.40).*
Ouvert jusqu'à 2 h du matin.

Le surprenant décor de village alsacien est l'ultime avatar de l'ex-Dupont, et plus glorieusement et anciennement encore ex-Lavenue, grand rendez-vous d'hommes de lettres et de politiciens. On ne voit même plus la tête de Bretonne que Falguière (direction Mairie d'Issy) avait sculptée dans une pierre de la façade. On vous y servira néanmoins une honnête choucroute « maison » et un solide jarret de porc à l'alsacienne.

Bistrots à bière, à vin

BISTROTS A BIÈRE

ACADÉMIE DE LA BIÈRE

● **5e** - *88 bis, bd de Port-Royal (354.66.65).*
Jusqu'à 2 h du matin.

Dans son débit à terrasse — chaleureux et bon enfant à défaut d'être luxueux — Pierre Marion et sa femme servent plus de 100 bières différentes, belges principalement (comme l'est aussi Mme Marion), mais aussi les savoureuses bières du Nord (les Jeanlain) et les non moins superbes bières anglaises et écossaises. Service continu de charcuterie des Ardennes et moules-frites.

BAR BELGE

● **17e** - *75, av. de Saint-Ouen (627.41.01).*
Tous les jours sauf lundi de 16 h 30 à minuit.

Derrière les fenêtres à petits carreaux de verre dépoli et sous les lambris blonds d'un bar charmant récemment agrandi et rénové, l'ombrageux et octogénaire Julien Forêt, Wallon terriblement cabochard et ancien boucher aux Halles, continue de servir avec une attention religieuse et l'aide de Mme Marec, une trentaine de bières belges de luxe, chacune dans le joli verre conçu spécialement pour sa dégustation. On vient y goûter toute la production des saints trappistes de l'abbaye de Leffe, des bières apéritives comme la « bitter bier » ou la « coronation » et des « stout », des « gueuze », des « christmas », dont certaines pèsent plus de 20° d'alcool. D'exquis fromages de Hollande, le merveilleux jésus des Flandres, le jambon-filet d'Anvers agrémentent ce voyage qu'on n'est jamais certain de terminer sans zigzaguer un peu. Ne demandez pas un verre de vin ou un café. La maison ne sert que de la bière.

BAR DU GÉNIE

● **11e** - *4, bd Beaumarchais (700.56.53).*
Toute la nuit.

On entre ici sur une jambe comme le stylite qui surplombe. Et l'on ressort volontiers à quatre pattes si l'on a pris soin de goûter aux quarante bières servies au comptoir — jusqu'à 8 h du matin — par les barbus de service. Gueuze, Guinness et musique pop à la pression.

CHEZ BAUBÔ

● **14e** - *104, rue du Château (322.62.96).*
De 20 h à 1 h 30 du matin.

Derrière deux panneaux vitrés surmontés d'une horloge Westminster façon Dufayel et hors d'usage se trouve un comptoir où l'on débite une exquise bière de Chimay au tonneau. M. Guillaume, le patron de ce curieux établissement en sert une dizaine d'autres — également belges — ainsi que des alcools de grain et autres genièvres (de Hollande et d'Allemagne) et des thés de toutes provenances à une clientèle moitié écologique, moitié artiste (les comédiens du petit Théâtre de Plaisance, juste en face) et souvent les deux à la fois.

AU GÉNÉRAL DE LA FAYETTE

● **9e** - *52, rue La Fayette (770.59.08).*
Jusqu'à 2 h du matin.

Confortable bar de style anglo-belge où l'on sert une multitude de bières de tous les pays producteurs : 7 bières tirées à la pression, dont l'exquise Vézelise de Lorraine, la Double Diamond de Burton-on-Trent et la fameuse Guinness de Dublin servie à la température de la cave, c'est-à-dire très légèrement chambrée, dans la meilleure tradition irlandaise. Saucisses grillées à toute heure.

LA PINTE

● **6e** - *13, carrefour de l'Odéon (326.26.15).*
Jusqu'à 2 h du matin.

Plaisant petit bar à peine signalé par son enseigne, dans les courants d'air de la place de l'Odéon. Au sous-sol, un pianiste désinvolte plaque des accords de jazz ou joue ses propres compositions en chassant les mèches qui lui barrent le front. La bière — Krick, Maes, Courage, Watney's, Gueuze, Carlsberg, Abbaye de Leffe, Bellevue, Pilsen, Guinness, Spaten, etc. —, majuscule et omniprésente, module l'atmosphère que l'on pourra trouver un peu dense mais chaleureuse. Les chopes succédant facilement aux chopes, l'œil s'alourdit assez vite et mieux vaut laisser au barman le soin d'appeler un taxi.

PUB SAINT-GERMAIN

● **6e** - *17, rue de l'Ancienne-Comédie (329.38.70).*
Jour et nuit.

Quatorze (ce chiffre est à peu près unique en France) bières à la pression, deux cents autres en bouteilles sont servies ici, dans une cave fraîchement déblayée où furent retrouvés tous les ossements des moutons que le docteur Guillotin décapita pour mettre au point sa célèbre machine. Ce Pub assez remarquablement géré propose plus de 500 places dévolues à la dégustation des bières. Sans compter les autres boissons : cocktails fort bien faits, thés (20 sortes), whiskies (132 différents), qui font de cette maison une halte providentielle à toute heure du jour et de la nuit. Restauration en progrès et huîtres toute l'année (vente à emporter également).

TAVERNE DE NESLES

● **6e** - *32, rue Dauphine (326.38.36).*
Jusqu'à 2 h du matin.

La Taverne (Meilleure Chope de Paris en 77) vient de rafraîchir son décor sous le signe de la Communauté Européenne dont les divers drapeaux et emblèmes sont l'ornement. Mme Borot, la propriétaire, qui sait de quoi elle parle, vous servira, sur son long comptoir, 160 sortes de bières des quatre coins du monde. Y compris les bières anecdotiques, chinoises, pour diabétiques ou pour nourrices. Retenons surtout les productions allemandes (bavaroises ou du Nord), belges (trappistes) et surtout la stout Guinness tirée du fût. Et pour les accompagner, bonne choucroute « maison ».

LA TOUR D'ARGENT

● **12e** - *6, pl. de la Bastille (344.32.19).*
Jusqu'à 1 h 15 du matin.

Trois bières à la pression (Karlsberg, Kronenbourg et Paulaner), du demi à la chope ou pinte. Et 12 bières en bouteille parmi lesquelles la Beck's, la Guinness, la Douglas, la Campbell's, etc. Tout cela se boit dans un décor Belle Epoque rénové où l'on regrette cependant la suppression d'un comptoir autour duquel se célébrèrent avec éclat quelques-uns des plus grands triomphes de l'ébénisterie ouvrière et artisanale de la première moitié du XXe siècle. Mêmes bières, même direction (et même restauration) à la Tour de Lyon, 1, rue de Lyon, 12e (343.88.30).

LE TRAPPISTE (Zeyer)

● **1er** - *4, rue Saint-Denis (233.08.50).*
Jusqu'à 2 h du matin.

Le très vaste décor y a été conçu en hommage aux rêveries d'un gros buveur de bière amateur de rustique et de fête moyenâgeuse dans le goût du XIXe siècle, Boucicaut-Barbès. Mais l'essentiel est ici ce qu'on trouve au fond des chopes ou débordant d'icelles : Carolus d'Or à 19°, Mort Subite, Gueuze Lambic, Trappistes blondes ou brunes, etc. Au total, une centaine de bières à déguster avec quelques parenthèses de choucroutes, grillades et moules.

Autres bonnes adresses

BAR BELGE DU NEW STORE

● **8e** - *63, Champs-Elysées (225.96.16).*

Vaste choix de bières — plus de cent variétés différentes — de France, d'Allemagne, de Grande-Bretagne, de Scandinavie, d'Europe Centrale, d'Amérique, de Chine et du Japon. Ouvert jusqu'à 2 h du matin.

BAR ROMAIN

● **9e** - *6, rue Caumartin (742.98.04).*

M. Papillon, animateur de la Chope d'Or, propose un bon choix de bières (brune à la pression).

LA BONNE BIÈRE

● **11e** - *32, fg du Temple (357.53.88).*
Jusqu'à minuit 15.

Rendez-vous, entre autres, des graveurs sur acier de tout Paris, réputés grands amateurs de bière. Ils en trouvent ici plus de dix variétés au comptoir (dont deux à la pression).

MA BOURGOGNE

● **4e** - *19, pl. des Vosges (278.44.64).*

Charmant café-tabac sous les arcades de la place où l'on sert de bonnes bières à la pression notamment : Watney's, Munich, etc. Voir aussi « Bistrots à vins ».

COCKNEY BAR

● **9e** - *39, bd de Clichy (874.80.80).*

Les petites femmes de Pigalle (en sortant à droite) y trouvent un choix de bières provenant d'une bonne quinzaine de pays. La John Courage d'abord — dont le nom sous-titre l'enseigne à l'anglaise —, en bouteille et à la pression, et la Martin's (même provenance); mais aussi la slovaque Pilsen, l'américaine Schlitz, voire sa copie — presque — conforme, la japonaise Asahi.

HARRY'S BAR

● **2e** - *5, rue Daunou (261.71.14).*
Jusqu'à 4 h du matin.

Bières étrangères à la pression (Carlsberg, Spatenbrau, Double Diamond, Guinness). Voir aussi « Bars ».

KING HENRY

● **5e** - *44, rue des Boulangers (354.54.37).*

Une trop petite salle aménagée dans l'arrière-boutique pour goûter au plus vaste choix de l'industrie ou de l'artisanat houblonniers : près de 500 bières (de tous pays) entre autres breuvages.

LIPP

• **6e** - *151, bd Saint-Germain (548.53.91).*

Dans la matinée, le rez-de-chaussée de Lipp est un havre de paix que l'on investit sans aucune des formalités redoutables exigées par Roger Cazes aux pleines heures de service. Bonnes bières à la pression : blonde Mutzig et brune de Münich.

LONDON TAVERN

• **6e** - *3, rue du Sabot (548.42.39).*
Jusqu'à 2 h du matin.

Un pub très animé en fin de semaine avec un décor tarabiscoté et amusant et beaucoup d'excellentes bières, Guinness, entre autres.

MAISON DE L'ALLEMAGNE

• **8e** - *45, rue Pierre-Charron (225.88.96).*
Jusqu'à 23 h. F. dim.

Dans l'agréable snack situé derrière la boutique, la plupart des grandes bières allemandes sont servies au comptoir, ou assis, avec à l'heure du déjeuner de très convenables spécialités d'outre-Rhin : filets de harengs, charcuteries, saucisses de Nuremberg, choucroutes, etc.

MUNCHNER PSCHORR BRAU HAUS

• **11e** - *14, pl. de la Bastille (343.42.76).*
Jusqu'à 2 h du matin.

Bières bavaroises à la pression pour accompagner, si le cœur vous en dit, une oie rôtie aux choux-rouges.

LE MUNICHE

• **6e** - *27, rue de Buci (633.62.09).*

Hackerbrau (blonde ou brune) et Mutzig.

PUB WINSTON CHURCHILL

• **16e** - *5, rue de Presbourg (500.75.35).*
Jusqu'à 2 h du matin.

Quatre exquises Watneys : Red Barrel pale, Red Barrel brown, pale ale et stout.

SÉLECT

• **6e** - *99, bd du Montparnasse (548.38.24).*
Jusqu'à 3 h du matin.

Bières tchèques à la pression.

TONQUET

• **8e** - *1 bis, rue Jean-Mermoz (359.18.40).*
Jusqu'à 4 h 30 du matin.

Schlutz, en bouteille uniquement.

BISTROTS A VIN

AUX AUVERGNATS

• **11e** - *100, bd Voltaire (355.57.94).*

Jean Fabre, Meilleur Pot 1974, sert au comptoir de sa brasserie de très remarquables beaujolais de crus : saint-amour, brouilly et chiroubles. Plat du jour (13 F), et cantal de montagne qui figure parmi les meilleurs qu'on puisse manger à Paris.

LE BISTROT A VIN

• **92 Courbevoie** - *Esplanade de la Défense (776.11.94).*

Steven Spurrier, l'heureux propriétaire des Caves de la Madeleine, n'a pas froid aux yeux : il s'est attaqué sans complexe à la dalle de béton de la Défense en ouvrant ce Bistrot à Vin qui porte bien son nom. Un polygone presque parfait, clair et aéré, « perdu » dans une maigre verdure : rien à voir avec un bistrot mais où règne une atmosphère plaisante. La clientèle de cadres cosmopolites des tours avoisinantes vient du sur un bout de comptoir ou à la terrasse comparer à petites gorgées les mérites respectifs des costières du Gard, du cheverny-sauvignon, du saumur-champigny et du sancerre, et se faire servir, pour entretenir la soif, de belles assiettes de jambon à l'os ou de fromages (fermiers). Vente également à emporter.

JEAN-PIERRE BLOUD

• **17e** - *89, bd Gouvion-Saint-Cyr (574.86.70).*

Dégustation sur fonds de tonneaux des (bons) vins vendus ici même par cet excellent marchand (voir « Alimentation - Vins et alcools »).

BOUGNAT BOUTIQUE

• **8e** - *3, rue d'Isly (387.39.96).*
• **14e** - *116, av. du Gal-Leclerc (542.06.76).*
• **92 Neuilly** - *12, av. de Madrid (747.88.92).*

Une « chaîne » de bougnats, on aura donc tout vu ! N'empêche que dans toutes ces boutiques au décor discrètement rustique on peut, sans préjudice de substantiels repas à petits prix, faire de vrais casse-croûte avec de vrais produits de la ferme (jambon, fromages, charcuteries) et des vins généralement très bien choisis.

MA BOURGOGNE

• **4e** - *19, pl. des Vosges (278.44.64).*
Jusqu'à 1 h du matin (l'été, jusqu'à 1 h 30).

Maigret, conduit par la plume de son créateur Simenon, surveilla durant quelques pages les habitués de ce charmant café-tabac. Il eût mieux fait de porter toute son attention sur d'autres suspects : les morgon et fleurie parfois servis dans ce bistrot à la mode dont les tables débordent sous les arcades de la place. C'est là que s'assoient fréquemment Jean-Edern Hallier et ses jeunes admirateurs dont il modère les révoltes. Bonnes charcuteries aveyronnaises.

CASA DO PORTO

● **18e** - *2, rue Tourlaque (606.15.05).*

Un vieux bistrot du vieux Montmartre où les jeunes artistes au sortir des vieilles « cités de sculpture » proches continuent à venir boire un petit blanc, ou un petit vert ; la vieille patronne a en effet converti son établissement en ambassade du Portugal viticole. De sorte qu'après le « vinho verde », l'usage veut qu'on choisisse un madère, pour finir selon ses moyens — ou ce qu'il en reste — par une dégustation de porto (en tout une bonne douzaine dont quatre ou cinq millésimés).

CAVES MÉLAC

● **11e** - *42, rue Léon-Frot (370.59.27).*

Vins de Loire, d'Alsace, de Provence et d'ailleurs. Le choix est vaste, l'accueil bonhomme et le quartier — celui des « ébénos » — bien charmeur. Et pour tromper sa faim, de robustes charcuteries que Jacques Mélac sert à jours fixes sur le zinc : tripoux, andouillette ou boudin.

LE CHAI DE L'ABBAYE

● **6e** - *26, rue de Buci (326.68.26).*

Guy Mauchien a été Meilleur Pot en 1966. C'est bien loin, mais reconnaissons que malgré le service à la hussarde, le décor épuisé et sa clientèle de noctambules avachis, les vins de ce Berrichon témoignent à l'occasion d'une très belle qualité. Sancerre, bordeaux, quincy, et galettes de pommes de terre pour faire passer le tout.

LA CIGOGNE

● **92 Levallois** - *5, pl. Henri-Barbusse (757.48.71).*

M. Munch n'est plus là, mais son successeur perpétue la tradition et propose toujours une sélection de très bons vins (et eaux de vie) d'Alsace, réparant ainsi le douloureux mépris qu'affectent ses confrères parisiens à l'encontre de ce vignoble.

LA CLOCHE DES HALLES

● **1er** - *28, rue Coquillière (236.93.89).*

C'est le cloche de bronze dont la volée signalait autrefois le début et la fin des négociations sur le carreau des Halles. Les interminables négociations traitées sur le comptoir de Géraud Rongier (Meilleur Pot 1973) ne sont plus troublées d'aucun tintinnabulement. On y boit — jusqu'à 22 heures le soir et parfois sur plusieurs rangées — d'exquis sancerres blanc ou rosé, des beaujolais et quelques grands bourgognes, accompagnés, à l'occasion, de belles assiettes de jambon à l'os « maison » (excellent), de terrine de foies de volailles ou de cantal fermier.

LE DUC DE RICHELIEU

● **2e** - *110, rue de Richelieu (742.10.62).*

Paul Georgé est de nature joviale et la modestie n'est pas son fort. Ces deux traits se justifient au demeurant par l'excellence du fleurie récolté par ses soins et dont il vend depuis bientôt 30 ans (le décor de marbre date, lui, de 1920) plus de 100 bouteilles par jour à des prix très doux. Avec son saint-amour délicieux et quelques vins de Loire très agréables, nos confrères de « L'Aurore » et du « Monde » parviennent à faire et refaire ce dernier, dans un sens ou dans l'autre. Ces dégustations s'accompagnent d'excellents sandwichs (aux rillettes d'oie notamment) ou de robustes plats du jour : tripes, daubes, potées, andouillettes (de 16 à 20 F). Ouvert jour et nuit.

L'ÉCLUSE

● **6e** - *15, quai des Grands-Augustins (633.58.74).*

Georges Bardawill (déjà fondateur du salon de thé-restaurant de la rue Christine, la Photogalerie) a redonné vie à ce cabaret presque oublié, enfoui sous les marches du quai des Grands-Augustins et qui contribua naguère à la gloire de Barbara, Ferré, Brel, etc. Quelques tables-bistrot où l'on sert de fringants châteaux bordelais, blancs et rouges, au verre ou à la bouteille, accompagnés de réjouissantes charcuteries.

AU GRAND COMPTOIR

● **1er** - *4, rue Pierre-Lescot (233.56.30).*

En souvenir du temps passé, où les Halles étaient des halles et où l'on venait s'encanailler gentiment entre visons bleus et bleus de chauffe. Mais que voulez-vous, les temps changent ! Il reste que pour se faire servir d'excellents beaujolais, entre autres vins de (grand) comptoir, il faut souvent écarter d'une main ferme le rideau de clients qui attendent une table pour dîner, fermant ainsi la route du zinc.

LA GRILLE

● **2e** - *50, rue Montorgueil (236.24.64).*

Dans son décor très « lyonnais » où s'accumule le souvenir de milliers de navarins, plats de côtes et tripes à la mode, le fils Lenoble sert sur un comptoir de rêve quelques très honnêtes beaujolais, chiroubles et morgon notamment.

CHEZ MARCEL

● **12e** - *7, rue Saint-Nicolas (343.49.40).*

Marcel s'appelle aussi Antoine. Il sert, au comptoir de son restaurant, du brouilly, du chiroubles, des rosés de Bordeaux et de jeunes côtes-du-Rhône aux vieux artisans et patrons ébénistes du proche Faubourg dédié au saint portant son second prénom.

AUX NÉGOCIANTS

● **18e** - *27, rue Lambert (606.15.11).*

Charmant bistrot en lisière de Montmartre : un vrai petit « rade » populaire à clientèle de postiers, d'artisans du quartier ou de chauffeurs de taxi, intarissable sur les vertus du sauvignon et les aléas de la conjoncture. Et les Tricoche qui ont su rester les patrons les plus affables et les plus paisibles de Paris continuent d'arroser leurs merveilleuses assiettes de charcuteries de campagne ou d'omelettes aux herbes d'un adorable bourgogne aligoté, d'un bourgueil délié, d'un merveilleux chablis en oubliant l'art des truquages, des mondanités et des prix soufflés.

LE PÈRE TRANQUILLE

● **14e** - *30, av. du Maine (222.88.12).*

Une minuscule terrasse conquise sur les chantiers du pied de la tour, et aussi un chaleureux couloir qui fait depuis quelques années à force de tête de veau, pâtés « maison », formidables saucissons, délicieux fromages et ravissants vins de propriétaires (champigny, gamay, saumur, graves rouge et blanc, muscadet) le précieux bonheur d'une vaste clientèle de copains bavards et assoiffés. Il faut dire que plus que tout autre à Paris ce magnifique bistrot a une âme, celle de Jean Nouyrigat, père pas toujours tranquille mais patron de charme comme on n'en fait plus.

LE PETIT BACCHUS

● **6e** - *13, rue du Cherche-Midi (544.01.07).*

Ce tout petit bistrot en face de la boulangerie Poilâne ressemble en fait à un salon de thé douillet. Le comptoir minuscule invite à s'asseoir pour goûter les vins que Jean-Marie Picard choisit lui-même ou laisse à Lucien Legrand et Steven Spurrier le soin de choisir pour lui. Pour aiguiser votre soif, faites-vous donc servir une assiette auvergnate : jambon, rillettes, saucisse sèche (40 F pour deux personnes) ou bien cantal et chèvre fermiers. J.M. Picard nous annonce, à l'heure où nous écrivons ces lignes, l'ouverture prochaine de sa cave à vins-bistrot : L'Abbaye du Vin, 78 rue des Archives, que nous découvrirons en même temps que vous.

LE PETITOUT

● **1er** - *17, pl. Dauphine (354.45.95).*

Raymonde Martin y dispense avec une inégale humeur des bourgognes, des bordeaux, du cahors, du morgon, du chiroubles et du sauvignon. Les servants et les auxiliaires de la justice en son proche palais constituent le fonds journalier de sa clientèle. Quelques comédiens et des gastronomes des deux rives lui rendent visite le soir venu. L'assiette paysanne (charcuterie), les crêpes au fromage et la tarte aux poires et aux pommes sont les trois éperons à boire « maison ». La minuscule terrasse sur la plus vieille et la plus jolie place de Paris ajoute aux plaisirs des lieux. De 12 h à 20 h 30 seulement.

PETRISSANS

● **17e** - *30 bis, av. Niel (227.83.84).*

On éprouve certains scrupules à inscrire au chapitre « bistrot » ce haut lieu de dégustation d'un marchand de vin prestigieux. Mais Tristan Bernard, qui s'inspira du décor ancien et des habitudes des clients et des employés de ce débit de boissons singulier dans la pièce qu'il titra « Le Petit Café », nous a ouvert la voie. De vieux et savants amateurs viennent ici comparer en claquant la langue des vins rarissimes qui portent allègrement le même âge qu'eux et des champagnes partout ailleurs introuvables.

LE RALLYE

● **14e** - *6, rue Daguerre (322.57.05).*

Bernard Péret se révèle, au fil des années, comme le plus constant parmi ses confrères et aussi le meilleur dans le choix des beaujolais nouveaux. Mais ce natif de Saint-Urcize n'est pas moins attentif à ses pouilly, sancerre, sauvignon, qu'il fait servir généralement accompagnés d'un merveilleux saucisson du Vivărais. Des peintres célèbres, des journalistes, des écrivains, des clochards et tous les commerçants assoiffés de cette rue marchande et grouillante ne cessent d'en porter témoignage. Vente à emporter.

LE RELAIS BEAUJOLAIS

● **9e** - *3, rue Milton (878.77.91).*

Animé et coquet bistrot de quartier distingué par la Coupe du Meilleur Pot. Les beaujolais de cru, toujours choisis aux meilleures sources, ne sont pas étrangers à cette promotion. Ils ne doivent pas faire oublier non plus l'excellent sancerre du patron. La cuisine mérite ici un petit arrêt buffet Beaujolais : œuf en meurette, faux-filet à la mode du pays, andouillette en chemise, etc.

LA ROYALE

● **14e** - *80, rue de l'Amiral-Mouchez (588.38.09).*

Roger Aygalenq, cousin de Bernard Péret (voir Le Rallye) doit être inscrit en bonne place au mémento des bons comptoirs pour ses vins de Loire qui le firent remarquer en 1977 par l'aéropage de connaisseurs décernant chaque année la Coupe du Meilleur Pot. Rabelais, sous l'invocation de qui se trouve placé cet hommage académique, ne pourrait d'ailleurs que souscrire au choix des vins de cette Royale : un chinon en provenance directe de son propre terroir natal ainsi qu'un vouvray répondant exactement à la définition qu'il en donne : vin de taffetas. Notons encore un champigny assez corsé et un saumur juste ce qu'il faut suave, servis avec une belle tartine de pain Poilâne.

LE RUBIS

● **1er** - *10, rue du Marché-Saint-Honoré (261.03.34).*

Léon Gouin, ex-Manceau, fait partie des gens qui font Paris. Avec son zinc trop neuf, ses banquettes de moleskine rouge et son atmosphère inimitable, son petit bistrot reste insensible à la mode et au succès et ne désemplit guère. Il faut dire que cet homme affable connaît son métier sur le bout du doigt et les vins qu'il choisit sur place comptent parmi les meilleurs de Paris. Il a su ainsi dénicher, pour arroser ses excellents sandwichs aux rillettes du Mans ou au jambon fumé, de frais et fruités beaujolais, un merveilleux muscadet et d'intéressants vins de Loire. Il propose volontiers un côte-du-Rhône blanc tout à fait plaisant pour remplacer son sancerre, superbe, mais qu'il juge lui-même trop cher, faisant fi des ronds de jambe et des prix agressifs. Vente à emporter.

LE SANCERRE

● **7e** - *22, av. Rapp (551.75.91).*

Le nouveau patron n'a rien changé au décor qui fait une large place aux attributs du viticulteur d'autrefois. La maison justifie son titre en proposant un excellent sancerre de la Moussière (produit par M. Mellot, négociant-viticulteur), dont la finesse est exaltée par la dégustation préalable de crottin frais ou sec de Chavignol ou de jambon fumé en épaisses tranches. Calme et sympathique maison.

AU SAUVIGNON

● **7e** - *80, rue des Saints-Pères (548.49.02).*

Nombre de poètes bachiques encore inconnus, de gens de plume et de planches, de midinettes affamées se pressent dans cet étroit bistrot d'angle toujours plein comme un œuf. Le robuste et irascible M. Vergne, Meilleur Pot 1961, accueille ce petit monde germanopratin avec des sandwichs au saucisson ou au jambon sectionné au laser auvergnat, accompagné de quincy, de petits vins de la Loire ou d'un saint-émilion, servi au verre, qui mérite le détour.

CHEZ SERGE

● **93 Saint-Ouen** - *7, bd Jean-Jaurès (254.06.42).*

Serge Cancé connaît bien son métier. Il passe ses vacances à courir les terroirs et à dénicher ces petits crus qui lui allument l'œil dès qu'il en parle. Les beaujolais, il va les chercher lui-même par barriques, et le Meilleur Pot 76 est venu couronner ses choix. Pour le reste : un graves (25 F) et un haut-poitou trouvés au hasard des balades, un champagne non dosé de chez Legras et les bouzy de Vessel. Le succès aidant, le bistrot s'est augmenté d'une nouvelle salle et la carte de Cancé a pris de l'ampleur : le sauté de veau aux poireaux, le poulet fermier à l'ail nouveau, le cou d'oie cru mariné au sauternes, etc., ne vous décevront pas et vous reviendront à une quarantaine de francs. Vins à emporter.

TABAC HENRI IV

● **1er** - *13, pl. du Pont-Neuf (354.27.90).*

Les mordus du Dalloz et du Jurisclasseur quittent volontiers la barre du Palais de Justice pour le zinc de Robert Cointepas le taciturne. Entre deux considérants, ils se refont la voix à petits coups de beaujolais, de morgon, de montlouis, de quarts-de-chaume, de jurançon, de muscadet et de côte-de-Beaune d'assez bonne allure. De belles assiettes de charcuteries du Lot, de Bretagne ou d'Auvergne (20 F) servies avec du pain Poilâne leur permettent d'aider, à la pointe du couteau, aux études comparées des crus ci-dessus nommés.

TABAC DE L'INSTITUT

● **6e** - *21, rue de Seine (326.98.75).*

A mi-chemin de l'Institut (on y voit parfois Yves Brayer) et des Beaux-Arts (on y rencontre leurs élèves). Le gigondas est le meilleur des crus qu'ils puissent se faire servir ici avec de belles et bonnes tartines de jambon d'Auvergne. Egalement d'assez jolis sancerres blanc ou rosé.

LA TARTINE

● **4e** - *24, rue de Rivoli (272.76.85).*

Devant un public averti de pions et professeurs (et élèves) du proche lycée Charlemagne, Jean Bouscarel, ancien avocat (et Meilleur Pot 1965) continue d'assurer dans son beau et sombre bistrot la défense des glorieux vins de la Loire. Chinons, pouillys, bourgueils, sancerres sont les témoins de sa cause entendue.

LE TASTEVIN

● **16e** - *136, bd Murat (527.39.60).*

Un grand bistrot moderne débitant les crus de comptoir classiques choisis avec soin par le patron : beaujolais, sancerre et pouilly fumé.

CHEZ TOURRETTE

● **7e** - *70, rue de Grenelle (548.49.68).*

Un bistrot-boyau dont la seule épaisseur suffit à meubler l'espace contenu entre le superbe petit bar et le mur. Albert Vidalie, Antoine Blondin, Roger Nimier, Jean Masson l'ont décrit et chanté (souvent à tue-tête). On pense encore au géant Tourrette à la voix de tambour et on boit, à sa mémoire, un bon petit vin de comptoir.

Les bars

BARS « FIXES » ou « PARALLÈLES »

JOE ALLEN

● **1er** - *30, rue Pierre-Lescot (236.70.13).*
Ouvert jusqu'à 2 h du matin.

Toutes sortes de boissons alcoolisées du Nouveau Monde et quelques bons cocktails servis dans ce sympathique et toujours très à la mode bar « new-yorkais » (murs de briques tapissés de photos et nappes à carreaux), réplique du Joe Allen de Broadway. Bar d'attente il est vrai — parfois très prolongée — avant de s'asseoir pour manger les spare ribs et la soupe aux haricots noirs. Beaucoup de jolies filles.

LES ANNÉES FOLLES

● **17e** - *50, rue des Moines (627.96.23).*
Ouvert toute la nuit.

Pas seulement les années, mais il n'y a pas d'ostracisme. Ce bar reste fidèle à sa vocation d'oasis providentielle dans le désert austère de ce quartier. On y soupe également fort gentiment, pour pas trop cher et jusqu'au petit matin.

BAR DU CAFÉ DE LA PAIX

● **9e** - *Place de l'Opéra (260.33.50).*
De 18 h à 22 h.

S'il est loin de présenter le charme et les fastes décoratifs des autres restaurations du Café de la Paix, le bar du grand complexe Opéra-Relais-Capucines est pourvu d'un barman d'excellente composition : Jean, un ancien du Plaza Athénée. Si vous refusez son « côté droit » (jus d'orange, Dubonnet, calvados et liqueur de mandarine), il vous proposera son « côté gauche » composé de whiskey irlandais, de liqueur de poire, de sirop de grenadine et d'un doigt de crème fraîche.

BAR DU FOUQUET'S

● **8e** - *99, Champs-Elysées (723.70.60).*
Ouvert jusqu'à minuit.

En avril dernier, le bar du Fouquet's a agrandi son empire, et le voici passé sous la bannière américaine, avec de profonds fauteuils clubs. Ce quartier général du Tout-Cinéma, (Lelouch, Belmondo), devenu il y a déjà quelques années la propriété de l'entreprenant Maurice Casanova, n'a pas fini de faire délier les langues en changeant les manies des vieux habitués... Nous ne saurions dire si Tino Rossi sacrifie toujours ici à sa tournée bi-hebdomadaire d'Américano ou s'il s'éclaircit la voix avec la Mandarine Impériale, un cocktail (champagne, fine champagne) créé à son intention par le chef barman Georges.

BAR LEDOYEN

● **8e** - *Carré des Champs-Elysées (266.54.77).*
Ouvert jusqu'à minuit.

Décor « à l'anglaise » assez élégant et digne en cela du grand jardin élyséen, « à l'anglaise » lui aussi, qu'on découvre à travers les fenêtres sous divers angles inattendus. On s'étonne et l'on s'offense de voir si peu fréquenté ce très grand bar entre l'extrême fin de l'après-midi et la lisière de minuit, heures exquises où les jeunes barmen, sous la houlette et le shaker de leur chef François Christian, rivalisent d'orthodoxie dans la confection des cocktails classiques (à partir de 17 F). Quand ils donnent libre cours à leur fantaisie, le résultat, à notre sens, est plus hasardeux.

BAR ROMAIN

● **9e** - *6, rue Caumartin (742.98.04).*
Ouvert jusqu'à 2 h. F. dimanche.

Le patron, le doux M. Papillon, a renoncé à ses prérogatives de maître à penser de l'organisation copocléphilique mondiale à la suite d'obscurs différends. Mais le Bar Romain demeure l'un des plus jolis tout petits bars de la rive droite. Un prix de Rome négligé par la postérité a déposé en 1905, sur ses murs, treize tableaux inspirés par la ville de son couronnement. C'est là que viennent se remonter après le travail les petits et les grands monstres de l'Olympia dont l'entrée des artistes est voisine. M. Papillon leur propose, sur une jolie carte explicative, quelque chose comme 150 cocktails avec ou sans alcool, sans doute l'un des plus sérieux choix de Paris. C'est à Slavik qu'est attribuée la décoration de la cave, l'une des premières du genre à Paris, en l'occurence un wagon de chemin de fer « Belle Epoque » (on entend le bruit du train dans les toilettes). Le remarquable steak tartare dans le rumsteak, modestement offert pour 30 F, fait partie de la petite carte du chef, proposée de midi à 2 h du matin aux têtes pensantes du show-biz.

BEDFORD ARMS

● **6e** - *17, rue Princesse (633.43.54).*
Ouvert toute la nuit.

Ce joli bar est plus anglais que nature avec ses gravures anciennes et publicités gravées (Cadbury chocolate, Bass), ses poissons naturalisés, et son jeu de fléchettes. On y boit sec entre copains (techniciens du cinéma, metteurs en scène, journalistes sportifs). A partir de 2 h du matin, la porte est fermée et n'entrent plus ici que ceux qui en possèdent la clé.

BRONX

● **1er** - *11, rue Sainte-Anne (296.07.41).*
Ouvert toute la nuit.

Rien de ce qu'on connaît dans le genre à Paris ne saurait être comparé au Bronx, qui reste le moins équivoque des rendez-vous d'homos de style « pur ». Ouvert 365 jours par an.

CICÉRON

● **1er** - *12, rue J.-J.-Rousseau (233.47.63).*
De 22 h à 6 h du matin. F. dimanche.

Bar agréable et tranquille. Bon mélangeur et de très bonne école (George-V, ex-Saint-Hilaire), Roger Cicéron n'est pas particulièrement bavard, mais il retrouve toute son éloquence, avec, dans la voix, un relent d'accent lyonnais, quand il reçoit ses confrères venus terminer la nuit devant un dernier verre.

CIEL DE PARIS

● **15e** - *Tour Montparnasse, 33, av. du Maine (538.52.35).*
Ouvert jusqu'à 1 h du matin.

Le plus haut débit de boisson de la Ville Lumière. On peut aiguiser sa soif en multipliant les allers et retours dans l'ascenseur le plus rapide du monde (56 étages en 37 secondes) avant d'admirer Paris et ses brumeux lointains, mais il reste encore beaucoup à faire pour que la bonne clientèle parisienne se sente à l'aise à cette altitude.

CLUB DE PARIS

● **8e** - *3, av. Matignon (359.51.48).*
Ouvert jusqu'à 2 h du matin.

Les modes sont caduques, hélas, et cet établissement où venait parader naguère une belle société doit se conjuguer aujourd'hui au passé compassé. Has been, a été... avec tout ce que cela comporte de souvenirs confits. Le décor, lui aussi, a été séduisant avec ses cheminées à l'anglaise, ses sièges dodus, ses tentures moelleuses; il porte encore beau mais donne des signes de fatigue. Reste que les relents de la mode, escamotant routine et patine, attirent dans ce Club désormais anodin quelques papillons égarés qui croient encore ici participer à la fête.

LA COUPOLE

● **14e** - *102, bd Montparnasse (320.14.20).*
Ouvert jusqu'à 2 h du matin.

Le bar proprement dit de La Coupole est sans aucun doute la seule enclave de la maison pouvant se réclamer de la grande histoire de Montparnasse. On sait, par exemple, que Louis Aragon y succomba pour la première fois à la flamme assassine des yeux d'Elsa. Et que Bob, le barman des beaux jours, prêta généreusement sa gentille silhouette à de nombreux romans Art Déco d'honnête qualité. Son successeur fait son possible pour redorer le blason de cet ancien chef-lieu des mondanités que la mode rétro n'a pas encore eut l'idée, curieusement, de récupérer.

CROCODILE

● **5e** - *6, rue Royer-Collard (354.32.37).*
De 22 h à 2 h du matin. F. dimanche.

Quelques bonnes bières à siroter — ou un verre de vin rouge pour accompagner une tartine de rillettes — dans la pénombre et un confort relatif, aux accents discrets d'une musique d'ambiance. Accueil aimable et atmosphère sympathique.

LA FACTORERIE

● **8e** - *5, bd Malesherbes (265.96.86).*
Ouvert jusqu'à 2 h du matin.

On accède au bar par un grêle escalier de pin. C'est une arche de Noé, échouée dans une forêt hantée où Raymond Cordier a sélectionné de précieux objets sous tous les tropiques du monde (il les vend dans la journée) et pareillement des fauves du Tibesti ou des gibbons de Malaisie (il ne les vend pas) qui vous regardent tristement boire derrière leur vitre. Dans cet exotisme à couper au couteau, on sert des cocktails baptisés Puma, Panthère, Lion, Loup-Garou ou Tigre, qui réveillent les organismes défaillants. Les rafraîchissements, avec ou sans alcool, sont à base de thés et de fruits lointains. Après des années, il s'agit encore là d'un des endroits les plus dépaysants de Paris, où il est aussi possible, depuis quelques temps, de se restaurer avec quelques petits plats aux fruits, exotiques bien sûr, et avec les gâteaux et les sorbets du grand Lenôtre.

FORUM

● **8e** - *4, bd Malesherbes (265.37.86).*
Ouvert jusqu'à 2 h du matin. F. dimanche.

La réputation de ce classique remonte pour le moins aux années 30, et si, malheureusement, on n'y rencontre plus Joséphine Baker ni Jules Berri, on ne saurait nier qu'elle soit toujours justifiée, du moins par sa tranquillité, la sombre beauté de son décor (staff du plafond, boiseries de chêne, bar d'acajou), le confort de ses fauteuils et la ferveur de sa clientèle d'industriels, de joueurs et de propriétaires d'écuries de courses. Ajoutons à tant de mérites la qualité de son personnel et l'inspiration rigoureuse de ses cocktails parmi lesquels la rose de Varsovie (wodka wisniowska, Cointreau) et le chihuahua pearl, composé — comme son nom le laisse entendre — de tequila, d'ananas et de banane brandy.

LA GENTILHOMMIÈRE

● **6e** - *15, pl. Saint-André-des-Arts (326.74.39).*
Ouvert jusqu'à 2 h du matin.

Un rez-de-chaussée plus un étage, mis, dès 10 h du matin, à la disposition des étudiants de profession — donc barbus — que la soif agglutine autour du comptoir fort avant dans la nuit. Se joignent à eux des aspirants cadres que l'avenir de l'automobile préoccupe au point de leur faire perdre le sommeil et quelques touristes de passage au Quartier latin.

KENZ

● **8e** - *22, rue Vernet (723.90.60).*
Ouvert jusqu'à 2 h du matin.

C'est un bar privé. Pour y pénétrer, vous devez, arrivé devant cette porte sombre et discrète de la rue Vernet, glisser dans une fente une carte magnétique qui est le sésame du lieu. Vous vous trouverez alors dans un petit bar — murs laqués, fauteuils, tout est noir — éclairé par des spots, où votre image vous sera renvoyée sans préavis par de grandes glaces, noires bien entendu. En bas, même genre de décor, avec une petite piste de danse et une installation stéréo à laquelle on a ajouté un piano. Cette décoration est signée Slavik qui a adjoint ce post-scriptum original : un bidet dans les toilettes des dames... L'aimable M. Henri vous accueillera et vous préparera le cock surprise, la spécialité maison (Baccardi, Suze, citron vert, Drambuie, grenadine). Il nous a déclaré que sa clientèle était composée d'hommes d'affaires dans la journée et, le soir, de P.-D.G. qui ne détestent pas danser le slow et le tango. Il s'agit, selon ses propres termes « d'une grande famille qui aime se sentir chez soi ». Cette famille est nombreuse, mais pas trop, puisqu'elle comprend, pour le moment, 250 membres. Comment en faire partie ? C'est simple : il suffit de connaître l'un de ses membres. Ainsi fonctionnent les grandes familles.

LUMIÈRE DES PIERRES

● **15e** - *191, rue Lecourbe (532.84.91).*
Ouvert jusqu'à 2 h. F. dimanche.

Hélène, l'animatrice de ce curieux rade, se fait aider quand minuit sonne par d'affectueuses acolytes préposées à l'accueil. Ce qui lui donne le loisir d'esquisser de petites danses du ventre sur une musique de Johnny Hallyday première manière. On la regarde distraitement en sirotant son aléatoire cocktail maison Cléopâtre (40 F) et en songeant à tout le saugrenu de l'enseigne — Lumière des Pierres — rappelant si bien le sous-style poétique dont s'émut le lendemain de la dernière guerre. Retenons surtout que la belle Hélène perpétue sans y songer dans son cocasse estaminet rustique une vieille tradition excentrique et noctambule du quartier Saint-Lambert : le glorieux Bal nègre de la rue Blomet, hanté puis chanté par Cocteau et Maurice Sachs, se trouvait en effet à deux pas d'ici. Ou plus exactement derrière, sans vouloir offenser leur mémoire.

LE NUAGE

● **6e** - *5, rue Bernard-Palissy (532.94.13).*
De 18 h à l'aube.

Ce classique des fins de nuits canailles, en changeant de mains, a changé de cap. Décor rajeuni et clientèle également partagée (hommes et femmes), volontiers intellectuelle et parfois célèbre. Charles Trénet, Jean-Paul Sartre, Françoise Sagan et Jacques Chazot, Gisèle Halimi s'y montrent de temps à autre, mais allez donc savoir si vous aurez la chance de les dévisager. Spectacle improvisé à partir de 2 h du matin.

PUB WINSTON CHURCHILL

● **16e** - *5, rue de Presbourg (500.75.35).*
Ouvert jusqu'à 2 h du matin.

Le décor de Slavik a suffisamment servi de modèle pour la multiplication des petits pubs à l'anglaise façon slave sur le Continent pour qu'on ne s'attarde pas à sa description. Plus de 50 marques de whisky, les plus grandes sous leurs diverses présentations par âge (Ballantine trentenaire, J and B vingtenaire, etc.). Passons sur les vodkas et portos ; les très nombreux thés sont tous en vente dans un petit stand « Fortnum and Mason » (à droite en sortant). Amusant choix de tout petits plats à l'anglaise (gigot à la menthe, steak et Yorkshire pudding, saucisse de Cambridge, filet de haddock) qu'on aurait tort de ne pas faire déboucher sur un apple-pie.

ROSEBUD

● **14e** - *11 bis, rue Delambre (326.95.28).*
Ouvert jusqu'à 2 h du matin.

Bien des années bien tassées de bons et loyaux services dans le Paradise Manhattan, et autres White Lady. La clientèle pensive — jeunes et moins jeunes peintres, sculpteurs, graveurs, comédiens, metteurs en scène et cinéastes plus ou moins désœuvrés — a quelques habitudes ici aux alentours de la mi-nuit. Gilles a pris sa retraite, Jacques le remplace. Les anciens combattants de la nuit pensent en silence que le Rosebud n'est plus tout à fait ce qu'il était.

SHERWOOD

● **2e** - *3, rue Daunou (261.70.94).*
Jusqu'à 5 h du matin.

Un mur le sépare du Harry's Bar, mais pas vraiment un monde, même si les clientèles de ces deux maisons ne sont pas interchangeables : il s'agit en effet d'un bar fort plaisant. Le décor en est néo-Queen Ann, tendu d'un tissu de clan vert et rouge parcimonieusement éclairé par des lustres et des appliques d'inspiration victorienne. Quant à la clientèle, elle est toujours nombreuse, assidue et enjouée. Elle boit de la bière et du whisky, c'est ce que la maison a de mieux à proposer.

LE VILLAGE

● **6e** - *7, rue Gozlin (326.80.19).*
Ouvert jusqu'à 3 h du matin.

Le Village est l'un des derniers temples où se pratique encore avec dévotion la religion germanopratine la plus pure. Celle que l'on a l'habitude de faire remonter à l'immédiat après-guerre. Confits dans leurs souvenirs, les yeux ourlés d'indifférence, quelques vieux gamins s'égarent encore dans la grisaille de ce bar-couloir où ils ressassent inlassablement les beaux jours de leur jeunesse en sirotant des alcools forts.

LE WAF

● **17e** - *35, rue Davy (627.96.48).*
De 22 h à l'aube.

William-André-Francis, le patron de ce rade excentrique au sens pas seulement géographique du mot, a prêté ses initiales à la rédaction de cette brève enseigne qui cautionne un agréable et vaste comptoir flanqué de quelques tables. L'aimable Michel dose généreusement les Bains de Pieds et Rintintin qu'il sert à une clientèle nombreuse de messieurs assoiffés, et parfois même de dames — mais pas en fin de semaine que WAF réserve à sa clientèle masculine.

BARS D'HÔTELS

BAR ANGLAIS DU PLAZZA ATHÉNÉE

● **8e** - *25, av. Montaigne (225.14.90).*
Ouvert jusqu'à 23 h 30.

Boiseries sombres, murs tendus d'écossais, barman efficace, clientèle plutôt « habillée », qui boit des cocktails en grignotant des amandes, dans un brouhaha distingué, interrompu parfois par le rire éclatant d'une jolie Brésilienne.

Où dîner le dimanche ? Voir p. 108.

BAR APOLLINAIRE Hôtel Nikko

● **15** - *61, quai de Grenelle (575.62.62).*
Ouvert jusqu'à 2 h du matin.

Pas de geishas. Vue plongeante sur la Seine, fauteuils confortables, tables espacées, éclairage bien distribué et barmen attentifs. Buvez donc un Panoramix (mélange de citron, Cointreau, rhum blanc et grenadine) en admirant le panorama, le regard perdu sur la ligne très vaguement bleue de l'eau.

BAR DU BRISTOL

● **8e** - *112, fg Saint-Honoré (266.91.45).*
Ouvert jusqu'à minuit.

Michel, le chef barman de cet excellent grand hôtel, a été élu par ses pairs vice-président des barmen de France. Jugez de son talent en vous faisant servir un « short drink » de sa composition, comme le Nathaly's (Grand Marnier, Martini blanc, cognac, eau-de-vie de framboise) qu'il a dédié à sa fille, le Halligan's (curaçao, xérès), l'Arbona (williamine, vermouth dry, crème de banane), ou le Limerzel (curaçao orange, williamine, gin, liqueur de framboise).

BAR DU CRILLON

● **8e** - *10, pl. de la Concorde (296.10.81).*

Disparu, le joli petit bar américain du sous-sol. Reste le « grand » bar, celui du rez-de-chaussée, bleu presque comme le ciel au soleil couchant et ponctué des œuvres du maître Poucette. Clientèle de bonne compagnie, même si, lors de notre dernier passage, nous n'avons pas eu le plaisir d'apercevoir, fût-ce un instant de loin, les « rois, reines et diplomates » qui constituent, nous a-t-on assuré, le fonds de la clientèle. Le Quai, il est vrai, n'est pas bien loin.

BAR DU GEORGE-V

● **8e** - *31, av. George-V (723.54.00).*
Ouvert jusqu'à 2 h du matin.

Le patio est bien agréable, mais on préférera peut-être tomber entre les griffes du diabolique Nino qui, derrière son bar, vous préparera un bullshot. Qu'est-ce donc ? Un mélange bien assaisonné de consommé de bœuf Campbell (vous devez refuser toute autre marque), de vodka, de jus de citron auquel on ajoute une goutte de sauce anglaise et que les Américains boivent, en général, pour faire passer une gueule de bois... Une méthode U.S. qui n'est pas obligée de réussir sur le tempérament de braves Français.

BAR DU GRAND HÔTEL

● **9e** - *12, bd des Capucines (260.33.50).*
Ouvert jusqu'à minuit.

Sous les grandes arcades du grand hall du Grand Hôtel, un bar auquel on est tout étonné de trouver des proportions raisonnables. Joli bar, de surcroît, dont les différents niveaux sont recouverts de confortable moquette sombre. Un bon barman — Jean — et d'excellents mélanges.

BAR DE L'HÔTEL

● **6e** - *13, rue des Beaux-Arts (325.27.22).*
Voir « Piano-bars ».

BAR DU LA PÉROUSE

● **16e** - *40, rue La Pérouse (500.83.47).*
Ouvert jusqu'à 23 h 30.

L'affable et jovial barman nous a paru hésitant dans l'exécution du rose et indécis dans le mélange « maison », l'Astrolabe. Ce n'est pas une raison suffisante pour oublier ce bar douillet et élégant aux fauteuils bourgeois et aux murs tendus de papier imitant un gigantesque cannage. L'endroit est calme, serein et propice à un brin de conversation.

BAR DU LOTTI

● **1er** - *7, rue de Castiglione (260.37.34).*
Ouvert jusqu'à 23 h 30.

On peut venir y boire, avant ou après le service « restaurant », dans un décor tendu de velours rouge-ocre, assez anodin mais de bon ton.

BAR DU MEURICE

● **1er** - *228, rue de Rivoli (260.38.60).*
Ouvert jusqu'à 1 h du matin.

L'excellent et toujours jovial Sylvain a pris une retraite bien méritée. Pierre, vingt-cinq ans de Meurice (et son élève) préparera à votre intention un fameux Copper's Dew qui ne vous fera apprécier que mieux les beaux lambris d'acajou et le confort des fauteuils-tombeaux de ce Copper Bar.

BAR DU PRINCE DE GALLES

● **8e** - *33, av. George-V (723.55.11).*
Ouvert jusqu'à minuit.

Hautes boiseries rousses rehaussées de fer forgé noir et or : sans aucun doute, un moment de perfection dans la « façon ancienne » qui prévalait naguère pour l'aménagement des grands hôtels chics. Le néo-Louis XVI y épouse dans le faste les infinies ressources décoratives de l'industrie contemporaine, et Roger, le barman, y fait épouser pour sa clientèle d'hommes d'affaires le rhum blanc au jus de pamplemousse. Ce qui donnerait partout ailleurs un banal daïquiri mais accède ici, grâce au trait de grenadine, au titre de Prince de Galles.

BAR DU RAPHAËL

● **16e** - *17, av. Kléber (502.16.00).*
Ouvert jusqu'à 22 h 30.

Décor « à l'anglaise » (boiseries hyper-Tudor et sièges Queen Ann) que les Anglais qualifient volontiers de « sudiste ». Les boissons d'outre-Manche y sont à l'honneur.

BAR DU RELAIS-PLAZA (Hôtel Plaza Athénée)

● **8e** - *21, av. Montaigne (225.14.90).*
Ouvert jusqu'à 1 h 30 du matin.

Sur un bas, très bas-relief, on peut encore en tirant sur sa paille admirer une grosse bête qu'une petite dame poursuit inconsidérément. Ce qui n'empêche pas ce bar d'être tout à fait comme il faut. Tellement comme il faut, en effet, qu'Orson Welles lui-même consent à s'y bien tenir. Paul Ribrioux, barman chevronné, prépare aussi d'excellents drinks pour la haute-couture, l'Amérique du Sud et le Théâtre des Champs-Elysées. Par exemple, le Relais Plaza : jus d'une demi-orange, deux traits d'abricot brandy, une mesure de cognac, shaker.

BARS DU RITZ

● **1er** - *15, pl. Vendôme (260.38.30).*
Ouverts jusqu'à minuit 30.

Le Cocktail Lounge du Ritz (côté place Vendôme) donne sur un patio calme et fleuri. C'est à peu de choses près le seul intérêt de ce bar un peu froid dont les murs sont recouverts de panneaux de pin d'Oregon. Quant à son célèbre frère qui donne sur la rue Cambon, il est habillé nouveau riche cossu (panneaux rouges et glaces de Venise gravées), et n'est vraiment plus du tout ce qu'il était, mon bon monsieur.

BAR DU SOFITEL-BOURBON

● **7e** - *32, rue Saint-Dominique (555.91.80).*
Ouvert jusqu'à minuit (23 h le dimanche).

Décor design assez froid, mais fauteuils profonds et excellent service. La clientèle — en grande partie étrangère — est calme, tirée à quatre épingles, et rompue aux bonnes manières. En semaine, on peut déjeuner au bar pour une centaine de francs : entrée, plat du jour et dessert.

BAR DU WESTMINSTER

● **2e** - *13, rue de la Paix (261.57.46).*
Ouvert jusqu'à 23 h.

Paisible « Lounge Bar » de style anglais que fréquentent les banquiers, joailliers et hommes d'affaires de la rue de la Paix et de l'Opéra. Raymond (58 ans, dont 26 à bord des paquebots de la Compagnie Paquet) leur concocte deux excellents cocktails à base de campari : le Mona et le Westminster.

BISTRO (Hôtel Intercontinental)

● **1er** - *3, rue de Castiglione (260.37.80).*
Voir « Piano-bars ».

LE COIN DU FEU (Terrass Hôtel)

● **18e** - *12, rue Caulaincourt (606.59.05).*
Ouvert jusqu'à 3 h du matin.

Dans un décor assez chaleureux et de genre moderne, Jacky voit sa verve créatrice couronnée de succès avec son Jacky's Spécial dans lequel rhum blanc, Grand Marnier et Noilly Prat se conjuguent autour d'un trait de grenadine.

CORAIL (Hôtel Sheraton)

● **14e** - *19, rue du Cdt-Mouchotte (260.35.11).*

Voir « Piano-bars ».

DÉCAMÉRON (Hôtel Montalembert)

● **7e** - *3, rue de Montalembert (222.58.19).*
Ouvert jour et nuit. F. dim.

Un bar confortable et calme d'hôtel cossu, ouvert toute la nuit et où se côtoient les éditeurs du quartier et les antiquaires et marchands de tableaux. S'y égarent aussi, paraît-il, quelques académiciens venus sans doute après une lénifiante séance de dictionnaire se refaire une santé à coups de cocktails préparés à leur intention par un diligent barman. Sait-on seulement que l'Hôtel Montalembert fut construit à l'emplacement d'une maison où habita Boccace, d'où le Décameron?

GOLDENBLACK (Hôtel Concorde-Saint-Lazare)

● **8e** - *108, rue Saint-Lazare (261.51.20).*
Ouvert jusqu'à 2 h du matin.

Un nouveau bar nommé Goldenblack a éclos presque avec le printemps dernier. Slavik l'a habillé de noir et d'or dans le style des années trente. On y fait volontiers une petite pause, le temps de boire un Good Will (rye, crème de banane, brandy, citron) ou un Bloodhound (gin, vermouth, sirop de fraise), préparés par Joël le barman, pour échapper au vertigineux tumulte du quartier. Se souvient-on que l'anarchiste et poseur de bombes Henry le fréquenta autrefois (du temps où l'on n'avait pas encore anglicisé son nom), comme Georges Feydeau, l'incorrigible noctambule qui, ayant échoué là un petit matin après boire, décida d'y vivre les vingt dernières années de sa vie...

MONTGOLFIER (Hôtel Sofitel-Sèvres)

● **15e** - *8-12, rue Louis-Armand (554.95.00).*
Ouvert jusqu'à 2 h du matin.

Il se perche au sommet de cette tour qu'escalade un ascenseur extérieur le long de la façade. De telle sorte qu'on se sent arraché du sol comme par un hélicoptère, occurrence banale puisque c'est précisément l'héliport de Paris que l'on survole aussitôt. Son pittoresque délabrement sert de premier plan au paysage que l'on découvre là-haut, les lointains étant plus aléatoires, surtout quand le vent d'ouest rabat la fumée des usines et que le front de Seine s'estompe dans les brouillards délétères. Il reste que l'ascension spectaculaire qui vous a hissé jusque-là est une attraction qui justifie à elle seule de s'offrir un verre et de faire trempette dans la petite piscine adjacente, car le Montgolfier est l'un des rares bars au monde où les sous-vêtements des consommateurs soient des maillots de bain.

PATIO (Hôtel Méridien)

● **17e** - *81, bd Gouvion-St-Cyr (758.12.30).*

Voir « Piano-bars ».

PLEIN CIEL (Hôtel Concorde-La Fayette)

● **17e** - *3, pl. de la Porte-des-Ternes (758.12.84, poste 4084).*
Ouvert jusqu'à 2 h du matin.

Bien éclairé, soigneusement décoré, admirablement barré par un chef barman à l'autorité puissante et inspirée (c'est Michel), et surtout

Les bars haut perchés

Voir leur description dans les autres rubriques « Bars ».

BAR APOLLINAIRE (Hôtel Nikko)

● **15e** - *61, quai de Grenelle (575.62.62).*

BAR DE LA TOUR EIFFEL

● **7e** - *Champ-de-Mars (705.44.13).*

CIEL DE PARIS

● **15e** - *Tout Montparnasse, 33, av. du Maine (538.52.35).*

MONTGOLFIER (Sofitel-Sèvres)

● **15e** - *8-12, rue Louis-Armand (554.95.00).*

TOIT DE PARIS (Hôtel Hilton)

● **15e** - *18, av. de Suffren (273.92.00).*

PLEIN CIEL (Hôtel Concorde-La Fayette)

● **17e** - *3, pl. de la Porte-des-Ternes (758.12.84).*

merveilleusement ouvert plein sud-sud-ouest vers le bois de Boulogne (à gauche l'Arc de Triomphe, à droite le Mont Valérien), le Plein Ciel, au 32e étage, est un haut lieu panoramique et nous n'en connaissons pas d'aussi réussis dans le genre. Et pour plus d'intimité : le bar La Fayette, au rez-de-chaussée dans le hall de l'hôtel (joli décor de soldats de plomb).

PONT-ROYAL

● **7e** - *7, rue de Montalembert (544.38.27).*
Ouvert jusqu'à minuit.

Ce calme sous-sol d'hôtel doit tout à la littérature dont les ailes gauche et droite s'affrontent en la personne renouvelée de leurs romanciers. Voilà trente ans que dure le ballet de leurs brouilles, de leurs invectives et de leurs réconciliations. Trente ans très bien comptés, exactement comme le règne de Francis, le barman (White Lady, Rose, Gin Fizz). Et surtout, comme le décor de boiseries dans le goût yachtman néo-Louis XIII. Ce sont les « hussards » de toutes couleurs qui donnèrent à ce bar solennel et sombre sa réputation de foyer des lettres ; Roger Nimier et Claude Roy (en sa longue période rose), Antoine Blondin, Roger Vaillant, Jacques Laurent, Paul Guimard, Pascal Lainé, Alphonse Boudard et tant d'autres y scellèrent leurs différends dans le whisky et le rosé de Marsannay. Si les effectifs sont aujourd'hui un peu dispersés, les survivants y tiennent à honneur de démontrer que les mêmes abus des mêmes boissons alcoolisées conduisent aux mêmes impasses idéologiques.

RAGTIME (Hôtel Suffren La Tour)

● **15e** - *20, rue Jean-Rey (578.61.08).*
Voir « Piano-bars ».

SUFFREN (Hôtel Hilton)

● **15e** - *18, av. de Suffren, (273.92.00).*
Voir « Piano-bars ».

TAHONGA (Hôtel P.L.M. Saint-Jacques)

● **14e** - *17, bd Saint-Jacques (589.89.80).*
Voir « Piano-bars ».

TOIT DE PARIS (Hôtel Hilton)

● **15e** - *18, av. de Suffren (273.92.00)*
Ouvert de 17 h 30 à 2 h du matin. F. dimanche.

Dix étages séparent l'agréable Suffren (voir « Piano-bars ») du Toit de Paris, autre bar maison (que l'on doit prochainement enjoliver) et beaucoup plus insignifiant en dépit de son altitude. Il est, de ce fait, moins fréquenté, ce que de jeunes couples d'amoureux mettent à profit, négligeant d'accorder un regard au paysage. Ils ne perdent d'ailleurs rien, les toits de ce quartier sont résolument dépourvus de charme. On peut danser.

WATANGA (Hôtel Holiday Inn)

● **15e** - *69-73, bd Victor (533.74.63).*
Voir « Piano-Bars ».

PIANO-BARS

ALEXANDRE

● **8e** - *53, av. George-V (770.17.02).*
Ouvert jusqu'à 2 h du matin.

Sitôt plongé dans le refuge douillet des banquettes abyssales, un malaise singulier vous gagne, il s'enfle subrepticement et, d'un coup, éclate comme une bulle de savon : il ne se passe rien, ou presque, chez Alexandre. Et d'en chercher les raisons. Le décor? Non pas : avec sa profusion de bois vernis, ses cuirs et ses cuivres, l'endroit ne suscite pas le délire mais son côté marin peut séduire. Le pianiste? Non plus, on l'écoute sans déplaisir. Non, ce qui manque en vérité ici c'est ce brin de folie et de dérision qui font qu'un bar existe ou n'existe pas. Le drame d'Alexandre, c'est de ne pas exister.

ASCOT BAR

● **8e** - *66, rue Pierre-Charron (359.28.15).*
Ouvert jusqu'à 4 h du matin.

D'urbains couche-tard viennent boire le dernier « écossais » dans ce bar si conforme à l'idée que Paris persiste à se faire d'un bar anglais : un décor à la gloire du cheval, des sièges confortables et une clientèle bien sage. Deux pianistes se relaient ici sans interruption, l'un chante, l'autre joue de la musique de jazz, tandis que Michel Zeppa mitonne ses cocktails.

BAR DE L'HÔTEL

● **6e** - *13, rue des Beaux-Arts (325.27.22).*
Ouvert jusqu'à 3 h du matin.

Agréable endroit au rez-de-chaussée d'un hôtel conçu par Claude-Nicolas Ledoux, lequel est désormais tenu pour l'un des plus grands architectes de son siècle, le XVIIIe, mais cela ne fait ni chaud ni froid à la jeune génération de marchands de tableaux qui a pris l'habitude de venir se concerter dans cet exquis bar-jardin avant, pendant, et après boire, comme le faisait Oscar Wilde avant eux.

BILBOQUET

● **6e** - *13, rue Saint-Benoît (548.81.84).*
De 20 h jusqu'au départ du dernier client.
F. dim. d'octobre à Pâques.

On vient ici autant pour boire un verre (et pour dîner) que pour se faire voir, devant le coin orchestre, et on observe, du haut de la loggia, quelques jolies filles tout en écoutant de très bons musiciens de jazz.

BISTRO (Hôtel Intercontinental)

● **1er** - *3, rue de Castiglione (260.37.80).*

A deux pas de l'exquis patio — mais on regrette l'inoubliable harpiste qui jouait il y a encore quelques années à l'heure de l'apéritif — le bar du rez-de-chaussée offre moins d'intérêt que celui du sous-sol au décor sombre et intime, où l'on boit, mange et grignote à l'enseigne du Bistro (jusqu'à 22 h; fermé le samedi et le dimanche). A la Bistrothèque (club privé), on danse « disco » à partir de 22 h.

LA CALAVADOS

● **8e** - *40, av. Pierre-Ier-de-Serbie (359.27.28).*

Ouvert jour et nuit.

Le succès de ce classique ne se dément pas depuis la IVe République à moins que ce ne soit la IIIe, la Calavados présentant l'extrême avantage de rester ouverte jusqu'à l'heure du laitier. Du passé, il ne reste rien sinon d'ineffables souvenirs et un décor harassé qui s'épuise dans la patine et s'essouffle dans le mauvais goût. C'est dans ce havre nocturne que vient s'échouer l'internationale des pochards noctambules, Parisiens grand teint et étrangers en escale dans les beaux hôtels du voisinage. Bercé par un pianiste à la voix grasseyante, tout ce petit monde en raccourci communie dans la frêle fraternité des bars, créée par l'alliance conjuguée et complice de la nuit et des brumes alcooliques. Déjà indispensable, La Calavados est prête à entrer dans la légende d'une démarche hésitante.

CORAIL (Hôtel Sheraton).

● **14e** - *19, rue du Cdt-Mouchotte (260.35.11, poste 60.21).*

Ouvert jusqu'à 2 h du matin.

Juste à côté du centre commercial de cette nouvelle tour-hôtel. Lumière tamisée et décor feutré. Line Renaud vient parfois s'asseoir ici devant un « corail » (rhum Saint-James, marasquin, grenadine, jus de citron et d'ananas) ou un « bienvenue » (jus de pamplemousse, liqueur de fraise des bois, vodka) que lui prépare Jean-Jacques le barman. Quant au pianiste, il change chaque mois.

CLOSERIE DES LILAS

● **6e** - *171, bd Montparnasse (326.70.50).*

Ouvert jusqu'à 2 h du matin.

Il suffit de peu de chose pour qu'un établissement de nuit traverse imperturbablement les caprices de la mode. Dans le cas de la Closerie des Lilas, côté bar, citons dans le désordre un pianiste talentueusement rétro — Ivan Meyer —, des moleskines comme autrefois, et un barman — Claude — qui tient à honneur de confectionner les plus savants et les plus insolites cocktails. Par exemple, le remarquable Bleu (curaçao bleu, vodka et pamplemousse). C'est tout, mais c'est assez précieux pour que Jacqueline Milan, la patronne, et son sympathique rejeton parviennent à maintenir la Closerie dans le petit peloton des vrais bars où prendre un verre à 1 h du matin n'est pas une formalité sinistre et périlleuse. Et cela suffit aussi à y attirer chaque soir une clientèle agréablement composite — bourgeoise, artiste, ultrachic et archi-snob — communiant dans l'amour des boissons fortes et le souvenir de Charles Cros, Moréas, Gide, Verlaine, Carpeaux, Trotsky, Vildrac, etc. (certains ont leur nom gravé dans le cuivre, sur les tables où ils consommèrent avant vous, avant aussi Aragon, Jean Edern Hallier, et quelques autres.

FURSTENBERG

● **6e** - *27, rue de Buci (354.79.51).*

Ouvert jusqu'à 3 h du matin.

Agréable sous-sol dans le goût anglais (sièges capitonnés et boiseries sombres) dépendant de la brasserie Le Muniche et signé (l'un des premiers) par Slavik. Vous y boirez le Pussyfoot avec Aragon, le Plom-vodka avec Jane Birkin, le kir royal avec les Frères Ennemis, le Zombi, l'Eau de mer et l'Aquarius avec qui vous voudrez. Tous ces mélanges sont préparés par l'imaginatif Jean-Luc. Au piano-jazz le toujours merveilleux André Persiany.

HARRY'S BAR

● **2e** - *5, rue Daunou (261.71.14).*

Ouvert jusqu'à 4 h du matin.

Le fameux jockey américain Tod Sloane ouvrit ce bar en 1911. Mais Harry Mac Elhone, monté en croupe, lui succéda 2 ans plus tard. Puis Andy, son fils, toujours présent. Puis les générations de buveurs célèbres aux générations de buveurs glorieux. Guynemer y régala les premiers aviateurs américains, Scott Fitzgerald y médita quelques-unes de ses fictions mélancoliques et Gershwin y tira du Black-Velvet et du White-Lady (inventé par Harry au Ciro's de Londres en 1919), les plus solides mesures de son « Américain à Paris ». Dans l'air merveilleusement raréfié de ce boyau fameux, on vit

Ne nous accablez pas si le numéro de téléphone de votre correspondant a changé depuis la sortie de ce Guide. Nous n'y sommes pour rien.

aussi Georges Carpentier décomposer son swing pour l'édification du nyctalope Hemingway et, certain soir de tournoi, Antoine Blondin allonger pour le compte un deuxième ligne gallois de deux cents livres qui parlait avec légèreté des lettres françaises, après ingestion abusive de Side Car (encore signé Harry, 1931). Quant aux clients d'aujourd'hui qui se retrouvent nuitamment au « Sank Roo Doe Noo », l'incomparable Andy s'évertue à parfaire leur éducation. Il a pour ce faire 168 marques de whiskies et d'innombrables cocktails maison, le Bloody Mary surtout, qui naquit aussi au Harry's en 1921, mais aussi le Blue Lagoon, chef-d'œuvre d'Andy datant de 1972. Il est superflu de préciser que Duncan, Maurice et Mark, les trois barmen du Harry's (totalisant un quart de siècle de shaker) ne sont jamais pris en défaut sur le chapitre des dosages comme sur celui des bonnes manières. L'excellent pianiste Tino Redman s'évertue chaque nuit jusque vers 2 h (dans la salle du sous-sol) à entretenir une atmosphère propice à la consommation. Ouvert tous les jours (sauf le 25 décembre) de 10 h 30 à 4 h et plus.

PATIO (Hôtel Méridien)

● **17e** - *81, bd Gouvion-St-Cyr (758.12.30).*
Ouvert jusqu'à 2 h du matin.

Bar rez-de-chaussée, au débouché du sous-sol aménagé en galerie marchande en plein milieu passant du hall. Autant dire que, même à l'abri du vélum festonné qui en coiffe le recoin le plus sombre, nul ne songe à s'y abandonner aux confidences. Service académique (en habit vert) et cocktails « maison » préparés par Nehman, le barman : le Bleu Méridien mêlant le curaçao bleu à la vodka et au jus d'ananas et le Katrina (gin, crème de menthe, ginger ale). Bon pianiste jusqu'à 22 h. Moustache et ses musiciens de jazz le remplacent ensuite.

PIANO CLUB

● **1er** - *12, rue Sainte-Anne (296.28.84).*
Ouvert jusqu'à 5 h du matin.

Agréable bar sur les destinées duquel règne Ysolde, une ancienne hôtesse de l'air. On y sirote jusqu'à l'heure du laitier de bons whiskies et on y grignote un piano (c'est un genre de croque-monsieur) en compagnie de Jacques Chazot, Frédéric Botton, Jean-Jacques Debout et de grands inconnus. Musique douce — un pianiste ou des disques — de 1 h à 3 h du matin.

RAGTIME (Hôtel Suffren La Tour)

● **15e** - *20, rue Jean-Rey (578.61.08).*
Ouvert jusqu'à 2 h du matin.

Lumières douces, profonds fauteuils-divans et clientèle d'affaires. Cocktails classiques, piste de danse et juke-box.

SUFFREN (Hôtel Hilton)

● **15e** - *18, av. de Suffren (273.92.00).*
Jusqu'à minuit (2 h du matin le dimanche).

Intime, charmant et douillettement feutré, le Suffren est sans aucun doute « la » réussite décorative du rez-de-chaussée de ce Hilton. La raison en est sans doute que ses plans ont échappé au tire-ligne de Raymond Loewy, responsable de tout le reste (dont le charme est loin d'être la qualité la plus évidente). On peut y siroter agréablement jusqu'à minuit un Suffren (jus d'orange, Cointreau, cognac, champagne) préparé par Jean-Marie, tout en écoutant le pianotage de Valto Laitinen.

TAHONGA (Hôtel P.L.M. Saint-Jacques)

● **14e** - *17, bd Saint-Jacques (589.89.80).*
Ouvert jusqu'à 2 h du matin.

Insolite et joli grand bar dont les sièges profonds à larges rayures blanches, les lumières tamisées à l'aide de fins treillis de rotin, le décor bleu lagon et les musiques lointaines donnent une note résolument océanienne. Une chanteuse cubaine au piano, Numidia. On y offre une grande carte de 57 cocktails (Scorpion, Zombie, Nelson et autres) dont la seule lecture fait déjà tourner la tête et que Stéphane propose en dégustation collective. Entendez par là que tous ces cocktails peuvent être servis dans de grandes vasques avec autant de pailles que nécessaire.

WATANGA (Hôtel Holiday Inn)

● **15e** - *69-73, bd Victor (533.74.63).*
Ouvert jusqu'à minuit.

Un bar d'hôtel moderne prolongé par deux restaurants (dont un steak house, le Tennesee) : on y boit entre les parenthèses de hautes verrières courbes tout ce que les deux Amériques ont prévu pour ce faire. Et on y chante à l'occasion — souvent répétée — dans toutes les langues de même provenance, hormis les dimanche et lundi.

La Nuit

BALS ET DANCINGS

CE sont les musées vivants à peine frelatés, les cénacles violets et roses d'une poésie de néon et de boule de cristal. Les dancings et les bals musettes perpétuent la double tradition du « passé-renversé », raidi de gomina et mouillé d'accordéon. Ce sont sans doute, les derniers endroits de Paris où, avec un peu de recul, les vrais amateurs s'amusent encore.

BALAJO

● **11e** - *9, rue de Lappe (700.07.87).*

Eh oui, ce n'est plus tout à fait ça. Il a bien changé le vieux Balajo où, jusqu'au cœur des années 30, ne fréquentaient que les « durs » et leurs gagne-pain à jupes courtes (et plissées). Etc. etc. Et puis après ? Rangé des voitures peut-être, mais pas des autocars qui vident encore régulièrement, dans cette grande salle surabondamment décorée, des foules exotiques fanatisées par le laïus culturel des automédons by-night. Les vapeurs grisantes de la menthe à l'eau suscitent alors, parfois, l'attraction d'une bagarre de cinéma soigneusement réglée entre deux évocations du répertoire musette. Puis le bon gros public récupère son orchestre, sa grande piste, son disco bien parisien, sa pénombre et son firmament de synthèse tout frémissant de galaxies laiteuses. Les castagnes pour de vrai, ce n'est plus ça qui remplit le Balajo. Des appariteurs efficaces et discrets sont là, comme partout ailleurs, pour veiller au grain. Ce fameux grain, la plaie des machines bien huilées. Alors, comme encore presque partout ailleurs, on ne vient plus au Balajo que pour tout bêtement frotter gentiment, faire avancer ses affaires et pouvoir aller se coucher avec la tête pleine de musique.

BA-TA-CLAN

● **11e** - *50, bd Voltaire (700.30.12).*

C'était le titre d'une « piécette chinoise » de Ludovic Halévy. La clientèle ibéro-lusitanienne apprécie à sa valeur le sous-titre apposé par la direction : « El Bataclan ».

LE BOLÉRO

● **15e** - *18, rue de la Croix-Nivert (783.26.17).*

Comme son nom ne l'indique pas, le bal de nuit officiel des Bretons de Paris ou en transit.

LA BOULE ROUGE

● **11e** - *8, rue de Lappe (700.95.32).*

C'est l'ex-Bal des Familles et peu s'en faut qu'il ne le soit resté. Si vous avez 100 ans, écoutez Simone de Réal, la chanteuse maison, pousser la rengaine et vous vous y croirez. C'est ici que Charlot (Peguri) et Mimile (Vacher) ont fait découvrir l'accordéon aux Parisiens et l'on y chante encore « Bleus tes yeux, bleu mon amour » qu'écrivit voilà si longtemps Mimi Souris qui, dit-on, vend encore des enfile-aiguille dans le 18e. De l'atmosphère donc, et à couper au couteau certains soirs de nostalgie, quand la rue de Lappe exhale ses âcres parfums de machines-outils et de soupe aux choux.

CASITA CLUB

● **2e** - *167, rue Montmartre (236.57.50).*

Ts les soirs sauf lundi et mardi de 21 h 30 à 5 h du matin; matinée le dimanche de 14 h 45 à 19 h.

L'air n'est pas ici, comme il arrive trop souvent dans les établissements publics, sottement conditionné. Il s'engouffre au Casita vers 21 h 30 avec le premier client et ressort avec lui, sans condition, ineffablement chargé de l'aigre effluve des Terpsichores du samedi soir. Marcel de Lanos n'en desserre pas moins la vigilance exercée sur sa vieille maison. Il entretient — et agrandit cette année — sa bonbonnière avec une passion décorative dont ne sont exclus ni les fers forgés ni les coins-bar cosy, non plus que les grands tableaux évocateurs et les courageuses alliances de couleurs sang et or. Clientèle jeune appréciant la modestie (10 F) d'une consommation de renouvellement sans alcool.

CLUB DES CHAMPS-ÉLYSÉES

● **8e** - *15, av. Montaigne (359.73.90).*

En matinée de 16 h à 19 h 15. Ts les soirs sauf mardi à partir de 21 h.

Tandis que, dans la fosse de l'étage au-dessus, Daniel (Barenboïm ou quelque autre) reçoit les hommages délicats d'un public en nœud papillon, Célino Sanchez, lui (et jamais quelqu'un d'autre), fait un malheur dans le sous-sol au pupitre de son grand orchestre typique. Sinistre et délicieux dancing quoi qu'il en soit, attendant comme tant d'autres le caprice d'une mode pour cajoler la gloire. Mais Dieu que le temps presse ! semblent dire les dames du troisième âge moins le quart qui assurent la pratique de cet assourdissant mouroir.

DANCING DE LA COUPOLE

● **14e** - *102, bd du Montparnasse (320.14.20).*

Ts ls j. de 16 h 30 à 19 h et de 21 h à 2 h du matin.

De l'aveu même du premier « maître d'hôtel » en faction au pied de l'escalier, les deux orchestres de La Coupole se confondent pratiquement avec l'histoire de ce grand sous-sol pénombreux. Ouvrons ici une parenthèse nécessaire : leur collaboration fonctionne sur le mode original de l'alternance, basée sur des prestations d'un quart d'heure chacune. Et cela avec une telle régularité au cours de ces dernières ères géologiques qu'on pourrait fort bien, par hypothèse cocasse, imaginer le cas d'un malheureux habitué se rendant chaque jour à heure fixe sur le parquet ciré pendant exactement 14 minutes, depuis par exemple trente ans, et soutenir avec la meilleure foi du monde qu'il n'y a jamais entendu que les casaques de satin rose pâle du sextuor Bachicha ou au contraire et selon, l'ensemble à prédominance de cordes de Fernand Horsch, pour autant que ces deux prestigieuses formations aient quoi que ce soit de contraire.

D'affriolantes septuagénaires, parquées en tapisserie devant leur orangeade, attendent l'honnête proposition de mâles contemporains à odeur de savonnette et crânes luisants comme œufs de cygne. Mais on dénombre aussi de plus jeunes clients, eux aussi futurs immortels reçus sous la Coupole avec les mêmes égards par un personnel furtif et diligent. Certains laissent passer l'éclair d'un œil d'aigle en coin et tous trahissent une démarche en biais lorsqu'ils cheminent, sus à la proie, entre les rangées de tables où tiédissent les verveines. Le décor 1930, ses colonnes-miroirs, ses fresques estompées, ses lumières falotes tombant soudain du plafond quand l'orchestre attaque « Corazon », sont d'une économie qui frise l'indigence. Il est vrai qu'à cet égard le rez-de-chaussée n'est guère mieux loti. Le dancing de la Coupole est à notre connaissance le seul au monde où un même écriteau, apposé sur la porte d'entrée, exige très impérativement la cravate tout en tolérant le col roulé.

LE DISCO-PUNCH

● **6e** - *27, rue Vavin*

Ouvert, annonce l'enseigne, le mercredi, le jeudi, le vendredi, le samedi et le dimanche. En d'autres termes, fermé le lundi et le mardi, ce qui tombe à pic pour peu que vous n'ayez justement aucune envie de vous y rendre l'un de ces deux tristes jours. Les petites originalités de la maison tenaient autrefois dans le fait que le barman assurait lui-même les light-show avec sa lampe de poche et que l'établissement était dépourvu de téléphone. Seule, cette dernière fantaisie a été maintenue. La devise affichée du Disco-Punch s'intitule : « Les danses qui chauffent ». Chauffent aussi les punchs tassés, mais la direction ne les renouvelle pas. On entre en courbant la tête sous le linteau de bambou d'une porte basse confectionnée dans ce matériau exotique, comme d'ailleurs l'ensemble de la façade et nombre d'accessoires décorant l'intérieur de ce fort ancien sanctuaire de Montparnasse. La clientèle n'est plus tant ce qu'elle fut, soit essentiellement antillaise ou caraïbe. Mais les musiques elles aussi ont évolué, de plus en plus disco et de moins en moins punch, et donc davantage conformes à l'archétype du petit couple danseur moderne et vaguement gyrovague.

Autres dancings et bals

LE CÉSAR

● **2e** - *4, rue Chabanais (296.81.73).*

Un bar au rez-de-chaussée, le dancing est au premier étage. On danse entre hommes, entre femmes ou l'on panache à loisir selon l'humeur.

LA JAVA

● **10e** - *105, fg du Temple (202.20.52).*

Bastringue populo de l'immédiat après-guerre ayant un peu versé dans l'exhibition folklo à usage touristique.

MENPHIS (et Le Tube)

● **10e** - *3, impasse Bonne-Nouvelle (523.34.47).*

Dancing gentiment canaille, mais l'annexe (Tube) de ce guinchoir populaire est beaucoup moins bon enfant.

ROMÉO CLUB

● **5e** - *71, bd Saint-Germain (325.19.90).*

Ouvert le lundi : on peut aller y courtiser sa crémière. Et l'emmener ensuite au cinéma (Grand Cluny) à l'étage au-dessus.

ROYAL LIEU

● **9e** - *2, rue des Italiens (824.43.88).*

Un bon classique avec orchestre et chanteurs en casaques. Assez couru à l'heure du thé.

LA MAIN BLEUE

● **93 Montreuil-sous-Bois** - *Square Jean-Jaurès (857.16.97).*

On a cru qu'il s'agissait d'une étoile filante, il n'en est rien. Cette Main Bleue tient le coup vaillamment dans son décor glacé de béton, d'échafaudages et de projos lasers. Après avoir été quelque temps le phare de la nuit parisienne canaille, la maison taille plus modestement sa route, mais sûrement, vers un destin tranquille stabilisé entre la vieille lune et l'astre pâlissant... Jean-Michel Moulhac, son avisé jeune patron, veille aussi à démolir les légendes tenaces bâties hâtivement autour de ce hangar ingrat, légendes du frisson et de la castagne : on alla jusqu'à prononcer le mot terrible d'« enfer du sexe », appellation contradictoire selon beaucoup. S'il s'agit encore d'un dancing, et non plus à strictement parler d'une « boîte de nuit » ou d'une « discothèque », La Main Bleue est alors l'un des plus grands dancings d'Europe (1 300 m²). Concours de disco chaque samedi soir.

MIMI PINSON

● **8e** - *79, Champs-Elysées (723.68.75).*

Les jeudi, vendredi, samedi et dimanche, fêtes et veilles de fêtes de 22 h à l'aube. (« Grandes ») matinées les dimanche et fêtes à 14 h 45.

L'année qui s'achève sera donc l'une des plus fastes qu'ait vécu ce célèbre dancing et telle sans aucun doute qu'il n'en vivra plus d'ici à cent ans : son millésime coïncidait exactement avec le numéro de son adresse postale. Dans l'ivresse de cette révélation et profitant des engouements de l'heure, la direction du Mimi Pinson l'a sous-titré : « Super Disco 79 ». Il n'a l'air de rien, ce bastringue, avec son entrée discrète au fond d'une galerie ; c'est tout de même l'un des plus vastes de Paris et l'un des plus connus. Et des plus courus aussi, il ne tient qu'à vous d'y aller voir. Du moins si vous avez une cravate, une tenue correcte et 32 F à investir dans une menthe à l'eau, premier prix. Sommes-nous mal tombés l'autre jour (façon de parler, s'entend) mais il ne nous a pas semblé reconnaître l'accent tour à tour languide ou primesautier, le coulé traditionnel de l'orchestre Claude Grimaldi. Un doute nous prend : et si ce n'était plus lui ?

LE PETIT JARDIN

● **18e** - *26, av. de Clichy (522.52.05).*

Populaire, populo et presque populacier. Mais M. Combet, le patron, tient bien son monde et veille à ne pas laisser la java dégénérer en castagne.

Pour retrouver rapidement une adresse consultez l'index, p. 641.

SALLE WAGRAM

● **17e** - *39, av. de Wagram (380.30.03).*

« Boxe, bal, catch », annonce l'enseigne, comme s'il s'agissait de divertissements identiques. En réalité, et sauf soirées exceptionnellement confuses, chacune de ces activités est parfaitement irréductible aux deux autres et vice-versa. Pour le sujet qui nous occupe, Wagram, c'est vraiment Austerlitz. 165 ans de mazurkas, polonaises, boléros, barcarolles, cotillons, fandangos, valses et rumbas, tangos, musette, masques et bergamasques. Il n'est pas en France de bal plus admirablement vétuste et populaire que ce hall anachronique, véritable institution de la gambille fonctionnant chaque samedi soir et dimanche après-midi dans l'échaufourrée pacifique du néo-disco lusitanien, afro-cubain, sino-vietnamien, ibéro-maghrébin, pan-tiers-mondain et même à l'occasion très parisien. Décor fin de siècle à ne pas négliger et orchestres parfois remarquables, chaque semaine différents. L'autel de marbre blanc qui servait autrefois de bar a disparu. C'est à tort qu'on avait soupçonné un commando de pieux intégristes de s'en être emparé pour le rendre à son usage premier dans la petite chapelle qu'abrite également cette décidément très polyvalente salle Wagram.

LE TANGO

● **3e** - *11, rue Au-Maire (272.17.78).*

Les vendredi, samedi et dimanche. Tarifs spéciaux pour chômeurs.

La magnifique façade de faïence dissimule le tout premier dancing populaire voué en France au seul tango en 1906, et sans doute le dernier à entretenir encore, dans l'absence totale d'affectation et l'ignorance hautaine des modes (qu'il n'a pas attendues), le feu dévorant de la « Jalousie » et de la « Comparsita ». Bal ô combien populaire en effet, avec sa clientèle de typos, chauffeurs de taxis, plongeurs de restaurant, forains, émigrés, julots et nénettes de bonne compagnie ; avec son décor pauvre-mais-honnête, sa boule de cristal faisant tournoyer sur le parquet verni et le plafond craquelé des myriades d'étoiles ; avec son atmosphère bon enfant et cette nostalgie naïvement exhalée des jolies manières d'autrefois, des High-Life et des porte-jarretelles.

VILLA D'ESTE

● **8e** - *4, rue Arsène-Houssaye (359.78.44).*

Thés dansants samedis et dimanches de 16 h 30 à 19.

A l'Este, rien de très neuf. Mais tout n'est pas vraiment vieux pour autant. Mario Linès par exemple sait encore trouver des accents juvéniles et allègres pour émouvoir et mouvoir sur le parquet cette clientèle d'habitués sans laquelle toute maison sérieuse n'est plus qu'une

maison de passage. Admirable clientèle donc, qui ne songe guère plus qu'ailleurs à boire du thé et qui, obstinément d'année en année
Sous les light-shows trompant son âge
Mais très inexorablement
Souffre en ces lieux des thés-dansants
L'irréparable outrage.

CABARETS, DÎNERS-SPECTACLES

ACAPULCO (Tagada Club)

● **7e** - *107, rue de l'Université (551.91.96).*
Dîner-spectacle. F. dimanche.

Appelons-le Tagada Club ou chez Gaby ou, pour rêver un peu, Acapulco. Gaby le Basque (et son personnel chantant) renouvelle sans doute peu ici son stock d'histoires salaces et, dans trente ou quarante ans, au train où vont les choses, le répertoire actuel risque de trahir quelques faiblesses. Nous n'en sommes pas là. Dieu merci, et rien ne vient assombrir pour l'heure les saturnales hilarantes de l'Acapulco : variations chatouilleuses sur le thème des « chapeaux ronds », troussage impayable d'une grosse dame, petit chemin de fer en musique pour toute la salle, strip-tease masculin bouffon, distribution aux messieurs de tambours obscènes, etc., sans oublier les « acapulco d'honneur » pour les plus remarquables participations de la salle aux petits jeux du programme. A 1 h du matin, allez trouver dans tout Paris, et même en banlieue, un endroit où l'on s'en paye une aussi belle tranche.

LA BELLE ÉPOQUE

● **2e** - *38, rue des Petits-Champs (296.33.33).*
Dîner : 20 h 30. Spectacle : 22 h.

Belle Epoque, en effet, pour l'étonnant et authentique décor 1900, avec ses velours rouges, ses glaces biseautées et ses petites lampes cachotières. Tous les soirs, la salle se remplit avec une ponctualité merveilleuse pour écouter des Sud-Américains, et même Georges Guétary, Jean Rigaux ou Pierre Doris, bref l'échantillonnage classique, interchangeable et toujours renouvelé avec les mêmes des spectacles de cabaret. Carlo Nell, coulé dans le bronze de la gaudriole, est le présentateur inlassable de ces spectacles que précèdent d'assez convenables dîners dansants pris au coude à coude avec toute la province de papa (menu à 110 F).

Consultez le sommaire, p. 5.

CAVEAU DE LA BOLÉE

● **6e** - *25, rue de l'Hirondelle (354.62.20).*
Dîner-spectacle : 21 h. F. dimanche.

Se veut dans la tradition des « boîtes à chansons » selon Bruant et Fursy, et rien se s'oppose, il est vrai, à ce qu'on passe ici une bonne soirée pour peu qu'on veuille, pour une fois, lâcher la bride à son répertoire de chansons paillardes ou estudiantines. Les immenses caves de l'ancien collège d'Autun servent de cadre à ces innocentes petites fêtes.

CAVEAU DES OUBLIETTES

● **5e** - *11, rue Saint-Julien-le-Pauvre (354.94.97).*
De 21 h à 2 h du matin. F. dimanche.

Malgré ses ceintures de chasteté, ses oubliettes, ses boiseries « médiévales » et son personnel déguisé en troubadours, cet endroit est aussi l'un des plus sincères et rafraîchissants qui soient, où l'on chante — depuis 1920 — avec cœur l'infini répertoire des vieilles chansons françaises à boire, à aimer et à pleurer.

CHEZ FÉLIX

● **5e** - *23, rue Mouffetard (707.68.78).*
De 20 h à l'aube. F. lundi.

Ancien joueur de cornet, Félix a fait passer dans sa cave du XIVe siècle beaucoup de gens célèbres, comme les Haricots Rouges, les Martin Circus, Gilbert Montagné ou Jean de Roncas. L'endroit est désormais un petit point de chute assez « famille », où l'on peut venir (au rez-de-chaussée) prendre un verre, écouter quelques musiciens, fins diseurs bon enfant et fantaisistes, et goûter aux chandelles une gentille cuisine où les grillades au thym alternent avec le picadinho et la fondue bourguignonne et le beaujolais avec la batida. On danse au sous-sol, dans la cave dont le frère de Félix, Jean-Claude, qui débuta dans la vie en vendant des bibles à travers la Bretagne, a fait le rendez-vous des Brésiliens à Paris. Musiciens, diplomates, immigrés forcés ou non viennent ici prendre l'air du pays en écoutant un groupe hétéroclite d'où se détache un fabuleux percussionniste, César, aux cheveux nattés à la manière des rastas jamaïcains. La chance réservant pour certains soirs bénis les visites de Jorge Ben ou de Martinho de Vila, les dieux de la musique brésilienne, qui viennent faire un bœuf sur la minuscule scène.

CHEZ GEORGES

● **6e** - *11, rue des Canettes (326.79.15).*
F. dim. et lundi.

Une buvette-bar-cabaret où l'on peut acheter une bouteille de beaujolais jusqu'à 2 heures du matin. Mais c'est au sous-sol, où Georges Chelon et Anne Vanderlove firent leurs débuts, que l'on refait le monde à travers la poésie et la chanson. Une sorte de conservatoire du style rive gauche, qui survit depuis plus de 25 ans grâce au tenace enthousiasme de son patron, Georges Abbé.

CHEZ MA COUSINE

● **18e** - *18, rue Norvins (606.49.35).*
De 20 h à 3 h du matin. F. mercredi.

Ma Cousine conserve de très bons rapports avec sa famille de province et les représentants de nombreux pays amis de la France. Jeunes chanteurs, caricaturistes entretiennent ici depuis belle lurette l'« inimitable » ambiance montmartroise d'hier et d'aujourd'hui.

CLUB DES POÈTES

● **7e** - *30, rue de Bourgogne (705.06.03).*
Dîner : 20 h 30. Spectacle : 22 h 15. F. lundi.

Jean-Pierre Rosnay, qui connut son heure de gloire à la télévision, anime intelligemment cette salle aux poutres apparentes, toute entière, et depuis 15 ans, consacrée à la poésie. Une fine fleur au milieu des sombres nuits parisiennes. Spectacle fervent et à la carte, original, insolite, non sans humour, jamais ennuyeux, pour un public à l'oreille attentive, applaudissant les vieux tubes de Villon et Ronsard, Vian, René Char, etc. Agréable salle climatisée ; on y sert de braves petites nourritures. Consommation à partir de 25 F.

COTTON CLUB

● **9e** - *6, rue Caumartin (742.10.15).*
Dîner : 20 h. Spectacle : 22 h.

Rue Caumartin, on s'amuse. En tout cas, on s'amusait au Cotton Club — un avatar du Nashville, du Bonbon Rose et autres hangars à rock — le soir où nous sommes allés voir « Manhattan Satin », une sympathique petite revue noire (« la première depuis Joséphine Baker », disait la publicité). L'enthousiasme et la bonne humeur de la troupe étaient communicatifs (la beauté des danseuses, avouons-le, ne gâchait rien) et on écoutait avec attendrissement Jack Hammer, un ancien des Platters reprendre les airs qui ont fait le succès de ce groupe (Only you, The Great Pretender, vous vous souvenez ?) avec, en prime, quelques imitations de Sammy Davis Jr et Nat King Cole. Un petit tour à Harlem sans quitter Paris. Attendons la suite.

RENÉ COUSINIER

● **18e** - *4, impasse Marie-Blanche (606.49.46).*
De 22 h à 3 h du matin. F. lundi.

Les habitués de René Cousinier — qui vient d'agrandir son tiroir-caisse dans l'espoir que l'argent y serait plus à son aise... — vous diront que son « spectacle » est l'un des plus sains, des plus francs de Paris. Quelques-uns de nos lecteurs, qui se croient très affranchis, n'en seront pas moins consternés en s'asseyant dans le noir à une petite table de bois, par le vocabulaire et certaines préoccupations de « René », les plus foncièrement obscènes qu'on puisse imaginer dans une salle de garde. On voit pourtant, parmi les spectateurs, des jeunes femmes élégantes, des messieurs bien mis qui, après avoir soigneusement rougi, puis ri jaune, se décontractent et s'épanouissent. René Cousinier, depuis trente ans ou plus, tient seul sa salle en haleine trois heures chaque soir (quelle fabuleuse performance !). Il a des origines extrêmement diverses : séphardite, pied-noir, avec des accointances italienne, russe, oxfordienne et islamo-chrétienne, jointes à d'étonnantes connaissances médicales, théologiques, un don éclatant d'imitation des accents, une terrifiante mobilité de visage, une mémoire fidèle, l'aisance d'un ludion pour retomber sur ses pieds, de la facilité au piano et une intelligence fulgurante. Derrière la phraséologie la plus crue, il dissimule une logique et même une cosmogonie qui font de lui, non seulement un éducateur sexuel hors des sentiers battus par Freud et un grand raconteur d'histoires juives, pied-noir, corses et corsées, mais aussi, une manière de prophète dont Marie-Madeleine ne serait d'ailleurs par forcément la seule divinité.

CRAZY HORSE SALOON

● **8e** - *12, av. George-V (256.32.02).*
Spectacle : 21 h et 23 h 30 (les vend. et sam. : 20 h 20, 22 h 35 et minuit 40).

Un très bon quart de siècle d'existence (à propos, pour fêter sa trentaine, quand paraîtra ce Guide, le Crazy aura peut-être fait quelques pas et sera installé dans une salle plus confortable, non loin des Champs-Elysées) pour cet établissement à qui revient le privilège d'avoir promu le strip-tease — un mot bien démodé et usé, qui convient mal à cet ébouriffant spectacle — au rang des distractions bourgeoises distinguées. C'est le talent d'Alain Bernardin qui assura cette promotion de l'effeuillage et qui continue d'en maintenir le très haut niveau de qualité. Au demeurant, le Crazy Horse n'a plus, depuis longtemps, sa place dans la rubrique des strip-tease puisque les filles, renonçant ici aux cérémonies du déshabillage qui font la raison d'être de ce genre de maison, se présentent au public déjà toutes dévêtues, maquillées, perruquées, bottées puis, selon l'expression de leur Pygmalion, « habillées de musique et de lumière ». Et combien savamment habillées. Avec son insolence, sa gaieté, la beauté glaciale de ses filles, la légèreté, l'humour et l'impudeur savante de tous ses numéros, le Crazy Horse est évidemment tout le contraire de la vulgarité.

C'est aussi deux pleines heures d'un spectacle fou, muet, ininterrompu, où s'intercalent quelques numéros de manipulation (prestidigitation) suffisamment brillants et insolites pour justifier à eux seuls le déplacement. Le reproche que l'on pourrait faire à la maison est un peu le même que celui adressé aux « monstres » similaires comme le Lido. A savoir qu'on a beau changer les filles, trouver d'autres numéros, imaginer d'autres éclairages toujours plus sophistiqués et plus diaboliques : à cinq ou dix ans d'intervalle, on a toujours l'impression d'assister au même spectacle. Cela dit, ajoutons que les prix sont raisonnables (190 F pour deux consommations), les whiskies innombrables et bien choisis, l'accueil aimable, et qu'on y paye avec un chèque sans présenter sa carte d'identité.

DON CAMILO

● **7e** - *10, rue des Saints-Pères (260.25.46).*
Dîner : 20 h. Spectacle jusqu'à minuit.

Le genre fait au moule pour une clientèle hexagonale, bruyante, râleuse, bourgeoisement « affranchie », qui vient pour s'amuser et qui s'amuse en écoutant les Frères Ennemis, Jean Vallée, Dadzu, etc. Le Don Camilo demeure sur cette rive gauche le seul cabaret rive-droite assez luxueux, pas contestataire pour un sou, présentant de plus ou moins brillantes têtes d'affiches et échappant vaillamment au naufrage. La cuisine elle-même est de bon niveau. Et les prix sont raisonnables : 120 F, 200 F ou 280 F (vin et service compris), selon l'ampleur du menu choisi.

LE JOCKEY

● **6e** - *127, bd du Montparnasse (320.60.02).*
Spectacle : 23 h.

On a rafraîchi les horribles évocations du Bateau Ivre polisson peintes à même la façade. Mais les spectacles qui se donnent ici, soir après soir, depuis la nuit des temps de la nuit prennent de plus en plus de rides, dans un décor abyssalement « Jockey », à l'intention des fournées d'autocars. Pauvre Montparnasse ! On dit et redit que Régine — qui est en face — caresse le rêve de fouetter ce Jockey à d'autres sauces... On verra bien.

LAPIN AGILE

● **18e** - *22, rue des Saules (606.85.87).*
Spectacle : 21 h. F. lundi.

C'est l'ancêtre des cabarets pensants, celui qu'immortalisèrent Bruant et le caricaturiste A. Gill, auteur de sa glorieuse enseigne (là peint A. Gill : Lapin Agile). En compagnie d'un verre de cerise à l'eau-de-vie posé sur une table de bois usée, on assiste à un spectacle où les fantômes de Picasso, Max Jacob, Mac Orlan et Francis Carco s'estompent dans la pénombre des murs et la grisaille des souvenirs. Eric Robrecht, ancien pianiste de l'Ascott, Jacques Debronkart, et Yves Mathieu, descendant du créateur Frédé, s'évertuent à perpétuer la tradition de Bruant avec une foi qui soulève la Butte. Dans ce « creuset de la chanson française ancienne et nouvelle ». Claude Nougaro, Jean-René Caussimon et quelques autres firent leurs premières armes.

LA MAIN AU PANIER

● **5e** - *3, rue de Poissy (633.33.63).*
De 20 h à 1 h du matin. Spectacle : 22 h et minuit 30. F. dimanche.

Destiné pour le principal au seul plaisir des quinquagénaires, même si, depuis quelque temps, Pascal Olivier, le grand ordonnateur de La Main au Panier, s'efforce de découvrir de « nouveaux talents du rire ». Le programme se renouvelle à peu près tous les mois. Il n'est pas malhonnête, en ce sens qu'il avoue franchement la couleur : distraire et faire rire. Reste à savoir si vos zigomatiques répondront à ces instances. C'est une question de tempérament. Dîner-spectacle : menu à 70 F (plus le vin et 15 % de service).

LE MILLIARDAIRE

● **8e** - *68, rue Pierre-Charron (225.25.17).*
Spectacles à 22 h 30 et minuit 30.

Une sublime beauté noire qui ne laisse rien ignorer de ses charmes intimes se démène comme un beau diable dans un filet, à vingt centimètres au-dessus du nez des spectateurs. Au premier rang, un quarteron de Japonais tourne au vert, tandis qu'au fond de la salle, les habitués, affichant une indifférence convenue, sucent des glaçons. Un spectacle rondement mené, des attractions auxquelles succèdent l'apparition de jeunes personnes plutôt bien faites, seules ou en groupes, que l'astucieuse disposition de la salle en gradins permet d'apprécier commodément. En changeant d'enseigne et en accédant à l'opulence, l'ex-Sexy demeure une maison sérieuse, toute dévouée à la gloire d'un nu qui n'a rien d'académique. Et si le Crazy Horse porte toujours la jarretelle jaune du strip-tease, Le Milliardaire pourrait bien — même si l'humour lui fait parfois défaut — être un brillant second. Service attentif et prix d'une incroyable aménité (58 F au bar) si l'on ne souhaite pas calmer la pépie des demoiselles assises sur les tabourets.

PEANUTS

● **10e** - *51, rue Lucien-Sampaix (255.34.22).*
De 21 h à 2 h du matin. Spectacle : 22 h 30 et minuit. F. dimanche et lundi.

Dans ce café-restaurant chantant, baptisé Peanuts (cacahuètes), dont l'atmosphère de chaude complicité rappelle celle des pubs de San Francisco, une foule pas snob pour deux sous (et jeune) reprend en chœur, avec ferveur, « Le plus beau tango du monde », « Ma chapelle au clair de lune » et les tubes les plus énivrants de Jacqueline François, André Claveau ou Marianne Michel. Vingt-cinq ans après, Margot fait encore pleurer ceux qui ne l'ont même pas connue. C'est beaucoup mieux qu'une résurrection éphémère du rétro que les deux vieux compères Varel et Bailly ont réussi là, dans l'un des quartiers les plus déshérités de Paris. Les serveurs, après avoir fait valser le « chicken in the basket », sautant par-dessus les tables et autour du piano de Bailly, enchaînent des chansons et des sketches cocasses, tendres ou poétiques, que la salle, entre deux bouchées de jambalaya façon New Orleans, conquise par leur spontanéité mais aussi par leur métier, applaudit à tout rompre. L'année, au Peanuts, est entrecoupée de soirées à thèmes : « Rudolf Valentino » où l'on se coiffe et s'habille 1925, etc.

PORT DU SALUT

● **5e** - *163 bis, rue Saint-Jacques.*
Spectacle : 23 h. F. dimanche et lundi.

Ce très vieux cabaret « rive gauche » survit dans ses riches souvenirs et sa grande réputation de dénicheur de talents. Bobby Lapointe débita ici en transpirant ses premières énormités. Maurice Fanon, Jean Hébrard, Bernard Dimey et Bernard Lavalette assurent aujourd'hui le fonds du programme avec le truculent et charmeur Ricet-Barrier et, parfois, d'excellentes surprises comme celle des duettistes Cocagne et Delaunay. Le décor est chaleureux (deux étages de caves, dont l'une du XIIe siècle ; et les moulages — près de mille — des clients célèbres : les Jouhandeau, Yves Montand, Bourvil et bien d'autres) et la cuisine assez soignée.

LA TOUR EIFFEL

● **7e** - *Champ de Mars (550.32.70).*
De 20 h à 23 h 30. Spectacle : 21 h 15.

La formule qui prétend à la fois nourrir son homme et le distraire trouve ici une variante inattendue : comme pour Cendrillon, la fête s'arrête au douzième coup de minuit avec la descente du dernier ascenseur. Le restaurant, tout ce qu'il y a de « chic », n'a pas que les lumières de la ville à vous offrir : la cuisine y est honnête avec une carte bien variée. A signaler aussi l'accueil empressé, le service aimable, les tables bien espacées, autant de qualités qui permettent d'oublier les faiblesses qu'accuse parfois le spectacle de tout repos. Du moins ce spectacle ne s'éternise-t-il pas. Roger Grass et son directeur artistique qui répond au nom de Napo le renouvellent quasiment tous les mois et l'on peut espérer de bonnes surprises. Dîner-spectacle : 160 F vin compris (service en plus).

VILLA D'ESTE

● **8e** - *4, rue Arsène-Houssaye (359.78.44).*
Dîner dansant : 20 h 30. Spectacle : 22 h 30.

Le type du cabaret rive droite convenablement passe-partout. La recette appliquée ici par Jacques Paoli (déjà propriétaire de l'Etoile de Moscou et du Tsarévitch) est la même depuis bientôt trente ans : pour l'essentiel, une tête d'affiche de la chanson (Isabelle Audret ou Mouloudji, par exemple), un chansonnier (Pierre-Jean Vaillard), un bon fantaisiste aussi et un illusionniste. Avec tout cela, un orchestre — celui de l'incomparable Mario Lines — pour faire danser et une cuisine convenable et coûteuse.

CLUBS PRIVÉS

L'AVENTURE

● **16e** - *4, av. Victor-Hugo (501.73.48).*

Les chemins de l'Aventure passent par la lourde porte de cuivre jaune et rouge que tient d'une main de fer la charmante Hilda. Une porte coffre-fort genre Fort-Knox qu'il est bien difficile de franchir. Si toutefois vous y parvenez, vous apercevrez Dany la belle, dont la présence dément toutes les rumeurs assurant qu'elle avait repris l'Alcazar d'Hénin-Liétard. Reconnaissons même qu'elle a su tirer son épingle du jeu obscur de la nuit en attirant dans sa maison l'élite dorée du cossu 16e et du bourgeois Neuilly. Une assemblée jeune et fringante que Dany connaît sur le bout du doigt ce qui lui permet de refuser les importuns et les noctambules accablés de pétrodollars, mal supportés par les ravissantes minettes. On se trouve donc entre gens du même monde, dans une salle en forme d'œuf occupée à l'extrémité du petit bout par une piste de danse qu'une boule-miroir désuète transforme épisodiquement en tempête de neige. Un endroit anodin, conventionnel et passe-partout, mais sans vulgarité, où l'on aperçoit de temps à autre Roman Polanski ou Johnny Halliday, montrant que le cinéma et le « show-biz » font parfois bon ménage. De l'aveu même de la maîtresse de maison, il n'y a pas de places privilégiées. Un rapide panoramique le confirme : il est possible de voir tout le monde ou presque, donc d'être vu. C'est le B.A. BA de la nuit.

CASTEL-PRINCESSE

● **6e** - *15, rue Princesse (326.90.22).*

L'« élite » reste arrimée au bar et à ses cinq tables. Volontiers encore de l'autre côté du couloir, à la « cantine » du rez-de-chaussée, dans la salle qui porte le nom du patron et faisant cercle autour de lui. Ce que Paris compte de plus drôle et de plus fou, derniers dandies, grandes commères (écrivains, hippies, ministres, androgynes enrubannés, pensionnaires du Crasy Horse) et trois quarts de mondaines, refont ici, soir après soir, tous les jours, tous les mois de l'année, le happening du seul endroit au monde où il se passe toujours quelque chose. Avant d'y participer, il faut entrer. Frappez... et l'on ne vous ouvrira pas. Huguette et Monique montent la garde au « guichet », vous inspectent, vous toisent et rendent leur verdict. Ce sera non si votre gueule ne leur revient pas. Inutile d'insister ou de demander des explications : le système sésame Princesse est déconcertant et les voies du seigneur Jean sont impénétrables.

ÉLYSÉES MATIGNON

● **8e** - *2, av. Matignon (225.73.13).*

Pendant un moment, vous aurez l'illusion de dîner à côté d'un arbre de Noël, et puis vous vous apercevrez que ce n'est qu'Anja Lopez, parée ce soir-là de ses plus beaux atours. Johnny Halliday passe, bouche blasée et blouson de cuir noir. Vous êtes à l'Elysées Matignon. Enfin, vous y êtes, si vous avez pu dissiper les soupçons du cerbère de l'entrée. La porte franchie, le charmant Jean-Yves Bouvier vous prend en charge, et son aide est précieuse : lui seul peut vous trouver une table au restaurant qui affiche complet ou bien demander à un maître d'hôtel de vous installer à un tabouret de la grande banquette en arc de cercle, devant le bar de la discothèque. C'est le fief des habitués, la table où se tiennent les maîtres de maison : Armel Issartel et sa femme Sophie — née Rochas. A la discothèque, deux remarquables disc-jockeys, un éclairage sophistiqué et une clientèle savamment dosée de mannequins (superbes), de mignonnes minettes, de jolis garçons, de gens du show-biz. Tout ce beau monde doré sur tranche, scintillant, voire clinquant, compose à lui seul un spectacle permanent assez réjouissant. Au reste, n'est-ce pas là l'attraction première d'une boîte de nuit? Un conseil, enfin : venez à pied, à cheval ou en taxi, surtout pas en voiture — les chasseurs de l'Elysées, pour des raisons qui nous échappent, sont le plus souvent indisponibles et manquent de la plus élémentaire mobilité.

NEW JIMMY'S

● **14e** - *124, bd du Montparnasse (326.74.14).*

Le vide, le très grand vide laissé au New Jimmy's depuis l'ascension de Régine au Champs-Elysées puis au Sporting de Monaco, enfin aux quatre coins du monde, n'a — cela se confirme au fil des ans — jamais été comblé de façon satisfaisante. Aujourd'hui les (très) jeunes gens — pour beaucoup les fils et nièces des habitués d'autrefois — constituent, en fin de semaine et aux veilles des vacances scolaires, le gros de la troupe des nuitards. Cela, il est vrai, n'empêche pas le Jimmy's de sauver les apparences et de garder un charme où le décor noir et brillant, les justes proportions de la salle ni trop grande ni trop petite et l'agrément du bar, très bien conçu, en face de la piste de danse, interviennent sans doute pour beaucoup. Régine continue de faire de temps à autres quelques apparitions. A la porte, la douce Pierrette ne se montre pas trop sévère. Presque toutes les tables sont bonnes mais, sachez que celle qui est devant le bar est réservée aux amis. Quant à la banquette stratégique de l'antichambre d'où l'on peut voir entrer et sortir tout le monde, elle a perdu de son intérêt : les « dix-huit ans » préfèrent danser. Ils n'ont pas tort.

FRANÇOIS PATRICE SAINT-HILAIRE

● **8e** - *12, rue de Ponthieu (225.51.71).*

Cela doit bien faire dix ans qu'aux premiers marrons on annonce la mort irrémédiable du Saint-Hilaire comme le scoop de toutes les « rentrées ». Pourtant, la rumeur, cette année encore, est dépourvue de tout fondement. François Patrice n'est pas mort, il vit la nuit à Paris et se porte bien, merci pour lui. Depuis près de trente ans qu'il use ses fonds de smoking sur les banquettes veloutées des discothèques parisiennes et d'ailleurs, il peut vous sortir un carnet d'adresses du Tout-Paris noctambule long comme le bras. Cela explique que si certains ne lui cachent pas une inimitié qui n'a rien de feinte, il s'en trouve toujours suffisamment pour garnir son plus récent Saint-Hilaire qui fut celui de ses débuts. Des amis côtoyés sous la lumière des studios de cinéma qui viennent retrouver une part de leur jeunesse dans le saint des saints entourant la piste de danse, la salle à droite aveuglée de poteaux étant réservée à l'usage d'une clientèle plus fortuite et plus épisodique.

LE PRIVÉ

● **8e** - *12, rue Ponthieu (225.51.71).*

Malheur à celui qui porte une cravate et qui semble avoir franchi le cap fatal de la trentaine ! « Monsieur ? », vous demande pour la forme une jolie jeune fille brune, car elle a déjà décidé que vous n'entreriez pas. « Nous voudrions prendre un verre. Faut-il faire partie du club ? » « Oui, c'est privé. Je regrette ». Mais le nom d'un habitué ou de l'un des animateurs suffira à vous faire franchir ce charmant barrage. A l'intérieur, les jeunes vieillards de 30 ans ont l'air de dinosaures égarés dans un jardin d'enfants. Dans le décor orientalo-psychédélique un peu défraîchi, une foule de minets s'agite au bruit d'une très bonne et très forte musique. Ces beautés blondes et ces jeunes gens bouclés sont-ils les enfants de ceux qui venaient ici il y a cinq ans ou bien peut-être les mêmes après quelques liftings efficaces? Toujours est-il que Le Privé, en perdant la clientèle faux chic de la Nescafé Society, a gagné au change. L'ambiance est bon enfant, surtout grâce à Michel Bertolino qui, victime d'un terrible accident de voiture il y a quelques années, a trouvé le courage de se resservir de ses jambes. Et il est là tous les soirs jusqu'à l'aube. Le premier à gauche en entrant avec la barbe, c'est lui, vous ne pouvez pas le manquer.

RÉGINE'S

● **8e** - *49, rue de Ponthieu (359.21.13).*

Si le fait d'être copié veut dire qu'on a réussi, alors, Régine a gagné. On a vu à New York, récemment, deux ou trois boîtes qui semblaient avoir été décorées avec ce que le décorateur de son club de la rue de Ponthieu n'avait pas utilisé. L'ascension de Régine est-elle irrésistible? Il semble que oui. Dans les années 60, elle nous a fait twister dans sa première boîte de la rue du Four, nous l'avons suivie à son New Jimmy's de Montparnasse et enfin, lorsqu'elle a ouvert le Régine's de la rue de Ponthieu, nous étions encore là. Il ne reste guère aujourd'hui que l'Albanie et le Honduras qui n'aient pas leur Régine's, recréé à l'image de celui de Paris. L'un des atouts de Régine, c'est — depuis toujours — son personnel : le génial Luciano, qui est un peu le « parrain » des garçons du Régine's (on n'est pas Vénitien impunément !) et son acolyte, le diabolique barman Michel. Si vous allez au Régine's, vous devez les connaître, ainsi que les efficaces Giovanni et Bernard. Auparavant, vous aurez été accueilli par le directeur, Bobby Barrier, dont le moins qu'on puisse dire est qu'il est un professionnel de la nuit. Là où « il faut être », c'est en face du bar ou aux tables qui lui succèdent. En exil dans la Sibérie du fond de la salle, vous ne verriez, au loin, s'agiter que des silhouettes... Le Régine's, c'est l'anti-Palace. Ici, pas de velours côtelé ni de débraillé chic. La clientèle va du play-boy en vadrouille au banquier en java, en passant par l'émir en goguette et quelques représentants du gotha, sans oublier de très jolies filles, qui n'ont pas l'air d'être habillées par leurs parents... Lorsque Régine est là, entre deux voyages à New York et à Rio, il est fréquent qu'elle donne un dîner au restaurant de la boîte, dont la carte a été fort heureusement mise au point par Michel Guérard, et c'est ce soir-là, justement, je vous aurez le plus de chances d'y voir quelque célébrité hollywoodienne ou même française ! Encore faut-il pouvoir entrer ! Le Régine's est un club réservé à ses membres mais le règlement n'est pas toujours appliqué au pied de la lettre : une recommandation par-ci, un coup de chance par-là... Un dernier conseil : si Régine ne vous connaît pas, la première chose qu'elle regardera chez vous, ce sont d'abord vos yeux, et ensuite vos chaussures. Pour vos yeux, il est trop tard, mais pour vos chaussures...

LE RUBY'S

● **6e** - *31, rue Dauphine (633.68.16).*

Les anciennes écuries de la marquise de Pompadour (au fond de la cour) ont un curieux parfum d'or noir. Leila, d'origine tunisienne, a su attirer chez elle tout ce que les émirats du Golfe arabique et du Proche-Orient comptent de noctambules accablés de pétro-dollars. Pourtant, les jeunes cadres qui n'aspirent qu'à devenir supérieurs ne dédaignent pas les sièges confortables et l'atmosphère feutrée de la maison. Le Ruby's, ainsi nommé en souvenir d'un autre seigneur de la dolce vita, Porfirio Rubirosa, est un club privé, mais c'est surtout sur votre bonne mine que la porte s'ouvrira.

DISCOTHÈQUES

ADISON SQUARE GARDEL

● **14e** - *23, rue du Cdt-Mouchotte (260.14.60).*

De 22 h à 4 h du matin. F. lundi.

Croyez-nous si vous le voulez, mais le dieu du samedi soir, John Travolta lui-même, est venu, en personne, mêler ses pas à ceux des danseurs des beaux quartiers, sur la piste ronde et lumineuse de l'Adison Square Gardel. Pour fêter cette miraculeuse aubaine, on n'a pas lésiné sur les mélanges fumigènes. Quelle nuit ! Régine et ses trois disc-jockeys en sont encore tout remués. Les thés dansants que l'on croyait moribonds retrouvent ici — les lundi, mardi et vendredi de 16 h à 19 h 30 — une vraie jeunesse, avec une clientèle de tous âges (qui a généralement laissé sa trentaine au vestiaire), très « sélect » et dense, qui apprécie le beau sexe, le disco et le tango réunis.

LES BAINS DOUCHES

● **2e** - *7, rue du Bourg-l'Abbé (887.34.40).*

Enfilez votre blouson en peau de saucisson, sautez dans votre pantalon chromé et courez aux Bains Douches. De véritables bains douches reconvertis en restaurant-boîte de nuit, vous le savez sans doute. En bas, dans la discothèque qui se prolonge par une petite piscine et une salle de billard, on est plutôt « habillé » : le cheveu se porte court, la cravate mince, le pantalon bien étroit, dans le style des années 50. Quant aux excentriques... Mais qu'est-ce qui pourrait être excentrique ici ? Une salopette en chewing-gum ? Un pantalon de golf en amiante ? Une chemise en marbre rose ?

Même pas... Bref on se montre et on danse. Ni slow ni disco démodé, mais des trucs étranges, déconcertants et qu'on ne connaît pas. Comme on dit, « c'est spécial », les Bains Douches... Ça change, en tout cas, des vieilles boîtes qui se font passer pour de nouvelles lunes en changeant de nom tous les six mois. Et le restaurant ? Tout compte fait, pour 100-120 F environ, et malgré la lenteur désespérante du service, on n'y mange pas plus mal qu'ailleurs.

LE BŒUF SUR LE TOIT

● **8e** - *24, rue du Colisée (359.83.30).*

Une boîte pour danser des slows. Le Bœuf a enfin sa discothèque : elle est petite, elle est rouge et dans le prolongement du bar. Cover girls, journalistes, publicitaires, gens de la mode s'y retrouvent le soir pour écouter le pianiste Bob Vatel et son batteur Michael Silva et, quatre fois par semaine, à partir de 2 heures du matin, le pianiste noir Aaron Bridges. Tout peut arriver au Bœuf : on a même entendu un habitué — conservateur de musée — improviser des blues (en français). Certes on n'en parlait pas, le lendemain, au ministère de la Culture, mais quel bœuf...

BUS PALLADIUM

● **9e** - *6, rue Fontaine.*
A partir de 23 h. F. dimanche.

Le Bus ne prend pas tous les trains et n'est donc pas monté dans celui de la musique disco. Il a bien changé, pourtant, le vieux Bus des années soixante, puis soixante-dix (comme le temps passe, ma chère). Les jeunes « anciens » regretteront l'estrade disparue, les peintures de l'entrée envolées et les flippers désormais relégués tout au fond. Quelques événements « malheureux » étant survenus l'hiver passé (parlons clair : de rudes bagarres), il faut maintenant montrer plus que jamais patte blanche à l'entrée : une caméra vous filme, et l'on photocopie votre carte d'identité. Après avoir payé 50 F (qui vous donnent droit à une consommation). Jean-Charles, le disc-jockey le plus chaud de Paris, vous en met plein les oreilles (rock, hard rock, et pop) et vous « rollez » sous l'éternelle boule miroir-tempête de neige et les clignotements d'halluciné d'un immense panneau disco, qui sera, n'en doutez pas, retiré, quand la bise d'une nouvelle mode sera venue souffler.

CARAMEL

● **6e** - *76, rue de Rennes (544.22.84).*

Le Caramel affiche une santé de fer qui suscite bien des envies. Bien sûr, ce n'est pas l'endroit le plus connu ni le plus couru de Paris, et vous avez fort peu de chances d'apercevoir le frais minois de Marisa Berenson ou les inénarrables lunettes en plexiglas d'Andy Warhol. Il vient ici une clientèle débonnaire assez bon chic bon genre, qui s'enfonce dans de profondes banquettes sous de somptueux miroirs. Le décor, qui fut celui d'un ancien Saint-Hilaire, est l'un des plus riches et des mieux réussis, bien que l'on puisse regretter l'aspect corridor qui lui coupe les ailes en brisant son charme. On y coule des nuits tranquilles dans une atmosphère reposante entretenue par une musique qui ne force pas la note, et l'on ne croit pas déchoir en dansant le slow. Les piliers du Caramel ? Des gens qui snobent les « privés »... en sachant bien qu'ils ne pourront jamais y entrer.

L'ÉCUME DES NUITS

● **17e** - *1, bd Gouvion-Saint-Cyr (758.12.30).*
A partir de 22 h.

L'Écume des Nuits fait sa mousse. Lovée douillettement dans les sous-sols de l'hôtel Méridien, cette boîte bleue (nuit bien sûr), aux profonds divans, pratique un style parfaitement cosmopolite. Entre la clientèle teutonne et anglo-saxonne, on arabise et on japonise, ce qui donne l'impression aux Parisiens de passage de se retrouver sur un paquebot transatlantique et de flirter avec la jet-society. Fait assez rare : un service qui ne vous toise pas du haut de son mépris, vous place rapidement dans l'une des deux salles-alvéoles entourant la piste de danse, vous évitant d'errer à l'entrée en quête d'un bout de banquette. Tout cela est de bon ton. On danse le jerk, le disco et le slow sans aucun sectarisme, au rythme d'une musique aux décibels contenus qui permet de flirter, boire, somnoler et parfois même s'amuser.

L'ÉLÉPHANT BLANC

● **6e** - *24, rue Vavin (354.90.95).*
F. dimanche.

Patou, l'aimable gérante de ce très vieux club de Montparnasse, est lauréate du prix « Accueil France 1976 ». Son restaurant-terrasse dans un jardin suspendu (on y déjeune aussi dès le mois de mai) est l'un des plus agréables de Paris par les belles soirées d'été, et sa discothèque — où s'illustra François Patrice — l'une des mieux fréquentées et tenues de la place, sans que revive, pour autant, le grand Eléphant Blanc des belles années dorées.

FRANÇOIS 1er

● **8e** - *45, rue François-Ier (359.35.30).*
A partir de 23 h.

Avant de descendre l'escalier et de recevoir de plein fouet votre cargaison de décibels, ayez une pensée attendrie pour Edith Piaf qui débuta ici il y a un demi-siècle. Mais reprenons-nous, le présent et l'avenir, c'est Jean Vergnes, propriétaire du Don Camilo et mentor heureux du météorite que fut le Nashville devenu Bonbon Rose. L'autre hiver, en compagnie de deux associés, il ouvrait le François Ier, conquis sur un Club Pierre Charron moribond. Ce, après quelques mois de travaux et un bon paquet de millions. Tout a été cassé, agrandi, plâtré, peinturé, moquetté, banquetté, pour devenir une bien jolie discothèque tout en glaces noires et claires, diffusant à l'infini un éclairage délicat et subtil, remarquablement étudié. Seul reproche, la forme en demi-lune (quoi de plus normal pourtant), qui éclipse totalement les tables du fond de la salle, le côté soleil, où vous conduira Gérard si vous êtes dans le coup, s'étalant sur de grasses banquettes au pied du bar surélevé. S'il faut qu'une porte soit ouverte ou fermée, comme dit le bon poète, celle du François Ier appartient à la catégorie des portes indécises : un coup on ouvre, un coup on n'ouvre pas, la direction n'a pas encore arrêté de position bien précise, laissant dans l'expectative Caroline qui fait office d'aimable cerbère. Il en résulte que ce n'est encore ni Régine's, ni Castel mais un brassage de jolies filles et de fils de familles désœuvrés, le tout relevé et parfumé par un soupçon de pétroliers venus en direct du Golfe ; mais de gens du show-business, point ; à moins que l'on ne considère Anja Lopez comme un numéro à elle toute seule.

GOLF DROUOT

● **9e** - *2, rue Drouot (770.47.25).*
A partir de 21 h. F. lundi et mardi.

Il était une fois, il y a longtemps, longtemps, le Golf Drouot, le seul golf miniature de Paris. Son gérant, Henri Leproux — un ancien barman du Lido fort versé dans la chansonnette — décida bientôt de mélanger les clubs de golf et la musique. Un grand jeune homme blond sans situation et un employé du Crédit Lyonnais s'y donnèrent bientôt rendez-vous. Ils apportèrent quelques disques d'Elvis Presley et de Bill Halley dont ils connaissaient par cœur les si bouleversantes complaintes, et reprenaient en chœur leurs sanglots syncopés. Henri Leproux s'amusait bien. Il réalisa quelques enregistrements de Johnny et d'Eddy — c'étaient eux... — Ainsi démarrèrent les météoriques carrières de ces deux chanteurs engagés dans le rock, et celle aussi du Golf Drouot. Plus de 6 000 groupes se sont produits sur ce tremplin à ce jour, et certains y ont pris leur élan vers la gloire (Martin Circus, Il était une fois, Sheila, Dutronc, Polnareff, Balavoine, etc.). Le vendredi soir, de nouveaux talents sans lendemain ou promis aux honneurs trouvent ici un public enthousiaste (pas de sifflets : la foule encourage les débutants), et la nuit du samedi, un groupe « vedette » se produit. Rangez les vieillards de plus de vingt ans.

Chaque mois,
un restaurant ouvre, un autre ferme.
Aussi va la vie parisienne...
Lisez notre Guide mensuel
pour en être régulièrement informé.

KEUR SAMBA

● **8e** - *79, rue La Boétie (359.03.10).*
A partir de 23 h.

Le jovial Samba s'en est allé porter la bonne parole ailleurs, au bout de la nuit. Nous sommes donc allés prendre le pouls de son Keur. C'est aux lueurs blafardes du petit matin qu'il faut le surprendre, à l'heure où les Parisiens-travailleurs se frottent les yeux dans les odeurs de café chaud et de pain grillé. La porte franchie, R.A.S., la tension est bonne, la sono frise tranquillement les 140 décibels, la salle est pleine, il est huit heures et demie du matin. Un jour comme les autres au Keur Samba... Kane, le patron, un Mauritanien bon teint, est un homme heureux. Et comment ne pas l'être lorsqu'on tient une des boîtes les plus amusantes de Paris dont la porte, soit dit en passant, est largement ouverte à moins que vous n'ayez mis votre blouson de cuir clouté avec chaîne de vélo en sautoir. Le Keur, donc, ne désemplit pas. Une clientèle mélangée (trop, pensent certains), à fond noir, issue des milieux ouatés du corps diplomatique et transformant l'endroit en annexe africaine de l'O.N.U., que viennent rejoindre vers 4 ou 5 heures du matin ceux qui ont épuisé les ressources des clubs privés. Les gens « connus » s'installent dans le fer à cheval qui prolonge la piste de danse, les autres devant se contenter de la périphérie. Chaque soir, ou plutôt chaque matin, cette noble assemblée hétéroclite communie à la messe disco-reggae. La santé de ce Keur, décidément, est un cas...

MARTINE'S

● **16e** - *Au Pavillon Royal, Bois de Boulogne (500.23.40).*
F. dimanche.

Le Samantha est devenu Martine's. Ce changement d'enseigne n'entrave en rien le gentil ronronnement de la seule boîte de nuit du Bois de Boulogne. Ne cherchez pas ici le superbe et dérisoire délire qu'offre le Palace : ce club privé dont la porte s'entrouve sous les frondaisons est sans histoire et très « comme il faut » — et apprécié comme tel par l'assemblée bourgeoise issue de la Muette et du beau Neuilly, qui constitue l'ordinaire de sa pratique.

NAVY CLUB

● **13e** - *58, bd de l'Hôpital (535.91.94).*
De 19 h 30 à 5 h du matin. F. lundi.

Agréable boîte à danser inspirée par le folklore décoratif marin. La tenue de ville obligatoire vous assure d'être toujours en « bonne compagnie ». On se fait servir ici fort avant dans la nuit de très honnêtes nourritures sagement facturées (70 F environ le menu).

NIGHT LIFE

● **17e** - *66, bd Gouvion-Saint-Cyr (758.21.20). De 22 h à 5 h du matin.*

Une providence pour la clientèle des beaux quartiers respectant les nouvelles tendances de la mode nocturne : luxe et volupté. Les temps sont loin où il suffisait de posséder une cave humide et quelques tabourets pour faire courir tout Paris. Au Night Life, tout fonctionne à ravir (y compris l'air conditionné), et l'on a refait toute la décoration en « disco », en attendant la prochaine mode.

LE PALACE

● **9e** - *8, fg Montmartre (246.10.87). De 23 h à l'aube. F. lundi, mardi.*

Des punks, des énarques, des coiffeurs, des écrivains, des cover-girls, des étudiants. Depuis son ouverture, Le Palace est devenu un véritable phénomène social, où l'establishment côtoie l'underground dans le fracas de la musique disco et l'éclairage inquiétant des projecteurs lasers. Dans les coulisses de ce temple dédié au narcissisme et à la danse, qu'il mène d'une main de fer dans un gant de soie, Fabrice Emaer, 43 ans, un professionnel de la nuit (le Sept de la rue Sainte-Anne, c'est lui). Un milliard de centimes investis. Cinq cent mille nouveaux francs de recette par semaine. Soixante-dix employés. Des visiteurs par milliers. Est-ce un casino ? Un musée ? Un zoo ? Non : c'est le Palace ! Fabrice Emaer triomphe. Fabrice, c'est le maître, le commandant de ce gros navire ancré Faubourg Montmartre, en plein fief pied-noir, dans un quartier où le nom de Zemmour est plus respecté que celui des Rothschild.

« Vous êtes combien? — Trois — Entrez — Vous êtes combien ? — Sept — Allez, entrez — Et vous ? — Deux — Bon, passez. » Au Palace, tout le monde peut entrer, ou presque. Il faut vraiment être en haillons, avoir l'air d'un loubard ou bien le prendre de très haut pour qu'on vous « jette ». « On », c'est parfois Fabrice (vous le reconnaîtrez : il a les yeux bleus, des cheveux blonds très frisés et mesure 1,87 m), c'est aussi Serge (un transfuge de chez Régine, très calme, très efficace) ou bien encore la grande Edwige qui a été la reine des punks mais qui — notez-le — ne veut plus qu'on le lui rappelle. « On », c'est encore, et surtout, quelques gaillards aux épaules beaucoup plus larges que les vôtres qui portent, au revers de leur veste, un badge sur lequel on peut lire ces deux lettre : K.O. Ce qui s'appelle annoncer la couleur ! Les K.O.boys, qui sont au nombre de douze en moyenne, représentent une telle force de dissuasion qu'il n'y a, au Palace, jamais de bagarre ni d'incident. Cette garde prétorienne coûte 7 500 F par soirée à Fabrice. La paix est à ce prix. Autre trouvaille : des portes de verre. Le hall étant plein en permanence, elles permettent aux contrôleurs de montrer la foule à l'indésirable et de lui dire : « Regardez, vous voyez bien que c'est plein. Revenez un autre soir ». La porte franchie, il faut passer à la caisse. Entrée : 50 F, comprenant un verre (le renouvellement d'une consommation coûte 15 F), puis, second contrôle pour voir si on a bien payé, et, enfin, on est dans le saint des saints. 2 500 personnes dansent, circulent et forment une mer humaine sans cesse en mouvement, avec ses vagues qui viennent battre au pied de tous les bars. Depuis ses débuts, le Palace s'est distinctement divisé en plusieurs territoires. L'orchestre est occupé par la majorité, c'est-à-dire les danseurs. Là, un seul mot d'ordre : disco ! La salle du bas, transformée, offre une piste en bois aux ébats des patineuses à roulettes. Le fumoir du premier regroupe ceux qui ont envie de parler (il y en a). Le balcon enfin, avec ses loges réservées aux amis de Fabrice (principalement la rangée de droite) et gardé par un K.O. boy, avec son immense bar, ses miroirs, attire tous ceux qui veulent voir le spectacle qui se déroule en bas dans la brume noyant soudain les jambes des danseurs ou les acrobaties géométriques du laser. Certains « voyeurs » restent une heure, d'autres la nuit entière. Ce sont, pourrait-on dire, les « intellectuels » du Palace.

Vous voulez dîner au frais l'été ? Regardez vite notre liste de restaurants à terrasse, à jardin, ou climatisés, p. 110.

LE TABOU

● **6e** - *33, rue Dauphine (325.64.87). A partir de 21 h.*

Des nuées de minets s'agitent frénétiquement dans cette belle cave devenue l'antre banal du jerk, du rock et du disco. Le souvenir même de Gréco et de Boris Vian s'est depuis longtemps évanoui, comme en témoigne la mine déconfite des couples égarés dans leur quarantaine tassée qui descendent quelquefois par erreur ou par hasard au Tabou.

WHISKY A GOGO

● **6e** - *57, rue de Seine (633.74.99). A partir de 21 h 30.*

Héritier, ici même sous l'Alcazar, du Rock'n Roll Circus, du Bibelot et du Miniland également malheureux. Le décor n'est ni désagréable ni inconfortable et la musique a parfois quelques accalmies qui autorisent la conversation. Une formule (on lui a ajouté d'hallucinants et fantastiques rayons lasers) qui semblait révolue, mais dont le succès persistant indique que les amateurs en sont encore nombreux. Ils le démontrent du moins par leur assiduité jusqu'aux premières lueurs de l'aube.

WONDER CLUB

● **6e** - *38, rue du Dragon (548.90.32).*
A partir de 21 h.

Des salles voûtées dans lesquelles le bruit de la musique est percutant. Public très jeune.

ETRANGERS

Antilles

LA CANNE À SUCRE

● **6e** - *4, rue Sainte-Beuve (222.23.25).*
De 18 h à 5 h du matin. F. dim. et lundi.

Les orchestres se suivent et se ressemblent. Le trio Arthur Apatout (pendant le correct dîner antillais : 170 F) et l'orchestre d'Harry Gatibelza (rien moins que sept musiciens) jouent toujours avec le même entrain les rythmes caraïbes entrecoupés de « Méqué méqué » et de « Donne du rhum à ton homme » pour la plus grande joie des quadragénaires qui constituent le fonds d'une clientèle admirablement fidèle et bon public. Laquelle attend avec impatience la venue de l'indéfectible Moune de Rivel ou celle des Diablos de la Pampa. Depuis 1945, sans désemparer, on fait la fête dans cette antique boîte « des îles ». Tard dans la nuit, les habitués des deux sexes se déchaînent en meringués et en biguines. Pour un peu, le punch aidant, on s'y croirait.

Brésil

LE DISCOPHAGE

● **5e** - *31-33, rue des Ecoles (326.31.41).*

Les trois musiciens ont bien du mal à tenir sur la modeste estrade, guère plus grande qu'une table de bridge. Parmi eux, s'agitant sur un tabouret de cuisine, Betina, un petit bout de femme brune, les cheveux dissimulés sous un bonnet de laine : Pierrot lunaire au visage mobile qui chante le Brésil avec une foi à soulever la Montagne Sainte-Geneviève. Autant le dire, si la fête est superbe, Le Discophage n'est qu'un tortueux boyau qui se développe dans une sombre impasse ; et il faut faire des efforts de contorsionniste pour découvrir la scène, au fond du couloir, à gauche. Accueil inexistant.

VIA BRASIL

● **15e** - *22, rue du Départ (538.69.01).*
A partir de 22 h 30.

Bom, boum, boum-boum, la locomotive disco emporte tout sur son passage et souffle un vent brûlant sur la tiédeur vanillée de la samba. Alors, Via Brasil donne un peu de la bande sans être pour autant démodé comme un cosy-corner. Pour l'atteindre, il vous faudra d'abord affronter l'univers glacé de la Tour, avec ses rampes, ses escaliers et ses piliers. Il n'y a hélas plus d'orchestre comme aux débuts de la boîte, mais de bons disques brésiliens mélangés à l'inévitable disco et, pour vous consoler et vous rappeler que nous sommes tout de même un peu au Brésil, on a importé des beautés de là-bas, qui dansent et jouent des percussions. Clientèle plutôt jeune (mais pas trop) qui n'est pas contre la cravate, ni farouchement pour d'ailleurs, et jolie décoration dans les rouges sombres.

CHEZ YVES

● **5e** - *7, rue Tournefort (553.43.10).*

Yves, c'est Yves Bouchet, un Breton grand teint qui a délaissé le jabadao pour la samba et le biniou pour la guitare brésilienne ; l'exotisme prend parfois de curieux chemins. Celui-ci mène au plus haut de la Montagne Sainte-Geneviève, dans la cave d'un immeuble du XVIIIe siècle. Une salle tout en longueur décorée de velours de Gênes rouge vif. Quelques verres de batida suffisent pour faire démarrer la fête. Un guitariste, un flûtiste et un batteur sont le liant qui font prendre la sauce avec quelquefois un invité indésirable : le crispant Larsen (quel effet !). La sono, qui plafonne vers les 200 watts, donne souvent bien du souci. Les musiciens ont tendance à pantoufler dans le répertoire trop bien assis des succès brésiliens. Qu'importe après tout, puisque les habitués et les autres y trouvent leur compte.

Espagne

BARCELONA

● **9e** - *9, rue Geoffroy-Marie (824.47.66).*
De 18 h à 4 h du matin. F. dimanche.

Des dizaines d'années dans le crépitement des castagnettes et le « ole que toca bien » pour les amateurs de sombreros et de seguedilles. Une Espagne teintée d'eau de rose.

DON QUIJOTE

● **9e** - *10, rue Rochambeau (878.01.80).*
De 21 h à 5 h du matin. F. dimanche.

Laissez donc le dîner-spectacle. Berthe Merlet, la patronne, ne vous tiendra pas rigueur si vous ne vous présentez chez elle que vers minuit, à l'heure où les touristes ivres de taconeo regagnent leur hôtel et que commencent de débarquer chez elle les vrais habitués. Don Quijote ne reconnaîtrait pas forcément les siens en la personne des Guayaki et autres Missioneros del Paraguay, mais quand arrivent Antoñio Fernandez et son trio flamenco, il peut sortir de son rêve et entraîner le dernier carré d'espagnolisants à claquer des mains en cadence jusqu'à l'heure du laitier.

LES RAMBLAS

● **15e** - *14, rue Miollis (783.32.98).*

Grignotée par les Brésiliens, minée par les lamentos de l'altiplano, la nuit espagnole a le vague à l'âme, la guitare porterait-elle le crêpe ? Rien ou presque à signaler dans la topographie nocturne et c'est aux confins de la Barrière de Vaugirard que nous avons dû aller pour dénicher un bout de la péninsule ibérique. Un sombre bistrot pour tout dire avec tous les poncifs du genre : bar en formica, carrelage fonctionnel et modestes tables couvertes de nappes en papier. Quelques ajouts téméraires sous forme de filets de pêche garnis de crustacés naturalisés, d'un baromètre kitsch et d'une fausse affiche de corrida ; l'authenticité étant toutefois garantie par une clientèle fidèle d'Espagnols et d'hispanisants. Deux guitaristes entament le spectacle en entonnant quelques rengaines familières du répertoire international, « Cuando calienta el sol » succède à la « malagueña » dans le cliquetis des fourchettes. Pas de quoi déchaîner les foules et l'on se surprend à vouloir étouffer un bâillement. En fait, il faut savoir attendre la fin du service ; les garçons laissent alors leur tablier pour s'intégrer au groupe. Un bel hidalgo un peu précieux se taille un joli succès dans une série de chansons grivoises destinées à l'usage unique des hispanisants confirmés. Rassurez-vous pourtant car les mimiques et les yeux qui roulent sont aussi un spectacle : curieux bonhomme qui s'accompagne de castagnettes qu'il fait claquer avec un art consommé. Un peu à l'écart, un homme, qui pourrait être le patron, se tient dans l'ombre en marquant la mesure à deux mains et à contretemps. Regard sombre et nez d'aigle sur un visage osseux ; il faut le prier pour qu'il improvise un « fandango libre » dans la tradition flamenca. Il se défend bien, le bougre, mains jointes comme à la prière et ce chant particulier, presque incantatoire, vous prend aux tripes. Spectacle fantasque, décousu mais sympathique où tout le monde prend du plaisir, les musiciens et les autres, atisés par le rioja, qui suivent. Cela ne se pousse pas du col et c'est tant mieux ; on a d'ailleurs l'impression d'assister à une veillée familiale dans une atmosphère joviale et bon enfant. Bref tout serait pour le mieux s'il ne fallait ajouter au confort modeste, une redoutable cuisine espagnole : moules farcies dégoulinantes de fromage, lapin au jerez devant lequel on détale et paella légère comme une charge de taureau. Vous voilà prévenu... (70 à 90 F).

Europe Centrale

DJURI

● **6e** - *6, rue des Canettes (326.60.15).*
De 22 h à 1 h 45 du matin. F. lundi.

Djuri semble faire partie de ces gens du voyage, fils du vent et de l'histoire, dont les origines sont inextricables. Ses chansons vous font voyager à travers les steppes de l'Europe Centrale, l'altiplano sud-américain, les plaines et les villes du nouveau monde, et il ne néglige pas les vieilles mélodies yiddish. Chanteur polyglotte (de dix folklores) et guitariste habile, Djuri « campe » dans son sous-sol depuis bientôt vingt ans. Au rez-de-chaussée, des nourritures hongroises sont proposées par une native de là-bas.

Grèce

L'OLYMPE

● **9e** - *15, rue Grange-Batelière (770.22.95).*
De 21 h 30 à l'aube. F. mardi.

Onassis et Aznavour comptèrent au nombre des dieux qui fréquentèrent cette Olympe. Les Grecs qui ont toujours un pied à Paris : les Mouskouri, Mercouri, Dassin, Moustaki viennent soigner leur vague à l'âme hellène dans les sanglots des bouzoukias de Jean Vassilis, avec un fort contingent de « Gentils Membres » fanas de sirtaki et de folklore.

Mexique, Pérou

EL MARIACHI

● **16e** - *56, rue Galilée (720.41.69).*
De 20 h 30 à l'aube. F. dimanche.

Cabaret mexicain des Champs-Elysées. Et celui de Paris par la même occasion car il ne s'en trouve point d'autres dignes d'être mentionnés. On y est accueilli au son des guitares, violons et trompettes. Plus tard les Mariachis (« en provenance directe du Mexique ») ne jouent plus qu'à la demande et vous choisirez alors parmi les quelques quarante morceaux de leur menu musical (de « El Jinete » à « La noche y tu »). Une sélection de « popurri » — du « révolutionario » au « romantico » (international) — est en outre proposée aux indécis. La carte des mets, bien que plus courte, n'en fait pas moins état de quelques grandes spécialités mexicaines (poisson cru mariné au citron, carne asada, tampiqueria, brochettes diverses) qui permettent de manger ici, jusqu'à l'aube, une cuisine qui parle de Sierra Madre et de Yucatan.

L'ESCALE

● **6e** - *15, rue Monsieur-le-Prince (325.55.22).*
De 23 h à 4 h du matin.

Dans cette minuscule boîte, autrefois fief des Guaranis et maintenant des Machucambos, des groupes folkloriques (d'Amérique Latine : trois chaque soir) essaient de faire revivre l'âpreté de l'altiplano et la langueur tropicale. Le public se laisse emporter par cette invitation au voyage qui semble aussi vraie que les catalogues des agences de tourisme. Discothèque active au sous-sol ; on y danse aux accents d'un quintet cubain.

Russie

LE BALALAÏKA

● **11e** - *39, rue Amelot (700.14.24).*

La grande nouvelle, pour ceux qui aiment la très belle musique russe, l'admirable balalaïka et les jeunes filles aux voix impudiques à force de pureté, c'est l'ouverture (récente) du Balalaïka, perdu dans le 11e arrondissement, au coin des rues Amelot et du Chemin-Vert. C'est Marc de Loutchek, étoile filante, il y a vingt ans, de l'irremplaçable Grande Séverine, qui réapparaît ici, dans ses meubles (décor blanc, net, quelques vieux instruments de musique), après une longue traversée du désert. Ce musicien incomparable, avec ses éternels vingt ans, vous bouleversera à la guitare et à la balalaïka, accompagné de remarquables interprètes et d'une chanteuse exquise, avec la musique russe la plus authentique : martiale en Ukraine, tendre en Sibérie, rageuse et folle chez les Tziganes, presque arabe en Arménie. Vous pourrez grignoter du caviar, du saumon fumé, et vous rentrerez tard chez vous le cœur en feu et les mains rouges d'avoir tant applaudi (marc de Loutchek ferait bien, en revanche, de raccourcir les débilitants entractes entre deux récitals).

ÉTOILE DE MOSCOU

● **8e** - *6, rue Arsène-Houssaye (563.63.12).*
De 20 h 45 à 4 h du matin.

La salle est, comme il se doit, tendue du rouge du drapeau soviétique, mais la clientèle n'a sûrement jamais tenu la faucille ou le marteau. Nadine et Victor Novsky ont délaissé, il y a beau temps, le cabaret de la Muette qui portait presque leur nom (le Novy) pour présenter un spectacle d'assez bonne tenue et fréquemment renouvelé. Les serveurs et les chœurs, dont l'origine russe ne semble faire aucun doute (Pali Gestnoz et ses 14 musiciens, les tziganes Zina, Georgui et Vitia), essaient de ressusciter les nuits pétersbourgeoises et la langueur des steppes avec les chachlicks flambés et les balalaïkas frénétiques. La colonie soviétique, mais néanmoins diplomatique et sans souci d'argent, semble beaucoup goûter les inépuisables violons et les chants datant des tsars. Le cœur est toujours en retard d'une révolution.

KARLOV

● **6e** - *4, rue du Cherche-Midi (548.08.99).*
F. dimanche.

Ivanovitch est là, la barbe aussi noire que la casaque, superbe, habile à faire pleurer sa balalaïka pour le plus grand plaisir des petits fils de Russes blancs venus ici retrouver leurs racines en dînant aux chandelles : cuisine russe et passe-partout.

KORCHTMA

● **18e** - *4, villa Guelma (264.18.52).*
De 21 h à 1 h du matin. F. dimanche.

Perdue au cœur de Pigalle, une auberge — comme son nom l'indique — sortie tout droit d'un roman de Gogol. Une petite isba, toute en bois, décorée de chromos et peintures naïves populaires. Nadia, la patronne, sert elle-même en robe de dentelle noire une cuisine russe, brave et familiale, tandis que les deux guitaristes vous emmènent très loin dans les grandes plaines de Russie.

RASPOUTINE

● **8e** - *58, rue Bassano (720.04.31).*
Dîner-spectacle : 21 h. Jusqu'à 4 h du matin.

Avec son luxe impressionnant, sa débauche de velours rouge, de torchères et de coussins profonds, ses attractions « internationales », ses cinquante musiciens et ses deux orchestres, le grand bastringue d'Hélène Martini est sans doute l'un des plus délirants et anachroniques parmi les cabarets de Paris. Dans le tumulte des balalaïkas, les maîtres d'hôtel ont un peu tendance à forcer sur le caviar et le champagne, ce qui fait rapidement éclater le « tout compris », mais cela fait partie du plaisir, dit-on. Et puis, il faut aussi compter avec les miroirs au plafond, les tentures de velours pourpre, les nappes rouges et roses, les bougies, les seaux à champagne en orfèvrerie, les bouquets dans la glace, les banquettes aux profonds coussins colorés... et le caviar presque obligatoire. Deux orchestres donc, un de balalaïkas, un de violons tziganes mené par Paul Toscano, rescapé de La Belle Epoque, un Italien qui a épousé une Russe, joue tzigane (il est premier prix du Conservatoire classique), chante en russe, rit et paraît quinze ans de moins que son âge. Au programme, également, les éternels Dimitrievich (Valia à la voix rauque n'a pas quitté les boîtes russes depuis 50 ans). On prétend que la direction de Raspoutine a trouvé une solution ingénieuse pour raccompagner chez eux les clients dont la consommation a dépassé la décence : elle appelle une ambulance. Des infirmiers assurent le transport en brancard et bordent ces incontinents dans leur lit.

LE SAMOVAR

● **1er** - *14, rue Sauval (261.77.79).*
F. dim.

Dans cette petit boîte russe près du trou des Halles où les blinis, le chou farci, les pelmenis et le vatrouchka ne valent peut-être pas le voyage (environ 100 F mais ce n'est pas mauvais du tout), viennent échouer tous les Russes — blancs, roses ou rouges — de Paris pour créer, en réinventant les nuits de Petrograd, des happenings de guitare et de chants comme nulle part ailleurs. Le bistrot vient de s'agrandir (c'était un vrai couloir), et l'on s'y entasse désormais à moins de quatre au mètre carré.

SHÉHÉRAZADE

● **9e** - *3, rue de Liège (874.85.20).*
Dîner-spectacle : 21 h.

Après plus de cinquante ans de succès, l'extravagant décor « Ballets russes » fait toujours impression ; une grotte des mille et une nuits slaves avec ses voûtes et ses colonnades habillées de tentures et de dorures. Le reste est moins fastueux. La cuisine d'abord, mais aussi le spectacle. On voyait ici autrefois Farouk et Marlène Dietrich. Rita Hayworth et Peter Sellers, venus chanter la vieille Russie en chœur, courtiser des coquines en or massif et applaudir les cymbalums du presque octogénaire Nitza Kodolban qui, disait-il, avait joué pour Raspoutine. Il faut aujourd'hui se pincer quelque peu pour évoquer ces souvenirs au long, très long, d'une soirée au Shéhérazade.

TARASS BOULBA

● **2e** - *16, rue Thorel (236.27.26).*

Un violoniste et une aimable chanteuse (Svetlana), et un menu à 75 F (110 F le samedi) pour goûter jusque vers 2 h du matin une cuisine russe conventionnelle mais soignée.

TSARÉVITCH

● **17e** - *1, rue des Colonels-Renard (574.72.99).*
De 10 h 30 à 4 h du matin. F. dimanche.

Le même Jacques Paoli, Corse natif du Cher, préside aux destinées de ce petit cabaret intime et de L'Etoile de Moscou. Ce qui lui permet de faire faire la navette aux artistes de ses spectacles. Honnêtes spectacles au demeurant : l'orchestre tzigane de Jean Malvault et Volodia Poliakoff s'en donnent à violons que veux-tu jusqu'au petit jour. Les russophiles marchent alors vers la sortie sur un chemin de verres brisés à la santé de quelque tsar.

Thaïlande

L'ÉLÉPHANT BLEU

● **8e** - *12, rue de Marignan (359.58.64).*
Tous les soirs, dîners dansants à 21 h. Spectacle à 22 h 15 et minuit 15.

L'Eléphant Bleu : il trompe énormément. Il est évident que les Normands ont dû, jadis, occuper la Thaïlande et y laisser des traces car où, grand dieu ! a-t-on été cherché ce style rustique ? La séance commence : on projette des diapos sur le mur du fond. C'est Pleyel. Un garçon affable surgit avec deux cartes, l'heure du choix a sonné : il y a deux double menus (cuisine française et thailandaise) à 70 F et 120 F (à deux, avec une bouteille de chablis, l'addition s'élèvera à 430 F). La France, c'est l'œuf en gelée, l'entrecôte maître d'hôtel, fromage ou dessert. La Thaïlande, c'est le potage à la citronnelle, le poulet au basilic (?), le bœuf au curry et à la noix de coco, les sorbets. On a connu mieux, mais pire aussi. Le dîner s'engage en même temps qu'une musique sans origine définie. Des couples dansent. Un photographe paraît, suivi d'une charmante danseuse en costume, et demande au public : « Une photo avec la danseuse ? ». C'est Montmartre-sur-Thaïlande. Une jeune femme circule entre les tables avec un plateau plein de poupées thaïlandaises. A vendre bien sûr. C'est le Mont-Saint-Michel-sur-Champs-Elysées. Le dîner s'achève par une démonstration de boxe thaïlandaise, morne comme un coup de poing dans de la gelée anglaise. Arrivent une gogo girl qui s'agite dans une cage dorée, puis un « ballet rituel réglé depuis cinq siècles » (et qui a donc eu le temps de s'essouffler), et enfin un personnage à turban qui fait toucher ses serpents aux spectatrices. Ce qui fait, bien sûr, partie de « tous les plaisirs subtils et de l'enchantement du Pays du sourire » vantés par la publicité. Armez-vous tout de même de défense envers cet Eléphant-là.

JAZZ

POUR n'être plus, depuis longtemps, une capitale du jazz, Paris compte encore un certain nombre d'adresses où se pratiquent avec plus ou moins de succès les diverses tendances de cette musique. Mais une nouvelle faveur se dessine comme pourrait en témoigner cette initiative se proposant de vous informer gratuitement sur simple appel téléphonique **(Dolo information : 325.28.27)** de tous les programmes de la semaine en cours. Par ailleurs, de nombreux concerts sont également donnés, plus ou moins régulièrement, dans les salles dont les noms suivent (téléphoner pour connaître les programmes) :

AMERICAN CENTER

● **14e** - *261, bd Raspail (354.99.92).*

CAMPAGNE-PREMIÈRE

● **14e** - *19, rue Campagne-Première (322.75.93).*
Au premier sous-sol - Restaurant.

CHAPELLE DES LOMBARDS

● **1er** - *62, rue des Lombards (236.65.11).*

MUSÉE D'ART MODERNE

● **16e** - *11, av. Pt-Wilson (723.61.27).*

THÉATRE 102 (Maison de la Radio)

● **16e** - *116, quai Kennedy (524.24.24).*

Et sans oublier :

C.I.M. (Centre d'Informations musicales)

● **18e** - *83 bis, rue Doudeauville (258.03.40).*

Une association, dirigée par Alain Guérini, qui, depuis quatre ans, met à la disposition de ses adhérents (cotisation : 100 F par an) : bibliothèques (dont une de partitions), auditorium pour écoute de disques, publications. Essentiellement axé sur jazz, musique improvisée contemporaine et éventuellement folklorique, le C.I.M. assure des cours (saxophone, guitare, piano). Il faut déjà avoir quelques notions de l'instrument. Mais sans limite d'âge. Concerts tous les samedis (réductions pour les adhérents).

BIRDLAND

● **6e** - *20, rue Princesse (326.97.59).*
A partir de 22 h 30.

Blondes boiseries et moleskine rousse. Décor feutré et atmosphère très « cool ». Presque un club d'habitués, en fait, une des meilleures discothèques de jazz de Paris, couvée par les amateurs. Bon chili con carne, agréables bières et gin-fizz impeccable.

CAVEAU DE LA HUCHETTE

● **5e** - *5, rue de la Huchette (326.65.05).*
De 21 h 30 à 2 h 30 du matin (3 h 30 les samedi et veilles de fêtes).

Une clientèle d'étudiants authentiques ou très prolongés (le père avec son fils) s'immerge toujours avec ferveur au fond de cette cave spartiate qui maintient le jerk à son banc d'infâmie. Prestations intermittentes d'excellentes formations, telles les Jazz Messengers. Lionel Hampton, Maxim Saury, et en tout cas, chaque soir que le dieu jazz fait, un bon orchestre. On danse. Entrée : 20 F. Consommation : à partir de 6 F.

CLUB SAINT-GERMAIN (Bilboquet)

● **6e** - *13, rue Saint-Benoît (222.51.09).*
A partir de 22 h 30. F. dimanche.

L'antre du grand Zach, Zacharias, vous le connaissez sans le connaître. « Ajax ammoniaqué nettoie tout à fond, du sol au plafond » et « Yoplait, naturellement fait, naturellement frais », c'est lui (il a appartenu au Bureau des Idées de Publicis de 1960 à 1968). « Le Roi des Mirmidous », « L'Embrumé », « Le Mytheux », « L'Aristocloche », ces parodies délirantes de grands classiques, parues dans la Série Noire, c'est encore lui (en collaboration avec son complice Henry Viard). Et enfin — si vous êtes de la génération qui vient de fêter son demi-siècle — ce jeune musicien au yeux noirs qui soufflait dans un trombone aux côtés de Claude Luter après la Libération, c'était lui aussi. Mais trêve de souvenirs. Aujourd'hui Zacharias après un galop d'essai dans la petite cave du Bistro d'Isa (« Chez Zach ») dirige le Club refait à neuf et prêt à recevoir Rhoda Scott, Al Grey, Jimmy Forest, Lou Bennett, Cat Anderson et bien d'autres. Voilà de quoi réjouir les aficionados. Le jazz, en effet, se porte bien (le moderne, car le New Orleans est moribond) et il a son public: un mélange de jeunes aux cheveux longs, d'inconditionnels et de cadres supérieurs que ni le disco ni le rock de satisfont entièrement.

LE FURSTENBERG

● **6e** - *27, rue de Buci (354.79.21).*
De 18 h à 3 h du matin.

Depuis de longues années déjà le remarquable trio André Persiany anime cette confortable cave, doucement éclairée. Ces admirables musiciens s'emballent volontiers dans le jazz moderne, mais vous leur ferez aussi facilement jouer du Fats Waller ou du Jelly Roll Morton, à la grande satisfaction de la salle, tant il est vrai que le vieux jazz n'a pas son pareil pour faire rêver, rire et chanter. Excellente climatisation.

MÉRIDIEN

● **17e** - *81, bd Gouvion-Saint-Cyr (758.12.30).*
A partir de 22 h.

Moustache ne s'est jamais vraiment consolé d'avoir suivi deux bonnes douzaines de régimes et perdu ainsi 800 kilos. Son poids de croisière flirte désormais avec les 150 kilos, ce qui n'a jamais entamé sa jovialité, la sympathie qu'il inspire et son goût du canular. « Dès que l'on me voit, on croit que je vais faire une bêtise », confie-t-il, goguenard, l'œil allumé d'un brin de dérision, la moustache arborescente qui semble perpétuellement battue par le vent du large. Il fallait une certaine dose d'inconscience pour tenter d'animer le hall sans grâce particulière de l'hôtel Méridien. Une salle des pas perdus, avec, dans un coin, entre trois poteaux, des banquettes cossues et des tables en quinconce s'organisant au pied d'un gigantesque bar. Moustache qui, depuis plus de 30 ans, sourit imperturbablement en essayant de perforer des caisses claires, a décidé d'appeler le ban et l'arrière-ban de la diaspora des musiciens de jazz ; (de Eddie Lockjaw Davies à Maxim Saury) et aussi « Les Petits Français », un groupe de quinquagénaires qui reprennent en jazz les plus grands succès de la chanson française. Et cela marche fort : son morceau de béton est rempli, soir après soir, de jeunes et de moins jeunes gens qui viennent porte Maillot boire un verre en écoutant de la bonne musique.

LA PAILLOTE

● **6e** - *45, rue Monsieur-le-Prince (326.45.69).*
De 17 h à l'aube.

Cette discothèque sans problème ne désemplit pas. Vingt ans d'existence, une formule originale (pratiquement la seule discothèque de jazz non dansante) et un choix prodigieux de disques a fini par en faire une adresse d'anthologie dans son genre. On y sirote (à partir de 7 F) jusqu'à l'aube dans de profondes banquettes ou assis sur de bucoliques balancelles, en liant connaissance avec ses voisines (elles sont si près).

LE PETIT JOURNAL

● **5e** - *71, bd Saint-Michel (326.28.59).*
De 21 h 30 à 1 h 30 du matin (22 h 30 à 2 h 30 les vendredi et samedi. F. dimanche.

Dix ans déjà que tournent chaque soir les « pages » de ce Petit Journal exclusivement consacrées au jazz : le traditionnel surtout c'est-à-dire le New Orleans. Les orchestres et musiciens changent quotidiennement. Au fil des nuits : Claude Bolling, Cat Anderson, les Haricots Rouges, Claude Luter, Martial Solal, Daniel Humair et beaucoup d'autres. Un sympathique sous-sol qui a fait quelques frais de toilette.

LE PETIT OPPORTUN

● **1er** - *15, rue des Lavandières-Sainte-Opportune (236.01.36).*
Concerts à partir de 23 h.

Derrière le Châtelet, un bar et, au sous-sol, une cave minuscule voûtée (très bonne acoustique). 8 à 10 tables, une clientèle sympathisante et appliquée, mais, au gré de l'inspiration des formations qui y passent, on peut, tard dans la nuit, s'attendre à d'heureuses surprises.

RIVERBOP

● **6e** - *67, rue St-André-des-Arts (325.93.71).*
A partir de 22 h F. dim. et lundi.

Jacqueline Feuari a gagné son pari : faire de sa cave un lieu du jazz « free » où les grands — et petits — noms viennent et reviennent volontiers, tel Ado Romano, ou d'autres qui passent en amis. Il s'y passe toujours quelque chose d'intéressant. Auditoire averti.

SLOW CLUB

● **1er** - *130, rue de Rivoli (233.84.30)*
De 21 h 30 à 2 h du matin (2 h 30 les vend. et sam.). F. dim. et lundi.

Increvable et émouvante vieille cave à danser avec, le plus souvent, Claude Luter, Maxim Saury, Marc Laferrière. Entrée : 30 F, plus consommation à partir de 5 F.

TRAFALGAR

● **9e** - *54, rue Pigalle (874.66.00).*
De 18 h à 7 h du matin.

Un bon pianiste : Christian Joudinaud. L'air conditionné qui fonctionne. On peut danser.

SODOME...

LES adresses qui vont suivre se recommandent d'un genre particulier. Nous n'y pouvons rien, voilà plus de dix ans que la nuit intelligente doit presque tout au talent des homosexuels, et cela dure. Pourtant, toutes choses égales par ailleurs, leurs mœurs ont bien changé. L'homo s'est officialisé, son assiduité dans les innombrables boîtes est un brevet de parisianisme. Les pédés sont moins folles, le minet a mâli et les travelos s'intègrent. Nous avons de plus en plus affaire à du professionnalisme et de moins en moins à une profession de foi. Ils sont moins pathétiques et moins troublants, mais infiniment plus accessibles : il n'y a plus de mal, pour vous et nous, à n'en point être, et les femmes elles-mêmes ne sont plus objets de répulsion. Enfin c'en est fini de l'esprit de caste et de classe. Partout ou le filtrage censitaire le permet, le camionneur, l'esthète, le garçon boucher et la vieille pédale fortunée fraternisent sans la moindre arrière-pensée de dialectique sociale. Nous n'y pouvons rien, donc, si les endroits insolites, drôles, débridés leur appartiennent encore. Car, à défaut de création, là seulement demeurent la démesure, le sens du comique, le génie du simulacre et de la parole.

ANGE BLEU

● **15e** - *50, bd Pasteur (322.04.78).*
De 22 h à 6 h du matin.

Fellinien. Incomparable petit bar parallèle tout en acier et moquette, bourré chaque nuit jusqu'à la gueule et considéré par les insomniaques en lisière comme le plus grandiose refuge du bizarre. Une télévision intérieure espionne la remontée du Bois et repère la silhouette des hiboux hagards qui caressent la façade métallique et implorent asile. Aldo, le patron, un mégalo énigmatique, promène sur le petit écran son regard de Rimbaud rêveur vieilli dans la limonade, et délivre le sésame d'un battement de paupière. Sur la piste ronde, grande comme un cerceau d'enfant, se relaient d'ondoyants androgynes, face à un sombre et grand miroir que disloque la syncope obsédante des projecteurs. Mais il en faut davantage pour que s'anime au fond du bar l'agrégat enfumé des buveurs. Immanquablement, toutefois, de cette foule trompeusement alanguie, jaillit soudain quelque créature vénéneuse, fleur hybride et provocante épanouie par la grâce. Et tandis qu'Aldo essuie ses verres, cinquante travelos debout comme un seul homme font cercle autour du pur joyau de l'orfèvrerie esthétique qui danse, pour eux seuls, le temps d'un disque, plus insolent et plus nu que Salomé : un ange (bleu) est passé.

LE BRONX

● **1er** - *11, rue Sainte-Anne (296.07.41).*

Gérald Nanty, l'animateur de ce fiévreux endroit, (qui fut, sous son règne, le moins convenable de Paris), est parti sur la rive gauche. Le Bronx n'en continue pas moins, dans son sobre et sombre décor encadré de quatre murs de briques, de recevoir sa clientèle de « cuirs » impatients et de gigolos sans gigolettes, qui se livrent à d'extravagantes saturnales.

LE CARROUSEL

● **6e** - *31, rue Vavin (633.29.52).*

Le playback, au Carrousel, vaut le déplacement : c'est sûrement le seul à Paris — en France ? — qui évoque le bruit que ferait une aiguille rouillée sur un disque 78 tours cassé. Pas étonnant donc que les travestis qui « chantent » ici aient tous la voix de Fréhel... le « spectacle » — strip-tease, danse, etc. —, présenté par l'éternel(le) Fétiche n'arracherait pas un sourire à Fellini.

MADAME ARTHUR

● **18e** - *75 bis, rue des Martyrs (264.48.27).*
Spectacle à 23 h.

Madame Arthur est une femme... ou presque. Est-ce vraiment le plus vieux cabaret de travestis parisiens ? On le dit. C'est en tout cas le cabaret des plus vieux travestis. Il y a là quelques personnages indécis, d'un âge confirmé, qui semblent avoir pris leur retraite... sur place. Qu'attend-on pour classer le décor de Madame Arthur ! Dans le genre rétro-kitsch 1938-48, on peut difficilement faire mieux. Il y avait ici, dans le temps, un personnage prodigieux, Maslowa, animateur diabolique à la vulgarité délirante et au débit de mitrailleuse dont la férocité et la bonne humeur faisaient oublier la médiocrité du spectacle. Il est mort, laissant derrière lui la revue, dans toute sa pauvreté. Car cela vole très, très bas. Peut-être pas encore assez, à en juger par les réactions d'un public qui, comme le dirait Sacha Guitry, n'a aucun talent, sinon celui de rire gras. Mais ne nous acharnons pas sur Madame Arthur et laissons-la tricoter ses grivoiseries aux mesures d'un public qui les mérite. Elle est vieille et ne fait de mal à personne.

MICHOU

● **18e** - *80, rue des Martyrs (606.16.04).*
Dîner-spectacle à partir de 21 h 30.

Les travestis avaient apporté un souffle nouveau : une impertinence et une cruauté tout à fait explosives. Il faut bien avouer aujourd'hui que notre plaisir s'émousse. Ces messieurs — Michou le premier — déguisés en dames célèbres frisent toujours le génie. Mais, à force, ils peigneront bientôt la girafe : on ne peut ressasser éternellement les mêmes effets à propos des mêmes modèles. De saison en saison, on retrouve les mêmes voix (enregistrées), le même style de caricatures, la même dérision. Les démoniaques et féeriques Dzi Crocket de Rio n'ont hélas pas fait d'émules puisqu'ils sont inimitables.

LE SEPT

● **1er** - *7, rue Sainte-Anne (296.47.05).*
A partir de 22 h 30.

A la porte du Sept, il y a Jackie qui est très calme, très poli, mais dont les épaules et l'expression résolue suffisent à refroidir les amateurs de bagarre. Pourquoi se battraient-ils, d'ailleurs ? On ne vous demande pas, à l'entrée de l'établissement, si vous êtes membre, on vous demande simplement de ne pas avoir l'air d'un clochard et de ne pas vous comporter comme un touriste. Que voit-on au Sept ? Des hommes, encore des hommes, toujours des hommes... Mais de scandale, point. Depuis quelques années, et malgré la faune pas toujours reluisante qui traîne rue Sainte-Anne, le luxueux restaurant du Sept, avec son bar agréable, ne se contente plus d'être un rendez-vous « gay » (le mot américain qui tend de plus en plus à remplacer le triste « homosexuel »). Il a pris une place importante dans la nuit parisienne et les femmes élégantes viennent volontiers y dîner en compagnie de leur mari ou de leur amant, au coude à coude avec des grands couturiers et des P.-D.G. discrets accompagnés d'éphèbes qui le sont moins. Et, ce qui ne gâte rien, on y mange bien. On se doit, pour la bonne marche des choses, de connaître Jean-Yves — directeur du restaurant — si l'on veut avoir une table bien placée et même tout simplement une table. Après le dîner, on descend dans la petite discothèque où les femmes (généralement des cover-girls) se font plus rares qu'au restaurant, mais où la musique — le Sept fut l'une des premières boîtes à passer du disco — reste exceptionnellement bonne. Curieusement, l'ouverture du Palace de Fabrice n'a pas enlevé un client au Sept dont il est aussi le propriétaire. Il est vrai que, par sa taille, la discothèque du Sept pourrait à peine servir de vestiaire au Palace. Il faut croire que l'intimité a toujours ses fidèles.

... ET GOMORRHE

AUX invertis qui précèdent, l'astuce, la drôlerie et éventuellement l'art de se renouveler (sans se reproduire). A leur pendant féminin, tous les défauts contraires. Pour ceux-ci, la femme est un modèle et l'homme pour celles-là objet d'opprobre et d'abjection. C'est de ce bref constat que pourrait se nourrir notre méditation. Les années passent mais cet univers continue en effet de montrer son visage accablé, hermétique et farouchement introverti. Seul compte le sexe, confit dans une dogmatique ombrageuse et sinistre dont le culte demeure à jamais caché à ceux qui n'en sont point. Tant de mystères ne font du reste que piquer la curiosité des hommes, en pure perte bien sûr, car les cabarets féminins ouverts aux messieurs (il faut bien vivre et seuls les hommes boivent comme des trous) sont le plus souvent les endroits les plus ennuyeux de la terre. C'est pour ces raisons que nous limiterons ici le choix de nos adresses aux cinq meilleures (et pires) que nous connaissons.

ELLE ET LUI

● **6e** - *31, rue Vavin (633.29.52).*

Même entrée que le Carrousel : normal, c'est la même maison. Même ambiance ? Non. Cette petite boîte sombre n'est pas dénuée d'intérêt. Les inconditionnels du kitsch retrouvent ici l'atmosphère de certains films policiers français des années 50 et se plaisent à imaginer Jean Gabin et Lino Ventura en train de discuter à une table avant le règlement de comptes final. Petit orchestre qui joue des slows et du « typique », attractions sans surprises et barmaids liantes.

HELLZAPPOPIN

● **1er** - *14, rue Saint-Denis (508.96.25).*
A partir de 23 h 30.

Il y a beau temps déjà que Dany a rompu en visière avec Elula et quitté le Katmandou après huit années de lune de miel sans éclipse. Sa mâle colère n'ôte rien aux innocents plaisirs que prennent dans la très profonde et jolie cave des Halles, un grand nombre de ravissantes créatures du meilleur de ces mondes-là. Aucune incidence non plus sur la gentillesse et la gaieté que déploie par ailleurs Dany avec tous ses clients, fussent-ils messieurs sans équivoque puisqu'elle a décidé de les accueillir volontiers — à petites doses — pourvu qu'ils consentent à se languir discrètement sur quelque banquette moelleuse du fond de la salle en mettant leurs yeux dans leurs poches. Dany, ce faisant, tend courageusement à confondre les détracteurs de dame à dame qui dénoncent, non sans raison, le caractère sinistre et solennel de leurs ghettos nocturnes.

KATMANDOU

● **6e** - *21, rue du Vieux-Colombier (548.12.96).*
De 23 h jusqu'au petit matin.

La sévère Maryan s'emploie à refouler les importuns, c'est-à-dire les hommes, mais aussi tout ce qui, de près ou de loin, ressemble trop à une amazone du Monocle ou à une cavale-adjudant de Chez Moune. Elula, jeune femme intelligente et drôle, associée à la spirituelle Aimée, ne supporte que la beauté et les bonnes manières. Et comme, en outre, elle aime la conversation des hommes, faute d'apprécier ce qui, en général, fait leur orgueil, il n'y a pas que des collégiennes au Katmandou, mais aussi des messieurs comme vous et nous — soigneusement « filtrés » et soudainement bien timides dans cet univers de jolies femmes entre elles. Elula, métisse franco-vietnamienne, ancienne élève du couvent des Oiseaux, ex-professeur de géographie et enquêteuse d'un grand institut de sondage, a publié déjà deux livres — « Les femmes préfèrent les femmes » et « Tant qu'il y aura des femmes » —, où elle se dévoile toute entière, avec un bon sens, une générosité de cœur et un humour dont les aboyeuses du M.L.F., si conventionnelles et qu'elle ne porte d'ailleurs pas dans son cœur, se montrent généralement incapables. Elula est bien dans sa jolie peau, elle le dit et, sans rancune, nous lui disons qu'elle a raison.

MONOCLE

● **15e** - *60, bd Edgar-Quinet (320.89.55).*

Une vieille boîte usée par une cinquantaine d'années de pratique saphique. On n'ose même plus imaginer que le Monocle ait pu jamais être cette « succursale de l'enfer des damnés » (la maison-mère étant alors sans doute le Sphynx, juste en face), fustigée par les chroniqueurs d'avant-guerre.

CHEZ MOUNE

● **9e** - *54, rue Pigalle (526.64.64).*

C'est un cabaret « féminin et ringard en diable ». Des dames d'un âge mûr s'ingénient pourtant à infirmer cette désignation commode. Vêtues d'un strict complet veston trois pièces, elles y font et défont leurs petits ménages, en observant du coin de l'œil chaque numéro de strip-tease, avec des airs de débardeur mutin. Lesbos met le cap sur Cythère dès que la musique s'est tue. Pas bien gai tout cela. Vers 16 h 30, le dimanche, il se pratique de mornes thés dansants.

TRUCS EN PLUMES

ALCAZAR DE PARIS

● **6e** - *62, rue Mazarine (329.02.20).*

De 21 h à 3 h du matin. Spectacle : 22 h 45. F. mercredi.

Ne rêvons pas. L'Alcazar du début des années 70 — celui de Jean-Marie Rivière, dont les clins d'œil et les impertinences réconciliaient les gros malins du quartier avec une formule de spectacle qui s'enlisait alors dans le rabâchage et la convention —, cet Alcazar-là n'est plus. Le chorégraphe, Dick Price, le présentateur Hervé Wattine et les froufroutantes et nombreuses girls empanachées, emplumées et enjuponnées font ce qu'ils peuvent et même un peu plus, mais ne parviennent pas à faire oublier le Rivière qui est parti couler des nuits heureuses au Paradis Latin.

CASINO DE PARIS

● **9e** - *16, rue de Clichy (874.26.22).*

Spectacle : 20 h 30. F. lundi.

Gaby Deslys, Mistinguett, Maurice Chevalier, Joséphine Baker, Cécile Sorel, Tino Rossi, Edith Piaf, Lynda Gloria, Line Renaud, Mick Micheyl, Zizi Jeanmaire... et encore et toujours Line Renaud se sont succédés avec un inégal bonheur sur la scène de ce temple du parisianisme, auquel Henri Varna attacha son nom. Il y eut le meilleur (jusqu'à la guerre), puis longtemps le pire, et pour finir le bien convenable. Si la présence sur scène de Mme Renaud n'est plus de nature à couper le souffle, reconnaissons en effet qu'elle n'a pas ménagé ses efforts pour donner à son spectacle (Parisline) cette touche d'entrain qui sauve éventuellement de bien des désastres. Mais Line Renaud a regagné Las Vegas... et la discorde règne au sein de l'établissement quand nous écrivons ces lignes. On demande quelque argent, quelques plumes, une grande meneuse de revue et le feu d'artifice pourrait à nouveau éclater dans ce drôle de « Casino » sans lequel Paris ne serait sans doute plus tout à fait Paris...

FOLIES BERGÈRE

● **9e** - *32, rue Richer (246.77.11).*

Spectacle à 20 h45. F. lundi.

On a donc dépensé ici des centaines de millions de centimes pour faire peau neuve (somptueux et spectaculaire hall d'entrée) et monter une gigantesque revue en 40 tableaux : « Folie, je t'adore ». On a engagé le metteur en scène Michel Gyarmathy, le chorégraphe Jean Moussy, l'indestructible Gérard Séty et la « super star japonaise » Gon Chan. Las, pas l'ombre d'une magie, pas un soupçon d'émotion ne viennent troubler l'infortuné spectateur. Lequel ne peut pas oublier les grands moments et les grands noms de cette Mecque du strass et de la plume d'autruche : Mistinguett, Chevalier, Fernandel, Joséphine Baker, sans oublier Colette qui s'y montra presque nue...

LIDO

● **8e** - *116, Champs-Elysées (563.11.61).*

Dîner-dansant : 20 h 30. Spectacle : 22 h 30 et 0 h 45.

Toujours la plus merveilleuse des usines à rêver debout du Gay Paris (insistez pour retenir une table en face de la piste). On continue ici imperturbablement de vous exhiber des mirages garantis sur facture, fonctionnant au petit poil, dorés sur tranche, pailletés de strass et garnis de plumes à n'en plus pouvoir, parce qu'il faut

bien donner des ailes aux songes. Aujourd'hui comme hier, ce qui frappe le plus, pourtant, ce n'est pas la féerie elle-même, c'est ce qu'on imagine d'un envers du décor qui ne se laisse jamais deviner. Bref, c'est plutôt l'usine invisible que le rêve qui crève les yeux, plutôt la machinerie souterraine que l'illusion en chair et en os. L'exploit technologique, c'est de cela que tout le monde parle, quand les lumières sont rallumées. Il faut dire que la mise en scène, au Lido, ne se contente pas d'édifier des tableaux : elle créé des événements. Elle est démiurgique au bas mot ! Des girls jaillissent du plafond tandis que votre table s'enfonce dans le plancher : partout ça monte et ça descend, ça tourne et ça se retourne, ça se replie et ça se détend dans de violoneuses et cymbalesques opulences musicales, ça apparaît, ça disparaît, ça reparaît, ça s'en va, et coucou me revoilà ! Ça miracule et ça sortilège dans tous les coins, ça fait mille et mille soleils... Des hélicoptères bataillent à la mitraillette sous le plafond, effarouchant des dames qui voient bientôt surgir de leur seau à champagne une piste de glace où s'ébat un couple de patineurs risque-tout. Maintenant, des femmes-papillons traversent l'espace en agitant leurs petites ailes. Et voilà des jardins, des cascades ! Voici le tonnerre et un typhon ! Un vrai typhon miniature qui ravage le décor et se précipite sur la foule, s'esquivant au dernier moment ! Tout cela scandé par un grand tournis de seins arrogants et de cuisses interminables et aussi par de bonnes vieilles chansons américaines qui écument les shows du monde occidental depuis l'adolescence de Fred Astaire. Tout de même, il y a, au Lido, comme ailleurs, dans ces tableaux opiniâtrement « enchanteurs », une emphase obligée et un ridicule inévitable. Les numéros traditionnels, en revanche, sont la perfection même. Des antipodistes tenant des paris délirants, un illusionniste faisant apparaître deux énormes chiens dans une cage vide, des contorsionnistes époustouflants, un jongleur fébrile : il n'y a que le Lido pour vous offrir ça.
Les provinciaux du monde entier qui s'entassent dans l'hémicycle sont là avant tout, n'en doutez pas une seconde, pour les petites femmes. C'est bien pour cela qu'on peut se permettre de leur servir des repas d'une médiocrité insigne (même si quelques plats en appellent à Troisgros, Guérard ou Vergé, qui doivent s'en tordre les mains) et les faire mariner deux heures de rang dans une ambiance vaguement tartignole de « dîner dansant », avec orchestre dévidant tous ses morceaux sur un tempo unique et assauts répétés de tout un petit commerce affreusement dispendieux de programmes, disques-souvenirs, rose rouge for you lady, cigarettes pour tout le monde et photos de famille.
Est-ce le dernier ou le prochain spectacle que nous décrirons-là ? Allez donc savoir.

MOULIN ROUGE

● **18e** - *Place Blanche, 82, bd de Clichy (606.00.19).*

Dîner : 20 h 30 ; spectacle : 22 h 30

Comme chacun sait, c'est au « quadrille » qu'il doit sa gloire, assorti aux noms de Grille-d'Égout, la Goulue, Nini-Patte-en-l'Air, Valentin-le-Désossé, et Toulouse-Lautrec qui peignit tout ce joli monde à la lumière jaunasse des becs à gaz. Ce cousin montmartrois du Lido, a la même direction et depuis des années au fil des revues (la dernière en date, comme toutes les précédentes depuis « Froufrous » en 1963 commence par la lettre F : « Frénésie 80 »), nous passons notre temps à en comparer les défauts, les mérites, les prix, les clientèles, les cuisines et les poitrines. En réalité, il s'agit à peu près du même spectacle, si on le mesure à l'étalon strass et plumes. Après la splendide et ténébreuse beauté Lisette Malidor, voici maintenant l'époustouflante Brésilienne Watusi, qui, dans son habit de lumière, chante à vous brûler le cœur. Les 40 et omniprésentes Doris Girls, le french-cancan à tout va, la piscine de 55 tonnes où les dauphins polissons de Wendy déshabillent les naïades n'ont aucune peine à combler les âmes simples que nous sommes. Cuisine constante, dans la médiocrité.

LE PARADIS LATIN

● **5e** - *28, rue du Cardinal-Lemoine (325.28.28).*

Dîner-spectacle : 21 h. F. mardi.

Sans lui, Paris n'était plus tout à fait Paris. Avec Jean-Marie Rivière, la nuit bascule dans la fantaisie débridée, la folie goguenarde, les grands trucs en plume et l'humeur au dixième degré. Parti de l'Alcazar, le voici dans un fabuleux théâtre noir et rouge, un chef-d'œuvre signé Gustave Eiffel et oublié depuis plus de cinquante ans, au fond d'un hangar. Avec ses menuisiers, ses peintres et ses électriciens, cet artisan du spectacle en a fait le Paradis Latin (c'est ainsi qu'il s'appelait du temps d'Yvette Guilbert et de Xanrof), une sorte de Châtelet en délire où se succèdent à un train d'enfer les tableaux et les gags : un combat aérien entre vieux « coucous » qui évoluent dans les airs, un poulpe géant qui sort de la mer pour avaler le Radeau de la méduse, le domptage des tigresses, tout un pot-pourri extravagant qui met au rancart les fadeurs des Folies Bergère et fait la pige, par son invention et sa gaieté spontanée, au perfectionnisme trop parfait du Lido. Quelques travelos pimentent le tout, mais Jean-Marie Rivière a mis la pédale douce, préférant les chanteurs à voix au play back des fausses Marlène, usées jusqu'à la corde. Plus de deux heures de spectacle non-stop, une foule de tous âges, de toutes provenances, le Tout-Paris comme le Tout-Quartier latin. Bref, un 14 juillet permanent.

Hôtels

PALACES DE TRADITION

BRISTOL

● **8e** - *112, fg Saint-Honoré (266.91.45).*
180 chambres : de 520 à 820 F s.c. Petit déj. 30 F. Air conditionné. T.V. Séminaires jusqu'à 150 personnes. Salles de conférences. Matériel audio-visuel sur demande. Parking (en construction).

Par l'élégance de son décor composé de meubles d'époque ou de très belles copies, le confort de ses chambres toutes dotées de magnifiques salles de bains, le luxe de ses appartements (une cinquantaine), la qualité de sa clientèle, c'est l'un des rares authentiques palaces de Paris (sans doute le plus cher). Des rénovations sont entreprises chaque année, comme l'aménagement d'une nouvelle aile, avec entrée particulière pour les délégations étrangères en visite à Paris (notamment arabes) et l'installation de salles ultra-modernes pour conférences et congrès. Clientèle : presque tous les hommes politiques étrangers et des diplomates de passage qui ne sont ainsi qu'à cent mètres de l'Elysée. La bonne société américaine s'y est créée des habitudes. Au dernier étage, merveilleux appartements privés. Parking et piscine en construction quand nous écrivons ces lignes. Heureuses voitures, heureux baigneurs !

CRILLON

● **8e** - *10, pl. de la Concorde (296.10.81).*
200 chambres : de 500 à 600 F (+ 15 % s.). Petit déj. : 30 F, T.V. Séminaires de 10 à 40 personnes (installations sur demande). Chiens int. Parking et garage souterrain publics devant l'hôtel.

Avec ses jardins intérieurs, ses terrasses délicieuses devant la plus belle place du monde, ses hauts plafonds, son personnel stylé et son admirable façade construite en 1758 par l'architecte Jacques-Ange Gabriel (comme celle du ministère de la Marine — en tous points symétriques), l'hôtel Crillon possède un air de dignité désuète et tranquille qui le situe à l'opposé de certaines déplorables tendances de l'hôtellerie futuriste. On trouve dans les chambres une atmosphère d'élégance intime et d'excellent goût (Louis XVI) et dans les salles de bains « tout le confort moderne » (celles-ci sont peu à peu refaites en marbre). Sauf dans les chambres qui donnent sur les charmantes cours intérieures, les bruits de la Concorde vous réveillent de bonne heure, malgré l'énorme épaisseur des murs. Beaucoup de banquets et de réceptions donnent parfois une allure de caravansérail au Crillon, mais le fonds de la clientèle reste de bon ton : diplomates, invités officiels du gouvernement, et autres célébrités, tel Yul Brynner. Ajoutons que l'hôtel, qui fait partie de la chaîne des Relais et Châteaux, a un nouveau directeur depuis l'été 79.

GEORGE V

● **8e** - *31, av. George-V (723.54.00).*
309 chambres : de 490 à 680 F (+ 15 % s.) et 46 appartements : à partir de 900 F (+ 15 % s). Petit déj. : 30 F. Air cond. T.V. Séminaires de 10 à 300 pers. Salles de conférences. Matériel audio-visuel sur demande.

Ce grand, très grand hôtel que sa façade de style « continental » et massif (on songe à un gratte-ciel 1930 auquel on aurait ajouté deux petits temples à colonnades avant de le décapiter) semblait condamner à la lente agonie des palaces hors d'âge, est aujourd'hui le plus bel exemple que puisse donner l'hôtellerie traditionnelle d'une véritable résurrection. Réjouissons-nous donc et saluons au passage la direction qui a su redonner vie à ce « monument en péril », en réaménageant le bar et l'agréable restaurant (Les Princes) qui donne sur le délicieux patio, en refaisant totalement les chambres, les couloirs et les salons, et en mettant en valeur quelques précieux objets (admirable pendule Régence « au rhinocéros »), tableaux (un Renoir : le « Vase de roses ») et tapisseries (des Flandres). Et comme l'accueil est resté parfait, comme les services d'étage sont attentifs et ponctuels, et comme la vue est toujours aussi merveilleuse sur Paris depuis les chambres des étages supérieurs, il apparaît que le George V est bien, dans son genre, son style et sa catégorie, l'une des plus belles réussites de l'hôtellerie mondiale, comme l'atteste le nombre des émirs, de porteurs de pétro-dollars et de stars « internationales » qui le fréquentent.

GRAND HÔTEL

● **9e** - *2, rue Scribe (260.33.50).*
600 chambres : de 400 à 480 F (appartements : 800 F), petit déj. et s.c. Air cond. dans 10 chambres. T.V. Séminaires de 15 à 500 pers. Salles de conférences.

Les gigantesques travaux de rénovation sont

achevés depuis longtemps déjà (entre autres, ceux du Café de la Paix). Rénovation d'ailleurs remarquable qui a su garder ou rafraîchir les décors des diverses salles (dont le grand salon « Opéra » de Garnier), aménager un immense patio central, confortable et calme et se distinguant agréablement des halls des palaces, moderniser enfin la totalité des six cents chambres avec un souci de couleur dans la décoration et de fonctionnel dans le mobilier. Ce monument de l'hôtellerie traditionnelle a évidemment perdu dans ce bain de jouvence la quasi-totalité de ses attributs de palace antique, et sa clientèle de style anonyme et international ne suscite guère l'évocation des vieux souvenirs. L'Opéra se trouvant cependant à portée de voix, le Grand Hôtel accueille Teresa Berganza, Karl Boehm et quelques autres prestigieux musiciens. Personnel extrêmement civil. Chambres-bureaux pour hommes d'affaires. Salle de gymnastique, sauna, massage, brunissage, etc. Climatisation dans 10 des 600 chambres. Télévision dans toutes les chambres.

INTERCONTINENTAL

● **1er** - *3, rue de Castiglione (260.37.80).*

500 chambres : de 450 à 586 F. s.c. Petit déj. : 23 F. 27 appartements : de 690 à 3 500 F s.c. Suite présidentielle : 4 000 F s.c. Air cond. T.V. Séminaires de 30 à 1 000 pers. Salles de conférences. Matériel audio-visuel, secrétariat, traduction simultanée sur demande. Chiens int. Parking (public) place Vendôme.

Ce vieux palace aux façades classées, racheté par une puissante chaîne américaine, a définivement retrouvé son prestige et son luxe fabuleux d'autrefois. Evidemment, le style fonctionnel ne parviendra jamais — et c'est heureux — à s'instaurer dans les salons (trois sur sept sont classés Monuments historiques) immenses et étonnants de cet hôtel conçu par Garnier, l'architecte de l'Opéra, salons qui demeurent comme un témoignage précieux d'une époque ivre d'ornementation. Mais avec ses salles de congrès et tout l'arsenal des services modernes afférant à ce genre de réunions, il répond parfaitement aux soucis de l'efficacité du monde des affaires. Pour le charme, les souvenirs, le confort, c'est l'affaire du beau patio fleuri, du décor et de l'incomparable agrément des chambres (l'hôtel a été entièrement rénové en 1970 et chaque année 100 des 500 chambres sont totalement redécorées), jusqu'aux petits « singles » sous les toits, où la vue sur les Tuileries vous transporte de bonheur.

LANCASTER

● **8e** - *7, rue de Berri (359.90.43).*

67 chambres : de 450 à 700 F (+ 15 % s.). Petit déj. : 30 F. Air conditionné. Séminaires de 18 personnes. Salle de conférences, matériel audio-visuel. Gros chiens interdits. Parking.

Luxueux hôtel des Champs-Elysées donnant sur un patio-jardin agréable et fleuri en permanence, tout comme les halls et les salons. Remarquable aussi l'ameublement « de style » des chambres (pas toutes), leur calme (fenêtres doubles) et leur décor très « revue de décoration ». Le confort et le service sont à l'avenant, mais ils se paient ici les yeux de la tête. (Les appartements se monnayent jusqu'à 2 000 F la nuit.)

LA PÉROUSE

● **16e** - *40, rue La Pérouse (500.83.47).*

10 chambres et 25 appartements : de 390 à 985 F s.c. Pet. déj. : 25 F. Air cond. T.V.

Ancienne propriété des Allégrier (Lucas Carton), cet hôtel merveilleusement placé — au grand calme et à un pas de l'Etoile — a été restauré de fond en comble pour devenir un petit palace des plus luxueux. 35 chambres et appartements fort bien équipés, tissus roses et beiges aux murs, meubles anglais, salles de bains en marbre : du gâteau pour nos émirs. Un confortable bar anglais et un restaurant, L'Astrolabe : une dizaine de tables et une cuisine opulente et classique mais sans surprise aucune. Au sous-sol, deux petites salles de conférences pouvant faire office de salons particuliers : l'un de style vénitien, tendu de bleu, pour 10 à 12 personnes, l'autre un peu plus grand (15 à 20 personnes) décoré de boiseries comme un salon de bateau du début du siècle.

LOTTI

● **1er** - *7, rue de Castiglione (260.37.84).*

130 chambres : de 290 à 520 F (petit déj. compris) + 15 % s. Air conditionné. T.V. Séminaires de 20 personnes. Salle de conférences. Chiens : 40 F (+ 15 % s.).

Elégant palace au mobilier « de style », fort bien modernisé et dont l'aristocratie italienne et britannique apprécie le calme, la perfection du service et les relativement modestes dimensions. Les chambres (assez grandes) offrent un confort évident digne de cette clientèle, avec des décorations fort diversifiées et des astuces d'aménagement remarquables.

MEURICE

● **1er** - *228, rue de Rivoli (260.36.60).*

212 chambres : de 335 à 500 F (+ 15 % s.). Petit déj. : 29 F. Air cond. T.V. Séminaires de 10 à 60 personnes. Salles de conférences. Matériel audio-visuel, secrétariat, traduction simultanée sur demande.

Sous les arcades et face aux jardins des Tuileries, ce beau palace qui fut jadis celui de toutes les « têtes couronnées » (et de Louis Alphonse de Bourbon, l'arrière petit-fils de Louis XIV) a entrepris ces dernières années d'importants travaux de rénovation, le dernier en date étant la climatisation des chambres. Nombre d'entre elles ont été redécorées avec goût et toutes les salles de bains ont été refaites. Luxueusement recouvertes de marbre rose, ingénieusement aménagées, elles sont ultra-modernes et superbes. Seuls les appartements ont vue sur les jardins des Tuileries. L'un de ceux-ci — immense — le « 108 » est historique. C'est là que le général von Choltitz, gouverneur de Paris pendant l'occupation allemande, avait son bureau. Auparavant, le roi Alphonse XIII d'Espagne y vécut son exil et aujourd'hui Salvador Dali y donne ses conférences de presse. Le Meurice demeure l'un des meilleurs palaces de Paris. Et l'un des mieux fréquentés.

PLAZA-ATHÉNÉE

● **8e** - *25, av. Montaigne (359.85.23).*
213 chambres : de 490 à 670 F (+ 15 % s.). Petit déj. : 29 F. Air conditionné. T.V. Salles de conférences, matériel audio-visuel, secrétariat sur demande. Gros chiens interdits. Parking (par voiturier).

Paul Bougenaux, l'ex-directeur du Plaza, avait fait de son hôtel une entreprise à l'extrême pointe du progrès social, s'attachant à payer, nourrir, distraire et aider son personnel mieux que partout ailleurs. En patron sorti du rang, M. Bougenaux n'ignorait pas en effet que les personnels bien traités font les clients heureux et satisfaits. Et les clients comblés, la meilleure part de la réputation d'un grand palace. A cet égard le service du Plaza, du planton au maître d'hôtel, de la standardiste à la femme de chambre et du concierge au garçon d'ascenseur, est aujourd'hui incontestablement le meilleur du monde pour sa discrétion, son efficacité et sa politesse. Et tout laisse à penser que cet état de choses durera. Les chambres très vastes ont été toutes entièrement refaites et parfaitement insonorisées, les couloirs et les galeries ont subi le même traitement et sont « révisés » tous les ans. Les Rockefeller, M. et Mme Herbert von Karajan, Alfred Hitchcock, les riches Brésiliens et d'innombrables célébrités du spectacle n'ont point d'autre domicile à Paris.

PRINCE DE GALLES

● **8e** - *33, av. George-V (723.55.11).*
203 chambres : de 385 à 575 F (+ 15 % s.). Petit déj. : 31 F (+ 15 % s.). T.V. Séminaires de 20 à 80 personnes. Salle de conférence, matériel audio-visuel.

Le souvenir du plus parisien des monarques britanniques a calqué une discrète empreinte sur cet établissement froidement distingué de style Empire, riche de tentures et de meubles signés. Pour complaire sans doute à la clientèle d'outre-Manche (mais aussi à certains clients fidèles comme Sergio Leone), de nombreuses chambres aux décors très variés conservent encore leur cheminée, où l'on peut s'offrir en hiver le luxe d'une « flambée ». Les terrasses fleuries complètent ce dépaysement, avec le drôle et agréable patio à ciel ouvert, cerné de colonnes dans le goût ionique, à moins que ce ne soit dorique ou corinthien...

RAPHAËL

● **16e** - *17, av. Kléber (502.16.00).*
87 chambres : de 285 à 590 F, petit déj. et s.c. T.V. Séminaires. Garage rue Lauriston.

Magnifique escale de luxe à deux pas de l'Etoile pour hommes d'affaires soucieux de leur prestige. Ses tapis d'Orient (vrais ou faux) sur des sols de marbre, ses colonnes et ses boiseries, ses tableaux anciens et ses meubles de style en font un palace dont la principale qualité est le calme et le premier défaut les prix (défaut qu'il partage d'ailleurs avec tous les hôtels de sa catégorie). Les chambres, luxueusement meublées (surtout dans le style Empire), sont toujours à deux lits et avec salle de bains moderne, petit bar, terrasse fleurie avec vue sur Paris. On y a en outre l'insigne satisfaction d'avoir pour voisins de chambre ou de palier, outre les messieurs cités plus haut, le Tout-Cinéma italo-américain. Autre avantage : 90 chambres à peine. Le Raphaël n'est donc pas un caravansérail.

Faites retenir votre chambre

Les Hôtesses de Paris peuvent fournir à chacun — étranger, provincial, Parisien — toute information touristique sur Paris et la France, et lui assurer sa réservation hôtelière à Paris ou en province, moyennant une somme qui varie de 6 à 20 F selon la catégorie de l'hôtel (de une à quatre étoiles). Il suffit de s'adresser à :

OFFICE DE TOURISME DE PARIS

● **8e** - *127, Champs-Elysées (723.72.11).*
Ouvert tous les jours de 9 h à 22 h. Le dimanche de 9 h à 18 h.

AÉROGARE DES INVALIDES

● *(705.82.81).*
Ouvert de 10 h à 19 h. F. dimanche.

GARE DE L'EST

● *(607.17.73).*
Ouvert de 7 h à 13 h et de 17 h à 23 h. F. dimanche.

GARE DE LYON

● *(343.33.24).*
Ouvert de 6 h 30 à 12 h 30 et de 17 h à 22 h. F. dimanche.

GARE DU NORD

● *(526.94.82).*
Ouvert de 8 h 30 à 22 h. F. dimanche.

RITZ

● **1er** - *15, pl. Vendôme (260.38.30).*
209 chambres : de 520 à 700 F (appartements : 900 à 1 500 F) + 15 %. Petit déj. : 30 F. Air cond. T.V.

On a pu craindre que le plus célèbre hôtel du monde ne se consacrât désormais aux yearlings de dromadaires et qu'on ne servît plus que du couscous à l'heure du thé. Ces changements de style ne semblent pas être souhaités, dans l'immédiat, par M. Al Fayed, nouveau propriétaire égyptien. Et comme dit le nouveau directeur germano-américain, M. Frank J. Klein : « The Ritz will be always the Ritz ». Signalons qu'à défaut de muezzin et de harem, le système téléphonique — installé par Graham Bell lui-même en 1876 — va être entièrement « computérisé », que des boutiques de luxe seront ouvertes sous des arcades, que la clientèle disposera d'un centre de « santé » (sauna, piscine, massage, etc.) et qu'un nouveau restaurant de luxe viendra doubler le fameux Espadon. Les prix devraient se conformer aux moyens des clients saoudiens (500 à 1 500 F dans un premier temps).

ROYAL MONCEAU

● **8e** - *35, av. Hoche (561.98.00).*
200 chambres : de 330 à 535 F s.c. Petit déj. : 30 F. T.V. Séminaires de 15 à 300 pers. Salles de conférences. Matériel audio-visuel, secrétariat, etc., sur demande.

Classique, convenable, pratique, confortable et de très bon ton. Et régulièrement refait « de frais ». Choisissez une chambre donnant sur le patio fleuri : c'est l'un des plus agréables et dépaysants de la capitale. Et ne craignez pas de fréquenter le restaurant dont la carte (relativement courte) est raffinée et dont la cuisine se démarque de plus en plus de celle habituellement servie dans les hôtels, même les très grands. Voilà bien l'un des plus agréables palaces parisiens, servi de surcroît par une direction intelligente et un personnel d'une remarquable efficacité.

BONS HÔTELS CLASSIQUES

L'AIGLON

● **14e** - *232, bd Raspail (320.82.42).*
50 chambres : de 120 à 160 F (suites : 205 F) s.c. Petit déj. : 13 F. T.V. Chiens int. Parking en sous-sol.

Dans un immeuble 1925. Des chambres, donnant sur le boulevard Edgar-Quinet, on aperçoit les frondaisons paisibles du cimetière Montparnasse. La décoration de cette assez sévère maison est tout entière axée sur le propre, le dépouillé et l'utile ; le programme n'est pas forcément enivrant. Mais voici un petit hôtel qui permet à ses clients (Luis Bunuel) de dormir à poings fermés (sauf lorsqu'on est réveillé par des bruits de plomberie) et de garer leur voiture à deux pas du tourbillonnant carrefour Raspail-Vavin-Delambre-Montparnasse.

ALEXANDER

● **16e** - *102, av. Victor-Hugo (553.64.65).*
62 chambres : de 225 à 280 F, petit déj. et s.c. T.V. Chiens int.

Confortable et bon genre, un hôtel bien tranquille tout proche de la place Victor-Hugo. Décor de boiseries blondes dans le hall, épaisse moquette à ramages et profonds fauteuils dans les trois élégants petits salons qui se font suite au rez-de-chaussée et une soixantaine de chambres bien équipées et bien meublées, tapissées de papiers fleuris ; celles qui donnent sur la cour intérieure sont particulièrement calmes et agréables. Pas de salle à manger mais un mini-bar dans chaque chambre.

DE L'AVENIR

● **6e** - *65, rue Madame (548.84.54).*
35 chambres : de 48 à 128 F, petit déj. et s.c. Chiens int.

Le très grand jardin de ce petit hôtel sans histoire (celui qui le précéda en avait davantage : il avait été construit par Chalgrin pour la comtesse de Balbi) est à 50 m de là : c'est le jardin du Luxembourg. On en aperçoit la grande allée en se penchant à certaines fenêtres. Voici une maison bien tenue et pleine d'agrément. M. Poignant, son propriétaire, y a aménagé un superbe salon tout en cuir, acajou et meubles anglais. Les chambres sont d'inégal intérêt, simplettes, plutôt grandes, mais avec parfois un souci de décoration plus appuyé comme à la 35 (au rez-de-chaussée malheureusement) avec sa vieille armoire et sa belle commode. L'un des bons petits hôtels (2 étoiles N.N.) du quartier.

BALTIMORE

● **16e** - *88 bis, av. Kléber (553.83.33).*
119 chambres : de 360 à 460 F, petit déj. et s.c. T.V. Séminaires de 10 à 300 pers. Salles de conférences, matériel audio-visuel, secrétariat. Chiens int.

Une nouvelle direction et une longue année de travaux d'agrandissement (sur l'ancien local de la B.N.P.), de rénovation et de décoration ont fait de cet hôtel traditionnel — à mi-chemin du Trocadéro et de l'Etoile — et qui s'endormait sur des lauriers un peu fanés, une excellente adresse pour hommes d'affaires. Son entrée sur l'avenue Kléber — tapis d'Orient sur un sol en marbre, élégante architecture de colonnes et

Apprenez à lire ce Guide : consultez le sommaire, page 5. Vous y trouverez en détail la liste de toutes nos rubriques.

d'arceaux, vastes fauteuils en cuir blond —, son petit Copper Bar, et surtout son nouveau restaurant, L'Estournel, tout au fond du hall, mais avec une entrée indépendante par la rue Léo-Delibes, superbement décoré par Michel Boyer dans le style paquebot 1937. sont d'incontestables réussites. A quoi s'ajoutent six belles salles de réunion au sous-sol (la plus luxueuse et la plus grande : 150 m², est l'ancienne salle des coffres de la B.N.P.) et 120 chambres très confortables, décorées sans fantaisie mais avec la sobriété de bon ton qui convient au quartier.

CARAVELLE

● **9e** - *68, rue des Martyrs (878.43.31).*
33 chambres : de 170 à 180 F s.c. Petit déj. : 15 F. Air cond. T.V. Chiens int.

A proximité immédiate de la Butte Montmartre et des gares du Nord et de l'Est, un petit établissement calme, d'un grand confort, avec plantes vertes, aquarium et coin du feu rassurant. Chambres au décor moderne, climatisées et assez bien insonorisées (T.V., mini-bar réfrigéré, radio). Prend des pensionnaires et demi-pensionnaires.

CAYRÉ

● **7e** - *4, bd Raspail (544.38.88).*
131 chambres : de 250 à 300 F, petit déj. et s.c. T.V.

A la suite de Georges Bernanos, beaucoup d'écrivains et d'artistes continuent de pratiquer cet hôtel traditionnel, complètement rénové en 1973 (sans excès de talent), dont Pablo Casals fut l'un des plus prestigieux habitués. Montparnasse et Saint-Germain-des-Prés sont à deux pas. Cela ne s'entend pas : l'établissement est feutré comme ses tapis.

COMMODORE

● **9e** - *12, bd Haussmann (246.72.82).*
160 chambres : de 320 à 400 F, petit déj. et s.c. T.V. Petite salle de réunion pour 20 personnes.

Entre la Bourse et l'Opéra. Surtout fréquenté par les hommes d'affaires. Très confortable. Chambres rénovées dans le goût vieillot : Louis XVI revu par Dufayel.

CONCORDE-SAINT-LAZARE

● **8e** - *108, rue Saint-Lazare (261.51.20).*
300 chambres : de 320 à 360 F, petit déj. et s.c. T.V., Séminaires de 10 à 50 pers. Salles de conférences, matériel audio-visuel.

Le plus grand hôtel de gare de Paris a subi, depuis quelques années, de salutaires et spectaculaires travaux de rajeunissement qui se poursuivent avec la régularité d'un métronome. Le plan d'attaque a été vigoureusement mené par Slavik et Sonia Rykiel, qui ont joint leurs talents pour restaurer le grand hall (dallage en marbre d'Italie, etc.). Les deux clous de l'établissement demeurent cependant l'étonnant salon datant de 1889 (et inscrit à l'inventaire des Monuments historiques), avec ses splendides lustres en cristal de Bohême, et l'académie de billard (salle de dix tables), refaite dans son style « rétro », avec ses banquettes surélevées pour les spectateurs. Pour le reste, le Concorde-Saint-Lazare est un bon hôtel moderne, qui offre à ses habitants les habituels agréments : la télévision dans toutes les chambres (et en couleur dans la moitié d'entre elles), le téléphone direct avec l'extérieur, etc.

FRANTEL WINDSOR

● **8e** - *14, rue Beaujon (563.04.04).*
135 chambres : de 377 à 629 F s.c. Petit déj. : 24 F. T.V. Séminaires jusqu'à 100 personnes. Salles de conférences, matériel audio-visuel, traduction simultanée.

Ce massif et austère bâtiment 1925 dissimule en réalité un hôtel de remarquable confort moderne dont les aménagements ne cessent d'être perfectionnés et améliorés. Chambres assez spacieuses, fort calmes et lumineuses, dotées d'un mobilier sobre et fonctionnel. Le hall, les petits salons, le restaurant (Le Clovis) honorent eux aussi l'hôtellerie moderne intelligente et non déshumanisée.

DES HOLLANDAIS

● **9e** - *16, rue Lamartine (878.25.13).*
46 chambres : de 75 à 180 F, petit déj. et s.c.

Derrière les grands boulevards et l'église Notre-Dame de Lorette. Proprette, agréable et simplette petite maison où l'on vous reçoit comme des amis et où l'on loge dans de bonnes chambres assez confortables et bien tranquilles.

KLÉBER ET SÉVIGNÉ

● **16e** - *6-7, rue de Belloy (720.88.90).*
52 chambres : de 166 à 236 F, petit déj. et s.c. T.V.

Deux petits hôtels, l'un en face de l'autre, entre l'Etoile et le Trocadéro. Accueil charmant et attentionné (fleurs et bonbons dans votre chambre). Petit salon de lignes modernes, des lumières tamisées, avec un feu dans la cheminée et un jardin de fleurs séchées. Chambres fonctionnelles et confortables. T.V., radio, salle de bains impeccable, petite entrée. Au 5e étage du Sévigné, balcon. Partout, moquette épaisse et tissu grège aux murs. Salon et bar dans l'hôtel Kléber. Téléphone direct avec l'extérieur depuis les chambres.

LAUMIÈRE

● **19e** - *4, rue Petit (206.10.77).*
54 chambres : de 37 à 100 F s.c. Petit déj. : 9 F. T.V. Chiens int.

A deux pas des Buttes-Chaumont, un très bon petit hôtel moderne (2 étoiles N.N.), bien insonorisé. Particulièrement bon marché.

LITTRÉ

● **6e** - *9, rue Littré (544.38.68).*
100 chambres de 265 à 295 F, petit déj. et s.c. T.V. Séminaires de 10 à 30 personnes. Salles de conférences. Chiens int.

Autrefois loué à l'armée américaine, ce très classique et confortable hôtel proche de Montparnasse a été entièrement refait et « repensé ». Les chambres sont calmes (surtout celles donnant sur la cour) et accueillantes. Hall et salon assez luxueux mais un peu vieux jeu. Téléphone direct avec l'extérieur dans toutes les chambres.

LOUVRE-CONCORDE

● **1er** - *Place André-Malraux (261.56.01).*
226 chambres : de 290 à 330 F, petit déj. et s.c. T.V. Séminaires de 10 à 30 personnes. Salles de conférences, matériel audio-visuel.

Devant la porte : les jardins du Palais-Royal et des Tuileries, le Faubourg Saint-Honoré. A portée de vue : le Louvre. Au coin de l'oreille : l'Opéra et la Comédie-Française. Le Louvre-Concorde n'est donc pas trop mal situé pour qui veut mettre rapidement Paris dans sa poche. Radio, télévision et mini-bar dans les chambres, lesquelles, rénovées, ne sont pas toutes un modèle de bon goût. Les chambres sont insonorisées sur les deux premiers étages.

LUTÉTIA-CONCORDE

● **6e** - *43, bd Raspail (544.38.10).*
300 chambres : de 330 à 375 F environ, petit déj. et s.c. T.V. Séminaires de 10 à 200 personnes. Salles de conférences, matériel audio-visuel. Parking public Boucicaut à proximité.

Le Lutétia est le plus grand des vieux hôtels de toute la rive gauche. Nous n'évoquons bien sûr, ce disant, que ses dimensions et le nombre de ses chambres. Celles-ci, au demeurant, ont été rénovées (moquette, cretonne fleurie) et pour beaucoup dans un style résolument moderne. Mais les députés et les sénateurs de province qui constituent la clientèle de base du Lutétia (on donne dans les salons des banquets politiques du plus vif intérêt) peuvent encore choisir des chambres à mobilier de style, ou grimper au 7e étage pour défier Paris et le Bon Marché par-dessus les rumeurs du square Boucicaut. Saint-Germains des Prés est (presque) à portée de voix, le Luxembourg et Montparnasse à trois ou quatre pas, le Quartier latin guère plus éloigné. Une situation « privilégiée »...

MAGELLAN

● **17e** - *17, rue Jean-Baptiste-Dumas (755.97.17).*
75 chambres' de 146 à 156 F (sous réserve d'augmentation), petit déj. et s.c.

Entre les portes Maillot et Champerret (et derrière le boulevard Péreire). Complètement rénové. Les hommes d'affaires en apprécient le calme (presque toutes les chambres donnent sur un jardin), le radio-réveil automatique, le téléphone direct avec l'extérieur et le bon confort des chambres et des salles de bains. Un petit pavillon de neuf chambres donnant sur le jardin.

MASSENET (Mapotel)

● **16e** - *5 bis, rue Massenet (524.43.03).*
41 chambres : de 210 à 250 F, petit déj. et s.c. T.V. Chiens int. Garage, 19, rue de Passy.

Une élégante clientèle demeure fidèle à cet excellent hôtel situé dans un immeuble « tranquille » et sans grand caractère du Hameau de Passy (juste derrière la rue du même nom). La décoration intérieure un peu désuète est soignée autant que discrète (qualité que l'on doit également reconnaître au personnel) et les petits déjeuners sont bien agréables quand on se les fait servir dans le patio fleuri.

MÉTROPOLE OPÉRA

● **2e** - *2, rue de Gramont (742.83.31).*
52 chambres : de 87 à 230 F s.c. Petit déj. 11 F. Air conditionné. T.V.

Assez proche de l'Opéra, ce vieil hôtel a été complètement rénové par une direction intelligente qui a songé à tous les détails qui peuvent rendre la vie agréable (larges placards, bon éclairage, salles de bains confortables), y compris celui consistant à utiliser les services d'un personnel aimable et stylé.

MODERN HÔTEL LYON

● **12e** - *3, rue Parrot (343.41.52).*
53 chambres : de 115 à 180 F, petit déj. et s.c. Parking : 37, rue de Lyon.

Parking au 37 de la rue de Lyon et non pas sous l'hôtel même, mais au moins — dans le tumulte du quartier de la gare de Lyon — est-on déjà heureux de pouvoir caser sa voiture. Et surtout de trouver le sommeil dans l'une des chambres insonorisées de ce sympathique petit « trois étoiles N.N. », tenu par la même famille depuis plus de soixante-dix ans et qui continue régulièrement de se moderniser.

MONTALEMBERT

● **7e** - *3, rue de Montalembert (548.68.11).*
61 chambres : de 160 à 290 F, petit déj. et s.c.

A deux pas — par le pont Royal — du jardin des Tuileries et du Louvre, à la lisière de Saint-Germain-des-Prés, au cœur du quartier des éditeurs (avec Gallimard pour voisin) et des antiquaires (avec les rues des Saints-Pères et Jacob pour terrain de chine), le Montalembert a le charme des hôtels des années 30. La direction, qui le modernise par touches discrètes depuis deux ans, a d'ailleurs eu l'intelligence de conserver le mobilier de l'époque et de changer moquette et tapisseries dans le même style.

Salles de bains refaites et standard tout neuf. Clientèle d'Américains, d'Italiens, d'écrivains, et même d'habitués qui s'y trouvent si bien qu'ils y vivent à demeure.

RENNES-MONTPARNASSE

● **6e** - *151 bis, rue de Rennes (548.97.38).*
38 chambres : de 89 à 220 F, petit déj. et s.c. T.V. Parking (public) : 155, rue de Rennes.

Si les chambres de l'arrière sont parfaitement silencieuses, celles qui donnent sur la rue de Rennes vous permettent désormais de passer des nuits de rêve depuis que les fenêtres en ont été doublées. On s'arrache toujours la superbe chambre n° 50 qui ouvre sur le Panthéon. Un bon « trois étoiles N.N. », dont le salon du rez-de-chaussée donne sur une cour-jardinet. La salle du petit déjeuner, en sous-sol, est plus oppressante.

RÉSIDENCE MONTPARNASSE

● **6e** - *14, rue Stanislas (544.55.09).*
63 chambres : de 140 à 190 F, petit déj. et s.c. Chiens int.

Dans une petite rue entre les boulevards du Montparnasse et Raspail. Moderne (3 étoiles N.N.) et entièrement rénové. Chambres confortables. Bar.

ROYAL SAINT-HONORÉ

● **1er** - *13, rue d'Alger (260.32.79).*
80 chambres : de 165 à 230 F, petit déj. et s.c. T.V. Séminaires. Salle de conférences pour 35 personnes. Gros chiens int.

Cet établissement distingué et raffiné, proche des Tuileries, offre d'excellentes chambres confortables et assez calmes, à des prix que l'on doit tenir pour peu élevés compte tenu de leur qualité. Expositions de peintures et de sculptures dans le hall.

SAN RÉGIS

● **8e** - *18, rue Jean-Goujon (359.41.90).*
42 chambres dont 12 appartements : de 240 à 600 F, s.c. Petit déj. : 22 F. Chiens int.

Avec ses meubles anciens, ses tableaux, ses bibelots, c'est l'un des (petits : 42 chambres seulement et 12 « suites ») hôtels les plus luxueux et les plus élégamment décorés de Paris. Il est fréquenté par Lauren Bacall, Raquel Welch, Romy Schneider, Gene Kelly et bien d'autres artistes internationaux, dont la présence ne se laisse pas toujours ignorer. Des magnats américains y ont aussi leurs habitudes, tout comme la famille grand-ducale du Luxembourg.

SPLENDID HÔTEL

● **17e** - *1 bis, av. Carnot (766.41.41).*
61 chambres : de 170 à 450 F, petit déj. et s.c. T.V. Séminaires jusqu'à 20 pers. Salle de réunion. Chiens int.

A deux pas de l'Arc de Triomphe, un gros immeuble de style Haussmann qui est un bon petit hôtel (une soixantaine de chambres seulement) entièrement rénové en 1977. Chambres spacieuses et confortablement meublées et salles de bains parfaitement équipées. Petit salon de charme, bar américain et surtout bon restaurant : Les Étoiles.

TERRASS HÔTEL (Mapotel)

● **18e** - *18, rue Joseph-de-Maistre (606.72.85).*
108 chambres : de 220 à 290 F, petit déj. et s.c. T.V. Séminaires de 10 à 25 personnes. Salle de conférence. Matériel audio-visuel sur demande.

Non loin des places Clichy, Pigalle et Blanche, une oasis de calme et de confort, loin aussi du flot bruyant de Montmartre. Situé sur les premières pentes sud-ouest de la Butte, ce qui explique sa situation élevée, le Terrass Hôtel a une vue sur Paris imprenable (le Panthéon, les Invalides, la tour Eiffel et l'Arc de Triomphe) parce que garantie par la présence du cimetière Montmartre qui déroule ses frondaisons à ses pieds. Ce panorama ne constitue cependant pas le seul agrément des 108 chambres du Terrass Hôtel construit en 1912, et régulièrement refaites dans le style cossu. Terrass-jardin (et bar d'été) au 7e étage.

LA TRÉMOILLE

● **8e** - *14, rue de la Trémoille (359.97.21).*
112 chambres : de 270 à 560 F (+ 15 % s.). Petit déj. : 20 F. Air cond. T.V. Séminaires. Gros chiens int. Parking par voiturier.

Prononcez Trémouille (mais allez donc savoir pourquoi) et faites-vous déposer dans cette discrète petite rue à deux pas du Théâtre des Champs-Elysées, de Christian Dior, de Nina Ricci et du Plaza-Athénée (même direction). Confort douillet (l'hôtel est un 4 étoiles luxe), mobilier « de style » (toujours assez indéfini et englobant quelques siècles) dans les appartements et les chambres, service de grand hôtel (entre autres agréments: un voiturier pour votre automobile) et, bien entendu, une radio, un poste de télévision et quelques boissons dans votre bar individuel, qui vous permettront de vous sentir moins seul.

VICTORIA PALACE

● **6e** - *6, rue Blaise-Desgoffe (544.38.16).*
113 chambres : de 265 à 320 F, petit déj. et s.c. T.V. Séminaires de 10 à 30 personnes. Salles de conférences. Chiens int. Parking.

Entre les rues de Rennes et de Vaugirard, un petit bout de rue en arc de cercle qui porte en son centre ce petit palace de bon ton. Une bonne centaine de chambres « de style », des salles de bains de marbre, et un garage, ce qui, dans ce quartier, tient du miracle.

Envoyez-nous vos bonnes adresses.

PETITS HÔTELS DE CHARME

ABBAYE SAINT-GERMAIN

● **6e** - *10, rue Cassette (544.38.11).*
45 chambres : de 190 à 250 F, petit déj. et s.c. Chiens int. Parking (public) : place Saint-Sulpice.

En retrait de la rue, au fond d'une petite cour pavée, au calme, un ancien couvent devenu un ravissant hôtel. Des meubles anciens autour des canapés modernes, des murs saumonés, des voûtes aux pierres apparentes dans le hall, un salon en bambou avec une cheminée donnant sur un jardin délicieux entouré de treillis. Des chambres raffinées à l'extrême, certaines avec alcôves et poutres (authentiques), des tissus à fleurs, du papier japonais vieux rose dans les couloirs. Moquette assortie. La chambre 3, au rez-de-chaussée, sur le jardin, est merveilleuse. Excellent accueil.

ANGLETERRE

● **6e** - *44, rue Jacob (260.34.72).*
31 chambres : de 160 à 210 F, petit déj. et s.c. Chiens int.

Ancienne ambassade de Grande-Bretagne, que son ambassadeur a dû quitter pour signer le traité d'indépendance des Etats-Unis, Benjamin Franklin ayant refusé de mettre les pieds en territoire britannique. Escalier classé. Hemingway habita l'hôtel qui s'ordonne autour d'un patio fleuri. De très grandes chambres classiques et parfois assez défraîchies, mais calmes. Dans le hall, des meubles pour le moins conventionnels, mais un charme désuet.

ATALA

● **8e** - *10, rue Chateaubriand (225.01.62).*
50 chambres : de 158 à 266 F s.c. Petit déj. : 12 F. T.V.

Le vicomte eût aimé l'inattendu du jardin secret (on vient d'y construire une terrasse fermée et chauffée) sur lequel donnent les chambres de cet hôtel paisible et gai, au cœur de la ville. D'un très bon confort, l'Atala vit réfugié dans cette oasis inappréciable, surtout à la belle saison. Excellents accueil et service. On est en vacances à 100 m de l'Arc de Triomphe.

BANVILLE

● **17e** - *166, bd Berthier (755.70.16).*
39 chambres : de 145 à 172 F, petit déj. et s.c.

Entièrement et fort bien refait, ce petit hôtel (une quarantaine de chambres seulement), inattendu sur les boulevards extérieurs, a décidément beaucoup de charme. Grâce aussi, peut-être, à l'accueil très aimable de sa propriétaire, Mme Lambert. Des chambres très claires, gaies, aux teintes pastel (tissus fleuris genre Liberty), avec parfois une alcôve, et toujours une épaisse moquette (également dans la salle de bains) et des meubles en bambou naturel ou laqué de blanc. Une petite cafétéria et un agréable salon (avec la télévision) tendu de tissu aux teintes chaudes et de profonds canapés au milieu des plantes vertes.

BERGÈRE

● **9e** - *34, rue Bergère (770.32.40).*
100 chambres : de 73 à 200 F, petit déj. et s.c. T.V.

Dans le hall de ce vieil hôtel, très classique mais entièrement modernisé, on entrait autrefois en diligence. Les voitures n'y sont pas admises aujourd'hui et, d'ailleurs, on n'en entend même plus le bruit, quoique tout près des Grands Boulevards. Surtout si l'on a réservé une chambre donnant sur la ravissante cour-jardin intérieure, avec ses plantes grimpantes et ses balconnets croulant sous les fleurs. Les chambres sont assez spacieuses et, à défaut d'originalité dans le décor (moderne bêta, ou agréablement rustique), elles sont confortables (excellente literie) et parfaitement propres. Accueil aimable et service attentionné.

BRADFORD

● **8e** - *10, rue Saint-Philippe-du-Roule (359.24.20).*
50 chambres : de 140 à 245 F, petit déj. et s.c. Chiens int.

Un petit modèle d'hôtellerie traditionnelle, sérieuse, intelligente. M. et Mme Mourot dirigent cette belle maison du début du siècle avec une irréprochable attention et une amabilité sans défaillance. Les chambres sont vastes et claires, d'une méticuleuse propreté et souvent agréablement meublées. Les sanitaires sont flambant neuf et l'on est tout heureux de passer là des nuits si calmes à deux pas du Faubourg Saint-Honoré et des Champs-Elysées. De gros bouquets de fleurs dans l'entrée, un accueil familial et souriant, un personnel discret et efficace et un confortable petit salon Louis XVI.

COLBERT

● **5e** - *7, rue de l'Hôtel-Colbert (325.85.65).*
40 chambres : de 133 à 265 F s.c. (sous réserve d'augmentation). Petit déj. : 11 F. Chiens int.

Dans une jolie maison du XVIIIe siècle encerclant un petit patio, des chambres simples et un peu exiguës dont seize donnent sur Notre-Dame. Un grand salon plutôt conventionnel, qui fait office de bar. Bien qu'un peu froid, un hôtel calme et merveilleusement situé à deux pas de la Seine et de Notre-Dame.

DES DEUX ÎLES

● **4e** - *59, rue Saint-Louis-en-l'Ile (326.13.35).*
17 chambres : de 160 à 200 F s.c. Petit déj. : 11 F.

Une belle maison du XVIIe siècle, avec son hall

tout en rotin et bambou, son jardin tropical et ses murs recouverts de cordes tressées ; avec encore ses (petites) chambres pastel aux tissus provençaux, très gaies, prolongées par d'adorables salles de bains aux carreaux de céramique peinte dans le goût du Grand Siècle ; avec enfin, au bar et au salon, de profonds canapés près d'une cheminée ancienne dans les caves voûtées. Pas de restaurant.

DUCS D'ANJOU

● **1er** - *1, rue Sainte-Opportune (236.92.24).*
38 chambres : de 56 à 140 F, petit déj. et s.c. Parking (public) : Centre Georges Pompidou.

Sur la délicieuse petite place Sainte-Opportune, un vieil immeuble restauré de fond en comble et transformé en hôtel. Et, surprise, un excellent petit hôtel. Les chambres sont silencieuses, décorées de papier à fleurs aux couleurs chaudes et douillettement moquettées. Elles sont petites, de même que les salles de bains, mais confortables et d'une impeccable propreté.

ESMERALDA

● **5e** - *4, rue Saint-Julien-le-Pauvre (325.37.32).*
19 chambres : de 80 à 150 F s.c. Petit déj. : 11,50 F. Sauna.

Une vieille demeure (du XVIIe siècle) avec des poutres et des pierres authentiques, des chambres petites, de jolis papiers aux murs, des salles de bains exiguës, et, si votre arrivée coïncide avec un jour de ménage, l'odeur de la cire. Devant les arbres du square Viviani, les contreforts de Saint-Julien-le-Pauvre et, par-delà la Seine, les tours de Notre-Dame.

FAMILY

● **1er** - *35, rue Cambon (261.54.84).*
25 chambres : de 47 à 130 F s.c. Petit déj. : 9,50 F.

Familial au possible, comme son nom l'indique. Une petite maison tranquille où la gentillesse de l'accueil, les prévenances du service et aussi les prix étonnent dans ce quartier. Le comte de Brienne, ancien ministre de la Guerre, habita les lieux juste avant la Révolution. Vous prendrez sa suite dans de belles chambres simplement meublées (celles refaites récemment l'ont été dans un goût moins heureux). Choisissez — après les avoir retenues longtemps à l'avance — les meilleures chambres avec bains (Nos 14 et 25), situées sur l'arrière.

GRAND HÔTEL DE CHAMPAGNE

● **1er** - *17, rue Jean-Lantier (261.50.05).*
45 chambres : de 145 à 205 F, petit déj. et s.c. Chiens int.

Chambres très séduisantes avec poutres et colombages. Une maison tranquille, bien entretenue et sans prétention.

GRAND HÔTEL DES PRINCIPAUTÉS UNIES

● **6e** - *42, rue de Vaugirard (634.44.90).*
29 chambres : de 110 à 174 F, petit déj. et s.c. Chiens int.

Une trentaine de petites chambres douillettement aménagées, où l'on a la joie de contempler le Luxembourg (de l'autre côté de la rue) sans avoir à souffrir des bruits de la circulation depuis que les fenêtres ont été insonorisées. Tout ici a été restauré, retapé et redécoré de frais. Accueil et service d'une remarquable prévenance. Qui sait aujourd'hui que les principautés évoquées ici font référence à la Bessarabie, à la Valachie, etc. de l'ancienne Roumanie ?

GRAND HÔTEL DE L'UNIVERS

● **6e** - *6, rue Grégoire-de-Tours (329.37.00).*
34 chambres : de 145 à 205 F, petit déj. et s.c. T.V. Parking : 27, rue Mazarine.

Dans la rue la plus chaude du Quartier, une trentaine de chambres (petites mais toutes différentes) tirant remarquablement parti du charme de cette vieille maison modernisée avec goût.

L'HÔTEL

● **6e** - *13, rue des Beaux-Arts (325.27.22).*
27 chambres : de 300 à 550 F (appartements : 770 à 950 F) s.c. Petit déj. : 23 F. T.V. Air cond.

Attribué à Claude-Nicolas Ledoux, le « Pavillon d'amour » a servi de base au ravissant hôtel Directoire complètement rénové et redécoré en 1968, et devenu l'Hôtel avec un grand H. Tout de velours et de brocart, ascenseur et vestes du personnel masculin inclus. Des appartements au dernier étage sur l'église Saint-Germain-des-Prés, et la « chambre de Mistinguett », pour les fans. Le souvenir d'Oscar Wilde qui s'y est réfugié en 1900 (l'hôtel s'appelait alors d'Alsace) et y est mort « au-dessus de ses moyens ». Des chambres tendues de tissus somptueux, des salles de bains en marbre vénitien, des bibelots et du mobilier d'époque. Bref, un hôtel dont vous garderez sans doute d'impérissables souvenirs, y compris celui de sa note.

D'ISLY

● **6e** - *29, rue Jacob (326.64.41).*
37 chambres : de 81 à 177 F, petit déj. et s.c.

Un très bel et très ancien immeuble de la rue Jacob. Un hall-salon moderne, des chambres petites mais extrêmement confortables, et du charme.

KENSINGTON

● **7e** - *79, av. de La Bourdonnais (705.74.00).*
26 chambres : de 100 à 135 F s.c. Petit déj. : 10 F.

Entièrement rénové en 79 (façade toute blanche

ornée de géraniums aux fenêtres, papiers, peintures, mobilier et salles de bains impeccables), le Kensington propose des chambres petites, bien équipées — téléphone direct avec l'extérieur — et confortables. Deux couleurs : le bleu et l'ocre. Choisissez le bleu : mélange de papier à fleurs et uni, rideaux de toile, moquette bleu vif, dessus de lit en piqué blanc, carrelages bleus dans la salle de bains. Couloirs décorés de panneaux de liège, salle tendue de jute pour le petit déjeuner. Au 6e étage, c'est-à-dire sous les toits, de charmantes et tranquilles chambres bleues (encore) individuelles. Tout cela est gai, d'une propreté parfaite, très calme du côté cour, moins sur l'avenue, mais on doit installer des doubles vitres avant la fin de l'année, c'est-à-dire quand paraîtra ce Guide.

LENOX

● **7e** - *9, rue de l'Université (296.10.95).*

34 chambres : de 134 à 204 F s.c. Petit déj. : 12 F. T.V.

Dans le tronçon entre Bac et Saints-Pères d'une élégante et longue, longue rue. L'hôtel a été restauré avec beaucoup de raffinement. Les chambres (joli papier, mobilier soigné) sont petites mais il y a aussi des duplex au dernier étage, qui offrent en outre le charme d'une charpente apparente et d'un balcon fleuri. Aimable accueil des jeunes patrons.

DE LUTÈCE

● **4e** - *65, rue Saint-Louis-en-l'Ile (326.23.52).*

23 chambres : de 140 à 250 F s.c. Petit déj. : 11 F.

Ravissant. Un feu dans la cheminée, un carrelage d'époque (Louis XIV) ciré à l'ancienne, de gros bouquets de fleurs, une ambiance intime et chaude dans le hall-salon. Chambres souvent sur deux niveaux, plus un duplex pour y passer une vie entière. Murs chaulés, poutres, dessus de lit et rideaux en grosse cotonnade ou toile de lin jaune d'or, orange, bleue ou verte. Salles de bains impeccables. Deux chambres mansardées, tout en patchwork, divines.

MAJESTIC

● **16e** - *29, rue Dumont-d'Urville (500.83.70).*

27 chambres (et 6 appartements) : de 260 à 550 F, petit déj. et s.c. Gros chiens int.

Résidence plus qu'hôtel, l'ancien siège de l'état-major allemand durant la Seconde Guerre mondiale est composé d'appartements richement meublés (styles Louis XV et Directoire). Nous vous recommandons particulièrement celui du dernier étage nommé « tent house », qui ne rappelle en rien le décor d'une chambre d'hôtel : petit balcon-terrasse fleuri, moire et fauteuils Louis XV de couleur or, moquette pourpre, etc. Atmosphère feutrée garantie et sommeil assuré : la rue Dumont-d'Urville est l'une des plus tranquilles de la capitale.

NOUVEL HÔTEL

● **12e** - *24, av. du Bel-Air (343.01.81).*

28 chambres : de 80 à 165 F s.c. Petit déj. : 16 F.

Est-ce une cour, est-ce un jardin, est-ce un patio ? Appelez-le comme vous voulez, mais reconnaissez avec nous que ces grands arbustes, ces fleurs, ces pavés, ces quelques meubles de terrasse donnent un prix et un charme extaordinaires à ce petit hôtel sympathique que l'on trouve, dans une calme avenue bordée d'arbres, à 50 m de la Nation. Chambres paisibles, simples mais confortables, qui donnent sur le «jardin ». Meubles rustiques et modernes. Accueil amical.

OUEST HÔTEL

● **17e** - *165, rue de Rome (227.50.29).*

43 chambres : de 90 à 150 F s.c. Pet. déj. : 10 F.

A proximité de la gare Saint-Lazare. Le patron est un marin du Cotentin. On retrouve chez lui des armoires normandes (la plus belle est dans la chambre n° 49) et, l'Angleterre n'étant pas loin, de grosses moquettes à fleurs dans certaines chambres et dans le salon. Les prix sont modestes. Il est recommandé de réserver une huitaine de jours à l'avance.

PAS DE CALAIS

● **6e** - *59, rue des Saints-Pères (548.78.74).*

41 chambres : de 150 à 185 F, petit déj. et s.c.

On a sérieusement rajeuni le décor et les installations de cette vieille maison de la fin du XVIIIe siècle située entre les éditions Grasset et l'hôtel où Chateaubriand habita en 1815 et où Julie Carreau rencontra Talma. Sans pour autant détruire l'ordonnance amusante et capricieuse de ses couloirs et de ses chambres (meublées dans un style moderne d'avant-hier). Celles-ci jouissent d'un calme appréciable quand elles ne donnent pas sur la rue.

PAVILLON

● **7e** - *54, rue Saint-Dominique (551.42.87).*

20 chambres : de 80 à 195 F, petit déj. et s.c.

Ancien couvent, en retrait de la rue Saint-Dominique. Une petite maison provinciale avec ses minuscules, mais ravissantes chambres, impeccablement tenues (trois chambres refaites entièrement chaque année). Charmant patio. Un accueil plus amical que professionnel. Inconvénient : pas de pièces de réception.

QUEEN'S HÔTEL

● **16e** - *4, rue Bastien-Lepage (288.89.85).*

22 chambres : de 106 à 155 F s.c. Petit déj. : 10,50 F. T.V. Chiens int. Garage du Village : 57 bis, av. Théophile-Gautier.

On a rénové de fond en comble ce petit hôtel proche de la rue d'Auteuil et de l'avenue Mozart. Derrière sa jolie façade blanche se cachent des chambres exiguës mais charmantes, très modernes, très confortables et décorées avec gaieté et goût, tout en rose indien ou en beige et marron (comme la 23, la plus grande et la plus plaisante). Hall agréable et tranquille, orné de canapés de velours, et un minuscule salon pour prendre son petit déjeuner. Bon accueil.

REGENT'S GARDEN

● **17e** - *6, rue Pierre-Demours (574.07.30).*
41 chambres : de 200 à 300 F, petit déj. et s.c. T.V. Parking.

A deux pas de l'Etoile et des Champs-Elysées, un étonnant et grand jardin paisible et discret, avec ses fontaines, ses fleurs, ses ombrages et ses statues de pierre. On est presque à la campagne. Une belle bâtisse bourgeoise qui fut l'hôtel particulier d'un médecin de Napoléon III et où les jeunes propriétaires s'évertuent discrètement à vous faire sentir comme chez vous, c'est-à-dire comme dans une vieille maison de famille. Les chambres immenses aux hauts plafonds moulurés sont décorées avec de jolis meubles rustiques (parfois d'époque) et régulièrement refaites. Toutes les chambres comportent une salle de bains parfaitement équipée.

RÉSIDENCE DU BOIS

● **16e** - *16, rue Chalgrin (500.50.59).*
20 chambres : de 300 à 600 F. Petit déj. et s.c. T.V.

Dans un ancien hôtel particulier Napoléon III, cette petite résidence est l'un des représentants à Paris (avec le Crillon) de la chaîne des Relais de Campagne. Les chambres sont meublées de différents styles anciens (parfois chichiteux), elles sont d'une dimension à laquelle on n'est plus guère habitué et donnent sur un adorable jardin. A l'ombre des arbres et des parasols, on y prend délicieusement le thé. Confort remarquable, service efficace, silencieux, parfait. Quelques appartements de plain-pied sur le jardin. Ingrid Bergman et le grand pianiste Richter en sont des habitués fidèles.

RÉSIDENCE ÉTOILE-PÉREIRE

● **17e** - *146, bd Péreire (754.60.00).*
15 chambres : de 145 à 160 F, petit déj. et s.c. Chiens int. Parking (payant) 42, rue Laugier.

Une entrée discrète, confondue avec celle de l'immeuble, des chambres dans le goût « rétro » (et des salles de bains à vieilles baignoires à pied : les Américains en raffolent). L'été, on prend son petit déjeuner — une vingtaine de confitures aux fruits rares — dans la petite cour-jardin. Très charmant accueil. Jeux de fléchettes et quilles pour les enfants.

Pour dîner tard le soir et même après minuit, consultez notre liste de restaurants, p. 106.

RIBOUTTÉ-LAFAYETTE

● **9e** - *5, rue Ribouté (770.62.36).*
24 chambres : de 120 à 140 F, petit déj. et s.c. Parking (public) à proximité.

La rue La Fayette est juste en face, mais ses redoutables rumeurs ne parviennent guère dans les très petites chambres de ce très petit hôtel plein de charme, transformé par ses nouveaux propriétaires. Meubles de bambou ou laqués, tissus fleuris, etc. Accueil délicieux.

SAINT-LOUIS

● **4e** - *75, rue Saint-Louis-en-l'Ile (634.04.80).*
25 chambres : de 48 à 115 F s.c. Petit déj. : 10 F.

Même propriétaire que le Lutèce. Même raffinement. Un excellent accueil dans un hall qui sent la vieille pierre et la rose. Des poutres, de jolis meubles Louis XIII, des toiles anciennes, un carrelage bien verni. Des chambres toutes simples, blanchies à la chaux, des tissus de lin ravissants, orange et vert, bleu et vert. Moquette épaisse assortie. De charmants papiers dans les salles de bains ultra-modernes. Au 5e étage, des chambres mansardées, certaines avec petits balcons, sur les toits de l'île Saint-Louis.

SAINT-SIMON

● **7e** - *14, rue Saint-Simon (548.35.66).*
34 chambres : de 33 à 160 F s.c. Petit déj. : 9,50 F. Chiens int.

Ancien hôtel particulier, en retrait de la rue, très calme, entre deux jardins. Des recoins, des poutres, des meubles d'époque, un charme certain, mais aussi des défaillances : toutes les chambres ne possèdent pas le « confort moderne » et certaines auraient besoin de travaux de réfection.

SCANDINAVIA

● **6e** - *27, rue de Tournon (329.67.20).*
22 chambres à 160 F s.c. Petit déj. : 11,50 F. Chiens int. Parking (public) place Saint-Sulpice.

Repris par deux antiquaires, un ravissant hôtel, à deux pas du Sénat et du Luxembourg, avec de merveilleux meubles Louis XIII. Des chambres toutes différentes, somptueuses, des toiles anciennes aux murs, de grands miroirs, des couleurs chaudes à dominantes brune, rouge et or. Couloirs et salles de bains en peinture laquée très foncée. Moquette partout. Plafonds rouge ou vert sombre, poutres apparentes. Grande réception, pierres en relief, plantes vertes à profusion. Très intime et confortable (lumières tamisées). Ferme en août.

DE SEINE

● **6e** - *52, rue de Seine (634.22.80).*
30 chambres : de 100 à 190 F, petit déj. et s.c. T.V. Chiens int.

Un petit hôtel en plein cœur de Saint-Germain-des-Prés, que fréquentent Arthur Adamov, Roger Planchon et Bill Coleman. L'entrée et la salle du petit déjeuner ont été refaites il y a quelque temps, et les fenêtres des quatre premiers étages comportent désormais des doubles vitrages, ce qui atténue, bien sûr, les bruits de la rue. Chambres sympathiques (attention, toutes n'ont pas de « toilettes » dans la salle de bains) et insonorisées, et petit salon de style « club anglais » avec quelques bons gros et profonds fauteuils.

SOLFÉRINO

● **7e** - *91, rue de Lille (555.72.77).*
35 chambres : de 83 à 167 F, petit déj. et s.c. Chiens int.

Des murs pastel, des chambres simples aux couleurs fraîches, un petit salon ravissant, une véranda pour le petit déjeuner, et partout de ravissants bibelots. Reposant et désuet. Accueil sympathique.

DE SUÈDE

● **7e** - *31, rue Vaneau (705.00.08).*
41 chambres : de 170 à 190 F, petit déj. et s.c. Chiens int.

Un grand salon confortable dans le goût Directoire. De jolies chambres dans les blanc-crème et bleu ciel, sobres et agréables, surtout celles des 2e et 3e étages, qui donnent sur les frondaisons de Matignon. Petit jardin intérieur pour prendre le thé. Téléphone automatique avec l'extérieur.

DE VARENNE

● **7e** - *44, rue de Bourgogne (551.26.29).*
24 chambres : de 153 à 224 F s.c. Petit déj. : 12 F. T.V.

Dans le calme presque provincial du quartier des Invalides, cet ancien hôtel particulier complètement rénové propose de jolies chambres, un charmant petit salon, des fleurs partout et un ravissant patio où prendre le petit déjeûner. A ces qualités indéniables de charme s'ajoutent l'agrément d'un accueil fort civil.

VICTOR-HUGO

● **16e** - *19, rue Copernic (553.76.01).*
76 chambres : de 190 à 250 F s.c. Petit déj. : 14 F. T.V. Séminaires de 30 personnes. Chiens int.

Assez récent hôtel (nous l'avons classé dans « Petits Hôtels de charme » ; il pourrait tout aussi bien, à la vérité, se trouver à la rubrique des « Bons hôtels classiques »), proche de l'Etoile, de la place et de l'avenue Victor-Hugo. Grandes chambres « de style » avec télévision et mini-bar, salles de bains de marbre. A partir du 4e étage, on « plonge » sur les plans d'eau du réservoir Copernic, avec sa verdure, ses canards et même ses mouettes. Plusieurs petits coins salon, de style anglais, intimes. Très bon accueil. Jardin d'hiver.

WELCOME HÔTEL

● **6e** - *64, rue de Seine (634.24.80).*
30 chambres : de 127 à 159 F s.c. Petit déj. 10 F. Chiens int.

30 chambres remarquablement insonorisées (doubles fenêtres) dans ce petit « deux étoiles » rénové de fond en comble en 1973 et situé à l'angle du boulevard Saint-Germain et de la rue de Seine.

NOUVEAUX HÔTELS MODERNES

BERTHIER ET BROCHANT LA TOUR

● **17e** - *163 bis, av. de Clichy (228.40.40).*
324 chambres : de 140 à 170 F, petit déj. et s.c. Air cond. Séminaires de 10 à 120 personnes. Salles de conférences, matériel audio-visuel. Parking.

Les chambres de ces modernes hôtels jumeaux (dont les restaurants et les halls sont communs) ne diffèrent que par leurs dimensions, leurs prix et leur classement officiel (deux étoiles N.N. pour le Berthier, une étoile N.N. pour le Brochant). Partout des couleurs vives et gaies, de la moquette épaisse, des lampes-fleurs, des meubles joliment fonctionnels. On peut choisir entre la vue « Tour Eiffel » (entr'aperçue par temps clair au-delà du dépôt de marchandises de la gare Saint-Lazare) et la vue « Sacré-Cœur » (avec beaucoup d'imagination...). Chambres climatisées, petits déjeuners pris au self-service. Le bon confort des deux établissements et la relative modicité de leurs prix parviennent à faire oublier la tristesse du quartier et leur situation assez incommode. Il est vrai que les bouches de métro Porte de Clichy et Brochant (et plusieurs lignes d'autobus) ne sont pas éloignées.

CONCORDE-LA FAYETTE

● **17e** - *3, pl. de la Porte-des-Ternes (758.12.84).*
1 000 chambres : de 430 à 470 F s.c. Petit déj. : 28 F. Air cond. T.V. Séminaires de 20 à 400 pers.

Une tour avec une vue somptueuse sur le Bois de Boulogne et l'Etoile. Immense : le Palais des Congrès et ses 4 500 places, des salons de réception permettant des banquets de 2 000 personnes (4 000 debout), 60 boutiques, 4 cinémas, une discothèque, 1 500 places de parking, une liaison directe avec les aéroports de Roissy et d'Orly. Les 1 000 chambres-cellules possèdent bien évidemment « tout le confort moderne » (air conditionné, radio, télévision) et malgré le gigantisme de l'hôtel, on sent un réel souci d'humanisation : bars extrêmement agréables ; confortable et fort bon restaurant (L'Etoile d'Or ; voir « Restaurants »).

HILTON

● **15e** - *18, av. de Suffren (273.92.00).*
489 chambres de 375 à 450 F s.c. Petit déj. : 23 F. Air cond. T.V. Séminaires de 10 à 1 000 pers. Salles de conférences. Matériel audio-visuel, secrétariat, traduction simultanée. Parking.

Excepté les travaux d'entretien et surtout de redécoration de toutes les chambres en 1977 et du hall en 1979, rien ne change au Hilton au fil des ans. Le premier hôtel moderne construit après-guerre à Paris comporte toujours le même lot de qualités : chambres spacieuses, service précis et organisé, gratuité — quel que soit leur âge — pour les enfants qui partagent la chambre de leurs parents, films en couleur diffusés en circuit de télévision privé. En outre, des boutiques de luxe (Hermès, Cartier), un salon de coiffure (René-Louis Josse), un bureau Air France apportent leur petite part d'agrément ou de commodité. Trois bars, le Western (jusqu'à 23 heures), le Toit de Paris (dansant, jusqu'à 2 h du matin), assez insignifiant en dépit de son altitude, et le Suffren, intime et charmant, où l'on peut boire un verre jusqu'à minuit en écoutant le pianiste Valto Laitinen.

HOLIDAY INN

● **15e** - *69, bd Victor (533.74.63).*
91 chambres : de 300 à 350 F s.c. Petit déj. : 21 F. Air cond. T.V. Séminaires jusqu'à 40 pers. Salle de conférences.

Ce n'est pas un géant : cet Holiday Inn — qui surplombe le Parc des Expositions de la porte de Versailles — possède en effet seulement une petite centaine de chambres parfaitement bien conçues, climatisées (réglage individuel), insonorisées, avec la télévision en couleur et le téléphone relié directement avec l'extérieur. Le côté fonctionnellissime de l'établissement et sa situation sur les boulevards extérieurs n'incitent cependant guère à des séjours de charme, même si les enfants sont logés gratuitement dans la chambre de leurs parents. Idéal, en revanche, comme pied à terre pour les visites d'affaires aux salons qui se tiennent en face, dans le Parc des Expositions.

MÉRIDIEN

● **17e** - *81, bd Gouvion-Saint-Cyr (758.12.30).*
1 027 chambres : de 390 à 450 F s.c. Petit déj. : 21 F. Air cond. T.V. Séminaires de 15 à 500 personnes. Salles de conférences, matériel audio-visuel, interprétariat simultané (5 langues), secrétariat. Parking.

Face au terminal d'Air France et au Palais des Congrès. Dans la nouvelle génération des grands hôtels-champignons, c'est le plus grand de tous. L'établissement a recherché le style transatlantique. Toutes les chambres sont très petites, et visiblement taillées sur mesure pour la clientèle des jumbo-jets. Bar, night-club, boutiques, agences, salle de réunion de 1 200 places, ce très grand hôtel dégage une impression d'ennui, mais le bouillant Moustache et ses musiciens de jazz font vibrer soir après soir le cœur et les tympans de jeunes et de moins jeunes gens qui viennent ici boire un verre en écoutant de la bonne musique.

NIKKO DE PARIS

● **15e** - *61, quai de Grenelle (575.62.62).*
784 chambres : de 390 à 490 F s.c. Petit déj. : 28 F. Air cond. T.V. Séminaires jusqu'à 850 personnes. Salles de conférences, matériel audio-visuel, traduction simultanée (6 langues), secrétariat. Piscine. Parking.

Ouvert au « Front de Seine » le 29 avril 1976 et surplombant la Seine de ses 32 étages de couleur brique percés d'alvéoles, à la façon d'une immense ruche, où les Japonais font leur miel depuis cette date : chambres modernes ultra-fonctionnelles, dans le style occidental ou vaguement nipponisé, au choix, avec vastes fenêtres hublots donnant sur le pont Mirabeau, sous lequel coule la Seine et passe le temps. Agréable bar-point de vue et, parmi plusieurs restaurants maison (dont un japonais : le Benkay), l'excellent Les Célébrités, de cuisine française et nouvelle. Au 2e niveau, dalle piétonnière aménagée.

PARIS SHERATON

● **14e** - *19, rue du Cdt-Mouchotte (260.35.11).*
1 000 chambres : de 340 à 450 F s.c. Petit déj. : 25 F. Air cond. T.V. Séminaires de 10 à 1 000 personnes. Salles de conférences, matériel audio-visuel, secrétariat. Parking.

Une grande tour derrière la Tour (Montparnasse). 1 000 (eh oui) chambres confortables pour les hommes d'affaires, les touristes et les congressistes.

P.L.M. SAINT-JACQUES

● **14e** - *17, bd Saint-Jacques (589.89.80).*
800 chambres : de 312 à 384 F, petit déj. et s.c. Air cond. T.V. Séminaires de 10 à 1 000 pers. Salles de conférences. Matériel audio-visuel, secrétariat, traduction simultanée. Parking (payant).

Une grosse machine qui fonctionne sans à-coups, débite sans accrocs ses milliers de touristes de toutes nationalités et d'hommes d'affaires, et leur offre de toutes petites chambres à salles de bains confidentielles, mais d'un confort sans défaut et d'un entretien très régulier (deux étages entièrement rénovés en 1979). Par ailleurs, les restaurants au nombre de trois dont l'un, le Jun, sert des plats japonais, le piano-bar, le Tahonga, où Stéphane le barman propose, dans un décor océanien, rien moins que 57 cocktails, la galerie marchande aux multiples boutiques, le club de jeux de société (bridge, échecs, scrabble, back-gammon, etc.), le salon de coiffure et même un cinéma donnent à cette vaste annexe des aéroports (un bureau Air France) une animation qui ne manque pas d'agrément.

SOFITEL BOURBON

● **7e** - *32, rue Saint-Dominique (555.91.80).*
112 chambres : de 360 à 495 F. s.c. Petit déj. : 22 F. Air cond. T.V. Séminaires de 40 personnes. Salles de conférences, matériel audio-visuel, secrétariat. Parking.

Idéalement situé derrière le Palais-Bourbon (les parlementaires en vue le connaissent bien), intelligemment conçu, de dimensions modestes, décoré sans tapage, le Sofitel n'écrase ni par son luxe ni par sa taille. Les chambres (pas suffisamment insonorisées) utilisent fort bien leur petite surface avec un décor gai, un éclairage reposant, un mobilier agréablement fonctionnel et la gamme classique des gadgets : climatisation réglable, téléphone direct, radio et télévision, mini-bar.

SOFITEL PARIS

● **15e** - *8-12, rue Louis-Armand (554.95.00).*
635 chambres : de 310 à 395 F s.c. Petit déj. : 20 F. Air cond. T.V. séminaires de 10 à 600 personnes. Salles de réunions. Sauna. Piscine. Parking.

L'un des derniers grands nouveaux de l'hôtellerie parisienne. Il s'efforce de capter la clientèle recherchée des hommes d'affaires en groupe (le Palais des Expositions de la porte de Versailles est tout proche) et dispose pour ce faire d'une puissante infrastructure : 35 salles de réunion entièrement équipées de matériel audio-visuel (possibilité de traduction simultanée en cinq langues) et reliées à une régie centrale de télévision, une salle de cinéma de 300 places, et de nombreuses séductions : piscine intérieure chauffée à toit ouvrant (au 22e étage), salle de gymnastique, sauna, discothèque, bar panoramique, billard, jardin d'hiver, etc. Dans un bâtiment fonctionnel (équipé d'ascenseurs extérieurs en plexiglas en forme de bulle), le fameux service Sofitel se révèle aussi presque sans défaut. Quant aux chambres, leur mobilier fonctionnel et incorporé, leur clarté, leur vue sur les lointains de la ville et son héliport, leur agréable décoration, parviennent à faire oublier leur exiguïté. L'accès de l'hôtel par le périphérique n'est encore et toujours pas évident.

SUFFREN LA TOUR

● **15e** - *20, rue Jean-Rey (578.61.08).*
407 chambres : de 260 à 280 F, petit déj. et s.c. Air cond. T.V. Séminaires de 50 à 200 personnes. Salles de conférences, matériel audio-visuel. Parking.

Un grand (407 chambres) 3 étoiles tout moderne et tout proche de la Seine et du Champ de Mars. Agréables chambres petites et fonctionnelles. Terrasse-jardin. Discothèque.

HÔTELS « DE JEUNES »

OUVERTES à longueur d'année à tous les jeunes (jusqu'à 30 ans et éventuellement au-delà) sans carte ni exclusive, ces quatre vieilles demeures du Marais, remarquablement restaurées, sont les hôtels de charme les plus méconnus de Paris. A ceux-ci s'ajoute un grand « hôtel » moderne, avec piscine et jardin, dans le 12e arrondissement. Placés sous la responsabilité de la M.I.J.E. (Maison Internationale de la Jeunesse et des Etudiants), ils offrent la possibilité de séjours dans la capitale peu coûteux (prix unitaire : 31 F la nuit par personne, demi-pension : 51 F), dans des conditions de confort et d'agrément aussi bonnes que possible.

CENTRE INTERNATIONAL DE SÉJOUR DE PARIS (C.I.S.P.)

● **12e** - *6, av. Maurice-Ravel (343.19.01).*
Ouvert de 6 h 30 à 1 h 30 du matin. 63 chambres à 1 lit, 30 à 2 lits, 17 à 3 et 4 lits. A dortoirs à 8 lits : de 28,50 à 44,50 F, petit déj. compris. Salle de spectacle (240 places), salle de conférence (50 places), 6 salles de réunion, matériel audio-visuel, piscine.

Un hall aux larges baies vitrées, un jardin, une cafétéria confortable et intime, des salles de réunion multiples, une piscine, voilà ce que beaucoup de jeunes voyageurs ignorent qu'ils peuvent trouver à Paris au C.I.S.P. (Centre International de Séjour de Paris). Ouvert en 1964, avec la vocation d'héberger et d'aider le mieux possible les jeunes touristes français ou étrangers (individuels ou en groupes) en visite à Paris, le C.I.S.P. leur offre des chambres fonctionnelles, agréables, pratiques, de un, deux et quatre lits, avec cabinet de toilette particulier, et quelques dortoirs de huit lits, un snack, un restaurant, La Résidence, et des distributeurs automatiques. Le tout au milieu des plantes vertes, dans un décor gai et astucieux. M. Hugues Fraysse, le directeur du C.I.S.P., a voulu

Ne nous accablez pas si le numéro de téléphone de votre correspondant a changé depuis la sortie de ce Guide. Nous n'y sommes pour rien.

faire de cet établissement un centre culturel pour le quartier : séminaires, expositions, ateliers en tout genre, bibliothèque, salon, télévision, auditorium, laboratoire photo, représentations théâtrales, cinématographiques, musicales et même réunions politiques. Malgré cette « dispersion », le C.I.S.P. reste avant tout un centre d'hébergement qui n'a rien à envier à un très bon hôtel et où les jeunes touristes peuvent trouver tous les renseignements et l'aide dont ils ont besoin pour découvrir Paris (exemple : affichage permanent de toutes les activités culturelles parisiennes).

LE FAUCONNIER

● **4e** - *11, rue du Fauconnier (274.23.25).*

24 chambres (1 à 1 lit, 6 à 2 lits, 11 à 4 lits, 3 à 6 lits, 1 à 7 lits, 2 à 8 lits) : 31 F, petit déj. et s.c. Séminaires de 25 à 50 personnes. Salles de réunion. Matériel audiovisuel.

Attribué à la M.I.J.E. (Maison Internationale de la Jeunesse et des Etudiants) voici dix ans par la Ville de Paris, cet ancien hôtel du XVIIe siècle a fait l'objet d'une restauration menée avec une intelligence et une discrétion exemplaires. Et, chose bien plus surprenante, l'entretien et la propreté y sont surveillés avec une attention que nombre d'hôtels de luxe pourraient venir prendre en exemple. L'hôtel est situé très au calme, derrière l'hôtel de Sens qui abrite la bibliothèque Forney. Les chambres à hautes fenêtres à impostes et petits carreaux ouvrent sur la rue tranquille, par-dessus une petite cour intérieure pavée. La literie en est simple et propre (lits de fer laqué pour une personne, superposés ou non), mais les meubles en revanche sont tous anciens (belles armoires, coffres de chêne, grandes tables rustiques, etc.) et chaque pièce est dotée d'une douche confortable et d'un lavabo. Partout, du dallage de pierre, des tommettes cirées, du vieux parquet ou des tapis. De jolis doubles rideaux, des poutres, bien sûr, mais d'époque, et des toiles de lin aux couleurs gaies sur les murs. Le petit déjeuner est servi dans le vaste hall de réception d'où part un somptueux escalier, et les groupes en séjour se réunissent dans de superbes caves voûtées du XIVe siècle.

LE FOURCY

● **4e** - *6, rue de Fourcy (274.23.45).*

21 chambres (7 à 2 lits, 14 à 4 lits) : 31 F, petit déj. et s.c.

L'ancien hôtel Charpentier, construit en 1672 pour un membre du Parlement du Roi, a subi de nombreuses vicissitudes au cours des ans, avant de devenir une nouvelle Maison Internationale de la Jeunesse et des Etudiants. Les travaux de réhabilitation ne sont encore terminés que dans le corps de logis principal et c'est seulement l'an prochain que la « resserre aux carrosses » deviendra une très belle salle destinée aux sessions et aux séminaires. Un large escalier de pierre à la rampe de fer forgé du XVIIe siècle, conduit aux chambres qui sont toutes à 2 et 4 lits de fer laqué, souvent superposés, meublées d'armoires ou de coffres anciens, dotées chacune d'un lavabo et d'une douche. Le Fourcy connaît un grand succès auprès des jeunes étrangers pour qui ses vieilles poutres et sa situation entre le très bel hôtel de Beauvais et l'ancien hôtel des Archevêques de Sens, face à l'île Saint-Louis, constitue, s'il en était besoin, un élément complémentaire de séduction.

Envoyez-nous vos bonnes adresses, vos critiques, vos commentaires : Le Nouveau Guide Gault-Millau, 210, fg Saint-Antoine, 75012 Paris.

FRANÇOIS MIRON

● **4e** - *6, rue François-Miron (277.67.53).*

10 chambres (5 à 2 lits, 1 à 3 lits, 4 à 4 lits) : 31 F, petit déj. et s.c.

Plusieurs membres de la fameuse tribu d'organistes Couperin logèrent dans ce vieil immeuble (sans grand caractère au demeurant), à deux pas de leur lieu de travail, les orgues de Saint-Gervais en l'occurrence. Plus récemment, le Pen Club International y hébergeait ses affiliés de passage et la M.I.J.E. enfin, en 1974, y installa au deuxième, troisième et quatrième étages une dizaine de chambres, sans doute moins séduisantes qu'au Fauconnier mais tout aussi simples, confortables et propres. Les murs sont peints de couleur saumon, le mobilier est moderne et le sanitaire plus rudimentaire : simple lavabo, la douche et la salle de bains sont à l'étage. Les charmes du quartier, enfin, se payent ici par le bruit de la circulation.

LE MAUBUISSON

● **4e** - *12, rue des Barres (272.72.09).*

27 chambres (9 à 2 lits, 17 à 4 lits, 1 à 6 lits) : 31 F, petit déj. et s.c.

C'est l'ancien hôtel des abbesses de l'Abbaye royale de Maubuisson (lequel, dans sa version précédente, aurait été également celui du chanoine Fulbert dont Abélard eut à se plaindre). Actuellement c'est une jolie maison du XVIIe siècle dont on peut décrire l'agrément, la décoration intérieure, le mobilier, la propreté, etc., en des termes tout aussi élogieux que pour le Fauconnier. Ajoutons-y une situation encore plus pittoresque, dans une rue sans voitures, au chevet même de l'église Saint-Gervais, avec vue sur un petit square volontiers feuillu à la belle saison. On grimpe aux chambres chaulées de blanc en ascenseur, et le hall et la salle contiguë, pavés de vieilles tommettes, accueillent des jeunes de 18 à 30 ans (non-étudiants acceptés). Atmosphère chaleureuse, discrète et presque familiale.

HOTELS MODERNES aux portes de Paris

La banlieue de Paris s'est constellée au cours des dernières années d'hôtels de chaînes, modernes, généralement situés à proximité des aéroports ou en bordure des autoroutes. Nous nous bornerons ici à vous en signaler l'existence sans vous imposer de commentaires que leur grande ressemblance rendrait fastidieux. A peu de variantes près, en effet, ces établissements ont en commun tous les avantages et les inconvénients de l'hôtellerie moderne, fonctionnelle, pratique et passe-partout.

Au Nord (et aéroports du Bourget et Roissy-Charles-de-Gaulle)

HOLIDAY INN PARIS-ROISSY

• 95 Gonesse - *54, rue de Paris (985.96.11).*
125 chambres : de 195 à 215 F s.c. Petit déj. : 13 F. Air cond. T.V. Séminaires de 15 à 80 pers. Salles de conférences, matériel audio-visuel. Air cond. T.V. Ping-pong, volley-ball, boules. Restaurant (Western Grill). Navette gratuite avec l'aéroport Charles-de-Gaulle. Parking. 140 chambres supplémentaires prévues pour le printemps 1980.

MERCURE ORSAY

• 91 Les Ulis-Orsay -
Z.A. Courtabeuf, av. du Parana (907.63.96).
110 chambres : de 150 à 155 F s.c. Petit déj. : 13 F. Air cond. T.V. Séminaires de 10 à 80 pers. Salles de conférences, matériel audio-visuel. Jardin, piscine, volley-ball, boules, ping-pong. Restaurant. Parking.

MERCURE SAINT-WITZ

• 95 Saint-Witz par Survilliers - *(471.92.03).*
115 chambres : 155 F s.c. Petit déj. : 15 F. Air cond. T.V. Séminaires de 6 à 150 pers. Salles de conférences, matériel audio-visuel. Piscine, ping-pong, aire de jeux pour les enfants. Parking.

NOVOTEL AULNAY-SOUS-BOIS

• 93 Aulnay-sous-Bois -
R.N. 370 (866.22.97).
139 chambres : de 181 à 200 F s.c. Petit déj. : 17 F. T.V. Séminaires de 10 à 100 pers. Salles de conférences, matériel audio-visuel, etc. sur demande. Jardin, piscine, aire de jeux pour les enfants. Restaurant (Les Philippines). Parking.

NOVOTEL PARIS-LE BOURGET

• 93 Le Blanc-Mesnil -
Rue du Pont-Yblon (931.48.88).
143 chambres : de 160 à 165 F s.c. Petit déj. : 14 F. Air cond. T.V. Séminaires de 15 à 300 pers. Salles de conférences, matériel audio-visuel. Piscine, boules, ping-pong. Grill. Desserte des aéroports du Bourget et de Roissy-Charles-de-Gaulle par navette de 6 h à minuit. Parking.

NOVOTEL CERGY-PONTOISE

• 95 Cergy -
Avenue de l'Ouest (030.39.47).
194 chambres : de 140 à 155 F s.c. Petit déj. : 15 F. Air cond. T.V. Séminaires de 10 à 150 pers. Salles de conférences, matériel audio-visuel. Jardin, piscine, grill. Parking.

NOVOTEL PARIS-SURVILLIERS

• 95 Survilliers -
Autoroute A1, Départementale 16 (471.06.52).
79 chambres : 160 F s.c. Petit déj. : 15 F. T.V. Séminaires jusqu'à 80 pers. Salles de conférences. Matériel audio-visuel, secrétariat, traduction simultanée sur demande. Piscine. Boules. ping-pong, volley-ball. Parking.

PARIS PENTA HÔTEL

• 92 Courbevoie -
18, rue Baudin (788.50.51).
494 chambres : de 230 à 260 F, petit déj. et s.c. T.V. sur demande. Séminaires de 10 à 100 pers. Salles de conférences. Matériel audio-visuel et secrétariat sur demande. Réservations parfois incertaines. Parking. Piscine, patinoire et bowling au Centre Commercial Charras attenant à l'hôtel.

SOFITEL

• 95 Roissy-en-France
Aéroport Charles-de-Gaulle (862.23.23).
352 chambres : de 180 à 260 F s.c. Petit déj. : 18 F. Air cond. T.V. Séminaires de 10 à 300 pers. Salles de conférences, matériel audio-visuel. Piscine, sauna, tennis, aire de jeux pour les enfants. Restaurant au 9e étage (Les Valois), pizzeria, brasserie (Le Jardin). Navette avec l'aérogare. Parking.

Au Sud (et aéroport d'Orly)

AIR HÔTEL

• 94 Orly -
Aérogare Sud (726.03.10). 4e étage.
56 chambres : de 152 à 230 F, petit déj. et s.c. Air cond. T.V. Séminaires de 10 à 60 pers. Salles de conférences, matériel audio-visuel. 2 restaurants (Les Trois Soleils, Les Horizons), 1 snack. Chiens int. Parking (public) P 1, Aérogare.

FRANTEL PARIS-ORLY

• 94 Rungis -
20, av. Charles-Lindbergh (687.36.36).
206 chambres : de 246 à 324 F s.c. Petit déj. : 20 F. Air cond. T.V. Salles de confé-

rences, matériel audio-visuel, traduction simultanée. Navette avec l'aéroport. Piscine (découverte). Parking.

HILTON ORLY

• 94 Orly -
Aérogare d'Orly (687.33.88).

388 chambres : de 213 à 366 F s.c. Petit déj. : 21 F. Air cond. T.V. Séminaires de 5 à 200 pers. Salles de conférences, matériel audio-visuel. Circuit interne de cinéma, projection de films long métrage. Restaurant La Louisiane et Coffee Shop. Navette gratuite avec les aérogares d'Orly. Parking.

HOLIDAY INN PARLY-ORLY

• 94 Rungis -
4, av. Charles-Lindbergh (687.26.66).

171 chambres : de 205 à 230 F s.c. Petit déj. 13,50 F. Air cond. T.V. Séminaires de 5 à 250 pers. Salles de conférences, matériel audio-visuel, secrétariat, etc. Piscine, tennis, piano-bar, discothèque. Restaurant (Western grill). Navette gratuite avec Orly Sud et Ouest. Parking devant l'hôtel.

NOVOTEL CRÉTEIL LE LAC

• 94 Créteil -
Route de Choisy R.N. 186 (207.91.02).

110 chambres : à 176 F (5 appartements à 200 F) s.c. Petit déj. : 15 F. Air cond. T.V. Séminaires de 4 à 100 pers. Salles de conférences, matériel audio-visuel. Jardin, piscine, tennis. Au bord du lac. Parking.

NOVOTEL MASSY-PALAISEAU

• 91 Palaiseau -
18-20, rue Emile-Baudot (920.84.91).

151 chambres : de 150 à 155 F s.c. Petit déj. : 13 F. T.V. Séminaires de 15 à 150 pers. Salles de conférences, matériel audio-visuel. Chiens : 25 F par jour. Jardin, piscine, ping-pong, boules, billard. Restaurant-grill. Parking.

NOVOTEL SACLAY

• 91 Saclay -
Rue Charles-Thomassin (941.81.40).

136 chambres : à 165 F s.c. Petit déj. : 13 F. T.V. Séminaires de 10 à 200 pers. Salles de conférences, matériel audio-visuel. Jardin, piscine, tennis, boules, ping-pong, tir à l'arc et à la carabine. Restaurant (Le Champignon) et grill. Parking.

PARK HÔTEL (Mapotel)

• 92 Issy-les-Moulineaux -
9, av. Victor-Cresson (644.77.44).

66 chambres : de 190 à 270 F, petit déj. et s.c. T.V. Séminaires de 10 à 50 pers. Salles de conférences et matériel audio-visuel. Patio fleuri. Restaurant (Le Club). Parking. Un excellent exemple de bon petit hôtel moderne.

P.L.M. ORLY

• 94 Orly - *aéroport (687.23.37).*

200 chambres : de 165 à 198 F s.c. Petit déj. : 13,50 F. Air cond. T.V. Séminaires de 10 à 50 pers. Salles de conférences, matériel audio-visuel. Coffee shop. Navette gratuite avec les aérogares d'Orly. Parking.

RELAIS DES CHARTREUX (Soframotel)

• 91 Saulx-les-Chartreux -
R.N. 20 (909.34.31).

100 chambres : de 150 à 160 F s.c. Petit déj. : 12 F. Air cond. T.V. Séminaires de 10 à 250 pers. Salles de conférences, matériel audio-visuel. Piscine, tennis, volley-ball, boules. Restaurant (Le Chartreux).

A l'Est

NOGENTEL

• 94 Nogent-sur-Marne -
8, rue du Port (872.70.00).

61 chambres : de 160 à 185 F s.c. Petit déj. : 16 F. T.V. Séminaires de 15 à 250 pers. Salons de réception. Restaurant (Le Panoramic). Parking (public) face à l'hôtel.

NOVOTEL PARIS-BAGNOLET

• 93 Bagnolet -
1, av. de la République (858.90.10).

607 chambres : de 260 à 280 F s.c. Petit déj. : 20 F. Air cond. T.V. Séminaires de 10 à 700 pers. Salles de conférences, matériel audio-visuel, traduction simultanée. Piscine. Restaurant l'Œuf et le la Poule. Piano-bar Le Glamour : jusqu'à 2 h du matin.

A l'Ouest

CLUB MÉDITERRANÉE

• 92 Neuilly -
58, bd Victor-Hugo (758.11.00).

330 chambres : de 275 à 335 F s.c. (sous réserve d'augmentation). Petit déj. : 25 F. Air cond. T.V. Séminaires de 25 à 200 pers. Salle de conférence, matériel audio-visuel. Un restaurant dans la tradition des célèbres buffets du Club Méditerranée. Parking.

NOVOTEL ORGEVAL

• 78 Orgeval - *R.N. 13 (975.97.60).*

120 chambres : 168 F s.c. Petit déj. : 15 F. Air cond. T.V. (dans 50 % des chambres). Séminaires de 10 à 50 pers. Salles de conférences. Matériel audio-visuel, secrétariat, etc., sur demande. Piscine. Tennis, volley-ball, tir à la carabine, aire de jeux pour les enfants. Parking.

RAMADA

• 78 Vélizy-Villacoublay -
22, av. de l'Europe (946.96.98).

183 chambres : de 220 à 260 F s.c. Petit déj. : 25 F. Air cond. T.V. Séminaires de 10 à 250 pers. Salles de conférences, matériel audio-visuel. Piscine. Sauna. Restaurant (La Diligence). Parking.

DES HÔTELS TRÈS DISCRETS

NOUS ignorons, au moment où nous écrivons ces lignes, si le Bois de Boulogne sera jamais rendu à sa destination de terrain de jeux pour enfants en bas âge, nourrices bretonnes, boy-scouts, coureurs à pied, cavaliers, cyclistes et pique-niqueurs du dimanche. D'ailleurs, cette innocente population n'a cessé au cours de ces dernières années (du moins jusqu'à la tombée de la nuit) d'exercer ses activités innocentes sans se soucier de ce qui se passait quelques heures plus tard le long des avenues et au plus profond des fourrés. Comme quoi, le vice et la vertu peuvent faire bon ménage. Simple question d'horaires.

Le Bois de Boulogne ne saurait, de toute façon, constituer la réponse idéale aux préoccupations les plus pressantes des Parisiens et des visiteurs, ne serait-ce que pour des raisons climatiques. Le froid, la pluie et la neige ont, à cet égard, un effet beaucoup plus dissuasif que les rondes de nuit et les propos moralisateurs. Les bons vieux hôtels chauffés et discrets ne risquent donc pas de se voir détrônés.

Nous ne trahirons donc pas un secret en révélant que Paris n'en manque pas. Mais il convient, bien sûr, de marquer un distinguo entre ceux, infiniment nombreux, qui offrent le gîte et les autres qui procurent le couvert.

On ne saurait parler des premiers comme des lieux que la morale réprouve. La meilleure preuve est que la plupart du temps, ils sont fréquentés par des gens mariés. D'autre part, ils donnent de l'hôtellerie française une image particulièrement dynamique et participent donc à l'effort national d'expansion. Alors que dans tant d'hôtels, on semble chercher à rebuter et à décourager la clientèle, en lui imposant des règlements draconiens, en l'obligeant à réserver sa chambre à l'avance, à la quitter à midi précis, à prendre la demi-pension ou la pension, à signer un registre et à se présenter avec un minimum de bagages, dans ces établissements de pointe, au contraire, la seule règle est la liberté. On peut y arriver les mains dans les poches (éventuellement avec un attaché-case). On y est accueilli aussi bien à trois heures de l'après-midi qu'à minuit et les petits dormeurs qui n'ont pas besoin de rester plus d'une heure au lit sont toujours assurés de la bienveillance de la direction.

Au moment où l'hôtellerie traverse une crise grave, on ne peut s'empêcher d'espérer que cet exemple, marqué au coin du bon sens et du marketing le plus moderne, inspirera la profession tout entière. Il semble d'ailleurs que certains directeurs d'hôtels de grandes chaînes ont déjà pris conscience de ce phénomène. Certes, ils ne se résolvent pas encore à appliquer le tarif horaire — pourtant le seul juste et démocratique — mais déjà, ils facilitent la tâche du client et consommateur, en l'acceptant à toute heure du jour et de la nuit, en mettant à sa disposition une batterie d'ascenseurs et de portes de sortie et en acceptant d'être payé à l'avance, ce qui permet notamment aux couples insomniaques de quitter à tout moment leur chambre, sans susciter de commentaire déplacé de la part du personnel.

Néanmoins, ces grands hôtels de la nouvelle génération ne peuvent être considérés comme des exemples parfaits dans cette spécialité, même lorsqu'ils sont situés dans un aéroport. Il nous semble plus légitime de recommander des établissements, certes moins prestigieux mais davantage rompus à cette technique particulière. En voici quelques-uns que l'on peut considérer comme de très satisfaisantes aires de repos :

CHAMPS-ÉLYSÉES STUDIOS

● **8e** - *97, rue La Boétie (359.09.55).*

Quartier bruyant mais chambres tranquilles, au décor Pompadour rectifié Auriol qui n'incite pas à s'attarder plus d'un moment.

CITY CONDORCET

● **9e** - *29, rue Condorcet (878.30.72).*

Une entrée sur la rue, une sortie sur l'impasse

voisine. Faux palissandre, appliques façon mode et moquette dans les chambres, où l'on peut se faire servir, sur commande, un très honorable repas.

GLOBE

● **6e** - *15, rue des Quatre-Vents (633.62.69).*

Une entrée discrète dans un immeuble du XVIIe siècle, des chambres minuscules au plafond barré de poutres, et bien décorées par un amateur de jolie brocante, des petits fours sur la table de nuit, un parking à proximité, tout cela concourt à faire de ce petit hôtel un relais « de charme » dans l'après-midi ou la soirée.

HÔTEL DE LONDRES

● **7e** - *1, rue Augereau (705.35.40).*

Il ne faudrait pas s'imaginer que la proximité (relative) de l'Ecole Militaire et des grands ministères de la rive gauche a été seule à déterminer la vocation de cet hôtel au nom bien peu évocateur.

HÔTEL MOBLIGADO

● **16e** - *7, rue d'Argentine (500.25.61).*

Hôtel particulier raffiné et calme. Repas sur commande. Porte close le dimanche.

HÔTEL DU PARC

● **92 Neuilly** - *4, bd du Parc (747.87.43).*

Comble agréablement un vide dans ces beaux quartiers.

HÔTEL DE PONTHIEU

● **8e** - *5, rue de Ponthieu (359.70.36).*

Décor des années 50, rénové, mais sûrement pas par Slavik. Maison active qui a, semble-t-il, sa clientèle de fidèles habitués. Les jardins des Champs-Élysées à deux pas, pour prendre l'air. Repas sur commande.

LES MARRONNIERS

● **17e** - *27, rue de Chazelles (763.28.15).*

Plutôt un club, mais il n'est pas besoin de demander de clé car les serrures fonctionnent mal.

PAVILLON VILLEJUST

● **16e** - *46, rue Paul-Valéry (501.71.10).*

Hôtel particulier à deux pas de l'avenue Foch, dans un bout de rue peu passant. Décor Napoléon III, à moins que ce ne soit IV ou V.

RÉSIDENCE CARDINET

● **17e** - *52, rue Cardinet (924.80.91).*

Pour bourgeois de bonne compagnie, un confortable hôtel particulier de l'époque de Sarah Bernhardt. Repas sur commande.

RÉSIDENCE DE MAINTENON

● **1er** - *36, rue Sainte-Anne (297.41.53).*

Commodément situé à proximité du Sept et placé, pour des raisons qui nous échappent, sous la protection de Mme de Maintenon après avoir été sous la houlette du Bon Pasteur. Repas fins sur commande.

VILLA CAROLINE

● **16e** - *85, rue de la Pompe (504.67.38).*

Façade soignée (juste en face du lycée Janson de Sailly), arbustes en pots, chambres Louis XVI, tirant sur le Louis XIX, statues et tableaux (peints à la main), portes capitonnées, éclairage à rhéostat, salles de bains perfectionnées, excellent service et cuisine très honorable : c'est sans doute le meilleur du genre.

WINDSOR HOME

● **16e** - *3, rue Vital (870.45.95).*

Ressemble à une pension de famille qui serait tenue par des bonnes sœurs. Repas sur commande (mais on vous demandera des arrhes).

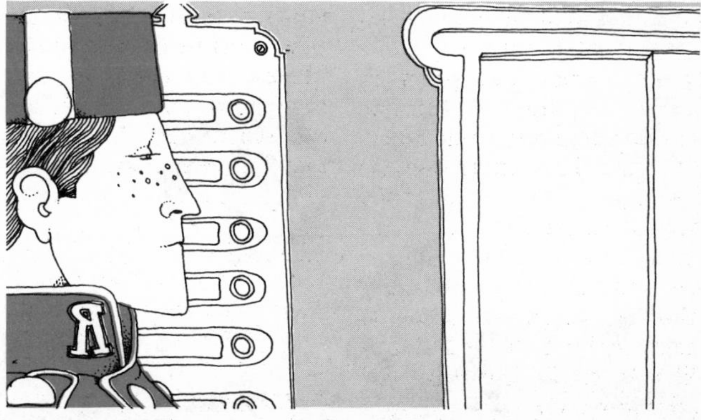

Alimentation

TOUTES les boutiques citées dans ce chapitre consacré à l'alimentation sont classées par ordre alphabétique dans différentes rubriques, de « Café » à « Vins et alcools ». Attention : cherchez le produit et non pas le magasin qui le vend, c'est-à-dire « Pain » et non pas « Boulangeries », « Viande » et non pas « Boucheries », etc.

CAFÉ

BERTHIER

● **20e** - *32, rue de Ménilmontant (636.74.41).*

De curieux appareils distributeurs y débitent des cafés soigneusement torréfiés.

LA BRÛLERIE

● **11e** - *89, bd de Charonne (370.28.92).*

Cette brûlerie familiale a conservé de saines traditions artisanales : la torréfaction y est soignée et journalière et les produits sélectionnés avec attention. Quinze variétés d'arabica pur et trois cafés décaféinés, dont un nicaragua maragogype.

BRÛLERIE CAUMARTIN

● **9e** - *71, rue Caumartin (874.33.17).*

Le maragogype est le « cru » d'élection de ce jeune spécialiste mais il a la sagesse de n'en proposer à sa clientèle que lorsque les arrivages sont de premier ordre. Un bon « cachet gris » (mélange de costa-rica, venezuela et colombie en parties égales), un remarquable colombie pur très torréfié et un intéressant mélange « négro » pour les amateurs de cafés noirs et forts.

BRÛLERIE DES GOBELINS

● **5e** - *2, av. des Gobelins (331.90.13).*

Les dames de la maison vous proposeront un excellent San Rivo et du colombie « goût américain » entre autres crus régulièrement torréfiés et de bonne provenance.

BRÛLERIE MAUBERT

● **5e** - *3, rue Monge (633.38.77).*

Une modeste boutique de quartier ouverte même le dimanche matin à l'intention, sans doute, des fidèles de l'église Saint-Nicolas-du-Chardonnet toute proche. Les cafés (petit choix) y sont admirablement sélectionnés et torréfiés. Si bien et si régulièrement, que nous tenons ses mokas d'Abyssinie, ses colombies, ses maragogypes et la plupart de ses savants mélanges pour les tout premiers de Paris. Livraison à partir de 50 F d'achats.

BRÛLERIE DE L'ODÉON (Fortnum and Mason)

● **6e** - *6, rue Crébillon (326.39.32).*

Certains élus du quai Conti doivent une part de leur verdeur aux philtres d'immortalité que leur fournit cette très ancienne brûlerie dont Giraudoux évoqua les suaves odeurs. En plus des cafés (dont le « Président » de Suavor), on y trouve également la gamme complète des produits Fortnum and Mason.

RAYMOND CHADOURNE

● **5e** - *45, rue Broca (707.76.79).*

Sa brûlerie embaume tout le quartier. Raymond Chadourne est un passionné qui marie avec amour et science des cafés de première qualité. Il conseille d'avoir toujours deux qualités de café, l'une pour le lait, l'autre pour la dégustation. Sage précaution par ces temps où les prix « brûlent » si fort.

CORCELLET

● **16e** - *116, av. Victor-Hugo (727.64.10).*

Ses mélanges Opéra, Palais-Royal, etc. comptent parmi les plus réputés de Paris.

ESTRELLA

● **6e** - *34, rue Saint-Sulpice (633.16.37).*

Bons arabicas — de Colombie, du Kenya, d'Ethiopie — que la patronne, Mme Lesage se refuse à mélanger.

FAGUAIS

● **8e** - *30, rue de La Trémoille (359.19.60).*

La maison torréfie chaque jour dans la meilleure tradition, c'est-à-dire au degré très précis;

de torréfaction qui développe le meilleur arôme, des cafés provenant d'Amérique Centrale et du Sud. Vente également de cafés verts.

FAUCHON

● **8e** - *26, pl. de la Madeleine (742.60.11).*

Hawaï, colombie, mexique, nicaragua, sumatra, etc., purs et présentés en boîte de fer, et un bon mélange « Fauchon » vendu en mini-sac de jute.

HÉDIARD

● **8e** - *21, pl. de la Madeleine (266.44.36).*

Voir autres adresses à « Epiceries de luxe ».

Des arabicas de Colombie exclusivement mais trois degrés de torréfaction, du plus clair au plus foncé : à l'américaine, à la française, à l'italienne.

MAISON DES COLONIES

● **4e** - *26, rue Beautreillis (277.92.27).*
● **4e** - *47, rue Vieille-du-Temple (887.98.59).*
● **15e** - *95, rue du Commerce (828.44.34).*
● **17e** - *202, rue Legendre (229.00.73).*
● **92 Levallois** - *76, rue Louis-Rouquier (757.94.15).*

Une très sérieuse maison dont les récentes succursales n'ont en rien affecté la qualité. On y torréfie chaque jour des arabicas des meilleures provenances (Guatemala, Brésil, Kenya, etc.). Excellent mélange « Trois Etoiles » incluant kenya, costa-rica et venezuela. Assortiment de thés en vrac : Ceylan, Inde, Chine.

MÉO

● **8e** - *95, rue Saint-Lazare (874.36.77).*
● **10e** - *1, bd Denain (878.52.11).*
● **10e** - *54, fg Saint-Denis (770.67.76).*
● **14e** - *2, av. du Gén.-Leclerc (320.21.52).*

Cette grosse maison du nord de la France ne prétend sans doute pas à la meilleure qualité, mais les cinq ou six sortes de cafés qu'elle propose dans ses quatre succursales sont toujours fraîchement torréfiées (parfois un peu trop à notre goût) et vendues à des prix généralement assez bas. Excellents moka et santos-haïti.

ONCL' SAM

● **92 Boulogne** - *140, route de la Reine (603.63.28).*

Un maragogype (dit nica), un moka (dit moka) suffisent à la gloire locale de cette brûlerie à laquelle on ne reprochera que de prétendre journalière une torréfaction qui n'a lieu — vérification faite — que chaque mardi et vendredi ; torréfaction juste ce qu'il faut : « tête de nègre », pas plus — ce qui n'est pas plus courant à Boulogne que dans tout le reste de la région parisienne.

PATIN

● **17e** - *8, rue de Lévis (387.23.63).*

Bons mélanges d'arabicas dont la composition reste un secret de la maison.

HÉLÈNE PINTEL (Vittoria)

● **16e** - *59, av. Mozart (288.63.79).*

Thés, confitures, quelques épices. Et surtout des cafés : un bon mélange de cafés d'Amérique Centrale (super Vittoria) et un autre, dit « Mozart », recommandé pour les préparations d'infusions à la turque.

TORREF-BRÛLERIE DES TERNES

● **17e** - *10, rue Poncelet (622.52.79).*

Un bon mélange d'arabicas et un « spécial goût libanais » moulu à la turque.

LE TORRÉFACTEUR PARISIEN

● **4e** - *11, rue Rambuteau (887.20.90).*

Bon petit torréfacteur, parisien en effet.

TORRÉFACTION LE SOLEIL (Société Margil)

● **13e** - *Centre commercial Galaxie, 30, av. d'Italie (580.42.73).*

Cafés de Colombie et du Nicaragua bien torréfiés.

TORRÉFACTION DE PASSY

● **16e** - *28, rue de l'Annonciation (288.99.90).*

Treize estimables mélanges de cafés sont torréfiés ici quotidiennement sous vos yeux. Mais l'aimable patron en composera volontiers de nouveaux si vous le lui demandez. Des thés également : soixante-dix variétés.

TORRÉFACTION R. VALADE

● **12e** - *21, bd de Reuilly (343.39.27).*

Dix-sept cafés de grand prix (très suave « Mélange des rois ») et de haute qualité dans cette jolie boutique moderne où l'on vous questionnera sur vos goûts avant de guider votre choix. 70 sortes de thés et davantage encore de confitures.

TORRÉFRAIS

● **18e** - *66, rue Damrémont (254.26.29).*

D'honnêtes cafés, et des prix qui ne le sont pas moins.

VERLET

● **1er** - *256, rue Saint-Honoré (260.67.39).*

Un remarquable kenya, un hawaï corsé, un somptueux maragogype, d'excellents mexique, colombie et costa-rica font l'honneur de cette excellente maison — la plus ancienne de Paris. On peut goûter aux petites tables de sa brûlerie-bar tous les cafés proposés à la vente avec un croque-monsieur ou de délicieux sandwichs préparés par la jolie patronne. On peut aussi mêler soi-même les arômes sous la conduite du savant patron. Expéditions par la poste.

CAVIAR ET SAUMON FUMÉ

Le caviar : gros ou petits grains, russe ou iranien, pot de fer ou pot de verre?

IL n'existe, à notre connaissance, aucune pirouette permettant de remplacer le caviar par un autre produit. Le seul caviar digne de ce nom est constitué par les œufs d'esturgeon. Sur cinq sortes d'esturgeons de la Caspienne, trois fournissent le caviar. Le beluga a le grain le plus gros mais le plus fragile. C'est le plus rare et le plus cher. Quand il est bon, c'est la merveille des merveilles. L'oscietre a des grains un peu plus petits et une couleur variant du jaune doré au brun. C'est le préféré des Iraniens en raison de son extrême finesse. Le sevruga a des grains encore plus petits, il est généralement moins salé et moins fin. Quant au caviar pressé, c'est un mélange d'œufs trop petits ou éclatés que l'on presse jusqu'à lui donner la consistance (mais pas le goût) du cirage. Les Russes raffolent de sa saveur salée et très marquée. On le mange sur des blinis à la crème ou en tartine. Avantage appréciable, il coûte environ moitié moins cher que le caviar en grains.

Russe ou iranien ? Sauf pour le caviar pressé où le russe est supérieur à l'iranien, il est difficile de répondre, d'autant que les Russes, en perpétuelle rupture de stock, en achètent aux Iraniens de grandes quantités. Mais que vont devenir les pêcheries du Shah... On en trouve de parfaits et de décevants des deux origines. C'est la boutique où vous achèterez votre caviar qui fera toute la différence. Le caviar en grains est en effet d'une fragilité exceptionnelle. Il doit être transporté d'Iran ou de Russie à une température de un ou deux degrés. Cela suppose une installation parfaite et des soins vigilants. Chez l'épicier du coin, un boîte même d'excellente marque risque d'avoir été mal conservée. Il convient donc, très impérativement, de s'adresser aux quelques spécialistes qui savent réellement sélectionner et conserver leur caviar.

Boîte de fer ou pot de verre ? Le caviar arrive en France dans des boîtes de métal de 2 kg. L'importateur le remet dans des boîtes plus petites (125, 250 et 500 g). Pour les petites quantités (30, 50, 100 g), on utilise le pot de verre. Pas de problème quand le commerçant le remplit sous vos yeux en extrayant le caviar de sa grosse boîte d'origine, et qu'ensuite vous le consommez rapidement. Mais le plus souvent, cette opération ne se fait pas dans la boutique du détaillant et devant le client, mais chez l'importateur. Même si le contenu correspond bien à l'étiquette, il y a toujours un risque d'oxydation, surtout si le pot reste trop lontemps exposé à la lumière.

Le saumon fumé : sachez reconnaître le bon

Le saumon fumé peut être exquis ou exécrable, et l'on vend sous ce nom des produits qui n'ont presque plus rien de commun entre eux. Nous ne parlerons ici que des saumons fumés artisanalement à la sciure de bois que l'on découpe devant vous (rien à voir avec le poisson vendu sous plastique dans les grandes surfaces.

Les plus grandes quantités viennent de Norvège et du Danemark où l'on pêche de gros poissons bien gras et très savoureux. Le Canada en exporte dans le monde six espèces différentes de qualité très inégale mais dont la meilleure est le « Red King » dont la chair est

Envoyez-nous vos bonnes adresses.

d'ailleurs beaucoup plus rouge que celle des saumons européens. Les autres espèces, plus petites, sont franchement médiocres, se caractérisant par une chair très sèche. Le saumon écossais peut être admirable, mais relativement rare, il n'est vendu que chez des spécialistes.

Quant à la couleur, on est généralement persuadé que pour être bon, le saumon fumé doit être bien rouge. Sauf pour le Red King canadien, c'est l'inverse qui est vrai. La meilleure qualité se caractérise en effet par sa pâleur : du rose pâle pour le norvégien au jaune très pâle pour le danois.

Il faut en tout cas acheter son saumon fumé chez un spécialiste au débit suffisamment important qui peut assurer une fraîcheur et, partant, une bonne qualité ; c'est en effet tout de suite après le fumage que le saumon est à son meilleur. On le tranchera devant vous, il coûtera certes un peu plus cher mais vous serez assuré d'acheter un bon produit.

Œufs de saumon et faux caviar : du meilleur au pire

Les succédanés de caviar peuvent-ils faire illusion ? Non. Les plus consommés sont les œufs de lump — un gros poisson des mers froides pêché sur les côtes d'Islande — colorés artificiellement ; ils n'ont strictement aucun intérêt sauf pour les mauvais traiteurs.

Le cabillaud ou morue fraîche donne lui aussi des œufs vendus chez les poissonniers dans leur poche après avoir été fumés. Souvent fortement salés mais avec un bon goût franc de poisson et d'iode, ils peuvent constituer un bon produit à tartiner. Préparés à la russe, ils prennent le nom de maviar et, plus souvent, de tarama.

Du mulet on extrait la poutargue qui se présente sous la forme d'une saucisse plate, enrobée de cire et de paraffine de couleur orangée et de texture assez ferme. Produit surprenant, pas déplaisant, mais dont le grave inconvénient est le prix. Notre préférence va aux œufs de saumon dont la couleur varie de l'orange clair au rouge groseille, le plus important n'étant pas la couleur mais l'origine. Les œufs russes sont incontestablement meilleurs que les américains (Canada). Plus petits, plus chers, moins colorés, moins salés mais plus goûteux et plus fins, ils sont les plus dignes de « remplacer » le caviar.

COMPTOIR GOURMAND (Michel Guérard)

● **8e** - *32, pl. de la Madeleine (742.73.51).*
● **16e** - *35, rue de Passy (525.71.70).*

Saumons danois rose très pâle, onctueux et gras, norvégiens au goût plus fumé ou écossais plus rouge, plus sec d'aspect mais très délicat. Tous trois vendus au même prix : 380 F le kilo.

DOMINIQUE

● **6e** - *19, rue Bréa (327.08.80).*

Si, sur le coup de 10 h du soir (mais pas plus tard), vous êtes tenaillés par une envie impérieuse de caviar, vous trouverez dans cette petite épicerie voisine du restaurant un oscietre délicat et fruité. Vous pouvez aussi faire provision de saumon fumé danois (délicieux) et de blinis, zakouskis et vodka.

L'ÉPICERIE RUSSE

● **16e** - *3, rue Gustave-Courbet (553.46.46).*

Caviar, saumon, bortsch, esturgeon, anguille, tarama et pirojkis à goûter sur place avec un verre de vodka et des blinis, au bar (ou aux petites tables) de cette délicieuse boutique ouverte de 9 h à 19 h sauf le samedi et le dimanche. Service féminin et rapide.

FAUCHON

● **8e** - *26, pl. de la Madeleine (742.60.11).*

Le Tout-Paris s'y bouscule pour acheter son beluga gros grains extra importé d'Iran et parfois, comble du snobisme, l'introuvable caviar blanc, en réalité des œufs provenant d'esturgeons albinos ou anémiés. Pour le saumon, de l'écossais, souple et délicat et du norvégien, pour compléter la demande.

FIORETTA

● **16e** - *111, av. Victor-Hugo (727.34.17).*

M. Poisson, qui s'y connaît, vend à longueur d'année un saumon fumé danois qui satisfait les tables bourgeoises du quartier.

FLO-PRESTIGE

● **10e** - *37, rue des Petites-Ecuries (246.32.38).*

Un service annexe de la brasserie qui vous

livrera à domicile, sur commande, un saumon norvégien de première qualité, superbement tranché (203 F le kilo).

FLORA DANICA

● **8e** - *142, Champs-Elysées (359.20.41).*

Une boutique au style scandinave qui présente un saumon fumé (danois bien sûr) de très grande qualité, de couleur rosée, merveilleusement onctueux, et aussi le même saumon mariné à l'aneth et du flétan fumé introuvable ailleurs.

LE GRAIN DE CAVIAR

● **1er** - *1, rue du Marché-Saint-Honoré (260.41.33).*

Un magasin qui pratique le discount et vend le caviar russe de bonne qualité le moins cher de Paris (sevruga : 1 440 F le kilo); mais où l'on trouve aussi du saumon danois (230 F le kilo), du koulibiac de saumon (150 F le kilo) et de l'apfelstrudel (50 F le kilo).

KASPIA

● **8e** - *17, pl. de la Madeleine (265.33.52).*

Excellente boutique bien proprette, qui vend sous sa marque un très bon caviar russe que l'on vous fera goûter pour que vous puissiez mieux le choisir. Le caviar pressé de la maison, remarquablement souple et bien dosé en sel, est l'un des meilleurs de Paris (125 F les 125 g). Superbes anguilles fumées entières, saumons parfaitement fumés, de toutes provenances, délicats et onctueux, et œufs de saumon russe de première qualité. Spécialités que l'on peut goûter sur place à l'étage.

LENÔTRE

● **16e** - *44, rue d'Auteuil (524.52.52).*

Voir autres adresses à « Pâtisseries ».

Gaston Lenôtre reçoit tous les deux jours directement de Copenhague de remarquables saumons danois fumés spécialement pour lui.

LUDÉRIC SERVICE

● **16e** - *11, rue Pétrarque (505.93.93).*

Moyennant un abonnement annuel modeste (280 F), les astucieux « Ludériciens » peuvent vous rendre bien des services : ils se font coursiers, déménageurs, dépanneurs, ou extras à la demande. Ils vous proposent aussi des prix très avantageux — surtout au moment des fêtes — sur les divers caviars (de 850 F le kilo pour le caviar pressé à 1 995 F pour le beluga), sur le saumon et les poissons fumés, sur les huîtres, foies gras et champagnes. En outre, chaque mois, un article en promotion au prix de gros : champagnes, vins, magnétoscopes, jeux télévisés, meubles de jardin, etc.

LA MAISON DU CAVIAR

● **8e** - *21, rue Quentin-Bauchard (723.53.43).*

Un très bon caviar d'Iran, du saumon (écossais, danois, norvégien) onctueux et fin à souhait, à goûter avec un toast ou des blinis au comptoir, sur le pouce, ou à glisser dans son cabas pour faire une petite fête chez soi.

MAXIM'S DE PARIS

● **8e** - *76, fg Saint-Honoré (266.10.09).*

Le saumon est norvégien et onctueux (commandez-le le matin pour l'après-midi), le caviar russe, hors-de-prix — mais qui s'en étonnera? —, et remarquable, notamment un beluga à gros grains marrons bien séparés, délicatement parfumé (3 500 F le kilo).

PACIFIC

● **12e** - *6, rue Dagorno (343.43.78).*

Magasin de gros et de demi-gros spécialisé dans la vente de saumon fumé. Vous pourrez tout de même y acheter une « bande », soit un demi-saumon à des prix particulièrement intéressants compte tenu de la qualité : canadien à moins de 90 F le kilo, norvégien à 110 F et grosses pièces danoises à moins de 140 F.

PETROSSIAN

● **7e** - *18, bd de Latour-Maubourg (551.59.73).*

La vieille façade verte et le savant désordre qui règne à l'intérieur de la boutique lui donnent un air de comptoir de l'ancienne Russie. Depuis plus d'un demi-siècle, cette maison fameuse à l'enseigne arménienne fait courir la clientèle la plus exigeante qui soit en matière de caviars russes : beluga, oscietre et sevruga, dont Christian Petrossian va choisir, plusieurs fois par an, les meilleurs lots à Astrakhan, sur les bords de la Caspienne. Ils sont toujours d'une qualité parfaite et pas forcément plus chers qu'ailleurs. Egalement de l'esturgeon fumé, des œufs de saumon, du saumon fumé d'origine norvégienne, le meilleur de Paris (fumé selon des procédés tenus secrets, 24 heures avant la vente). Et une multitude de conserves insolites, un excellent choix de vins, les meilleures vodkas (notamment la teintée, vieillie en fûts de poirier). Tout cela proposé par une escouade de serveurs et serveuses qui font l'impossible pour vous satisfaire. Livraisons dans Paris et expéditions dans toute la France.

PRADEL

● **20e** - *35 bis, rue du Borrego (636.52.06).*

Saumons norvégiens, danois, écossais, groënlandais, vendus entiers (à partir de 180 F le kilo; les grosses pièces sont plus chères), ou en tranches. Egalement anguilles et truites fumées, poutargue, œufs de saumon, etc.

PROVOST

● **14e** - *128, av. du Gal-Leclerc (539.70.78).*

C'est de mars à novembre qu'il faut venir acheter son saumon. En effet, pendant les mois de la pêche au saumon, M. Provost fume dans son laboratoire des saumons écossais étonnamment onctueux et parfumés.

PRUNIER-TRAKTIR

● **16e** - *16, av. Victor-Hugo (500.89.12).*

Fut longtemps le seul à recevoir du caviar français : quelques kilos venant d'esturgeons pêchés dans la Gironde. C'est un souvenir, hélas, M. Barnagaud ne vend plus que du caviar iranien d'excellente provenance.

AU RÉGAL

● **16e** - *4, rue Nicolo (288.49.15).*

Vladimir Babovitch sélectionne avec beaucoup de soin un sevruga d'Iran, l'ún des meilleurs de Paris, aux petits grains fruités et admirablement frais, bien meilleur à notre avis que son beluga. Sélection tout aussi rigoureuse de saumons fumés de Norvège (340 F le kilo).

A LA VILLE DE PÉTROGRAD

● **8e** - *13, rue Daru (227.96.55).*

Une vieille épicerie-restaurant (ouverte jusqu'à 23 h) à l'ombre de l'église orthodoxe, où l'on vend du caviar frais et pressé, du saumon fumé, des blinis, du bortsch « maison » et toutes les spécialités russes aux émigrés de la première heure, et maintenant à leurs enfants et petits-enfants.

CHARCUTERIES

BATTENDIER

● **1er** - *8, rue Coquillière (236.95.50).*
● **7e** - *40, rue Cler (551.29.35).*
● **12e** - *Printemps-Nation (371.12.41).*

La vieille maison qui servit Napoléon III, Gambetta, Poincaré et qu'évoqua Zola dans le Ventre de Paris demeure l'une des premières de la place pour les produits qu'elle fabrique quotidiennement, artisanalement et sans artifice. Ainsi la fastueuse andouillette, les excellents pâtés : de canard au poivre vert, de foies de volailles, etc., l'onctueux jambon de Paris, sans excès de graisse ou les belles rillettes de porc, canard et foie de porc.

CERVEAU

● **12e** - *4, rue Marsoulan (343.89.57).*

F. mardi après-midi, mercredi et dimanche après-midi.

M. Cerveau possède à l'égard de la charcuterie industrielle un solide mépris, et pour les grandes traditions une véritable religion. Il fait lui-même ses exquises rillettes, avec panne et hachage triés et parés, son merveilleux jambon à l'os, il coupe à la main son andouillette, il fait ses saucissons à l'ail avec de l'ail frais, il prépare au beurre la pâte de ses pâtés en croûte. En un mot, c'est un « pur », et c'est grâce à des artisans comme lui que nous ne sommes pas encore tout à fait condamnés à nous nourrir comme des cochons.

CHÉDEVILLE ET BOURDON

● **1er** - *12, rue du Marché-Saint-Honoré (261.11.11).*

Presque autant de caissières derrière leur comptoir que de jambons pendus au plafond dans cette grande charcuterie du Marché-Saint-Honoré où se fournissent quelques grands restaurateurs parisiens (Maxim's, Taillevent, Lasserre, Laurent, etc.). Remarquable andouillette (de l'A.A.A.A.A.) et appétissantes terrines (rognon de veau, canard à l'orange, au poivre vert, etc.), salades variées, plats cuisinés, vins fins, etc.

COESNON

● **6e** - *30, rue Dauphine (326.56.39).*

C'est sans la moindre réticence, sans la plus infime hésitation que nous tenons toujours M. Coesnon pour le meilleur charcutier de Paris. Le meilleur mais aussi le plus divers, le plus créatif, le plus constant dans la qualité, le plus sourcilleux sur la fraîcheur de ses produits de base et enfin, sinon le moins cher, le plus raisonnable dans ses prix. A qui s'étonnerait de la confondante variété des spécialités exposées dans la minuscule boutique où il n'apparaît jamais, précisons que cette dernière n'est que la partie visible de l'iceberg, la plus vaste étant immergée dans les caves médiévales dont il a fait son laboratoire. C'est là que sont fabriqués quatorze variétés de boudins blancs et noirs (aux pommes, aux raisins, aux marrons, au blanc de poulet, truffés, au ris de veau, créole, etc.), les andouilles et les andouillettes, les saucissons à cuire, les feuilletés, les hures et d'incomparables terrines (comme celle au ris de veau et au poivre vert, ou celle au poisson). C'est là aussi que Coesnon fume un bacon que la colonie anglaise de Paris vient subrepticement acheter pour l'expédier en Angleterre, qu'il confectionne ses paupiettes ou ses feuilletés au saumon frais, ses pâtés en croûte, ses tartes à l'oignon et qu'il transforme en merveilleuses terrines le gibier que les chasseurs viennent lui confier (le mardi avant 10 h pour le

Dans ce chapitre, cherchez le produit et non le magasin qui le vend, c'est-à-dire "Pain" et non pas "Boulangeries".

mercredi). Délicieux amuse-gueule salés. Foie gras cru toute l'année. Signalons pour terminer que la maison ferme désormais le lundi et reste ouverte le samedi.

CORDIER

● **16e** - *129, av. Victor-Hugo (727.97.74).*

Le grand-père de l'actuel propriétaire y entre en tant que commis en 1890; il devient gérant en 1900 et donne, en 1907, son nom à l'établissement. Charcutier de grande tradition, Cordier propose aujourd'hui un merveilleux choix de pâtés, du jambon façon Virginie, des foies gras frais (cuits ou crus) et toute une série de plats tout préparés (voir « Traiteurs »). Prix de haute volée. Dommage que le ravissant décor « d'époque » de la maison n'ait pas été conservé.

DUVAL (La Maison de l'Andouillette)

● **93 Drancy** - *35, rue Marcelin-Berthelot (822.03.17).*

Simon Duval est le meilleur fournisseur des meilleurs restaurants de Paris (voire d'ailleurs : Vanel à Toulouse, par exemple) en boudin de campagne aux oignons, andouillettes à la ficelle et tripes à la caennaise, franches, délicieuses et discrètement parfumées au bon calvados. Ces trois préparations sont des merveilles de légèreté et de finesse. La maison s'est en outre dotée récemment d'un appareil à emballer sous vide. L'opération se fait sous vos yeux et le patron vous garantit que trois semaines plus tard ses andouillettes seront fraîches et appétissantes comme au premier jour.

FAUCHON

● **8e** - *26, pl. de la Madeleine (742.60.11).*

« Pourquoi voudriez-vous que notre choix ne soit pas le meilleur lorsque, par règle, nous nous adressons aux tout premiers fournisseurs français et étrangers et, les prix d'achat comptant beaucoup moins que la qualité, aurions-nous de la mauvaise marchandise? » Ainsi parle-t-on chez Fauchon. Vous voilà prévenu en tout cas pour les prix. Ce détail ne comptant par pour vous, vous apprécierez par exemple le pâté de canard aux olives, les rillettes de canard, les divers jambons (dont celui de Virginie à l'ananas), le caviar d'aubergine, etc.

LENÔTRE

● **16e** - *44, rue d'Auteuil (524.52.52).*

Voir autres adresses à « Pâtisseries ».

Un choix éblouissant de charcuteries sélectionnées ou fabriquées par la maison : terrines (de canard au poivre vert, par exemple), galantines, boudins blancs truffés et noirs, etc. Et chaque jour un plat cuisiné différent (lapin à la moutarde, navarin d'agneau, chaud-froid de volaille, etc., de 24 à 39 F par personne) à commander la veille (pas de livraison). La liste des plats prévus pour le mois est disponible dans tous les magasins Lenôtre.

Envoyez-nous vos bonnes adresses, vos critiques, vos commentaires. Nous vous en serons obligés.

PIGNOT

● **2e** - *24, rue Danielle-Casanova (261.76.08).*

Quoi qu'en murmurent certains confrères et bien que le service « traiteur pour restaurant » (choucroute et toutes ses charcuteries) ait tendance à prendre une extension galopante, Pignot produit encore d'exquis pâtés en croûte : celui — tout rond — au canard reste l'un des meilleurs de Paris (consommez-le le jour même de l'achat). Bons jambons d'York, saucissons de Lyon et andouillettes de Troyes. Commandes 24 h sur 24 par enregistreur automatique au 261.43.06.

POU

● **17e** - *16, av. des Ternes (380.19.24).*

Toujours talentueux et inventif. Ses pâtés en croûte (notamment de canard) et ses saucissons lyonnais sont particulièrement remarquables.

PROVOST

● **14e** - *128, av. du Gal-Leclerc (539.70.78).*

M. Provost est incontestablement l'un des meilleurs charcutiers-traiteurs de Paris et de la région parisienne, et l'un des excellents cuisiniers de la place depuis qu'il a ouvert (en 1976) son propre restaurant qui porte son nom et communique avec la charcuterie. Il prépare avec son équipe la presque totalité de sa production : admirables andouillettes à la ficelle, boudins, foies gras frais, saumons d'Ecosse (pendant la saison de la pêche : cuits ou fumés par ses soins), et des plats raffinés comme les quenelles fraîches de brochet, la terrine aux trois poissons (saumon, turbot, saint-pierre), etc. Son souci de la perfection s'exerce également sur les vins, les alcools et les champagnes et vous pouvez vous fier à son choix les yeux fermés. Excellent vieil armagnac de propriétaire.

RAGGI

● **8e** - *49 bis, av. Franklin-Roosevelt (359.10.93).*

Lino Ventura y achète son parmesan, Gérard Depardieu de la mozzarella, et Annabel Buffet du salami hongrois. Vous y achèterez de la viande des Grisons, un excellent jambon San Daniele (140 F le kg) ou de Parme (même prix) et un exquis saumon fumé danois (320 F le kg).

Autres bons charcutiers

ALLAIN

• **92 Puteaux** - *90, rue Jean-Jaurès (773.71.53).*
Ouvert l'après-midi seult.

Excellents produits de l'Auvergne et du Finistère.

CLAUDE BOU

• **92 Neuilly** - *35, rue de Chézy (624.53.34).*

Bonnes terrines, belle andouillette et jambons maison.

BROUILLARD

• **20e** - *8, rue du Surmelin (361.50.03).*

Aimable et honnête maison de quartier: jambon cuit « au torchon », et jambon façon York fait à la maison.

CATRAIN

• **15e** - *55, rue Dutot (734.32.75).*

Cet artisan-charcutier confectionne lui-même les pâtés de foie, de campagne, le fromage de tête, les rillettes, le jambon blanc et les bons pieds panés que vous verrez dans son magasin de style campagnard.

CHARCUTERIE MONTORGUEIL

• **2e** - *92, rue Montorgueil (236.40.27).*

Salaisons de grande qualité et porc fumé par la maison remarquable (jarret « à lentilles »). A noter encore l'excellence du fromage de tête.

CHARCUTERIES RÉGIONALES

• **15e** - *60 bis, rue de Dombasle (828.11.56).*

Spécialité de boudin antillais et de conserves du Périgord. Honnêtes plats cuisinés.

CHEVET (Charcuterie de la Gare)

• **92 Asnières** - *62, rue des Bourguignons (793.38.10).*

Etabli depuis plus de vingt ans à l'enseigne de la Gare, qui se trouve être celle de Bois-Colombes, Emile Chevet est sans doute le charcutier le plus savant d'Asnières. Ses quenelles de brochets et son koulibiac de saumon sont de jolies réussites. Mais ce qu'il propose à nos yeux de plus remarquable c'est son foie gras d'oie frais (et à l'occasion de canard) cuit juste ce qu'il faut — pas plus — de la manière la plus rigoureusement traditionnelle et artisanale. Autant dire que de la fine champagne le parfume, et que de la truffe le pare « à cœur ».

AU COCHON D'AUVERGNE (Léon)

• **5e** - *48, rue Monge (326.36.21).*

C'est au fond de sa minuscule échoppe, sur un simple fourneau de ménagère, que l'étonnant Léon cuit lui-même dans de savants bouillons l'un des meilleurs jambons à l'os que nous connaissions, onctueux et parfumé, vendu 48 F le kg. Remarquable choucroute, également cuite par ses soins. Pâté de tête « à l'ancienne mode », saucissons de Morteau et de Lyon (à cuire) « d'origine », confits d'oie et de canard.

CORCELLET

• **16e** - *116, av. Victor-Hugo (727.64.10).*

La maison est tout aussi réputée pour ses cafés et son vinaigre aux framboises que pour le choix et la qualité de ses charcuteries. Bonnes saucisses de Vouvray au vin de même provenance, et délicieux bœuf séché des montagnes d'Auvergne, présenté sous la forme d'un très gros saucisson débité au rabot.

COTIN

• **2e** - *16, rue de la Michodière (742.86.35).*

Fournit Girard, du Petit Coin de la Bourse, en andouillettes (47 F le kg) bonnes à se mettre à genoux. Le reste de la production de la maison Cotin est beaucoup plus anodin.

L'ENTRACTE

• **17e** - *46, rue de Lévis (227.88.19).*

Minuscule échoppe, en verrue du bistrot du même nom, qui n'empêche en rien la qualité du boudin de l'Aveyron, du jambon de pays et de la non moins bonne fouace de Laguiole.

A LA FINE FOURCHETTE

• **15e** - *19, rue du Commerce (575.32.40).*

Belles rillettes maison; bon jambon naturel.

FIORETTA

• **16e** - *111, av. Victor-Hugo (727.34.17).*

L'Italie (pâtes fraîches, gnocchi, jambon de Parme), le Danemark (saumon fumé), l'Angleterre (marmelades et confitures), l'Allemagne (noix de Westphalie), en somme toute l'Europe alimentaire de luxe s'est donné rendez-vous ici. Vins « fins » et chers. Nombreux plats cuisinés et toujours beaucoup de plats en gelée (trop épaisse).

LE GOFF

• **92 Puteaux** - *121, rue Jean-Jaurès (506.05.76).*

Jambon blanc et boudin du Calvados fort estimable; foie gras frais de novembre à février.

GOUVERNEL

• **15e** - *80, rue du Commerce (828.55.76).*

Légumes cuits (juste cuits) et intéressants petits plats « du jour ». Belles volailles, cuisinées ou non.

GUY JAOUEN

• **15e** - *79, rue Lecourbe (734.94.76).*

Choucroute crue et cuite, fumée à la sciure de chêne et d'excellente qualité, bon jambon à l'os, terrines de canard et de gibier.

JEAN JAOUEN

• **16e** - *193, av. de Versailles (288.53.39).*

Charcutier classique de son état, Jean Jaouen est connu dans le quartier pour l'excellence de ses pâtes fraîches, pour ses jolies terrines de canard (à l'orange, au poivre vert, aux noisettes), pour sa choucroute généreuse et l'admiration forcenée qu'il témoigne à Paul Bocuse (une petite vitrine est consacrée à sa gloire).

LANGEROME

• **92 Puteaux** - *42, rue Godefroy (776.38.40).*

Pour ses bonnes spécialités de terrines auxquelles s'ajoutent diverses « créations » comme le pâté ardennais aux foies de volailles, ou la mousse de saumon (l'hiver seulement). Excellent jambon au torchon (sans phosphate).

LITTLE PIG

• **8e** - *73, av. Franklin-Roosevelt (359.22.12).*

Excellents jambons. On peut apporter son gibier : la maison en fera des pâtés, galantines, etc. 7 plats de viandes et autant de légumes frais) sont en vente à l'heure du déjeuner mais il faut faire la queue.

MARTINY

• **2e** - *20-26, rue Marie-Stuart (236.70.24).*

Une matrone angevine règne avec autorité sur cette bonne petite maison exclusivement tenue par des femmes. Excellent pâté de campagne, jambon sans phosphate, andouillette au poivre vert.

JACQUES MÉNARD

• **93 Villemomble** - *45, av. du Rond-Point (738.50.19).*

Jacques Ménard, un bon paysan pas prétentieux pour trois sous, a démarré en sabots. Cet autodidacte s'intéresse de très près à la conservation et à la momification des animaux (petit cochon, petit mouton). Mais ce n'est sans doute pas pour ses qualités d'embaumeur que vous irez le voir à Villemomble, mais plutôt pour ses charcuteries : andouillettes, rillettes et rillons, jambon lorrain, lard nantais, saucissons à la cendre.

NOBLET

• **14e** - *77, av. Gal-Leclerc (327.08.84).*

L'énorme débit de la maison n'est pas étranger à l'extrême fraîcheur des produits qu'elle propose : pâtés, galantines, andouillettes, saucissons pistachés. Service traiteur.

ROBERT

• **11e** - *118, rue de la Roquette (379.98.06).*

Un merveilleux jambon d'York, fait à la maison.

AU ROYAL PALAIS

• **16e** - *29, rue du Dr-Blanche (525.67.67).*

Agneaux de lait, poulets fermiers, foie gras frais toute l'année, et bonnes charcuteries classiques.

SADIER

• **18e** - *43, rue Ramey (606.35.68).*

Bon charcutier-traiteur classique. Et excellent salaisonnier dans la tradition champenoise.

AUX SPÉCIALITÉS PROVINCIALES (R. Levaire)

• **2e** - *21, rue du Poitou (278.46.90).*

Belles saucisses sèches de Corrèze, superbe saucisson du Tarn, et, l'hiver, de bon pâtés bretons.

VIGNEAU-DESMARET

• **6e** - *105-107, rue de Sèvres (548.04.73).*

Un grand magasin self-service (épicerie, fruits et légumes, volailles, fromages, vins) dont la partie la plus importante est réservée à la charcuterie et à un service traiteur. Sélection des produits bien faite, fruits et légumes de première qualité, excellent jambon blanc, choix étendu de salades composées.

A LA VILLE DE STRASBOURG

• **13e** - *54, rue Jeanne-d'Arc (583.96.96).*

Bon choix de produits alimentaires courants, quelques-uns de luxe (conserves, pâtés). Bons petits plats cuisinés du jour. Et très joli jambon à l'os « façon strasbourgeoise ».

CHOCOLATS ET CONFISERIES

BONBONNIÈRE DE LA TRINITÉ

• **9e** - *4, pl. Estienne-d'Orves (874.23.38).*

Fondée en 1925 et tenue depuis lors de père en fils. Les chocolats fourrés et bonbons fabriqués par la maison sont dignes d'éloges : brindilles (écorces d'orange enrobées de chocolat amer), musardises (amandes et noisettes enrobées de caramel), etc. Remarquable chocolat en tablette : le supra-bitter fourré (praliné, truffe, café, raisins au rhum, pâte d'amande, etc.).

CHRISTIAN CONSTANT

• **7e** - *26, rue du Bac (544.12.24).*

Le culte de la fraîcheur et des matières premières de premier choix font que les chocolats de Christian Constant sont parmi les tout premiers de Paris, qu'il s'agisse des surprenantes crottes au thé, au jasmin, à la cannelle ou des merveilleuses muscadines (pralinés au cognac), tous vendus avec mention de leur date limite de consommation. Remarquables marrons glacés et pâtes de fruits délicates. Christian Constant est aussi l'un des meilleurs traiteurs et pâtissiers de Paris et un excellent glacier. Voir à ces différentes rubriques.

DALLOYAU

• **8e** - *101, fg Saint-Honoré (359.15.58).*
• **15e** - *69, rue de la Convention (577.84.27).*
• **15e** - *Centre Beaugrenelle (575.59.62).*

Saluons le mérite de ce confiseur qui continue de préférer le beurre aux graines végétales, les liqueurs de marques aux alcools synthétiques, les amandes italiennes à celles en vrac d'origine incertaine, le cacao du Venezuela ou du Guatemala à n'importe quel autre. Ce qui revient à dire que les chocolats de Dalloyau sont parmi les meilleurs de Paris.

DEBAUVE ET GALLAIS

● **7e** - *90, rue des Saints-Pères (548.54.67).*

« Debauve et Gallais, fabricants de chocolats fins et hygiéniques », l'inscription qui figure au fronton de cette vénérable maison date de 1819, lorsque Sulpice Gallais, pharmacien de son état, voulut soigner ses congénères à l'aide « de chocolat béchique et pectoral, de chocolat tonique, de chocolat carminatif à l'angélique et de chocolat analeptique au salep ». Depuis, rien n'a changé ou presque, expliquant l'ineffable charme de cette boutique à arcades dont les vitrines désuètes ont fait saliver des générations de gamins et, plus récemment, les futurs carabins de la faculté de médecine. Qui le regrettera? Les chocolats ne sont plus hygiéniques, mais simplement délicieux, présentés en plaques à croquer, sous forme de crottes que l'on fourre de nougat, de café, de raisins. Viennent ensuite des feuilletés pralinés, de merveilleux caramels mous et bonbons fourrés.

FOUQUET

● **8e** - *22, rue François-1er (359.31.42).*
● **9e** - *36, rue Laffitte (770.85.00).*

Les bonbons à la framboise se vendent en boules, ceux au cassis en coussinets, les violettes en petites violettes, les grains de café en gros grains de café. Tous en flacons de verre — et ainsi reconnaissables au premier regard —, ils sont tenus par les connaisseurs pour les meilleurs et les plus simples du monde. Autre spécialité de Fouquet, les boîtes de bonbons, caramels et autres confiseries enrobées dans le sucre cuit. Des chocolats aussi, mais qui restent, à notre sens, assez décevants. Accueil princier, prix de surintendant.

LENÔTRE

● **16e** - *44, rue d'Auteuil (524.52.52).*
● **16e** - *17, av. Victor-Hugo (501.71.71).*
● **17e** - *121, av. de Wagram (924.70.30).*
● **92 Boulogne** - *79 bis, route de la Reine (605.37.35).*
Et Parly 2, Velizy 2.

Admirables produits, étonnants tours de main et recettes, voilà les secrets de fabrication des « friandises » (une centaine de variétés) de Gaston Lenôtre: chocolats (doux ou amers), truffes, pâtes de fruits, bonbons, caramels et marrons glacés. Boîtes, les unes très jolies, les autres moins et l'assurance de goûter les chocolats dans un état parfait de conservation.

LA MAISON DU CHOCOLAT

● **8e** - *225, fg Saint-Honoré (227.39.44).*

Après avoir fait autrefois les beaux jours de La Marquise de Presle — où l'on venait manger les meilleurs gâteaux au chocolat de Paris — et travaillé ensuite avec Gaston Lenôtre, Robert Lynxe a ouvert (en 77) son propre magasin — laboratoire ultra-moderne et décor somptueux : boiserie et granit du Brésil — dans une ancienne cave à vin du quartier. Cette dernière vocation persiste d'ailleurs avec toute une gamme de vins remarquablement choisis (voir « Vins et alcools »). Quant au chocolat, il est omniprésent dans les gâteaux (50 à 70 F pour 5 à 6 personnes) et les admirables crottes et bonbons d'une onctuosité, d'une finesse et d'une fraîcheur absolument parfaites.

A prix de gros...

COMPTOIR DU CHOCOLAT ET DES ALCOOLS (C.C.A.)

● **3e** - *103, rue de Turenne (277.59.27).*
Et Forum des Halles, niveau - 1.

Grand choix, en fin d'année, de boîtes de chocolats Suchard et Lanvin à des prix intéressants.

CONFISERIE RIVOLI

● **4e** - *17, rue de Rivoli (272.80.90).*

Dragées aux amandes planétas (33,50 F le kilo), avolas (75 F le kilo) ou au chocolat (39 F le kilo) dans un grand choix de boîtes et de coffrets, chocolats assortis (de 45 à 95 F le kilo) et calissons d'Aix. Spécialisé dans les arbres de Noël des grandes entreprises. Livraisons gratuites à Paris et en banlieue à partir de 1 000 F d'achats.

COQUEUX

● **12e** - *47-49, av. du Gal-Michel-Bizot (628.32.27).*

Vous trouverez ici, vendus aux prix de gros, les chocolats des grandes marques (Lindt, Suchard, Lanvin) et les dragées avolas (de 29 à 47 F le kilo). Spécialité de baptêmes et de cadeaux d'entreprises.

TANRADE

● **9e** - *18, rue Vignon (742.26.99).*

De novembre à février, les Tanrade préparent dans leur atelier de Montrouge des marrons glacés qui, de l'avis même des concurrents, sont sans équivalent dans le monde entier. Les chocolats, pâtes de fruit et bonbons (une cinquantaine de variétés dont d'extraordinaires bonbons au miel), également fabriqués par la maison, contribuent à ranger cette dernière parmi les meilleures confiseries sublunaires.

Consultez la table des matières : p. 631.

THOLONIAT

• **10e** - *47, rue du Château-d'Eau (607.74.58).*

Maurice Thorez, la Reine d'Angleterre, Paul VI possédaient et possèdent chacun sous globe de verre une œuvre en sucre de ce modeleur résolument figuratif qui compose des réductions d'appartements bourgeois meublés (rideaux et édredons compris), des faisans royaux, des fleurs, des grappes de raisin, bref tout un monde de douceurs à échelle réduite. M. Tholoniat, prévôt général des maîtres-pâtissiers français, modèle, file, sculpte et souffle le sucre depuis bientôt cinquante ans. Toutefois, notre décorateur en glucose ne se contente pas d'en mettre plein la vue, il fabrique aussi des bonbons de chocolat en forme de crottes toutes bêtes, que l'on peut manger les yeux fermés avec un infini plaisir : la qualité de leurs « couvertures » et la finesse de leurs « intérieurs » soutiennent glorieusement la comparaison avec celles de ses plus éminents confrères.

Autres bons confiseurs

ARIANE

• **17e** - *30, rue Legendre (924.52.94).*

Bons chocolats bien présentés ; truffes à la crème fraîche et marrons glacés d'octobre à mars. Livraisons à domicile (14 F).

BOISSIER

• **16e** - *184, av. Victor-Hugo (504.24.43).*

Voir autres adresses à « Traiteurs ».

Pour ses délicieuses cerises en boule et ses magnifiques sucres d'orge et acidulés vendus en jolis bocaux ou boîtes de métal, bleu « Boissier ».

LA BONBONNIÈRE

• **11e** - *68, rue Jean-Pierre-Timbaud.*

Un petit magasin ne payant pas de mine et proposant de bonnes et jolies dragées bien fraîches (la patronne ne chauffe jamais sa boutique, et ses stocks « tournent » vite) : avolas (40 à 55 F le kg), longuettes (23 à 33 F le kg).

BOURDALOUE

• **9e** - *7, rue Bourdaloue (878.32.35).*

L'annexe de la célèbre pâtisserie. Bons bonbons « maison » (acidulés notamment), fruits confits, caramels et bouchées au chocolat diverses, les unes classiques (bonnes truffes), les autres « demi fantaisie » (amusants choux fourrés de cerise au kirsch).

CAMENISH

• **11e** - *98, av. Ledru-Rollin (700.54.41).*

Marc Camenish, ce descendant d'une lignée de pâtissiers-confiseurs aime l'ouvrage bien faite. Jugez-en plutôt en goûtant ses chocolats « maison ».

CHOCOLAT DE GENÈVE

• **8e** - *92, bd Haussmann (387.36.76).*

Gamme très étendue de bons chocolats suisses, et aussi de friandises bien françaises : calissons d'Aix, cocons et coussins de Lyon, négus de Nevers (100 F le kilo).

AUX CHOCOLATS DE PUYRICARD

• **7e** - *27, av. Rapp (705.59.47).*

Reçoit deux fois par semaine de la fabrique (artisanale) d'Aix-en-Provence d'exquis chocolats (104 F le kilo) et calissons (64 F) absolument exempts d'additifs et toujours de la plus grande fraîcheur. La Présidence de la République et le Premier ministre y sont, dit-on, particulièrement sensibles. Seul magasin à Paris. Commander au moment des fêtes. Livraisons à domicile.

CLICHY

• **4e** - *5, bd Beaumarchais (887.89.88).*

A l'époque de Pâques surtout, les œufs et poissons en chocolat sculptés à la main par Paul Bugat composent l'une des plus belles vitrines du genre à Paris. Marrons « glacés » tous les jours à la saison, et mendiants dont M. Bugat fait volontiers l'aumône à Pierre Tchernia et à Annie Girardot qui s'en montrent très friands.

PAUL CORCELLET

• **2e** - *46, rue des Petits-Champs (296.51.82).*

On ne songe toujours pas à discuter sa suprématie dans la confection des chocolats fourrés aux termites.

DÉLICES DU CHATEAU

• **92 Neuilly** - *3, rue du Château (624.59.73).*

Bons chocolats artisanaux et confiseries régionales.

AUX FRUITS DE FRANCE

• **6e** - *36, rue Saint-André-des-Arts (326.89.49).*

Vente en vrac de ravissants bonbons aux « fleurs » (coquelicot, violette), voire aux graines (d'anis), plus rarement aux fruits de France.

GRANDIN

• **78 Saint-Germain-en-Laye** - *13, rue au Pain (451.00.56).*

Marie-Thérèse d'Autriche qui raffolait des Pavés d'or, s'en faisait apporter fréquemment durant son séjour à Saint-Germain. Grandin les fait toujours, selon la même recette, et toujours aussi exquis. Tout comme ses crottes en chocolat, des merveilles.

JADIS ET GOURMANDE

• **5e** - *88, bd de Port-Royal (326.17.75).*

• **8e** - *27, rue Boissy-d'Anglas (265.23.23).*

Des rayonnages en pin blond, des bocaux remplis de bonbons aux vives couleurs, des herbes à tisane. A la sortie de l'école, les enfants s'y bousculent pour acheter les friandises chères à leurs parents : pâtes de coings, caramels faits comme à la maison et fourrés d'amandes, de raisins ou de pistaches, pastilles de chocolat amer, etc. Tout y est traditionnel et fabriqué artisanalement, ce dont on ne saurait se plaindre. Tout cela est bon, même si les confitures et les chocolats sont peut-être un peu trop gorgés de sucre.

JANSEN

• **12e** - *6, rue de Chaligny (344.48.80).*

Excellents chocolats (120 F le kg), macarons d'Amiens et samarobrives (spécialité picarde aux amandes).

LEMÉE

• **18e** - *21, rue de la Chapelle (607.81.77).*

Honnêtes truffettes à la crème fraîche et au Cointreau (120 F le kilo).

LOTUS D'OR

• **8e** - *5, rue de Surène (265.15.62).*

Bouchées et chocolats « maison », godets au café, calissons d'Aix et de bons marrons glacés (à la saison).

AU LYS ROYAL

• **8e** - *13, rue de la Pépinière (387.40.86).*

Ses dragées de l'« Enfant Jésus » sont fort soignées et ses bonbons de chocolat « Lys Royal » et autres chocolats (en tablettes ou en poudre) fort satisfaisants.

MARQUISE DE SÉVIGNÉ

• **16e** - *1, pl. Victor-Hugo (727.37.65).*

Il nous faut écraser une larme sur cette vieille Marquise qui a si mal vieilli. Où est le temps où l'on recevait avec ravissement au Jour de l'An, ces immenses boîtes pleines de petits paquets dorés qui cachaient de divins chocolats ? « Ce n'est plus ce que c'était », même si les dames qui vous reçoivent comme dans un salon ont des manières exquises. Fermons les yeux, et gardons nos bons souvenirs.

A LA MÈRE DE FAMILLE

• **9e** - *35, fg Montmartre (770.83.69).*

En 1793, alors que les sans-culottes pillaient un couvent voisin, la supérieure parvint à trouver refuge A la Mère de Famille (la confiserie existe depuis 1761 ; c'est la plus ancienne de Paris), où elle fut cachée parmi les friandises jusqu'à la fin de la Révolution. La supérieure, en manière de gratitude, confia au propriétaire de l'époque une recette d'eau « merveilleuse » souveraine pour les yeux et que l'on distribua gratuitement à qui la demandait, jusqu'à la dernière guerre. La gloire « confiseuse » de la maison culmina aux alentours de 1900, quand elle faisait réclame dans les revues « chic » de l'époque. Derrière son admirable façade de verre noir rehaussé de calligraphies dorées, vous trouverez aujourd'hui tout ce que nos provinces produisent en gâteaux régionaux : croquets, gaufres, crêpes, sablés, pains d'épice (au miel, aux fruits confits, fourrés), etc., une prodigieuse collection de bonbons entassés dans des bocaux confiseurs (réglisses, coquelicots, bergamotes, boules de gomme), ainsi que des fruits secs « de première qualité » (pruneaux d'Agen, pommes, poires, pêches, bananes, etc.) et enfin quelques petits vins non dénués d'intérêt.

LA MÈRE MICHÈLE

• **15e** - *44, rue Olivier-de-Serres (250.46.91).*

Une boutique biscornue vouée aux douceurs en présentation kitsch : liqueurs en bouteilles de porcelaine peinte dans le goût Pompadour, bonbonnières en forme de chapeau de paille fin de siècle, etc. Grand et bon choix de fruits confits, de thés et de chocolats.

MÉRIENNE (SERVANT)

• **16e** - *30, rue d'Auteuil (288.49.82).*

A l'enseigne du Confiseur d'Auteuil, cette vieille maison — sa façade et ses boiseries de chêne en témoignent — appartient tantôt à un Mérienne, tantôt à un Servant. Pour l'heure, à un M. Mérienne. Les spécialités ne changent pas pour autant : palets d'or, truffes à la crème (de novembre à mars), muscadines à l'orange (130 F le kilo), zéphyrs pralinés enrobés d'une glace « royale » (140 F) et aussi mascottes, dragées et sucres d'orge de Morel ou d'ailleurs qui emplissent les grands bocaux de verre de la devanture.

MEURISSE

• **8e** - *49 bis, av. Franklin-Roosevelt (225.06.04).*

La douceur ne concerne pas ici les prix, ce qui n'affecte pas d'ailleurs la clientèle élégante de cette bonne maison, exclusivement attentive au parfum des « turinos » (crème de marrons et rhum) ou à la délicate saveur des truffes et des « brunas » (amandes et chocolat amer).

NEHAUS

• **1er** - *1 à 7, rue Pierre-Lescot (297.43.63).*

Installé récemment au Forum des Halles, Neuhaus, si vous l'ignoriez, est chocolatier-confiseur à Bruxelles depuis 1857. Bons chocolats de fabrication artisanale, truffes, marrons glacés, etc.

AU PAIN DE SUCRE

• **4e** - *12, rue Jean-du-Bellay (633.26.07).*

Une boutique-atelier de l'île Saint-Louis où officie un artisan « comme dans le temps » dans un décor idoine. Bouchées, caramels mous et chocolats faits « du jour », pâtes de fruits fraîches, onctueuses et sans artifice et fruits secs enrobés de sucre. Un rayon de pâte d'amande, praliné et fondant pour faire chez soi de la pâtisserie.

PALAIS DES DÉLICES

• **92 Asnières** - *6, rue de la Station (793.09.58).*

Coûteux mais remarquables fruits confits, marrons glacés et chocolats (140 F le kilo).

RÉGIS

• **16e** - *89, rue de Passy (527.70.00).*

Les tendres pâtes de fruits valent mieux que les chocolats, bons, sans plus.

A LA REINE ASTRID

• **8e** - *33, rue Washington (563.60.39).*

La succursale deauvillaise de cette petite maison mère qui ne paye pas de mine est beaucoup plus connue. Ainsi, nombre de gourmands parisiens ignorent qu'ils peuvent trouver ici aussi les fameuses truffes au chocolat « faites main » dont la dégustation participe des plaisirs obligés de la grande station normande. Délicieux également les fins palets, les trianons (intérieur praliné et nougatine), qui font partie de la collection des 40 chocolats de la Reine Astrid, vieille d'un demi-siècle.

RIVOIRE

• **17e** - *87, rue de Courcelles (924.93.05).*

Cinquante variétés de chocolats (120 F le kilo) : palets au whisky, anneaux de Saturne, frivolités parisiennes, etc. sortent tout droit des laboratoires de Claude Rivoire, lequel a donné son nom à un bonbon au chocolat : la rivoirine.

SAINT-PIERRE

• **16e** - *33, rue de Chaillot (720.39.28).*

Mlles Mauberna et Courtois règnent depuis cinquante ans sur la confiserie Saint-Pierre que fréquentent leurs clients et amis, fidèles jusqu'à la cinquième génération. Les chocolats (exquis), les négus de Nevers, les calissons d'Aix, les gaufres fourrées de Lille, les thés de Chine ou d'ailleurs (28 variétés), les pâtes de fruits et cent autres friandises constituent le palais bien charmant de ces dames Tartine.

SPÉCIALITÉS DE FRANCE

• **8e** - *44, av. Montaigne (359.58.77).*

Voyages en douceurs au pays des forestines de Bourges, des palets d'or de Moulins, des guinettes bordelaises, des tanagrettes de Châlon-sur-Saône, des pralines d'Aigueperse, des négus de Nevers, des rocamandes de Beauvais, sans oublier les brazadous de Quiberon et les soieries de Lyon (150 F le kilo). Plus de cent spécialités des meilleurs artisans de France. Jolies présentations d'assortiment en bocaux confiseurs. Livraisons (17 F).

VAUDRON

• **17e** - *4, rue de la Jonquière (627.96.97).*

Pour ses truffes à la crème fraîche, ses aiguillettes à l'orange, ses muscadines aux liqueurs (une recette propre à la maison), Vaudron est l'un des meilleurs pâtissiers-confiseurs de la place.

LE TERROIR A PARIS

• **9e** - *67, rue de Clichy (874.46.16).*

Chocolats divers, sarments au marc de Beaujolais, cocons de Lyon, etc. Egalement des conserves fines et des vins de propriétaires d'un peu partout. Livraison à domicile.

CHOUCROUTE

BAUMANN

• **1er** - *9, rue Coquillière (236.22.00).*
• **17e** - *64, av. des Ternes (574.16.66).*

Voir « Traiteurs ».

CERVEAU

• **12e** - *4, rue Marsoulan (343.54.72).*

Choucroute bien assaisonnée. Les prix aussi sont bien assaisonnés.

AU COCHON D'AUVERGNE (Léon)

• **5e** - *48, rue Monge (326.36.21).*

Excellente choucroute cuite, assaisonnée (au lard fumé), qu'accompagne l'un des meilleurs jambons à l'os de Paris.

COESNON

• **6e** - *30, rue Dauphine (326.56.39).*

Admirable choucroute cuite et plus admirables encore accompagnements de charcuteries : vraies saucisses de Francfort, différentes variétés de petits boudins noirs et blancs, poitrine fumée, petit salé cuit et saucisse de Morteau. 26 F par personne la choucroute garnie d'un assortiment de 8 produits différents.

Les prix changent : nous n'y pouvons rien.

LANGEROME

• **92 Puteaux** - *42, rue Godefroy (776.38.40).*

Excellente choucroute cuite ou crue.

NOBLET

• **14e** - *77, av. du Gal-Leclerc (327.08.84).*

Maison de gros débit. Sa choucroute est toujours préparée avec grand soin.

PIGNOT

• **2e** - *24, rue Danielle-Casanova (261.76.08).*

Très honnête choucroute-légume vendue cuite au détail. Et par boîte de 5 litres et plus à nombre de restaurateurs parisiens...

SCHMID PÈRE ET FILS

• **10e** - *3, bd Denain (878.03.44).*
• **10e** - *76, bd de Strasbourg (208.61.10).*
• **18e** - *199, rue Championnet (627.68.24).*

L'énorme et constant débit de cette maison assure à ses choucroutes de bonne provenance une fraîcheur remarquable.

CONFITURES ET SIROPS

BETJEMAN AND BARTON (The English Tea House)

● **8e** - *23, bd Malesherbes (265.35.94).*

Choix infini de confitures anglaises et de divines marmelades.

BONBONNIÈRE DE LA TRINITÉ

● **9e** - *4, pl. Estienne-d'Orves (874.23.38).*

Tous les parfums classiques, mais aussi de délicieuses confitures « maison » de rhubarbe, de mûre, de figue et une admirable gelée de coing.

COMPTOIR GOURMAND (Michel Guérard)

● **8e** - *32, pl. de la Madeleine (742.73.51).*
● **16e** - *35, rue de Passy (525.71.70).*

Des sirops classiques ou originaux (canelle, fruits de la passion, etc.) ; dix-huit sortes de confitures : cerise, coing (en morceaux), trois fruits (orange, citron, pamplemousse), figue, patate douce, etc. ; et l'exquise confiture « vieux garçon », une recette de grand-père remise à la mode par Guérard : armagnac, sirop de sucre, fraise, pruneaux, prune, citron, abricot, cerise, etc.

FAGUAIS

● **8e** - *30, rue de La Trémoille (359.19.60).*

C'est dans le sous-sol de leur magasin que les Faguais confectionnent leurs délicieuses confitures et leurs fruits au sirop (pêches, framboises, abricots pelés, mirabelles pelées, etc.).

FAUCHON

● **8e** - *26, pl. de la Madeleine (742.60.11).*

Confitures rares : brugnon, carotte, groseille à maquereaux, figue, melon, pétales de jasmin, tomate rouge ou verte, etc. Confitures au sucre de canne (mûre, myrtille, rhubarbe, etc.) ; gelées pressées à froid ; remarquables purées de fruits pour la confection de sorbets (poire, cassis, groseille, etc.), jus de fruits et sirops classiques ou insolites.

FOUQUET

● **8e** - *22, rue François-1er (359.31.42).*
● **9e** - *36, rue Lafitte (770.85.00).*

Miels (tous les grands crus français), excellentes marmelades (tous les agrumes), très bonnes gelées et confitures. Et pains divers (d'épice notamment) dignes d'en être tartinés. Si l'accueil — lui aussi — est délicieux, les prix laissent sans voix.

HÉDIARD

● **8e** - *21, pl. de la Madeleine (266.44.36).*
Voir autres adresses à « Epicerie de luxe ».

De délicieuses confitures et gelées « maison » fabriquées dans un petit atelier proche de Nîmes. Parfums classiques ou « exotiques » : framboise, bigarade, melon d'Espagne à l'orange, mûre, rhubarbe, kiwi, airelle, etc. Excellents jus de fruits (cerisette, etc.) et sirops (mandarine, etc.). Très commodes et bonnes purées de fruits pour préparer chez soi des glaces et des sorbets.

JADIS ET GOURMANDE

● **5e** - *88, bd de Port-Royal (326.17.75).*
● **8e** - *27, rue Boissy-d'Anglas (265.23.23).*

Voir « Chocolats et confiseries ».

LENÔTRE

● **16e** - *44, rue d'Auteuil (524.52.52).*
Voir autres adresses à « Pâtisseries ».

Exquises confitures et gelées préparées selon la recette de la grand-mère, Eléonore Lenôtre.

LESUEUR

● **94 Saint-Mandé** - *57, rue de la République (328.27.53).*

Courteline, ancien client, reconnaîtrait aujourd'hui l'ensemble du curieux décor fin de siècle. Boiseries de chêne patinées par le grand âge, motifs sculptés et grasses moulures, frontons, lourds tiroirs, et partout, bocaux emplis de toutes sortes de produits « maison » : cornichons et petits oignons au vinaigre, sauce à la tomate, cerises et framboises à l'eau de vie, etc. Mais la maison est réputée surtout pour ses confitures (cassis, airelle, fraise, framboise, mûre, coing, etc.), toutes de bonne consistance et pas trop sucrées, cuites selon la meilleure tradition familiale, dans les gigantesques bassines de cuivre des Lesueur.

A LA MÈRE DE FAMILLE

● **9e** - *35, fg Montmartre (770.83.69).*

Délicieuses confitures préparées de manière artisanale et dignes de toutes les autres spécialités de cette auguste maison. La framboise-pépins, l'orange en tranches, la pastèque et la reine-claude touchent à la perfection.

A LA PETITE MARQUISE

● **15e** - *91, rue de la Convention (554.50.20).*
● **16e** - *3, pl. Victor-Hugo (727.77.36).*

Confitures « maison » et jus de fruits sans produits chimiques (c'est le leitmotiv de la maison).

PETROSSIAN

● **7e** - *18, bd de Latour-Maubourg (551.59.73).*

Confitures russes et anglaises au naturel sans

aucun additif chimique, vendues ici dans de gros bocaux de verre (airelle, cassis, bigarreau, etc.). Egalement de bonnes compotes de fruits.

TANRADE

● **9e** - *18, rue Vignon (742.26.99).*

Les Tanrade se succèdent ici depuis plus de deux siècles. Après Balzac, les Daudet, Géraldy, Gide et Prévert, qui louangèrent dans leurs écrits ou de vive voix les vertus de cette famille de confituriers, il nous est doux de renchérir sur la probité quasi légendaire et l'insurpassable qualité de leurs produits. Les admirables purées de fruits destinées à la préparation ménagère de sorbets (fruits « de chez nous » et exotiques : mangue et maracuja), les compotes, les jus de fruits et les sirops (dont le rare « vinaigre » framboisé), les confitures sans concurrence à Paris (entières, en gelée ou passées), tout cela, fabriqué dans un petit atelier de Montrouge, participe d'une persévérance dans la qualité qu'on ne se lasse pas d'admirer. M. Tanrade nous fait savoir que le bouleversement des saisons ne lui permettant plus de compter sur la récolte — très aléatoire — de l'Orangerie de Versailles, il se fournit désormais plus au sud pour la confection de son sirop de fleurs d'orangers.

TILLOY

● **5e** - *3, rue Geoffroy-St-Hilaire (432.18.05).*

Robert Augusti fabrique d'exquises confitures dont plusieurs sont fort originales, même si la mode « exotique » nous habitue de plus en plus à ces goûts étranges : fruit de la Passion, goyave, etc. Il montre aussi un joli talent dans les confitures de fleurs (rose, violette, fleur d'oranger, jasmin) au goût assez doucereux, et dans celles aux fruits plus classiques (cerise noire, figue, mandarine, etc.). En tout une cinquantaine de variétés : 87 F le colis de 12 verres.

ÉPICERIES DE LUXE

LA BOUTIQUE DES SEMAILLES

● **18e** - *17, rue Damrémont (606.72.49).*

Ouvert jusqu'a minuit.

Pour des petites faims de luxe et tardives — la maison reste ouverte jusqu'à minuit —, des produits fermiers et surtout les « plats cuisinés » et les desserts de Jean-Jacques Jouteux (Les Semailles) : terrine de poisson fumé au caviar, « fromage » de poisson, mousse de coraux de coquilles Saint-Jacques, foies gras crus ou cuits, charlotte au chocolat, sorbet aux pommes, etc. Livraison gratuite à partir de 500 F d'achat.

CAILLETTE

● **1er** - *42, pl. du Marché-Saint-Honoré (261.45.46).*

Eclairage en demi-teinte, « hôtesses » attentives et musique douce (quand elle n'est pas troublée par celle des bruyants pompiers voisins). Joli choix de plats « traiteur » antillais (boudin, accras, crabe farci, porc au curry) et vietnamiens (rouleaux de printemps, beignets de crevettes, porc sucré, poulet aux amandes). Pour le reste, des conserves (de luxe), des confitures (de la maison ou anglaises), du saumon d'Ecosse, des harengs de Norvège, des bonbons, des biscuits, etc. Et au sous-sol une excellente cave.

COMPTOIR GOURMAND (Michel Guérard)

● **8e** - *32, pl. de la Madeleine (742.73.51).*
● **16e** - *35, rue de Passy (525.71.70).*

Pour son retour sur les planches parisiennes, Michel Guérard, le bienheureux ermite d'Eugénie-les-Bains, n'y est pas allé par quatre chemins : il s'est carrément installé place de la Madeleine, entre Fauchon et Hédiard. C'est là, enfin, dans ce périmètre sacré de la gastronomie, que s'est ouverte la première boutique d'alimentation qui porte le nom du maître de la cuisine légère. Pendant des mois, il a goûté et sélectionné les vins de propriétaire, armagnacs, champagnes, cafés, thés, tisanes, épices, truffes, confitures, conserves et bocaux qu'il propose à présent dans ce très joli magasin, dont la devise pourrait être : « Nous nous contentons du meilleur ». Mais son attrait principal est qu'on y trouve un grand choix de foies gras — y compris, bien sûr, l'admirable foie frais au poivre qu'il sert à Eugénie — et de nombreux plats à emporter, frais (feuilletés, tartes fines aux fruits) ou en conserve ou bocaux : pot-au-feu, navarin d'agneau, canard au vin et au lard fumé, lapin en gelée aux mirabelles, etc., ainsi que quelques sauces et plats surgelés (voir cette rubrique).

PAUL CORCELLET

● **2e** - *46, rue des Petis-Champs (296.51.82).*

Nous n'allons pas une fois encore « découvrir » Paul Corcellet, admirable personnage que l'on surprend toujours le doigt trempé dans un pot de moutarde. Paul Corcellet est à la fois assez fou pour se lancer vers les plus étonnantes expériences et assez sage pour trouver certain bonheur communicatif, en accordant son métier et sa philosophie. Petit palais des merveilles, son magasin est à son image : à la fois extravagant et classique. Contentons-nous d'un safari culinaire tout à fait insolite : trompe d'éléphant, tronçon de python, ragoût d'hippopotame, queue de caïman, langue et sauté de renne. A part cette dernière délicatesse finlandaise, le tout vient de Bobo-Dioulasso, en Haute-Volta, où chasse un honorable correspondant. Pour les fêtes, Paul Corcellet prépare aussi des marrons au chocolat et des poires à l'eau-de-vie. Et n'oublions pas la liste de ses vinaigres aux fruits (cerise, framboise, cassis, fraise, etc.), de ses achards (palmiers, mangues, légumes divers), de ses chutneys, de ses savoureuses moutardes : au poivre vert, à la menthe, au raifort, provençale, tzigane, exotique, etc. Car en vérité c'est sur ce chapitre précis du condiment que Paul Corcellet demeure absolument inégalable.

FAGUAIS

● **8e** - *30, rue de La Trémoille (359.19.60).*

Délicieuse vieille épicerie. Odeurs réjouissantes, personnel aimable et choix prodigieux des bons produits : Faguais ou l'exemplarité. Le café est torréfié dans le magasin, les confitures et fruits au sirop (pêches, framboises, abricots, mirabelles pelées, etc.) sont confectionnés avec soin dans de grandes bassines au sous-sol du magasin. Ajoutons les admirables conserves, les confiseries artisanales, un excellent choix de thés et les boîtes à épices et à condiments qui font de cette maison l'une des meilleures de Paris. La caisse (bureau-coffre) est si belle que vous y passerez dans l'allégresse. Livraisons à partir de 150 F et expéditions en France et à l'étranger.

FAUCHON

● **8e** - *26, pl. de la Madeleine (742.60.11).*

Ce temps de la consommation, au chevet de la Madeleine, ce super-marché de super-luxe, symbole d'une société de consommation honnie que la progéniture de sa clientèle tenta de saccager en mai 1968, se distingue autant par la splendeur de ses vitrines que par l'inimaginable profusion des produits qui s'alignent sur ses rayons. 20 000 « références », comme on dit dans le jargon du métier : du poivre vert du Cambodge à la viande des Grisons en passant par les mangues africaines, les centaines d'épices et condiments, le chili con carne mexicain, les bonbons anglais, le thé de Java, les biscuits argentins, le jambon de Virginie, le ginseng de Corée ou les encens de l'Inde. Tout est extrêmement cher, et il n'est pas rare que l'on soit affreusement déçu lorsqu'on vient d'aventure acheter ici un simple pot de rillettes ou de confiture de fraise, une boîte de sardines ou une tranche de pâté. Nous vous signalons dans leurs rubriques respectives les rayons de Fauchon qui échappent à cette critique. Ajoutons celui, absolument unique à Paris pour sa diversité, sa fraîcheur et ses prix (pas tellement élevés pour tant de qualité) des fruits et légumes français ou étrangers. Bien entendu, Fauchon livre à domicile.

HÉDIARD

● **7e** - *126, rue du Bac (544.01.98).*
● **8e** - *21, pl. de la Madeleine (266.44.36).*
● **16e** - *70, av. Paul-Doumer (304.51.92).*
● **17e** - *106, bd de Courcelles (924.32.14).*
Et aussi : Forum des Halles, niveau - 1, Centre commercial Beaugrenelle et Neuilly.

« Voulez-vous remettre à Julien quelques kilos de sucre de canne ? Celui de mon quartier, qui n'est pas de canne, est si vilain. Merci. Remettez-lui aussi du bon poivre en grains, que j'emporterai en vacances »... Vous ne trouverez cet extrait d'une lettre de Colette dans aucun livre. Elle fut en effet adressée, parmi d'autres à la maison Hédiard lorsque, habitant le Palais-Royal, elle avait une déjà longue pratique du vénérable établissement né au milieu du siècle dernier. Hédiard, l'épicier de luxe, a su rester fidèle à son image et se mettre même au goût et aux obligations du jour (les surgelés, par exemple ; voir « Produits surgelés ») en conservant la dignité et les obligations de sa « charge ». Fruits rares, produits d'épicerie courants (mais de luxe...), confitures et sirops délicats, vins et alcools de qualité (deux caves spécialisées) : l'une passage de la Madeleine, l'autre avenue Paul-Doumer ; voir « Vins et alcools ») : rien ne manque pour un marché fastueux. Les vendeuses devraient toutefois apprendre à sourire un peu plus.

MAISON DE LA TRUFFE

● **8e** - *19, pl. de la Madeleine (265.53.22).*

Cette maison reçoit de novembre à mars les plus belles truffes de Paris et justifie ainsi son enseigne. On aurait tort de négliger ses autres produits, notamment des charcuteries de premier ordre, des conserves bien choisies et une fabuleuse cave de vins millésimés et d'alcools exceptionnels. Seuls les prix font tiquer, ils sont himalayens. Livraisons gratuites dans Paris, à Neuilly et à Boulogne.

MAXIM'S DE PARIS

● **8e** - *76, fg Saint-Honoré (266.10.09).*

Peut-on raisonnablement s'étonner de voir, dans l'ancienne Galerie Charpentier reconvertie en épicerie fine de (très grand) luxe, la confiture (celle aux pêches est exquise), la moutarde, le vinaigre de xérès, le thé ou le café, le caviar ou le foie gras, négociés au prix des toiles de maître? Au reste, l'accueil est d'une

Pour retrouver rapidement une adresse consultez l'index, p. 641.

urbanité sans défaut et le décor de la boutique d'un raffinement parfait.

MICHEL OLIVER

● **16e** - *27, av. Marceau (720.80.12).*

Magnifique boutique fréquentée aussi bien par les provinciaux et les étrangers, séduits par l'enseigne et les vitrines que par les P.-D.G. du quartier qui viennent y faire leurs emplettes avant de rentrer chez eux : fruits exotiques ou européens hors saison, thés de toutes origines, confitures anglaises, suisses ou suédoises. Vins et conserves de tout pays, même le nôtre, chocolats et foies gras, miels ; le tout d'une qualité et d'un prix également élevés.

Autres bonnes adresses

AUGÉ

● **8e** - *116, bd Haussmann (522.16.97).*

C'est ici, bien avant que Paul Corcellet n'en répandit la mode, que les Parisiens venaient au début du siècle se fournir en steaks d'ours polaire, rôtis de renne, gigots de pécari et trompe d'éléphant. Cette grande épicerie est aujourd'hui principalement vouée au commerce de luxe, comme en témoignent les prix qu'elle pratique.

BILETTA

● **16e** - *35, rue d'Auteuil (288.58.88).*

Excellents jambons à l'os, blanc et fumé, quelques spécialités italiennes (Parme et San Daniele), foie gras (en saison), des fruits exotiques, quelques bonnes bouteilles, et un patron connaisseur et fort civil.

CHESNEAU

● **92 Boulogne** - *38, av. J.-B.-Clément (605.08.10).*

La cinquantaine grisonnante, M. Chesneau est un passionné de la qualité. Dans sa petite boutique, des centaines de boîtes de conserves rangées au carré et de bonne provenance et de bons chosolats qu'il fait faire par des petits artisans. Mais sa fierté est plutôt son rayon de vins, bières et alcools (voir cette rubrique). Soixante sortes de confitures artisanales, une intéressante gamme de mousselines de légumes et un choix important de thés. Livre à domicile au moment des fêtes de fin d'année.

LUC COLOM

● **16e** - *150, av. Victor-Hugo (727.90.30).*

Grand et bon choix de fruits exotiques. 74 variétés de thés (parmi lesquels vous trouverez ceux de Fortnum and Mason), petit rayon de caviar, saumon fumé norvégien (340 F le kilo) et foie gras frais de Strasbourg et du Périgord toute l'année.

DERATHÉ

● **7e** - *122, rue Saint-Dominique (551.77.37).*

Ne vous laissez pas alarmer par l'enseigne : tout baigne dans l'huile dans cette maison fournissant le Tout-Septième en thés bien choisis et bons alcools, notamment rhums Bailly et Bernus, vins fins, miels, confitures et conserves artisanales.

FOUQUET

● **8e** - *22, rue François-1er (359.31.42).*

● **9e** - *36, rue Laffitte (770.85.00).*

Excellents vinaigres — notamment celui de couleur vieux rose dit « aux trois pèbres » — chez ce grand confiseur-chocolatier.

KRUGER'S

● **16e** - *117, av. Mozart (288.28.57).*

Un beau saumon fumé, des fruits exotiques et de chez nous toujours parfaits, un choix gigantesque de whiskies, d'alcools et de champagnes et à l'heure du déjeuner, deux plats du jour à des prix raisonnables.

JACQUES VICENS

● **16e** - *89, av. Raymond-Poincaré (727.88.88).*

Maison à l'avant-avant-dernière mode où l'on trouve toujours des fruits remarquables et des alcools de grandes marques. Le personnel a très bonne façon, comme les clients d'ailleurs.

ÉPICERIE, GRAINETERIE

ANDRAUD

● **11e** - *12, rue de la Roquette (700.59.07).*

L'élite des « assoiffés par la sciure » (on appelait ainsi les gens du meuble du vieux « Faubourg ») eut longtemps compte largement ouvert à la caisse de cette belle épicerie. Le choix des vins et des alcools (sélectionnés par Jean-Baptiste Chaudet) y reste d'ailleurs intéressant, notamment au rayon des champagnes. Comme quoi l'antique usage de faire sauter le bouchon pour fêter les fins de chantier n'est pas aussi abandonné que les vieux ébénistes chagrins le disent. Pour le reste, on s'extasiera sur les étals de chêne Art Déco.

LA CARAVANE

● **15e** - *8, av. du Maine (548.65.16).*

Les années passent, La Caravane reste et reste ce qu'elle fut, à savoir attachée au goût « exotique » qui prévalait en 1931, année commune à son ouverture et à l'Exposition Coloniale. D'où le délabrement de sa façade rouge. Mais on a donné un coup de plumeau au décor intérieur et tapissé les murs de jute naturel. Le patron, toujours jovial, présente un bon choix classique de produits exotiques : épices, thés (plutôt moins chers qu'ailleurs), cafés (l'excellent mélange de Charles Vanier), rhums bien vieillis, etc. Et petits plats cuisinés, la plupart sous vitrine réfrigérée : pijrokis, soupes chinoises, plats antillais et pâtisseries orientales.

LA CARAVELLE

● **13e** - *22, rue Bourgon (588.63.69).*

Des fruits secs de premier choix, en provenance du monde entier, du pain d'épice belge, des lentilles du Puy, du café de chez Vanier, au Havre, et un rayon de diététique avec miels, confitures, céréales, riz et huiles.

CHESNEAU

● **92 Asnières** - *62, rue de la Sablière (793.02.77).*

Pour son décor inchangé depuis le début du siècle, pour ses produits « naturels », ses confitures artisanales, ses petits vins de propriétaire et sa merveilleuse bière du Nord, la Jeanlain.

AU CHINOIS

● **12e** - *41, rue de Lyon (343.46.82).*

Vieille et jolie boutique au décor exotique, jadis fréquentée par les fils du Ciel, à l'époque où ils en descendaient par le train à la gare de Lyon. Excellents thés, nombreuses confiseries et bons alcools dans une atmosphère surannée.

AUX CINQ CONTINENTS

● **11e** - *75, rue de la Roquette (379.75.51).*

Une des meilleures épiceries-graineteries de Paris, avec son magasin à l'ancienne, sentant bon les épices et ses casiers regorgeant de semoules de tous calibres, haricots secs (noirs du Chili, cornilles, cocos, etc.), pignons, sarrasin et pois chiches grillés, graines de tournesol, de potiron et lupin, orge perlé, lentilles du Puy et d'ailleurs, fruits secs (pommes, poires, noix du Périgord et de Grenoble, pruneaux d'Agen), sucre (en pain, roux, candi, vergeoise, glace, cassonnade, spécial « canard ») et riz (11 variétés : France, Etats-Unis, Italie, Siam, Surinam, Madagascar, Inde, etc.). Voir aussi « Produits étrangers — Afrique du Nord et Moyen-Orient ».

DARTIS

● **7e** - *11, rue d'Estrées (705.05.02).*

Vieille maison — le décor en témoigne — et vieilles spécialités de vins étrangers (malaga, xérès, etc.), de conserves « fines » et de confiseries délicates.

DETOU

● **2e** - *58, rue Tiquetonne (236.54.67).*

Une bien ambitieuse enseigne pour cette maison spécialisée dans les produits pour la pâtisserie : chocolat, « couverture », nappages pralinés, pâte d'amande, fleurs cristallisées, fruits confits. Pourtant, avec les fruits secs, les confitures, les thés, la graineterie, les biscuits, la confiserie, cette enseigne est presque justifiée. Prix incroyablement bas.

EMMANUELIDI

● **2e** - *56, rue Tiquetonne (236.89.34).*

Dattes facilement mémorables : elles sont de la toute dernière cueillette.

GRAINETERIE DU COMMERCE

● **15e** - *71, rue du Commerce (828.29.05).*

Grand choix de légumes et de fruits secs. Fournitures pour la pâtisserie.

GRAINETERIE LION-MARTIN

● **18e** - *18, bd Ornano (606.54.05).*

Toute petite boutique au grand choix de haricots secs (cornilles, lingots du Nord, bouquets de Soissons, etc.), de lentilles (blondes et vertes) et de pois (cassés et chiches). Semoules de différents « modules ».

L'HERBIER DE PROVENCE

● **1er** - *19, rue du Jour (508.89.84).*
● **6e** - *6, rue Princesse (633.39.58).*
● **8e** - *Galerie Point Show, 66, Champs-Elysées (723.30.86).*
● **11e** - *4, rue Trousseau (355.00.28).*
● **15e** - *335, rue de Vaugirard (828.53.16).*
Et Forum des Halles, niveau - 2.

La région de Saint-Rémy-de-Provence dépêche ici et là, et désormais à tous les vents de Paris, ses bouquets de senteurs par le truchement de quelques bons produits (miels, huiles d'olive, savons de Marseille) et surtout de ses herbes et épices — si jolis dans des bocaux de verre — pour la cuisine ou les tisanes : sauge, basilic, fenouil, romarin, fleur d'oranger, bleuet, et bien d'autres, entassés dans de grands sacs et vendus en vrac au poids.

LE JARDIN PROVENÇAL

● **1er** - *2, rue du Pont-Neuf (233.33.46).*

Un joli magasin bien propre et bien rangé (sol carrelé beige, étagères et casiers en bois blanc, grands sacs de toile), ouvert sur la rue et sur les galeries du Pont-Neuf. Des bocaux emplis d'herbes et de plantes aromatiques récoltées et

Chaque mois, le Guide de Paris Gault-Millau complète cet ouvrage et agrandit votre carnet d'adresses.

séchées dans la région de Saint-Rémy-de-Provence (150 variétés), des flacons de vin de noix ou d'orange, d'huiles et de vinaigres parfumés, des produits de toilette naturels (savons, shampooings, gels), des tisanières, des bougies, etc.

LUCE-PASSY

● **16e** - *22, rue Duban (288.30.92).*

Important rayon de fournitures pour la pâtisserie (fruits secs et confits, amandes en poudre, etc.), à côté, signalons-le, d'un assez joli choix de fruits exotiques et de conserves fines. Livraisons (coût : 5 F), à partir de 100 F.

MANNEVY

● **92 Puteaux** - *50, bd Richard-Wallace (506.07.75).*

Belle épicerie ornée d'une bonbonnière en rotonde croulant sous les dragées et les chocolats (artisanaux). Thés en vrac de toutes provenances. Foies gras frais de canard et confits.

NOURRY

● **4e** - *95, rue Saint-Antoine (278.51.59).*

Dix variétés de riz (du riz complet à celui de Madagascar), vingt variétés de fruits secs, douze sortes de pâtes, dix présentations d'olives (piment, fenouil, à l'huile, etc.), toutes les épices et tous les légumes secs, notammant les fameux bouquets et les soissons verts.

PETIT-QUENAULT

● **1er** - *56, rue Jean-Jacques-Rousseau (233.46.85).*

Magasin de détail d'une vénérable et plus que centenaire maison d'épicerie. Choix immense de conserves, de fruits secs, de confitures, d'épices et d'essences remarquablement sélectionnés et destinées surtout aux glaciers et aux pâtissiers.

PIGEON

● **16e** - *48, rue Hamelin (727.97.91).*

Au coin de l'avenue Kléber et de la rue Hamelin. De beaux fruits secs d'excellentes provenances (abricots, dattes, figues, etc.) s'ajoutent à la spécialité principale de la maison : les vins de la péninsule ibérique.

RONCHAIL

● **16e** - *36, rue de l'Annonciation (288.24.43).*

Minuscule boutique regorgeant de légumes secs (haricots rouges, verts, blancs ; riz de tous calibres), de confitures, conserves et pourquoi pas de nourriture pour animaux, notamment du mouron qui fait les beaux soirs des volières de Passy.

Critiquez nos critiques :
nous vous en serons obligés.

ESCARGOTS

L'ESCARGOT DE LA BUTTE

● **18e** - *48, rue Joseph-de-Maistre (627.32.27).*

Ne vous étonnez pas — surtout s'il pleut — de voir quelques escargots musarder sur les trottoirs de la rue Joseph-de-Maistre, lorsqu'on les livre, vivants, à M. Marchal. Toute la production (petit-gris : à partir de 28 F les 4 douzaines, bourgognes à partir de 38 F les 4 douzaines, « dînettes » de Bourgogne, etc.) est garantie pur beurre et préparée à la maison. Vous pouvez d'ailleurs les goûter sur place avec un verre de gros-plant ou de bourgogne aligoté. Egalement coquillages (de mer) farcis.

LES HUÎTRES DE FRANCE

● **92 Levallois** - *60, rue Rouquier (757.81.83).*

Beaux escargots français frais, à partir de 7 F la douzaine. La maison ferme du 1er mai au 1er septembre.

LA MAISON DE L'ESCARGOT

● **15e** - *79, rue Fondary (575.31.09).*

Dans la boutique de Georges Kossorotoff une dizaine de personnes raclent, calibrent, lavent, essuient un à un et avec un soin méticuleux plus de dix tonnes d'escargots chaque année. Ce magasin unique à Paris est spécialisé dans le gastéropode en tout genre : le « gris » préféré par les vrais amateurs pour son goût très parfumé, qu'il acquiert dans les champs de thym de Provence, et le « bourgogne », qui ne montre plus ses cornes qu'en Savoie, depuis que les vignerons de Côte-d'Or sulfatent leurs vignes. Ils sont délicieux et préparés selon une recette secrète que la maison garde jalousement depuis plus de 75 ans. Petit gris : à partir de 8 F la douzaine ; bourgognes : à partir de 10 F. Ces mêmes bourgognes mis en boîte dans la conserverie de G. Kossorotoff à Moustiers sont en vente (60 F le kilo) rue Fondary et au Printemps-Nation. Un petit livret de recettes leur est joint.

A LA RÉCOLTE MARINE

● **19e** - *107, rue de Belleville (208.85.51).*

A la récolte marine... on vend des escargots gris de Bourgogne préparés par la maison (fondée en 1932). Et aussi des huîtres.

RIPOCHE

● **17e** - *86, rue Lemercier (627.81.12).*

« Gris » et « bourgognes », et aussi des moules et praires farcies.

FOIE GRAS ET TRUFFES

TROUVER du foie gras frais, cru ou préparé, au moment des fêtes est un jeu d'enfant. Dès le mois de février c'est un casse-tête. Nous vous proposons ici une série d'adresses regroupant les demi-grossistes des environs des anciennes Halles, quelques restaurateurs, des charcutiers-traiteurs et tous les bons spécialistes de la place.

Oie ou canard, frais ou de conserve, truffé ou pas?

Si vous préférez douceur et finesse, vous choisirez l'oie. En revanche, si vous aimez dans un foie gras une saveur plus marquée, vous choisirez le canard. Le foie de canard est d'environ 30 % moins cher que celui d'oie, mais attention toutefois si vous l'achetez cru : le foie de canard perd jusqu'à 20 % de son poids à la cuisson, alors que le foie d'oie ne perd que 7 à 8 %.
Frais ou de conserve ? Le frais est, sans conteste, le meilleur à condition qu'il vienne de chez un bon professionnel. Le plus souvent vous ne le paierez pas plus cher que chez un charcutier de quartier. Pour la conserve, tout se complique car le meilleur y côtoie le pire et il faut un lexique pour s'y retrouver entre les « médaillons », « purées », « mousses », « crèmes », « pâtés », « blocs », « lingots », « parfaits », « pavés » et autres « tombeaux » de nos illusions. Une seule issue, l'étiquette qui vous renseignera sur le pourcentage de foie. Pour les 100 % foie gras, il s'agit de foies présentés en terrine, bocal ou boîte de métal. L'important est que le mot « entier » figure sur l'étiquette; autrement, il ne peut s'agir que de foies reconstitués à partir de morceaux. Depuis quelques années, les conserveurs ont mis au point une nouvelle présentation. Il s'agit de foies « mi-cuits ». Ils sont bien entendu moins cuits que les foies de conserve traditionnelle et n'ont pas à supporter la stérilisation qui détruit le parfum et la finesse. Ce sont généralement des produits de première qualité, issus des plus beaux foies, meilleurs que ceux en conserve et pratiquement comparables aux frais. Mais attention, le foie gras mi-cuit n'est pas une conserve, il faut le mettre au réfrigérateur où il se conservera environ deux petits mois sans dommage.
Quant à la truffe, elle est tout à fait inutile. Il ne sert à rien de mélanger les saveurs, et il vaut mieux apprécier ces produits séparément, la truffe n'apportant rien au foie gras. Surtout, comme c'est presque toujours le cas, lorsqu'il s'agit de truffes purement « décoratives » et dépourvues de tout parfum.

BATTENDIER

- **1er** *8, rue Coquillière (236.95.50).*
- **7e** - *40, rue Clerc (551.29.35).*
- **12e** - *Printemps-Nation (371.12.41).*

La maison propose à longueur d'année (mais à un prix élevé) un excellent foie gras frais « façon Colmar », c'est-à-dire à l'alsacienne et « travaillé ».

BOUTIQUE D'HUBERT

- **1er** - *36, pl. du Marché-Saint-Honoré (296.98.07).*

Le même qu'au Bistro d'Hubert : du foie gras frais de canard (540 F le kilo). Pas de livraison mais, après la fermeture de la Boutique, vous pouvez passer prendre votre commande au restaurant.

CLUB DU FOIE GRAS

- **16e** - *117, bd Murat (651.77.67).*

Fabrique et vend par correspondance des foies d'oie et de canard des Landes mi-cuits, truffés ou naturels, d'excellente qualité et à des prix compétitifs. Livraison dans les 3 ou 4 jours.

COESNON

- **6e** - *30, rue Dauphine (326.56.39).*

M. Coesnon fait son foie gras à longueur d'année et ceci de fort belle manière, qu'il soit d'oie (540 F le kilo) ou de canard (480 F). Il saura aussi vous conseiller et même vous donner des recettes pour préparer les foies crus de canard ou d'oie qu'il fait venir du Sud-Ouest et vous propose entiers ou en escalopes.

Apprenez à lire ce Guide : toutes nos adresses sont données par ordre alphabétique à l'intérieur de chaque rubrique.

COMPTOIR GOURMAND (Michel Guérard)

● **8e** - *32, pl. de la Madeleine (742.73.51).*
● **16e** - *35, rue de Passy (525.71.70).*

En conserve ou frais, de remarquables foies d'oie et de canard — des Landes exclusivement. Sans oublier le triomphe de Guérard : le foie gras frais de canard en gelée de poivre, un foie entier, rosé et délicatement parfumé, tel qu'on le sert à Eugénie-les-Bains. Avant de le découper, montrez-le à vos invités : il est si joli à regarder...

COMTESSE DU BARRY

● **9e** - *13-15, rue Taitbout (770.21.01).*
● **16e** - *88 bis, av. Mozart (527.74 49).*

La maison, installée à Gimont, est surtout connue pour ses ventes par correspondance. Ses deux superbes magasins de détail proposent entre autres, du foie gras sous toutes les formes et les appellations. Retenez les foies entiers, surtout les mi-cuits, remarquables de finesse et de saveur, parmi les meilleurs que l'on puisse trouver. De nombreuses terrines et plats cuisinés « font » le catalogue de la maison. Une maison dont la qualité — dans le « haut de gamme » — n'a cessé de croître ces dernières années. Admirables magrets de canard en bocaux.

CORDIER

● **16e** - *129, av. Victor-Hugo (727.97.74).*

Très bons foies gras frais préparés par cette sérieuse maison : cuits (600 F le kilo) ou crus (300 F).

LES FERMIERS LANDAIS

● **15e** - *59, rue de Dantzig (828.31.55).*
Tous les jours. Jusqu'à 1 h du matin.

L'annexe du Restaurant du Marché. Vous y trouverez des foies des Landes, toujours excellents, préparés au naturel par Mme Massia.

FLO-PRESTIGE

● **10e** - *27, rue des Petites-Écuries (246.32.38).*

Un service annexe de la brasserie permet de commander son foie gras de bonne qualité par téléphone. Si vous appelez avant 15 h, vous recevrez chez vous pour le dîner des foies gras d'oie préparés à l'alsacienne, c'est-à-dire malaxés et remis en bloc. Prix exemplaires (de 110 F les 240 g à 418 F le kilo).

FOIE GRAS LUXE

● **1er** - *26, rue Montmartre (233.28.15).*

Au fond d'une cour sans grâce, une boutique à l'ancienne où l'on trouve du foie gras cru des Landes en hiver, de Hongrie et d'Israël le reste du temps. Et encore des saumons de Norvège d'excellente qualité et des jambons superbes de Parme, de San Daniele, de Bayonne et des Ardennes, soigneusement sélectionnés par M. Roux. Une qualité qui n'influe pas sur les prix, très modestes dans l'ensemble.

Chassez la truffe

Toutes les boutiques citées ci-après (et commentées dans nos autres rubriques) vendent des truffes au prix de l'or noir. Mais qu'y faire ?

BATTENDIER

● **1er** - *8, rue Coquillière (236.95.50).*

COMPTOIR GOURMAND

● **8e** - *32, pl. de la Madeleine (742.73.51).*
● **16e** - *35, rue de Passy (525.71.70).*

FAUCHON

● **8e** - *26, pl. de la Madeleine (742.60.11).*

GRAND'MÈRE L'OYE

● **9e** - *57, rue de Dunkerque (281.35.55).*

HÉDIARD

● **8e** - *21, pl. de la Madeleine (266.44.36).*

LABEYRIE

● **1er** - *6, rue Montmartre (236.60.13).*

LAMAZÈRE

● **8e** - *23, rue de Ponthieu (359.66.66).*

LOUS LANDÈS

● **14e** - *9-11, rue Georges-Saché (543.08.04).*

MAISON DE LA TRUFFE

● **8e** - *19, pl. de la Madeleine (265.53.22).*

POULET DE BRESSE

● **16e** - *30, rue des Belles-Feuilles (727.88.31).*

VERGER DE LA MADELEINE

● **8e** - *4, bd Malesherbes (265.51.99).*

GRAND'MÈRE L'OYE

● **9e** - *57, rue de Dunkerque (281.33.55).*

M. Biancarelli a changé de trottoir, sinon de rue, et vous le trouverez désormais au n° 57, dans un nouveau magasin. Outre sa gamme de foies d'oie au naturel : frais, en terrine, au torchon, à l'ancienne (460 F le kilo), en semi-conserve ou en conserve — parmi les meilleurs qu'on puisse trouver à Paris et les moins chers pour leur qualité —, il vous proposera quelques bons vins pour les accompagner, et des truffes, des terrines, du cou d'oie farci au foie gras, etc. Livraisons à domicile (à partir de 450 F).

JAMIN

● **16e** - *32, rue de Longchamp (727.12.27).*

Préparés sur commande, selon les quantités que vous désirez, des foies gras de canard dont l'extrême qualité n'est pas étrangère à la réputation de la maison.

LABEYRIE

● **1er** - *6, rue Montmartre (236.60.13).*

La célèbre maison de Saint-Geours vend dans sa succursale parisienne tous les produits landais : le foie gras bien sûr : oie, canard, cru, mi-cuit ou en conserve, mais aussi des truffes, des magrets, des confits, des cèpes. Quelques produits frais arrivant chaque matin de la maison mère, comme les jambons de Bayonne, ou les saumons de l'Adour, pêchés à la ligne. Labeyrie est spécialisé aussi dans le saumon norvégien ou canadien, qu'il fume lui-même.

LAMAZÈRE

● **8e** - *23, rue de Ponthieu (359.66.66).*

Foies gras entiers très peu cuits (sans graisse ni gelée), ne ressemblant à nul autre (600 F le kilo) que ce restaurant cossu prépare pour la clientèle extérieure. Livraison à domicile (et vente à emporter, au restaurant, jusqu'à minuit).

LENÔTRE

● **16e** - *44, rue d'Auteuil (524.52.52).*

Voir autres adresses à « Pâtisseries ».

Remarquable foie frais — de canard non truffé (680 F le kilo) ou d'oie truffé (750 F le kilo) — vendu en terrines dans tous les magasins Lenôtre. Livraison possible.

LOUS LANDÈS

● **14e** - *9, rue Georges-Saché (543.08.04).*

Georgette Descat fait venir directement (des Landes bien sûr) de délicieux foies d'oie et de canard qu'elle prépare et vend en bocaux. Mais hélas, elle menace de fermer sa boutique.

OLIVIER DE MAILLARD

● **92 Neuilly** - *8 bis, rue de Rouvray (757.73.77).*

Sur rendez-vous.

Honnêtes foies gras et confits du Périgord. Avec quelques petits vins de propriétaire (10 à 15 F) et un remarquable grand cru armagnac (250 F).

Ne nous accablez pas si les prix ont grimpé depuis la parution de ce Guide.

MAXIM'S DE PARIS

● **8e** - *76, fg Saint-Honoré (266.10.09).*

Foie gras frais de canard, préparé par le restaurant, et vendu dans les jolis terrines de chez Maxim's à des prix princiers (600 F le kilo). Et foie gras de canard (ou d'oie) mi-cuit, vendu en bocaux « fermiers » de différentes tailles (600 F environ le kilo).

PETROSSIAN

● **7e** - *18, bd Latour-Maubourg (551.59.73).*

Connu surtout pour son caviar, Petrossian fabrique — et vend sous son nom — un excellent foie gras frais des Landes : d'oie ou de canard, en rouleau ou en terrine.

PIÉTREMENT-LAMBRET

● **1er** - *8 et 10, rue Montmartre (233.30.50).*

Foies gras d'oie et de canard crus (français en fin d'année et d'importation le reste du temps). Egalement : magrets, cuisses, filets fumés, etc. Beaucoup de restaurants se fournissent ici.

AU POULET DE BRESSE

● **16e** - *30, rue des Belles-Feuilles (727.88.31).*

Ce remarquable volailler propose toute l'année des foies gras crus de canard venus des Landes, de très bonne qualité et à des prix fort modestes (160 F le kilo). Et cuits : 380 F le kilo.

PAUL PRÉDAULT

Entre autres, chez :

● **7e** - **Baucia,** *76, rue du Bac (548.85.68).*
● **17e** - **Gastronomia,** *37, rue Ampère (766.19.30).*
● **16e** - **Poisson,** *111, av. Victor-Hugo (727.34.17).*

Paul Prédault, ou comment l'on passe — bien — du stade artisanal à la petite industrie. Un bon foie d'oie au naturel (475 F environ la terrine d'un kilo), et des charcuteries bien préparées : galantines, pâtés de Gascogne, jambon persillé, lapin en gelée au muscadet, etc.

FROMAGES

ANDROUET

● **8e** - *41, rue d'Amsterdam (874.26.90).*

Une vitrine gothique peu enivrante, mais le « maître-fromager » Pierre Androuet est incontestablement le plus grand et le plus célèbre marchand de fromages du monde. Pâtes molles, cuites, fraîches ou fermentées, le choix est ici véritablement encyclopédique : brie de Meaux fermier, camembert (au lait cru), grand vatel triple crème, livarot, maroilles, munster vendus à leur juste degré de maturité. Préparation de plateaux (livraisons gratuites à domicile à partir de 100 F) et dégustation sur place des fromages (au restaurant).

BOURSAULT-VERGNIER

● **14e** - *71, av. Gal-Leclerc (331.75.38).*

Le boursault (ou délice de Saint-Cyr), créé il y a une quinzaine d'années par le « maître » Pierre Boursault, demeure une grande spécialité de la maison, reprise il y a quelques années par Jacques Vergnier, qui se montre, en tout point, digne de son prédécesseur. Le boursault en question est proposé ici remarquablement à point, comme la sélection de chèvres fermiers, de reblochons et de saint-nectaire fermiers également, de coulommiers au lait cru, comme aussi un camembert particulièrement délicat, de la Coopérative d'Isigny, affiné dans les caves de la maison. Grande boutique fort fréquentée. Personnel aimable.

CANTIN

● **15e** - *2, rue de Lourmel (578.70.58).*

Le patron est un des chefs de file de sa profession. Il l'exerce avec un sérieux dans la ferveur que sa gouaille et ses manières de titi parisien prolongé masquent aux yeux des observateurs pressés. Nous ne pouvons que recommander ses fromages fermiers — il dispose d'un choix particulièrement étendu — et ses beurres de bonne provenance.

CARMÈS

● **17e** - *24, rue de Lévis (924.88.94).*

Ses talents d'affineur (Carmès possède quatre magnifiques caves d'affinage) lui ont valu la croix du Mérite agricole. Ce qui ne lui est pas, pour autant, monté à la tête, puisqu'il continue de vendre avec une affabilité exemplaire — et l'aide de ses fils — d'innombrables fromages toujours remarquablement présentés. Beaucoup échappent à la banalité, tels le lucullus à la cendre (spécialité du patron), le grand vatel et aussi les cantal, saint-nectaire et sainte-maure fermiers. A côté des fromages, vous trouverez également chez Carmès des pains de chez Poilâne et des salaisons fines. Et si l'envie vous prend de convier des amis à une « râclette », on vous prêtera (gracieusement) un four à râclette pour 48 heures et on vous fournira tous les ingrédients nécessaires.

CREPLET-BRUSSOL

● **8e** - *17, pl. de la Madeleine (265.34.32).*

Plus de 200 fromages sont disponibles en permanence dans cette boutique où l'on trouve quelques productions du nord de la France trop mal connues des Parisiens (boulettes de Cambrai ou d'Avesnes), mais aussi les savoureux curés nantais, poivre d'âne, époisses au marc, la bouille (de Normandie) et également tous les fromages anglais (stilton), suisses, italiens et hollandais. Demandez à M. Lefèvre son petit calendrier des fromages. Livraisons à partir de 70 F (8 F).

FROMAGERIE DE COURCELLES

● **17e** - *79, rue de Courcelles (622.22.36).*

M. Sellier (qui possède aussi la Fromagerie de l'Etoile, ex-Courtois, avenue de la Grande-Armée) s'est taillé une bonne réputation dans la plaine Monceau — et au-delà — pour ses chèvres fermiers frais, demi-secs et secs, ses fromages au lait cru (camemberts, coulommiers, pont-l'évêque), son saint-nectaire fermier et son vieux fribourg à pâte grasse. Livraison à domicile (à partir de 150 F d'achats).

FROMAGER DE L'ÉTOILE (Sellier)

● **16e** - *11, av. de la Grande-Armée (500.57.43).*

Fort bel établissement. On n'en regrette pas moins l'austérité centenaire de l'ancien magasin. M. Sellier, le successeur de M. Courtois, a repris le répertoire de son prédécesseur — bries de Meaux, camemberts, munsters et triples crèmes subtilement affinés —, et l'a enrichi des découvertes personnelles qu'on trouvera évoquées à propos de sa Fromagerie de Courcelles (voir ci-dessus). Livraisons à domicile. Caves d'affinage (que l'on peut visiter).

GENÈVE

● **16e** - *Galerie Saint-Didier, rue des Belles-Feuilles (727.33.60).*

● **16e** - *16, rue Dufresnoy.*

● **17e** - *11, rue Lebon (574.23.45).*

Excellente maison qui affine dans ses caves de la rue Torricelli des camemberts remarquables et propose à longueur d'année plus de 200 variétés de fromages : délice de Saint-Cyr, fourme d'Ambert, saint-nectaire fermier, reblochon, maroilles, chèvres (certains sont marinés à l'huile), etc. Egalement des fontainebleaux d'une fraîcheur parfaite. Livraisons gratuites dans le 8e, le 16e et le 17e.

LAUNAY

● **94 Vincennes** - *19, rue du Midi (328.01.49).*

Le décor moderne et un peu bêta de la boutique ne doit pas vous faire préjuger de la qualité des fromages. Le choix que l'on y présente est en effet extrêmement sourcilleux ; en particulier un extraordinaire cantal des burons de Salers, un reblochon de montagne fermier comme on n'en fait plus et un admirable vacherin fribourgeois. On aurait peine d'ailleurs à trouver quelques faiblesses chez cet exceptionnel fromager qui affiche une quantité de bons chèvres fermiers de Touraine et du Poitou (certains sont marinés à l'huile), une bonne sélection de fromages transalpins et du nord de la France (maroilles, vieux lille) ainsi que de bien sympathiques mottes de beurre.

LA MAISON DU FROMAGE

● **7e** - *62, rue de Sèvres (734.33.45).*

M. Quatrehomme se met en dix pour choisir (de grands restaurants, L'Archestrate, par exemple, sont ses clients) ses livarots fermiers, ses camemberts affinés dans les caves — agrandies — de la maison, son beaufort de haute montagne, ses chèvres fermiers (à la saison), ses saint-nectaire et reblochon du Grand Bornand (fermiers), son cantal de Salers, ses crottins conservés dans l'huile, son vacherin français et suisse (à la saison), et ses beurres à la motte (charentais, normand et breton demi-sel). Livraisons gratuites à domicile à partir de 200 F. Ouvert toute l'année. Vend aussi les plats surgelés de Michel Guérard.

TACHON

● **1er** - *38, rue de Richelieu (296.08.66).*

Seul Molière peut rester de bronze (sa statue est juste en face) devant l'étroit étal de ce fromager dont les chèvres et les vaches, frais ou secs du Sancerrois, la tête de moine du Jura (suisse), les port-salut et maroilles fermiers, le bleu de Coucouron comptent parmi les meilleurs dont il est possible de faire l'emplette au cœur de Paris. Jean-Claude Benoît s'est fait en outre une spécialité seconde en diffusant quelques charcuteries artisanales trop injustement méconnues comme les saucissons « à la main » (fumés ou non) des Hautes-Alpes.

SPÉCIALITÉS FROUMAGIÈRES (Barthélémy)

● **7e** - *51, rue de Grenelle (548.56.75).*

Cette maison s'est rendue célèbre sous la direction de Mme Forteau, forte femme, qui y vendait des fromages frais du type le plus ancien que l'homme ait connu (aux herbes, au safran, etc.). M. Barthélémy qui lui a succédé y déploie tous ses talents d'affineur, et les plus grands de la profession s'accordent à reconnaître en lui un de leurs pairs pour son sainte-maure de Pussigny, son cantal de Salers, son vacherin du Valais (lavé au fendant), etc. On trouvera également chez lui l'exquis beurre cru, à la motte, de la vallée de l'Ouve (Cotentin) produit par des vaches de prés salés, ainsi que le rappel du passage, rue de Grenelle, de quelques très célèbres personnages qui ont signé le livre d'or de Roland Barthélémy. Ainsi le Président Giscard — un compatriote auvergnat — a-t-il, après Churchill et quelques autres, donné son sentiment sur la « diversité des fromages qui rendent la France si agréable à vivre et si difficile à gouverner »...

Autres bons fromagers

ALFONSO

● **4e** - *38, rue Saint-Louis-en-l'Ile (633.30.00).*

En face du meilleur glacier de « l'Ile » et de Paris, c'est-à-dire de Berthillon. Authentique brie de Meaux fermier, coulommiers, reblochon et vacherin en saison (remarquable), affinés dans de magnifiques caves du XVIIe siècle.

BOFHALLES

● **1er** - *11 bis, rue des Halles (236.32.72).*

Un grand spécialiste des fromages pour les restaurants. Nous ne finirions pas de vous en donner la liste (Lasserre, Dodin-Bouffant, etc.). Peut-être serez-vous moins bien servi, mais essayez tout de même le pont-l'évêque fermier et le beurre de ce B.O.F. où l'on respire encore un peu du parfum gouailleur des anciennes Halles.

LA BOITE A FROMAGES

● **14e** - *14, rue de l'Amiral-Mouchez (580.66.58).*

Les œufs de Maurice, le patron, sont beaux et bien frais, et son beurre d'Isigny à la motte bien appétissant. Une centaine de variétés de fromages qu'on peut aussi goûter dans son restaurant tout proche (au n° 61 de la même rue). Caviar également et saumon fumé, de chez Petrossian.

LA CAVE AUX FROMAGES

● **20e** - *1, rue du Retrait.*

Il y a un peu plus de dix ans qu'Emile Dusuzeau décida de consacrer l'épicerie « générale » familiale au seul fromage dans ses bonnes variations fermières, et de lui sacrifier une carrière dans l'administration, le moins recommandable de tous les fromages, assure-t-il. Tous ceux qu'il vend sont soigneusement affinés par ses soins au sommet de la rue des Pyrénées, soit au plus profond d'une cave creusée dans l'une des plus hautes collines de Paris : chèvres d'origine aussi changeante que variée (selon les saisons), maroilles, boulettes d'Avesnes, vacherins fribourgeois, corses vieux, vrai cantal (Salers), vieille mimolette, brique du Jura, chaource et saint-marcellin frais, etc.

LA CRÉMERIE

● **1er** - *49, rue Berger (236.17.61).*

Une ancienne mûrisserie de bananes reconvertie en crémerie de gros et de détail. Les fromages affinés par MM. Allard et Cabantous que vous achèterez ici sont ceux que vous retrouverez sur la table des meilleurs restaurants (Bistrot de Paris, Chez les Anges, Chiberta, entre autres) et hôtels (George-V, Plaza-Athénée) : brie de Meaux, cantal fermier, grands « crus » suisses, et chèvres, tous intéressants et fort divers.

ALAIN DUBOIS

• **17e** - *80, rue de Tocqueville (227.11.38).*

70 sortes de fromages de chèvres fermiers (en saison), de vieux cantal (fourme de Laguiole, salers remarquable). Et choix étendu de grands suisses, du vacherin de la vallée de Joux (en saison) à la tête de moine jurassienne si injustement méconnue. Beurre à la motte.

DURAND

• **3e** - *147, rue Saint-Martin (278.07.59).*

La charmante Perrette et son pot au lait (en céramique) veille sur le bon lait cru de M. Durand, sur ses yaourts fermiers, son fontainebleau, son saint-nectaire fermier affiné sur de la paille de seigle, sa tomme ou ses brebis frais de Corse, son rocamadour (à la saison), et aussi ses stilton, cheddar et parmesan.

A LA FERME D'OLIVIA (Delaisse)

• **12e** - *4, rue Taine (307.40.43).*

Une jolie boutique moderne et un jeune couple charmant dévoué — entre autres — à la gloire de certains fromages du nord de la France (boulette d'Avesnes, vieux lille et neufchâtel). On peut visiter la cave d'affinage et Claude Delaisse est toujours aussi scrupuleux sur le mûrissement des pâtes qui lui sont confiées.

FERME POITEVINE

• **18e** - *64, rue Lamarck (606.54.40).*

Du camembert pour Françoise Dorin, du roquefort pour Jean-Pierre Cassel, du lingot de Montmartre (chèvre) pour les Montmartrois, du chèvre à l'huile d'olive pour les Provençaux de Paris et quelques autres bons fromages (munster). Rayons de charcuterie « de campagne », de poulets « de ferme » et de fruits et légumes « naturels ». Quelques petits vins.

FERME DES PYRÉNÉES

• **16e** - *Marché de Passy (524.57.87).*

Une des bonnes boutiques du marché de Passy pour ses camemberts, livarots et chèvres fermiers et son époisse. Egalement, pour répondre au souci écologique actuel, des fromages « naturels », issus de cultures « biologiques » : ils ne sont pas toujours meilleurs et en tout cas jamais moins chers que les autres.

FERME SAINTE-CÉCILE

• **92 La Garenne-Colombes** - *21, rue Voltaire (242.21.16).*

Nombre de riverains le tiennent pour l'égal des meilleurs affineurs de Paris, et font grand cas de ses fromages de Thiérache (vieux gris, maroilles), de Bourgogne (époisses), et de Corse.

FERME SAINTE-HÉLÈNE

• **6e** - *18, rue Mabillon (633.64.66).*

C'est assurément dans cette épicerie-crémerie que l'on trouve la plus grande et la meilleure sélection de fromages français et étrangers de la Seine à Saint-Sulpice. Tout cela explique le succès des chèvres fermiers, du neufchâtel, du vacherin du Jura, du gaperon auvergnat, du stilton anglais et, en règle générale, de tous les fromages sélectionnés selon les saisons. Beurre d'Echiré.

FERME SAINTE-SUZANNE

• **16e** - *17, rue Le Marois (288.00.66).*

Une bonne crémerie de quartier : coulommiers, reblochons et chèvres fermiers. Camemberts affinés par la maison, livarots, etc.

FROMAGERIE MARBEUF

• **8e** - *9, rue Marbeuf (359.71.23).*

Une belle ferme moderne, où l'on s'active avec le sourire pour vous servir un camembert au lait cru, un chèvre poitevin ou un fromage de brebis des Pyrénées. La maison expédie (emballages spéciaux) ses fromages aux quatre coins du monde.

FROMHAL

• **1er** - *1, rue de Turbigo (236.99.18).*

Brie de Meaux, livarot de ferme, roquefort et cantal de cette bonne maison garnissent les plateaux de fromages de bon nombre de bons restaurateurs.

GOBLET

• **16e** - *141, av. Victor-Hugo (727.99.38).*

Toujours des chèvres de tout premier ordre : valençay, saintemaure, chavignol, levroux, etc.

JAHIER-LA MAISON DU FROMAGE

• **14e** - *8, rue Delambre (033.35.58).*

Murols, reblochons, fribourg, beaufort et quelques autres, dont les boulettes d'Avesnes, les camemberts au lait cru et les bries. Beurres à la motte de Sainte-Mère-Eglise, de Charente-Poitou et d'Echiré.

KRAEMER

• **5e** - *60, rue Monge (707.84.23).*

Belle fromagerie à fréquenter de préférence à la saison des chèvres, autrement dit, à la belle saison.

LECOMTE

• **4e** - *76, rue Saint-Louis-en-l'Ile (354.74.54).*

L'affineur des insulaires propose, de novembre à avril, l'un des meilleurs vacherins de Paris. A toute époque, d'exquises pâtes molles, fraîches et croûtes fleuries : fontainebleau au lait cru, cantal fermier, chèvres fermiers (au printemps), etc. Tous les fromages sont « affinés par le patron ». Beurre à la motte.

JACQUES LEFÈVRE

• **15e** - *41, rue de la Procession (306.35.42).*

Minuscule et vieille échoppe où un jeune fromager s'est fait une jolie réputation dans les produits laitiers de Neufchâtel-en-Bray, les tommes de Savoie et d'Auvergne, le salers (admirable) et en règle générale tous les fromages qu'il conseille judicieusement selon les saisons. Egalement un rayon de produits bretons (saucisse sèche à la perche, boudin, pain de campagne, etc.).

LILLO

• **16e** - *35, rue des Belles-Feuilles (727.69.08).*

Une jolie fromagerie récemment ouverte dans cette portion « alimentaire » de la rue des Belles-Feuilles, à quelques pas de l'avenue Victor-Hugo. Beaux et bons camemberts, livarots, coulommiers et reblochons fermiers, que M. Lillo affine lui-même dans ses caves. Tous les chèvres et un admirable beurre cru vendu à la motte. A cela s'ajoute un appétissant rayon de solides préparations à base de fromage : gougères, quiches, gnocchi, vatrouchka, crêpes fourrées, etc. Mais Lillo ne livre pas à domicile.

MOLARD

• **9e** - *48, rue des Martyrs (526.84.88).*

Fromages de bonne provenance artisanale et d'excellente qualité : chèvres admirables, camembert « goûteux », coulommiers très fins, etc., auxquels s'ajoutent depuis peu un petit rayon de vins de pays. Molard tient aussi boutique aux marchés de l'avenue de Saxe (les jeudi et samedi) et de la place Maubert (les mardi et samedi).

GIBIERS ET VOLAILLES

BATTENDIER

• **1er** - *8, rue Coquillière (236.95.50).*
• **7e** - *40, rue Clerc (551.29.35).*

Cette très sérieuse maison des anciennes Halles offre (en saison) un superbe rayon de gibier et (toute l'année) de belles et bonnes volailles qu'on vous livrera, si vous le désirez, à domicile. Voir aussi « Charcuteries ». « Glaces et sorbets », « Traiteurs ».

POULARDE SAINT-HONORÉ

• **1er** - *9, rue du Marché-Saint-Honoré (261.00.30).*

Victor Lechelon appartient à la poignée de volaillers parisiens qui maintient très haut le pavillon de la qualité. Sa compétence et sa rigueur lui ont permis de devenir fournisseur de l'Elysée et de Matignon : c'est dire que les poulets et les pigeons de Bresse, les canards nantais et les agneaux de Pauillac qu'il propose dans sa boutique-boyau comptent parmi les meilleurs de Paris. Excellent rayon de gibier en saison.

AU POULET DE BRESSE

• **16e** - *30, rue des Belles-Feuilles (727.88.31).*

A deux pas de l'avenue Victor-Hugo une maison pas du tout sophistiquée, des vitrines pauvrettes (on regrette les superbes placards en bois de Mme Delaunay-Léveillé). Triperie d'un côté, volailles de l'autre. Mais pas n'importe lesquelles : parmi les meilleurs gibiers et volailles de Paris. Certains ne s'y sont pas trompés, et Maxim's, Le Vivarois et Laurent n'ont pas d'autres fournisseurs pour l'exceptionnel canard de Challans et la volaille de Bresse qui se vendent ici comme des petits pains en fin de semaine. MM. Forsans et Bordenave proposent en outre des faisans venant directement des tirés présidentiels de Rambouillet, du lièvre français, du perdreau, de la gigue de chevreuil d'une irréprochable qualité. Pour les fêtes, signalons un très remarquable foie de canard mi-cuit arrivant directement des Landes et vendu ici à petit prix. Foie gras cru toute l'année et truffes fraîches à la saison.

Autres bons volaillers

BÉGUET

• **16e** - *16, rue Dufresnoy (504.59.76).*

Poulets de Normandie, rôtis à la broche à l'ancienne. Gibiers.

CLOUZARD

• **5e** - *111, rue Mouffetard (707.53.95).*

Sans doute le meilleur volailler de la Mouffe. Boutique exiguë mais produits de qualité : poulets fermiers de Bresse, du Gâtinais, de Loir-et-Cher, lapins dodus et frais et, pendant la saison, perdreaux et belles poules faisanes, tirés dans les grandes chasses de Beauce (celles de l'Elysée, en particulier) et que le personnel de la maison plumera, troussera, bardera à votre intention — pour peu que vous lui en laissiez le temps — avec la meilleure grâce du monde.

COQUET

• **17e** - *36, rue de Lévis (924.07.08).*

Sérieuse et vieille maison (depuis 1924). Poulets de Bresse et de Loué, pigeons, agneaux de lait de Pauillac, lapins du Gâtinais et tous les gibiers à la saison. Livraison (gratuite) à domicile.

AUX FRUITS DE FRANCE (Turpin)

• **4e** - *72, rue Saint-Louis-en-l'Ile (326.83.02).*

En saison, M. Turpin propose tout un choix de beau gibier : lièvres, faisans, bécasses, chevreuils (gigues à la commande), et toute l'année des poulets, pintades et canettes de bonne provenance. Livraisons seulement dans les îles et donc pas sur le continent.

GAREL

• **14e** - *21, rue Raymond-Losserand (322.38.29).*

Une boutique en perdition dans un quartier bouleversé par les pelleteuses. Robuste et disert, l'aimable patron attend de pied ferme son prochain naufrage immobilier et sollicite la curiosité des amateurs riverains par l'excellence de ses lapins du Gâtinais, la belle qualité de ses volailles nantaises et un choix toujours très étendu de beaux gibiers (en saison), le tout en arrivages directs. Livraisons à domicile.

LAMBERT

• **8e** - *260, fg Saint-Honoré (277.45.15).*

A l'enseigne des « Gallinacées de Pomone » Roger Lambert, « fruitier de luxe » vend des fruits exotiques, des primeurs de choix (des fraises toute l'année), des poulets de Bresse, de belles dindes fermières (farcies à la demande), et, en saison, tous les gibiers frais.

LETÈVE

• **15e** - *36, rue Paul-Barruel (533.95.63).*

Excellents poulets de grains de Loué.

PIÉTREMENT-LAMBRET

• **1er** - *8 et 10, rue Montmartre (233.30.50).*

Foies gras d'oie et de canard crus, confits d'oie ou de canard, frais ou en boîte, à des prix intéressants; beaux gibiers à la saison (antilope, sanglier et garennes toute l'année), poulets de Bresse, canettes de Barbarie, magrets de canard, agneaux de lait, jambons de Bayonne et de Parme, truffes, etc. Bref une maison à gros débit (elle fournit de nombreux restaurants) et aux produits de qualité sérieuse.

LA POULARDE

• **18e** - *10, rue Lepic (606.61.85).*

Volailles de Bresse et lapins du Gâtinais.

ROTISSERIE DU CHAMP DE MARS

• **7e** - *36, rue Clerc (705.45.64).*

Beaux poulets de Bresse et du Périgord. Canards de Barbarie, nantais et croisés. Dindes de Bresse et chapons à Noël; et tous les gibiers en saison.

ROTISSERIE DU COMMERCE

• **15e** - *63, rue du Commerce (828.98.69).*

Volailles (poulets de Loué, entre autres) et gibier à la saison.

ROTISSERIE SAINT-DOMINIQUE

• **7e** - *137, rue Saint-Dominique (551.94.37).*

Volailles de glorieuses provenances (Bresse, Loire, etc.) lapins du Gâtinais, et, à la saison, chevreau et agneau de lait, et gibier superbe.

SÉVENET

• **16e** - *57, rue de Passy (288.04.83).*

• **92 Neuilly** - *104, av. Charles-de-Gaulle (624.08.91).*

Deux maisons presque sœurs. Volailles de Bresse, nantaises ou périgourdines, gibiers divers et agneaux de lait en saison. Les deux Sévenet livrent à domicile dans leur quartier et les arrondissements limitrophes. Egalement de beaux rayons de poissons fins (sole, turbot, bar, saumon) et de fruits de mer.

G. TRIPOT LA CRÉMAILLÈRE

• **19e** - *114, rue de Meaux (205.24.08).*

• **19e** - *7, av. de la Porte-Brunet (205.37.98).*

Poulets de Bresse, canettes et pintades de ferme et, de Pâques à novembre, agneaux de cent jours en provenance directe d'un élevage de famille. Gibier d'importation en saison. Tripot, bien entendu, livre à domicile.

GLACES ET SORBETS

BAGGI

• **9e** - *38, rue d'Amsterdam (874.01.39).*

De père en fils depuis plus de 130 ans. Baggi est le plus ancien glacier de Paris. Henri Mondor et Georges Duhamel fréquentaient assidûment sa boutique. C'est un grand spécialiste des glaces élaborées, aux compositions savantes (omelette glacée), des glaces aux alcools si rarement bonnes, des soufflés (à la framboise), et des grandes pièces montées (de 15 à 50 personnes). Mais il est aussi parfaitement à l'aise dans les glaces simples et classiques ou les sorbets (poire merveilleuse, framboise et cassis pour lequel il a inventé une machine capable d'arracher au fruit son pédoncule qui donne souvent au sorbet un âcre petit goût de bois). Selon la saison, une gamme de 20 à 30 sortes de glaces et de sorbets. Livraison pour les grosses quantités.

BERTHILLON

• **4e** - *31, rue Saint-Louis-en-l'Ile (354.31.61).*

De 10 h à 20 h (à 19 h le dimanche). Fermé le lundi et le mardi, 3 semaines à Pâques, 2 mois du 10 juillet à la mi-septembre, une semaine à la Toussaint. Pas de livraison.

Voilà quinze ans bien tassés que la Providence nous fit découvrir le petit bistrot-hôtel de Bourgogne, où seuls quelques habitués de l'île venaient se fournir en glaces et sorbets sans trop se douter qu'ils mangeaient déjà les meilleurs de Paris. Rien ne peut nous faire regretter aujourd'hui d'avoir été les premiers à faire voler sa renommée au-delà de la Seine, car rien n'est parvenu à troubler le savoir-faire, le génie inventif et l'honnêteté de Berthillon. Le miracle persiste donc, et il ne se passe pas de mois que Berthillon ne nous étonne par quelque création insolite, déroutante ou si simple que personne avant lui n'y avait songé. Une bonne vingtaine de spécialités vendues en permanence au cornet, en dégustation sur place ou à emporter : ananas, cacao, litchis, marrons glacés (du début novembre à Pâques), thé, miel, fraises des bois (en saison), pruneaux et armagnac, granités à la poire william, à la framboise, au calvados, au kirsch, etc.

Payez-vous leur tête

JEAN SAFFRAY

● **7e** - *18, rue du Bac (261.27.63).*

Vous propose la tête de MM. Giscard d'Estaing, Mitterrand, Marchais (et les autres) en glace (citron-fraise, chocolat-Cointreau, vanille-café, etc.) moulée et recouverte de chocolat blanc. 100 F pour 2,5 litres (15 personnes).

CHRISTIAN CONSTANT

● **7e** - *26, rue du Bac (544.12.24).*

Dans les glaces de Christian Constant, jamais de stabilisateur ni de colorants, rien d'autre que du sucre, des jaunes d'œufs frais, de la crême fraîche, de la vanille, du café, du cacao de première qualité. Et l'utilisation exclusive de la pulpe du fruit donne à ses sorbets un goût puissant et délicat. Invention heureuse dans le choix des sorbets, qu'ils soient classiques (cassis, myrtille, pêche, melon, mandarine, etc. : 40 F le litre), exotiques (citron vert, rose et raisin de Corinthe, kiwi, papaye, etc. : 44 F le litre), ou nouveaux, comme son délicieux sorbet au miel et pignons de pin. Remarquables entremets glacés comme le biscuit Baccarat (sorbet framboise, vanille, bigarreaux confits au kirsch), la bombe aux marrons glacés, les profiteroles au sorbet cassis.

DALLOYAU

● **8e** - *101, fg Saint-Honoré (359.15.58).*
● **15e** - *69, rue de la Convention (577.84.27).*
● **15e** - *Centre Beaugrenelle (575.59.92).*

Maison de très grande tradition où l'on trouve un choix important de glaces et de sorbets remarquables pour leur fraîcheur, leur légèreté et leur présentation (certains décorés en trompe-l'œil). La qualité des sorbets, notamment, est exceptionnelle (celui aux poires est sublime), fabriqués à partir de fruits achetés directement chez de petits producteurs. Merveilleux desserts glacés, comme le Roussillon (sorbet à la pêche avec biscuit et nappage de groseille).

AUX DÉLICES

● **17e** - *39, av. de Villiers (924.71.36).*

Excellentes glaces très classiques : la simple vanille, la Délice (extérieur praliné, intérieur café et grains de café), la Simone (extérieur mandarine, intérieur Grand Marnier et raisins de Malaga). Et sorbets (tous fruits de saison) sans reproche si ce n'est leur prix.

LENÔTRE

● **16e** - *44, rue d'Auteuil (524.52.52).*
Voir autres adresses à « Pâtisseries ».

Glaces et sorbets d'une qualité exceptionnelle : Bayadère (pistache, abricot, fraise et coulis de cerise), Délices (glace pralinée, parfait café et grains de café), etc. Toutes sortes de présentations du simple et charmant godet en carton doré et papier plissotté, à l'ananas givré, la marmite en nougatine ou le cygne en sucre soufflé. Le plus beau choix de Paris d'entremets glacés : biscuit créole (chocolat et Grand Marnier), vacherins divers, biscuit torta (au cassis), etc.

POTEL ET CHABOT

● **16e** - *3, rue de Chaillot (720.22.00).*

Toutes les glaces de ce grand traiteur sont parfaites et présentées avec recherche : corne d'abondance avec des fruits en glace, etc. Jusqu'à des pièces montées, personnalisées et à thème, pouvant atteindre 4,50 m de haut.

RAIMO

● **12e** - *59-61, bd de Reuilly (343.70.17).*

Ce grand glacier proche de la place Daumesnil possède une terrasse pleine d'agrément l'été. Les vacherins à la framboise, les sorbets aux fruits frais — melon, pêche, abricot, framboise, raisin muscat, kaki, mandarine, etc. — le hissent incontestablement au rang des très bons professionnels. Vente au cornet, pas de livraison mais vous serez servi jusqu'à minuit.

Autres bons glaciers

BATTENDIER

● **1er** - *8, rue Coquillière (236.95.50).*
● **7e** - *40, rue Cler (551.29.35).*
Et Printemps-Nation

Toujours de remarquables (et chères) glaces, comme la Printanière (fraise et mousse au kirsch), la Princesse (aux noisettes et au chocolat), les citrons et oranges givrés, tous les sorbets désormais classiques (poire, cassis, fruit de la Passion). Voir aussi « Charcuteries », « Traiteurs ».

BEZANÇON

● **92 - Neuilly** - *19, rue de Sablonville (624.05.29).*

Sérieuse maison « de tradition » qui, depuis 1881, fournit le Tout-Neuilly en très honnêtes glaces et sorbets à prix raisonnables. Tous parfums classiques, plus ananas, oranges et citrons givrés, et la glace Viviane (vanille et meringue), le grand et immuable triomphe de la maison. De 31 à 37 F le litre environ. Pas de livraison ni de dégustation sur place.

BOURDALOUE

• **9e** - *7, rue Bourdaloue (878.32.35).*

Merveilleux vacherins et parfums classiques. La direction de cette vieille maison exclut toute tentation de nouveauté dont l'idée même fait frémir.

CALABRESE

• **14e** - *15, rue d'Odessa (320.31.63).*

Pose aimablement sur ses cornets et avec l'accent de son nom d'honnêtes boules de vanille, etc. (choix de 50 parfums classiques et exotiques ; une dizaine par jour par roulement). Vente à emporter : 1 litre 1/4 : 28 F. Ouvert jusqu'à minuit.

CARETTE

• **16e** - *4, pl. du Trocadéro (727.88.56).*

D'un grand classicisme, les glaces et les sorbets de Carette se distinguent surtout par la hauteur de leurs prix : 65 F le litre. Livraison à domicile ou dégustation sur place dans la cohue.

CLICHY

• **4e** - *5, bd Beaumarchais (887.89.88).*

Tout un choix délicieux de glaces classiques et de parfaits glacés : bombes créoles, tonkinoises, ambassadrices, marmites en nougatine remplies de boules de glaces, etc. Et selon les saisons, sorbets aux poires, cassis, fruits de la Passion, citron vert, goyave, griottes, etc.

COQUELIN AÎNÉ

• **16e** - *1, pl. de Passy (288.21.74).*

M. Bugat fait toujours le bonheur de Passy avec sa bombe aux marrons (de novembre à mars), son Méphisto (parfait vanille à l'ananas et fraise), et ses petits pots dorés de divers parfums dont certains, comme la framboise et la vanille, ne sauraient lasser. Qualité artisanale jamais en défaut et prix modérés pour le quartier. Livraison à domicile.

AUX GLACES DE VENISE

• **20e** - *387, rue des Pyrénées (366.56.53).*

Vend au cornet (à emporter) et à la coupe (à consommer sur place) des sorbets de préparation familiale : les meilleurs sont aux fruits « exotiques » (citron, fruit de la Passion, etc.). Toutes les glaces plus ou moins « classiques » : liégeois, negresco, montmorency, etc.

GLACIER DES ALPES

• **11e** - *20, fg du Temple (805.32.49).*

Goûtez la martiniquaise des Alpes (36 F le litre à emporter). Ou bien, installez-vous au 1er étage, devant quelque autre honnête fabrication de M. Raphaël de Luca.

GLACIER DE FRANCE

• **13e** - *48 bis, av. d'Italie (580.23.75).*

Dans ce 13e arrondissement en pleine effervescence depuis dix ans, un petit coin tranquille pour s'offrir une « boule de neige » ou de cassis. Honnêtes glaces et sorbets. Quelques parfums exotiques : goyave, ananas, fruits de la Passion (34 F le litre). Livraisons dans le quartier (coût 2 F).

MACOUBA (J.M. Glacier)

• **12e** - *94, bd Diderot (346.88.07).*

Les bons sorbets aux parfums « exotiques » de Roger Laouchez sont désormais vendus — à emporter, en cornets ou en dégustation sur place — au restaurant-salon de thé Macouba, et ce, sans interruption de 11 h à 2 h du matin. La boutique de la rue de Chaligny est maintenant fermée.

PONS

• **6e** - *2, pl. Edmond-Rostand (329.31.10).*

Bonnes glaces classiques : vanille, plombière, Martinique (vanille, café, grains de café), Aiglon (fraise, vanille, fruits confits), etc., et sorbets (fraise ou cassis seulement) à emporter ou à goûter sur place dans le charmant petit salon de thé.

RELAIS DE LANGEAC

• **15e** - *11, rue Desnouettes (828.43.58).*

Vente à emporter d'une grande partie de la gamme des sorbets de Berthillon, sauf en juillet et août quand ce dernier est fermé.

SINEAU

• **16e** - *79, rue de la Tour (504.75.23).*

C'est depuis longtemps, longtemps, le glacier attitré des élèves du Lycée Janson-de-Sailly et de l'Institut de la Tour. Ils n'ont pas à s'en plaindre : Sineau leur vend de très bonnes glaces au cornet. Et propose à leurs mères 32 compositions différentes de parfaits, de glaces élaborées (Nesselrode : café, rhum et marrons glacés ; Cardinal : pistache, cassis, etc.) et autres sorbets (fraise des bois, fruit de la Passion, etc. : à partir de 36 F le litre). Livraison dans le quartier.

LA SORBETIÈRE

• **6e** - *27, rue Saint-Sulpice (633.38.26).*

• **16e** - *12, rue Gustave-Courbet (553.59.59).*

• **92 Neuilly** - *26, rue Madeleine-Michelis (747.99.33).*

Une cinquantaine de bonnes variétés de sorbets, suivant les saisons : fruits classiques, fruits exotiques (corossol, fruit de la Passion, kiwi), de 22 à 25 F le demi-litre. Egalement des glaces aux œufs. Le dernier magasin en date, ouvert au chevet de Saint-Sulpice offre en outre, dans un décor « jardinier » tout vert et blanc, le service de guillerets repas casse-croûte à base de salades (bien) composées (15 F), d'assiettes froides (20 F), de tartes et, bien sûr, des fameux sorbets dits « de haute tradition » (12 F) qui constituent l'attrait gastronomique principal de l'endroit.

LA TROPICALE

• **6e** - *128, rue du Cherche-Midi (222.79.54).*

- **13e** - *10, pl. Pinel (583.56.13).*
- **13e** - *180, bd Vincent-Auriol (331.47.27).*

Des glaces classiques (aux œufs et à la crême fraîche), mais surtout des sorbets aux fruits frais (melon, myrtille, fraise des bois, mûre, pêche, etc.) et aux fruits exotiques (mangue, corossol, litchi, coco, etc.) qu'on peut aussi bien goûter sur place (choisissez une coupe de sorbets variés et de fruits tropicaux), emporter avec soi, ou se faire livrer à domicile (coût : 25 F minimum). Ajoutons que les trois magasins restent ouverts jusqu'à 23 h les vendredi, samedi et dimanche.

VIGNEAU-DESMAREST

- **6e** - *105-107, rue de Sèvres (548.04.73).*

Ce bon charcutier-traiteur de la rue de Sèvres (voir aussi ces deux rubriques) propose aussi un choix de bonnes glaces traditionnelles et de sorbets.

HERBORISTERIE

BRUNERYE

- **4e** - *21, rue Saint-Antoine (272.04.75).*

Issu de six générations de médecins ou pharmaciens botanistes (c'est-à-dire de la Révolution à nos jours), le docteur (en pharmacie et ès sciences) Luc Brunerye vous proposera ses plantes médicinales et aromatiques « naturelles ou cultivées sans engrais en région non polluée » et ses essences végétales (pour la parfumerie ou le bain).

LA GRAVELLINE

- **2e** - *149, rue Montmartre (236.22.80).*

La Gravelline n'est pas une boutique mais un bureau de commande qui se charge d'expédier à travers le monde un produit — et un seul : l'aubier de tilleul sauvage du Roussillon, que Jean Cocteau pratiquait à ses heures ; produit souverain, comme chacun sait, contre la goutte, la sciatique, les calculs, le diabète, le cholestérol et bien d'autres malaises qui nous accablent tôt ou tard.

GUIBRET

- **11e** - *230, bd Voltaire (371.42.65).*

Grand magasin à l'ancienne (articles d'hygiène, optique, coutellerie, etc.) dont une grande vitrine et un petit rayon sont restés consacrés à l'herboristerie traditionnelle. On y trouve un grand choix de tisanes vendues en vrac, beaucoup d'essences en fioles (thym, citron, benjoin, lavande, bergamote, etc.), de l'iris et de l'encens en poudre, et des huiles diverses (de soins de beauté, de régime, etc.), en bouteilles caractéristiques : c'est L'Olivier qui les fournit.

L'HERBERIE

- **15e** - *54, av. Emile-Zola (577.99.30).*

Vieux magasin, et produits nouveaux à la toute dernière mode « traditionnelle ». Notons cependant les quelques végétaux proposés en vrac (bleuet, verveine, aubier de tilleul, etc.). Ne serait-ce que parce qu'ils ont échappé au « conditionnement design » auquel les condamne aujourd'hui l'industrie sursophistiquée du régime naturel...

HERBORISTERIE DU PALAIS-ROYAL

- **1er** - *11, rue des Petits-Champs (297.54.68).*

En pleine rue des Petits-Champs, 400 plantes aromatiques et médicinales, des produits de beauté très à la mode puisque «naturels» et fabriqués par la maison (crèmes, huiles de bain, et même un nouveau vinaigre de toilette pour les cheveux et pour le bain.

HERBORISTERIE DU SIMPLON

- **18e** - *13, rue Joseph-Dijon (264.37.07).*

Produits de soin, d'hygiène et de santé divers à base de plantes « sauvages ».

PIGAULT

- **8e** - *30, rue Pasquier (265.36.21).*

Très belle et sérieuse maison, choix infini de plantes et fleurs dont les amateurs viennent, de fort loin, commander leurs mélanges.

TANGUY

- **9e** - *62, rue de Maubeuge (878.64.87).*

Amateur de papillons, Gabriel Tanguy est aussi l'un des plus savants et des plus scrupuleux herboristes de Paris. Sa jolie vitrine, sa merveilleuse boutique où s'alignent par centaines les bocaux anciens, témoignent de la plus noble et de la plus édifiante passion au service de l'herbe médicinale. Exposez à M. Tanguy vos maux de tête ou de pieds, vos insomnies, vos vapeurs ou vos oppressions digestives, il vous délivrera, commentaires à l'appui, d'ineffables mélanges et de savantes décoctions. Dans son officine, il confectionne également des lotions, des shampooings, des essences et de délicats savons où se combinent tous les bienfaisants mystères de la nature.

Dans ce chapitre "Alimentation", cherchez le produit et non pas le magasin qui le vend, c'est-à-dire "Pain" et non pas "Boulangeries", "Viande" et non pas "Boucheries", etc.

HUILE

FAGUAIS

● **8e** - *30, rue de la Trémoille (359.19.60).*

Huiles d'olive, de noix, d'arachide, de maïs, de pépins de raisin, de grande qualité.

A L'OLIVIER

● **4e** - *23, rue de Rivoli (272.28.26).*

A l'Olivier, que signale toujours une rangée de hautes jarres sur le trottoir, presque toutes les huiles du monde, comestibles ou non, sont représentées. Huiles de pied de mouton pour la mécanique fine, de pied de bœuf pour le cuir, de chènevis pour appâter le poisson, de lin à bouche pour les gencives, de coco ou de ricin pour les cheveux ou les intestins, de germes de blé, de pépins de raisin ou de citrouille pour les régimes, de sésame pour la cuisine chinoise, mais, surtout, l'incomparable huile d'olive vierge « mère goutte », et l'une des meilleures huiles d'olive du monde, celle de Alziari, à Nice. Autres produits intéressants de la maison : une exquise huile de noix (les bouteilles s'ornent de jolies étiquettes), un excellent vinaigre de cidre, de merveilleuses petites olives de Provence (surtout les noires de Nyons) et les coûteux pains d'huile de palme pour les frites.

Par correspondance...

COOPÉRATIVE AGRICOLE DU NYONSAIS

● **26110 Nyons** - *B.P. 9 (75/26.03.44).*

Huile d'olive vierge de Nyons (appellation d'origine) expédiée sur commande en « estagnons » de 5 ou 10 litres (25 F le litre).

MOULIN PASCHETTA

● **04700 Oraison** - *(92/78.61.02).*

De mars à octobre, cette petite exploitation familiale peut vous expédier une huile douce et fruitée, en bidon de 5 litres (28 F le litre).

PIERSON

● **9e** - *82, rue de Clichy (874.60.86).*

Depuis 1850, la maison Pierson s'illustre dans le commerce de l'huile de qualité (et aussi d'excellentes sardines), que les patrons tiennent à honneur de sélectionner et mettre aux-mêmes en bouteille. Voici, à notre avis, les huiles les plus intéressantes que vous trouverez dans leur ravissante boutique : olive spéciale pour hépatiques (très peu acide), olive extra-vierge première pression demi-fruitée « goût parisien » ou plus fruitée ou encore « spéciale Provence » au goût de fruit très prononcé. A partir de 18 F le litre. Egalement des thés (à la bergamotte, à l'orange amère, à la mûre sauvage, etc.) et des foies gras et confits des Landes.

SOLEIL DE PROVENCE

● **6e** - *6, rue du Cherche-Midi (548.15.02).*

Le Soleil est passé rive gauche où Mme Gasnier vend désormais son huile d'olive fruitée (30 F le litre), son merveilleux savon (à l'huile d'olive), ses eaux de fleurs, ses miels français.

HUÎTRES

A MESURE que se développe, en France, jusque dans les Alpes, la consommation effrénée des huîtres, la production des plates diminue dangereusement. Les plates, ce sont les vraies huîtres (les creuses sont des gryphées), élevées principalement en Bretagne mais sur lesquelles s'abattent depuis quelques années toutes sortes de calamités : parasites, tempêtes, froid, marée noire, sans compter d'autres aléas et catastrophes diaboliques qu'invoquent parfois les ostréiculteurs pour faire pardonner l'inflation. Ces plates bretonnes ou cancalaises sont aussi, hélas, il faut le reconnaître, les meilleures. Surtout les véritables belons (élevées dans la rivière saumâtre du Belon au Sud-Finistère). Quant aux marennes, plates engraissées dans la rivière de la Seudre, en face de l'île d'Oléron, elles ont pratiquement disparu (seules quelques bretonnes viennent encore se faire verdir là-bas, grâce à la « navicule bleue », plancton particulier à la région de Marennes) et se voient remplacées par les portugaises, qui sont en fait des gryphées de souche japonaise, hâtives et résistantes, connues désormais sous le nom de claires ou de spéciales. Ces dernières sont les plus grosses, les plus vertes et les plus fines — donc les plus chères — car elles séjournent de 18 à 24 mois dans les bassins de Marennes. Elles ont toutefois tendance à prendre trop d'embonpoint et s'il est évident que le foie gras de l'huître (à ne pas confondre avec le frai estival — les œufs — des huîtres « laiteuses ») est ce qu'il y a de plus délicat, il ne faut quand même pas exagérer. Nous repoussons pour notre part les grosses « creuses » emplies d'une mousse énorme et nacrée qui a tôt fait de vous écœurer. En « spéciales » nous vous conseillons donc de choisir des tailles plutôt petites, par exemple des n° 4 (les plus grosses étant les n° 1 et les plus petites, les « papillons », les n° 6). Pour les plates, très chères quand elles sont de grosse taille, préférez les n° zéro ou n° 1 qui sont de deux à trois fois moins chères que les plus grosses, les triple zéro. Nous déconseillons en revanche l'achat de trop petites huîtres plates, souvent très maigres, de même que nous dédaignons, surtout à Paris où elles perdent vite leur « goût de mer », les claires ordinaires, presque sans foie, donc sans consistance et sans goût. Quant aux nouvelles venues, les creuses de Bretagne, blanches et assez grasses, elles sont bien dodues, assez savoureuses et moins chères que les spéciales. Ne les dédaignez pas.

Un dernier mot sur les mois « en R ». Il est évident que la saison chaude ne se prête pas au transport ni à la conservation des huîtres (huit jours en bourriche fermée pendant l'hiver, deux jours en été). De plus c'est pour elles la période du frai qui les rendra plus fragiles, et moins appétissantes. Il reste que les quelques écaillers sérieux qui maintiennent un gros débit — nous les citons plus loin — proposent aux Parisiens des huîtres d'excellente qualité et de parfaite condition, grâce à la rapidité et à l'organisation des transports modernes. Faites-leur confiance et profitez, dans la moiteur de l'été, de toute cette santé, de cette fraîcheur, de ces quelques lampées d'océan que vous apportent ces chères huîtres.

BOUTIQUE LAYRAC

● **6e** - *25-27, rue de Buci (325.17.72).*

Tous les jours et toute l'année. Jusqu'à 3 h du matin.

Des huîtres toute l'année livrées (ouvertes) à domicile.

BRASSERIE STELLA

● **16e** - *133, av. Victor-Hugo (727.60.54).*

Brasserie bourgeoise dont la renommée doit beaucoup à son banc d'huîtres. Les claires et spéciales viennent des Charentes et les belons de Riec.

Consultez la table des matières : p. 631.

CHARLOT 1er - MERVEILLES DES MERS

● **18e** - *128 bis, bd de Clichy (522.47.08).*

Superbes belons, de la double 0 à la n° 3. Spéciales, mais aussi bouquets, claires, oursins et vernis. La maison ferme du 1er mai au 31 août.

LA CLOSERIE DES LILAS

● **6e** - *171, bd du Montparnasse (326.70.50).*

Excellent écailler : fraîcheur magnifique et ouverture délicate. Toujours un bon petit choix de coquillages.

DESSIRIER

● **17e** - *9, pl. du Maréchal-Juin (754.74.14).*

Les « huîtres de Dessirier », c'est une évidence, une obligation, une perfection. Cela en raison de l'important débit du restaurant, de l'incomparable habileté de l'écailler qui vous les ouvrira, mais surtout de leur provenance : spéciales et claires d'Arvert, belons de Riec-sur-Belon et les introuvables marennes plates. Un plateau d'huîtres qui pourra être complété par d'admirables crevettes-bouquets et les petits oursins verts bretons.

GARNIER

● **8e** - *111, rue Saint-Lazare (387.50.40).*

On méconnaît cet excellent écailler qui reçoit directement, et ceci toute l'année, ses spéciales de Vendée et ses belons du meilleur ostréiculteur de Riec : Cadoret.

LES HUÎTRES DE FRANCE

● **93 Levallois** - *60, rue Rouquier (757.81.83).*

Choix très remarquable d'huîtres dans cette bonne boutique de banlieue et l'une des plus anciennes de France dans le commerce des huîtres (1871). Toute la gamme des belons de la 00 à la n° 6, les huîtres grasses de la Penzé, les fines de claires et les spéciales en provenance directe, à des prix avantageux et sans surprise. La maison livre gratuitement à partir de 100 F et ferme du 1er mai au 1er septembre.

L'HUÎTRIÈRE

● **7e** - *Quai Anatole-France (705.49.90).*

Rassurez-vous, les huîtres que l'on vend — toute l'année même les mois sans « R » — à bord de ce bateau amarré à une courte encâblure de la piscine Deligny, ne sortent pas des eaux de la Seine. Robert Dangaly est ostréiculteur en Vendée, dans la baie de Bourgneuf, et reçoit directement, trois fois par semaine, des spéciales, des fines de claire et des belons qu'il fait prélever dans ses propres parcs. Ses huîtres sont d'une fraîcheur parfaite, d'un « numérotage » étendu — du n° 4 au triple zéro — et vendues à des prix raisonnables.

Vous pouvez les goûter sur place (jusqu'à 10 h du soir; enfin « tant qu'il y a des clients »), les emporter dans votre panier, ou vous les faire livrer à domicile sans bourse délier.

LA LORRAINE

● **17e** - *2, pl. des Ternes (227.80.04).*

Ecailler traditionnel de grande qualité, dont les belons et les spéciales sont toujours proposées dans un état de fraîcheur irréprochable.

LOUIS XIV

● **10e** - *8, bd Saint-Denis (208.56.56).*

Royal. Le meilleur écailler des grands boulevards, qui reste fidèle à la tradition et ne pratique son art que durant les mois en « R ».

MORENS

● **16e** - *10, av. de New-York (723.75.11).*

La maison ferme le banc dès les premières chaleurs : c'est bien regrettable, car l'écailler professionnel qui préside aux destinées de ce commerce ostréicole connaît bien son affaire et sait trouver les meilleurs fournisseurs de belons et de spéciales.

OCÉAN PARIS-BAR

● **92 Neuilly** - *20, av. Charles-de-Gaulle (722.92.05).*

Très bon écailler, reste ouvert assez tard le soir. Huîtres les mois en « R » seulement.

PRUNIER-TRAKTIR

● **16e** - *16, av. Victor-Hugo (500.89.12).*

Prunier reçoit quotidiennement ses huîtres et ses coquillages de Belon et des abers, c'est dire la certitude absolue que l'on peut avoir de leur fraîcheur, y compris au plus chaud de l'été (portugaises toute l'année). On peut se les faire livrer, les emporter chez soi, ou tout simplement s'asseoir au bar et les goûter sur place.

PUB SAINT-GERMAIN

● **6e** - *17, rue de l'Ancienne-Comédie (329.38.70).*

Huîtres et coquillages toute l'année et 24 heures sur 24. Pas de livraison sauf pour les très grosses commandes.

RIPOCHE

● **17e** - *86, rue Lemercier (627.81.12).*

La maison suit la saison et ne travaille pas durant les mois sans « R ». Elle reçoit donc de septembre à avril, par arrivages directs, ses spéciales de Marennes-Oléron et ses belons de Prat-ar-Coum.

Pour retrouver rapidement une adresse consultez l'index, p. 641.

MIEL

COMPTOIR GOURMAND (Michel Guérard)

● **8e** - *32, pl. de la Madeleine (742.73.51).*
● **16e** - *35, rue de Passy (525.71.70).*

Miels du Canada (trèfle), de Roumanie (tilleul, framboise et mille fleurs), de Grèce (pin), d'Espagne (fleur d'oranger), de Hongrie (acacia) et même de France (bruyère et lavande).

FAGUAIS

● **8e** - *30, rue de la Trémoille (359.19.60).*

Une bonne vingtaine de miels différents, sélectionnés avec le soin qu'apporte cette vieille maison à toutes choses : cyclamen, romarin, thym, serpolet, tilleul, oranger, sarriette, eucalyptus, entre autres.

FAUCHON

● **8e** - *26, pl. de la Madeleine (742.60.11).*

Miels d'un peu partout : de France (sapin, lavande, « prairie », tilleul, etc.), du Canada (trèfle, sarrasin), d'Espagne, de Hongrie ou d'Italie.

LACROIS-DAIRE

● **8e** - *71, rue du Rocher (522.23.13).*

Toutes sortes de miel (lavande, montagne, tilleul, acacia, sapin, Gâtinais, etc.) et de produits à base de miel. Pain d'épice aux noisettes fait à la maison.

LEVALLOIS-GOURMAND

● **92 Levallois-Perret** - *63, rue Voltaire (757.40.87).*

Pour réchauffer les goûters d'hiver, un délicieux pain d'épice au miel comme on n'en fait plus, vendu à la coupe (14 F le kilo). Et aussi des miels du Gâtinais, de forêt, d'acacia, de sapin, ou américain toutes fleurs (dont les prix s'échelonnent de 25 à 40 F le kilo).

LA MAISON DU MIEL (Galland)

● **9e** - *24, rue Vignon (742.26.70).*

Parmi la trentaine de variétés proposées dans cette boutique vouée aux produits des abeilles depuis les premières années de ce siècle, vous trouverez des miels de plaine et des miels de montagne comme celui, très précieux et cher (36 F le kilo), de sapin des Vosges que tout médecin contemporain de cette maison recommandera à vos bronches. Et des miels importés et qui méritent de l'être. Goûtez-les avant de fixer votre choix. 5 % de remise pour tout achat de 5 kilos de miel, 10 % pour 10 kilos.

TANRADE

● **9e** - *18, rue Vignon (742.26.99).*

Miel de lavande ou de sapin des Alpes, miel de plaine ou miel du Gâtinais, tous d'une irréprochable qualité, et fournis à Pierre Tanrade par des amis apiculteurs.

PAIN

BOUDIN

● **6e** - *6, rue de Buci (326.04.13).*

M. Boudin fabrique depuis de nombreuses années de savoureux pains que l'on s'arrache comme tels en faisant la queue sur le trottoir.

LA BOULANGE

● **11e** - *43, rue de Montreuil (372.86.04).*

Claude Durand ne vend, dans sa très vieille et sobre boutique, que des pains (excellents) au levain naturel, cuits sur pavés dans des fours exclusivement chauffés au bois. Incomparable pain de 12 livres pour familles nombreuses ou rentrées triomphales au domicile conjugal (à commander à l'avance).

LE BRETON

● **94 Vincennes** - *30, av. de Paris (328.16.09).*

Les frères Le Breton sont bretons — de Rennes. Et boulangers, donc boulangers têtus. Aussi ne préparent-ils leurs pains qu'à leur mode : pétrissage tout à la main, tout le temps qu'il faut « pas moins-pas plus ». Bons pains de froment, parfait seigle, gigantesques miches décorées d'épis sur fond de feuilles de vigne superbes, et quelques spécialités (bretonnes) : quatre-quarts, sablés, korrigan, etc. Ne les cherchez pas en fin de semaine le samedi et le dimanche, la porte est close, Maurice et Eugène Le Breton se reposent ou vont à la pêche.

DEVAUX

● **17e** - *11, rue Berzélius (229.38.05).*

Cuites au bois, de bonnes grosses boules paysannes au levain.

GANACHAUD

● **20e** - *150, rue de Ménilmontant (636.13.82).*

Son pain quotidien, il le gagne au sortir de huit pétrissées journalières amorcées à la machine et achevées à la main. Pétrissées de pâtes toutes différentes, à base de multiples farines, simples ou composées selon des recettes « régionales » : gruau à la parisienne, tordu gascon, tougnole pyrénéenne, sans oublier la pétrissée du Chouan dont Bernard Ganachaud apprit les mystères dans le fournil paternel et natal de Clisson. Ce savant boulanger obtient ainsi, au débouché de trois monumentaux fours à bois, une bonne trentaine de pains distincts, tant par la forme que par le poids ou le goût et la décoration. Mais aussi quantité de gâteaux relevant pour le meilleur de nos traditions provinciales : petits pains de riz, kougelhofs, gâteaux au lait caillé bressans, gâchées vendéennes, galettes berrichonnes, pompes rouergates, quatre-quarts bretons, flamiches, tartes cherbourgeoises (aux poires) et normandes (aux pommes flambées), etc., qui méritent un détour.

HAUPOIS

● **4e** - *35, rue des Deux-Ponts (354.57.59).*

Cet artisan travaille à l'ancienne un pain qui n'est pas seulement le meilleur de son île mais aussi l'un des plus savoureux que l'on puisse trouver à Paris. Egalement de remarquables gâteaux « boulangers ».

LEGRAND

● **16e** - *150, av. Victor-Hugo (727.99.52).*

Toujours d'excellent pain et des pâtisseries dignes de votre intérêt (gâteau à la normande, galettes à la viennoise, etc.).

LENÔTRE

● **16e** - *44, rue d'Auteuil (524.52.52).*

Voir autres adresses à « Pâtisseries ».

Lui manquait-il d'être mitron? C'est chose faite depuis l'été 79. Non content d'être pâtissier, confiseur, glacier, charcutier, traiteur, et parmi les meilleurs de Paris, Gaston Lenôtre fait désormais son propre pain. A Plaisir, et dans la bonne tradition, c'est-à-dire sur levain et dans un four rond chauffé au bois. Pain « d'autrefois » à la farine de blé « cultivé et stocké sans produit chimique de synthèse » — que d'aucuns nomment « biologique » —, pain de seigle, de campagne, complet, etc. Et bientôt un pain au beurre à la farine de seigle de la Forêt Noire, dont le bon Gaston est en train, à l'heure où nous écrivons ces lignes, de mettre au point la formule.

LA PETITE MARQUISE

● **15e** - *91, rue de la Convention (554.50.20).*
● **16e** - *3, pl. Victor-Hugo (727.77.36).*

Délicieux pains hyper-biologiques : pain de Foncène au levain, pain intégral, etc.

PETTIER

● **14, av. de Clichy (522.22.04).**

Ouvert jusqu'à 22 h (samedi 23 h).

Petit artisan passionné, il recrée toute la gamme des pains d'autrefois : fendus, boulots, couronnes, régences, etc. Exquis pain aux noix. Le tout, cuit dans un four à bois devant les clients.

POILANE

- **6e** - *8, rue du Cherche-Midi (222.82.47).*
- **15e** - *87, rue Brancion (828.45.90).*
- **15e** - *49, bd de Grenelle (579.11.49).*

Et Forum des Halles, niveau - 3.

Les pains de campagne de Poilâne qui se caractérisent par leur acidité, leur aspect compact et leur longue conservation, ont acquis une renommée nationale, et même internationale, au point que les Chinois eux-mêmes s'intéressent à son procédé de fabrication artisanal et deux fois centenaire. Le pain de seigle de la maison est absolument remarquable.

RENÉ SAINT-OUEN

- **8e** - *111, bd Haussmann (265.06.25).*

73 sortes de pains différents susceptibles d'accompagner tous les plats. Du classique seigle pour le poisson au « brié » pour cochonnailles, en passant par le pain au lard (fougasse sétoise pour l'apéritif), le « froment » pour fromage, le « pavé » spécial pour caviar, la « baguette » pour grillades, le vrai et trop négligé pain « fendu » dit aussi « de deux livres » pour les préparations en sauce. Egalement de beaux pains « sculptés » qui font l'admiration des visiteurs nippons et germaniques.

Autres bons boulangers

BEAUBOIS

- **9e** - *10, rue des Martyrs (878.20.17).*

Pains de campagne au levain cuit au bois (et non simplement dans un four chauffé avec du bois), de seigle, aux raisins de Corinthe, et pain cuit à la broche.

BERTHIER

- **11e** - *153, fg Saint-Antoine (307.77.58).*

Pain au bois sur levain honnête et robustes tartes (normandes) maison.

BOULANGERIE DE L'ANCIENNE-COMÉDIE

- **6e** - *10, rue de l'Ancienne-Comédie (326.89.72).*

Combien sérieuse maison et combien aimable patronne. Livraison à domicile.

BOULANGERIE DE LA TOUR

- **16e** - *53, rue de la Tour (870.24.54).*

Pour son bon pain de campagne, son pain au son, et ses très estimables tartes au citron et petits fours frais.

BOURGET

- **12e** - *240, rue de Charenton (346.61.29).*

Pains de diverses compositions (cuits dans un four chauffé au bois) : campagne au levain (de 50 g à 3 kg), excellent petit seigle aux raisins ou aux noix, boules de pain de ferme, fougasses nature ou aux olives et aux anchois. Pains décorés sur commande.

LE BRETON

- **94 Vincennes** - *39, av. de Paris (328.16.09).*

Bien des athlètes de l'Institut des Sports de Vincennes voisin sont redevables à son pain biologique de leurs performances. Les siennes se résument ainsi : d'excellents pains de toutes sortes façonnés à la main et cuits au bois.

CHEVALIER

- **12e** - *66, bd de Picpus (343.67.10).*
- **12e** - *42, rue Sibuet (343.04.49).*

Artisan de la plus scrupuleuse vieille école, Chevalier, outre ses excellents pains de mie et de campagne, fabrique, pour accompagner les fromages, un pain de froment au petit-lait, aux noisettes et aux noix : le brignolet.

J. LE CLEZIO

- **18e** - *120, av. de Saint-Ouen (627.65.08).*

Bonnes boules cuites au bois (chauffage indirect) et au prélevain Poilâne.

COUASNON

- **16e** - *23, rue Copernic (727.86.34).*

Tout le beau 16e (entre Kléber et Victor-Hugo) vient s'approvisionner ici en pain de campagne au levain (cuit au bois) et en pain « cinq céréales complètes ». Bonne pâtisserie de ménage.

DELAPIERRE (Au bon pain d'Autrefois)

- **11e** - *45, rue Popincourt (355.04.48).*

Simenon raconte que Mme Maigret y venait acheter son pain et les tartes aux quetches dont elle régalait le Commissaire. Excellentes brioches et pains de seigle et de campagne au levain. M. Delapierre est homme de métier et de goût, un goût qu'on dira sûr et manifestement bon comme son pain. Voyez les dorures fin de siècle sur fond noir de sa façade d'angle (de la rue du Chemin-Vert) soigneusement mises en valeur.

FERRIÉ

- **18e** - *2, rue Eugène-Sue (264.71.78).*

Bons pains de campagne et de seigle ; fouaces (au beurre) à l'aveyronnaise.

FRETAY

- **9e** - *43, rue Saint-Lazare (874.91.64).*

Pains de seigle et complet au levain. Palmiers au caramel, et huit sortes de sandwiches.

JEAN GABART

- **2e** - *14, rue de la Michodière (742.93.54).*

Bons pains classiques ou décorés (voir encadré « Où trouver des pains décorés »).

Où trouver des pains décorés?

Pour rompre la montonie du pain quotidien, n'est-il pas bon de s'offrir de temps à autre la fantaisie d'une grappe de raisin, d'une grenouille ou d'une couronne en pâte tendre?

BOURGET

• **12e** - *240, rue de Charenton (364.61.29).*

Sur commande, de grosses boules paysannes à joli motif de raisin sur fond croûté de feuilles de vigne.

JEAN GABART

• **2e** - *14, rue de la Michodière (742.93.54).*

Exécute sur commande une bonne centaine de différents pains décorés parmi lesquels des reproductions de pains anciens comme le « pain des Indes » rapporté, dit-on, par Vasco de Gama, le « cœur en épis » servi aux repas de fiançailles sous Henri IV, le « pain en serpent », grigri des boulangers qui introduisaient des serpents dans les fournils pour tuer les rats, ou encore le « pain des pages » du XVIIe siècle, ou le très vieux « militate » à base de miel et dont raffolait Ramsès II. Mais Jean Gabart travaille aussi la pâte sur des sujets plus frivoles, n'hésitant pas à reproduire la bicyclette de Michaud ou les mains d'Edith Piaf, voire même de vrais et bons pains en forme de pain dont l'ingestion ne relève nullement de l'iconophagie.

LE BRETON

• **94 Vincennes** - *30, av. de Paris (328.16.09).*

Superbes miches décorées d'épis sur fond de feuilles de vigne.

AU PANETIER-LEBON

• **2e** - *10, pl. des Petits-Pères (260.90.23).*

Boules de campagne avec écusson de Paris ou animaux tels que grenouilles, crocodiles ou tortues (25 F la boule de 1 kg).

PETTIER

• **18e** - *14, av. de Clichy (522.22.04).*

Pains « d'autrefois » (cuits au bois), très soigneusement ornés.

POILANE

• **6e** - *8, rue du Cherche-Midi (222.82.47).*
• **15e** - *87, rue Brancion (828.45.90).*
• **15e** - *49, bd de Grenelle (579.11.49).*
Et Forum des Halles, niveau - 3.

De somptueuses miches de campagne décorées de grappes de raisin ou de feuilles de vigne (33,60 F).

RENÉ SAINT-OUEN

• **8e** - *111, bd Haussmann (265.06.25).*

Pains sculptés en forme d'animaux, de roues ou d'épis. Tous autres sujets sur commande.

GEMIER

• **92 Neuilly** - *2, av. de Sainte-Foy (637.08.71).*

Tout Neuilly apprécie à juste titre ses pains de campagne et de mie, son remarquable pavé « maison », une sorte de quatre-quarts à l'orange et son délicieux gâteau basque.

GISQUET

• **7e** - *64, rue Saint-Dominique (551.70.46).*

De grosses boules de pain paysan, des pains de 4 livres, des petits pains Empereur cuits au bois, dans une splendide boutique datant de 1900, toute de faïence décorée et vantant encore sur sa façade ses « croissants chauds à toute heure » et sa « purification hygiénique ». Michel Oliver et Lasserre se fournissent chez Gisquet.

LA HACQUINIÈRE

• **17e** - *25, av. de Clichy (387.52.00).*

Honnêtes gros pains de campagne (dits Auvergnats), bonnes grosses miches « à la bordelaise » et un léger pain rond, le « gourmand », proprement exquis. Excellent « creusois » fait de beurre fin et de noisette et croissants aux pignons.

HÉDÉ

• **12e** - *16, rue d'Austerlitz (345.71.58).*
Succursales :
• **2e** - *152, rue Montmartre.*
• **12e** - *23, rue de Lyon.*
• **13e** - *184, av. de Choisy.*
• **13e** - *50, rue du Javelot.*

Cette petite boulangerie artisanale et familiale au départ s'est considérablement développée. Vous trouverez dans les cinq magasins les mêmes excellents pains de seigle et de mie.

HESS (Les Trois Cigognes)

• **2e** - *4, rue des Petits-Carreaux (233.77.70).*

Pains de campagne au levain et bons kougelhops (40 F le kg).

JOHAN

• **95 Garges-lès-Gonesse** - *Rond-Point de la Dame-Blanche (986.51.54).*

Remarquables pains courant, de campagne, pétris selon des méthodes très modernes.

JULIENNE

• **14e** - *37, av. Reille (589.21.40).*

Bonnes boules de campagne dans cette triste avenue, toute proche il est vrai, du délicieux parc Montsouris.

LABOUE-GRAVESEN

• **92 Neuilly** - *3, rue des Huissiers (624.98.68).*

Nombreuses et bonnes spécialités danoises (et françaises). Livraison à domicile (coût : 10 F).

LAFORGE

• **92 La Garenne-Colombes** - *81 bis, bd de la République (242.66.73).*

Pain de campagne au levain et cuit au feu de bois qui rappelle avec une heureuse précision le goût délicieux du vrai pain d'autrefois.

LAMOTTE

• **9e** - *79, rue Rochechouart (878.69.21).*

Excellent pain complet aux cinq céréales (blé, orge, riz, avoine, seigle), ainsi que des sablés et du bon pain grillé par la maison.

LERCH

• **5e** - *4, rue du Cardinal-Lemoine (326.15.80).*

C'est le boulanger de La Tour d'Argent. Petits pains, pains de mie, de seigle, et brioché, dignes de votre intérêt.

MENEAU

• **18e** - *59 bis, rue du Mont-Cenis (606.14.02).*

Pain complet « biologique », pain au gluten pour les diabétiques, pain de campagne traditionnel, galettes « naturistes », marrons aux amandes. Toute la production d'Abel Meneau est vendue dans plus de 200 maisons de régime à Paris et en banlieue.

ONFROY

• **3e** - *34, rue de Saintonge (277.56.46).*

Tous ses pains (de campagne, de seigle, complet, aux 5 céréales, au son, etc.) sont cuits au bois.

LE PAIN A LA BROCHE

• **15e** - *12, rue Cadix (828.11.08).*

Belle boutique typiquement parisienne du tout début de ce siècle (caractères superbes fixés sous verre). Et bon pain cuit « à la broche », soit dans une très imposante machine de création allemande qui a le pouvoir singulier d'évoquer à tout un chacun la panification fermière à l'ancienne. Bonnes tourtes et tartes (aux myrtilles, aux quetsches, cerises, abricots, mirabelles, etc.).

AU PANETIER (Lebon)

• **2e** - *10, pl. des Petits-Pères (260.90.23).*

Nombreuses variétés de pain cuit au levain dans un vrai four à bois : au gluten, au levain, aux noix, aux raisins, au sésame, au pavot, au poivre, etc. Le décor intérieur a conservé un magnifique panneau de céramique à motifs de perroquet.

AU PAIN D'AUTREFOIS (A. Lallement)

• **7e** - *65, av. de Breteuil (734.29.74).*

• **7e** - *37, av. Duquesne (705.03.87).*

Pains au levain cuits dans un four chauffé au bois : campagne, complet, pain au blé germé, etc.

POIRIER

• **6e** - *31, rue d'Assas (222.57.04).*

Honnête boulangerie-pâtisserie de quartier. Pain de seigle aux raisins.

ROUILLER

• **7e** - *13, av. Duquesne (551.77.53).*

Sérieuse et classique maison.

SANVOISIN

• **17e** - *6, rue Jouffroy (924.49.02).*

Bons pains au levain, de seigle et complet.

LE SURFIN

• **92 Suresnes** - *28, pl. Jean-Jaurès (772.41.05).*

Ce bon pâtissier cuit sur levain et dans un four chauffé au bois une grande variété d'excellents pains de campagne.

VERMEERSCH

• **92 Neuilly** - *53 bis, rue de Villiers (757.50.48).*

Des pains qui ont gardé le goût du pain.

PATES FRAICHES

ESSAYEZ de faire un jour des pâtes fraîches et vous comprendrez vite qu'il vaut mieux s'adresser aux nombreux « comestibles » qui fabriquent ou reçoivent régulièrement spaghetti, ravioli, macaroni et autres tortellini.

BILETTA

• **16e** - *35, rue d'Auteuil (288.58.88).*

Pâtes et lasagnes fraîches.

BON MARCHÉ

• **7e** - *38, rue de Sèvres (260.33.45).*

Une petite machine les fabrique au mètre (bien honnêtement) devant vous, mais c'est au kilo que vous les achèterez.

FIORETTA

• **16e** - *111, av. Victor-Hugo (727.34.17).*

Pâtes fraîches à l'italienne : lasagnes (15 F le kilo).

LA MAISON DES PÂTES FRAÎCHES

• **9e** - *47, rue Rochechouart (526.76.09).*

Ne voyez aucune malice mais cette maison s'est installée dans une ancienne papeterie. Accueil charmant de la patronne qui vous conseillera dans le choix de ses bons cannelloni, ravioli, tortellini et autres pâtes vertes aux épinards.

LES MILLE PÂTES

● **4e** - *3, rue du Pont-Louis-Philippe (277.99.02).*

Ancienne boucherie convertie à l'épicerie fine (moutardes et vinaigres de Paul Corcellet, joli choix de vins de Legrand et d'huiles d'olive italiennes, espagnoles et provençales). Mille pâtes ou presque : fraîches aux œufs (tagliatelle, fetuccini, spaghetti), vertes aux épinards, ravioli à la ricotta, au potiron, aux épinards et à la viande (à commander par téléphone), lasagnes, cannelloni. Et aussi quelques charcuteries du Rouergue et des jambons de Parme et de San Daniele.

RAGGI

● **8e** - *49 bis, av. Franklin-Roosevelt (359.10.93).*

Pâtes fraîches (20 F le kg) et raviolis frais (3,95 F la douzaine).

LA TABLE D'ITALIE

● **6e** - *69, rue de Seine (354.34.69).*

Ravioli, lasagne, cannelloni, macaroni blancs ou verts. Ils sont fabriqués sur place et vendus dans leur grande fraîcheur avec d'exquises sauces aux aromates.

PATISSERIES

BOUDALOUE

● **9e** - *7, rue Bourdaloue (878.32.35).*

Au chevet de Notre-Dame-de-Lorette et sous la protection du fameux et intarissable sermonnaire, se perpétuent ici dans un décor austère et laborieux à peu près toutes les vertus de la profession. La foule distinguée des amateurs attend sagement son tour pour faire provision de puits d'amour (crée ici s'il faut en croire l'histoire pâtissière, et qui demeure la grande spécialité de la maison), de noisettine légère comme un souffle, de brioches (parmi les meilleures de Paris) ou d'ali-baba (crème pâtissière raisins et rhum), dont les prix n'ont rien d'effarouchant, bien au contraire. Glaces et sorbets très classiques. Livraison à domicile.

BROCCO

● **3e** - *180, rue du Temple (272.19.81).*

L'une des plus belles pâtisseries de Paris pour sa grande façade intacte, son vaste décor de marbre sous un haut plafond peint, son charmant petit salon de thé. Ce n'est pas la meilleure, sans doute, mais elle figure encore, à notre sens, parmi les très bonnes maisons de la place. Brioches suisses (à la crème d'amande et aux raisins imbibés de rhum), malgache au chocolat, brésilien au café, merveilleuses charlottes aux fruits et onctueuses glaces comme la créole (au chocolat) ou la viviane (au café).

CLICHY

● **4e** - *5, bd Beaumarchais (887.89.88).*

Paul Bugat a deux passions : la peinture (il décore de fresques les murs de son salon de thé, la chambre de ses enfants ou celles des enfants de ses amis) et la confiserie. Il transforme volontiers son laboratoire en atelier pour confectionner des Vermeer en pâte d'amandes, copier en chocolat des sculptures modernes, ou tirer le portrait de ses clients sur leur gâteau d'anniversaire. C'est l'un des meilleurs spécialistes de Paris pour les compositions de chocolat et de sucre, les exquis mendiants et les marrons qu'il glace lui-même tous les jours à la saison. Son clichy (ganache au chocolat et crème au café sur gênoise aux amandes) et ses charlottes aux griottes ou aux fruits de la Passion sont de pures merveilles.

CHRISTIAN CONSTANT

● **7e** - *26, rue du Bac (544.12.24).*

Glacier, chocolatier, confiseur, traiteur, marchand de thés et, en outre, l'un des meilleurs pâtissiers de Paris. Rien de plus subtil que son macao (chocolat bitter, noisettes), de plus délicieux que son pont-royal (biscuit et crème aux noisettes), de plus léger que sa noisettine. Et sa tarte au citron légèrement meringuée, son kalinka au fromage blanc et à la framboise (mais il ne le fait pas tous les jours), ses petits fours d'une fraîcheur incomparable... Une réserve — minime — pour les tartelettes aux fraises, à fond de pâte feuilletée, coiffées de crème chantilly, ce qui à notre sens ne leur ajoute rien.

COQUELIN AÎNÉ

● **16e** - *1, pl. de Passy (288.21.74).*

Ce dernier survivant de la tribu Coquelin est dirigé par la famille Bugat qui s'illustre par ailleurs boulevard Beaumarchais (voir plus haut pâtisserie Clichy), 130 ans ou presque après sa création. Le puits d'amour y est toujours aussi remarquable et digne des folies dont en firent naguère Edith Piaf et Mistinguett. La noisettine, l'ali-baba, l'alexandra (meringue au curaçao), sans oublier la chocolatine, les mille-feuilles et les petits fours salés et sucrés contribuent eux aussi à la gloire de ce grand pâtissier de Paris dont les prix fort heureusement restent toujours aussi raisonnables. Délicieux sorbets et glaces. Et un petit salon de thé qui ne désemplit jamais.

Consultez le sommaire, p. 5.

DALLOYAU

• **8e** - *101, fg Saint-Honoré (359.15.58).*
• **15e** - *69, rue de la Convention (577.84.27).*
• **15e** - *Centre commercial Beaugrenelle (575.59.92).*

Nous ne ménagerons pas nos louanges aux merveilleux millefeuilles, aux tendres macarons, aux financiers, et autres spécialités fastueuses comme l'alhambra, l'opéra, le mogador ; sans oublier les petites arlettes, qui réjouissent autant les riverains du Faubourg que les pauvres grabataires de l'hôpital Boucicaut (juste en face, rue de la Convention).

AUX DÉLICES

• **17e** - *39, av. de Villiers (924.71.36).*

La grande façade vitrée moderne dissimule toujours le sombre et charmant décor de boiserie. C'est aujourd'hui Mme Prié, la petite-fille de M. Michel, qui règne sur cette excellente maison. Sarah Bernhardt, Clemenceau et Sacha Guitry, qui venaient ici acheter leur malgache, reconnaîtraient l'antique carrelage, la caisse et les vieilles tables dessertes croûlant sous les petits fours. Les autres gâteaux : millefeuilles, succès (biscuit noisette et chocolat), fortuny (chocolat à l'orange), macarons, choux à la crème, témoignent tous de la même sincérité et de la même délicatesse.

L'ÉCUREUIL

• **17e** - *96, rue de Lévis (227.37.09).*

Excellente maison et qui s'affirme d'année en année comme une des excellentes de la place : bavaroise aux pistaches et fraises des bois (en saison), mondain (macaron et mousse au chocolat), saint-marc (biscuit, caramel et chantilly), charlotte glacée au sorbet de poire, etc. Les prix pratiqués ici vous rappelleront toutefois que cet Ecureuil n'est pas la Caisse d'Epargne.

FAUCHON

• **8e** - *26, pl. de la Madeleine (742.60.11).*

Pâtisseries de tout premier ordre. Si elles n'atteignent cependant pas les sommets d'un Lenôtre ou d'un Constant (c'est tout au moins notre opinion actuelle après une récente petite dégustation de gâteaux de ces trois maisons), elles n'en sont guère éloignées. Les tartes feuilletées Fauchon aux fruits, les macarons, le biscuit à la mangue, l'opéra, vous laisseront, quoi qu'il en soit, d'impérissables souvenirs, y compris celui de leur prix (8 à 9 F).

GRANDIN

• **78 Saint-Germain-en-Laye** - *13, rue au Pain (451.00.56).*

Pierre Soutin conçoit la pâtisserie comme un sacerdoce. Il consacre tout son temps, toute son énergie, toute sa foi à la confection de ses debussy (noisette, praliné, raisins, rhum), ses soufflés aux poires, clafoutis aux pommes, tartes, entremets glacés et délicieux chocolats. Service traiteur très classique.

GÉRARD HÉE

• **17e** - *18, rue de l'Etoile (380.60.08).*

D'aucuns le regretteront avec nous : ce n'est pas à une madeleine que Gérard Hée doit d'avoir obtenu la Coupe Proust au grand Concours national de pâtisserie. Le règlement, cette année-là, exigeait des entremets, et cet habile artisan excelle dans cette discipline. Voyez par exemple ses poires Cheverny (à la crème mousseline et Williamine), son bavarois aux fruits, son étonnante mousse aux fruits de la Passion et ses petits gâteaux classiques (tartes, religieuses, brioches, etc.), tout comme ses compositions plus savantes (exquises « tranches » aux fruits divers). Diverses médailles sont venues récompenser son savoir-faire et, pour couronner le tout, le titre de Meilleur Ouvrier de France. Comme quoi il faut conclure que ce bon pâtissier a su retenir d'un long apprentissage aux Andelys la leçon qu'y professa l'enfant du pays, Nicolas Poussin. A savoir que « l'art a pour fin la délectation ».

LENÔTRE

• **16e** - *44, rue d'Auteuil (524.52.52).*
• **16e** - *17, av. Victor-Hugo (501.71.71).*
• **17e** - *121, av. de Wagram (924.70.30).*
• **92 Boulogne** - *79 bis, route de la Reine (605.37.35).*
Et Parly 2, Velizy 2.

Avant d'écrire notre petit texte sur cette désormais vénérable maison, nous nous sommes fait un devoir d'acheter — anonymement bien sûr — quelques gâteaux. Un bien doux pensum en vérité ; la tarte sablée aux fraises des bois, le millefeuille et la divine nougatine au chocolat nous donnent envie d'y retourner dès demain.

MALITOURNE

• **16e** - *30, rue de Chaillot (720.52.26).*

Rien ne permet de distinguer cette pâtisserie d'une autre et l'on peut passer cent fois devant sa vitrine sans y prendre garde. Ce serait dommage : Jean-Yves Malitourne est un jeune et brillant pâtissier qui, voici quelques temps, exerça chez Roger Vergé au Moulin de Mougins. Une leçon bien apprise et bien retenue comme en témoignent l'incomparable finesse des pâtes et la grande fraîcheur des petits fours, ainsi que l'extrême qualité des gros gâteaux à la mousse de fruits. Délicieux croissants et brioches. Quelques plats sur commande : rillettes d'anguille, civet de homard (120 F par personne), timbale de fruits de mer (30 F), poularde demi-deuil (40 F), etc. Livre à domicile.

MILLET

● **7e** - *103, rue Saint-Dominique (551.49.80).*

Jeune, savant (il professe même à Tokyo) et remarquable pâtissier, qui donne toute sa mesure dans les millefeuilles, les charlottes aux poires et tous les gâteaux aux fruits qui sont d'une merveilleuse légèreté. L'une des plus consciencieuses maisons de Paris.

PRADIER

● **7e** - *32, rue de Bourgogne (551.72.37).*

« Toute la pâtisserie est faite au beurre », un petit carton dans la large vitrine de cette gentille boutique annonce la couleur. Précision inutile d'ailleurs, les gâteaux que nous avons goûtés ont suffi à nous convaincre de la qualité de ce remarquable pâtissier. Les bavaroises aux fruits en particulier (à l'orange, au cassis, au citron ou à la fraise), dont les mousses parfumées sont légères comme des plumes. Cet artisan, connu de tous les gourmands de la proche Assemblée nationale, pratique avec le même bonheur la pâtisserie salée, comme le démontrent ses excellentes tourtes feuilletées (au fromage, aux champignons, au saumon, etc.). La maison fait aussi des glaces et sorbets et dispose d'un rayon traiteur tout à fait classique. Livraisons gratuites dans le quartier.

CHEZ ROSE

● **92 La Garenne-Colombe** - *10, pl. Jean-Baillet (242.22.07).*

Excellente et plus que séculaire pâtisserie derrière le restaurant. Tartes Tatin l'hiver, charlottes, feuilletés aux fruits frais l'été, sorbets et glaces, et bien d'autres friandises.

ROUSSEAU-SEURRE

● **9e** - *7, bd Rochechouart (878.03.75).*

La meilleure maison de l'arrondissement, avec Bourdaloue. Son fameux gâteau rochechouart y est vendu depuis 70 ans, mais le sacher au chocolat, les tartes normandes et vénitiennes, la tarte soufflée aux pommes, les savantes pièces de cérémonie et les glaces (surtout l'alhambra : vanille et purée de fraise) contribuent également à la plus justifiée des réputations.

STOHRER

● **2e** - *51, rue Montorgueil (233.38.20).*

Les pulpeuses Renommées, peintes en 1864 par Paul Baudry, ont longtemps contribué à celle des babas et des savarins de la maison Stohrer, annexe de Bourdaloue. Aujourd'hui, si le décor de la boutique demeure inestimable, avec son plafond, des fixés sous verre et sa façade, on ne peut nier que les tartes aux pommes rustiques et fraîches, celles aux fraises, les noisettines, les chocolatines et les puits d'amour possèdent un parfum et un goût très délicats. Livraison à domicile.

THOLONIAT

● **10e** - *47, rue du Château-d'Eau (607.74.58).*

Cet éminent spécialiste du sucre filé et soufflé propose également dans sa minuscule boutique d'excellents gâteaux au chocolat : le malgache et l'alhambra, des millefeuilles caramélisés, des tartes (le mirliton), des gâteaux glacés au caramel, au citron, etc.

VANNI

● **13e** - *41, av. des Gobelins (331.12.28).*

Le soufflé glacé à la framboise, la cassolette pralinée, la charlotte aux poires et la forêt noire signalent aux tapissiers de haute et basse lisse cette honorable maison de quartier dont le patron, Pierre Gravelle, fait partie avec Gaston Lenôtre, entre autres, des Maîtres Pâtissiers de France. Service traiteur (quenelles de brochet, canard à l'ananas, et autres coqs au vin, etc.). Livraison à dmocile (gratuite dans le quartier).

VAUDRON

● **17e** - *4, rue de la Jonquière (627.96.97).*

Vaudron demeure l'une des meilleures maisons de Paris pour ses gâteaux les plus campagnards (sablés, chaussons aux pommes, tourte berrichonne), comme les plus sophistiqués (entremets Cyrano aux framboises, gâteau Saint-Marc, nélusko, truffon, etc.). Remarquable brioche, macarons, croquets aux amandes et autres petits fours.

Autres bons pâtissiers

ADAM

● **8e** - *65, bd Malesherbes (522.78.15).*

Les riverains n'ont sans doute pas fait le succès que nous prédisions dans la précédente édition de ce Guide aux desserts diététiques à base de yaourts et de fruits, puisqu'Adam a cessé de les fabriquer. Mais ces mêmes riverains continuent d'apprécier — et ils ont bien raison — la bonne pâtisserie « tout au beurre » de la maison.

BARBEY

● **11e** - *10, av. de la République (700.98.54).*

Son « cocktail » (au chocolat au lait) mérite un détour. Sa tarte aux pommes et son mille-feuilles sont plus qu'honorables et ses chocolats « maison » (d'octobre à avril) sont justement appréciés dans le quartier.

BÉCHU

● **16e** - *118, av. Victor-Hugo (727.97.79).*

Ce boulanger d'angle (avec la

rue de la Pompe) à gros débit confectionne une pâtisserie exemplaire dans sa variété et sa qualité. Exquis millefeuilles au café. Macarons au chocolat, tartelettes au citron ou aux noix.

BERNAUD

• **10e** - *33, fg du Temple (607.60.44).*

Le magasin a fait récemment peau neuve. Si son succès (5 F) est toujours égal à lui-même, son délice fait les nôtres, son fraisier ne manque pas d'intérêt et ses pâtés en croûte sont exquis. Salon de thé au premier étage.

BERTHOLD

• **12e** - *237, rue de Charenton (343.20.59).*

Modeste mais sympathique petite adresse qui s'illustre entre autres dans les macarons, la tarte paysanne poêlée au beurre, le péché mignon à la crème mousseline, et aussi le pâté berrichon aux pommes de terre et le pâté aux prunes (une spécialité angevine). « Tout est au beurre ».

BOISSIER

• **16e** - *184, av. Victor-Hugo (504.24.43).*

Voir autres adresses à « Traiteurs ».

Les délicieux gâteaux de chez Boissier : carré aux framboises, tarte au citron, Merveilleux (au chocolat), Poincaré (meringue et mousse au chocolat), etc. ne sont pas plus chers (4,50 F) que ceux de bien des boulangers-pâtissiers du quartier qui ne les valent pas.

BONBONNIÈRE DE BUCI

• **6e** - *12, rue de Buci (326.97.13).*

Gâteaux d'excellente qualité : buci (crème caramel et nougatine), malgache (biscuit au chocolat, ganache, raisins et armagnac), pavé du Roy, forêt noire, grenoblois, etc. que vous pouvez emporter ou croquer sur place dans le salon de thé au 1er étage.

BON MARCHÉ

• **7e** - *38, rue de Sèvres (260.33.45).*

Le rayon pâtisserie de ce grand rez-de-chaussée voué à l'alimentation de qualité est loin d'être inintéressant. Gâteaux classiques et bien frais, chaussons aux pommes et aux prunes et petits fours de bonne facture.

BONNEROT

• **13e** - *138, av. d'Italie (580.37.61).*

Bonnes pâtisseries et desserts aux fruits (fondant aux poires, griotte Montmorency, délice aux framboises, soufflé aux abricots).

AU BON PAIN D'AUTREFOIS

• **11e** - *45, rue Popincourt (355.04.48).*

Une très jolie devanture à l'ancienne, avec de petits paysages fixés sous verre encadrés de noir et or, et de très honnêtes tartes au citron, aux poires et pommes grand-mère.

BOULANGERIE SAINT-PHILIPPE

• **8e** - *74, av. Franklin-Roosevelt (359.78.76).*

Du bon pain doré et craquant sous la dent, mais aussi et surtout d'excellents gâteaux (notamment les tartes aux pommes caramélisées ou au citron) et des petits fours bien frais. Vous les emporterez dans votre sac — après avoir fait la queue car le magasin est toujours plein comme un œuf — ou vous les goûterez dans le salon de thé attenant.

LA BOURDONNAIS

• **7e** - *36, av. de La Bourdonnais (551.27.67).*

Voir « Salons de thé ».

LA BRETONNE

• **16e** - *129 bis, rue de la Pompe (727.43.55).*

Kouing aman et far sur commande : il faut justifier l'enseigne. Non point que M. Le Berre ne soit pas Breton mais sa clientèle (l'avenue Victor-Hugo et le lycée Janson) semble le préférer dans l'exercice brillamment classique de sa profession (délicats petits sablés, charlotte au chocolat, tarte au citron), à tendance germano-danubienne (bavaroise au cassis, linzer torte). Les entrées salées : néo-pizzas, bouchées à la reine, etc. restent moins convaincants.

BROCARD

• **16e** - *91, av. Raymond-Poincaré (553.56.55).*

Avant d'aller récolter vos quetsches et vos mirabelles en Alsace pour confectionner de robustes gâteaux, sachez que cette bonne maison peut vous fournir en pâtisseries traditionnelles du pays des cigognes : kougelhopf, linzer-torte, anisbred, käsekuche, kamlet (une spécialité de Pâques), stolene (une autre pour fêter Noël) et bien d'autres douceurs.

BROQUÈRE

• **11e** - *69, bd Voltaire (700.10.63).*

M. Broquère, successeur de l'ancienne Maison Morot, fait toujours le bonheur des paroissiens gourmands de Saint-Ambroise qui viennent chez lui chercher l'hiver leurs beaux gâteaux « du dimanche », classiques et soignés (tarte Tatin, caprice de Sébastien au chocolat et au café, etc.) et l'été de très bons sorbets.

CARETTE

• **16e** - *4, pl. du Trocadéro (727.88.56).*

Gâteaux franchement moyens (feuilletage lourd et crême pâtissière fade et collante) et chers, de surcroît. Ce qui ne fait pas obstacle à la fréquentation massive du salon de thé. Il est vrai que les sandwiches y sont délicieux et les macarons au chocolat meilleurs encore.

CHATTON

• **16e** - *125, av. Victor-Hugo (727.73.40).*

Une longue queue de riverains, sévèrement ordonnée par la patronne, témoigne le dimanche matin de l'intérêt que ceux-ci portent aux bons croissants, aux petits fours et aux délicieux millefeuilles de la maison.

CHEVALIER

• **12e** - *66, bd de Picpus (343.67.10).*

• **12e** - *42, rue Sibuet (343.04.49).*

Cet excellent boulanger garnit

ses vitrines de bons gâteaux et de chocolats. Ses sorbets et fruits givrés méritent également d'être mentionnés.

LA CIGOGNE

• **9e** - *73, rue de Rochechouart (878.12.87).*

M. Meyer a appris aux meilleures sources de sa province natale à quadriller de bonne pâte à la cannelle, ses tartes alsaciennes et à rendre aérien son exquis kugelhopf.

COCHET

• **18e** - *20, av. de Clichy (387.68.18).*

Une des bonnes adresses du quartier (des simples palmiers aux excellents petits fours, en passant par le carolo : pâte d'amande, meringue et praliné). Belles présentations — sur commande — de pièces montées en pâtisserie ou en sorbets aux fruits.

A LA COLOMBE

• **14e** - *147 ter, rue d'Alésia (542.18.20).*

Exquis pains au chocolat et excellents petits fours secs.

LE DANUBE BLEU

• **2e** - *135, rue Saint-Denis (233.36.55).*
• **92 Neuilly** - *56, av. du Roule (624.29.29).*

Spécialités autrichiennes surtout, mais aussi allemandes et hongroises. Apfelstrudel, sacher torte, forêt noire, rigo jancsy, bretzel : à emporter ou à goûter sur place devant un chocolat viennois ou une tasse de thé.

DESMEUZES

• **6e** - *38, rue du Montparnasse (548.57.49).*

Pâtés divers, feuilletés au fromage et au jambon ; et deux spécialités notables dans un répertoire de douceurs ultra-classique : l'opéra et la nougatine (au café).

FINKELSZTAJN

• **4e** - *27, rue des Rosiers (272.78.91).*

Excellentes spécialités juives d'Europe Centrale qu'apprécie le musicien Ivry Gitlis, comme les pains au cumin et au pavot, les roulades aux noix ou au pavot, l'apfelstrudel et les tartes au fromage blanc. Blinis, pirojskis, etc.

FISCHER

• **15e** - *68, rue du Commerce (842.07.54).*

Sa réputation s'étend chaque année davantage et les gourmands du quartier fréquentent assidûment le magasin pour ses caramels « maison » et ses très nombreux chocolats. D'agréables desserts : le perce-neige (gênoise à la crème et aux fruits de saison), le gâteau de grand-mère (de style quatre-quarts), le puits d'amour, et la fanchonnette (succès aux amandes).

GALLET

• **16e** - *10, rue Mignard (504.21.71).*

Buns, scones, muffins, crumpets, pancakes : tous les petits pains britanniques si délicieux à l'heure du thé sont fabriqués chaque jour dans cette bonne boulangerie où on les trouve dès potron-minet à 2,20 F pièce. Bernard Gallet fait aussi (sur commande) des wedding-cakes et chaque année, en décembre, les traditionnels Christmas cakes et mince pies sans lesquels, pour paraphraser les Quatre filles du Docteur Marsh, « Noël ne serait plus Noël... »

GLASQUIN

• **16e** - *122, bd Murat (288.65.29).*

Bon pâtissier, bon glacier, bon confiseur, voire chocolatier émérite, André Glasquin fête le cinquantenaire de l'entreprise qui fut créée en 1928, ici même, par Michel, son père. Nous retiendrons par exemple, outre tous ses grands classiques, le soufflé aux abricots, les charlottes aux fruits ou au chocolat et certain condé qui mêle le biscuit, les pommes, la crème caramel au cidre et les pruneaux.

GRAND

• **8e** - *9, rue de Moscou (387.36.03).*

Un nom prédestiné quand on habite rue de Moscou. Bonnes tartes au citron et tartes viennoises « Mireille ». Chocolats maison, glaces sans colorants ni conservateurs, et sorbets aux fruits frais.

GRIMA

• **17e** - *47, rue Boursault (522.38.95).*

On y vient en famille — portugaise et bruyante — de toutes les banlieues se pourvoir en pâtisseries « nationales » (gâteaux du Roi ou de mariage), et en curieux pains de maïs. La maison qui fournit aussi de fondation (1977) l'ambassade du Portugal vient d'ouvrir en outre une succursale rue Brochant (au 10), soit à quelques centaines de mètres.

HELLEGOUARCH

• **15e** - *185, rue de Vaugirard (734.96.54).*

La réputation de ce bon pâtissier-traiteur classique s'étend bien au-delà de la très passante rue de Vaugirard et c'est justice. A notre dernier passage, Hellegouarch avait eu la main un peu lourde, à notre sens, avec le rhum dont il parfume son buffon au chocolat ; la mousse de cassis, en revanche, était fraîche et délicate à souhait. Les pâtes de fruits et les chocolats préparés par la maison et dits « frivolités » — disons-le franchement — nous ont déçus.

ARMEL HELLEGOUARCH

• **18** - *81, rue du Mont-Cenis (606.39.28).*

Glacier, pâtissier, traiteur, Armel Hellegouarch s'est taillé une belle réputation à Montmartre avec son ardéchois (l'hiver), son fraisalia (l'été), son dijonnais aux cassis et son régal de Montmartre (en toutes saisons). Nous aimons bien ses feuilletés et ses tartes, surtout celle au citron, moins ses gâteaux au chocolat. Un accueil plus souriant de la part des vendeuses ne serait pas superflu.

JANDRÉ

• **18e** - *76, rue Duhesme (606.74.04).*

Pour son saint-marc glacé (biscuit aux amandes, chantilly à la vanille et au chocolat) qui fait bien des heureux, ses puits d'amour d'où sort une parcelle de vérité et ses petits ducs qui méritent presque une couronne.

CHEZ JULIE

• **15e** - *65, rue Letellier (579.79.32).*

De bonnes tartes (sucrées) aux fruits « blancs » (pommes, poires, etc.) et aux fruits « rouges » (framboises, etc.) : de bonnes tartes (salées) : quiches et pizzas.

LEFÈVRE

• **12e** - *31, rue Wattignies (307.36.69).*

Une belle boutique et de bons gâteaux de vrai professionnel : caraque au café et dacquoise aux noix. Des glaces et des sorbets délicieux : dame blanche aux poires et Camargo (38 F le litre) livrés à domicile, si l'on veut.

LERAT

• **9e** - *70, rue de Dunkerque (878.98.64).*

Pour ses chaussons aux pommes, ses charlottes à la framboise et ses tartes aux pommes à la cannelle. Pièces montées spectaculaires.

LERCH

• **5e** - *4, rue du Cardinal-Lemoine (326.15.80).*

Savoureux kugelhopfs, sablés, tartes à l'oignon et à toutes sortes de fruits (myrtille, rhubarbe, mûre) ; et pour les fêtes de Noël, André Lerch perpétue la tradition alsacienne du pain d'épice décoré.

L'HONORÉ

• **13e** - *90, bd Auguste-Blanqui (331.72.00).*

Nous ne ménagerons pas nos louanges à ce pâtissier (bien mal situé face au triste métro aérien) pour ses aériennes duchesses, ses savantes amandines, ses mille-feuilles parfaitement feuilletés et ses sublimes ivryiens (macaron, plus praliné, plus noisette) dont il est le créateur. Bonnes glaces, chocolats traditionnels.

LE TROTIER

• **4e** - *23, rue Vieille-du-Temple (277.36.47).*

Une simple échoppe à vitrine ouverte sur la rue. Il faut sonner pour se faire servir les bons petits gâteaux au beurre que M. Le Trotier vend à vil prix. Si bons (et si bons marché) que les restaurateurs du quartier les servent bien souvent à leur tour comme des gâteaux « maison ». Excellente spécialité d'amandines, au cassis, à la poire, ou à la framboise, vendues à la pièce.

LA MARQUISE

• **12e** - *72, rue Claude-Decaen (307.66.56).*

Pas de quoi traverser le quartier, mais à ne pas mépriser, en passant, pour ses bugnes de Lyon, ses croquignols, ses pâtés de veau et ses tartes normandes.

MAUDUIT

• **10e** - *12, bd Denain (878.05.30).*

• **10e** - *54, fg Saint-Denis (770.99.21).*

Un répertoire classique propre à séduire des directeurs de théâtre, telle Simone Berriau, des comédiens, tels Jacqueline Maillan, Madeleine Robinson ou Jean Marais, des chansonniers, tel le formidable Raymond Devos, qui fréquentent la maison : succès (meringue aux amandes), marquise au rhum, diplomate, opéra (crèmes au café et au chocolat). Tout cela — auquel il faut ajouter des pâtes de fruits « maison », des chocolats, des blinis et du foie gras — est présenté avec soin et vendu dans toute sa fraîcheur.

MERCIER

• **11e** - *46, av. de la République (700.18.73).*

Robuste, classique et savoureuse pâtisserie au beurre : clafoutis aux cerises, pithiviers, tartes. De bonnes spécialités : le fédora, le délice des montagnes et la framboisine.

A LA MÈRE DE FAMILLE

• **9e** - *35, fg Montmartre (770.83.69).*

Pour ses pâtisseries « sèches », ses cakes et ses pains d'épice. Ou tout simplement, pour l'attendrissant décor d'autrefois.

LE MOULE A GATEAUX

• **17e** - *10, rue Poncelet (924.06.49).*

• **18e** - *53, rue des Abbesses (264.24.00).*

Cette remarquable (et jeune) maison vous vend ses pâtisseries exactement dans l'état où vous les verriez sortir de votre propre four. A cela près (sans vouloir être désobligeants) qu'elles sont, dans leur registre ménager et rustique, absolument parfaites. Ainsi le gâteau basque aux pruneaux ou celui à la frangipane et aux myrtilles, la belle tarte à la rhubarbe, au citron ou à la poire, les exquis chaussons aux pommes, les gros quatre-quarts, etc. Tout cela est simple, très peu coûteux, sans artifice aucun et sent bon le beurre frais. Glaces et sorbets et chocolats artisanaux.

MUET

• **13e** - *10, pl. d'Italie (331.33.93).*

Pas de quoi en perdre la parole, sauf la bouche pleine de ses excellents petits fours et macarons mœlleux (café, vanille, chocolat et framboise).

MULOT

• **6e** - *2, rue Lobineau (326.85.77).*

Décor tout net, tout clair, et fins gâteaux : les « individuels » (tartes de ménage ou encore au citron et à divers autres fruits, macarons, etc.), comme les gros (charlotte aux fruits de saison, succès d'automne, opéra, entremets au cassis, etc.).

NÉZARD (FLÈCHE)

• **6e** - *3, rue Notre-Dame-des-Champs (548.80.22).*

Nézard fut le fournisseur du tout vieux Montparnasse. Flèche lui a succédé et a procédé à la rénovation totale du décor de l'ancienne pâtisserie, sans rien changer d'essentiel à la liste de ses spécialités à base d'excellents produits : le Saint-Placide, le Raspail, le vacherin à l'ancienne, etc.

PATISSERIE ALSACIENNE (Denny)

• **92 Neuilly** - *173, av. Charles-de-Gaulle (624.00.24).*

M. Jaouen y prépare une excellente pâtisserie. Signalons le brésilien et les spécialités de type alsacien (colmarien, zwist, linzer-torte). Chocolats et nougatines de grande qualité.

PATISSERIE DE L'ÉGLISE

• **20e** - *10, rue du Jourdain (636.66.08).*

L'église de Saint-Jean-Baptiste-de-Belleville (juste en face) dont Haussmann posa la première pierre, y donne son nom à un plaisant gâteau décoratif. Mais nous préférons le marquis au chocolat, la charlotte aux poires, les petits macarons bien frais, et le cake « maison ».

PATISSERIE VIENNOISE

• **2e** - *41, rue Saint-Augustin (073.87.84).*

C'était Jolivet, c'est Guéreau, et avec lui sont apparus les gâteaux bavarois, apfelstrudels, tartes au fromage, sachers et autres linzers, et aussi la charlotte au chocolat. Salon de thé où sont servis au déjeuner des salades composées en été, et en hiver quelques bonnes spécialités hongroises.

PATISSERIE VIENNOISE

• **17e** - *11, rue Poncelet (227.81.86).*

Choix largement dominé par les tartes viennoises, comme le promet l'enseigne (aux pommes et à la cannelle, au pavot, etc.), mais aussi « bien de chez nous » (rhubarbe, prune, citron, etc.).

PELTIER

• **7e** - *66, rue de Sèvres (734.06.62).*

Toujours les exquises tartes au citron d'un « maître pâtissier de France », et les tartes aux sept fruits : raisins blanc et noir, fraise, framboise, cerise, abricot, amande et kiwi (66 F le kilo ou 8 F par personne). Des pâtes de fruits et des chocolats « maison ».

A LA PETITE MARQUISE

• **15e** - *91, rue de la Convention (554.50.20).*
• **16e** - *3, pl. Victor-Hugo (727.77.36).*

Cakes, pain d'épice, et de délicieuses tartelettes à base d'amandes et de glaçages naturels (café, orange, etc.). A notre avis un peu plus de beurre dans la composition de la pâte feuilletée rendrait les croissants et pains au chocolat moins diététiques peut-être, mais tellement plus savoureux.

PETITE MARQUISE

• **15e** - *50, av. de La Motte-Picquet (734.94.03).*

Quatorze sortes de petits fours salés pour l'apéritif (84 F le kilo), des entrées (koulibiac de saumon, saucisson pistaché en brioche), quelques plats cuisinés. Et surtout les gâteaux classiques : excellentes charlottes aux fruits frais, bavarois, marjolaine au chocolat (macaron, noisettes et mousse au chocolat), dacquoise au café (environ 10 F par personne) et glaces.

LA POTERNE (Dupont)

• **13e** - *17, pl. de l'Abbé-Georges-Hénocque (588.70.76).*

Une pâtisserie dans le style chaumière où Jacky Dupont, le patron, se distingue dans la confection des gâteaux les plus simples (tartes aux pommes ou aux poires, par exemple), plus réussis, à notre sens, que ses entremets plus sophistiqués du type omelette norvégienne.

POUJAURAN

• **7e** - *20, rue Jean-Nicot (705.80.88).*

Formé chez Ladurée puis à La Petite Marquise et installé depuis peu dans un décor de céramique fin de siècle, le tout jeune Jean-Luc Poujauran se consacre à la confection de pâtisseries dans la grande tradition de son Sud-Ouest natal : gâteaux aux pignons comme à Dax, carrés aux framboises dignes de leurs modèles de Mont-de-Marsan, pastis préparé comme au pays avec une pâte au beurre relevée de fleur d'oranger et d'anis (exquis), sans oublier une tarte « spéciale maison » qui enserre dans un anneau de pâte des pommes, des raisins et des noix (25 F pour 5 à 6 personnes). Egalement des pains (modelés sur demande en forme d'animaux ou de personnages).

RÉGIS

• **16e** - *89, rue de Passy (527.70.00).*

Régis règne depuis des lustres sur ce tronçon de la rue de Passy, qui va de la place du même nom au carrefour de la Muette. Les boutiques d'alimentation ayant peu à peu été dévorées par le fort appétit de la mode féminine, il ne reste plus dans ce petit coin qu'une boucherie à gros débit et que ce Régis, qui aligne dans sa devanture des rangées d'excellents gâteaux « de famille » : le pavé au café, la galette campagnarde, le gros quatre-quarts prénommé Régis et le petit Palma qui lui ressemble comme un frère (moelleux et plein de beurre). Caissière très sucrée.

RIEM-BECKER

• **12e** - *15, rue du Rendez-Vous (307.67.21).*
• **20e** - *89, av. Gambetta (636.87.11).*

Bonne et sérieuse maison qui a aussi un service de traiteur. Commandez la charlotte aux poires à la sauce framboise (10 F par personne).

ROLLET

• **7e** - *6, rue de Bourgogne (551.78.36).*

La maison, plus que centenaire, a bâti sa réputation — de même qu'elle l'entretient — sur l'assiduité des parlementaires qui viennent ici en voisins, pendant les suspensions de séances, refaire leurs forces avec un Fanny (meringue, crème au chocolat et praliné) ou un Othello (biscuit au chocolat).

SCHWAB

• **13e** - *39, rue de Tolbiac (583.81.51).*

Jean-Marie Schwab qui s'intitule « maître artisan pâtissier » est en effet un remarquable petit maître : tartes à la rhubarbe, petits mokas à toutes sortes de fruits, « omelette » aux fraises, kugelhopfs, apfelstrudels, etc.

SINEAU

● **16e** - *79, rue de la Tour (504.75.23).*

Voilà près d'un demi-siècle que cette bonne maison n'a rien changé de son décor ni de la qualité de ces honnêtes gâteaux qui ont le goût familier et heureux de ceux que l'on mange chez soi. Les marquis au chocolat, les tartes Bourdaloue, les opéras au chocolat ou au café, et les glaces (plus de 30 compositions) méritent bien l'attention que leur témoignent les riverains, Petit service traiteur. Livraison à domicile.

THIERCELIN

● **92 Neuilly** - *1, rue Ernest-Deloison (624.61.84).*

Pour ses excellentes pâtisseries traditionnelles, ses charlottes aux fruits, ses entremets glacés et ses mousses au chocolat et au café. Sur commande, quelques plats cuisinés très classiques (filet de bœuf en croûte, coq au champagne, etc.).

VALLY

● **7e** - *31, rue de Varenne (548.46.50).*

Les ministères alentour n'ignorent pas que cette boulangerie confectionne les meilleures pâtes sablées du quartier et d'excellents petits fours. Mais ne manquez pas d'y goûter aussi le pavé du roi : biscuit au chocolat parfumé à l'orange.

VIGLIETTI

● **13e** - *95, rue de la Glacière (666.04.03).*

Grande et active maison assurant dans ce quartier flambant neuf la promotion de bons gâteaux et de bons sorbets : forêt noire, charlotte aux fraises, fraisier, framboisier, etc.

ZAREBA

● **13e** - *2, rue du Champ-de-l'Alouette (331.75.68).*

Ce boulanger d'origine hongroise connaît un petit succès de quartier avec toutes sortes de spécialités plus ou moins tziganes, comme le plaisant beigli aux noix et à la graine de pavot, le dobos au chocolat, le gâteau hongrois et toutes sortes de spécialités régionales, de toutes les régions : Pays basque, Bretagne, Alsace. Spécialité de cuisine hongroise sur commande, et un petit coin cafétéria où l'on peut déjeuner d'un plat du jour soigné (15 F environ).

POISSONS ET CRUSTACÉS

AUX CINQ ÉTOILES

● **7e** - *46, rue Cler (705.37.46).*

Reçoit tous les jours en direct de Bretagne bars, soles, turbots, langoustines, coquillages, etc., assurant ainsi à ces produits une fraîcheur qui fait le bonheur de sa clientèle (exigeante) d'ambassadeurs et de médecins, entre autres. Gère aussi le rayon « Poissonnerie » du Printemps-Nation.

AU DAUPHIN

● **92 Neuilly** - *8, rue Madeleine-Michelis (747.85.69).*
et 2 bis, rue du Château (624.54.95).

Le père et le fils tiennent chacun une boutique à cette même enseigne. Les poissons qu'ils vendent sont aussi beaux que coûteux.

L'ÉCREVISSE

● **3e** - *21, rue Michel-le-Comte (272.89.14).*

Les meilleurs restaurateurs de France connaissent M. Vanikoff et son étonnant magasin troglodytique dans un vieil hôtel du Marais (Hôtel de Verniquet). Pendant la saison (de mars à septembre) il leur vend les « pattes rouges » importées vivantes de Pologne, d'U.R.S.S. et de Yougoslavie. Et toute l'année les écrevisses « pattes blanches » yougoslaves.

LA FINE MARÉE

● **17e** - *7, rue de Lévis (387.79.20).*

Deux viviers (eau de mer et eau douce), excellent choix de daurades et de turbots, et remarquable qualité de bouffis, sardines salées, morue et maquereaux Buckling.

HERRIER

● **16e** - *39, rue des Belles-Feuilles (704.92.96).*

Une des très bonnes poissonneries de Paris qui fournit, entre autres, les chefs des grandes maisons bourgeoises du quartier... Vous y trouverez les premiers saumons de Loire et les poissons de petite pêche qui proviennent le plus souvent directement des ports de la Manche et de l'Atlantique : rougets-barbets de Cherbourg, soles et colins de La Rochelle, turbots de Dieppe. Pour les huîtres, le même expéditeur à Marennes depuis toujours. Quant aux crustacés, homards et langoustes, ils arrivent trois fois par semaine de Saint-Gilles-Croix-de-Vie et sont conservés dans les viviers du sous-sol.

JEAN

● **16e** - *42, rue de l'Annonciation (288.00.71).*

Grande boutique spacieuse attenante à celle d'un volailler, où l'on trouve un grand et beau choix de poissons, notamment des rougets-barbets, des bars, des saumons, des anguilles

Ne nous accablez pas si les prix ont grimpé depuis la parution de ce Guide.

vivantes, de nombreux coquillages et, en saison, des escargots petits gris.

LA LANGOUSTE

● **2e** - *8, pl. des Victoires (260.97.03).*

La langouste qu'elle soit de Bretagne, des Canaries, du Cap, de Madagascar ou du Brésil, on la pêche dans les viviers de la cave. Tout comme le homard (breton, irlandais ou canadien). Les particuliers sont accueillis ici de 10 h à midi seulement.

LEDREUX

● **14e** - *67, av. du Gal-Leclerc (331.62.01).*

Très remarquable maison conseillée en son temps par Georgette Descat du restaurant Lous Landès. Choix gigantesque et fraîcheur exceptionnelle. On y trouve le colin et le maquereau, mais aussi, en saison, l'alose, le brochet, les civelles, les escargots de Bourgogne et même ces joues de lotte pour lesquelles « toute dame relève sa cotte », si l'on en croit l'irrespectueux proverbe.

LE FLAHEC

● **5e** - *135, rue Mouffetard (331.72.23).*

Ce grand Breton sympathique surnommé « L'Escrimeur » offre, dans sa belle boutique récemment refaite, le plus beau choix de cette fameuse et trop pittoresque rue en pente (raide et glissante trop souvent, en ce qui concerne la qualité). Son saumon de Norvège, ses soles de Vendée, ses coquillages de Brest ou de Plougastel n'ont guère de concurrence sérieuse sur ce flanc sud de la Montagne Sainte-Geneviève.

LEPIC-SUR-MER

● **18e** - *10, rue Lepic (606.15.18).*

Coquillages, poissons, huîtres, parmi les meilleurs du quartier.

LE PLADEC

● **12e** - *79, rue Crozatier (343.27.16).*

Ce poissonnier est l'un des moins chers de Paris pour une très honnête qualité. Plusieurs poissons proposés journellement en promotion à des prix étonnants.

LA MARÉE DU JOUR

● **19e** - *38, av. Secrétan (208.57.42).*

Bonne boutique de quartier proposant tout un assortiment allant des modestes tacauds, merlans, bogues et petites daurades jusqu'au somptueux saumon frais d'Ecosse. Le tout à des prix au-dessous de la moyenne. Etalage assez complet de coquillages. Homards et langoustes en vivier. Pas de livraison.

Dans ce chapitre "Alimentation", cherchez le produit et non pas le magasin qui le vend, c'est-à-dire "Pain" et non pas "Boulangeries", "Viande" et non pas "Boucheries", etc.

AUX PÊCHES DE BRETAGNE

● **92 Suresnes** - *14, av. Edouard-Vaillant*

M. Gouëzel, professionnel remarquable, connaît son métier sur le bout des doigts et sait mieux que personne trouver aux premières heures de la nuit la quarantaine d'espèces de poissons qui garniront son étal. Etant assez courageux (et passionné) pour arriver avant tout le monde à Rungis, il est toujours sûr de rafler les plus beaux lots de bar, de daurade royale, de saumon, de saint-pierre, de turbot et de langoustines (vivantes). Pas de livraison. Vous les retrouverez aux marchés de Suresnes et de Saint-Cloud.

LA PÊCHE BRETONNE

● **18e** - *8, av. de la Porte-Montmartre (606.77.90).*

La maison fournit régulièrement de nombreux et bons restaurants en poissons fins de l'Atlantique et de la Méditerranée (et aussi tous les composants d'une bouillabaisse « comme à Marseille ». Grenouilles fraîches, coquilles Saint-Jacques. Viviers marins et d'eau douce.

LA PÊCHERIE

● **16e** - *Galerie Saint-Didier, 14, rue des Belles-Feuilles (553.85.09).*

Même direction que la poissonnerie Aux Cinq Étoiles de la rue Cler, mêmes arrivages et même choix.

PEZIER

● **16e** - *28, rue du Dr-Blanche (525.85.90).*

Petite boutique, petit étal de poissons, mais ceux-ci sont choisis avec soin et compétence.

POISSONNERIE DE LA BASTILLE (M. Basson)

● **4e** - *53, rue Saint-Antoine (272.13.86).*

Une maison bien propre et toute simple, réputée pour ses oursins, sa lotte et ses coquillages.

POISSONNERIE DU CHAMP DE MARS

● **7e** - *145, rue Saint-Dominique (705.03.52).*

Une superbe boutique avec des viviers marins et d'eau douce remarquablement tenus par le sourcilleux M. Lagriffoul. Langoustes, homards, truites, écrevisses, et des étals où l'on ne peut pas ne pas remarquer l'extrême qualité des filets de poisson frais et des coquillages. Livraison gratuite.

LES POISSONNERIES FENOUIL

● **17e** - *18 et 51, rue de Lévis (924.24.59).*
● **17e** - *76, rue de Tocqueville (924.72.54).*

Gérard Fenouil, médaillé du 4 x 100 m à Mexico, et sa femme Martine, championne de patinage de vitesse, ont renoncé d'un commun accord aux lauriers et aux médailles, pour le bonheur de leurs clients : ils offrent, dans leurs trois magasins, un superbe choix de soles, de daurades, de bouquets, d'oursins, etc., à des prix toujours intéressants (mais ils ne livrent pas à domicile).

POISSONNERIE MODERNE

● **12e** - *6, rue du Rendez-vous (343.77.71).*

Superbes étalages de tout ce qui vient de la mer. On ne peut faire moins quand on s'appelle M. Qualité.

POTRON

● **1er** - *20, pl. du Marché-Saint-Honoré (261.58.44).*

Vénérable maison fondée en 1795, avec ses grands viviers d'eau douce et d'eau de mer grouillant de sandres, d'anguilles, de langoustes, ses étals frémissant de soles et de turbots et ses cageots débordant de poissons tout juste sortis de l'eau. M. Debauge satisfait la clientèle des palaces, de nombreux grands restaurants et des ministères. Spécialités de poissons d'eau douce (dont la trop rare perche) et de petits poissons de roche (rascasses, vives, grondins) pour la bouillabaisse. Livraison gratuite à partir de 200 F d'achat.

PRUNIER-TRAKTIR

● **16e** - *16, av. Victor-Hugo (500.89.12).*

Demeure contre vents et marées parmi les meilleures et les plus sûres adresses de Paris. Ceci en raison de l'extrême fraîcheur et de la qualité irréprochable des poissons de ligne, des petits rougets de roche, des turbotins, des langoustes et des homards bretons et, bien entendu, des huîtres que la maison reçoit directement des meilleurs ostréiculteurs. Prix en tempête mais justifiés par la qualité.

ROYAUME DE LA MER

● **16e** - *52, rue Saint-Didier (727.51.81).*

La mer Méditerranée principalement y délègue ses trésors : mérou, pageot, daurade royale, loup, etc., dont le nouveau propriétaire s'est fait une spécialité. Mais il propose aussi du saumon frais, des soles et des turbots « presque vivants », et un bon choix de fruits de mer en saison. Livraison gratuite de toutes les commandes même minimes.

Chaque mois
"Le Nouveau Guide Gault-Millau"
complète cet ouvrage et...
vous emmène en vacances.

LA SABLAISE

● **7e** - *28, rue Cler (551.61.78).*

Des poissons de la Méditerranée (loup, rouget, pageot, daurade royale) d'une qualité irréprochable tout comme les arrivages de la côte rocheloise (turbot, sole, merlu, baudroie). Et chaque jour une vente en promotion. Viviers marins et d'eau douce. Livraison gratuite.

CHEZ LES SABLAIS

● **13e** - *170, av. d'Italie (588.98.60).*

De beaux et frais poissons en provenance des Sables-d'Olonne. En particulier la sole, la baudroie et le merluchon. Huîtres de Vendée.

SÉVENET

● **16e** - *5, rue de Passy (288.04.83).*

La qualité de la nouvelle boutique reste égale à l'ancienne, que ce soit pour les saumons frais, les turbots, les soles et les daurades. Ecrevisses pattes blanches et pattes rouges.

PRIMEURS

Il existe à Paris une quantité de bons marchands de primeurs, fruits et légumes, dont nous ne donnons évidemment pas la liste, car ils sont trop nombreux et dépendent trop souvent des fluctuations enregistrées au lointain Rungis.

De même n'insisterons-nous pas sur les produits de très grande qualité et de très grand prix des spécialistes d'« avant-primeurs », tels que **Hédiard, Fauchon, La Maison de la Truffe,** etc. (voyez « Epiceries de luxe »). Pour les fruits et légumes exotiques, reportez-vous à la rubrique « Produits étrangers », et pensez aussi à certains grands magasins, comme le **Bon Marché, Inno** et **Printemps-Nation.** Voici tout de même ici et là dans Paris, un petit nombre de bonnes adresses de dépannage.

AUX BEAUX FRUITS DE FRANCE

● **1er** - *304, rue Saint-Honoré (260.45.26).*

De France mais aussi d'ailleurs, des fruits joliment présentés dans une boutique-couloir.

LA CORBEILLE D'OR

● **Rosny 2** - *Centre commercial (528.49.10).*

Superbe boutique, étalages somptueux. Spécialités de melons, asperges vertes, fraises des bois et fruits exotiques, et surtout de compositions de corbeilles de fruits, de légumes et de fleurs, parmi les plus belles de Paris. Pas de livraison à domicile.

AUX FRUITS DE FRANCE (Turpin)

● **4e** - *72, rue Saint-Louis-en-l'Ile (326.83.02).*

Des fruits et des légumes. Les plus beaux assurément qu'on puisse trouver dans les îles et même au-delà, des herbes aromatiques, des champignons à longueur d'année, que Jean Turpin livre bien volontiers aux insulaires. Un très beau choix de volailles aussi, et de gibier (en saison).

HALLES SECRÉTAN

● **19e** - *29, av. Secrétan (607.43.01).*

Un grand cours des halles. Beaux fruits et légumes vendus souvent à des prix intéressants.

AU JARDIN DE L'ESCARGOT

● **19e** - *109, av. Jean-Jaurès (208.76.52).*
Succursales :
● **7e** - *36, rue de Bourgogne (551.44.80).*
● **19e** - *106, rue de Meaux (208.76.52).*

Beaux étalages de fruits et de légumes dans ce magasin — à l'origine, une escargotière renommée — que les petits-gris ont déserté depuis belle lurette.

JARDIN D'ESPAGNE

● **1er** - *8, rue du Marché-Saint-Honoré (261.02.91).*

Beaux fruits et légumes sévèrement sélectionnés par M. Badier et dont une bonne demi-douzaine de ministères font leurs choux gras.

JARDIN DES HESPÉRIDES

● **16e** - *Galerie Saint-Didier, 14, rue des Sablons (553.76.25).*

Fruits et légumes de France et des tropiques bien présentés et d'une qualité irréprochable. Une bien jolie et aimable patronne et un bain de fraîcheur surprenant en plein milieu de la Galerie Saint-Didier. Livraison à domicile.

Ecrivez-nous,
pour critiquer nos critiques,
en bien ou en mal,
dans tous les cas, vous nous rendrez service.
210, rue du Faubourg Saint-Antoine,
75012 Paris.

MARTIN

● **13e** - *1, rue Jeanne-d'Arc (583.30.23).*

Grand choix, qualité, prix raisonnables.

MIMILLA

● **14e** - *30, rue du Texel (322.70.69).*

La plus ancienne et glorieuse dynastie de marchands de marrons frais et épluchés. Le tout — dynastie et marrons — d'origine italienne. C'est au fond du sombre couloir à gauche que les Mimilla tiennent boutique. Les plus grands restaurateurs de Paris s'y fournissent et chacun peut venir y acheter une matière première de tout premier choix pour les crèmes, glaces, purées et autres farcissages de volailles, les « lyonnais » du Piémont étant spécialement calibrés à cet usage.

PALAIS DU FRUIT

● **2e** - *72, rue Montorgueil (233.22.15).*

Bonne maison située à l'emplacement des écuries de Marie Stuart, dont la qualité des produits justifie l'enseigne. Spécialité de corbeilles de fruits composées dans des écorces d'arbres ou des paniers en osier.

AU VERGER DE LA MADELEINE

● **8e** - *4, bd Malesherbes (265.51.99).*

Petit rayon de fruits et légumes de grande qualité (primeurs), parmi des vins et alcools prestigieux.

PRODUITS RÉGIONAUX

Produits d'Alsace

SCHMIDT

● **10e** - *76, bd de Strasbourg (208.61.01).*

Sans aucun doute la plus importante des charcuteries alsaciennes de tout Paris. Choucroute (remarquable), saucisson de foie, saucisse blanche, roulade, langue écarlate, boudin de langue, etc.

Produits des Antilles

AFRIQUE-ANTILLES (Deléage)

● **14e** - *9, rue Léopold-Robert (322.04.63).*

Si l'on en croit M. Deléage, le Tout-Paris africain se fournit dans cette épicerie où, tout étant posé par terre, l'on butte contre d'énormes paniers d'osier remplis de légumes et de fruits exotiques : piments rouges, jaunes ou verts, patates douces, ignames, mangues, haricots noirs (du Brésil) pour la feijoada, lait de coco et aussi escargots géants d'Afrique et poissons séchés.

CARAÏBOS

- **11e** - *21, rue de la Roquette (700.51.47).*
- **18e** - *26, rue des Poissonniers (254.51.47).*

Bonnes petites boutiques de produits antillais, accueillantes et soigneusement disposées. Sorbets et cocktails exotiques, sirops et liqueurs, et plats à emporter (déclicieux crabe farci d'une fraîcheur exemplaire et excellent boudin créole). Vaste gamme de rhums et punchs (punch coco), de fruits et légumes du pays et surtout de moins courantes épices de La Réunion, comme le safran, le massalé ou les beurres parfumés et épicés (« beurre rouge » et « vache noire »), pour la cuisine créole. Service de traiteur : pour un buffet ou un dîner (antillais bien sûr), adressez-vous rue de la Roquette; il vous en coûtera 85 F par tête, plus le service assuré par des hôtesses en costume créole.

JOULIN

- **5e** - *2, rue de l'Arbalète*

Tous les parfums de l'Afrique, de l'Arabie et de bien d'autres lieux s'exhalent de la double rangée de comptoirs qu'Yvette et Jacques Joulin disposent quotidiennement à la fraîche le long du Café de l'Arbalète. Viande boucanée des Caraïbes, poissons séchés à tous les vents de l'Équateur, escargots déshydratés à la mode forestière de Côte d'Ivoire, conserves exotiques (viandes surgelées, notamment de petits rongeurs), fruits et légumes aux noms chantants (sapotilles, goyaves, anones, maracoujas, physolis, etc.), répandent ainsi, au pied du populaire marché de la Mouffe, le goût des saveurs venues de tous les ailleurs.

PRODUITS EXOTIQUES

- **5e** - *114, rue Monge (535.12.98).*

Quelques bonnes purées de fruits classiques ou exotiques en flacon pour la confection des sorbets, des thés (Inde, Ceylan, Chine et Georgie) en vrac ou en boîtes, des épices et achards. Mais surtout un petit choix d'excellents rhums dont le Bernus grappe blanche vendu au litre et le rhum vieux agricole Depaz.

SPÉCIALITÉS ANTILLAISES

- **20e** - *16, bd de Belleville (797.18.61).*

Excellent boudin créole, sans doute le meilleur de Paris. Crabe farci, merveilleux acras, bonnes tartes à la mangue, à la goyave, au coco et au citron vert. Sorbets et glaces « maison » aux mêmes parfums. Au moment de Noël : cochon de lait (350 à 400 F pour 25 personnes) et jambon glacé au sucre. Beaux fruits et légumes, en provenance directe des Antilles (par avion, toutes les semaines), et de nombreux rhums.

Ne nous accablez pas si les prix ont grimpé depuis la parution de ce Guide.

Produits d'Auvergne

BOUGNAT BOUTIQUE

- **8e** - *3, rue de l'Isly (387.39.96).*
- **14e** - *116, av. Gén.-Leclerc (542.06.76).*
- **92 Neuilly** - *12, av. de Madrid (747.88.92).*

Dans cette vaste boutique moderne (qui a essaimé deux petites sœurs, l'une à Paris, l'autre à Neuilly), consacrée principalement aux bons produits d'Auvergne (pain, jambon, saucisses, etc.), on trouve aussi d'excellents fromages comme le saint-nectaire et le pont-l'évêque fermiers, de belles brioches ou des tripes (de chez Gimer) et une gamme de très bons vins comme le Château Suduireau, le saint-nicolas de Bourgueil ou le beaujolais de chez Dubœuf qu'il est possible de déguster sur place avec une assiette de cochonnailles.

LES COMPAGNONS DU BUFFADOU

- **17e** - *20, rue de la Terrasse (622.35.48).*

Si l'enseigne vous intrigue, sachez que le buffadou est une longue branche évidée dont les Cantalous se servent pour ranimer leurs feux d'un souffle très précis. Ce petit dépôt artisanal caché à l'orée de la ténébreuse plaine Monceau propose quelques remarquables conserves d'Auvergne, notamment de Boisset : fritons, rillettes, pâtés de foie et de campagne et de Faverolles, en bocaux « trois-quarts » : cous de canard farcis, confits, et aussi un bon saucisson de la Margeride, du bœuf séché qui se présente en pains (100 F le kg); et encore des miels garantis non chauffés, quelques confitures (notamment de myrtilles), et enfin d'admirables gâteaux au beurre appelés Drugeacois : des carrés bien secs et craquants préparés à Drugeac et vendus en boîtes de 10.

AUX FERMES D'AUVERGNE (Montourcy)

- **17e** - *13, rue Poncelet (622.50.45).*

Produits régionaux (de l'Auvergne) de bonne qualité (et chers) : boudins aux châtaignes (de novembre à mars), confit de foie de porc, frittons, saucisse sèche « au couteau », pas moins de 15 sortes de jambons et une vingtaine de pâtés, tomme fraîche pour l'aligot, fouaces, etc. Chaque année, pour les fêtes de Noël et du Nouvel An, les serveurs revêtent le costume folklorique du Cantal.

FERME DES CÉVENNES

• **94 Vincennes** - *5, rue de Montreuil (328.10.92).*

L'Aveyron, rien que l'Aveyron, dans sa version la plus rustique : du galabar (boudin au lard) à la fouace, via le gâteau à la broche, en passant par ses saucissons et saucisses sèches coupés à la main, le superbe jambon, le tripoux et le fromage de Laguiole, tous des meilleures provenances. Plus intéressants encore, les plats régionaux « du jour » (variation sur les volailles), les conserves auxquelles la patronne transmet son vigoureux accent : le roboratif coufidou par exemple, les confits, les tripes à la manière robuste de Naucelle, les confitures et pâtes de fruits. Nous avons gardé pour la bonne bouche la plus « spéciale » des spécialités : celle que l'étiquette qui pare son bocal de verre déclare sans apparente trace d'émoi « saucisses à l'huile maigre »...

GALOCHE D'AURILLAC

• **11e** - *41, rue de Lappe (700.77.15).*
Ouvert jusqu'à 1 h du matin.

Parmi les meilleurs saucissons fermiers que l'on puisse trouver à Paris.

GRAU

• **17e** - *87, rue de Lévis (277.59.48).*

Un couple très aimable, vieilli dans la crépinette et l'andouille, débite à l'intérieur de cette minuscule boutique d'admirables jambons crus d'Auvergne, bien gras, du confit de foie de porc de l'Aveyron, de la saucisse fraîche (d'Auvergne) « au couteau », du filet de porc saumuré, du cantal, de la fouace de Saint-Urcize, du confit d'oie et de canard qu'apprécie, entre autres, le fin bouffeur Claude Chabrol.

JEAN-CLAUDE ET NANOU

• **17e** - *46, rue Legendre (227.15.08).*

Superbe petite boutique à trésors : oreilles et pieds farcis du Cantal (de novembre à mars), saucisson de montagne « au couteau ». Et encore la merveilleuse andouille de viande de Meymac, providence des plats de choux et de lentilles, le vieux cantal fermier, la tomme fraîche pour l'aligot, et la fouace de Mur-de-Barrez.

> ***Dans ce chapitre "Alimentation", cherchez le produit et non pas le magasin qui le vend, c'est-à-dire "Pain" et non pas "Boulangeries", "Viande" et non pas "Boucheries", etc.***

MAISON LAIR - AUX VRAIS PRODUITS D'AUVERGNE

• **5e** - *46 et 48, rue Daubenton (331.52.92).*
Autres adresses :
• **2e** - *98, rue Montorgueil (236.28.99).*
• **9e** - *21, rue des Martyrs (878.30.19).*
• **10e** - *67, fg Saint-Denis (770.67.05).*
• **11e** - *77, rue de la Roquette (700.40.97).*
• **11e** - *94, fg du Temple (357.18.98).*
• **15e** - *89, rue Saint-Charles (577.85.97).*
• **17e** - *36, rue des Moines (627.05.03).*
• **18e** - *23, rue Lepic (606.01.10).*
• **18e** - *23, rue du Poteau (606.19.35).*
• **20e** - *33, rue Ménilmontant (636.01.31).*
Et aussi :
• **4e** - *37, rue Rambuteau*
• **6e** - *32, rue de Buci*
• **9e** - *2 bis, rue Cadet*
• **17e** - *4, rue Lebon*
• **20e** - *136, rue d'Avron.*

Rendons hommage à Louis Lair pour avoir — dès 1920 — sorti le négoce des produits d'Auverge des alentours tortueux de la rue de Lappe, où de vieux usages le confinaient. La maison mère de la rue Daubenton a essaimé dans 10 arrondissements de Paris en 16 succursales qui se fournissent aux mêmes sources et proposent, entre autres, un cantal de Salers comme on en voit rarement même sur place, une excellente saucisse « au couteau », des confits de porcs confectionnés pour Lair, à Capdenac, par le plus traditionaliste des charcutiers de l'Aveyron, sans oublier les farcis (museau, pied, oreille), les fouaces de Rodez, le superbe jambon conservé au seul sel sec. Merveilleux pains.

L'OUSTAL

• **3e** - *68, rue des Gravilliers (887.84.96).*

Bons produits d'Auvergne et du Rouergue chez M. Péan : le friton « vert », la saucisse sèche, le jambon cru, le confit de foie de porc et le cantal fermier, qui arrivent directement « du pays ».

TRIGOSSE

• **1er** - *102, rue Saint-Honoré (236.02.00).*

Produits d'Auvergne précise l'enseigne. Ce qui ne manque pas d'être douloureusement ressenti par les Aveyronnais de Paris qui savent que Mario Trigosse est originaire des environs d'Espalion. Ils le lui pardonnent pour deux raisons. La première c'est qu'il perpétue la gloire du sport régional au titre de président actif du comité des « quilles de huit » rouergates en Ile-de-France (et accessoirement de membre de notre équipe nationale de bowling). La seconde c'est, qu'à l'évidence, le meilleur de sa sélection de produits dits « d'Auvergne » provient malgré tout de son département natal : grattons, fricandeaux, saucisses, saucisson fait « au couteau », plus tomme fraîche (pour l'aligot) et sèche (Laguiole), entre autres fromages. Sans oublier le pain « paysan » (seigle remarquable) ni bien entendu la fouace, pour finir en douceur.

A LA VILLE D'AURILLAC

● **11e** - *34, rue de Lappe (805.94.85).*

Outre un admirable cantal de Laguiole, un bon saint-nectaire fermier et de magnifiques salaisons, M. Bonal s'honore de vendre — aux Auvergnats du coin — galoches vernies et sabots fourrés, comme au pays.

AUX VRAIS PRODUITS D'AUVERGNE ET DE BRETAGNE

● **11e** - *98, rue de la Roquette (379.97.52).*

Le Massif Central continue de régner en maître dans cette boutique centenaire curieusement rénovée dans le style « fermetté ». Savoureux produits de pleine Auvergne : grattons, frittons, admirable pâté de foie, saucissons divers (au couteau), tripes et tripoux, porc frais et petit salé, lentilles triées, noix non lavées, etc. ; et bien entendu, des fromages : cabecous, tomme fraîche, fourme d'Ambert, cantal doux et sec, saint-nectaire, bleus divers. Et aussi, pour justifier l'enseigne, des rillettes de la Sarthe et de l'andouillette de Guémené. Enfin, pour le simple plaisir, quelques produits du Périgord : foies gras, confits d'oie, de canard ou de dinde, etc.

Produits de Bretagne

AUX PRODUITS DE BRETAGNE

● **5e** - *42, bd Saint-Germain (354.72.96).*

Avec ses victuailles campagnardes débordant sur le trottoir, ses grosses pancartes manuscrites vantant la marchandise et son désordre savamment folklorique, la boutique de François Miras, au premier coup d'œil, a tout pour éveiller la méfiance d'un gourmet sensible au faux vrai. Il serait bien dommage cependant d'en rester là, car ce Haut-Pyrénéen est rien moins qu'un farceur. Ses confits de canard (100 F le kg), ses cèpes à l'huile en bocaux de verre, ses jambons secs à l'os (38 F le kg), sa saucisse fraîche aux grains de poivre et ses foies de canard frais (500 F le kg) et en général tous ses produits (des Pyrénées et de Bretagne surtout) sont d'une qualité généralement remarquable. La maison reste ouverte le soir jusqu'à 22 h.

AUX PRODUITS BRETONS

● **9e** - *39, rue Lamartine (878.70.53).*

Cette charmante boutique décorée de céramiques du début du siècle a, depuis peu, un nouveau patron, M. Degachi, Breton bon teint comme le veut l'enseigne. Il vous propose les mêmes spécialités que son prédécesseur : traou mad de Pont-Aven, kouign amann de Douarnenez, craquelins, galettes de blé noir, crêpes de froment, beurre salé, farine de sarrasin, cidre, hydromel et miel bretons, pain de campagne, et bonnes charcuteries artisanales (pâté, andouille, saucisse, boudin) faites au pays.

Produits de Corse

CHUET

● **18e** - *28, av. de Saint-Ouen (387.65.63).*

Voir « Produits régionaux divers ».

Produits du Lyonnais

CHARCUTERIE LYONNAISE (Terrier)

● **9e** - *58, rue des Martyrs (878.96.45).*

Le cervelas (truffé et pistaché à souhait), les quenelles de brochet de de saumon ou le persillé bourguignon. La grande charcuterie lyonnaise de Paris. On admirera la vraie rosette, le pâté de viande de veau, la hure lyonnaise, et aussi les magnifiques jambons blancs — machine ou à l'os — et les riches terrines maison (de gibier, à la saison). Bon choix de vins, dont les beaujolais de chez Dubœuf.

Produits de La Réunion

LA BOUTIQUE DE LA RÉUNION

● **8e** - *10, rue du Colisée (723.48.25).*

Plaisant bric-à-brac de spécialités réunionnaises dont nous retiendrons surtout les agréables punchs aux parfums inhabituels : vanille ou litchi, les vieux rhums bourbon ainsi que d'excellentes conserves comme les rougails de graton, de mangue, de crevette ou de pistache, les pâtes de piment et les confitures de fruits exotiques. Quelques broderies, des couvre-lits et ouvrages divers en « mendiant » (patchwork). Au surplus la maison fait office de bureau de documentation et d'informations touristiques sur ce département français de l'océan Indien. Accueil sympathique.

BROQUÈRE

● **18e** - *22, rue Lepic (606.27.83).*

A l'embouchure de la rue Lepic, une vieille graineterie de quartier — sans vitrine — ouverte à toutes les nuances de l'outre-mer.

Passons donc sur l'hydromel polonais pour évoquer l'exotisme des gousses (vanille), des graines (arachide), des superbes fruits exposés en façade : fruits frais (bananes plantain, citrons verts, goyaves. kumquats, mangues, papayes, tamarins), en conserve, en bocaux (confitures), ou en jus, des rhums et des punchs « fruités », à la mode de Saint-Denis, soit à base de sucre et rhum (et d'anones, de litchis, de vanille, etc.) ; le tout de provenance réunionnaise.

Produits du Sud-Ouest

DUBERNET

● **7e** - *2, rue Augereau (555.50.71).*

La maison-mère est à Saint-Sever, dans les Landes. Et les produits sont éminemment landais : foie d'oie ou de canard entier mi-cuit, confits, saucisses, cassoulet (en boîte), chichons d'oie, cous d'oie fracis, graisserons et autres confits de porc. Fine andouillette et gros boudins. Produits dans l'ensemble de très bonne qualité.

AUX DUCS DE GASCOGNE

● **1er** - *4, rue du Marché-Saint-Honoré (260.45.31).*

Cette maison qui sent bon le Gers — tout en conservant sa vocation première : la vente par correspondance — a ouvert à Paris une boutique néo-rustico-écologique où l'on trouve de beaux magrets de canard frais (69 F le kilo), des confits, des foies gras mi-cuits (425 F le kilo), quelques bons produits de terroir, comme l'andouille blanche de pays, le jambon sec ou la ventrèche (poitrine séchée), et une jolie sélection d'armagnacs.

LES FERMIERS LANDAIS

● **15e** - *39, rue de Dantzig (532.26.88).*
Tous les jours. Jusqu'à 1 h du matin.

L'annexe du Restaurant du Marché et de L'Aquitaine où l'on trouve les bons produits de la maison : les foies gras frais de canard ou d'oie, préparés par Christiane Massia, des confits, du boudin, des saucisses et sur commande (la veille) une daube de bœuf à l'armagnac qui se mange chaude ou froide et un excellent cassoulet dont le petit (et le grand) monde des planches et de la plume font leur ordinaire.

LOUS LANDÈS

● **14e** - *9, rue Georges-Saché (543.08.04).*
Tous les jours sauf dim. et lundi. Jusqu'à minuit 30.

La boutique est contiguë au restaurant. Du « fait maison-fait main » par l'excellente Georgette Descat : depuis les fruits au vinaigre ou à l'armagnac jusqu'aux confitures en passant par les foies gras et les confits. Et aussi des foies de canard en papillote prête à cuire, des poulets élevés dans les Landes, et des plats à commander le matin par téléphone et à venir chercher le soir : cassoulet, nage de poisson, tourtière landaise aux pruneaux. Mais courez-y vite : la boutique est sur le point de fermer...

LA PETITE FERME

● **15e** - *282, rue Lecourbe.*

Vouée aux confits, au jambon de Tonneins, aux lamproies et à l'alose : on y trouve, venus du Lot, une tourtière du Quercy, des cèpes au naturel, des légumes en bocaux, du miel de la Lozère, naturel, non chauffé, et des petits vins pas chers...

Produits régionaux divers

BOUTIQUE LAYRAC

● **6e** - *25-27, rue de Buci (325.17.72).*
Ts les jrs. Jusqu'à 3 h du mat.

Dépôt de produits aveyronnais, auvergnats et alsaciens, foies gras « maison », vins, et également des huîtres. Livraison. Une annexe du Muniche et du Petit Zinc.

AUX BONS PRODUITS DE FRANCE

● **13e** - *107, rue de la Glacière (589.44.00).*

De tous les coins de France mais surtout de Bretagne et d'Auvergne. Spécialités régionales dont on vous donne très aimablement les caractéristiques et le mode d'emploi, charcuteries, fromages, etc.

CHUET

● **18e** - *28, av. de Saint-Ouen (387.65.63).*

Une ingrate et triste petite boutique où vous attendent des trésors : saucisse sèche de Chassagnard à Egletons, ineffable jésu de l'Aveyron, admirablement séché et d'un vrai goût rustique, saucisses au vin blanc de Meymac, andouilles de viande de Corrèze, lard de campagne au poivre, etc. Henri Chuet a annexé depuis peu la Corse, avec ses jambons, figatellis, lonzos et coppas, son broccio (qu'il reçoit tout frais chaque dernier vendredi du mois), et aussi des vins de propriétaire.

DAUGEARD

● **13e** - *59, bd Saint-Marcel (535.59.74).*

Vraies rillettes de la Sarthe, vrai bacon, bonnes conserves du Sud-Ouest, choucroute au champagne, fars bretons et une remarquable terrine au poivre vert.

DUCREUX

● **5e** - *5, rue Sarrette (327.06.05).*

L'Auvergne (jambon) étendue plein sud jusqu'à l'Aubrac (miel de montagne de l'abbé Barthélémy), la Bretagne (charcuteries, galettes, farine de sarrasin), la Normandie laitière (fromages fermiers) et cidricole, et le Périgord (foie gras et confits d'oie et de canard en bocaux), constituent de fondation les mamelles nourricières de cet intéressant magasin où vous trouverez aussi du bon pain paysan, des tartes au lait caillé et des confitures de la ferme et du couvent.

L'ENTRACTE

• **17e** - *46, rue de Lévis (227.88.19).*

Petite enclave d'un petit café, vouée aux charcuteries provinciales. Le Languedoc fournit les meilleures : boudins (notamment celui « à la viande »), andouillette, pied-queue-oreille, saucissons divers (dont un remarquable « de foie »), rillettes d'oie et confits divers. Fromages fermiers de Laguiole.

A LA PETITE MARQUISE

• **15e** - *93, rue de la Convention (532.50.15).*
• **16e** - *3, pl. Victor-Hugo (727.77.36).*

Le naturel jusqu'à l'obsession revient au triple galop dans chacune des innombrables spécialités de cette étonnante maison et chacun de ses produits, dont un minutieux étiquetage révèle les composants rustico-biologiques. Le miel est sauvage, la farine meulée à la pierre, les œufs et le beurre de ferme, les fruits et légumes en provenance directe du Paradis, les confitures rustiques, les pâtes (fraîches) aux œufs (de ferme), les charcuteries de campagne, les fromages fermiers (c'est bien le moins). Excellente démonstration de retour aux sources.

PRODUITS ÉTRANGERS

Produits d'Afrique du Nord et du Moyen-Orient

AUX CINQ CONTINENTS

• **11e** - *75, rue de la Roquette (379.75.51).*

Depuis quatre générations, la famille Abramoff, originaire de Tachkent, manipule les produits des cinq continents essentiels pour réussir la cuisine et la pâtisserie du monde entier : tous les fruits secs (noix du Brésil et de Chine, cacahuètes décortiquées grillées et salées), les épices (en poudre, entières ou concassées), les condiments (olives tunisiennes aromatisées au piment et fenouil, marocaines confites) et les légumes secs (haricots noirs chiliens, pois chiches et sarrasin grillé, cornilles, lupins, riz, etc.). Et aussi la tarama, la poutargue, les feuilles de vigne, les choux salés, la pastourma, le raifort rouge (adouci de betterave), le fromage bulgare au lait de brebis, la halva (au chocolat ou aux pistaches).

ÉPICERIE EXOTIQUE (Baillet)

• **15e** - *45, rue de Vouillé (532.86.02).*

Légumes et fruits secs, toute l'épicerie orientale (un peu chère) et quelques intéressantes salaisons dans le goût de l'« Europe moyenne ».

JO GOLDENBERG

• **4e** - *7, rue des Rosiers (887.20.16).*

Depuis 1923. Très grand magasin d'alimentation juive de luxe. Bonnes charcuteries d'Europe centrale, harengs gras et marinés, moussaka, saumon fumé, etc. (à emporter et à manger sur place). Amusant va-et-vient.

GREC ALIMENTAIRE

• **1er** - *49, rue Saint-Honoré (233.44.98).*

Ouzo, rodytis (vin rosé), kokineli (résiné), bamias (cornes grecques), dolmas, pulpe de sésame, olives de Volos et de Calameta, huiles d'olive, loukoums et confitures de rose, miel de l'Hymette et tarama : tous ces produits venus de Grèce (et des Balkans) vous seront vendus ici au prix de gros à partir de 5 kg ou de 12 bouteilles.

HAÏRABEDIAN

• **2e** - *7, rue de Tracy (236.06.55).*

Ouzo, raki de Turquie, arak du Liban, halva et fromage blanc bulgare, bamia de Grèce et de Turquie, tarama, poutargue, pistaches, olives, toutes les spécialités du bassin méditerranéen sont présentes dans la boutique moderne et bien appétissante de Joseph Haïrabedian.

HERATCHIAN FRÈRES

• **9e** - *6, rue Lamartine (878.43.19).*

Extraordinaire endroit. Un souk. Les serveurs moyen-orientaux à l'extrême dominent avec autorité la foule bigarrée qui s'y presse aux heures de pointe (vers 18 h, le tumulte est à son comble). On y trouve, en bocaux, toutes les épices, en baquets, toutes les salaisons de légumes (concombres, choux entiers, etc.), toutes les conserves du Moyen-Orient étendu à l'Europe du Sud, voire centrale. Extension qui va proliférant. Intéressant fromage blanc de brebis bulgare (28 F le kilo).

IZRAEL

• **4e** - *30, rue François-Miron (272.66.23).*

Ce Jupiter Pogonat est le grand spécialiste des produits du bassin méditerranéen, particulièrement du Maghreb, d'Israël, cela va de soi, et du Proche-Orient. Il est à peine possible d'imaginer tout ce que cette modeste boutique peut receler de trésors, sans cesse renouvelés d'ailleurs, par les recherches de Samuel Izraël : immense choix d'épices, olives au fenouil et au citron, condiments pour tagine et pastilla (il vend aussi les plats et ustensiles pour la cuisine « orientale »), riz rares comme le basmati pakistanais, saucissons de dattes fourrés aux pistaches et roulés dans la graine de sésame, vrais tourons d'Alicante, cornes de gazelle...

MAISON MICRO

● **1er** - *144, rue Saint-Honoré (260.53.02).*

Le corps diplomatique et quelques armateurs grecs (ou orientaux) viennent chez Mme Hadjiconstantinou se fournir en dolmas (feuilles de vignes farcies), tarama, feta (fromage blanc de brebis, olives en tonneaux (12 sortes), pistaches, miel de thym et tous les vins et spiritueux grecs (retsina, ouzo, samos, etc.).

Produits d'Allemagne

LA MAISON DE L'ALLEMAGNE

● **8e** - *45, rue Pierre-Charron (225.82.21).*

Véritable vitrine de l'Allemagne alimentaire où un sévère choix s'impose. De celui-ci il restera les vins de la Moselle et du Rhin, les bières, les pains d'épices de Nuremberg et, bien entendu, d'admirables charcuteries comme les jambons de Mayence, de Wesphalie, de Cobourg, qu'on goûtera avec d'exquis pains noirs aux puissants parfums.

Produits d'Angleterre

BETJEMAN AND BARTON (The English Tea House)

● **8e** - *23, bd Malesherbes (265.35.94).*

Voici soixante ans que MM. Betjeman et Barton (prononcer B and B) décidèrent d'alimenter notre ferveur d'anglomanes. Aussi, devons-nous vous rappeler que les thés (au nombre de soixante eux aussi), les confitures, marmelades, alcools, bonbons, gâteaux frais, biscuits, etc., ne sauraient limiter la gloire de ce magasin victorien à l'accueil garanti d'époque et même un peu plus austère, si possible. Sachez donc que l'un des meilleurs bacons de type anglais de Paris (et fait à Paris) y est vendu de fondation sous deux espèces : back (filet) et streaky (échine). Et que mieux vaut ne pas se ridiculiser en le demandant « sans gras » aux serveuses. Sachez aussi que le même fournisseur parisien d'élite livre, chaque mardi et jeudi, de la saucisse façon Cambridge. Pour n'être pas à la mie de pain — ce que déplorent certains puristes —, elle est de coupe infiniment fine. Et de condimentage presque toulousain.

MARKS AND SPENCER

● **9e** - *35, bd Haussmann (742.42.91).*

Ce grand magasin, habituellement plus tourné vers les shetlands et les trench-coats, a installé dans son rez-de-chaussée un rayon de produits anglais. De superbes bacons, en particulier, arrivent chaque semaine d'Irlande du Nord, fumés, non fumés, et, si vous l'aimez, à saveur d'érable. On trouve aussi des cakes : irlandais, de Dundee, aux raisins ou au gingembre, ainsi qu'une demi-douzaine de fromages d'outre-Manche dont le stilton (assez décevant toutefois). Ajoutons une profusion de sweeties, de thés, de xérès et des conserves de légumes made in England.

Produits de Chine et du Vietnam

NAM-LONG

● **6e** - *48, rue Monsieur-le-Prince (326.86.10).*

M. Tchen se fera un plaisir de vous expliquer l'usage et le mode d'emploi des estomacs de requins, des vessies de poisson, des huîtres séchées, des cheveux d'ange noirs, des méduses, des navets noirs de Yunnan, et des choux chinois de Tien-Tsin. C'est la boutique préférée des Chinois de Paris, des ambassades et de Serge Gainsbourg qui trouvent là les produits les plus curieux et les plus rares. Un choix unique d'alcools préparés à partir de chrysanthèmes, de cornes de cerf ou d'os de tigre.

THANH BINH

● **5e** - *18, rue Lagrange et 29, pl. Maubert (326.56.15).*

Ces deux boutiques jumelles sont parmi les plus courues de Paris. Un grand nombre de restaurateurs vietnamiens viennent y faire leur marché en self-service au milieu d'un personnel innombrable s'activant à tirer des caisses, rouler des crêpes, peser de drôles de légumes et remplir des sachets d'herbes aux parfums étranges. Immense choix d'épices et de fruits et légumes frais en provenance du monde entier et dont un certain nombre sont difficilement nommables. Quelques produits surgelés, dont un honnête canard laqué à la pékinoise préparé de façon traditionnelle et de curieux poissons exotiques à tête de serpent.

Produits de l'Inde

SHAH ET COMPAGNIE

● **9e** - *33, rue Notre-Dame-de-Lorette (285.55.16).*

Il s'agit là, à n'en pas douter, du dernier de nos

comptoirs de l'Inde. On y trouve tous les épices et ingrédients qui entrent dans la composition des plats orientaux, en particulier toutes sortes de curry en poudre ou en pâte : du type « bourbon » (que le safran domine) au type « madras » beaucoup plus relevé (cumin, curcuma, coriandre, gingembre, etc.). Les pickles, achards et autres chutneys (aux crevettes, à la mangue, à l'aubergine, au citron vert) complètent le choix des condiments, qu'il faut tenir pour l'un des plus étendus de Paris. Vous pourrez aussi constater sur place les vigoureux effets de certaines boulettes du jour : à la viande (samoussa), aux pommes de terre et carottes (bondas), ou aux biens curieuses lentilles jaunes. Les lentilles sont plus loin en vrac (sous le nom de dahl), avec d'autres légumes secs mieux connus (haricots blancs), ou curieusement oubliés : le petit riz de Thaïlande notamment. Il s'agit en fait de ce riz de Siam que les grands chefs du milieu du XIXe siècle tenaient pour le seul digne de leur pratique.

Produits d'Italie

BAUCIA

● **7e** - *76, rue du Bac (548.85.68).*

Nom : Baucia. Prénom : Luigi — qu'il traduit par Louis. Ascendance : piémontaise. Mais sa petite boutique porte en façade l'inscription « A la ville de Crémone », et les gens du quartier disent « Chez Léon ». Allez comprendre... Il n'empêche que le salami du Milanais et la « moutarde » de Crémone (à base de fruits confits) y sont excellents, le gorgonzola s'y trouve souvent plus onctueux qu'ailleurs, plus craquants les gressinati et plus frais le panetone aux raisins et le pan d'oro glacé de sucre. Du Piémont viennent de fort beaux vins, rouges notamment (barolo), de Rome les carciofi (artichauts à l'huile), de Bologne la « vraie » mortadelle, de Vénétie les grands jambons de San Daniele, de Parme le grana (dit parmesan de ce côté-ci des Alpes). Mais le jambon à l'os (sans addition de phosphate) et les pâtes fraîches viennent directement de la cuisine en arrière boutique. Citons enfin la spécialité — depuis vingt ans — de Louis Baucia : les amandes, noisettes et pistaches fraîchement grillées juste « à point » et dont les ministères voisins font grand cas tant il est vrai que la promotion des fruits secs reste la préoccupation constante de nos grandes administrations.

CALVI

● **1er** - *4, rue des Déchargeurs (236.75.80).*

Profonde et ténébreuse échoppe, ouverte aux quatre vents du centre géographique de Paris. Le patron — italien — s'y dissimule et y dissimule ses bons produits italiens de provenance italienne directe : fromages divers (mozarella napolitaine), jambons de Parme et de Sicile, salami, cotechino (saucisson à cuire), salaisons variées et autres conserves. Il les vend de préférence aux Italiens. Mais au tout-venant aussi, s'il lui botte...

DAVOLI

● **16e** - *59, rue de Passy (288.20.30).*
Et succursale :
● **4e** - *34, rue Cler (551.23.41).*

Pâtes fraîches, notamment farcies (tortellini aux épinards, capeletti à la viande), vins, apéritifs et liqueurs transalpins (entre autres) ; et surtout, comestibles très variés et bien choisis (saumon fumé, salami et autres charcuteries). Service et clientèle plus familiers dans le petit magasin de la rue Cler.

ELENA

● **19e** - *12, av. de la Porte-Brunet (205.66.17).*

L'Italie (salaisons, pâtes fraîches), mais aussi la Chine (repas complets en boîte) et tout le monde anglo-saxon (confitures anglaises, conserves américaines, sirop d'érable canadien).

FINADRI

● **15e** - *47, av. de La Motte-Picquet (734.54.09).*

Cette aimable maison apporte toujours la même rigueur à la sélection des salaisons et charcuteries françaises (saucissons), italiennes (jambons) et diversement étrangères (salami hongrois). Excellent jambon à l'os et intéressantes terrines cuisinées par le chef. Grand choix de vins et de douceurs (fruits confits).

ITALIA ALIMENTARE

● **1er** - *Forum des Halles, niveau - 3.*

Créé par les principaux producteurs alimentaires de Parme, un grand comptoir qui propose tous les produits italiens : jambons, charcuteries, pâtes fraîches, fromages, vins, plats à emporter, etc., et aussi une « tavola calda » où l'on peut déjeuner rapidement et très agréablement, à des prix très raisonnables.

RODOLFI

● **16e** - *33, rue Duret (500.40.03).*

Une mamma fort babillarde s'y signale par l'excellence et la fraîcheur de ses pâtes fraîches (en fin de semaine). Quelques tout petits plats vaguement italianisants permettent de survivre aux moins argentés des riverains de l'avenue Foch.

Apprenez à lire ce Guide : toutes nos adresses sont données par ordre alphabétique à l'intérieur de chaque rubrique.

LA TABLE D'ITALIE

● **6e** - *69, rue de Seine (354.34.69).*

Avec un air de mandoline, on se sentirait presque dans une de ces épiceries-charcuteries de la Botte italienne. Une amusante vitrine en mosaïque dissimule à l'envi une jolie gamme de produits méditerranéens que vante d'une voix chaude le babillard patron. Pâtes fraîches à profusion (ravioli, cannelloni, lasagne, fettucine, etc.) et superbe jambon de Parme voisinent avec une sublime viande de bœuf séchée (140 F le kg), des figatelli corses, des saucisses napolitaines, du provolone, des meules de parmesan et d'exquises pizzas. Atmosphère ultratransalpine, entretenue aussi par une « tavola calda » ouverte au déjeuner où, dans un coude à coude fraternel et estudiantin, on peut goûter les spécialités de la maison, arrosées d'un verre de vin italien.

AU VILLAGE ITALIEN

● **11e** - *50, bd du Temple (700.81.52).*

Pâtes fraîches, fromages et charcuterie (jambon de San Daniele) de qualité ; vins en quantité. Le tout italien bien sûr... Légumes cuits ou farcis (tomates, poivrons, etc), quelques plats de viande (rôtis, en sauce) et toujours force desserts (tartes aux pommes, aux pavots, au fromage, etc.).

A LA VILLE DE TURIN

● **4e** - *25, rue Saint-Antoine (272.26.41).*

L'un des meilleurs jambons de Parme (150 F le kilo) de la capitale. Et aussi de remarquables ravioli frais maison et quelques spécialités corses (lonzo, figatelli).

Produits du Japon

OSAKA

● **9e** - *13, rue du Helder (770.04.91).*

La surabondance des produits éventuellement frais (pousses de soja, radis blancs, gingembre, igname, etc.), plus souvent secs (riz rond « Komé », sésame, haricots rouges) et surtout mécaniquement conditionnés, incline à penser que ce minuscule magasin pourrait être la succursale avancée — la tête de nippon, oserons-nous dire — de la gigantesque industrie alimentaire du Japon. Mais le catalogue des spécialités ne comporte à ce jour aucune traduction dans l'idiome hexagonal. De sorte que nous vous laisserons, par la force des choses, toute la griserie de la découverte, au contact étrange de la rouge aka-miso, des plus ou moins visqueux matsukaké, du pulvérulent anoriko, de l'agressif wasabi, etc. (dans l'ordre : pâte de soja, champignons, poudre d'algues, raifort). Pour ne rien dire de l'aji-no-moto puisque nos législateurs en ont interdit la consommation — donc la vente — sous l'étiquette « glutamate de sodium »...

Produits de Russie et d'Europe centrale

CHEZ CASIMIR (Dolowski)

● **4e** - *16, rue Charlemagne (272.14.16).*

Six variétés de vodkas (tenues pour les seules buvables de Szczecin à Bialystok) : la Wyrobowa, toute pure, puis des vodkas aux herbes (dites de bison), au poivre, au miel, au citron et aux cerises, sans oublier une exquise liqueur de prune. Servies sur un haut étal où se débitent du gros pain de seigle au cumin et des charcuteries faites à deux pas d'ici dans la grande tradition polonaise : leberka (saucisson de foie), kaszanka (boudin au sarrasin) et aussi les saucissons au jambon (szynkowa) ou fumé à l'ail (wiejka) qui sont à nos yeux les meilleurs.

AU RÉGAL

● **16e** - *4, rue Nicolo (288.49.15).*

Rendons hommage à Vladimir Babovitch pour sa merveilleuse boutique où fruits et légumes (de tout premier choix), bons vins, délicieux saumons, et surtout une infinie variété de spécialités russes fabriquées par la maison (pain frais, bortsch, pirojkis, zakouskis, koulibiac, etc.) sont servis par deux messieurs en blouse qui prennent un malin plaisir à tenir tous les néophites pour des béotiens. Livraisons dans le 16e (et alentour).

SOUKHANOFF

● **16e** - *5, rue Isabey (288.84.55).*

Pirojkis, koulibiacs (au saumon, à la viande et au chou), blinis, bortsch et bœuf Stroganoff à la bonne mode russe, et aussi des harengs et de l'esturgeon fumés, et encore des saucisses polonaises, du salami hongrois, mille douceurs, vodkas et alcools divers.

SUBA-PRODUITS HONGROIS

● **4e** - *11, rue de Sévigné (887.46.06).*

Tous les vins magyares réservés à l'exportation, dont les trois tokays classiques bien sûr et le moins connu « sang » de taureau d'Eger. Quelques bonnes charcuteries dont un gros salami « corsé » de coupe fine, du lard au paprika, et d'intéressants légumes (choux entiers surtout) en saumure.

Dans ce chapitre, cherchez le produit et non le magasin qui le vend, c'est-à-dire "Pain" et non pas "Boulangeries".

YOUGO DÉLICATESSES

● **2e** - *21-23, rue Marie-Stuart (233.72.93).*

Spécialités de tout le bassin méditerranéen notamment yougoslaves bien sûr (alcools et liqueurs de fruits à noyau), mais aussi grecques (feta), arménienne (bastarma et viande séchée de porc ou de bœuf), turques (kachekaval) et hongroises (salaisons, fromages). Et accueil toujours empressé de la jeune patronne.

PRODUITS SURGELÉS

IL existe à Paris et dans la proche banlieue un certain nombre de magasins exclusivement voués à la vente de produits surgelés. Par rapport aux rayons surgelés des grandes surfaces ou des petits commerces, ces magasins présentent presque toujours de gros avantages : importance et variété du choix, livraison (parfois) et surtout prix intéressants.

A ces magasins spécialisés s'ajoutent désormais des épiceries de luxe et un chef de grand renom, qui se sont lancés avec bonheur dans les plats surgelés.

Les grands noms

MICHEL GUÉRARD-FINDUS Comptoir Gourmand

● **8e** - *32, pl. de la Madeleine (742.73.51).*

● **16e** - *35, rue de Passy (525.71.70).*

Michel Guérard et Findus n'ont pas fait une entrée en force sur le marché. Ils ont préféré jouer la carte de la prudence. Après des mois d'essais, ils ont décidé de faire un test sur un nombre de produits limité. L'expérience ayant été concluante, les surgelés de Michel Guérard entrent à présent dans le circuit des principales grandes surfaces. Cet excellent chef apporte la preuve indiscutable que l'on peut faire de la vraie et belle cuisine surgelée, au niveau industriel. Il a réussi à se déjouer de la plupart des embûches propres à cette technique et peut donc s'en montrer satisfait. Toutefois, nous pensons qu'il peut encore aller plus loin et offrir des plats qui sortent vraiment de l'ordinaire. Voici, en tout cas pour l'instant, quelques-unes de ses réussites : la terrine chaude de rascasse sauce au cresson, la terrine de volaille sauce aux cèpes et aux girolles, le filet de merlan à la julienne de légumes, les sauces aux cèpes et aux girolles, marchand de vin, au poivre vert, à la crème de ciboulette (25 F environ le plat pour deux personnes ; 9 F environ les sauces pour quatre personnes). En vente aussi aux Drugstores des Champs-Elysées et Saint-Lazare, à Inno-Passy, aux Monoprix Opéra et Lafayette, au Printemps-Nation, etc.

Des surgelés qui font fondre

DIÉTIC FRANCE

● **94 L'Hay-les-Roses** - *57, av. Flouquet (660.91.41).*

Un traiteur connu pour sa spécialité de plats diététiques livrés quotidiennement à domicile à ceux qui souhaitent se nourrir avec (et sur) mesure, selon un régime soigneusement préétabli, propose désormais un bon choix de plats surgelés « hypocaloriques » (les calories figurant sur chaque boîte sont comptées en kilocalories : nouvelle appellation ; prix : 18 à 20 F la portion individuelle) : blanquette de lotte, caille aux raisins, lapin à la moutarde, canard aux poires (fade), bœuf bourguignon (250 « kilocalories ») et navarin d'agneau (excellents), qui ne vous feront pas prendre un gramme — et vous permettront même de perdre des kilos superflus sans sombrer dans la mélancolie. Vous les trouverez dans quelques bonnes maisons (Fauchon, 26, pl. de la Madeleine, 8e ; Corcellet, 116, av. Victor-Hugo, 16e, etc.), au Printemps-Nation, et dans les magasins spécialisés en produits surgelés.

HÉDIARD

● **8e** - *21, pl. de la Madeleine (266.44.36).*

Voir autres adresses à « Épicerie de luxe ».

La maison Hédiard s'est réservée pendant des lustres aux douces vertus de l'épicerie fine en alignant les produits tropicaux de nos anciennes colonies et d'ailleurs, et en vouant aux épices et aux produits de luxe une passion qui n'avait rien de coupable. On a pu la croire un moment atteinte de sclérose et incapable de s'adapter. Elle prouve le contraire depuis quelques années en s'attachant à la fabrication de plats surgelés dans ses propres laboratoires. Parmi ses réussites : les filets de bar braisés au fenouil, les ris de veau à la crème, les coquilles Saint-Jacques à la dieppoise et quelques sauces, dont celle au curry (60 F environ le plat pour deux personnes ; 8 F environ les sauces : 250 g environ). Dans toutes les succursales Hédiard et aussi chez Cordier, 129, avenue Victor-Hugo, 16e, aux Drugstores Publicis et au Printemps-Nation.

Les magasins spécialisés

Vendent toutes les grandes marques de surgelés : produits salés comme sucrés. (Vous trouverez aussi les très honnêtes plats cuisinés de **Paul Corcellet,** par exemple, dans sa boutique : 46, rue des Petits-Champs, 2e, et aussi chez Corcellet, 116, av. Victor-Hugo, au Printemps-Nation, etc.)

BIG-GEL

- **5e** - *51 bis, bd Saint-Germain (325.07.48).*
- **8e** - *4, rue Joseph-Sansbœuf (292.00.74).*
- **12e** - *24, av. Daumesnil (345.52.55).*
- **15e** - *4, bd Pasteur (734.40.34).*

Produits crus, cuits ou cuisinés, des cuisses de grenouille à la tarte tropézienne. Grande spécialité de langoustes, langoustines, crabes et surtout d'admirables crevettes (cinquante sortes). Pas de livraison.

Glace en pain

LES GLACIÈRES DE LA SEINE

- **92 Boulogne** - *31, rue des Abondances (605.33.13).*

Pains de glace (12,50 F le pain de 40 kilos à prendre sur place, 40 F livré à domicile), sacs de glace pilée (10,50 F les 20 kilos et 35 F livré à domicile).

PICARD

- **15e** - *16, rue Castagnary (250.04.19).*
- **17e** - *159, rue de Rome (227.12.02).*

Le jeudi jusqu'à 21 h.

400 sortes de plats cuisinés ou de produits à préparer. Chaque mois une promotion (15 % environ de réduction) sur 20 à 30 articles. Livraisons à domicile à partir de 150 F. Treize points de vente dans la région parisienne. A partir des dépôts de Cergy (037.21.00) et de Fontainebleau (422.22.56), livraisons assurées dans un rayon de 150 km autour de Paris (délai 48 h).

SURGIL

- **11e** - *33, rue de la Roquette (357.63.58).*
- **94 Thiais** - *3, rue des Alouettes, Sénia-Nord (687.25.41).*

Et dans les centres commerciaux de Belle-Epine, Montreuil, Meudon-la-Forêt, Plaisir et Sarcelles.

Livraison à domicile pour une commande minimum de 250 F faite par lettre ou par téléphone à partir du catalogue (particulièrement bien fourni) de produits.

WEBERGEL

- **95 Saint-Brice-sous-Forêt** - *5, rue Germain-Chatenay (990.10.49).*

Livraison gratuite sous 48 heures à partir de 400 F de commande. Catalogue et magasin d'exposition où l'on peut voir la gamme des produits proposés : viandes, gibier, poissons, légumes, fruits, glaces et plats cuisinés.

THÉ

BETJEMAN AND BARTON (The English Tea House)

- **8e** - *23, bd Malesherbes (265.35.94).*

Parmi la multitude de thés destinés à assurer la survie de la colonie anglaise de Paris, le rarissime et ruineux Saint James « Fanning », un thé de Ceylan à l'arôme puissant et délicat (316 F le kilo). De très bons mélanges à des prix plus raisonnables pour le matin et l'après-midi (à partir de 5,40 F les 100 g) et un extraordinaire thé au goût russe, le « Pouchkine » (12,10 F les 100 g).

BONBONNIÈRE DE LA TRINITÉ

- **9e** - *4, pl. Estienne-d'Orves (874.23.38).*

Yunnan, darjeeling, thés aux fleurs (jasmin, lotus) et aux fruits (fraise, framboise, pamplemousse, cassis, citron, orange — amère ou non —, mûre sauvage).

LA BRÛLERIE

- **11e** - *89, bd de Charonne (370.28.92).*

Cinquante sortes de thé en vrac, dont le fameux Happy Valley. Des confitures cuites « au chaudron » dans le fond du magasin (6,60 à 12 F le pot), et du miel de bruyère du Berri.

BRÛLERIE DE L'ODÉON

- **6e** - *6, rue Crébillon (326.39.32).*

Absolument tous les thés de la fameuse marque anglaise Fortnum and Mason.

COMPAGNIE ANGLAISE DES THÉS

- **8e** - *11, rue de Ponthieu (359.25.26).*

Et Forum des Halles, niveau-3.

Fondée en 1823 et, en son temps, fournisseur de Napoléon III, cette vieille maison fournit, de génération en génération, une clientèle fidèle à

Pour retrouver rapidement une adresse consultez l'index, p. 641.

ses 85 sortes de thés (dont les plus grands crus de Darjeeling, le Yunnan, le thé vert du Japon et tous les thés parfumés aux fruits et aux fleurs). Envoi d'échantillons sur simple demande. Une des plus jolies boutiques du Forum des Halles : la toute nouvelle (et toute dernière) Compagnie Anglaise, où une jeune et charmante Indienne prodigue ses très sages conseils sur la façon de choisir, de doser et de confectionner un thé.

COMPTOIR GOURMAND (Michel Guérard)

● **8e** - *32, pl. de la Madeleine (742.73.51).*
● **16e** - *35, rue de Passy (525.71.70).*

Thés de Chine, des Indes, de Ceylan, de Formose, thé vert, thés parfumés, goût russe, etc. Et la tisane minceur, mélange efficace de sureau, barbe de maïs, etc. que l'on donne à Eugénie aux « curistes » et qui possède, de surcroît — nous pouvons le dire par expérience — de puissantes vertus somnifères.

CHRISTIAN CONSTANT

● **7e** - *26, rue du Bac (544.12.24).*

Du thé « sur mesure ». Christian Constant mélange les crus ou plutôt les « jardins » (il dispose de 40 variétés de thés), et vous donne votre fiche personnelle, ce qui facilite les achats suivants et permet de modifier, s'il y a lieu, le mélange s'il n'est pas à votre goût.

CORCELLET

● **2e** - *46, rue des Petits-Champs (296.51.82).*

Une bonne sélection de thés et d'amusants thés parfumés (délicieux thé à l'orange amère).

DEBAUVE ET GALLAIS

● **7e** - *30, rue des Saints-Pères (548.54.67).*

Thés de Chine, thé vert à la menthe et « goût russe ».

DÉLICE DE LA TABLE

● **10e** - *63, rue de Chabrol (770.48.34).*

Soixante-et-une variétés de thés, dont le plus grand nombre prétendent à la rareté ou à l'insolite : thé de Ceylan parfumé au cassis (bois de cassis broyé), à la pomme, au citron, au gingembre, au lotus, à la vanille, à la mandarine, au pamplemousse (du sud de l'Italie), à la bergamote, à l'anis, etc.

ESTRELLA

● **6e** - *34, rue Saint-Sulpice (633.16.37).*

Indiens, ceylanais, chinois, russes ou formosans, une centaine de thés mêlent ici leurs entêtants effluves à ceux des cafés frais moulus. C'est le grand gala des senteurs exotiques et la fête des narines dans un décor archi-banal où pourtant se respire l'Angleterre à plein nez. Thés au cassis, à la pomme, à la framboise, à la fraise, thés de Formose, etc. Les grandes marques et les innombrables mélanges « maison » dans leurs boîtes laquées, à tous les prix, à partir de 75 F le kg. Marmelades et bonbons anglais, confitures irlandaises au whiskey.

FAUCHON

● **8e** - *26, pl. de la Madeleine (742.60.11).*

Soixante sortes de thé : thés de Ceylan (Aislaby, Saint-James, etc.), thés de l'Inde, de la Chine, du Japon, de Java, et des mélanges délicats et parfumés : au pamplemousse, au chrysanthème, à la cardamome, à la cannelle, etc.

HÉDIARD

● **8e** - *21, pl. de la Madeleine (266.44.36).*
Voir autres adresses à « Épicerie de luxe ».

Darjeeling, grand souchong, orange pekoe (et quelques autres), c'est-à-dire de bons thés de l'Inde, de la Chine et de Ceylan.

MAGASINS RÉUNIS

● **17e** - *30, av. des Ternes (380.20.00).*

15 grandes marques et 130 variétés. Le rayon thé de ce grand magasin est le deuxième de Paris en chiffre d'affaires et l'un des tout premiers en choix et qualité. Prix très raisonnables de surcroît.

LA MAISON DES COLONIES

● **4e** - *26, rue de Beautreillis (277.92.27).*
Voir autres adresses à « Café ».

Bel assortiment de thés en vrac : Ceylan, Inde, Chine.

LA PORTE CHINOISE

● **8e** - *71, bd de Courcelles (227.81.48).*

Depuis 1823, cette sérieuse maison, une des plus anciennes de Paris, est spécialisée dans la vente de thé de toutes origines.

TANRADE

● **9e** - *18, rue Vignon (742.26.99).*

Bonne sélection des meilleurs crus de Chine, d'Inde et de Ceylan.

THÉS D'ARCY

● **1er** - *37, quai de l'Horloge (354.25.47).*

46 sortes de thés d'importation directe. Et des marmelades anglaises, des confitures au gin-

Dans ce chapitre "Alimentation", cherchez le produit et non pas le magasin qui le vend, c'est-à-dire "Pain" et non pas "Boulangeries", "Viande" et non pas "Boucheries", etc.

gembre, à la rhubarbe, aux tomates vertes, à l'angélique, à la banane, etc., dont sont friands les membres du barreau et de la police judiciaire qui viennent, en voisins, se fournir ici. Livraison ou expédition à partir de 100 F d'achat. La maison possède également un département intéressant de cadeaux d'entreprise.

TORRÉFACTION VALADE

● **12e** - *21, bd de Reuilly (343.39.27).*

Soixante-dix sortes de thé en vrac (de 68 F à 300 F le kilo).

TORRÉFRAIS

● **18e** - *66, rue Damrémont (254.26.29).*

Diverses sortes de thés de Chine et de Ceylan sont vendues ici en vrac, à des prix très raisonnables, ainsi que des produits anglais (confitures, bonbons et cakes).

TWINING

● **8e** - *76, bd Haussmann (387.39.84).*

Tous les thés de cette marque dans une agréable petite boutique à boiseries.

VERLET

● **1er** - *256, rue Saint-Honoré (260.67.39).*

Thés magnifiques : Inde, Chine, Japon, Ceylan, Formose, Kenya. Si vous êtes de ceux qui préfèrent un soupçon de Lapsang dans le thé de Szechwan, on se fera un plaisir de préparer pour vous un mélange personnel.

TRAITEURS

Les plus grands

BATTENDIER

● **1er** - *8, rue Coquillière (236.95.50).*
● **7e** - *40, rue Cler (551.29.35).*
● **12e** - *Printemps-Nation (371.12.41).*

Battendier a rénové son service traiteur. Si certains plats de « haute cuisine » sont peu convaincants, la carte est suffisamment riche et variée pour mériter désormais à cette bonne et vieille maison une place de choix parmi ses concurrents. Excellente terrine de poissons (bouquets, saumon frais, filets de sole farcis de mousse de saumon, mousse de brochet). Diverses formules de buffets, « apéritifs », lunchs-cocktails, lunchs-réceptions, etc. Battendier exécute aussi sur commande n'importe quel repas à thème, en veillant à ce que la maîtresse de maison soit le moins possible sollicitée par le service. Location de maîtres d'hôtel et de chefs de cuisine.

BOISSIER

● **8e** - *11, bd de Courcelles (387.82.25).*
● **8e** - *46, av. Marceau (723.73.17).*
● **16e** - *93, av. Raymond-Poincaré (704.38.96).*
● **16e** - *184, av. Victor-Hugo (504.24.43).*

Une des premières maisons de Paris. Le sérieux de son organisation, la ponctualité de ses services ne peuvent faire oublier que Boissier sait toujours se distinguer par la fraîcheur de tous ses produits et l'élégance de leur présentation. Carte toutefois conventionnelle et quelques ratages (plats « traiteur ») à la période des fêtes, quand la maison est débordée par les commandes...

Il traite les P.-D.G. chez eux

EDGARD

● **8e** - *4, rue Marbeuf (359.85.92).*

Aux P.-D.G. qui disposent dans leurs bureaux d'une salle à manger et d'une petite cuisine, Paul Benmussa, le propriétaire d'Edgard, propose un repas pour 10 à 20 personnes préparé par l'équipe de son restaurant et apporte à domicile linge, vaisselle, argenterie (et service). Un choix de menus raffinés et de grands vins (160 à 180 F par personne).

BOUTIQUE DU BISTRO D'HUBERT

● **1er** - *36, pl. du Marché-Saint-Honoré (296.98.07).*

Des vins de propriété et de pays (à partir de 16 F environ), des foies gras et des terrines (de sole aux coquilles Saint-Jacques, de saumon aux oranges, de lapin aux figues et aux pêches, etc.) dans des récipients de porcelaine marqués au nom du « Bistro », une petite carte de poissons (navarin « de pêche », etc.) et de viandes (steak de canard à la menthe, etc.), des desserts (tartes, charlottes, sorbets, etc.), préparés par la cuisine du Bistro d'Hubert, la porte à côté. Pas de livraison à domicile mais possibilité de fournir un cuisinier.

CHRISTIAN CONSTANT

● **6e** - *26, rue du Bac (544.12.24).*

Christian Constant, l'un des traiteurs les plus inventifs de Paris, pousse la conscience professionnelle jusqu'à faire contrôler ses plats cuisi-

Ne nous accablez pas si le numéro de téléphone de votre correspondant a changé depuis la sortie de ce Guide. Nous n'y sommes pour rien.

nés, desserts, glaces et sorbets par un laboratoire d'analyses bactériologiques. Aussi est-ce l'esprit tranquille que vous pourrez inviter vos amis — jusqu'au nombre de 2 000 — autour de ses plats « traiteur » : timbale d'artichauts frais aux truffes, gigot de mer en cocotte à l'estragon, caneton aux poires et à la coriandre, compote de lapin au thym, etc. Grand choix de desserts : bavarois, charlottes, crèmes glacées originales et sorbets de toutes sortes. Les commandes doivent être faites trente-six heures à l'avance.

FAUCHON

● **8e** - *26, pl. de la Madeleine (742.60.11).*

Une carte variée et appétissante : terrine de poissons, de fruits de mer, de ris de veau, de canard sauvage, tourtes aux légumes, quenelles, koulibiac de saumon, caneton aux fruits divers (cerises, pruneaux, pêches, orange, ananas, abricots), poulet au champagne, pot-au-feu, etc. Les prix des plats « traiteur » de Fauchon sont parfaitement comparables à ceux de tous ses confrères. Certains plats doivent être commandés pour 8 personnes au minimum et 48 heures à l'avance.

Un dîner « à la Guérard »

COMPTOIR GOURMAND

● **8e** - *32, pl. de la Madeleine (742.73.51).*

Si vous avez le goût des plats raffinés, pas mal d'argent, la patience de remplir un petit formulaire (et de lire attentivement les « conditions » du contrat), un cuisinier cautionné par Michel Guérard s'installera chez vous pour un soir. 12 personnes maximum, 600 F pour le cuisinier; un menu à établir au préalable à partir de la carte « Guérard » : de la soupe de grenouilles à la laitue, à la pêche blanche de Casteljaloux au granité de pomerol; les achats sont effectués par le Comptoir Gourmand.

LENÔTRE

● **16e** - *44, rue d'Auteuil (524.52.52).*

Invention, générosité, qualité incomparable des produits, fraîcheur sans défaut, organisation impeccable, sens du décor, telles sont les qualités — l'avons-nous assez dit et répété — dont la constance fait de Gaston Lenôtre le premier traiteur de Paris. Qu'il s'agisse d'un dîner intime, d'un lunch de mariage, d'un buffet à thème ou d'une réception monstre à l'Elysée, on reconnaîtra aisément sa manière et son tour de main. Aussi bien chez vous, que dans son propre Pré Catelan ou dans l'un des 160 salons de réception, châteaux, domaines ou monuments historiques où son service traiteur est agréé, Lenôtre prendra en mains la totalité de vos soucis. Il vous propose sa fabuleuse carte : dindonneau reconstitué à la mousse de foie gras, terrines diverses (homard, gibier, légumes), fricassée de ris de veau aux écrevisses, bar en feuilletage farci de mousse de homard, selle d'agneau aux morilles, cochon de lait farci, etc., sans parler de ses innombrables desserts plus délicats et spectaculaires les uns que les autres. Ses prix, compte tenu de la qualité et de la variété de ses propositions, ne sont qu'à peine plus élevés que ceux que pratiquent bon nombre de ses confrères qui ne le valent pas.

Ecrivez-nous,
pour critiquer nos critiques,
en bien ou en mal,
dans tous les cas, vous nous rendrez service.
210, rue du Faubourg Saint-Antoine,
75012 Paris.

POTEL ET CHABOT

● **16e** - *3, rue de Chaillot (720.22.00).*

Une réputation justement méritée de sérieux et de qualité s'attache au nom du plus important des traiteurs français, du plus ancien (fondé en 1820) et sans doute aussi du plus fameux à l'étranger. Un dîner de 30 000 couverts qu'il servit en 1900 dans les jardins des Tuileries pour les maires de France donna à Alfred Capus (qui était de la fête) l'occasion de prononcer un mot célèbre : « C'est fâcheux, mais j'ai remarqué que chaque fois que nous étions 30 000 à table, il y en a toujours un qui meurt dans l'année ». Organisateur de cocktails, lunchs et réceptions de grande qualité, Potel et Chabot se fait aussi traiteur. A côté des plats les plus traditionnels : saumon farci Grand Siècle sauce genevoise, pintade Souvaroff, etc.; il propose quelques préparations nouvelles, réalisées par son chef Aimé Fourmiller : terrine de crustacés au coulis d'écrevisses, saumon aux bulbes de fenouil et aux blancs de poireau, fricassée de canard au vinaigre, etc. Potel et Chabot met aussi à votre disposition d'admirables salons de réception (Pavillon d'Armenonville au Bois de Boulogne, Pavillon Gabriel sur les jardins des Champs-Elysées, Pavillon Kléber dans le 16e), et se charge de l'organisation complète de la soirée (décors, spectacles, orchestres, sonorisation, photos, audio-visuel, etc.).

ROSELL

● **1er** - *3, rue d'Alger (260.40.93).*

L'un des grands traiteurs de la place, de ceux que l'on retrouve à l'occasion de beaucoup de réceptions de quelque « prestige ». Buffets de tous les styles, du classique au scandinave, en passant par le rustique, l'asiatique, etc., et organisation de toutes réceptions, lunchs, déjeuners par petites tables, etc.

Autres bons traiteurs classiques

BOURDALOUE

• **9e** - *7, rue Bourdaloue (878.32.35).*

La tradition avant tout, que ce soit dans les buffets classiques (avec petits pains, canapés, pains surprise, fruits déguisés, cerises « marquise », etc.) ou campagnards (jambons d'York coupés et reconstitués, andouille de Vire, pain de campagne, tartes, beaujolais-villages, etc. : 60 F par personne) ou encore dans les dîners, dont l'anguille en matelote, le poulet farci en croûte et le baron d'agneau aux haricots verts, sont, avec le vacherin aux fraises, les plus jolis fleurons. Matériel et personnel fournis sur demande.

CASIMIR

• **16e** - *116, rue Lauriston (704.91.47).*

Ce «maître-traiteur » organisera vos réceptions rustiques (buffets apéritif, classique, cocktail dînatoire, etc.) et dîners. Tous les genres de cuisine — « de ménage », pompeuse, simple, classique, régionale, etc. : blanquette de veau à l'ancienne, croustade de fruits de mer à l'américaine, navarin d'agneau printanier, meurette d'anguilles à la bourguignonne, homard à la nage, etc.

CLICHY

• **4e** - *5, bd Beaumarchais (887.89.88).*

Chez cet excellent pâtissier-glacier, diverses possibilités de cocktails, lunchs et grands lunchs et aussi un rayon cuisine assez peu inventif : coq au vin, pintade en salmis, jambon en croûte sauce madère.

COQUELIN AINÉ

• **16e** - *1, pl. de Passy (288.21.74).*

Bouchées à la reine, gnocchi et autres quiches lorraines à prix doux, et, pour les réceptions, une grande variété de délicieux petits fours salés et sucrés, des glaces en petits pots de carton doré, etc.

CORDIER

• **16e** - *129, av. Victor-Hugo (727.97.74).*

Une carte fournie et très variée où se mêlent imagination (peu débridée tout de même) et tradition : terrines de gibier, « bouille » marseillaise en gelée, bar braisé au champagne, canard au citron et au poivre vert, pintade en salmis, carré d'agneau aux herbes, cochon de lait à l'antillaise, etc. Plats de 30 F environ par personne. Service pour lunchs et cocktails (avec pièces « mosaïques » de canard, poulet et langue, pains surprise, etc.). Maîtres d'hôtel et matériel divers sur demande.

DALLOYAU-GAVILLON

• **8e** - *101, fg Saint-Honoré (359.15.58).*

• **15e** - *69, rue de la Convention (577.84.27).*

Cette maison illustrissime jouit d'une réputation qui n'est pas usurpée, tant pour la parfaite fraîcheur des produits que pour les soins extrêmes prodigués à la réalisation et à la présentation des glaces, gâteaux et autres petits fours. Notre jugement demeure plus réservé pour ce qui concerne les plats salés et cuisinés.

L'ÉCUREUIL

• **17e** - *96, rue de Lévis (227.37.09).*

Une excellente organisation. Une carte variée et assez intéressante : tourte berrichonne, quiche au saumon frais, canard aux pêches et poivre vert, pintadeau aux choux, confit de canard pommes sarladaise et cèpes, gibelotte de lapin à la provençale, etc. Buffets classiques, campagnards, exotiques, etc. Location de salons et de châteaux. Personnel de service à la demande.

GASTRONOMIA

• **17e** - *37, rue Ampère (766.19.30).*

Cette excellente (et récente) petite maison qui vend des vins, des conserves et des produits frais (foie gras de chez Prédault, pain Poilâne, glaces de chez Constant, etc.), propose une intéressante formule de buffet campagnard : charcuteries fines, salade de soja, brie affiné par Nugier, tartes paysannes, bordeaux (Château Cardan Le Rondeau) et jus de fruits, pour 31 F TTC par personne; et 74 F si l'on ajoute la location du matériel, le service et la glace à rafraîchir. Egalement vente à emporter de plats frais cuisinés, préparés par trois très bons chefs parisiens : Roland Magne (Le Pactole), Jean-Pierre Morot-Gaudry (Morot-Gaudry) et Bernard Fournier (Le Petit Colombier) : sur commande, 48 h à l'avance.

GOURMAUD-WAGRAM

• **17e** - *74, rue Jouffroy (622.27.06).*

Des plats cuisinés extrêmement classiques (cœur de filet Brillat-Savarin, poularde vieille France, etc.). Et aussi, dans la même « ligne », des biscuits glacés et des soufflés glacés.

HELLEGOUARCH

• **15e** - *185, rue de Vaugirard (734.96.64).*

Les plats cuisinés de ce bon pâtissier ne pèchent sans doute pas par excès d'imagination mais ses ris de veau financière, son chaud-froid de volaille, son bar braisé au champagne, pour être parfaitement classiques, n'en sont pas moins excellents. Cocktails et lunchs (traditionnels ou campagnards).

MA CUISINE

• **12e** - *24, rue de Cotte (345.49.90).*

Toute petite et toute propre, une boutique de plats cuisinés peu chers à emporter (ou à se faire livrer) : rosbif, paella (12 F), couscous (11 F), soupe de poissons, escalopes à la crème, etc. N'importe quel plat sur commande : jambon en croûte, écrevisses, etc. Ma Cuisine ferme les samedi et dimanche pour se consacrer au service de traiteur : lunchs, banquets, etc.

MADAME SERVICE

• **17e** - *76, rue Lemercier (228.15.30).*

Un important service « traiteur » qui s'assure de la responsabilité complète si vous le désirez : décoration, organisation, cuisine, personnel de vos dîners et réceptions (4 à 2 000 personnes). Mme Ecker vous proposera des réceptions de style traditionnel, campagnard, russe, antillais, breton, chinois, mexicain ou autre. Cocktail : à partir de 60 F par personne, « lunch dînatoire » : 150 F.

MÈRE-CLOS

• **6e** - *13, rue du Cherche-Midi (222.36.74).*

Bon rayon de boucherie (veaux de lait) et de volailles (de Bresse). M. Testu pourra aussi vous préparer des rôtis « prêts à cuire » de veau truffé ou aux pistaches ou aux olives, des épaules d'agneau farcies à la sauge, etc., ou vous vendre, « prêts à manger », des millefeuilles à la normande, des tartes aux poireaux, aux oignons, aux fruits de mer. Pas de service livraison.

MILLET

• **7e** - *103, rue Saint-Dominique (551.49.80).*

Cette remarquable pâtisserie vous préparera sur commande (la veille) quelques plats classiques et agréables : canard aux pêches ou au poivre vert, pintadeau aux nouilles, veau Orloff, filet en brioche, etc. Mais c'est incontestablement dans les sucreries et autres gâteaux que Millet se montre le plus convaincant.

PONS

• **6e** - *2, pl. Edmond-Rostand (329.31.10).*

Sérieux. Parfait pour recevoir un ministre plénipotentiaire, avec par exemple des filets de sole Joinville, un carré de veau prince Orloff et un riz à l'impératrice (ou un diplomate). Toutes réceptions classiques.

RIEM-BECKER

• **12e** - *15, rue du Rendez-Vous (307.67.21).*

• **20e** - *89, av. Gambetta (636.87.11).*

Propose des lunchs d'après-midi à 40 F par personne, des lunchs « dînatoires » à 56 F par personne, des buffets campagnards à 51 F par personne ; buffet casher : 15 % en plus. Sa carte est classique mais importante, son service de réception efficace : ce qui lui vaut la « pratique » de la Mairie de Paris.

ROUSSEAU-SEURRE

• **9e** - *7, bd Rochechouart (878.03.75).*

L'une des plus sérieuses et des meilleures maisons du quartier : buffets classiques, plats cuisinés, déjeuner ou dîner jusqu'à cent couverts.

AU ROYAL PALAIS

• **16e** - *29, rue du Dr-Blanche (525.67.67).*

Cochon de lait à la broche, jambon, aiguillettes de canard, koulibiac de saumon, et quelques autres bons petits (ou grands) plats préparés par Gérard et Thierry Bonac.

VAUDRON

• **17e** - *4, rue de la Jonquière (627.96.97).*

Un soir où M. Valéry Giscard d'Estaing s'était prié à dîner, à l'improviste, comme il avait coutume de faire, chez Mme Furet, à la caserne Boursault, il ne fut pas autrement surpris par l'excellence des mets : il avait deviné que le turbot sauce verte et les petits fours frais venaient tout droit de chez Vaudron.

VIGNEAU-DESMAREST

• **6e** - *105-107, rue de Sèvres (548.04.73).*

Sa clientèle du quartier des Invalides et du Faubourg Saint-Germain apprécie les buffets campagnards (54 F par personne) ou classiques et les repas complets servis à domicile. Carte variée : 18 sortes de salades composées, tourteaux à la quimpéroise, pâté d'anguille, compote de lapin à l'estragon, poularde aux morilles... Vins en tonnelets ou en bouteilles. Location de linge et de vaisselle. Personnel sur demande.

Des plats « exotiques » ou étrangers

Antillais

CAILLETTE

• **1er** - *42, pl. du Marché-Saint-Honoré (261.45.46).*

Le service traiteur de cette excellente maison se fait fort, prévenu quelques heures à l'avance, de livrer chez vous un repas exotique (antillais ou vietnamien) dont vous aurez vous-même au téléphone fixé l'ordonnance et le prix (à partir de 80 F par personne). Moyennant supplément, une hôtesse bilingue en costume assorti au thème du repas choisi assurera le service à domicile.

SPÉCIALITÉS ANTILLAISES

• **20e** - *16, bd de Belleville (797.18.61).*

Préparés dans la bonne tradition antillaise, quelques plats sympathiques (entre 15 et 20 F par personne) : matoutou de crabes, blaf de poissons, massissi et morue en sauce, porc colombo, féroce d'avocat, etc. et, bien sûr, du boudin antillais (délicieux et piquant à souhait), et des gâteaux (à la noix de coco ou autre), comme le « tourment d'amour », ou tout simplement des fruits (corossol, maracuja, papaye, mangue, etc.).

Chinois

L'ASIE A VOTRE TABLE

• **11e** - *52, rue de Montreuil (372.08.88).*

Pour (bien) recevoir ses amis à l'orientale (dîner, buffet, éventuellement plat unique), un charmant couple de Vietnamiens livre à domicile des plats chinois ou vietnamiens, thaïlandais ou indonésiens, voire japonais, délicieux et originaux. Les prix sont raisonnables (40 à 50 F H.T. pour un dîner complet, baguettes comprises). Une hôtesse vietnamienne ou un cuisinier peuvent, si l'on veut, venir aider la maîtresse de maison.

CAILLETTE

• **1er** - *42, pl. du Marché-Saint-Honoré (261.45.46).*

Voir plus haut « Antillais ».

LA TOUR DE JADE

• **2e** - *20, rue de la Michodière (742.07.56).*

Voir « De bons plats de bons restaurants - Chinois ».

Des États-Unis

CORALIE

• *(747.27.10).*

Une jolie voix vous répondra au téléphone, celle de Coralie, une Américaine franc-tireur de la profession qui vous proposera des plats robustes, amusants ou originaux pour une vingtaine de francs par personne, davantage pour certains plats plus sophistiqués. Elle s'inspire le plus souvent (et très plaisamment) des recettes de son pays mais aussi de celles du bassin méditerranéen ou d'ailleurs : Mississippi fried chicken (parfait pour un déjeuner sur l'herbe), gâteau de tortillas, rôti de porc à la cassonade et aux aromates, golouptsi (feuilles de choux farcies), osso bucco à l'orange, etc. Commandes (pour 6 personnes) à faire 48 h à l'avance. Livraison dans Paris et la proche banlieue.

Vietnamiens

LA P'TITE TONKINOISE

• **10e** - *56, fg Poissonnière (246.85.98).*

Des plats du jour à emporter, en version asiatique de la cuisine du marché : lotte à la rhubarbe, soupe de moules à l'ananas, salade de coquilles Saint-Jacques, maquereaux au thé, émincé de bœuf au brocoli. Sur commande, mais pas de livraison.

Ou encore... diététiques

DIÉTIC FRANCE

• **92 L'Hay-les-Roses** - *57, av. Flouquet (660.91.41).*

Ce traiteur travaille en accord avec des médecins. Que fait-il? Il se donne pour mission de vous faire perdre près de 10 % de votre poids si vous ne mangez que ce qu'il vous apporte (le petit déjeuner, le déjeuner et le dîner) après avoir établi le régime qui vous convient personnellement (d'après un questionnaire détaillé). Quatre semaines sont nécessaires, mais ce ne sera pas terrible, ni monotone : les plats sont chaque jour différents : seul le nombre des calories est immuable. 450 F par semaine de 6 jours. Vous trouverez également, sous cette marque, des plats surgelés « hypocaloriques », en vente dans les magasins spécialisés et les grandes surfaces. Voir « Produits surgelés ».

De bons plats de bons restaurants

Brésiliens

VIA BRASIL

• **15e** - *10, rue du Départ (538.69.01).*

On vous préparera (commander 24 h à l'avance) tous les plats de la carte. Attention, il faut pouvoir les réchauffer dans de bonnes conditions : aucun problème pour la feijoada, le plat national brésilien, mêlant viande et haricots noirs dans une sauce pimentée. Plus délicat, en revanche, pour la vatapa (mousseline de poissons, huile de palme, noix de cajou pilées, crevettes, etc.). Et n'oubliez pas l'exquise batida (punch aux fruits exotiques). Pas de livraison à domicile.

Chinois

LA TOUR DE JADE

• **2e** - *20, rue de la Michodière (742.07.56).*

M. Nhung, l'un des plus anciens, des plus aimables et des plus talentueux restaurateurs sino-vietnamiens de Paris, prépare tous les plats de sa carte à emporter. A noter en particulier les boulettes de porc au gingembre, les oreilles de porc confites, l'exquis poulet aux cinq épices, le crabe aux ailerons de requin et le canard farci, parmi d'autres préparations tout aussi raffinées et délicieuses. Mais on ne vous les livrera pas à domicile.

TONG YEN

• **8e** - *70, rue de Ponthieu (359.08.86).*

Livraison à domicile de la plupart des plats inscrits à la carte du restaurant. Cuisine assez originale et bien faite : crevettes aux haricots noirs ou à la sauce piquante, poulet au gingembre, porc rôti aux légumes verts, bœuf à la sauce d'huîtres, etc. Les prix de Tong Yen sont assez élevés pour un « chinois » mais, somme toute, relativement raisonnables pour un traiteur.

Choucroute

BAUMANN

• **1er** - *9, rue Coquillière (236.22.00).*

• **17e** - *64, av. des Ternes (574.16.66).*

A venir chercher sur place au restaurant jusqu'à 1 h du matin (sauf le dimanche et le lundi), six sortes de choucroute : la classique (32 F par personne), celles au jambonneau (35 F), au confit de canard (47 F), aux poissons (45 F), au pot-au-feu (45 F), ou à l'orientale (44 F).

Classiques

BOUTIQUE LAYRAC

• **6e** - *25-27, rue de Buci (325.17.72).*

Sur simple appel téléphonique, la veille pour un déjeuner, le matin pour un dîner, la Boutique Layrac peut vous livrer tous les plats (et les vins) qui figurent sur la carte du Petit Zinc ou celle du Muniche : huîtres, gigot, poule au pot, confit, goulash, tartes aux poireaux, aux quetsches, sorbets, etc.

LA FALCATULE

• **4e** - *14, rue Charles-V (277.98.97).*

Jean Aulibé livre dans Paris la plupart des plats de sa carte (jambon de canard, matelote d'anguille, blanquette de ris de veau, etc.). Commander la veille.

« Nouvelle cuisine »

BISTRO 121

• **15e** - *121, rue de la Convention (828.13.85).*

Prépare sur commande (on peut téléphoner seulement quelques heures à l'avance) les plats (classiques ou « nouvelle cuisine ») de sa carte les plus facilement transportables (pas de livraison) et qui peuvent être réchauffés sans dommage (le filet de canard « Lucullus » est le plus demandé). Vend également des sorbets, du foie gras, des moutardes spéciales pour la viande.

BOUTIQUE DU BISTRO D'HUBERT

• **1er** - *36, pl. du Marché-Saint-Honoré (296.98.07).*

En commandant 24 h à l'avance, Hubert peut vous préparer des plats très « nouvelle cuisine » ; navarin de pêche au basilic (sole, turbot, barbue, lotte, langoustines et petits légumes), fricassée de poulet à la gousse d'ail en chemise, charlottes (individuelles) aux fruits de saison, etc. Vous pourrez les chercher à la boutique, ou au restaurant (tél. : 260.03.00) après l'heure de fermeture de la boutique. Hubert vous livrera peut-être à domicile, si vous insistez un peu et si vous n'habitez pas trop loin.

Poissons et fruits de mer

PRUNIER

• **16e** - *16, av. Victor-Hugo (500.89.12).*

Outre ses admirables huîtres et fruits de mer, Prunier livre à domicile, même pour un nombre limité de couverts, pilaf de crabe, bouillabaisse en gelée, homard à la nage, etc.

Russes

DOMINIQUE

• **6e** - *19, rue Bréa (327.08.80).*

L'un des bons « russes » de Paris. Blinis (3,25 F la pièce), filet de bœuf Strogonoff, purée d'aubergine, etc. Jusqu'à 22 h.

Sud-Ouest

LAMAZÈRE

• **8e** - *23, rue de Ponthieu (359.66.66).*

Le meilleur cassoulet de Paris (saucisse de Toulouse, échine de porc, jambonneau, confit d'oie) ; d'excellents confits d'oie ou de canard, du foie gras frais, des truffes, et même une toute simple mais délicieuse saucisse de Toulouse « paysanne ». Vente à emporter (jusqu'à minuit). Livraison à domicile (20 F dans Paris).

TRIPERIE

AUX ABATS DE TOURAINE

• **19e** - *23, av. Secrétan (607.98.30).*

Les tripes de la maison sont déjà couvertes de médailles et de lauriers. Ne leur ménageons pas les nôtres et fêtons M. Larroucau qui prépare avec un art consommé des ris de veau d'une extrême qualité, des pieds de mouton exquis et bon nombre d'autres abats parfaitement introuvables ailleurs. Au reste, ne s'y trompent pas les grands restaurateurs et la brigade des Sapeurs-Pompiers de Paris, qui n'ont pas d'autres fournisseurs.

BARBIER

• **19e** - *104, rue de Meaux (208.51.37).*

Il n'y a que Jeanine Barbier à Paris pour trancher avec autant de grâce le foie de veau (de premier choix). Et pour débiter au poids les tripes préalablement sélectionnées par ses soins. Ses volailles nantaises et ses charcuteries alsaciennes méritent également votre attention et un détour dans le 19e.

BERNARD DANIEL

• **92 Levallois-Perret** - *33, rue Carnot (757.40.78).*

Spécialiste de ris de veau frais remarquablement parés (et aussi de belles volailles), Bernard Daniel est le fournisseur de Jamin et de Lucas-Carton. Livraison à domicile.

FONTILLE

• **12e** - *26, rue de Reuilly (628.06.41).*

Beaux foies et ris de veau.

LECHAUDEL

• **18e** - *52, rue Damrémont (254.48.72).*

Toutes les langues (bœuf, agneau, veau, etc.) et toutes les tripes (au vin blanc, au madère, à la tomate, à la lyonnaise, à la savoyarde) tout juste ce qu'il faut cuites ; et quelques abats crus et frais remarquables (ris).

MORÉE

• **15e** - *64, rue du Commerce (250.31.00).*

La patronne a la tripe tripière et éventuellement républicaine. Ce qui lui permet d'admonester le tout venant de la clientèle quand il ne rend pas juste hommage à la qualité de son foie de veau, à la fraîcheur de ses rognons, et à la belle tenue de ses tripes. Langue et tête cuites (fort bien) quotidiennement.

MOUTON

● **13e** - *11, rue Jeanne-d'Arc (583.70.53).*

A côté d'un étal de produits régionaux, M. Mouton conserve toujours sa belle activité tripière (abats « nobles » de veau : foie et ris).

VIANDE

Les meilleures boucheries

UN bon boucher se mérite. Le chaland qui passe et demande deux steaks sans autre précision a toutes les chances de se faire servir au plus mal. La garantie d'acheter une bonne viande s'acquiert par la fidélité et les bons rapports que l'on entretient avec son commerçant ou, mieux encore, par le prix que l'on est disposé à payer. Une bonne viande, en effet, se paie et, de l'avis de tous les bouchers, la meilleure façon d'obtenir (presque) partout une bonne viande tendre et goûteuse serait de dire : « Donnez-moi que ce que vous avez de meilleur, le prix m'est égal. » Aussi n'est-il pas trop étonnant que le plus grand nombre de bonnes boucheries se trouve dans les « beaux quartiers »... Mais il est possible que, de temps en temps, le meilleur boucher déçoive : la viande de haute qualité est devenue une denrée rare.

ANDRÉ

● **92 Boulogne** - *25, av. Jean-Baptiste-Clément (605.07.55).*

Le patron a réussi à conquérir la clientèle bourgeoise et difficile de la lisière du bois de Boulogne, avec ses bœufs choisis un par un par son père, éleveur en Seine-et-Marne, ses veaux élevés sous la mère, ses agneaux du Lot et ses volailles de Bresse et de Loué. Si vous disposez d'un congélateur, vous pouvez lui commander un agneau ou un demi-veau qu'il débitera pour vous et parera avec la meilleure grâce du monde.

AUROYER

● **13e** - *111, rue de Patay (583.12.42).*

Un boucher sur mesure qui vous préparera des rôtis de veau farcis de bacon, pistaches ou truffes à partir de veaux de Corrèze élevés sous la mère. Excellents bœufs primés dans les concours.

BARONE

● **1er** - *6, rue du Marché-Saint-Honoré (261.01.77).*

Pour le choix remarquable de ses veaux de lait.

BELL VIANDIER

● **6e** - *25, rue du Vieux-Colombier (548.57.83).*

Serge Caillaud est un jeune boucher qui pratique son métier avec un enthousiasme partagé par la C.E.E. qui le dépêcha en Grèce comme conseiller technique en boucherie. C'est assez dire que l'ensemble de ses viandes sont sélectionnées avec une sourcilleuse intransigeance et préparées selon les règles de l'art : bœufs de race parthenaise ou limousine, agneaux de la Vienne, veaux de lait (rôtis piqués ou lardés de pistaches, d'anchois ou d'écorce d'orange), d'une qualité toujours suivie. Les fêtes voient arriver chez lui de remarquables chapons qui font les délices de notre ministre de l'Intérieur.

BELTOISE

● **1er** - *306, rue Saint-Honoré (260.42.86).*

Le père de Jean-Pierre du même nom. Cette grande boutique débite une viande de bonne qualité moyenne et suivie.

BEUCHER

● **16e** - *28, rue du Dr-Blanche (647.83.00).*
● **16e** - *36, rue Duret (500.12.63).*
● **17e** - *8, rue Meissonier (924.00.19).*

Dans l'une ou l'autre de ces trois boutiques, M. Beucher propose des viandes de qualité, choisies avec beaucoup de rigueur. Très bonnes volailles de Bresse.

CLÉMENT BLANC

● **1er** - *58, rue J.-J.-Rousseau (236.41.80).*
● **1er** - *90, rue Saint-Honoré (233.39.92).*

Une grande boucherie traditionnelle des Halles qui vend en demi-gros aux restaurateurs et aux collectivités. Un rayon pour les particuliers, à des prix très « tenus ». Superbes côtes de bœuf.

BORDET

● **10e** - *24, fg Saint-Denis (770.13.15).*

Une boucherie à gros débit qui maintient une très bonne qualité de bœuf et de mouton.

BOUCHERIE DES ARÈNES

● **5e** - *33, rue Monge (354.10.32).*

Les viandes du scrupuleux M. Richard — en particulier le bœuf — sont bien rassises, tendres et sapides.

BOUCHERIE DU BEL-AIR

● **12e** - *59, av. du Docteur-Arnold-Netter (307.53.81).*

Maurice Griffon gâte ses clients avec des viandes du Limousin, du Maine et des Deux-Sèvres, des veaux au pis qu'il reçoit de Corrèze ou du Limousin, des volailles mayennaises ou bressanes et de gros agneaux du Limousin. Le violon d'Ingres de ce bon boucher demeure la cuisine. Sa carte s'orne d'une quantité impressionnante de spécialités « prêtes-à-cuire » : carré de porc aux pruneaux (des porcs français à la chair claire), lapin désossé à la moutarde, filet de bœuf aux truffes et foie gras, rognonnade de veau à l'ancienne, pintade aux raisins, etc.

BOUCHERIE BRÉA

● **6e** - *21, rue Bréa (326.51.33).*

Excellent veau de lait de Corrèze élevé sous la mère. Belles volailles de Loué et dignes de l'être.

BOUCHERIE DU CENTRE

● **92 Asnières** - *36, rue des Bourguignons (793.78.88).*

Veau de lait que M. Patry, le patron, fait venir en direct de la Corrèze.

BOUCHERIE COQUILLIÈRE

● **1er** - *32, rue Coquillière (261.46.03).*

Des viandes de bœuf d'une qualité et d'une tendreté extrêmes, en particulier les races Angus, Hereford et croisé Charolais que Jean Boyer importe directement d'Angleterre.

BOUCHERIE LAMARTINE

● **16e** - *172, av. Victor-Hugo (727.16.50).*

Une jolie devanture fin de siècle et un étal où M. Prosper débite (même le lundi), pare (admirablement), pique (de pistaches et de lardons), farcit (de truffes et de foies de canard) des viandes de veau et de bœuf de qualité exceptionnelle. Magret de canard et boudin blanc de La Ferté-Macé.

BOUCHERIE DE LA MAIRIE

● **94 Joinville-le-Pont** - *32, rue de la Paix (883.22.12).*

Remarquables bœufs et agneaux normands qui proviennent de l'élevage paternel. Daniel Bourachot prépare en outre sa viande avec beaucoup d'art.

BOUCHERIE MARBEUF (Balabaud et Racoupeau)

● **8e** - *36, rue Marbeuf (225.29.20).*

Elle fournit les meilleurs restaurants de Paris (Le Vivarois, Le Petit Montmorency, Lucas-Carton, Lasserre) et même de province (Baumanière) en viande de très haute qualité : veaux de lait exceptionnels et remarquables bœufs hongrois. Ouverte dès potron-minet, elle ferme ses portes à 14 h 30.

BOUCHERIES NIVERNAISES

● **8e** - *99, fg Saint-Honoré (359.11.02).*

Remarquable maison : en vérité, l'une des meilleures boucheries de Paris. Elle fournit Maxim's, L'Archestrate, Faugeron, Les Trois Marches, Jamin, La Marée (et bien d'autres) en viandes rouges exceptionnelles. Jean Bissonnet, le patron, y veille lui-même avec une conscience exemplaire, courant les abattoirs pour trouver des vaches de 5 à 6 ans dont les aloyaux sont tendres et sapides. La réputation de sa côte de bœuf justifie son service d'expédition (en province et à l'étranger). Un appareil téléphonique enregistreur prend les commandes même la nuit. Quatre succursales dans la banlieue parisienne : à Créteil, Parly 2, Vélizy 2, et 51, rue du Mont-Valérien, à Saint-Cloud (771.76.14).

BOUCHERIE D'ORSAY

● **7e** - *20, rue du Bac (261.25.07).*

M. Bourg, un éternel béret vissé sur la tête, parle de son métier avec amour et dévotion. La réputation de la maison qui a fêté ses 60 ans en 79 n'est plus à faire et certaines personnes n'hésitent pas à traverser Paris pour ses génisses normandes, ses superbes agneaux d'écurie et surtout ses veaux élevés à l'ancienne.

BOUCHERIES DE PARIS

● **1er** - *9, rue du Louvre (233.71.70).*

La maison, superbement agencée, fournit les meilleurs restaurants de France : Troisgros, Pic, Haeberlin, Point. Vous n'aurez donc aucun problème pour trouver ici des viandes de très haute qualité, en particulier un bœuf exceptionnel et rassis à souhait.

BOUCHERIE SAINTE-ANNE

● **2e** - *64, rue Sainte-Anne (742.19.25).*

C'est avec la plus grande rigueur que M. Bienaimé choisit les veaux de lait dont il régale sa clientèle. Vous avez une bonne chance de goûter à l'un de ses fameux rôtis qu'il aura au préalable piqué de pistaches, d'olives ou bien de truffes, si vous êtes conviés à la table du P.-D.G. de l'une des grandes Sociétés dont ce quartier est le siège.

BOUCHERIE DU SQUARE

● **14e** - *77 ter, rue de la Tombe-Issoire (322.94.91).*

Veau fermier de Corrèze, bœufs de Parthenay et quelques cochonnailles de l'Aubrac.

BOUVIER

● **7e** - *33, rue de Varenne (548.32.68).*

Petite boucherie de quartier où la qualité est rarement mise en défaut. Fournit quelques-unes des meilleures cuisines bourgeoises du 7e.

PIERRE CLISSON

● **16e** - *15, rue de Passy (288.15.65).*

Une des meilleures boucheries du 16e, où vous trouverez du veau de toute première qualité (en particulier la rognonnade), une côte de bœuf superbe, du baron d'agneau et des volailles remarquables. Livraison à domicile.

CROUZILLAT

● **92 Neuilly** - *35, rue de Chézy (624.02.94).*

Pour ses côtes de bœuf limousin et ses rôtis de veau piqués dont il régale MM. Blier père et fils et un nombre toujours croissant de Parisiens de Neuilly.

JEAN DACIER (Boucherie des Villas)

● **16e** - *36, rue Pergolèse (500.71.17).*

Un décor ni de bronze ni d'acier mais de marbres pyrénéen et portugais entremêlés. L'excellent Jean Dacier y présente des viandes toujours admirablement parées et de belles volailles de Bresse qu'il livre bien volontiers à sa clientèle de l'avenue Foch, côté pair.

DURANDET

● **7e** - *44, rue Cler (705.58.35).*

M. Durandet aime son métier, c'est une évidence et le connaît sur le bout du doigt. Il le pratique depuis bientôt 50 ans. Il peut parler pendant des heures de ses vaches normandes, de ses agneaux aux gigots dodus qui viennent du centre de la France, et de ses veaux exceptionnels dont les récompenses, qui ornent sa boutique, sont un gage de qualité.

DURIN

● **11e** - *285 bis, fg Saint-Antoine (372.14.37).*

Petit boucher de quartier populaire qui essaie de faire son travail le plus honnêtement du monde. Et qui y parvient.

GAND

● **92 Boulogne** - *97, rue du Point-du-Jour (608.57.89).*

Bonne adresse. Bœufs de provenance choisie et veaux de lait fermiers.

GRANDE BOUCHERIE PREMIÈRE

● **1er** - *54-58, rue Saint-Honoré (233.67.01).*

Belle et joviale figure des Halles, M. Dubois passionné par son métier (et propriétaire également des Boucheries du Périmètre pour la viande pré-emballée) vend ici des viandes de très belle qualité à des prix d'une remarquable douceur. La Ciboulette et l'Elysées-Matignon s'y fournissent exclusivement.

HÉBERT

● **92 Meudon** - *1, rue de Vélizy (027.11.36).*

Tous les amateurs de la colline de Meudon connaissent cette petite boutique un peu à l'écart, dont la côte de bœuf est toujours remarquable de tendreté et de sapidité. Bons poulets fermiers et tripes cuisinées « maison ».

JACQUES

● **11e** - *68, fg du Temple (357.92.71).*

La maison que recommandait naguère Raymond Oliver maintient son niveau de qualité.

JOUANNO (Aux Fins Herbages Normands)

● **2e** - *45, rue Montorgueil (233.01.09).*

Marcel Jouanno fournit bon nombre de bons restaurants (Chez Philippe, Le Grand Véfour, Faugeron et le Bistrot de Paris) et de particuliers tâtillons sur le chapitre de la qualité.

JUIN

● **15e** - *21, rue de la Croix-Nivert (783.71.05).*

Bonne boucherie de quartier.

KUBIAK (Aimé Roturier)

● **12e** - *269, av. Daumesnil (343.59.32).*

M. Aimé Roturier (aimé de tout le quartier) se veut bon artisan — et non pas coupeur de viande — et bon décorateur — voyez les guirlandes et flots de rubans dont il pare les quartiers de bœufs au moment des fêtes. De surcroît, sa viande est fort aimable, elle aussi.

LECAREUX

● **15e** - *3, pl. Cambronne (783.34.91).*

Une jolie boutique plaisante et accueillante. Viandes de belle qualité, charcuteries bien choisies, bons poulets de grain du Poitou.

La viande au musée

Il existe un petit musée de la viande et de la boucherie aussi intéressant qu'instructif dans l'**Ecole Supérieure des Métiers de la Viande,** 37, bd Soult, 12e (343.56.84).

LECLERCQ

● **8e** - *34, rue Jean-Mermoz (359.06.39).*

Un boucher qui reste fidèle aux génisses de

trois ans du marché de Bressuire, aux veaux de la Vienne, et aux agneaux de 3 ou 4 mois.

LEGUILLOCHET

● **16e** - *34, rue Cortambert (870.06.43).*

Cet artisan de Passy ne recherche ni la publicité ni la célébrité. Mais quelle merveille si tous les bouchers « de quartier » servaient avec autant d'amour des viandes aussi savoureuses et bien choisies. Installé depuis près de 20 ans dans la rue Cortambert, M. Leguillochet consacre ses vacances à visiter, dans le Limousin ou la région parthenaise, les élevages de veaux qui lui fournissent sa viande. Pour le bœuf, il choisit de préférence la Vienne et la Creuse et pour les poulets fermiers (remarquables) la Mayenne. A côté des spécialités telles que la côte de bœuf ou les chateaubriands, des plats de viande « prêts à cuire » comme l'épaule d'agneau farcie aux olives, le rôti de porc aux pruneaux, les paupiettes ou les volailles farcies de mille façons.

LE LANN

● **20e** - *242 bis, rue des Pyrénées (797.12.79).*

Jean et Christian Le Lann fêteront en 81 le soixantième anniversaire de leur maison. Excellente occasion de féliciter ces bons artisans qui travaillent merveilleusement le veau de Corrèze, les bœufs du Maine-et-Loire (spécialité de T-bone steaks) et les moutons de pré-salés devenus si rares.

LEMOIGNE

● **9e** - *47, rue Pigalle (874.60.73).*

Le boucher de Pigalle n'est pas un tueur légendaire des années trente. C'est, en ce moment même, l'une des grands professionnels de la viande à Paris. Il faut voir avec quelle opiniâtreté Lemoigne choisit et sélectionne les plus belles pièces : bœufs de Parthenay, du Limousin, du Maine-Anjou; veaux de Corrèze; moutons de Haute-Vienne; volailles de Bresse. Pour sa clientèle de connaisseurs (les autres, il saura bien les former!), rien n'est trop beau, rien ne coûte trop de peine ou trop d'argent. Quand approchent les fêtes de fin d'année, il court bien avant l'aube les prestigieux marchés de Pont-de-Vaux, Montrevel et Bourg-en-Bresse, afin d'y faire provision de chapons, de dindes, de poulardes, d'oies qui n'ont pas leurs pareils dans tout Paris : de véritables bêtes à concours (prix d'honneur et grand prix d'honneur qu'il faut retenir un an à l'avance et qui, paradoxalement... n'ont pas de prix!).

LEMOINE

● **92 Neuilly** - *1 bis, rue Ernest-Deloison (624.84.27).*

Pour la très grande et régulière qualité de ses viandes, et malgré ses prix.

LETÈVE

● **15e** - *36, rue Paul-Barruel (533.95.63).*

Titulaire de la Médaille d'or des cuisiniers français et distingué par le club Prosper-Montagné, ce maître-boucher est spécialisé dans la côte de bœuf, le veau « élevé sous la mère » et l'agneau (race charmoise). Bons poulets de grain.

LA MÈRE CLOS

● **6e** - *13, rue du Cherche-Midi (222.36.74).*

Une petite boutique (ex-Mère-Grand) qui se pousse un peu du col mais qui présente des viandes de qualité à des prix assez élevés. Beaux veaux de lait, et service traiteur raffiné.

MODERN'COMMERCE

● **15e** - *3, rue du Commerce (575.17.71).*

La meilleure boucherie de la rue. Les bœufs (du Limousin) et les veaux (de Corrèze) suspendus aux crochets montrent à l'évidence la qualité et l'honnêteté de cette minuscule boutique.

NOMEL (Boucherie Centrale)

● **17e** - *41, rue Lévis (924.09.67).*

Spécialiste de rôtis de veau et de lapins farcis, d'épaules d'agneau désossées et de côtes de bœuf.

LE PALAIS DE LA VIANDE

● **7e** - *15, rue du Champ-de-Mars (705.07.02).*

A partir de viandes d'excellentes provenances et rigoureusement sélectionnées (bœuf du Charolais, veaux du Limousin, agneau de pré-salé du Mont Saint-Michel), Marc Talteim, un ancien cuisinier reconverti à la boucherie, élabore de savantes préparations comme le filet truffé, farci au foie gras ou en croûte, le veau Orloff, le carré de veau à la romaine (farce au cognac et à l'estragon), la rognonnade et un étonnant carpaccio : minces tranches de filet de bœuf cru que l'on accompagne d'une petite sauce. Egalement des terrines, des andouillettes et diverses sortes de paupiettes. Tout cela d'une qualité, et d'un prix, qui justifient l'enseigne si ambitieuse de la maison.

PÉTARD

● **16e** - *31, rue Duret (500.34.65).*

● **16e** - *32, bd Exelmans (288.65.91).*

● **17e** - *11 et 37, rue Saint-Ferdinand (574.23.42 et 574.10.72).*

Chez les Pétard, on est boucher depuis trois générations. Deux frères se partagent ces trois boutiques où l'on est sûr de trouver des viandes toujours exceptionnelles, vendues à parfaite maturité. La maison de la rue Duret est d'ailleurs la boucherie « de l'avenue Foch ». Bonnes volailles de Challans.

PÉTARD

● **92 Boulogne** - *105, rue du Point-du-Jour (608.47.57).*

Une succursale banlieusarde de M. Pétard, déjà boucher dans le 16e, qui propose des génisses de Vendée, des agneaux du Centre et des volailles de Challans d'excellente qualité.

LA PRÉSIDENCE

● **8e** - *15, rue Montalivet (265.62.08).*

Une excellente boucherie. Ses clients illustres se régalent de son bœuf dont la qualité est rarement mise en défaut. Rien d'étonnant à cela, son patron est également M. Bissonnet.

Boucheries à gros débit

A côté des boucheries traditionnelles et leur faisant une concurrence sévère, on trouve un certain nombre de magasins, avec ou sans succursale, proposant des viandes sans doute rarement exceptionnelles mais de bonne qualité courante. Avantage : les prix sont beaucoup plus bas que ceux pratiqués dans les circuits de distribution classique en raison de l'importance des achats, de l'élimination de certains intermédiaires et d'une politique avouée de petits profits. Voici une liste de boutiques sérieuses dans ce style de distribution, travaillant selon la découpe traditionnelle ou selon la formule des viandes préemballées.

BERNARD

● **1er** - *15 et 19, rue Danielle-Casanova (261.57.57).*
● **1er** - *38, rue du Louvre (233.61.21).*
● **2e** - *4, rue d'Antin (261.57.57).*
● **2e** - *82, rue Réaumur (508.52.04).*
● **12e** - *100, fg Saint-Antoine (345.25.60).*
● **13e** - *100, bd Masséna (583.58.20).*
● **14e** - *55, av. du Maine (322.43.02).*
● **15e** - *83-85, rue Saint-Charles (577.58.46).*
● **18e** - *3, rue de la Chapelle (607.80.95).*
● **20e** - *131-141, av. Gambetta (362.76.69).*
● **92 Boulogne** - *140, route de la Reine (603.05.10).*

La maison Bernard est un cas dans la distribution de la viande. Sans aucune publicité ni tapage, elle draine vers ses succursales multiples les familles plus ou moins nombreuses qui viennent y faire leurs achats pour une semaine ou un mois selon la grosseur de leur appétit et celle de leur congélateur. La viande y est d'une bonne qualité moyenne et souvent pas très bien préparée. Comme il y a toujours foule et qu'on doit faire sagement la queue, la formule est intéressante pour des achats groupés et non pas pour son bifteck quotidien. Charcuteries plus qu'honorables.

BOUCHERIE 3000

● **18e** - *19, rue du Poteau (606.03.66).*

Une boucherie de qualité qui a su saisir sa chance. M. Turmel a transformé, voici déjà quelque temps, un magasin traditionnel en libre-service, avec viandes préemballées. Au lieu de présenter des viandes sur le retour comme beaucoup de grandes surfaces, il comprime ses frais généraux et propose à des prix très intéressants des bêtes françaises qu'il achète à Rungis, à Versailles ou en province.

BRUNEAU

● **1er** - *1, rue Montmartre (236.40.97).*

Immense boutique débitant une viande tout à fait honorable.

CRÉA

● **92 Boulogne** - *140, route de la Reine (603.05.10).*

Très honnête qualité de viande dans cette boucherie grande surface, équivalente aux maisons similaires pour le rapport qualité-prix.

ROGER

● **6e** - *127, rue de Rennes (548.83.33).*
● **16e** - *43, rue de l'Annonciation (288.30.91).*
● **16e** - *73, rue de Passy (288.18.83).*
● **17e** - *2, rue Bayen (380.28.38).*
● **17e** - *9, rue Bayen (380.56.46).*
● **17e** - *9, rue Poncelet (924.33.21).*

Un des pionniers de la formule. Les boucheries Roger vendent selon des méthodes traditionnelles une viande très honorable à des prix intéressants. Jean-Claude Boutier est (en partie) redevable de son punch célèbre aux cures de biftecks « Roger » qu'il pratique avant chaque combat important. C'est du moins ce que nous assure le patron.

SOPAVIA

● **12e** - *148, fg Saint-Antoine (347.01.41).*

Une qualité fort honnête pour cette boucherie qui se fournit directement aux abattoirs. Prix particulièrement intéressants surtout en fin de semaine.

AU ROI DU BŒUF

● **16e** - *35, rue d'Auteuil (288.00.27).*

Une succursale des Boucheries Nivernaises, qui propose des viandes à griller d'une irréprochable qualité.

SCHAAF (Boucherie d'Athènes)

● **9e** - *26, rue d'Athènes (874.22.08).*

Une boucherie de quartier présentant des bœufs de bonne qualité.

SCHNEIDER

● **92 Levallois-Perret** - *59, rue du Pdt-Wilson (737.45.05).*

La meilleure adresse de cette banlieue.

STÉ B.C.B.

● **5e** - *70, rue Claude-Bernard (331.12.95).*

Un jeune boucher, Jacques Lessieu, entiché de naturel et de biologique. Ses côtes de bœuf, ses gigots d'agneau, ses volailles et surtout son veau sont superbes. Prix assez élevés.

TAVAINE

● **92 Garches** - *153, Grande-Rue (741.02.29).*

L'un des très bons bouchers de la banlieue ouest. Ses carrés d'agneau, ses gigots, ses extraordinaires côtes de bœuf limousin, ses épaules de mouton artistement façonnées en forme de melon, ses rôtis de veau fourrés au boudin noir et roulés dans le jambon d'Auvergne font que l'on ferme les yeux (à l'instar de M. Dassault qui fait grand cas du filet maison) sur la hauteur des prix, parfaitement justifiés, disons-le, pour cette qualité.

TRONCHE (Cheminade)

● **4e** - *27, rue Rambuteau (272.26.39).*

M. Tronche n'est plus là. Mais M. Cheminade qui lui a succédé veille toujours à la bonne qualité des agneaux (de Pauillac, notamment) qui firent la réputation de la maison.

VAYSSE

● **9e** - *6, rue Cadet (770.68.15).*

Beaucoup de bouchers dans cette rue, mais celui-ci offre un honnête bœuf du Limousin et de bonnes oies d'Auvergne (en saison).

LES VIANDES DU CHAMP-DE-MARS

● **7e** - *122, rue Saint-Dominique (705.53.22).*

Excellent bœuf. Triperie et volailles tout aussi remarquables.

VONARX

● **14e** - *5, rue Delambre (326.65.23).*

La chair est triste, juste en face, à l'affiche des salles obscures spécialisées. Elle l'est infiniment moins à l'étal de cet excellent boucher qui a l'œil et le bon pour choisir à Rungis ses viandes (de provenance française exclusivement), et notamment ses veaux de lait. Quelques spécialités : veau Orloff, escalopes luxembourgeoises (au gruyère), côtelettes de volaille.

ZILLER

● **92 Neuilly** - *8, rue Madeleine-Michelis (747.42.29).*

L'un des plus courus (morceaux à griller exceptionnels).

VINS, ALCOOLS, BIÈRES

AUGÉ

● **8e** - *116, bd Haussmann (522.16.97).*

L'atmosphère est plutôt confinée, mais les vendeurs sont courtois et vous parlent avec un amour justifié des très vieux portos de la maison, de ses armagnacs hors d'âge ou de ses eaux-de-vie de fruits.

JEAN-BAPTISTE BESSE

● **5e** - *48, rue de la Montagne-Sainte-Geneviève (325.35.80).*

Il fut voici une quinzaine d'années avec Chaudet — autre Jean-Baptiste — l'un des plus célèbres parmi les marchands de vin de Paris, fort peu nombreux alors, il faut le dire. La gloire a si peu changé les habitudes de ce philosophe à béret qu'on a tendance à oublier un peu le chemin de son épicerie-capharnaüm. Besse n'ayant par ailleurs aucun souci de sa publicité personnelle, il faudra le violenter un peu pour vous faire montrer le prodigieux amoncellement de bouteilles qui encombrent sa belle cave du XVIe siècle à deux étages. Et, de ce terrifiant désordre de flacons, faites-vous extraire les antiques portos et madères millésimés (de 50 à 350 F), marcs, alcools blancs, calvados (de 50 à 600 F), fines champagnes, armagnacs (de 45 à 900 F), ou quelque autre château d'Yquem 21 ou 37. Ses petits vins à boire jeunes ne jouissent pas malheureusement des mêmes attentions.

BROSSAULT

● **2e** - *22, rue des Capucines (261.19.83).*

Les amateurs de Private Cuvée de chez Krug n'hésitent pas à franchir la porte de ce vieux magasin à la façade austère. Un décor un peu compassé qui se réchauffe toutefois à la vue des bouteilles et à la lecture d'une carte des vins particulièrement fournie : très grands bordeaux dans les belles années et vieux champagnes qui ne doivent toutefois pas faire oublier des vins plus modestes vendus à des prix que n'annoncent guère les vieilles boiseries et les vitraux. Ajoutons que cette vénérable maison est patiente et qu'elle prend le temps de faire vieillir certains de ses vins en barriques avant de les mettre en bouteilles.

La cote de vos reliques

Il y a peut-être dans votre cave (ou dans celle que vous venez d'hériter d'un vieil oncle amateur) un ou plusieurs lots de bouteilles précieuses ou du moins que vous supposez telles. Vous aimeriez en connaître la « valeur de placement » ou la cote afin de vous en défaire éventuellement au meilleur prix. Voici l'adresse d'un courtier-gourmet piqueur de vin, expert agréé auprès des tribunaux et qui, pour commencer, vous dira si votre vin vaut la peine d'être intégré à une vente ou risque d'intéresser un amateur :

M. Maratier, 61, rue du Port-de-Bercy, 12e (343.67.87).

CAILLETTE

● **1er** - *42, pl. du Marché-Saint-Honoré (261.45.46).*

Le sous-sol de cette épicerie de luxe est une cave à vin remarquablement aménagée et fournie en grands et coûteux vins. Mais aussi un bon petit bordeaux à 12 F, un autre à 13,50 F.

CAVEAU JEAN-PIERRE BLOUD

● **17e** - *89, bd Gouvion-Saint-Cyr (574.86.70).*

● **78 Aigremont près Chambourcy** - *15, Grande-Rue (074.03.14).*

● **78 Herbeville** - *Ferme de Launay (090.85.06).*

Jean-Pierre Bloud s'est imposé depuis une douzaine d'années comme l'un des meilleurs marchands de vins de Paris. Dans ses trois boutiques, à la campagne et à Paris, il propose un choix énorme de vins dont beaucoup portent son nom; des vins qu'il sélectionne en musardant deux fois par an à travers les vignobles français. Il a ainsi réuni plus de 200 vins, du plus simple au plus prestigieux : un excellent choix de beaux et bons beaujolais, notamment un Moulin-à-Vent — le sien — que l'on peut acheter en jeroboam, de grands bourgognes, des châteaux qui ne demandent qu'à être connus, une gamme d'armagnacs exceptionnelle et une sélection de spécialités régionales délicieuses (framboise de Bourgogne et cassis). A quoi s'ajoute, depuis peu, une cave à bière fort bien approvisionnée en bières françaises, belges, allemandes, anglaises et écossaises. Ajoutons que vous pourrez goûter les vins de Jean-Pierre Bloud dans son restaurant La Grosse Tartine, au 91, bd Gouvion-Saint-Cyr. Ils figurent sur la carte de cet établissement sous la rubrique « les crus de la semaine » à des prix tout à fait agréables.

CAVES GEORGES (Seguin)

● **95 Sannois** - *114, bd Charles-de-Gaulle (981.36.88).*

M. Seguin a pris la suite de M. Gloux, et vend désormais ici les mêmes spécialités qui font le succès de son magasin de la rue Rambuteau, à savoir de bons petits vins de propriétaire (vins de Loire en particulier : cabernet, chinon, bourgueil).

CAVES MOLITOR

● **16e** - *47, rue Erlanger (651.30.89).*

La catégorie des tendres à laquelle appartient Laurent Gonzalès fait qu'on entendra parler ici des bons négociants avec douceur, des petits propriétaires avec dévotion et des clients avertis avec une complaisance sans limite. Cette courtoisie s'accompagne d'une très grande connaissance des vins, facile à reconnaître au choix qu'il a fait de grands châteaux dans les meilleures années comme de petits bordeaux à moins de 15 F. M. Gonzalès est, en outre, l'un des très rares distributeurs parisiens du sublissime sancerre de Marcel Gitton (23 F). Autres bons vins de Loire : pouilly de propriétaire et excellent gamay. Livraisons gratuites dans le quartier.

CAVES DE NÎMES

● **18e** - *7 bis, rue Tardieu (606.91.37).*

Nîmes n'est pas très connu pour ses crus, mais ces caves-là — qui ont fait des frais de toilette au cours de l'été 79 — le sont pour les quelque 160 crus d'appellation dont certains sont très remarquables comme son moulin-à-vent 73, son cahors de la cave d'Olt ou son petit champagne de propriétaire millésimé (parmi 40 autres marques). Retenez que Mme Cordeau, la patronne, prépare aussi de très beaux assortiments de fromages sur plateaux d'osier. Livraisons à domicile à partir de 100 F (coût : 2 F).

CAVES RETROU (L'Arbre à Vin)

● **12e** - *4, rue du Rendez-vous (346.81.10).*

Pierre Retrou (qui se charge des achats dans le Bordelais) et son fils Jean-Michel (spécialiste en bourgognes et alsaces), méritent de figurer au nombre des plus scrupuleux marchands de vins de Paris. Outre leur très grand choix d'alcools (23 whiskies, 16 cognacs, alcools blancs), ils proposent, entre autres, à des prix d'une édifiante douceur, un des meilleurs choix qui se puissent trouver de grands bordeaux et bourgognes dans les bonnes années. Une excellente petite « Réserve » maison à 7,50 F et un bon porto d'importation directe à leur nom. Cadeaux d'entreprises. Livraisons à domicile.

AUX CAVES ROYALES

● **78 Versailles** - *6, rue Royale (950.14.10).*

Elles le sont en effet, bien que coincées dans le vieux quartier Saint-Louis, entre gares et casernes. M. Despres y élève plus de 250 vins, grands et petits, tous en provenance de propriétaire, et quelques beaux alcools dont un marc du Château Grillet. Livraisons gratuites à domicile.

CAVES SAINT-GEORGES

● **5e** - *16, rue Pascal (331.31.28).*

Enorme choix de grandes et, surtout, petites bouteilles dans un plaisant décor néo-rustique. M. Rossi a souvent d'excellentes « occasions » dans les très grands bordeaux.

LA CAVINIÈRE

● **16e** - *32, rue Duret (500.40.60).*
● **92 Boulogne** - *30, av. Edouard-Vaillant (620.10.10).*

Authentique professionnel du vin, Pierre Athuil est un ancien ingénieur œnologue que passionne jusqu'à l'obsession la recherche de la qualité. Du modeste vin de pays catalan aux grands margaux et au corton-charlemagne, les 250 crus différents inscrits à sa carte ont tous été choisis et goûtés par lui. Et les exquis côtes-du-Rhône de Cairanne, les beaujolais, les petits champagnes de propriétaires témoignent de cette attention qui fait de ce marchand l'un des plus scrupuleux de la place — et non le plus cher, loin de là.

LE CHEMIN DES VIGNES

● **92 Issy-les-Moulineaux** - *113 bis, av. de Verdun (638.11.66).*

2 000 m d'anciennes carrières d'où l'on extrayait jadis le « blanc de Meudon », non pas le petit blanc que vous croyez, mais la fameuse pâte à faire les vitres et les chaussures. Lucien Legrand et son associé Steven Spurrier (Caves de la Madeleine) entreposent là, à 30 mètres sous terre et 12° constants de température, toute la gamme de leurs vins petits ou grands. La vente se fait dans le nouveau magasin en façade aux mêmes prix que dans les boutiques parisiennes respectives.

> ***Dans ce chapitre, cherchez le produit et non le magasin qui le vend, c'est-à-dire "Pain" et non pas "Boulangeries".***

CHESNEAU

● **92 Boulogne** - *38, av. Jean-Baptiste-Clément (605.08.10).*

L'originalité de cette bonne maison réside moins dans le choix, fort classique, de ses grands et petits bordeaux ou de ses alcools de propriétaire que dans la part si importante que le courtois René Chesneau, surnommé « le petit Fauchon de Boulogne », y fait aux boissons alcoolisées étrangères (hongroises, portugaises, espagnoles, mexicaines, japonaises, etc.). C'est en outre l'un des très rares endroits où se puisse trouver l'amusant petit cru de la Sarthe : le vin blanc de Jasnières, 26 sortes de champagnes, une sélection de bières françaises et étrangères.

PAUL CORCELLET

● **2e** - *46, rue des Petits-Champs (296.51.82).*

Remarquable calvados Roger Groult 1893, et une grande champagne sélectionnée par Peuchet. Curieux rhums jamaïcains, punch aux fruits de la Passion et un très rare et authentique curaçao.

COMPTOIR DU CHOCOLAT ET DES ALCOOLS (C.C.A.)

● **3e** - *103, rue de Turenne (277.59.27) et Forum des Halles, niveau - 1. Bureau de commande : 51, av. de La Motte-Picquet, 15e (306.26.65).*

Sérieuse maison spécialisée dans la vente sur catalogue aux entreprises. On y vend, par 6 bouteilles minimum, un choix intéressant de champagnes de marques à des prix très bas : Heidsieck Monopole brut : 34,80 F, Roederer : 39,80 F et un grand nombre de whiskies, liqueurs et alcools, non moins avantageux. Le ministre des Finances, bon comptable des deniers publics, y a ses habitudes lorsqu'il reçoit. Le C.C.A. s'est en outre spécialisé depuis trois ans dans les grands vins de Bordeaux et de Bourgogne et a mis en vente, il y a peu, les crus de 76 que d'autres, en raison des hausses, conservent.

JEAN DANFLOU

● **1er** - *36, rue du Mont-Thabor (261.51.09).*

Le Tout-Paris, l'Elysée, Winston Churchill, Ike, etc., on ne compte plus les célébrités qui n'ont pas craint de se noircir avec les alcools blancs de ce grand marchand. Sachez que Jean Danflou, octogénaire, a laissé sa place et ses tableaux naïfs à son neveu Jean Danflou, mais que les eaux-de-vie de fruits Danflou, dans leurs fameux flacons ou magnums Charles X, continuent d'occuper une place éminente que nul ne discute : vieux kirsch, framboise, poire williams, mirabelle, quetsche (94 à 116 F) y atteignent des sommets. Un salon de réception est constamment ouvert, où l'on peut goûter gratuitement et à loisir toute la gamme des vieilles eaux-de-vie. Egalement de vieux marcs, un champagne maison et une sélection de bourgognes et bordeaux. Livraison à domicile.

FAUCHON

● **8e** - *26, pl. de la Madeleine (742.60.11).*

Vous y trouverez les crus les plus intimidants, les champagnes des meilleures marques et millésimés (flaconnage jusqu'au jéroboam), des alcools blancs remarquables, de somptueux portos, le concours des vendeurs aimables et compétents, et des prix qui donnent le frisson.

HÉDIARD - Les Caves

● **8e** - *2 bis, passage de la Madeleine (266.44.38).*

● **16e** - *70, av. Paul-Doumer (304.51.92).*

Des vins achetés directement à la propriété et généralement en primeur : 30 000 bouteilles environ par an de grands crus classés de Bordeaux. Toutes les autres régions vinicoles de France (et aussi de sept pays étrangers) sont représentées chez Hédiard, où deux sommeliers (l'un passage de la Madeleine et l'autre avenue Paul-Doumer) sont là pour vous conseiller et éventuellement procéder à des dégustations. Grands choix d'alcools et un délicieux punch créole aux citrons verts.

LEGRAND (Notre-Dame-des-Victoires)

● **2e** - *1, rue de la Banque (260.07.12).*

Cette boutique charmante et vieillotte, dont la vitrine est ornée d'un superbe alignement de bocaux à bonbons, est approvisionnée par les immenses chais du chemin des Vignes, à Issy-les-Moulineaux, installés à 32 m sous terre dans d'anciennes carrières de blanc de Meudon. Quelques grands crus, bien sûr, mais la spécialité de Legrand n'est pas là. Ce qu'il recherche surtout, c'est le bon petit vin, original si possible, et à un prix très doux. Aussi propose-t-il une gamme infinie de bordeaux, bourgognes et vins de pays (entre 4 et 20 F), d'admirables beaujolais légers non chaptalisés et d'exquis champagnes de propriétaire en brut intégral (de chez Legras, Bonnaire et Deutz). Superbes armagnacs Laberdolive de 1911 à 1970. Livraison à domicile

Vins en entrepôts

RÉSERVE SÉLECTION

● **94 Le Kremlin-Bicêtre** - *19 bis, rue de la Convention (658.89.50).*

A 500 m de la porte d'Italie, une bonne soixantaine de châteaux bordelais par cartons ou caisses d'origine compose l'essentiel de la carte de M. Blériot, avec certains dans d'excellentes années, notamment en 75 et même 64. L'entrepôt ne délaisse pas les bourgognes — même les grands — et il est possible de trouver des beaujolais de propriétaire et quelques bons champagnes. Signalons enfin un minervois (en cubitainer) à 6 F le litre. Quelques charcuteries pour goûter le vin sur place avant de l'emporter dans sa voiture. Possibilité de livraison en fin d'année et expéditions dans toute la France.

SOCIÉTÉ PARISIENNE DES GRANDS VINS DE BORDEAUX

● **93 La Plaine-Saint-Denis** - *56, rue Cristino-Garcia (820.86.19).*

Après un départ en fanfare un peu après la crise du bordeaux, cet immense entrepôt (1 500 m²) pas très folichon de la périphérie a désormais trouvé sa vitesse de croisière sans pour autant changer le cap. L'entreprise de Francis et Arnaud Dewavrin demeure spécialisée dans la vente de châteaux bordelais, petits, moyens, et grands (plus de 500 vins) par caisses ou cartons de 12 bouteilles, ce qui permet de comprimer les prix. De plus, au cours des semaines, une dizaine de vins sont proposés en promotion à des prix particulièrement intéressants. On peut les goûter sur place avant de les emporter dans le coffre de sa voiture. Pas de livraison à domicile.

LES VIGNOBLES - CENTRE DE DISTRIBUTION DE VINS DE PROPRIÉTÉS (Entrepôt Ney-Calberson)

● **18e** - *13, bd Ney (209.61.50).*

Entrée des voitures : 215, rue d'Aubervilliers.
Nocturnes le mercredi et le vendredi jusqu'à 22 h.

Dans son entrepôt bétonné où les « routiers sympas » de R.T.L. faisaient un tabac, M. Rozé (qui ne pouvait, bien sûr, vendre que du vin) a pour formule de regrouper le plus large éventail de vins possible (uniquement de propriétaire) et de les vendre par 6 bouteilles minimum pour peser sur les prix. Relevons dans la très longue liste : des vins de bons propriétaires (Rousseau, à Gevrey-Chambertin, Arnoux, à Chorey-lès-Beaune), des vins de coopératives (Union des viticulteurs Champenois, à Avize), et toutes sortes de petits vins proposés à des prix intéressants. Dégustation sur place et possibilité de livraison (coût : 24 F pour un minimum de 60 bouteilles).

MA CAVE (S. Roques)

● **19e** - *105, rue de Belleville (208.62.95).*

C'est la cave la plus relevée de Paris. S'ajoute au prestige de son altitude (100 bons mètres), le fait qu'elle jouxte la maison natale de Georges Rouault et que, depuis bientôt quinze ans, le Tout-Télé des proches Buttes-Chaumont y délègue ses plus fins buveurs. Ces derniers ont tort de dédaigner les rouges et blancs dits « du patron » : ils sont vraiment produits par ce dernier sur sa terre natale de Septfonds-en-Rouergue, et l'on trouvera difficilement dans tout Paris d'aussi honnêtes vins courants. Peu de chances non plus de trouver un choix aussi étendu de cahors dont plusieurs Clos Gamots millésimés (de 1880 à 1971). A signaler encore des châteaux prestigieux comme le Talbot 49 ou l'Ausone 28, de grands bourgognes dans leurs belles années, des côtes-du-Rhône superbes et des portos de collection comme le Colheita 1900. Et nous n'évoquons ici que les plus vieilles bouteilles du jeune M. Roques dont l'accent chantant ensoleille un peu le nouveau Belleville et ses désastreuses superstructures bétonnées.

Le vrai jus de la vigne

VIGNES ET VERGERS

● **15e** - *7, bd Victor-Hugo (532.35.85).*

Les écologistes peuvent lever le coude sans rougir en buvant des vins dits « naturels » dans une petite boutique qui rassemble, sur des clayettes de bois, une bonne sélection de crus des terroirs français : petits châteaux bordelais, beaujolais « à l'ancienne » (non chaptalisés), et de jolis petits vins de table vendus en bonbonnes de 5 ou 10 litres (de Camargue, du Gard et des Alpilles).

MAISON DU CHAMPAGNE

● **16e** - *48, rue des Belles-Feuilles (727.58.23).*

Très grand choix (60 marques) dans la rubrique indiquée par l'enseigne. Et aussi 35 grands châteaux de Bordeaux, des cognacs de 70 ans de fût, du porto de 37 ans de fût et 70 marques de whisky. Le Président Giscard d'Estaing apprécie particulièrement les champagnes (vieux millésimes) de la maison. Livraison gratuite à domicile.

MANNEVY

● **92 Puteaux** - *50, bd Richard-Wallace (506.07.75).*

Guy Mannevy est d'origine bourguignonne et effectue tous ses achats à la propriété après dégustation. Le choix est d'un très grand éclectisme et d'innombrables petits vins voisinent ici avec le champagne Mannevy (40 F), les grands bordeaux, les armagnacs de 105 à 810 F (1893) et les vieux calvados. L'une des très belles caves de l'Ouest parisien.

MON VIGNOBLE

● **5e** - *43, rue Poliveau (707.22.91).*

C'est un authentique (et charmant) viticulteur des Côtes-du-Rhône qui a ouvert assez récemment cette petite boutique dont la cave a été peu à peu constituée avec les conseils et les bonnes adresses de Jean-Baptiste Chaudet. Cette référence dira tout de la qualité des vins que l'on trouve chez M. Sinard. Qualité dont le sommet est atteint selon nous par le propre vin du patron, un côtes-du-Rhône de Valréas tout simplement merveilleux : le domaine des Grands Devers.

NICOLAS

● **94 Charenton** - *2, rue de Valmy (375.92.00).*

358 magasins dans Paris et sa banlieue.

Privilège de l'âge — la maison avoue 150 ans — Nicolas fait partie de l'inconscient collectif des amateurs de vins; ce qui prouve bien qu'une société à succursales peut être un excellent marchand de vin. On frémit d'aise à la lecture du catalogue qui affiche le plus grand stock de vins fins du monde avec les plus prestigieux crus dans les plus belles années, saint-julien, margaux, montrachet, vosne-romanée à des prix défiant souvent toute concurrence. Reste que les différents magasins proposent des petits vins de tous les terroirs français qui sont indiscutablement les meilleurs du marché et où l'on peut retenir en vrac : le carignan, le côtes-de-Provence rouge, le bois des Mattes, un coteaux-du-Tricastin rosé et un excellent bordeaux supérieur. Nicolas propose, en outre, un grand choix de bons alcools parmi lesquels un rhum et un kirsch admirables.

BERNARD PÉRET (Le Rallye)

● **14e** - *6, rue Daguerre (322.57.05).*

Vente à emporter de gamay (Domaine de la Charmoise 78 : 11,50 F), de sancerre, de pouilly, de tous les crus du Beaujolais, servis au verre sur le comptoir de cet exemplaire Meilleur Pot.

PETRISSANS

● **17e** - *30 bis, av. Niel (227.83.84).*

Mme Castex, née Pétrissans, aidée de sa fille et de son gendre, maintient avec beaucoup de compétence la grande réputation de cette « cave », l'une des plus anciennes de Paris, où le décor austère et presque centenaire n'a cédé à aucune tentation de modernisation. La cave recèle un fastueux reliquaire de grands bor-

Une bonne solution : la vente par correspondance

JEAN-BAPTISTE CHAUDET

● **5e** - *35, rue Geoffroy-Saint-Hilaire (707.23.98).*

Chassé par les bulldozers, Chaudet a quitté son vieux zinc usé par une génération d'amateurs de canons pour se retrouver derrière un bureau flanqué d'un téléphone et devenir courtier en vins. Mais courtier savant s'il en fut, et capable de vous obtenir, que vous soyez particulier ou restaurateur, les meilleurs crus de France au prix de la propriété, de vous vendre toutes sortes de vins et d'alcools dont il a l'exclusivité et de vous dénicher une kyrielle de petits vins pas chers sélectionnés par ses soins.

COMPTOIR DU CHOCOLAT ET DES ALCOOLS (C.C.A.)

● **3e** - *103, rue de Turenne (277.59.27).*
Et Forum des Halles, niveau - 1.
Bureau de commande : 51, av. de La Motte-Picquet, 15e (306.26.65).

Voir p. 265.

NÉO-DIFFUSION

● **17e** - *39, rue des Acacias (380.09.68).*

Cette agence est spécialisée dans la vente aux restaurateurs qui, par son intermédiaire, reçoivent directement leurs vins de propriétaires et négociants. Air France (pour le Concorde) et l'Hôtel Matignon font appel à ses services. Vous pouvez en faire autant pour un minimum de 20 bouteilles. Mais, compte tenu des frais de port, les conditions ne sont vraiment intéressantes que pour des commandes de 100 à 300 bouteilles de vins de même provenance. Par exemple : beaujolais et crus assortis, ou : gamay, sauvignon et crémant de la Loire, château Fombrauge de plusieurs millésimes. Visite d'un représentant sur demande.

SAVOUR CLUB

● **92 Suresnes** - *30, rue Emile-Duclaux (772.71.90).*

Vous trouverez au catalogue de cette maison de vente par correspondance un choix important de vins (et quelques très bons alcools), des plus grands crus aux plus modestes vins de table, choisis et sélectionnés par Patrick Coppinger et, pour un certain nombre d'entre eux, le groupe de « La nouvelle grande cuisine française » (Bocuse, Troisgros, etc.). Ils proviennent aussi bien de tout petits viticulteurs que des plus grands châteaux, et la revue du Savour Club informe par ailleurs régulièrement des nombreuses « occasions » ou ventes promotionnelles dont ses membres peuvent bénéficier. Documentation (gratuite) sur demande.

deaux et bourgognes, une belle collection de sauternes qui font les délices de la patronne (Yquem, Guiraud, Rieussec, Climens, Haut-Peyraguey), et de précieux armagnacs octogénaires. Mais aussi un très grand choix de petits vins charmants et charmeurs, comme la chartreuse de Pécharmant, le cahors de chez Allibert, le muscadet de Métaireau, un graves, le Château Millet 71 ou un excellent 1er cru de champagne 73 de Chigny-les-Roses. Ne manquez pas, avant de partir, de jeter un coup d'œil sur le petit bar contigu à la boutique, dont la décoration, d'époque Alexandre Millerand, mérite le détour.

PEUCHET

● **16e** - *95, av. Victor-Hugo (553.83.23).*

Jolie façade sobre sans trop d'austérité et atmosphère recueillie, un peu compassée. Jean Peuchet, le patron de cette très vieille et vénérable maison, nous demande instamment de ne parler de lui qu'à demi-mot, précisant qu'il a le plus grand mal à trouver de la « belle marchandise » pour satisfaire une clientèle difficile. Acquiesçons à sa demande non sans avoir précisé que le catalogue de la maison est remarquable, surtout dans les bordeaux. Les prix — quartier oblige — sont élevés.

LE RUBIS

● **1er** - *10, rue du Marché-Saint-Honoré (261.03.34).*

Le charmant et chaleureux Léon Gouin vend presque tous ses vins de comptoir à emporter : muscadet, côtes-du-Rhône blanc, sauvignon, bourgueil, beaujolais (le 78 est délicieux), à des prix sans concurrence pour tant de qualité.

LA SABRETACHE

● **78 Louveciennes** - *78, route de Versailles (969.05.75).*

A l'ouest de Paris en filant par l'autoroute, tout en haut de l'aristocratique côte du Cœur-Volant et sous les arbres dépassant des chasses de la Présidence, une boutique joliment arrangée en cellier où l'on vend des petits vins et des grands crus. Des bouteilles au nom canaille : petit-trou, vide-gousset, bouquet rouge, paradis, qui sortent des caves de Legrand et Spurrier, d'Issy-les-Moulineaux, à des prix très aimables ; un vin de table, fort avenant, de chez Coste, à Langon ; quelques crus intéressants : Château Livran 75, Château Fourcas-Dupré 75, Château Bel-Orme-Tronquay 75 (autour de 30 F). Et des crus prestigieux : Calon-Ségur, Ducru-Beaucaillou, Pichon-Longueville, Pape-

Clément. Entre les dégustations, asseyez-vous donc et grignotez des cochonnailles pour faire passer une griserie naissante.

GEORGES SEGUIN

● **3e** - *10, rue Rambuteau (272.99.78).*

M. Seguin s'est spécialisé dans le bon vin de Loire de propriétaire (cabernet, chinon, bourgueil). Qui s'en plaindra, d'autant que les vins pétulants sont bien choisis. A noter chez lui, également, une aimable curiosité, le nuits-saint-georges blanc, un remarquable marc de Bourgogne et quelques bons armagnacs.

STEVEN SPURRIER (Caves de la Madeleine)

● **8e** - *25, rue Royale (Cité Berryer) (265.92.40).*

Steven Spurrier, jeune et élégant Britannique, installé depuis quelques années dans ce petit coin de province, est l'un des marchands les plus cultivés de Paris en matière de vins. Un palais sans faille lui a permis de bâtir l'une des toutes premières caves de la place autour de vins petits et grands qui font à juste titre la réputation de la maison. Découvrez chez lui une gamme exceptionnelle de vins « intermédiaires » : bordeaux, crus de la Loire, cahors, côtes-de-Provence, mais aussi la plus fabuleuse collection de côtes-du-Rhône que nous connaissions (côte-rôtie de chez Guigal, château-Rayas, fabuleux lirac), les meilleurs producteurs de Bourgogne (Rousseau, Voguë, Latour, Leflaive) et toutes les trouvailles insolites qu'il fait en parcourant les vignobles. A ces vins français s'ajoutent quelques vins étrangers, une belle sélection de vins californiens (50 à 100 F) et un excellent Rioja du marquis de Caceres. Livraison à domicile : 12 F.

AUX TRÉSORS DE BACCHUS

● **3e** - *4, rue du Pas-de-la-Mule (887.27.07).*

Jean-Pierre Meyer, ancien cuisinier de Lucas-Carton et désormais « Maître-Échanson », fait son métier de marchand de vins le plus honnêtement du monde en visitant les terroirs et en offrant un choix important de crus couvrant les régions françaises. Des vins d'Alsace dont il est originaire (rouge d'Ottrott, 22,80 F), un saint-chinian vendu en petits fûts de 20 litres (sur commande), des pauillac et des pomerol de propriétaire et les petits crus de Savoie comme l'apremont et la roussette. Livraison (3 F).

AU VERGER DE LA MADELEINE

● **8e** - *4, bd Malesherbes (265.51.99).*

Les Legras, Maurice et Jean-Pierre, le père et le fils, peuvent avouer sans rougir qu'ils possèdent une des plus belles caves de Paris au sous-sol de leur petit magasin de luxe. Certaines de leurs bouteilles sont d'ailleurs des pièces de collection, comme le rarissime et insolite Lafite blanc 1934 ou le château d'Yquem de la même année, et peu de maisons peuvent afficher les premiers crus de bordeaux dans 8 ou 10 millésimes. Une prédilection pour le bordeaux (80 crus) qui n'empêche pas la maison de présenter une jolie collection de bourgognes introuvables ailleurs : monthélie de chez Ropiteau, nuits-saint-georges blanc d'Henri Gouge et chassagne-montrachet rouge de Romanée ; des blancs prestigieux comme le château Grillet, le château Châlon et la coulée de Serrant et d'autres crus plus modestes des bords de la Loire. Livraison gratuite (en décembre : 4 F).

Où trouver de bonnes bières?

CAVEAU JEAN-PIERRE BLOUD

● **17e** - *89, bd Gouvion-St-Cyr (574.86.70).*

● **78 Aigremont près Chambourcy** - *15, Grande-Rue (074.03.14).*

● **78 Herbeville** - *Ferme de Launay (090.85.06).*

Vous trouverez dans les trois « caveaux » de cet excellent marchand de vin une courte mais bonne sélection de bières françaises et étrangères les plus demandées, comme par exemple la française Garde de Saint-Léonard, l'anglaise Samuel Smith, l'allemande Euler Landpils et la belge Gueuze Mort Subite.

LEVALLOIS-GOURMAND

● **92 Levallois** - *63, rue Voltaire (757.40.37).*

Bières françaises et étrangères (belge, anglaise, tchèque, bavaroise, etc.).

KING HENRY

● **5e** - *44, rue des Boulangers (354.54.37).*

Alexandre Maïus, dit King Henry, propose quelque 500 bières différentes (en compagnie d'innombrables whiskies et alcools). Signalons chez les anglaises la peu connue Bass brune, la Martin's blonde ou l'excellente John Courage. Et d'ailleurs aussi, la rare Pilsen Urquell, la Chimay, la bière de Noël belge ou la bière de Pâques de chez Tuborg et la surprenante Kriek à la cerise. Sans oublier la finlandaise Erikois, la néo-zélandaise Leopard, la norvégienne Hansa. Livraisons dans Paris (coût : 20 F), en banlieue (30 F) et expéditions dans toute la France.

MAISON DE L'ALLEMAGNE

● **8e** - *45, rue Pierre-Charron (225.77.83).*

Un bon choix de bières étrangères, allemandes principalement.

Autres bonnes adresses

ANDRAUD

• **11e** - *12, rue de la Roquette (700.59.07).*

Voir « Epicerie, Graineterie ».

BETJEMAN AND BARTON (The English Tea House)

• **8e** - *23, bd Malesherbes (265.35.94).*

Très beau choix de pur malt et de vieux whiskeys irlandais.

CAVES DU BORDELAIS

• **12e** - *75, rue Claude-Decaen (628.10.96).*

C'est une femme qui «patronne» ces caves. Bons vins ordinaires et plaisants petits bordeaux qui le sont moins.

CAVE LA BOURGOGNE

• **17e** - *116, rue des Dames (387.21.60).*

Bonne adresse tenue par un Maître-Échanson. Petits bordeaux choisis avec soin (de 11 à 125 F), et un plaisant vin gris du Maine-et-Loire. Livraisons à domicile à partir de 50 F (coût : 4 F).

AUX CAVES DE BOURGOGNE

• **14e** - *56, rue de Gergovie (542.00.47).*

Bonne petite adresse. Son savennières blanc (12,50 F) et son muscadet-sur-lie y coulent de source. Jolie gamme de bordeaux et de bourgognes. Livraisons gratuites pour 60 bouteilles minimum.

CAVES DE BRETAGNE

• **3e** - *40, rue de Bretagne (887.73.68).*

Le patron met lui-même en bouteille la presque totalité du vin qu'il reçoit des producteurs. Plaisant petit gris d'Anjou et beaujolais de propriétaire.

CAVES DE CHABLIS

• **5e** - *47 ter, bd Saint-Germain (354.57.96).*

C'est bien en effet de Chablis qu'est originaire Gaston Gadré, vrai spécialiste issu d'une famille de négociants. A ceux-ci toutefois, il préfère résolument les petits propriétaires qui lui expédient de remarquables chablis 1er cru, des beaujolais, des sancerres et d'aimables bourgueils. Livraison (3 F) à domicile à partir de 150 F.

CAVES DU GEORGE-V

• **8e** - *31, av. George-V (723.54.00).*

Dans un agréable décor de fontes forgées, M. Simon a sélectionné un certain nombre de vins et alcools avec lesquels nous ne sommes pas toujours d'accord, mais on trouvera là d'excellents bordeaux et bourgognes classiques, ainsi que quelques bons champagnes à des prix raisonnables pour le quartier. Expéditions dans le monde entier.

LA CAVE DES GRANDS VINS

• **14e** - *144, bd du Montparnasse (320.89.38).*

M. Bénichou a pris la direction de cette Cave. Elevé dans les vignes, il sélectionne avec soin les bordeaux, bourgognes et vieux armagnacs qu'il vend à une clientèle de quartier attentive à ses conseils. Egalement un petit rayon de produits artisanaux du Périgord : confits et foies gras d'oie et de canard, pâtés truffés qui complètent avec bonheur son activité première.

LA CAVE DU HAMEAU D'AUTEUIL

• **16e** - *6, rue Mirabeau (525.98.03).*

C'est dans un magasin proche de son restaurant du même nom que Bernard Lhiabastres donne libre cours à sa passion du vin. Passion non aveugle, comme en témoignent son très beau choix de bourgognes et de côtes-du-Rhône, sa sélection de vins de Bordeaux (en particulier des graves blancs et rouges), et ses très beaux portos et champagnes de cuvées spéciales. Livraisons gratuites à domicile à partir de 200 F.

CAVES DU LANGUEDOC

• **5e** - *42, rue Daubenton (331.23.12).*

Mme Gest sélectionne, avec grand soin, un choix édifiant de bons vins de propriétaire, parfois mis en bouteille par ses soins. Beaux bordeaux et honnêtes petits vins de pays.

CAVES DU LANGUEDOC

• **15e** - *87, rue Lecourbe (783.22.28).*

• **15e** - *180, rue Lecourbe (828.22.62).*

Quoi qu'en dise l'enseigne, MM. Jadot père et fils sont de bons spécialistes de bordeaux à petits prix. Un bon muscadet également. Livraisons à domicile.

CAVES LEPIC

• **18e** - *19, rue Lepic (606.18.50).*

M. Bérigaud s'efforce de choisir avec soin ses plaisants et (tout) petits vins de pays à prix sages, mais aussi des bordeaux de propriétaire à moins de 10 F et quelques bonnes bières belges (Gueuze, Krieg, Chimay, Trappiste). Pour un plus grand dépaysement, voyez sa sélection de vins étrangers : bulgares, roumains, yougoslaves, suisses, mexicains, chiliens, etc.

CAVES MALAR

• **7e** - *2 ter, rue Malar (705.83.55).*

Choix intéressant de vins de propriétaire à des prix parfois très intéressants. Ainsi, l'excellent chiroubles 77 (22,50 F), et le pouilly fumé (15,30 F).

CAVES SAINT-ANTOINE

• **4e** - *95, rue Saint-Antoine (272.37.49).*

Excellent cidre du Calvados, vieux portos, vieux armagnacs et vins « de propriétaire ». Livraisons gratuites.

CAVES DU SERGENT HOFF

• **17e** - *25, rue Pierre-Demours (227.98.77).*

Julien Barnay ne laisse à personne le soin d'aller acheter pour lui sur place ses souvent remarquables beaujolais. Grand choix de vins de la vallée de la Loire. Livraison (3 F) dans le quartier à partir de 15 litres de vin de table courant, ou de 12 bouteilles d'A.O.C. (livraison gratuite).

CAVES VILLIERS

• **8e** - *69, rue du Rocher (522.12.64).*

Originaire du Languedoc, M. Tarrou sélectionne chaque année sur place les meilleures cuvées qu'il met lui-même en bouteilles. Plus de 60 vins de terroirs, V.D.Q.S. ou A.O.C., de 6,50 F à 15 F, et de nombreux vins des coteaux languedociens ou rouergats à moins de 6 F. Vente en petits fûts pour réceptions. Livraisons à domicile à partir de 200 F (coût : 4 F).

CHAI DES LOMBARDS

• **1er** - *41, rue des Lombards (233.35.22).*

Récente petite cave ouverte par un architecte passionné de vin, Alain Poinsot. Choix éclairé de très bons bourgognes des meilleurs propriétaires (Testut, Roulot, Colleu). Merveilleux sancerre. Livraison à domicile de vin en tonneau pour buffets campagnards, ou autres.

DÉCHENAUD

• **17e** - *27, bd des Batignolles (387.35.85).*

Des vins bien choisis : côtes-du-Rhône, gamay, petits ou grands bordeaux (de 75 notamment), de bons champagnes, pratiquement toutes les marques de whiskies et des alcools rares.

AUX DEUX CRÉOLES

• **6e** - *37, rue Dauphine (633.20.60).*

Mmes Cottrell et de Gentile, deux charmantes Créoles mère et fille, tiennent depuis 18 ans ce minuscule magasin où l'on trouvera les exquis rhums blancs ou vieux agricoles de Bally et des Trois Rivières (un 1953 remarquable), et l'introuvable et merveilleux rhum vieux de Crassous de Médeuil (à un prix, il est vrai, assez décourageant). Punchs et délicieux jus (et purées) de fruits exotiques de la Martinique.

DOMAINES VITICOLES DES SALINS DU MIDI

• **8e** - *55, rue des Mathurins (265.64.37).*

Ces producteurs dont le siège est à Montpellier tiennent ici une petite boutique où l'on peut acheter leurs produits : listel gris, bosquet rouge, côtes-de-Provence (autour de 10 F la bouteille). Expéditions et livraison à domicile.

GINESTET

• **7e** - *209, bd Saint-Germain (544.09.44).*

La boutique parisienne du célèbre négociant bordelais, ex-propriétaire de Château-Margaux. Ce dernier cru y est toujours proposé dans tous les volumes de flaconnage.

KIATOU

• **7e** - *44, rue du Bac (222.39.39).*

N'a précisément pas de tout, mais surtout du whisky et du champagne (quelques bordeaux aussi), dont plusieurs marques, par roulement chaque semaine, sont proposées en promotion. Ce qui n'empêche pas les prix d'y être assez élevés.

LENÔTRE

• **16e** - *44, rue d'Auteuil (524.52.52).*

Voir autres adresses à « Pâtisseries ».

De très bons cidres fermiers, un bon champagne « maison » et l'un des meilleurs calvados du Pays d'Auge qui se puisse trouver (Château du Breuil).

MAGET

• **16e** - *22, rue du Docteur-Blanche (224.99.65).*

Cette bonne maison, la seule à Paris, distribue toute la gamme des excellents produits de Georges Dubœuf avec, en particulier, pratiquement tous les crus du Beaujolais.

LA MAISON DE L'ALLEMAGNE

• **8e** - *45, rue Pierre-Charron (225.77.83).*

Vins du Rhin, de la Moselle, de Bade et de Franconie (de 10 à 34 F) et bons alcools blancs allemands. Egalement un très bon choix de bières étrangères.

LA MAISON DU CHOCOLAT

• **8e** - *225, fg Saint-Honoré (227.39.44).*

M. Linxe a toujours bon pied bon œil, même lorsqu'il passe de la confiserie à la sélection des vins : quelques bourgognes (un nuits-saint-georges blanc 76) et une bonne sélection de grands, et surtout de petits bordeaux de propriétaire.

LA MAISON DU WHISKY

• **7e** - *48, av. de Saxe (783.66.21).*

• **8e** - *20, rue d'Anjou (265.03.16).*

• **16e** - *60, av. Paul-Doumer (520.35.13).*

• **17e** - *24, rue de Tilsitt (380.27.63).*

C'est avec une quasi-certitude que vous trouverez ici votre marque préférée de whisky, jeune ou vieux, de toutes origines, dont les pur malt Springbank et Uisge Beatha. Les prix sont sans tendresse particulière. Nombreux objets et cadeaux (également cadeaux d'entreprises) ne sortant pas du sujet. Livraison à domicile.

MARY-PIERRE

• **16e** - *26, rue Poussin (527.34.61).*

Petits vins de l'Ardèche, de l'Aude, d'Indre-et-Loire à des prix très agréables (autour de 5 F) et quelques grands bordeaux dont un Mouton-Rothschild 66 (à 180 F). Livraisons dans le quartier à partir de 50 F (coût : 3 F).

MÉLAC

• **11e** - *42, rue Léon-Frot (370.59.27).*

Ce bistrot de quartier récemment transformé et agrandi vend en bouteille la plupart des (bons) vins de propriétaire servis au comptoir (voir « Bistrots à vins »). Jacques Mélac est toujours à la recherche de vins nouveaux dont il propose un petit choix de provenances diverses selon les années.

MELLOT

• **7e** - *22, av. Rapp (551.75.91).*

Alphonse Mellot, propriétaire-négociant, vend à emporter de bons sancerres blancs, rouges et rosés de sa production servis dans cet agréable bistrot. (Voir « Bistrots à vin »).

MIARD

• **6e** - *9, rue des Quatre-Vents (354.99.30).*

La clientèle germanopratine et cosmopolite prend d'assaut cette ancienne crémerie, autant pour son admirable décor 1850, que pour la qualité de ses nombreux crus.

LE MUNICHE

• **6e** - *27, rue de Buci (633.62.09).*
Jusqu'à 3 h du matin.

De bons petits vins de pays à emporter, dont le haut-poitou blanc et rouge, qui fait depuis quelques années le bonheur des clients de ce restaurant.

LUCE PASSY

• **16e** - *22, rue Duban (288.30.92).*

Vaste choix de magnums et jéroboams en bordeaux, bourgognes, beaujolais, et même vins de Loire. Livraisons à partir de 100 F (coût : 5 F).

PETIT BACCHUS

• **6e** - *13, rue du Cherche-Midi (544.01.07).*

Seul, ou avec le conseil de ses amis Lucien Legrand et Steven Spurrier, Jean-Marie Picard choisit fort bien ses vins. Au reste, vérifiez vous-même en les goûtant au comptoir devant une assiette de charcuteries auvergnates suffisamment garnie pour rassasier deux personnes (40 F).

PETROSSIAN

• **7e** - *18, bd de Latour-Maubourg (551.59.73).*

Toutes les vodkas russes et d'Europe centrale, des alcools et des vins fins.

PIGEON

• **16e** - *41, av. Kléber (727.97.91).*

Vieux madères, sherries, portos et autres vins fins. Epicerie et confiserie « fines ». Livraison (gratuite) à partir de 200 F.

PRINTEMPS-NATION

• **20e** - *21-25, cours de Vincennes (307.85.29).*

Une très intelligente politique d'achat a permis d'adjoindre au remarquable rayon d'alimentation de ce grand magasin une cave que l'on peut ranger au nombre des meilleures de Paris. Qu'il s'agisse de « petits » vins dont le choix est extrêmement étendu et où la priorité a été donnée aux bons propriétaires. Qu'il s'agisse encore des grandes bouteilles où l'on sera surpris de retrouver là aussi les meilleurs propriétaires de Bourgogne et une sélection de grands bordeaux dans les meilleures années. Les prix malheureusement sont dépourvus de toute tendresse et l'on sera bien avisé de suivre avec attention les nombreuses « promotions » proposées par la maison.

PROVOST

• **14e** - *128, av. du Gal-Leclerc (539.70.78).*

Excellent choix de vins, champagnes et alcools chez ce remarquable charcutier-traiteur. Vieil armagnac de propriétaire.

AU RÉGAL

• **16e** - *4, rue Nicolo (288.49.15).*

Choix judicieux de bons vins à des prix d'une grande douceur.

RICCIUTI REMO

• **12e** - *3, rue de Lyon (343.22.61).*

Une belle devanture en bois, de grandes vitrines en arc-de-cercle où s'alignent un bon choix d'alcools étrangers, un choix plus vaste encore de bordeaux, bourgognes et vins de Loire, et des comestibles. Livraisons possibles et accueil très aimable du patron.

SOMODA

• **16e** - *10, rue Chanez (651.20.84).*

Vieux bourgognes et ermitages plus vieux encore.

SPÉCIALITÉS ANTILLAISES

• **20e** - *16, bd de Belleville (797.18.61).*

Très nombreux et beaux rhums de toutes provenances, dont un très raide « cœur de chauffe » de Cayenne. Grand choix de punchs et de sirops et jus exotiques.

MON VIGNOBLE

• **5e** - *43, rue Poliveau (707.22.91).*

Les meilleurs côtes-du-Rhône de Paris (Domaine des Grands Devers et Valréas 77 entre autres), ceux de M. Sinard, et une sélection de vins de Jean-Baptiste Chaudet, c'est tout dire.

AUX VINS DE FRANCE

• **13e** - *45, rue de Tolbiac (583.48.83).*

Claude Gourdon (« Maistre Echanson de France »), sélectionne avec intelligence de bons petits vins de Loire (champigny rouge remarquable, bourgueil, chinon, gamay de Touraine, savennières, sauvignon), d'honnêtes petits bordeaux (74) à des prix intéressants et quelques très grands châteaux.

VINS DES PYRÉNÉES

• **4e** - *25, rue Beautreillis (887.79.26).*

On vient de Suisse, de Belgique, d'Allemagne pour le seul plaisir de voir fonctionner les tireuses de ce joli magasin à l'ancienne avec ses grandes cuveries de 40 000 litres. Dégustation sur tonneaux des petits vins de pays. Carte assez complète des grands crus sérieux. Livraisons à domicile.

Alimentation : quelques bonnes boutiques ouvertes le dimanche

Epiceries fines

A L'AN 2000
• **17e** - *82, bd des Batignolles (387.24.67).*
De 16 h 30 à 1 h du matin.

DÉCHENAUD
• **17e** - *26, bd des Batignolles (387.35.35).*
De 10 h à 13 h.

KRUGER'S
• **16e** - *117, av. Mozart (288.28.57).*
De 8 h 30 à 13 h 30 et de 17 h à 20 h 15.

MUTTI
• **17e** - *63, av. des Ternes (574.72.63).*
De 9 h à 22 h 30.

Glaciers

BERTHILLON
• **4e** - *31, rue Saint-Louis-en-l'Ile (354.31.61).*
De 10 h à 19 h.

RAIMO
• **12e** - *61, bd de Reuilly (343.70.17).*
De 9 h à minuit.

Pâtisseries

BOURDALOUE
• **9e** - *7, rue Bourdaloue (878.32.35).*
De 8 h à 20 h.

CLICHY
• **4e** - *5, bd Beaumarchais (887.89.88).*
De 7 h à 19 h 30.

CHRISTIAN CONSTANT
• **7e** - *26, rue du Bac (544.12.24).*
De 7 h 30 à 20 h 30.

AUX DÉLICES
• **17e** - *39, av. de Villiers (924.71.36).*
De 8 h à 19 h.

LENÔTRE
• **16e** - *44, rue d'Auteuil (524.52.52).*
De 8 h 15 à 19 h.

THOLONIAT
• **10e** - *47, rue du Château-d'Eau (607.74.58).*
de 8 h à 19 h.

VAUDRON
• **17e** - *4, rue de la Jonquière (627.96.97).*
De 7 h 30 à 19 h.

Produits chinois

TONG YEN BOUTIQUE
• **8e** - *7, rue de Ponthieu (359.08.86).*
De 10 h à 14 h 30 et de 16 h 30 à 21 h.

Produits régionaux

BOUTIQUE LAYRAC
• **6e** - *25-27, rue de Buci (325.17.72).*
De 12 h à 3 h du matin.

LES FERMIERS LANDAIS
• **15e** - *59, rue de Dantzig (532.26.88).*
De 9 h 30 à 23 h 30.

Alimentation : les meilleures boutiques ouvertes le lundi

Boucheries

BOUCHERIE MARBEUF (Balabaud et Racoupeau)
• **8e** - *35, rue Marbeuf (225.29.20).*
De 6 h 30 à 14 h 30.

BOUCHERIE SAINTE-ANNE
• **2e** - *64, rue Sainte-Anne (742.19.25).*
De 7 h à 13 h et de 16 h à 19 h 45.

MÈRE-CLOS
• **6e** - *13, rue du Cherche-Midi (222.36.74).*
De 8 h 30 à 13 h et de 16 h à 19 h 30.

LA PRÉSIDENCE
• **8e** - *15, rue Montalivet (265.62.08).*
De 8 h à 13 h.

Café

BRÛLERIE DE L'ODÉON
• **6e** - *6, rue Crébillon (326.39.32).*
De 9 h à 12 h 30 et de 13 h 30 à 18 h.

Caviar

KASPIA
• **8e** - *17, pl. de la Madeleine (265.33.52).*
De 9 h à 1 h du matin.

LA MAISON DU CAVIAR
• **8e** - *21, rue Quentin-Bauchart (723.53.43).*
De 10 h à 2 h du matin (le dimanche jusqu'à minuit).
Excellent saumon fumé également.

Charcuteries

CORDIER
• **16e** - *129, av. Victor-Hugo (727.97.74).*
De 8 h 30 à 19 h 30.

RAGGI
• **8e** - *49 bis, av. Franklin-Roosevelt (359.10.93).*
De 9 h 30 à 13 h 30 et de 15 h à 20 h.

VIGNEAU-DESMARETS

• **6e** - *105-107, rue de Sèvres (548.04.73).*
De 8 h à 13 h et de 15 h 30 à 19 h 45.
Et livre à domicile.

Chocolatiers et confiseurs

LA BONBONNIÈRE DE LA TRINITÉ

• **9e** - *4, pl. Estienne-d'Orves (874.23.38).*
De 9 h 30 à 19 h.

A LA REINE ASTRID

• **8e** - *33, rue Washington (563.60.39).*
De 8 h 30 à 19 h 30.

Epiceries de luxe

COLOM

• **16e** - *150, av. Victor-Hugo (727.90.30).*
De 7 h à 19 h 30.

FAGUAIS

• **8e** - *30, rue de La Trémoille (359.19.60).*
De 8 h 30 à 19 h 30.

FAUCHON

• **8e** - *26, pl. de la Madeleine (742.60.11).*
De 9 h 30 à 18 h 30 (Cafétéria, pâtisserie et confiserie seult).

HÉDIARD

• **8e** - *21, pl. de la Madeleine (266.44.36).*
De 9 h à 13 h et de 14 h 30 à 19 h.

Fromagers

ANDROUET

• **8e** - *41, rue d'Amsterdam (874.26.90).*
De 8 h à 18 h 45.

FROMAGERIE DE COURCELLES

• **17e** - *79, rue de Courcelles (622.22.36).*
De 10 h 15 à 13 h et de 16 h à 19 h 30.

Pâtisseries

BOISSIER

• **16e** - *184, av. Victor-Hugo (504.24.43).*
Voir « Traiteurs ».
De 9 h 30 à 13 h et de 14 h 30 à 19 h.

Vos courses en voiture

CASINO

• **13e** - *125, bd Vincent-Auriol (585.35.02).*
1 910 m². 219 places de parking.

7 jours sur 7, de 9 h à 21 h ; le vendredi jusqu'à 22 h.

CHAMPION

• **13e** - *Centre commercial Galaxie, av. d'Italie (580.17.48).*
2 100 m². 1 500 places de parking.

Ouvert de 9 h à 21 h ; le mardi jusqu'à 22 h. F. dimanche.

EUROMARCHÉ-AUTEUIL

• **16e** - *1, av. Gén.-Sarrail (651.46.11).*
4 500 m². 1 500 places de parking.

Ouvert de 9 h à 22 h. F. dimanche.

EUROMARCHÉ-MASSÉNA

• **13e** - *13, pl. de Vénétie (583.19.31).*
6 800 m². 900 places de parking (entrée bd Masséna et av. de Choisy).

Ouvert de 10 h à 22 h ; le samedi de 9 h à 21 h. F. dimanche.

EUROMARCHÉ-LA VILLETTE

• **13e** - *19, bd de la Commanderie (833.57.80).*
2 900 m². 1 400 places de parking.

Ouvert de 9 h à 22 h. F. dimanche et jours fériés.

GEM

• **16e** - *16, rue des Belles-Feuilles (727.55.73).*
1 856 m². 250 places de parking.

Ouvert de 9 h à 20 h. Nocturnes les lundi et vendredi jusqu'à 20 h 30.

INNO-MAINE

• **14e** - *31, rue du Départ (320.69.30).*
4 300 m². Pas de parking, mais le parking (2 500-3 000 places) de la « Tour » en face.

Ouvert de 9 h 15 à 19 h. Nocturne le vendredi jusqu'à 21 h. F. dimanche et jours fériés.

INNO-PASSY

• **16e** - *53, rue de Passy (524.52.32).*
6 300 m². 200 places de parking.

Ouvert de 9 h 15 à 19 h. Nocturne le vendredi jusqu'à 21 h. F. dimanche.

MONOPRIX-LAFAYETTE

• **9e** - *54, bd Haussmann (874.37.13).*
1 429 m². 1 000 places de parking.

Ouvert de 9 h à 19 h 30. F. dimanche et jours fériés.

SUPERMARCHÉ SAMARITAINE

• **1er** - *19, rue de la Monnaie (508.33.33).*
Surface de vente : 700 m². 700 places de parking.

Ouvert de 9 h 30 à 18 h 30 ; le samedi jusqu'à 19 h ; le mercredi jusqu'à 22 h. F. dimanche.

VINIPRIX

• **13e** - *Av. de la Porte d'Italie (588.98.40).*
2 570 m². 1 000 places de parking.

Ouvert de 9 h à 21 h. F. dimanche.

BOURDALOUE

• **9e** - *7, rue Bourdaloue (878.32.35). De 8 h à 20 h.*

CONSTANT

• **7e** - *26, rue du Bac (544.12.24). De 8 h à 20 h.*

LENÔTRE

• **16e** - *44, rue d'Auteuil (524.52.52). De 9 h à 13 h, de 14 h 30 à 19 h.*

STOHRER

• **2e** - *51, rue Montorgueil (233.38.20). De 7 h à 20 h.*

THOLONIAT

• **10e** - *47, rue du Château-d'Eau (607.74.58). De 8 h à 20 h.*

Poissonneries

L'ÉCREVISSE

• **3e** - *21, rue Michel-le-Comte (272.89.14). De 8 h 30 à 17 h 30.*

Ecrevisses (vivantes) et saumon fumé (canadien et norvégien).

POTRON

• **1er** - *20, pl. du Marché-Saint-Honoré (261.58.44). De 8 h à 12 h 30.*

Primeurs

JARDIN D'ESPAGNE

• **1er** - *8, rue du Marché-Saint-Honoré (261.02.91). De 7 h à 13 h.*

Produits régionaux

BOUTIQUE LAYRAC

• **6e** - *25-27, rue de Buci (325.17.72). De 12 h à 3 h du matin.*

Aveyronnais, auvergnats et alsaciens.

LES FERMIERS LANDAIS

• **15e** - *59, rue de Dantzig (532.26.88). De 9 h 30 à 23 h 30).*

« Douceurs » landaises.

PRODUITS DE BRETAGNE

• **5e** - *42, bd Saint-Germain (354.72.96). De 9 h à 22 h.*

Bonnes boutiques et « grandes surfaces » ouvertes tard le soir

Les drugstores restent ouverts jusqu'à 2 h du matin : vous en trouverez la liste à la rubrique qui leur est réservée. Ils vendent en échoppes réfrigérées des nourritures et boissons pour estomacs de luxe, parfois d'excellente qualité. Plusieurs milliers de personnes viennent chaque jour (et nuit) y faire leur marché et s'en trouvent bien.

Mais on peut aussi, passé les heures raisonnables, s'adresser à l'une ou l'autre de ces maisons, que nous avons classées par genre (Caviar ; Epiceries fines ; Glaciers; Produits régionaux et « Grandes surfaces ». Ces boutiques étant déjà décrites, pour la plupart, à leurs rubriques respectives, nous nous bornons ici à vous en indiquer les heures d'ouverture.

Caviar

DOMINIQUE

• **6e** - *19, rue Bréa (327.08.80). Tous les jours jusqu'à 22 h.*

KASPIA

• **8e** - *17, pl. de la Madeleine (265.33.52). Ts les jrs (sauf dim.) jusqu'à 1 h du matin.*

LA MAISON DU CAVIAR

• **8e** - *21, rue Quentin-Bauchart (723.53.43). Tous les jours (même le dimanche) jusqu'à 1 h du matin.*

Epiceries fines

A L'AN 2000

• **17e** - *82, bd des Batignolles (387.24.67). Tous les jours (même le dimanche) de 16 h 30 à 1 h du matin.*

Rien à voir avec la science-fiction, mais une très belle épicerie et de très bons produits.

LA BOUTIQUE DES SEMAILLES

• **18e** - *17, rue Damrémont (606.72.49). Jusqu'à minuit, F. dim. et lun.*

Quelques produits fermiers et surtout les plats cuisinés du célèbre Jouteux des Semailles.

GEORGES

• **6e** - *22, rue des Canettes (326.79.15). Tous les jours (sauf dimanche et lundi) jusqu'à 2 h du matin.*

Buvette-bar-cabaret, où l'on trouve quelques vins et alcools pour étancher sa soif nocturne.

MAISON VICTOR HUGO

• **16e** - *141, av. Victor-Hugo (727.99.38). Tous les jours, jusqu'à 21 h.*

Très grand choix de bons fromages, toute l'épicerie fine, petits et grands vins.

MUTTI

• **17e** - *63, av. des Ternes (574.72.63). Tous les jours (sauf lundi) de 9 h à 22 h.*

Grand comestible italien.

LA QUETSCH

• **1er** - *6, rue des Capucines (261.07.26). Tous les jours (sauf samedi après-midi et dimanche) jusqu'à 22 h.*

Au magasin de comestibles du rez-de-chaussée : charcuteries, viandes froides, tartes, vins et alcools.

Glaciers

CALABRESE

• **14e** - *15, rue d'Odessa (320.31.63).*
Tous les jours, jusqu'à minuit.

RAIMO

• **12e** - *61, bd de Reuilly (343.70.17).*
Tous les jours (sauf lundi) jusqu'à minuit.

LA TROPICALE

• **13e** - *10, pl. Pinel (583.56.13).*
• **13e** - *180, bd Vincent-Auriol (331.47.27).*
Vendredi, samedi et dimanche, jusqu'à 23 h.

Produits régionaux

BOUTIQUE LAYRAC

• **6e** - *25-27, rue de Buci (325.17.72).*
Tous les jours (et toute l'année) jusqu'à 3 h du matin.
Et aussi des huîtres, des vins et des plats cuisinés.

LES FERMIERS LANDAIS

• **15e** - *59, rue de Dantzig (532.26.88).*
Tous les jours (même le dimanche) jusqu'à 1 h du matin.

LOUS LANDÈS

• **14e** - *9, rue Georges-Saché (543.08.04).*
Aux dernières nouvelles, la boutique ferme sa porte.

« Grandes surfaces »

EUROMARCHÉ-AUTEUIL

• **16e** - *1, av. Gén.-Sarrail (651.46.11).*
Tous les jours jusqu'à 22 h. F. le dimanche.

EUROMARCHÉ-LA VILLETTE

• **19e** - *19, bd de la Commanderie (833.57.80).*
Tous les jours jusqu'à 22 h. F. dimanche et jours fériés.

EUROMARCHÉ-MASSÉNA

• **13e** - *13, pl. de Vénétie (583.19.31).*
Jusqu'à 22 h sauf dimanche.

INNO-MAINE

• **14e** - *31, rue du Départ (320.69.30).*
Le vendredi jusqu'à 21 h.

INNO-NATION

• **20e** - *20, bd de Charonne (373.15.25).*
Le vendredi jusqu'à 21 h.

INNO-PASSY

• **16e** - *53, rue de Passy (524.52.32).*
Le vendredi jusqu'à 21 h.

MONOPRIX-LAFAYETTE

• **9e** - *54, bd Haussmann (874.37.13).*
Les mercredi et vendredi jusqu'à 21 h.

SUPERMARCHÉ SAMARITAINE

• **1er** - *19, rue de la Monnaie (508.33.33).*
Le mercredi jusqu'à 22 h.

Livraisons à domicile

Pourquoi continuer à porter, chaque semaine, des dizaines de kilos d'épicerie? Faites-vous donc livrer vos provisions à domicile. Voici quelques magasins très largement approvisionnés, auxquels vous passerez votre commande par téléphone et qui vous serviront dans un délai de 24 heures.

BON MARCHÉ

• **6e** - *20 à 38, rue de Sèvres (548.47.94).*
Livraisons gratuites à partir de 200 F d'achat. Le rayon « Alimentation » y est spectaculaire.

GOSSET

• **91 Chilly-Mazarin** - *36, rue François-Mouthon (934.18.59).*
Livraison en 3 ou 4 jours sur simple appel téléphonique de tous les types de boissons : eaux, sodas, jus de fruits, vins et spiritueux, à des prix intéressants. Livraison gratuite à partir de 600 F d'achat. Forfait à 35 F en-dessous de cette somme. Catalogue gratuit sur demande.

LUDÉRIC

• **16e** - *16-20, rue Pétrarque (505.93.93).*
Livraisons à domicile de produits de luxe (caviar, saumon, etc.) à ses abonnés, aux conditions décrites à la rubrique « Caviar et saumon fumé ».

MAGASINS RÉUNIS

• **17e** - *30, av. des Ternes (380.20.00).*
Livraisons payantes en-dessous de 500 F.

PRINTEMPS-NATION

• **12e** - *21, cours de Vincennes (371.12.41).*
6 F pour deux colis (4,50 F pour les 11e, 12e et 20e arrondissements) ; gratuit pour les grosses commandes. Choix remarquable.

SAMARITAINE

• **1er** - *19, rue de la Monnaie (508.33.33).*
Toutes commandes livrées, quel qu'en soit le prix, mais frais de livraison à votre charge au-dessous de 500 F.

Décoration de la maison

BOUTIQUES DE DÉCORATION

BESSON BOUTIQUE

• **6e** - *18 bis, rue du Vieux-Colombier (222.97.59).*

Bien connu pour ses papiers peints et ses tissus d'ameublement, Besson s'est adjoint récemment une boutique de décoration : trois salons où l'on trouve « en situation » plusieurs modèles de canapés, dont deux déhoussables et confortables (3 500 F plus le tissu), des consoles, des tables (bouts de canapé, tables basses) de toutes dimensions, que l'on peut commander, en bois et en marbre dans la couleur désirée, et des stores, dont le fameux modèle américain qui se remonte en accordéon. Le décor (papiers peints, voilages, stores, tissus) se renouvelle tous les quatre mois environ. Excellent accueil.

ANNE CARACCIOLO

• **7e** - *17, rue de l'Université (261.22.22).*

Une princesse du meilleur des mondes, au visage de reine Inca, a ouvert il y a peu — et sous son propre nom — une manière de « galerie » (il y a même des petits tableaux orientalistes) de décoration où le raffinement se combine à la grâce. Jacques Grange a créé pour l'occasion une collection de meubles d'inspiration égyptienne, des canapés et des fauteuils Napoléon III ornementés de passementerie, une moquette de cachemire pour boudoirs délicats, des tissus imprimés à motifs floraux, etc. A cela s'ajoutent de menus ou moins menus objets de charme, qu'ils soient de notre temps ou du siècle passé : des cendriers de mosaïque, des tabourets de porcelaine, des lampes et lampadaires dorés, chromés ou « canon de fusil », et aussi un grand choix de tissus des meilleures maisons anglaises, italiennes, allemandes.

DESIGNERS GUILD

• **6e** - *55, rue des Saints-Pères (548.90.88).*

Une des plus exquises boutiques de Paris, réplique de celle de Tricia Guild, à Londres. Plus de cent tissus et papiers peints se combinant à l'infini y sont présentés dans un chaleureux décor de maison anglaise. On y trouve aussi bien des moquettes, de ravissantes lampes, quelques meubles : canapés et poufs capitonnés, tables basses et fauteuils en rotin, et encore des nappes, des coussins, des abat-jour, confectionnés dans les tissus de la collection. Tissus et papiers peints sont livrés très rapidement mais attention aux mesures anglaises différentes des nôtres. Pour les meubles il faut compter 4 à 6 semaines de délai.

ÉTAMINE

• **7e** - *13, bd Raspail (548.00.60).*

Deux charmantes jeunes femmes se mettront en quatre — et déploieront des trésors de patience et d'invention — pour vous aider à faire un choix — difficile — parmi les tissus d'ameublement français, anglais ou américains (jolis chintz à 42 F le m en 90 cm), les papiers peints de tous pays, les moquettes à dessins d'importation anglaise, les tapis de cisal ou de coco (de 60 à 90 F le m^2), engrangés dans le minuscule sous-sol de leur magasin qu'elles connaissent sur le bout du doigt. Au rez-de-chaussée, vous trouverez des châles anciens en cachemire qui feront de somptueux tapis de table (1 600 à 2 500 F), et des pieds de lampes, décoratifs dans toutes leurs formes et chaleureux par leur matière : la terre cuite (de 130 à 500 F). Les abat-jour seront exécutés sur commande dans le tissu de votre choix.

HABITAT

• **15e** - *11, rue de l'Arrivée (538.69.90).*
• **17e** - *35, av. de Wagram (766.25.52).*
• **78 Orgeval** - *RN 13, La Maison Blanche (975.99.50).*
Et Forum des Halles, niveau - 2.

Habitat s'est taillé, en quelques années, une jolie réputation. Pas un ménage, plus ou moins jeune, qui n'aille lorgner un jour ou l'autre, dans ce petit grand magasin, sur le mobilier en pin, robuste, net, et pas trop cher, sur les canapés, les tissus et papiers peints aux motifs gais et sages, la vaisselle et les ustensiles de cuisine, les stores et les « transats », etc., toujours simples et sans faute de goût. Tout est à emporter. Pas de livraison à domicile sauf si l'on commande sur catalogue par correspondance ou en téléphonant au 975.77.00.

YVES HALARD

● **7e** - *45, av. Duquesne (567.80.32).*

Si nous devions donner une définition d'Halard, nous commencerions par dire que ce décorateur à deux têtes (Yves et Michèle) est le moins sophistiqué de Paris. Son style? Ni ancien, ni moderne, ni passéiste, et en aucun cas d'avant-garde. Ces caractéristiques concernent aussi bien les tissus que les papiers peints, les canapés que les abat-jour. Halard, c'est l'air du temps, la douceur et le charme, toutes choses impalpables... et difficiles à décrire. Un petit voyage est donc nécessaire, dans ce quartier aéré des Invalides où l'on se gare sans trop de problèmes, pour constater que nous ne mentons pas et regarder la jolie ordonnance de ces grandes vitrines installées comme une succession de pièces intimes, où les rideaux sont accrochés aux « fenêtres », les murs tendus de tissus, les canapés prêts à vous recevoir. Halard n'est cependant pas le dernier salon où l'on cause, même s'il est assez bien fréquenté. Les prix ? Canapés — certains déhoussables — de 2 800 à 12 000 F environ, chaises gainées de tissu : 700 F. Autres meubles (tables basses, consoles, etc.) de moindre intérêt.

DAVID HICKS FRANCE

● **6e** - *12, rue de Tournon (326.00.67).*

On regrette rarement les folies que l'on fait dans ce joli magasin. Folies auxquelles les vendeuses — qui ont pourtant appris depuis peu à sourire — ne vous poussent jamais. Beaucoup de lampes, en faïence de couleurs tendres, en bois tourné, inspirées de modèles anciens, ou sur pied en laiton doré pour lire au coin du feu ; superbes tapis tissés en Inde en laine ou en coton, de couleurs vives; tables, consoles, canapés (en petit nombre). Et toujours les fameuses moquettes à motifs géométriques, les carrelages à l'échantillon et les tissus en tweed ou de coton imprimés et coordonnés (60 à 180 F le m). Bureau d'étude pour toute décoration : 82, rue Bonaparte, 6e (354.82.18).

MICHEL MAUNIER

● **1er** - *19, rue du Jour (260.37.62).*

Derrière Saint-Eustache et dans la charmeuse petite cour pavée d'un immeuble du XVIIe siècle, de beaux objets de design italien (lampes, cendriers, boîtes diverses, etc.) et les créations de Michel Maunier, un jeune décorateur qui — curieusement — a fait ses classes à Madrid avant de s'installer définitivement à Paris : tables basses en laque (3 à 5 000 F), tables de salle à manger en chêne cérusé (carrées ou rectangulaires), sobres canapés recouverts de flanelle ou de cuir (7 à 12 000 F).

FRÉDÉRIC MECHICHE

● **8e** - *182, fg Saint-Honoré (563.20.11).*

D'emblée, le décor du magasin de ce jeune « architecte d'intérieur » diplômé de l'École Camondo illustre son goût — affirmé — pour le luxe et son penchant — avoué — pour la sophistication. Il expose sur trois niveaux ses créations : tables en marbre, laque ou ébène, fauteuils d'inspiration japonaise, superbes moquettes en relief teintes à l'échantillon, belles étoffes qu'il fait rebroder, lampes-sculptures, etc. Egalement des reproductions de meubles anciens (sièges de style Queen Ann ou Régence) et beaucoup d'objets insolites choisis pour leurs qualités décoratives. Ses prix sont à la mesure de son ambition : plus de 40 000 F pour une table en marqueterie de marbre — en série limitée ou (le plus souvent) en modèle unique.

MILLIMÈTRE

● **5e** - *52, bd Saint-Germain (354.54.57).*

Une boutique vouée à l'architecture intérieure, entendez par là tout ce qui concerne l'aménagement et la décoration d'un appartement, d'un bureau ou d'un magasin. Deux décorateurs-architectes-d'intérieur-diplômés y proposent, outre leurs conseils — rétribués 250 F de l'heure, mais déduits des achats effectués chez eux —, un choix important de moquettes, tapis, tissus d'ameublement et, en exclusivité, la collection suisse Mira X conçue par Werner Panton. Ils sont aussi décorateurs traditionnels, c'est-à-dire qu'ils fournissent des dossiers complets avec plans, maquettes et devis, et assurent le « pilotage » des travaux.

MARTINE NOURISSAT

● **1er** - *202, rue Saint-Honoré (297.50.67).*

Martine Nourissat a quitté sa charmante boutique de la rue de la Tour pour s'installer, grandiosement, place du Palais-Royal, face au Louvre des Antiquaires. Trois étages clairs et spacieux, meublés comme une « vraie » maison avec le goût et le sens du confort qui la caractérisent. On y flâne en toute liberté et l'on fait son choix en toute quiétude avec l'aide compétente (et aimable) de vendeuses qui semblent prendre un réel plaisir à résoudre avec vous tous vos problèmes de décoration. Canapés douillets et souvent capitonnés (sur commande, à vos mesures), ravissants tissus imprimés créés par Martine Nourissat (ou en provenance des meilleurs fabricants), moquettes assorties (400 F environ le m^2), stores décoratifs, lampadaires, bibelots, meubles d'appoint. Consultation possible à domicile (350 F). Soldes deux fois par an correspondant au changement du décor.

Ne nous accablez pas si les prix ont grimpé depuis la parution de ce Guide.

ABAT-JOUR

ANTICA

● **7e** - *38, rue de Verneuil (261.28.86).*

Mme Clérin peut vous rendre bien des services : elle monte en lampe les objets que vous lui confiez ; elle exécute — sur mesure et en 15 jours — des abat-jour dans de ravissantes percales ; mais elle vend aussi des abat-jour faits dans les fins de coupe : ils sont moins chers (30 %) et s'ils vous plaisent vous les emportez sous votre bras. Enfin, elle accepte bien volontiers de venir à domicile « en consultation ».

COLIN-MAILLARD

● **8e** - *11, rue de Miromesnil (265.43.62).*

Spécialiste des lampes anciennes, Colin-Maillard se charge de monter n'importe quel objet en lampe et vient éventuellement vous conseiller à domicile. Très bonne et ancienne maison.

CORALIE

● **7e** - *5, rue Augereau (705.09.30).*

La boutique s'est déplacée de quelques mètres dans la rue Augereau. C'est désormais au n° 5 que vous commanderez vos abat-jour à Mme Verneuil ; elle les confectionnera dans un tissu de sa collection ou dans celui que vous lui apporterez. Délai : 8 à 10 jours.

YVES HALARD

● **7e** - *15, rue d'Estrées (783.70.78).*

A quelques pas de la boutique de décoration et de celle qui vend les tissus et papiers peints, celle-ci vend des abat-jour (plissés ou tendus), tout faits ou sur mesure, dans les tissus célèbres de la maison. Quelques pieds de lampe également.

JONQUILLE

● **17e** - *1, rue Marcel-Renault (572.19.82).*

En apportant votre lampe, vous pourrez commander l'abat-jour de votre choix sur mesure et en tissu, carton, etc.

MARGUERITE JOUAULT

● **7e** - *56, rue de l'Université (548.47.96).*

Elle prendra tout son temps et le vôtre pour mieux vous satisfaire. Elle vous demandera la hauteur du meuble sur lequel votre lampe sera posée, trouvera le modèle d'abat-jour qui convient le mieux et le réalisera à la perfection — et à la main — dans un délai de 10 à 15 jours.

Pour retrouver rapidement une adresse consultez l'index, p. 641.

LAFAURIE

● **6e** - *4, rue du Canivet (222.11.19).*

Lafaurie, c'est le nom de ces deux très charmantes dames qui coifferont vos lampes avec beaucoup de goût et sur mesure.

MINIER

● **7e** - *11 bis, rue Casimir-Périer (555.54.16).*
Sur rendez-vous.

Ce n'est pas une boutique mais un atelier installé dans les combles d'un hôtel particulier du Faubourg Saint-Germain, entre cour et jardin, où Mme Minier réalise avec un goût parfait des abat-jour sur mesure, dans la percale, la soie ou le papier de votre choix, en s'inspirant du pied de lampe que vous lui apporterez. Ses prix sont raisonnables et ses délais rapides.

Faites-les donc vous-même

LA CLÉ DES CHAMPS

● **6e** - *44, rue Notre-Dame-des-Champs (222.21.60).*

Pour les amateurs de bricolage un choix intéressant de fournitures pour abat-jour : plusieurs modèles de carcasses, du rhodoïd adhésif et des bordures.

LÉCUYER-PITARD

● **4e** - *51, rue Saint-Louis-en-l'Ile (326.78.63).*

Tous, absolument tous les modèles de carcasses. De la plus simple à la plus élaborée, elles sont exposées dans le magasin au fond de la cour et répertoriées sur catalogue. Modèles spéciaux sur commande. Prix et délais raisonnables.

PASSEMENTERIE DU MARAIS

● **11e** - *6, bd des Filles-du-Calvaire (700.56.82).*

Non seulement tout ce qui est nécessaire pour confectionner les abat-jour (carcasses, galons, appareillage électrique), mais aussi tout ce qu'il faut pour les recouvrir (tissus, parchemin, papiers, etc.).

PAUL-ÉMILE ET AMICIE

● **5e** - *8, rue de Poissy (326.83.48).*

Paul-Émile et Amicie, diplômés de l'École Camondo réalisent des abat-jour tout simples et jolis en papier ou en tissu (chintz, toile, soie), « montent » en lampe avec discrétion tout objet décoratif et vendent des appliques et lustres en tôle peinte et quelques lampes anciennes.

SEMAINE

● **16e** - *20, rue Nicolo (520.06.69).*

Les abat-jour plissés qui ont fait les beaux jours de l'avant-guerre ont repris ici du galon il y a quelques années déjà. Le temps passe... Ils sont toujours à la mode, bien que répétés désormais à des milliers d'exemplaires. Les créations de Semaine : abat-jour, suspensions et appliques, en papier uni, moucheté ou reliure ou encore en tissu (vous pouvez apporter les vôtres) sont confectionnés avec grand soin (pliages simples ou très « travaillés »). Délai d'une semaine environ : enseigne ne peut mentir. Egalement quelques meubles en pin et des bibelots désuets. Accueil délicieux.

ACCESSOIRES DE CUISINE

Voir aussi dans le chapitre « Boutiques de cadeaux » le rubrique « Cadeaux pour la table et pour la cuisine ».

L'AUVERGNATE

● **16e** - *26, rue de l'Annonciation (288.16.53).*

● **17e** - *77, rue Cardinet (227.77.69).*

Des moules à manqué, à pâté, à soufflé, des poêles à blinis, à crêpes, à grande friture (en fonte et en tôle épaisse, jusqu'à 60 cm de diamètre), des couteaux, des fouets, des râpes : tout l'arsenal des cuisines d'autrefois. La jeune patronne, Auvergnate d'Issoire, y joint un rayon de brocante (cuisinières anciennes) et quelques spécialités de son pays : confitures, vinaigres, huiles de noisettes, etc.

BRUYNZEEL-JOIE DU HOME

● **16e** - *60, rue de Boulainvilliers (504.31.17).*

Faïence, porcelaine, moules à pâtisserie, sets de table, torchons, plateaux, etc. ; tous les accessoires, en somme, pour votre cuisine, qu'elle soit ou non équipée de meubles Bruynzeel.

LA CARPE

● **8e** - *14, rue Tronchet (742.73.25).*

Magasin traditionnel et connu de longue date pour sa sélection rigoureuse d'articles robustes et presque toujours suivis, des casseroles à l'électro-ménager en passant par tout le petit matériel de cuisine.

Une choucroute, un cassoulet, une feijoada ? Voyez l'encadré "Où manger quoi", p. 112.

DARTY

● **8e** - *Parking sous La Madeleine (265.84.71).*

● **11e** - *35, bd de Belleville (357.72.10).*

● **13e** - *168, av. de Choisy (585.80.31).*

● **14e** - *68, av. du Maine (539.41.11).*

● **15e** - *77, quai de Grenelle (575.62.85).*

● **18e** - *128, av. de Saint-Ouen (229.02.41).*

● **20e** - *3-7, av. de la Porte-de-Montreuil (373.80.88).*

Toutes les grandes marques. Des prix intéressants. Un service après-vente efficace et rapide (même le dimanche).

DEHILLERIN

● **1er** - *18, rue Coquillière (236.53.13).*

Les toques blanches et les cordons bleus se fournissent depuis 150 ans chez ce roi de la casserole et du cuivre étamé. Dans la merveilleuse boutique au décor de fondation s'entassent jusqu'au plafond des milliers de moules à gaufres et à kouglof, plats à tarte, poêles à frire, marmites de toutes sortes, bassines à confitures, daubières, couteaux et gadgets de cuisine Napoléon III à peine modifiés Loubet, dans une apothéose de cuivre, de fonte et de fer blanc. Mais à moins d'arriver à l'ouverture (8 heures) et d'avoir fait son choix avant 10 heures, il ne faut s'attendre ni à un accueil chaleureux, ni à des conseils prolongés. Livraisons à domicile.

FNAC

● **6e** - *136, rue de Rennes (544.39.12).*

● **8e** - *26, av. de Wagram (766.52.50).*

Bon petit matériel électro-ménager vendu avec environ 20 % de réduction et des conseils généralement éclairés.

HABITAT

● **15e** - *11, rue de l'Arrivée (538.69.90).*

● **17e** - *35, av. de Wagram (766.25.52).*

Et Forum des Halles, niveau - 2.

« Self service » au sous-sol. On y entre pour acheter une mouvette et on passe devant la caisse sans émotion car les prix sont très doux, le panier rempli de toutes sortes d'accessoires dans le style mi-« design », mi-« écolo-rustique » qui est celui d'Habitat : batteries de casseroles émaillées rouge et blanc, plats à gratin en terre, poteries en grès, planches et couteaux à découper, cocottes en fonte, vaisselle, verrerie, torchons, tabliers, vannerie, etc. Donc tout ce qui peut rendre une cuisine aimable et gaie à peu de frais.

JAPY

● **8e** - *4, av. de Marignan (225.81.16).*

Quand vous aurez fait provision de rêve chez Dior, Valentino ou Ricci, allez donc prendre

Les bonnes affaires

B.H.V.

● 94 Ivry-sur-Seine - *119, bd Vaillant-Couturier (672.18.59).*

Fins de séries, articles d'étalage, etc., que l'on emporte (pas de livraison) avec une réduction allant jusqu'à 30 % sur les appareils électro-ménagers. Egalement de la literie, des canapés et des meubles de cuisine.

DARTY

● 20e - *3-7, av. de la Porte-de-Montreuil (373.80.88).*

Les appareils électro-ménagers de grandes marques (réfrigérateurs, congélateurs, cuisinières, machines à laver) et les téléviseurs, présentant de légers défauts extérieurs, sont vendus ici avec une réduction de 10 à 40 % (parfois même 50 %) et avec une garantie pièce et main-d'œuvre de 2 ans. Possibilité de livraison par transporteur (60 F pour Paris et la banlieue). Le magasin est ouvert tous les jours (dimanche compris) sauf le lundi, de 9 h à 12 h 30 et de 14 h à 19 h 30.

SAMARITAINE

● 14e - *14, rue Ferrus (336.49.30).*

Les entrepôts sont ouverts au public de 10 h à 16 h 30. On peut y faire de bonnes affaires : appareils électro-ménagers (fins de séries, légers défauts extérieurs, etc.) vendus avec une remise de 10 à 30 % environ. Livraison.

VADRARUE

● 9e - *41, rue Le Peletier (878.02.39).*

Achat et vente (à des prix souvent intéressants) de matériel ménager d'occasion de toutes marques et de moins de cinq ans. Les grosses pièces (congélateurs, appareils de chauffage, etc.) sont vendues à l'atelier : 50, rue Jules-Vallès à Saint-Ouen.

un bain de quotidien chez Japy qui, curieusement, a ouvert sa (première?) boutique d'articles de cuisine entre la « haute-couture », avenue Montaigne, et les cinémas des Champs-Elysées. Vous trouverez ici, sagement alignés sur des clayettes de bois, les casseroles émaillées « maison » rouges ou à fleurettes (moins bien venues) — attention toutes les séries ne sont pas « mixtes » (gaz et plaque électrique) —, des cocottes, des assiettes assorties à la batterie de cuisine, des accessoires en bois, des verres à bistrot, du tissu plastifié vendu au mètre, etc. En bref, toute la panoplie d'une honnête cuisine classique, pour le moins inattendue dans un quartier voué au luxe et à la futilité la plus délicieuse.

KITCHEN BAZAAR

● 15e - *11, av. du Maine (222.91.17).*

Une foule d'objets, utiles et beaux à la fois, de 1,50 à 1 000 F : petits ustensiles de cuisine, moules à gâteaux de toutes les formes possibles, égouttoirs et casiers à couverts en bois, tables roulantes, meubles d'appoint en pin naturel, etc. Et aussi les somptueuses casseroles signées Paul Bocuse en cuivre et nickel (de 372 à 547 F). Un rayon de livres de cuisine. On peut également louer ici le matériel qui n'est pas d'un usage quotidien (bassine à confiture, couscoussier, etc.). Voir « Locations ».

MODIME

● 16e - *24, av. Mozart (224.92.91).*

Profitant probablement du taux avantageux de la lire et de la livre, ce petit magasin spécialisé dans les articles de cuisine vend toute l'année des séries de casseroles, des poissonnières (de grandes tailles), des plats et des couverts en inox en provenance directe d'Italie (et 40 % moins cher qu'ailleurs). Egalement des bouilloires électriques, automatiques (et britanniques) à prix intéressant : 240 F, et des verres et articles en grès (fin de séries).

M.O.R.A.

● 1er - *13, rue Montmartre (508.11.47).*

Tout le matériel pour l'alimentation : plats de toutes tailles, moules de toutes formes, cocottes et plats à four en cuivre, etc. De quoi faire rêver le cordon bleu qui sommeille en chacun de nous...

TOUT POUR LA CUISINE

● 3e - *108, rue Vieille-du-Temple (887.60.00).*

Ici on « fait », depuis 1832, dans le sérieux. La charmante Mme Sanoner et ses vendeuses ne proposent en effet leurs marchandises que si elles ont satisfait à des critères sévères de qualité : magnifiques (et chers hélas !) plats à four et cocottes en cuivre doublé d'argent qui vont directement du four aux tables élégantes (celles de Maxim's, par exemple), quarante séries de casseroles différentes (de 170 à 4 000 F), plus de 20 sortes de ménagères en inox, des percolateurs, des tables roulantes, etc. En un mot comme en quatre : tout pour la cuisine. Qui plus est, la maison pratique des remises de 12, 15 ou 20 % sur les prix affichés.

ACCESSOIRES DE SALLES DE BAINS

ARTS ET CRÉATIONS

● **8e** - *61, av. Franklin-Roosevelt (225.90.36).*

Cette maison, dont la vocation première est la marbrerie, expose ici, sous la marque Galleria, la collection américaine de Charles Wagner : pas de baignoires (commandez-la donc en marbre ou passez-vous en), mais de somptueuses vasques en porcelaine peintes à la main (3 800 F environ) et tous les accessoires coordonnés depuis le porte-savon jusqu'aux plaques d'interrupteur. Papiers peints assortis. Luxueuse robinetterie en plaqué or ou en pierres dures (œil de tigre, lapis lazuli, améthyste, etc.). De bien intéressantes fantaisies pour gros budgets.

AU BAIN DE DIANE

● **8e** - *2, rue de Miromesnil (265.29.73).*

Baignoires doubles, baignoires cerclées de bronze, baignoires de cristal à fond lumineux, lavabos creusés dans le marbre, robinets de toutes couleurs ou bien en bronze ciselé et martelé par des artisans selon les méthodes du XVIIe siècle, puis recouverts d'or ou d'argent ; statues pour les salles de bains (ou les bords de piscine) : telles sont les riches (et souvent même trop riches) créations de Michel de Lacour, cet ancien élève de l'Ecole des Beaux-Arts qui fait la pluie et le beau temps dans le domaine des salles de bains d'émirs et de diplomates.

BATH SHOP

● **15e** - *85, rue de Gergovie (541.26.55).*
● **16e** - *3, rue Gros (647.80.56).*

Une maison de plomberie, sérieuse et fort ancienne, après avoir anglicisé son nom, a eu la bonne idée de réunir toutes sortes d'accessoires de charme qui peuvent donner — sans trop de frais — un regain de jeunesse à une salle de bains vieillissante. Jolies tables roulantes en verre et acier chromé pour tenir ses affaires de toilette à portée de la main (885 F), rampes lumineuses à ampoules incorporées, corbeilles à linge, porte-serviettes en bois naturel (ou teinté), en fonte émaillée ou en chrome, verres à dents et porte-savons en faïence ou en verre décoré, etc. Et sur mesure, des meubles de rangement (4 semaines de délai). La maison se charge également de l'aménagement complet de la salle de bains : carrelage, électricité, peinture et... plomberie, bien sûr.

LA CHAISE LONGUE

● **6e** - *11, rue Princesse (329.62.39).*

Une baigneuse 1930 en guise de porte-serviettes avec un verre à dent et un miroir assortis, un porte-savon en forme d'ours... ou de paquet de cigarettes. Ce n'est pas vraiment pratique, ni vraiment joli, mais c'est drôle et nouveau. Dans la même veine, toutes sortes de cadeaux toujours en trompe-l'œil : des boîtes-éclair au chocolat ou boule de glace, des jardinières-poste de radio ou tête d'animal, des lampes-parasol, etc.

Peau neuve pour votre baignoire

SAMOTEC

● **14e** - *31, rue Froidevaux (322.71.45).*

Votre baignoire ou votre lavabo peut faire peau neuve dans l'après-midi, sans démontage et sans gravats, par un simple réémaillage à froid. L'opération est onéreuse : 1 000 F environ pour une baignoire blanche, 2 500 F en couleur, mais gageons qu'elle revient moins cher que le remplacement de l'appareil.

CRISTAL ET BRONZE

● **7e** - *27, rue de Varenne (548.70.24).*

Beaux et luxueux accessoires de salles de bains (et robinetterie) en bronze doré ou chromé.

MICHÈLE DAULIAC

● **6e** - *112, rue du Cherche-Midi (222.17.16).*

Pour les amateurs de « rétro », une petite boutique de brocante spécialisée dans les accessoires de salle de bains : porte-serviettes en cuivre, tablettes, flacons et barbières qui ornaient autrefois les cabinets de toilette de nos grands-parents.

J. DELÉPINE

● **18e** - *104, bd de Clichy (606.89.70).*

Exposition-vente de salles de bains luxueuses, dont les baignoires en fibre de verre livrables en 100 coloris. Nombreux accessoires contemporains en verre, plexiglas, bronze doré ou argenté et bois, d'une qualité et d'un goût incomparables.

ÉMAUX DE BRIARE

● **7e** - *7, rue du Bac (261.16.41).*

Unis ou à motifs géométriques, toujours dans de beaux coloris, les carrelages exposés ici ne sont pas vendus sur place : une « hôtesse » vous indiquera les points de vente. En revanche, vous pourrez acheter du linge éponge allemand ou américain de belle qualité (assorti aux carreaux), des meubles et des accessoires de salle de bains, sobres et pratiques en bois naturel ou en plastique, de provenance italienne. Soldes en janvier et en juillet.

A L'ÉPI D'OR

● **5e** - *7, rue Saint-Jacques (633.08.47).*

C'était une charmante boulangerie. Le décor n'a pas changé, mais au lieu de baguettes on y vend (cher) des accessoires de salles de bains très soignés (en laiton verni ou nickelé et en bois tourné) à la mode 1900, édités par la maison. Lavabos anciens décorés, meubles de toilette, etc.

ROUVE

● **6e** - *15, rue de Mézières (548.07.56).*

Mobilier et accessoires de salles de bains aux lignes pures, très « design », souvent en plastique noir ou éclatant de couleur (jaune ou rouge) : vasques de lavabos, robinetterie, portemanteaux, glaces, luminaires, etc. et de belles poignées de portes.

SANI-CENTRAL

● **12e** - *46, bd de la Bastille (346.11.96).*

Choix très important (plus que beau) de carrelages de grandes marques, robinetterie, baignoires, lavabos, etc. Depuis la salle de bains à 1 000 F (en blanc) jusqu'à celle à 3 200 F (en marbre).

AMÉNAGEMENTS DE CUISINE

BOFFI

● **7e** - *202, bd Saint-Germain (548.25.53).*
● **16e** - *48, rue de la Tour (504.18.56).*

Cuisines italiennes, dessinées par l'architecte Luigi Massoni et présentées dans le cadre ancien d'un vieil immeuble du Faubourg Saint-Germain, où vécut Apollinaire. Meubles en laque polyester (environ 4 600 F le mètre linéaire, pose comprise, sur 2 m de haut). Egalement de l'orme, du noyer, du frêne naturel ou teinté. Et bien sûr les appareils électro-ménagers à encastrer. Devis gratuits sur plan.

BOIS BLANC ÉCONOMIQUE

● **3e** - *11, rue Réaumur (272.74.23).*

En bois blanc, des éléments superposables et juxtaposables, bien pratiques pour aménager à peu de frais une cuisine, un office, une lingerie, un garage ou une chambre d'enfants. 150 modèles de bloc-tiroirs de 1 à 154 tiroirs de 60 à 2 000 F.

COMERA

● **7e** - *40, bd Raspail (222.77.70).*
● **8e** - *67, bd de Courcelles (267.45.26).*

Cuisines aménagées, de tous les styles et pour tous les goûts. Sur mesure ou en « prêt-à-porter ». Installations assez astucieuses et proprement exécutées.

CUISINE 1

● **4e** - *37, rue de Rivoli (272.37.71).*
● **14e** - *48, av. Gén.-Leclerc (539.47.75).*

Une bonne demi-douzaine de marques (Mobalba, Poggenpohl, Vogica, Teisseire, Siematic, etc.) dans la même boutique. Vous apportez vos mesures et l'on vous établit un devis gratuit d'installation (avec éventuellement les appareils électro-ménagers).

MILLET

● **4e** - *11, rue Mahler (272.94.26).*

Pour aménager — intelligemment — une cuisine (ou une salle de bains), même si le plafond barré de poutres exige de savantes découpes, on exécutera ici sur mesure tous les meubles que vous souhaiterez. Etude gratuite sur demande.

POGGENPOHL

● **7e** - *193, bd Saint-Germain (548.95.17).*
● **11e** - *22, bd Richard-Lenoir (700.12.76).*
● **16e** - *9, rue Saint-Didier (727.10.23).*

Très belles cuisines à combinaisons multiples (plus de 400 éléments) fabriquées, avec le soin et le sérieux qui caractérisent nos voisins d'outre-Rhin, par une maison qui s'efforce depuis plus de cent ans, dans la mesure de ses moyens (et des nôtres) de nous simplifier la vie.

ARGENTERIE

CHRISTOFLE

● **2e** - *31, bd des Italiens (265.62.43).*
● **8e** - *12, rue Royale (260.34.07).*
● **16e** - *95, rue de Passy (647.51.27).*
● **78 Le Chesnay** - *Centre commercial Parly 2 (954.35.40).*

Argenterie moderne ou « à l'ancienne ». Les couverts et les services de table de cette vénérable maison, en argent massif ou — et surtout — en métal argenté, font depuis des générations l'ornement des tables bourgeoises. Voir aussi « Boutiques de cadeaux ».

ODIOT

● **8e** - *7, pl. de la Madeleine (225.76.58).*

En juillet 1720, Jean-Baptiste-Gaspard Odiot prend la succession de sa mère, la Veuve Odiot.

dont la maison existait depuis l'année 1690. C'est ainsi que passant de père en fils, et de la rue Saint-Honoré à la place de la Madeleine (où elle se trouve actuellement), la maison Odiot aura traversé trois siècles. Et qu'elle demeure l'une des plus grandes de la place et la seule au monde à frapper quatre de ses modèles de couverts sur des matrices antérieures à la Révolution. Odiot exécute en outre sur commande toute pièce d'orfèvrerie en argent massif ou en vermeil, ainsi que des répliques de ses propres modèles d'époque (XVIIIe et XIXe siècles). Grand choix de cristaux et porcelaines français et étrangers, qui complètent luxueusement l'ornementation d'une table.

PETER

● **8e** - *191, fg Saint-Honoré (563.88.00).*

Services de table exclusifs, d'une grande élégance. Couteaux et couverts en acier forgé, en argent massif, en vermeil, montés sur ébène, ivoire ou bien pierre dure. Un modèle « Domus » en métal argenté à manche de nylon de forme conique est conçu pour supporter le lavage en machine : couteau : 144 F, cuiller ou fourchette : 141 F.

PUIFORCAT

● **8e** - *131, bd Haussmann (359.47.50).*

La grande et prestigieuse maison du boulevard Haussmann puise son inspiration dans la fabuleuse collection d'orfèvrerie réunie à la fin du XIXe siècle par Louis-Victor Puiforcat — collection dont la majeure partie se trouve aujourd'hui au musée du Louvre. Son équipe d'orfèvres, de planeurs, repousseurs, ciseleurs, graveurs et polisseurs est capable aujourd'hui encore de reproduire les plus belles pièces d'orfèvrerie française, quelle qu'en soit l'époque. Un couvert « de style » (fourchette et cuiller) revient à 750 F environ, un couvert Art Déco dessiné par Jean Puiforcat à 850 F.

ARTICLES DE CAVE

AU CHÊNE-LIÈGE

● **14e** - *74, bd du Montparnasse (322.02.15).*

Tous, absolument tous les bouchons, et des articles pour la cave. Avec extension complète de l'usage du liège pour la décoration intérieure et l'isolation.

COMPTOIR GÉNÉRAL DE BOUCHAGE

● **5e** - *30, bd Saint-Germain (329.76.00).*

Lave-bouteilles rotatifs, tireuses à amorçage automatique, bouche-bouteilles, vinomètres (pour mesurer le degré d'alcool d'un vin), bouchons, étiquettes, etc. : tout ce qu'il faut pour mettre soi-même son vin en bouteilles. L'une des maisons les mieux fournies de Paris.

LESCÈNE-DURA

● **4e** - *63, rue de la Verrerie (272.08.74).*

L'immeuble date de l'an 1700, le « fonds » de 1875. Le délicieux Marcel Lescène a pris sa retraite après 45 années de bons et loyaux services dans ce sombre entrepôt tout encombré d'objets, cédant la place à la famille Dura (père, mère, fils et fille). En vitrine un « chef-d'œuvre » fait par un ouvrier de la maison en 1901 : une magnifique pendule en liège. Vous trouverez ici toutes sortes d'articles de cave : bouchons, futailles jusqu'à 220 litres, accessoires. Achetez donc un récipient en chêne et demandez au patron sa recette de vinaigre « sans mère » qu'il se fera un plaisir de vous donner.

AU LIÉGEUR

● **7e** - *47, av. Bosquet (705.53.10).*

Maxim's s'y fournit en bons bouchons de bouteilles, et les ménagères de la nouvelle ère écologique en bouchons également, mais pour les bocaux (ils sont alors croûtés).

PRUNEVIELLE

● **10e** - *10, rue du Château-d'Eau (208.24.62).*

Récolté tous les huit ans au Portugal en juillet et en août, le liège est taillé dans la hauteur pour les bouchons (24 F le cent) et dans l'épaisseur pour les semelles orthopédiques. On ne changera pas ces grands principes, surtout dans cette vénérable boutique. Agglomérés, écorces décoratives, et tout ce qu'il faut pour mettre son vin en bouteille (31 F le petit appareil mécanique).

VERRERIE GÉRARD

● **19e** - *7, rue Léon-Giraud (208.48.64).*

Vend des bouteilles neuves, bordelaises ou bourguignonnes, à partir de 24 unités à 96 F le 100.

BALANCES

LES BALANCIERS RÉUNIS

● **3e** - *82, rue Notre-Dame-de-Nazareth (887.32.61).*

Vente, location et réparation de tous les modèles de balances, de la grosse bascule à la balance de précision et au trébuchet. La réunion annoncée par l'enseigne est si plénière que c'en est un cauchemar de justice et de probité. La roberval se pèse à la romaine qui se pèse au fléau. Qui bien se pèse bien se connaît, mais, parmi tant de plateaux, votre cœur balance. Tout respire ici l'obsession d'un commerce honnête au milligramme près. Le magasin n'est pas interdit aux procureurs et aux juges de paix.

LAUGEL ET CIE

● **17e** - *1, rue de l'Arc-de-Triomphe (380.16.33).*

Nombreux instruments de pesage, du pont-bascule au trébuchet.

MILLIOT

● **5e** - *67, rue du Cardinal-Lemoine (354.10.82).*

Vente, location et réparation de tout matériel de pesage : bascules, balances et pèse-bébés.

BOUGIES

LE rayon « bougies » des grands magasins est généralement très bien fourni en modèles classiques ou non. Vous en trouvez bien sûr, chez votre droguiste aussi et dans la plupart des boutiques de cadeaux. Mais ces magasins-ci en font leur spécialité :

LA BOUGERIE

● **6e** - *3, rue Mazet (325.97.57).*
● **12e** - *146, av. Daumesnil (343.91.91).*

A table, dans un jardin, au bord d'une piscine, rien n'est jamais trop beau quand il s'agit de tenir la chandelle : bougies folles ou sages, muticolores, fleuries, parfumées. Et bougeoirs assortis.

CIR

● **6e** - *22, rue Saint-Sulpice (326.46.50).*

Classiques ou hautement fantaisistes, parfumées, flottantes, anti-moustiques, personnalisées, ou à fabriquer soi-même : l'éventail très complet des bougies chez ce « fabricant-cirier depuis 1643 ». Etudes et créations sur demande.

DEBADIER (A l'Enfant Jésus)

● **6e** - *4 bis, rue du Cherche-Midi (548.59.55).*

Des bougies par milliers et pour tous les goûts : rustiques, gothiques, parfumées, mexicaines, chinoises, sculptées en statuettes, flottantes, peintes à la main, anti-moustiques, et aussi des cierges, des torches de jardin, des photophores et des lampions. Pour un anniversaire, pour un mariage, pour un baptême, on gravera immédiatement un prénom, une date, etc. sur la bougie que vous aurez choisie.

CARRELAGES

BOULENGER

● **18e** - *21, rue Pajol (607.97.84).*

Surtout des carreaux modernes (émaux de Briare, céramiques italiennes, etc.) à décor de paysage ou géométrique; et aussi des carreaux « métro » (blancs et légèrement en relief) qui ont toujours beaucoup de succès.

CARRÉ

● **10e** - *15, rue Eugène-Varlin (607.03.26).*

Le plus grand choix de Paris pour les carreaux de terre cuite, grès et grès émaillés (de 80 à 250 F le m²), les céramiques et les carrelages peints à la main (de 120 à 500 F le m²), les briquettes et tuileaux de cheminée (100 à 250 F le m²). Chaque modèle est visible sur panneaux dans les deux magasins d'exposition : l'un, 91, quai de Valmy, contigu à la maison-mère, l'autre aux Halles, 46, rue Berger, 1er (508.84.77). Beaucoup de modèles immédiatement disponibles sur place. Prix raisonnables compte tenu de la qualité.

CERABATI

● **8e** - *25, rue Jean-Goujon (359.07.49).*

Les grès émaillés (plutôt rustiques) de Cerabati sont présentés en permanence dans ce vaste « show-room » de 700 m², soit sous forme de salle de bains ou de cuisine, soit en grands panneaux. On vous donne des échantillons et la liste des revendeurs à Paris et en province.

C.M.R.

● **93 Bagnolet** - *31 à 41, av. Jean-Lolive (858.14.96).*

Sur 1 100 m², une exposition-vente considérable de carrelages (grandes marques et carreaux artisanaux), d'appareils sanitaires et d'accessoires de salles de bains et de cuisines. Trois magasins de présentation se sont ouverts dans la région parisienne et un à Paris même, 133, avenue de Clichy, 17e (228.00.93).

COMPTOIR DE LA MOSAÏQUE ET DU CARRELAGE (C.M.C.)

● **19e** - *53, rue du Général-Brunet (208.90.80).*

Jolies reproductions de carreaux « à l'ancienne » parmi les mosaïques unies et les grès cérame.

DÉCORALUX

● **2e** - *37, rue Étienne-Marcel (508.82.26).*

Comme partout, des carrelages et dallages, modernes, mais aussi des dessins à l'ancienne et de jolis panneaux très décoratifs : personnages bleus sur fond blanc, dans le goût du XVIIIe siècle. Céramiques « décoratives » : de 50 à 400 F le m². Bons conseils.

LA DÉCORANDERIE

● **3e** - *22, rue des Francs-Bourgeois (277.41.24).*

Si votre salle de bains réclame quelques frais de toilette, vous trouverez ici une belle collection de carreaux de grès émaillé (bleu canard, vert sapin, noir, etc.) et des carreaux espagnols décorés à la main (plusieurs séries : les saltimbanques, les métiers, les signes du zodiaque, les tarots, etc., de 25 à 80 F pièce). Pour plus de faste, vous pourrez commander des panneaux ou des fresques au décor de votre choix. Pour remplacer un lavabo fatigué : des vasques à encastrer, en grès émaillé assorti aux carrelages (700 F), en terre cuite émaillée ou en nickel (1 450 F). Et sur commande — et à prix d'or — de superbes baignoires en lave pour ajouter une pointe volcanique à votre salle de bains. Attention : les heures d'ouverture du magasin sont parfois fantaisistes.

FORMES ET SUPERFICIES

● **8e** - *156, bd Haussmann (267.57.59).*

Dans le fond du magasin, une somptueuse gamme de céramiques italiennes décorées à la main (coloris à la demande) à partir de 345 F H.T. le m² ; certaines, décorées à la feuille (or ou platine) atteignent des prix astronomiques : 1 250 F H.T. le m². M. Tout le monde se contentera sans doute d'une belle collection de carrelages de tous formats, existant en 50 coloris ravissants (prix moyen 270 F H.T. le m²) ou d'une série, artisanale elle aussi, unie ou décorée, vendue à prix moins décourageants : 165 F H.T. le m². Délai de livraison : 4 semaines.

FOURMAINTRAUX

● **1er** - *44, rue Berger (508.81.03).*

Centre de documentation et d'exposition des céramiques des usines de Desvres : aucune vente sur place. Carreaux unis ou bicolores à relief (modernes), reproductions de carreaux anciens et quelques carreaux faits à la main.

H.M.T.

● **92 Courbevoie** - *28, rue Louis-Ulbach (788.69.60).*

Un grand spécialiste des pierres pour les revêtements de sol ou de mur (intérieur et aussi terrasses et allées de jardin). Plus de 40 pierres : calcaires (travertin, rose provençal, etc.), grès (de la Rhune, etc.), ardoises, schistes, quartzites, granits et marbres. Egalement terre, terreau et graviers en sac de 25 kilos ou en vrac. La « lithothèque » vous apprend tout sur les pierres, leur provenance et leur utilisation, et le centre d'exposition vous montre diverses réalisations. H.M.T. vous met éventuellement en contact avec des spécialistes de la pose. Succursales à Massy-Palaiseau et au Pin.

LEPOIVRE

● **18e** - *69, rue Ordener (254.82.33).*

Les nostalgiques de mai 68, qui voudraient fouler aux pieds des pavés trouveront ici leurs frères ou leurs cousins — en version non prolétaire (porphyre gris et marbre blanc) — parfaits pour habiller terrasses et jardins. Ils sont vendus par dalles unies ou rayées de 40 cm × 40 cm, valent 190 F le m² (délai : 3 semaines) et leur pose, nous assure-t-on, est un jeu d'enfant. Vous trouverez également chez Lepoivre une collection de carreaux de céramique peints à la main, créés par les ateliers des Hurets : une vingtaine de charmants décors sur fond blanc, naïfs, pourrait-on dire (fleurs champêtres, fruits, légumes, plantes, animaux, personnages, ustensiles ménagers, etc.), à poser en frises ou à regrouper pour former de véritables paysages (15 à 50 F le carreau de 10 cm × 10 cm).

MARBRERIE RÉGIS

○ **95 Deuil-La-Barre** - *85, rue Cauchoix (964.16.33).*

Dallages et escaliers en pierre et en marbre. Installations de salles de bains en marbre.

S.P.C.M.

● **93 Aubervilliers** - *89, av. Victor-Hugo (833.10.10).*

Plus de 2 000 carreaux différents (français à 80 %) : carreaux Longchamp, faïence Marlborough, terre cuite émaillée Costamagna, grès cérame Decize, émaux de Briare, grès des Forges, etc. et aussi carreaux de faïence coordonnés aux papiers peints de Pierre Frey. Salle d'exposition.

SURFACE

● **7e** - *16, rue de Saint-Simon (222.30.08).*

● **16e** - *79, rue Boissière (704.46.49).*

Un grand choix de carreaux de céramique italiens (très beaux dégradés d'unis) à des prix abordables dans cette bonne maison qui vous laisse repartir (moyennant une caution de 10 F)

Beaucoup de restaurants ferment leurs portes en août. Voyez p. 109 la liste de ceux qui restent ouverts.

avec des échantillons. Chez Surface - Rive droite, moins de carrelages qu'à la maison-mère, mais une sélection de papiers peints, tissus et moquettes bien commode pour choisir (éventuellement) toute la décoration de sa maison en une seule fois.

CHEMINÉES et accessoires de cheminées

Voir aussi « Antiquités - Cheminées anciennes ».

JACQUELINE DEBAY

● **16e** - *145, rue de la Pompe (727.42.33).*

Solide choix d'accessoires pour le coin du feu : chenêts, pelles et pincettes, pare-feu, tabourets, banquettes, le plus souvent anciens, en cuivre et de provenance anglaise.

RICHARD LE DROFF

● **8e** - *5, rue La Boétie (266.10.27).*

La petite affaire artisanale du « maître-âtrier » Richard Le Droff est devenue une importante entreprise de construction de cheminées de série. Près de 150 modèles, certains exposés dans le magasin, les autres à choisir sur catalogue. Cheminées rustiques en pierres et poutres et cheminées modernes, relativement sobres dans des matériaux « contemporains ». Cheminées d'extérieur également et grand choix d'accessoires et d'ustensiles pour le feu.

MARBRERIE RÉGIS

● **95 Deuil-La-Barre** - *85, rue Cauchoix (964.16.33).*

Nombreux modèles traditionnels neufs, en pierre ou en marbre. Exposition-vente de cheminées anciennes ou d'époque (de 2 500 à 15 000 F).

MICHEL ELBAZ

● **10e** - *29 bis, rue de Rocroi (526.62.56).*

Ce brocanteur avisé propose dans une large gamme de prix un bon choix de cheminées du 19e siècle, en marbre principalement. On peut aussi trouver chez lui quelques modèles plus anciens en pierre (3 000 F environ) ou en bois.

LA JARDINIÈRE

● **9e** - *23, rue de Maubeuge (878.22.29).*

Maison spécialisée dans la refonte de merveilleuses plaques de cheminées sur moules anciens et selon les méthodes d'autrefois (elles sont coulées à ciel ouvert). Chenets et accessoires en fer forgé, en fonte ou en bronze. Voir aussi « Décoration de la maison - Meubles de jardin ».

Des bûches pour votre cheminée

Feux de bois : feux de joie. Ne laissez pas votre cheminée sans vie. Voici trois adresses d'établissements — parmi d'autres — qui vous apporteront à domicile de quoi alimenter votre foyer pour tout l'hiver. Les livraisons se font par quantités assez importantes (vente au poids ou au stère, c'est-à-dire au mètre cube) : prévoyez donc suffisamment d'espace — cave, garage, remise — pour accueillir toutes ces bûches.

BOIS DE NOS FORÊTS

● **60 Chevrières** - *Le Marais (16.4/441.40.06). Et pour Paris : 887.71.74.*

Bûches de 33 ou 50 cm de long en sacs de 20 kg, livrés et rangés. Minimum de 5 sacs. Fagotin : 15 F le sac de 4 kg.

DUREMORD

● **20e** - *34, av. du Professeur-André-Lemière (287.00.20).*

Bûches de 33 cm de long en sacs de 30 kg. Minimum de 10 sacs. Allume-feu : 6 F le sac.

LA FORESTIÈRE DU NORD

● **91 Igny** - *35, rue Carnot (941.32.06).*

Bûches de 33 cm de long en sacs de 35 kg. Minimum 5 sacs. Allume-feu : 6 F le sac.

POUYET

● **7e** - *96, rue Saint-Dominique (555.56.08).*

Vieille entreprise familiale fondée en 1887, la maison Pouyet fabrique toujours des cheminées, « de style », rustiques ou contemporaines et se charge de leur installation. Les prix sont en général raisonnables.

SAUSSIER

● **95 Argenteuil** - *154. rue Henri-Barbusse (961.45.71).*

A la suite d'Haussmann, les Saussier démolissent Paris depuis 1880... Hôtels particuliers, usines, maisons ; ils ont même détruit l'hôtel du docteur Petiot et la maison de Sacha Guitry. On y trouve en permanence de très belles cheminées de pierre ou de marbre, des escaliers, des tonnelles, des portails d'hôtels particuliers, quelques statues et des plaques de cheminées.

CORDES

LA CORDERIE CENTRALE

● **4e** - *12, bd Sébastopol (271.10.30).*

Ancienne et célèbre maison. Façade austère, noble refus du changement. Toutes les cordes et toutes les ficelles, non moins fidèles à leurs missions et techniques immémoriales. Toutefois, notre chanvre national se languit de n'être pas fumable, et le sisal, fibre économique et loyalement végétale, commence à souffrir de l'impérialisme du nylon. Toujours est-il que si vous ne savez trop à quelle ficelle attacher vos grelots ou vos saucisses, M. Bardou et ses fils sont là pour vous conseiller. Tous les prix, selon la qualité et le calibre.

CORDERIE CLÉMENT

● **14e** - *204, av. du Maine (540.43.39).*

Cordes à rampes, ficelles pour macramé et tissage (diverses couleurs), grand choix de hamacs, ficelles, cordages, sangles et grelins. La maison fondée en 1859 jouit d'une réputation non usurpée auprès des yachtmen et autres bateliers ainsi que des ménagères habiles à vous ficeler un paquet.

COUTELLERIE

CHARLES

● **2e** - *57, rue Montmartre (236.59.45).*

Vous trouverez un choix très étendu de couteaux de cuisine chez ce bon spécialiste.

SOCIÉTÉ CORPORATIVE DE LA BOUCHERIE-CHARCUTERIE FRANÇAISE (La Corpo)

● **1er** - *19, rue Montmartre (233.81.35).*
● **19e** - *23, av. Corentin-Cariou (206.50.55).*

Pour découper aussi facilement que votre boucher (tour de main en moins) : toute la panoplie des couteaux et des instruments tranchants. Choix immense et excellente qualité.

DEHILLERIN

● **1er** - *18, rue Coquillière (236.53.13).*

Pratiquement sans concurrent pour ce qui concerne toute la coutellerie d'office.

GHELFI

● **3e** - *47, rue de Saintonge (372.15.41).*

De quoi aiguiser tout ce qui coupe, même les instruments de chirurgie (grâce à la pierre d'Arkansas). Pour vos couteaux, choissez la pierre à aiguiser à 2 grains (de 38 à 87 F).

ISLER

● **1er** - *44, rue Coquillière (233.20.92).*

La coutellerie suisse a ici, depuis 1933, l'un de ses plus importants représentants. Dans cette petite boutique au décor vieillot, on trouve, à côté des remarquables couteaux « Tour Eiffel » (de fabrication suisse, en acier inox à manche de palissandre), tous les ustensiles coupants et tranchants, pour la cuisine et tous les fusils à usage ménager et professionnel. Isler est un magasin de gros, où l'on vous servira cependant avec le sourire, même si vous n'êtes pas un professionnel comme les chefs-cuisiniers de

Affûtez vos lames

BUSSON

● **20e** - *26, rue de Ménilmontant (366.92.30).*

Grand, jeune, barbu, et la voix si grave qu'on se retient de ne pas la dire de troisième couteau. Bref, un rémouleur paré d'un physique de théâtre. Michel Busson, donc, est rémouleur-aiguiseur. Il ne se rendra, pour dire le vrai, chez vous que si vous avez force matière à lui offrir, c'est-à-dire les couteaux d'une ménagère « à l'ancienne », plus ceux de la cuisine, plus les ciseaux du ménage, plus — dans le meilleur des cas — les mêmes pièces de vos voisines, déposées chez vous pour la circonstance. Sa « moyenne », c'est mille lames par jour, ce qui lui vaut d'en passer plusieurs à la suite au Café de la Paix, chez Drouant ou, par exemple, à la cantine du Crédit Lyonnais (6 000 couverts), face à un tour à sa façon (breveté), pas plus encombrant qu'un vanity-case. Mais il exécute aussi bien dans son atelier (attention, il envisage de déménager) les travaux qu'on lui confie : l'affûtage des couteaux à lames lisses en acier ordinaire ou en inox (1,50 F pièce par 24); moins cher par plus grandes quantités), des lames crantées (même prix), le crantage des lames lisses en inox (de 1,50 F à 2 F pour la dentelure ordinaire ; environ 2 F pour la « spéciale », rare et minuscule, dite « perlée »). L'affûtage des couteaux de cuisine oscille entre 5 et 6 F : de chef (long et court), à filets de sole (lame flexible), coupe-volailles, « berceuses » (à lame courbe et deux poignées, pour hacher, par exemple), etc. Il convient, en outre, de savoir que Michel Busson prête à ses clients très exactement autant de couteaux qu'il en emporte durant toute la durée de son travail à façon, et qu'il reste sans doute l'un des seuls repasseurs de Paris, à pratiquer l'affûtage « au grès », à l'ancienne, sur les pièces de collection.

chez Lasserre, Ledoyen, Taillevent, etc. Charmants canifs (suisses) multilames.

KINDAL

● **2e** - *33, av. de l'Opéra (261.70.78).*

Dans un décor de boiseries d'acajou jalousement conservé, cette excellente (et vieille) maison offre tout un choix de couteaux : à découper, à trancher, couteaux de table, de sport, de pêche, de chasse, de poche (à manche de bois, d'ivoire, de nacre, d'écaille), rabots à fromage, etc. Et aussi beaucoup de jolis cadeaux pour la table.

PETER

● **8e** - *191, fg Saint-Honoré (563.88.00).*

Du tranchoir à usage professionnel au couteau à manche de nacre, en passant par les couteaux de cuisine ou la simple trousse de couture, les somptueux couteaux de chasse, les canifs ravissants, les couteaux spéciaux pour machines à laver la vaisselle, les rasoirs et d'admirables reproductions de modèles anciens à la demande : tout ce qui coupe provient ici des ateliers artisanaux de Peter. Jolis couverts classiques ou contemporains. Bonne sélection d'articles d'orfèvrerie, de cristallerie, de porcelaine et de cadeaux d'appoint. Les prix des couteaux varient de 38 F (modèle spécial lave-vaisselle) à 1 200 F (modèle d'inspiration XVIIIe siècle, à manche en pierre dure ; fourchettes et cuillers assorties).

ROTTIER

● **4e** - *40, rue des Blancs-Manteaux (278.44.12).*

Successeur de Oradour. Superbe vieux magasin au décor intact : couteaux, ciseaux, outillage léger. Un petit grain d'imagination et vous verrez dames en tournure et messieurs en redingote et tromblon poilu, demoiselles en manches ballons, choisir le canif à tailler les plumes, les ciseaux à couper le madapolam et le pilou.

ÉCLAIRAGES

ÉLECTRO SERVICE

● **6e** - *44, rue du Dragon (222.51.43).*
Au fond de la cour.

150 modèles de spots (de 40 à 1 000 F). Ampoules de couleurs. Au premier étage un atelier de montage de lampes anciennes.

KLOTZ

● **16e** - *9, rue de Belloy (727.92.64).*

Installation d'ingénieux systèmes d'éclairage de tableaux et de vitrines-bibliothèques. Restauration de lustres.

LOMONT

● **92 Levallois-Perret** - *26, rue Chaptal (757.78.91).*

Excellent spécialiste — et certainement pas le plus cher — de l'éclairage des tableaux et objets par des pinceaux lumineux dont la source est à peine visible.

MODEL LIGHT (BAILLY)

● **16e** - *3, rue de l'Arioste (651.97.27).*

Met en lumière les œuvres d'art du Tout-Paris (éclairages de tableaux, tapisseries et sculptures, de vitrines et bibliothèques). Equipe les lustres anciens et les appliques et installe des éclairages spéciaux « sur mesure ». Le bureau présidentiel, les statues érotiques de Roger Peyrefitte ou les vitrines précieuses de Mme - Charles-Roux-Deferre n'ont point d'autre « magicien ».

ESCALIERS

LACLOCHE

● **7e** - *24, rue de Grenelle (222.74.75).*

L'escalier hélicoïdal en métal (trois diamètres) dessiné par Roger Tallon et aussi de nouveaux modèles en bois et plastiques de couleurs (moins chers) et un escalier droit en deux largeurs.

MENUISERIES LAMARCK

● **18e** - *158, rue Lamarck (627.04.61).*

Plusieurs modèles d'escaliers (escargots ou droits) en fer, en chêne ou en bois exotiques vendus en éléments et faciles à monter.

LINGE DE MAISON

Ne manquez pas de faire un tour aux rayons spécialisés des grands magasins et particulièrement du **Bon Marché,** des **Galeries Lafayette** et du **Printemps.**

ARTISANAT MONASTIQUE

● **14e** - *68 bis, av. Denfert-Rochereau (633.29.50).*

Exposition-vente (l'après-midi) de tout ce qui peut se fabriquer dans les couvents de France. Intéressant rayon de linge de maison : draps en métis brodés ou simplement ajourés (350 F la parure pour un lit à deux personnes), couvre-lits matelassés et nappes de toutes tailles pouvant être exécutées à vos mesures mais uniquement dans leurs dessins. Vous y trouverez également de la vannerie, de la céramique et des vêtements d'enfants.

BLANCORAMA

● **6e** - *12, rue Saint-Placide (222.90.28).*
● **15e** - *88, rue Lecourbe (783.27.07).*

Onze largeurs différentes (de 0,80 à 2 m) et 12 coloris de drap-housse en 1,90 ou 2 m de long, et bien entendu les draps de dessus, taies d'oreillers et housses de couette assortis.

Linge « d'autrefois »

FANETTE

● **15e** - *1, rue d'Alençon (222.21.73).*

Des draps brodés, des cache-couettes, des rideaux et des nappes, des fauteuils en rotin et des vanneries anciennes (paniers grands et petits).

LE TEMPS RETROUVÉ

● **1er** - *6, rue Vauvilliers (233.66.17).*
Ouvert de 13 h à 20 h.

Nappes damassées, rideaux de dentelle, draps brodés et ajourés, couvre-lits tricotés, rassemblés ici par une ancienne journaliste recyclée dans la brocante. Egalement de la vaisselle (services complets en Vieux-Paris, en Limoges ou en Sarreguemines) et des meubles et bibelots du siècle passé.

LA VIE EN ROSE

● **6e** - *27, rue de l'Abbé-Grégoire (548.85.81).*
Ouvert de 13 h à 19 h.

Sans doute le plus joli choix de linge d'autrefois : rideaux de coton ajouré et rebrodé à la main (à partir de 250 F et jusqu'à 2 500 F et plus), draps et taies à volants, napperons, coussins, couvre-lits désuets et charmants ; et toute une collection de robes du début du siècle (à partir de 800 F) en linon, en batiste, en dentelle de Valenciennes, en tulle perlé. Blanches ou bien souvent de couleurs douces : ivoire, rosé-thé, gris perle, etc. Elles peuvent faire de bien jolies robes de mariée.

LA CHATELAINE

● **16e** - *170, av. Victor-Hugo (727.44.07).*

La plus remarquable maison de Paris, pour les trousseaux de petits châtelains, possède également un joli rayon de linge de maison, avec, entre autres, dans la marque italienne Pratesi, de luxueux draps en fin coton imprimé : 1 300 F la parure (2 draps en 3,20 m de large, plus 2 taies) ; plus luxueux encore, en toile de lin brodée ou en soie naturelle imprimée de ravissants motifs : respectivement 3 120 F et 3 950 F la parure (toujours en grande largeur). Jolis sets de table en toile de lin et serviettes éponge de belle qualité (chiffrées si l'on veut). Quant à l'accueil : il est digne de la maison, autant dire parfait.

COLIN (Le Linge des Vosges)

● **8e** - *10, rue des Saussaies (265.45.60).*

Une très ancienne boutique où l'on vend le linge d'autrefois, c'est-à-dire de grande qualité, depuis le linge d'office et de cuisine (tabliers de valets, vestes et gants de service, torchons, etc.) jusqu'aux grands draps solides et fins en pur lin blanc ou de couleur (éventuellement sur mesure et brodés à la main ou à la machine; de même pour les nappes), en passant par les peignoirs, serviettes et tapis de bain en éponge et les couvertures de laine classiques ou bien en mohair, poil de chameau ou cachemire. L'une des meilleures petites maisons de Paris. Livraison à domicile.

COME BAC

● **7e** - *23, rue du Bac (261.48.15).*

Un nouveau magasin Come Bac, le troisième, tout à côté de la boutique de cadeaux, et spécialisé, celui-ci, dans le linge de maison de qualité. Les luxueuses serviettes américaines Fieldcrest (16 coloris et 3 qualités) y voisinent avec les draps italiens Pratesi, remarquables par la finesse et la douceur de leurs cotons. Mais le clou de la collection, ce sont les housses de couettes (taies d'oreiller et housse de traversin assorties), d'un raffinement extrême, en broderie anglaise, volantées ou brodées à l'ancienne. Vous les trouverez en 3 dimensions : 140 x 200, 200 x 200, et 240 x 220 cm; (700 à 900 F la grande taille).

DESCAMPS

● **3e** - *9, pl. de la République (278.59.03).*
● **6e** - *102, rue de Rennes (544.55.33).*
● **7e** - *115, rue Saint-Dominique (551.58.64).*
● **8e** - *29, rue Marbeuf (359.02.46).*
● **8e** - *2, rue Tronchet (742.34.21).*
● **9e** - *77, rue Saint-Lazare (874.38.19).*
● **11e** - *5, av. du Trône (373.03.57).*
● **15e** - *60, rue du Commerce (533.87.44).*
● **15e** - *313, rue de Vaugirard (828.88.38).*
● **16e** - *4, rue Donizetti (288.14.19).*
● **16e** - *44, rue de Passy (288.10.01).*
● **16e** - *52, av. Victor-Hugo (500.70.22).*
● **17e** - *38, av. des Ternes (754.85.50).*
● **18e** - *117 bis, rue Ordener (253.39.14).*
Et Forum des Halles, niveau - 2.

Les célèbres (et fort jolis) imprimés de Primrose Bordier : draps, housses de couettes, nappes (qu'on peut également commander sur mesure), sets de table, linge de toilette coordonné, superbes peignoirs de bain, couffins et sacs de couchage pour les bébés, etc.

DIVERSION

● **7e** - *9, rue de Verneuil (260.14.63).*

La boutique de Sophie Canovas est vaste et fraîche et vous y trouverez toute la collection de linge de maison dessinée par son mari, Manuel Canovas. Draps d'enfants, draps de « grandes personnes » (largeurs spéciales sur commande), housses de couettes, tissus de drap vendus au mètre (à partir de 48 F en 240). Pas de motifs géométriques mais des fleurs, des papillons, des coquillages. Egalement des robes de chambre-kimonos (joliment coupées), des coussins et autres accessoires sympathiques.

ESPACE SOMMEIL

● **15e** - *8, av. du Maine (548.79.17).*

Un grand choix de couvre-lits matelassés en laine ou en piqué de coton. Draps assortis et tissus au mètre dans les mêmes imprimés. Peignoirs et serviettes de bain en éponge ou en nid d'abeille. Soldes : deux jours en janvier et juillet.

Couette alors !

Dormez dans la plume... Au deuxième étage de la **Samaritaine** (magasin 2, rayon des couvertures) vous trouverez une astucieuse machine capable de remplir sous vos yeux en 20 minutes couettes ou édredons. La plume, vous la choisirez sur place : demi, trois quarts ou pur duvet d'oie, ou mélange canard et oie. Il vous en coûtera 600 à 800 F environ pour une couette de 1,40 x 2 m, 1 000 à 1 500 F pour un grand lit (2,20 x 2 m).

MAISON DE BLANC

● **16e** - *92, av. Victor-Hugo (727.30.85).*

Un décor, des vitrines, des vendeuses à la mode de l'avant-dernière-guerre, mais poussez la porte et découvrez le linge de maison — le plus « bourgeois » qui soit sans doute — et de belles couvertures en mohair (100 %) : 16 coloris et 3 tailles (180 x 220 cm : 700 F, 220 x 250 cm : 950 F, 240 x 280 cm : 1 090 F).

NOËL

● **8e** - *90, rue La Boétie (359.66.30).*

Remarquable maison. Ses nappes brodées (le plus souvent de feuilles, de fleurs et de fruits) dans « son » organdi de coton (exclusif), et ses draps de fine toile de lin, brodés également, sont les plus beaux qu'on puisse trouver. Leurs prix vous laisseront rêveuse, mais ils sont justifiés par tant de raffinement et de perfection. Au reste, s'il est vrai que le moindre napperon coûte un millier de francs, vous pouvez fort bien n'acheter que le modèle dessiné sur organdi (150 F) et les cotons et galons assortis (200 F) : vous prendrez, sans aucun doute, le plus grand plaisir à le broder vous-même. Et l'on vous montrera, avec une affabilité sans défaut et une patience sans limite, les points de broderie que vous devez exécuter. Blanchissage assuré pour les clientes.

Les bonnes affaires

L'ARMOIRE D'AMÉLIE

● **15e** - *7, rue Beaugrenelle (577.56.37).*

Voici bientôt quatre ans qu'Amélie Cospérec tire de son armoire, avec une inaltérable gentillesse, pour des clientes venues souvent de lointaines provinces, draps, nappes, serviettes-éponge ou couvre-lits, dégriffés ou fin de série. 160 F la parure de lit complète pour deux personnes.

CHIFF-TIR

● **1er** - *134, rue de Rivoli (236.41.95).*
● **6e** - *56, rue de Seine (633.14.43).*
● **9e** - *58, rue Caumartin (526.98.78).*
● **16e** - *41, rue de Passy (525.30.99).*
● **18e** - *4, rue d'Orsel (257.44.60).*

Draps, serviettes éponge et couvre-lits américains à petits prix, couvertures en pure laine vierge (1 personne : de 150 à 250 F), et draps de satin si l'on aime jouer les stars : 392 F les deux draps et les deux taies, en 15 coloris différents. Livre à l'occasion à domicile (et gratuitement) pour les « belles filles ».

PÉNÉLOPE

● **16e** - *19, av. Victor-Hugo (500.90.90).*

Association d'entraide créée pour assister les femmes en difficulté, handicapées ou âgées. Toute l'équipe de directrices, créatrices et vendeuses travaille bénévolement : de là, la modestie des prix pratiqués dans la boutique au fond de la cour d'un immeuble de l'avenue Victor-Hugo. Vous y trouverez draps et nappes brodés à la main ou à la machine, et qu'on exécutera dans les dimensions que vous souhaitez ; un bon choix de serviettes de bain : en éponge brodée (50 F) et en nids d'abeille assorties ; et un rayon de lingerie féminine (chemises de nuit de 160 à 300 F) et de vêtements d'enfants. Pénélope organise chaque année à Paris (et dans les grandes villes de province) des expositions-ventes où les décoratrices du ministère des Affaires Etrangères viennent choisir le linge de maison destiné aux ambassades.

PORTHAULT

● **8e** - *18, av. Montaigne (359.17.70).*
La plus luxueuse des « maisons de blanc » Elle met ses exigeants inconditionnels dans de beaux draps (soie naturelle ou fine batiste), et habille de lin ou d'organdi brodés les tables les plus élégantes de Paris. Est-il besoin d'ajouter que les prix pratiqués ici sont à la hauteur de tant de perfection.

AU VIEUX BAQUET

● **6e** - *70, rue des Saint-Pères (544.41.14).*
Ce Vieux Baquet menace un jour sur deux d'aller laver son linge propre ailleurs. Ce serait bien dommage car où trouverait-on, alors, dans le quartier des Saints-Pères, des draps en flanelle, des duvets à l'allemande et des tenues de nuit à rêver?

Papier à dormir

LOTUS

● **8e** - *25, rue Bayard (225.80.78).*
Dormir dans du papier, comme un précieux petit paquet, ce n'est pas vraiment désagréable : les draps (on les jette après deux ou trois nuits) sont relativement doux, frais à regarder et joliment imprimés. Ils coûtent 19 F la paire, avec une taie d'oreiller, pour un lit d'une personne, c'est-à-dire un peu plus que les frais de blanchissage de draps « normaux » en toile. Est-ce écologique ? Sûrement pas. C'est pratique et voilà tout. Dans la même matière, on trouve aussi toute la « vaisselle » Lotus en carton et les serviettes de table en papier (deux tailles différentes et jolis coloris) qu'on peut faire imprimer (pour 85 à 105 F le cent et en une dizaine de jours) au nom de sa maison de campagne, de son bateau, etc. (ou à ceux de ses amis).

LA VILLE DU PUY

● **9e** - *36, rue Tronchet (742.25.69).*
Sérieuse et ancienne maison. Ne vous fiez pas à la vitrine — consternante — et montez directement au second étage où vous trouverez du linge de maison sévèrement sélectionné : serviettes éponge brodées, nappes de toutes dimensions en tergal imprimé, draps en coton et tergal (en grande largeur) et surtout de belles « parures » en toile de lin brodée, à jours ou à incrustations de dentelle, qu'on chiffre à la demande.

Pour retrouver rapidement une adresse consultez l'index, p. 641.

LITERIE (et matelassiers)

BRICAUD

● **14e** - *12, rue Delambre (354.63.71).*
Matelas et cardage à la journée. Edredon et couette en duvet sur mesure.

DERICQ

● **9e** - *32, rue Rodier (878.85.26).*
Travail soigné. Refait vos matelas dans la journée (prendre « rang » assez longtemps à l'avance). Edredon en duvet, mousse à la découpe et housse de voiture à prix plus que raisonnables.

GARNERO

● **16e** - *24, rue Lauriston (553.07.34).*
Venue d'Italie en droite ligne, la dynastie Garnero a essaimé aux quatre coins de Paris. Tous parents et tous matelassiers, et excellents matelassiers de surcroît. Sommiers et matelas sur mesures en quelques jours, réfection de matelas dans la journée, etc. Nous nous bornerons à vous indiquer l'un d'entre eux, pour l'avoir pratiqué avec bonheur. Il vous restera à consulter l'annuaire pour trouver « le » Garnero le plus proche de votre domicile. Armez-vous de patience : ils sont vingt...

GILLES

● **5e** - *2, rue Pascal (331.82.03).*
Crin végétal ou de cheval, kapok et bien sûr laine, rien ne fait défaut à cette très accueillante boutique pour garnir un matelas (1 300 F en pure laine en 90 × 190) ou un coussin. Prenez date une quinzaine de jours à l'avance, et l'on refera votre matelas dans la journée, non sans avoir auparavant recardé avec soin la laine tassée. Les prix sont sages.

LITERIE DE LA PLAINE MONCEAU

● **17e** - *23, rue de la Terrasse (622.47.00).*
Fait et refait les beaux matelas des gens de la Plaine. Votre « pure laine » donné le matin vous sera rendu le soir même. Fabrication de sommiers également.

LE LIT NATIONAL

● **16e** - *2, pl. du Trocadéro (553.33.55).*
● **16e** - *89, av. Kléber (704.25.86).*
Succursales :
● **10e** - *27, bd de la Villette (208.11.09).*
● **15e** - *125, rue Lecourbe (828.37.04).*
Généreuse enseigne et louable entreprise. Vous

trouverez ici toute la literie de la meilleure tradition et le fameux ensemble « Duo-rêve » à qui tant de Parisiens sont redevables de leur bonheur et qu'on pourra exécuter pour vous, sur devis, jusqu'à 2,80 m de large. Ajoutons que l'amabilité et la patience des vendeurs sont exemplaires. Le magasin de l'avenue Kléber, voué à la décoration des chambres à coucher, expose tout un choix de nouvelles « créations » : lits en cuivre à volutes, lits en bois de style espagnol ou contemporain, ou en laque, à des prix assez extravagants.

LE MATÉRIEL PARA-MÉDICAL

● **6e** - *1, rue Danton (326.75.00).*

Vous vendra (ou louera) des lits articulés ou basculants et des matelas anti-escarres.

ALBERT WILL

● **15e** - *1, rue de l'Abbé-Groult (250.47.71).*

Après la vogue des matelas posés sur la moquette revient celle des beaux lits en cuivre. La maison Albert Will les fabrique artisanalement depuis cent cinquante ans et propose à votre choix 14 modèles différents — certains dorés à l'or fin. Ils sont superbes mais ils coûtent fort cher : comptez de 3 500 à 5 500 F pour un lit de 150 cm de large (literie non comprise) et patientez trois mois. Pour une plus grande largeur : supplément de 10 %.

LUMINAIRES

BEL OMBRE

● **16e** - *32, rue Gustave-Courbet (727.96.57).*

Des lampes ? On vous en fera voir ici de toutes les couleurs. De toutes les dimensions, et de toutes les formes : rondes, carrées, octogonales, en forme de boîte à thé ou de potiche chinoise... Elles ont en commun leur matériau : la céramique, et une qualité assez rare pour qu'on la signale : la douceur de leurs prix : de 100 à 800 F. Abat-jour sur mesure (de 10 à 700 F). Le charmant patron vous livrera à domicile si vous le lui demandez avec un sourire.

CONTRE-JOUR

● **7e** - *40, rue de Varenne (222.02.31).*

Des lampes exclusivement : potiches, bougeoirs ou objets originaux anciens ou d'inspiration ancienne, choisis par une ex-décoratrice, Claudine Schneider, aimable et de bon conseil. Elle montera également en lampe et coiffera d'un abat-jour tout objet que vous lui apporterez.

DELISLE

● **3e** - *4, rue du Parc Royal (272.21.34).*

Cette excellente maison installée au Marais dans le bel hôtel de Canillac (construit en 1620) s'honore d'avoir eu au début de ce siècle la « pratique » (ou plutôt les commandes) du tsar Nicolas II, puis de l'empereur du Japon et de quelques autres grands de ce monde. Elle fournit aussi régulièrement le Mobilier national. Fabrication — ou reproduction sur plans — de très beaux luminaires en bronze ou en fer forgé, depuis la lampe de chevet jusqu'au somptueux lustre de 3 m de diamètre. Compter 20 000 F environ pour un lustre de 80 cm de diamètre en bronze et cristal. Grands salons d'exposition.

JOHN DEVOLUY

● **6e** - *3, rue Jacob (326.41.55).*

Excellentes copies de luminaires (lampes, lustres, suspensions, appliques) du XIXe siècle anglais et français. Egalement des modèles anciens.

ELECTRORAMA

● **5e** - *11, bd Saint-Germain (329.31.30).*

Luminaires très modernes, projecteurs avec ou sans rails (de 40 à 600 F), lampes à basse tension, lampes de lecture, et excellents conseils pour vous aider à résoudre tous problèmes d'éclairage.

ESPACE LUMIÈRE

● **4e** - *17, rue des Lombards (277.47.71).*

M. Bobroff est un magicien qui fait jaillir la lumière d'ampoules extrêmement puissantes sous un volume extrêmement réduit (spécialité de lampes à halogène ou à basse tension). Ses nombreux (et dans l'ensemble jolis) luminaires contemporains pour la maison, le bureau et le jardin : lampes, lampadaires, spots, systèmes divers d'éclairage des objets et des tableaux, etc. sont exposés dans son magasin qui occupe le rez-de-chaussée et la cave voûtée d'un bel immeuble du XVIIe siècle. Aimable et de bon conseil, le patron propose en outre diverses sortes d'anciennes lampes industrielles (lanternes, par exemple) qu'il recommande pour les maisons de campagne et les terrasses. Soldes en janvier.

IDÉES 2000

● **5e** - *20, rue du Cardinal-Lemoine (354.38.41).*

● **6e** - *39, rue du Cherche-Midi (544.49.55).*

Une heureuse utilisation de la nacre, dans un beau choix de suspensions, lampes à pieds, plafonniers et appliques. Translucide, discrètement exotique et moirée, la nacre se prête à merveille à tous les jeux de lumière. Celle-ci ruisselle en fontaines dont les structures trouvent d'infinies combinaisons, à des prix presque infinis eux aussi (à partir de 200 F).

LET THERE BE NEON

● **1er** - *51, rue Saint-Honoré (508.85.57).*

Dépendant d'une galerie-atelier de New York qui créa la formule à la même enseigne en 1972. Formule qui consiste pour l'essentiel à étendre à l'aménagement luminaire en général (vitrines, porte-manteaux, cintres, tables, coiffeuses, bureaux, sièges, pendules, etc.), les ressources de l'éclairage au néon, synthétisé par Georges Claude, à Paris, en 1910, et d'autres gaz rares comme l'argon, dont l'une des caractéristiques est de projeter une lueur tremblante par temps d'orage. Effet singulier dont « bénéficient » par exemple les petits modèles purement décoratifs : bouches petites et grandes, lunes blanches et rouges, carottes, hot dogs, nuages, tasses plus ou moins fumantes : à partir de 1 400 F en présentations fixes (moteur tournant en supplément).

MORAND

● **16e** - *14, rue du Ranelagh (524.52.35).*

Une bonne adresse (tout à côté de la Maison de la Radio) pour équiper son appartement en luminaires dans le goût contemporain. On trouvera ici, exposé sur trois niveaux, un vaste choix de lampes, lampadaires (de style italien), rampes lumineuses, suspensions, plafonniers, etc. Toutes sortes de spots pour éclairer les tableaux et les objets et en particulier les (chères) lampes à halogène qui ont l'avantage, lorsqu'elles sont bien orientées, de donner une lumière tout à fait comparable à celle du jour.

LE PÉTROLE EN FLEURS (Quinet et Racine)

● **15e** - *16, av. du Maine (548.28.16).*
Et Forum des Halles, niveau - 3.

Le pétrole en fleurs ? Il jaillit sur le trottoir de l'avenue du Maine, à quelques mètres de la grande tour-derrick Montparnasse. Pour plus de précisions, sous ce drôle de nom, un magasin vend des objets que l'on croyait complètement tombés en désuétude : toutes sortes de lampes à pétrole, de fabrication récente et pour la plupart artisanale, pour les maisons de campagne à « l'écolo », les terrasses et les jardins. Lampes en laiton, munies d'une poignée qui permet leur utilisation en applique et fonctionnant au pétrole désodorisé et parfumé. Lampes en verre soufflé à remplir de pétroles colorés. Fanaux de marine homologués. Et vente de pièces détachées.

RENON

● **3e** - *13, rue Payenne (272.04.15).*

Dans l'hôtel de Chatillon (anciennement hôtel du Lude), au Marais, l'un des plus prestigieux stocks de luminaires et de ferronnerie anciens. Vous y trouverez des luminaires « de style » reproduits dans la tradition de l'époque, très beaux, donc très chers. Restauration de bronzes et de luminaires.

TODESCHINI

● **8e** - *13, rue Saint-Florentin (260.12.74).*

Lustres et miroirs de Venise, de conception ancienne ou moderne.

Tôles peintes

SIRWY

● **6e** - *13, rue de Condé (354.03.08).*

De nombreux objets en tôle peinte, exécutés avec beaucoup de soin dans le style du XIXe siècle : lampes, mais aussi tables basses, cache-pots, plateaux, etc.

LA VASQUE DE VERRE

● **17e** - *117, rue de Courcelles (924.03.30).*

Les maraîchers du bon vieux temps en coiffaient leurs laitues pour en hâter la pousse. Ces cloches de verres — soufflées à la bouche et tournées à la main — ont trouvé ici une vocation nouvelle, après un polissage qui leur restitue — jusque dans leurs imperfections — leur couleur originelle, et elles deviennent lanternes (à partir de 400 F) ou lustre (jusqu'à 2 500 F) grâce à une monture appropriée (copie de modèles anciens) en laiton poli ou doré. Un traitement spécial (sur commande) est prévu pour leur permettre de braver les intempéries et d'éclairer sans dommage terrasses et jardins.

VÉRONÈSE

● **8e** - *184, bd Haussmann (924.67.67).*

Lustres et appliques de Murano, anciens et modernes. La maison se charge aussi de faire refaire en Italie les pièces manquantes ou abîmées de vos propres lustres, mais il faut compter plusieurs mois de délai.

VERRE LUMIÈRE

● **7e** - *3, rue de Luynes (548.52.17).*
● **8e** - *190, fg Saint-Honoré (563.28.75).*

Lampes très modernes en verre opale (en forme d'œuf, de sphère, etc.) mais aussi éclairage complet intérieur (lampes à iode pour éclairage indirect) ou extérieur, sur mesure. Le magasin rive-droite est plus classique, le magasin rive-gauche, ouvert en 78, plus « in ». Tous deux sont résolument « contemporains ». Tous les modèles sont suivis et peuvent donc être réassortis.

Ne nous accablez pas si les prix ont grimpé depuis la parution de ce Guide.

MENUISERIES DE SÉRIE

MENUISERIES LAMARCK

● **18e** - *158, rue Lamarck (627.04.61).*

Grande et sérieuse maison de menuiseries préfabriquées. Plusieurs dizaines de modèles de portes, fenêtres, portails, vantaux et clôtures, parquets, châssis, escaliers et persiennes.

LAPEYRE

● **15e** - *133, rue de l'Abbé-Groult (250.10.39).*

Magasin d'exposition où vous pourrez choisir en menuiserie de série, tout ce qui prend place dans une habitation, à l'intérieur comme à l'extérieur (portes, fenêtres, chambranles, clôtures, escaliers, balcons, éléments de cuisine à monter soi-même, etc.). Pratique et économique à condition d'accepter des gabarits standards et une exécution industrielle. Catalogues. Quatre dépôts dans la banlieue parisienne.

SYNTÉKO

● **20e** - *141, rue de Bagnolet (360.55.55).*

Du pain sur la planche, ou plutôt des lambris, et surtout un choix immense de parquets, rustiques ou très élaborés, en chêne, châtaignier, pin, sapin du Nord, ou bois exotiques (de 40 à 280 F le m²). Les uns à clouer, d'autres à coller ou à poser tout simplement ; et parmi ceux-ci, des « superparquets » de faible épaisseur à poser directement sur un vieux plancher, un carrelage ou une moquette trouée (vendus en cartons de 20 kilos facilement transportables). Vendeuses aimables et bonnes conseillères.

MEUBLES DE JARDIN

BARLOW TYRIE

● **14e** - *71 bis, rue de Gergovie (555.28.24).*

Seuls les Anglais sont assez fous de leurs jardins comme de leur confort — et habitués aux intempéries — pour imaginer et fabriquer depuis une cinquantaine d'années des meubles d'extérieur en bois de teck de Birmanie, naturellement imputrescible, superbement assemblé par tenons et mortaises chevillés et qui vieillit si bien en plein air en gardant sa couleur dorée, pour peu qu'on l'entretienne avec une huile spéciale. Importés d'Angleterre donc, bancs et fauteuils sont vendus ici de 400 à 2 750 F. Coussins adaptés aux sièges en lin ou en dralon. Huile de teck : 21 F le 1/2 litre. Et aussi de beaux parasols, ronds, carrés ou rectangulaires, montés à la main, en bois et toile de coton écru imperméabilisé.

HABITAT

● **15e** - *11, rue de l'Arrivée (538.69.90).*
● **17e** - *35, av. de Wagram (766.25.52).*
● **78 Orgeval** - *R.N. 13, La Maison Blanche (975.99.50).*
Et Forum des Halles, niveau - 2.

Bons transats (100 F environ), meubles en bois naturel latté (verni ou laqué blanc), légers et pliants (75 F la chaise, 275 F le banc). A emporter avec soi.

HUGONET

● **8e** - *63, rue La Boétie (225.14.02).*

Si vous répugnez à repeindre vos meubles de jardin en bois tous les trois ans environ, les solutions que propose Hugonet sont bonnes et belles, sinon bon marché. Deux séries de meubles, les uns en aluminium laqué au four (de nombreux modèles de chaises longues, tables, etc., généralement heureux), les autres en matière plastique qui, surprise, ne sont pas vilains (surtout en blanc), vieillissent sans dommage et supportent les grands froids et les fortes chaleurs (une chaise « Sea Side », modèle San José : 350 F environ).

UN JARDIN EN PLUS

● **7e** - *224, bd Saint-Germain (548.25.71).*

Méridiennes, confidents (un siège à deux places dans un S), chaises longues, tables, fauteuils en bambou et rotin ouvragés comme la dentelle. On les laisse « naturels » ou on les peint de couleurs tendres. Ils ont tout le charme de la désuétude et l'inconvénient de coûter fort cher (2 000 F environ une chaise longue, 950 F environ un fauteuil haut ; laquage — éventuel — en plus). Voir aussi « Fleurs artificielles ».

LA JARDINIÈRE

● **9e** - *14, rue de Maubeuge (878.22.29).*

En pierre reconstituée — et moulée — un beau choix (de divers styles) de vases, vasques, fontaines, statues — amour espiègle au dauphin, groupe farandole, lion couché, etc. —, et de meubles de jardin et de terrasse. Ce mobilier de pierre ne vous reviendra pas beaucoup plus cher que celui que vous trouverez ailleurs en bois ou en rotin de qualité. « Investissez » donc dans la pierre. Bancs : à partir de 1 400 F, table ronde : 2 000 F environ en 1 m de diamètre. Egalement divers candélabres, bornes et fontaines en fonte, dont la célèbre Wallace, qui mettrait un étonnant point d'orgue au centre de votre parc.

MAISON ET JARDIN

● **7e** - *242 bis, bd Saint-Germain (222.06.01).*

De mai à septembre, pour le jardin, des meubles en résine, en bois laqué, en métal ou en rotin, robustes, élégants et chers à la fois, qui disparaissent dès octobre pour laisser la place à des objets de décoration et des meubles d'intérieur semblables à ceux qu'expose la « galerie »-sœur, rue de Courcelles. Voir « Meubles modernes ».

MANUFRANCE

● **1er** - *42, rue du Louvre (233.71.43).*

Ouf ! le monument stéphanois revit. Le catalogue, bien sûr, n'est plus ce qu'il était, mais nous n'allons quand même pas jouer les anciens combattants... d'autant que, sous le sigle « nouveau », figurent les fauteuils « traditionnels » : deux braves vieux modèles « tressés lames de rotin pieds entretoisés bois avec accotoirs et dossier confortables », qui vous tendent les bras, l'un pour 192 F, l'autre pour 275 F. Une misère pour tant de charme.

LE MONDE SAUVAGE

● **2e** - *86, rue Saint-Denis (508.96.57).*

Importante collection de hamacs. Voir « Tapis, moquettes ».

PRISM (PRISUNIC)

● **1er** - *16, av. Victoria (236.36.68).*
● **13e** - *83, av. d'Italie (585.70.58).*

Des meubles de jardin dont le grand mérite est la simplicité des formes (transats, tables — l'une de balcon, s'accroche astucieusement sur la rambarde —, parasols, etc.). Ils sont tous pliants et fabriqués en fer galvanisé et hêtre traité pour l'extérieur.

LES QUATRE SAISONS

● **1er** - *2, 4 et 6, rue du Jour (508.56.56).*

Voir « Boutiques de cadeaux ».

RED CEDAR

● **1er** - *22, av. Victoria (233.71.05).*

Red Cedar : c'est d'abord un bois quasiment miraculeux — le cèdre rouge du Canada — qui éloigne les insectes, résiste à l'humidité et ne demande ni peinture ni entretien. C'est ensuite un immense magasin entièrement consacré aux abris de jardin et aux serres (en red cedar justement, et en aluminium) de toutes tailles, depuis la minuscule serre de table (une maison en pin et verre), où l'on peut cultiver sa ciboulette (24 × 18 cm : 130 F) jusqu'aux grandes serres-jardins d'hiver pour apprivoiser un printemps éternel. Et pour jouer au jardinier à Paris, des serres de balcon en cèdre (hauteur : 1,50 m ; longueur de façade : 1 m ; profondeur : 0,70 m : 1 600 F ; la maison se charge de leur installation). Elle propose en outre des meubles de jardin, parasols, pots en terre cuite, treillages et un « barbecue-cocotte » américain qui fonctionne au charbon de bois et comme un autocuiseur. 5 coloris et 3 tailles (774 F en 57 cm de diamètre). Livraisons gratuites. Soldes en janvier et en juillet.

SORRENTE

● **16e** - *49, av. Raymond-Poincaré (727.43.99).*

Mobilier de jardin Clairitex et Triconfort en bois verni ou laqué blanc : tables, sièges pliants, chaises-longues, balancelles, etc. et des coussins en dralon ou en coton (une quinzaine de coloris). Catalogue sur demande. Nombreux cadeaux pour l'extérieur.

Un tricoteur de treillage

TRICOTEL

● **17e** - *4, rue Lebon (572.03.22).*

Spécialistes du treillage depuis une centaine d'années, les établissements Lemaire ont ouvert à l'enseigne Tricotel une boutique où l'on peut faire exécuter sur mesure ses treillages de terrasse ou de jardin, du plus simple au plus ouvragé, avec arcades et perspectives en trompe-l'œil, comme au temps de Louis XVI.

VINCENT B

● **7e** - *40, rue du Bac (548.81.21).*
● **8e** - *26, av. de Friedland (622.15.79).*

Belles tables de terrasse ou de jardin en céramique émaillée à décor florentin traditionnel : plateaux ronds (5 300 F en 120 cm de large) et piétements en fer forgé (1500 F) ou en céramique. On peut les commander sur mesure (délai : 2 mois). Egalement de jolis pots en terre cuite naturelle ou émaillée (1 000 F environ), suffisamment profonds et larges pour y planter un rhododendron, un camélia ou un oranger.

MEUBLES MODERNES

Voir aussi « Boutiques de décoration ».

ARCASA

● **1er** - *219, rue Saint-Honoré (260.46.60).*

Le projet d'un canapé Art Déco dormait dans un tiroir depuis plus de cinquante ans...

Le voici, dessiné par Eileen Gray en 1924, qui ressuscite. Il est drôle, en bois laqué et en duvet (11 700 F hélas). D'autres meubles, plus « contemporains » (Wilmotte, Ligia Royer, etc.), sont également exposés au 1er étage de ce luxueux magasin de cadeaux, avec les tissus Arbutus-Arcasa, propres à la maison (en coton à petits motifs dans le goût du jour), et d'autres de grandes marques, comme la collection Linda Beard : des papiers peints et tissus coordonnés anglais, imprimés de fleurs et assez bon marché (60 F le m en 130 ; 50 F le rouleau).

ARTELANO

● **14e** - *4, rue Schoelcher (322.74.91).*

Mobilier italien contemporain remarquable par ses lignes sobres, nettes et élégantes. Le plus souvent en noyer (blond) ou en laque (noire, beige ou marron). En forme de paravent, un joli modèle de vitrine-bibliothèque à montants en métal doré mat ou en acier et à étagères (réglables) en verre fumé (2 730 F).

LE BIHAN

● **11e** - *25, fg Saint-Antoine (343.06.75).*

Meubles contemporains, principalement des bibliothèques et des meubles de rangement, en bois laqué, en chêne naturel ou en frêne teinté, jolis dans leur simplicité et astucieux dans leurs diverses possibilités. Soldes en janvier.

Un peintre en meubles

JEAN DE LA LUNE

● **2e** - *24, rue Tiquetonne (233.49.19).*

Jean de la Lune ne s'appelle ni Jean ni Marcel et n'a rien à voir avec Achard. Il — alias Yan Prioux — ajoute un peu de poésie à tout ce qu'il touche et qu'il peint (à la colle, à l'ancienne) : des fleurs sur une armoire, un pierrot sur une commode, etc. Il se charge aussi de décorer les plafonds, les murs, les paravents. Vous pourrez consulter sur place ses catalogues avant de transporter vos meubles, si possible décapés, dans son atelier du 15e arrondissement.

PIERRE CARDIN ÉVOLUTION

● **8e** - *118, fg Saint-Honoré (266.24.36).*
Et Forum des Halles, niveau - 2.

La vogue du mobilier contemporain, qu'il soit d'inspiration nordique ou néo-1925 a fait long feu. Récupérée par les supermarchés, cette mode s'est aussitôt éteinte dans les appartements élégants. Et il est à craindre que, tirés à de trop nombreux exemplaires, fragiles, vite usés, mal finis et moins fonctionnels qu'on l'a cru, ces meubles de verre, de métal et de plastique ne feront pas la carrière « rétro » du mobilier de la Belle-Epoque ou des Années Folles. Il faut dire qu'en France, en particulier, le style contemporain n'a pas inspiré de grands créateurs, n'a pas fait naître de vocation de nouveaux ébénistes. Le « design » a été compris comme une entreprise purement utilitaire et commerciale. D'où son échec. Il manquait un Gallé, un Majorelle, un Bugatti, un Leleu, un Paul Poiret. Erreur, nous avons un Poiret, un grand couturier qui devine, qui pressent, comme les grands marchands-merciers et les ornemanistes du XVIIIe siècle, qu'il peut jouer un rôle explosif et déterminant dans le renouveau tant attendu de l'ébénisterie. C'est Pierre Cardin. On peut ne pas aimer, en tous cas ne pas comprendre les meubles qu'il a conçus et expose dans sa boutique du Faubourg Saint-Honoré. Mais a-t-on compris en leur temps Guimard et Mies Van der Rohe. L'usage de laques aux teintes rares, les formes extraordinaires, le goût de l'inutile luxueux, le nombre limité des tirages, les matériaux et les techniques inattendus permettent d'affirmer qu'il s'agit là d'une vraie révolution du mobilier moderne. Des meubles qui n'iront jamais dans les supermarchés. Leurs prix sont là pour les en protéger.

CASSINA

● **8e** - *168, fg Saint-Honoré (561.04.17).*

Magasin d'exposition d'un fabricant fameux et milanais qui réédite les meubles prestigieux — et toujours « nouveaux » — de Rietveld, Mackintosh et Le Corbusier. Pour le reste, une collection de meubles très contemporains et de facture assez sobre des designers italiens Geo Ponti et Bellini, entre autres. Leurs prix sont élevés et les délais de livraison de huit semaines environ.

CHAPO

● **5e** - *14, bd de l'Hôpital (331.23.18).*
Et Forum des Halles, niveau - 2.

Beau mobilier contemporain aux formes « brutes » et dépouillées, créé par Pierre Chapo, un ancien de l'Ecole des Beaux-Arts. Un seul matériau : le bois, orme ou chêne, massif et naturel ; il est simplement huilé : les nœuds et veintures, tout comme les assemblages, sont apparents. 2 000 à 9 000 F les tables de salle à manger (de 1,40 à 3 m), rondes, carrées ou rectangulaires (plusieurs piètements au choix). Bancs, chaises, buffets (8 000 à 20 000 F), lits, commodes, etc.

CUIR CENTER

● **20e** - *176-182, bd de Charonne (373.36.13).*

Rien que du cuir dans ce très vaste magasin. Plus de cent ensembles, canapés et fauteuils, de tous styles : contemporain, rustique, anglais, etc. et pour tous les goûts (y compris le bon). Les prix varient de 4 000 à 25 000 F et plus, suivant la qualité, la taille, etc.

FIRST TIME

● **1er** - *55, rue Saint-Denis (633.08.16).*

Un décor d'inspiration californienne : superbes canapés en plumes, exclusifs et chers (les blancs sont les plus beaux), tables basses, lampes sophistiquées (de 500 à 1 200 F), tapis espagnols en laine, bicolores et réversibles (2 250 F).

Les bonnes affaires

N'oubliez pas non plus les soldes des boutiques de décoration ou d'ameublement qui renouvellent en général leur décor une ou deux fois par an. Les fauteuils, les canapés et les meubles « importants » — pour autant qu'ils vous plaisent — sont toujours de bonnes affaires. Mais il faut savoir sauter sur l'occasion et souvent insister pour qu'on vous les livre à domicile sans frais supplémentaires.

GALERIES LAFAYETTE

● **93 Ile Saint-Denis** - *27, quai Le Châtelier (752.34.72).*

Fins de série et articles d'étalage : meubles, canapés, fauteuils, luminaires (ainsi que du gros électro-ménager) vendus avec une réduction de 20 à 30 % environ. Livraison gratuite à partir de 1 000 F d'achat.

YVES HALARD

● **7e** - *45, av. Duquesne (567.80.32).*

Rabais de 20 à 30 % sur les très jolis meubles édités par Halard. Livraisons gratuites.

PRINTEMPS

● **93 Ile Saint-Denis** - *9, quai Le Châtelier (820.61.01).*

A 300 mètres du pont de Saint-Ouen, l'entrepôt du Printemps, proche de celui des Galeries Lafayette, possède un vaste parking gratuit et propose, à des prix très intéressants, des meubles, de la literie, des appareils électro-ménagers, de la vaisselle et des accessoires de cuisine, etc. Ce sont des fins de séries, des articles d'étalage ou des objets précédemment destinés à l'exportation. Grand choix en janvier et juin au moment des soldes. Livraisons payantes.

ROCHE-BOBOIS

● **93 Pantin** - *13, av. Sainte-Marguerite (844.08.72).*

20 à 40 % de remise sur des meubles, des canapés, de la literie et des lampes soldés. 400 m^2 d'exposition. Livraisons (gratuites) assurées.

FORMES NOUVELLES

● **6e** - *43-45, bd du Montparnasse (222.10.90).*
● **7e** - *22, bd Raspail (222.78.20).*
● **8e** - *168, fg Saint-Honoré (573.90.70).*

Mobilier contemporain généralement élégant et très confortable. Réédition de meubles dessinés par Le Corbusier, Rietveld, Mackintosh, etc. Quelques beaux luminaires. Le magasin du Faubourg Saint-Honoré est spécialisé dans les meubles de bureau (et de collectivités).

GALERIE DE L'ASSEMBLÉE

● **7e** - *9 et 11, place du Palais-Bourbon (705.13.30).*

Beau choix de meubles contemporains et de reproductions de meubles anciens. Beaucoup de tables à jeux. Soldes en janvier.

HOME CONTEMPORAIN

● **2e** - *10, rue du 4-Septembre (296.92.53).*

Somptueux canapés et fauteuils de cuir, et belles bibliothèques en laque noire ; accueil très aimable et service décoration assuré gratuitement par la maison.

JANSEN

● **8e** - *9, rue Royale (265.65.35).*

Décorateur réputé de palais et de luxueuses résidences, Jansen édite aussi une collection de meubles contemporains qui ont le mérite de bien se marier avec l'ancien. Vous les verrez au premier étage, au-dessus de la boutique de cadeaux : tables basses, consoles, dessertes, chaises (1 750 F) et une superbe table de salle à manger, dite — tout simplement — « Royale » qui vaut la bagatelle de 13 800 F. Sobres et élégants, tous ces meubles existent en laque noire, mais vous les commanderez au coloris de votre choix moyennant un supplément modeste : 500 F environ.

KACHINA

● **14e** - *160, bd du Montparnasse (326.62.63).*

Meubles dans le goût Art Déco signés par les designers italiens Ennio et Antonangeli, réalisés à Rome en nombre limité et vendus ici en exclusivité et à prix élevé : tables et consoles en laque incrusté de laiton, canapé en daim (18 000 F), etc. Quelques bibelots et objets insolites.

KNOLL INTERNATIONAL

● **7e** - *268, bd Saint-Germain (705.74.65).*

Cette maison de taille et de classe internatio-

Il y a bambou et bambou

Bambou, rotin et compagnie ? Oui, quand on rêve d'un jardin d'hiver et qu'on le meuble avec bonheur. Vous ne risquez pas de vous tromper si vous faites votre choix dans ces magasins :

ATELIER MAZOT-MEYER

● **7e** - *32, rue de Verneuil (261.08.39).*
L'après-midi seulement.

Meubles en bambou ou en rotin de la fin du XIXe siècle, mais aussi sur commande, des répliques parfaitement exécutées, à des prix raisonnables.

LE JARDIN D'HIVER

● **7e** - *7, rue de Beaune (261.25.38).*

Elégants et décoratifs, des meubles coloniaux du XIXe siècle en laque et en bambou.

LA PALMA

● **8e** - *136, fg Saint-Honoré (359.03.82).*

C'est probablement une des premières boutiques à avoir relancé la grande vogue du rotin. Rien n'est extraordinaire mais on y trouve du rotin sous toutes ses formes (lits, commodes, armoires, fauteuils) et de toutes les couleurs sur commande.

CYRILE PERGAY

● **1er** - *38, rue Saint-Denis (508.87.38).*

Superbe mobilier en rotin de style hollywoodien : 950 F la « loveuse » (traduisez : fauteuil rond). Toutefois les proportions de certain canapé : 2,30 × 1,05 m (8 600 F) et de certain luminaire : près d'1 m de diamètre, leur interdisent vraisemblablement l'accès de bon nombre d'appartements parisiens. Qu'importe, la boutique est jolie, le patron charmant, et vous pourrez aussi fixer votre choix sur un plafonnier ou une applique en papier de mûrier dont la gamme est très complète.

JACQUES PERGAY

● **7e** - *206, bd Saint-Germain (544.17.55).*
Et Forum des Halles, niveau - 2.

Le styliste Jacques Pergay, frère de Cyrile Pergay (installé rue Saint-Denis), fait fabriquer aux Philippines les meubles en rotin exposés dans son vaste « show-room ». Des meubles décoratifs et pratiques à la fois : tables, canapés, fauteuils, lits, étagères, etc., qui peuvent être, à la demande, laqués dans toutes les couleurs de l'arc-en-ciel (120 coloris différents ; 8 jours de délai). Egalement de très belles vanneries, modernes ou anciennes : malles, paniers de tout acabit et objets de tous genres.

VALENTINO PIU

● **8e** - *17, 19, av. Montaigne (723.64.17).*

Quelques jolis meubles en rotin laqué ou non : tables, chaises (900 F), paravents, lits de repos, jardinières et surtout un fauteuil géant, dit « gélosia » confortable et élégant (cher aussi : 4 500 F coussins compris).

---

nales lança le « défi américain » du mobilier contemporain. Les sièges, les meubles et tous les accessoires qu'elle diffuse sont désormais dans tous les musées d'arts décoratifs du monde, et leurs créateurs sont l'objet d'études biographiques et esthétiques dans les revues spécialisées ou non. Toutefois, depuis quelques années, les créations Knoll ont été délibérément limitées à des recherches sur l'équipement de bureau. Knoll se montre en cela fidèle à la tradition fonctionnaliste du Bauhaus qui lui doit d'avoir conquis l'univers, et aussi les plus raffinées de ses réussites artistiques tout autant que techniques : celles de Saarinen, Gae Aulenti, Cini Boeri, etc.

LA MAISON DES BIBLIOTHÈQUES

● **14e** - *61, rue Froidevaux (320.13.00).*

Grand choix de bibliothèques : une centaine de modèles, « de style », contemporains ou rustiques, plus ou moins réussis, mais fonctionnels.

MAISON ET JARDIN

● **7e** - *242 bis, bd Saint-Germain (222.06.01).*
● **8e** - *38, rue de Courcelles (766.93.50).*

Tables laquées à la couleur et aux dimensions souhaitées, mobilier en marqueterie d'os fabriqué pour Maison et Jardin en Colombie (table 50 × 50 cm : 3 000 F), canapés contemporains recouverts de tissu ou de cuir, grand choix de lampes en céramique, en bois peint, etc. Les beaux meubles d'intérieur conçus par un bureau d'études que dirige Jean Dive sont exposés rue de Courcelles à longueur d'année, et d'octobre à avril seulement boulevard Saint-Germain. L'été, en effet, la « galerie » du noble Faubourg, délaissant la maison des villes, se consacre exclusivement à la maison des champs (voir « Meubles de jardin »).

Pour dîner tard le soir et même après minuit, consultez notre liste de restaurants, p. 106.

Des meubles à monter soi-même

HABITAT

- **15e** - *11, rue de l'Arrivée (538.69.90).*
- **17e** - *35, av. de Wagram (766.25.52).*
- **78 Orgeval** - *RN 13, La Maison Blanche (975.99.50).*

Et Forum des Halles, niveau - 2.

Des meubles simples, robustes, et pas trop chers exposés dans l'un des magasins parisiens ou dans celui, plus vaste, d'Orgeval. On les choisit sur place — ou sur catalogue —, on les emporte démontés et tout emballés et on les remonte (facilement) chez soi.

LA MAISON DU KIT

- **92 Boulogne** - *262, bd Jean-Jaurès (605.04.13).*

Tous les rangements possibles en pin non verni sont vendus ici en kit. En particulier les éléments de Monta Bruynzeel et de Scandia, spécialement conçus pour les cuisines et les chambres d'enfant. Conseils de décoration.

LA MAISON DE LA REDOUTE

- **94 Thiais** - *Carrefour Belle-Épine (687.34.46).*

Pour ceux qui ne sont pas encore rompus au décryptage des catalogues (pourtant fort clairs) de vente par correspondance, ou qui, tel saint Thomas, ont besoin de toucher pour croire, la célèbre Redoute de Roubaix a ouvert aux portes de Paris un self-service de 5 000 m². Muni d'un gigantesque chariot, on y circule librement de pièce en pièce (72 en tout, aménagées en salon, chambre à coucher ou cuisine) et on se sert au passage : des meubles (en pin, hêtre, rotin ou tôle peinte), des lampes de toutes sortes, des tapis et des rouleaux de papiers peints sont disposés dans chaque pièce à cet effet. Puis on passe à la caisse et on choisit d'emporter son butin en voiture ou de se faire livrer à domicile (le tarif varie selon la distance et le volume d'achats). La Maison de la Redoute nous assure qu'elle expose seulement 4 % des meubles du catalogue général de vente par correspondance. Il nous a semblé à l'inverse que le choix y était plus vaste...

MATÉRIC-LUNDIA

- **14e** - *5 bis, rue Maurice-Rouvier (543.12.98).*

Une infinité de combinaisons possibles avec les robustes éléments Lundia en bois naturel (structure en sapin massif), démontables, extensibles, transformables et amovibles, qui furent les premiers du genre en France. Pas de livraison à domicile.

MONTAGE

- **7e** - *13, rue du Bac (261.25.91).*

Une chaise de bébé (272 F), un fauteuil de jardin, une bibliothèque en pin, un vélo de course (650 à 1 283 F), une épinette (145 F), une serre octogonale, mais pas de raton laveur. Montage vous les offre à des prix très raisonnables avec, en prime, le plaisir de les fabriquer vous-même. Ils sont vendus, en effet, par élément, avec un plan de montage détaillé et vous demanderont un peu d'habileté, et certains, comme les maquettes de voiture, des heures de patient labeur.

PRISM (PRISUNIC)

- **1er** - *16, av. Victoria (236.36.68).*
- **13e** - *83, av. d'Italie (585.70.58).*

Un bon catalogue de meubles (canapés, étagères, de cuisine, etc.) simples et astucieux, qui ont un grand air de famille avec ceux d'Habitat, de La Redoute et des Trois Suisses. Avant de faire votre choix, comparez les matériaux, les dimensions et les prix de chaque maison.

RAZ

- **17e** - *179, bd Malesherbes (227.51.45).*

Encore un magasin de mobilier en kit. Les « canakit », composés d'éléments de chauffeuses et d'angles « modulaires » en mousse polyéther monobloc, importés d'Italie, « houssables » à volonté dans des tissus imprimés ou unis, sont vendus ici, démontés, sous emballage de carton. Ils ont l'avantage d'être, pour la plupart, vraiment esthétiques, légers, faciles à transporter et à monter. Vente aussi par correspondance sur catalogue.

MEUBLES ET FONCTION

- **6e** - *135, bd Raspail (548.55.74).*
- **8e** - *139, fg Saint-Honoré (561.01.57).*
- **13e** - *55, rue de la Glacière (326.26.20).*

Boulevard Raspail, un bon choix de mobilier contemporain, sobre et « fonctionnel », sorti des cartons de grands designers danois, italiens et français (Jacobsen, Panton, Agnoli, Paulin, etc.). Faubourg Saint-Honoré et rue de la Glacière (M.F.I.) : meubles de bureaux.

MOBILIER INTERNATIONAL

- **7e** - *8, rue des Saint-Pères (260.34.18).*
- **8e** - *166, fg Saint-Honoré (359.08.40).*
- **11e** - *162, bd Voltaire (371.12.11).*

Demeure l'une des plus grandes entreprises de

mobilier et de décor contemporain. On peut y admirer en permanence, outre les toujours jeunes créations de Charles Eames, les toutes dernières découvertes des designers français — Pierre Paulin, Michel Boyer, Gérard Gallet — et étrangers.

L'ORME

● **14e** - *270, bd Raspail (033.80.46).*

Solides et beaux meubles artisanaux en orme massif. Très bonnes bibliothèques à éléments (de 2 500 à 10 000 F et plus), et astucieuse table de salle à manger à rallonges.

Comme au bistrot

GREGOR

● **14e** - *5 et 7, bd Edgar-Quinet (320.09.95).*
● **14e** - *17, rue du Commandant-Mouchotte (260.62.21).*

Aux Français qui ont contracté la maladie de la bistrotite, Gregor offre des tables et des guéridons de bistrot de style 1900 de toutes les dimensions, à plateaux en marbre ronds, carrés, ovales ou rectangulaires, à pieds en fonte laquée de toutes les couleurs (huit) et à prix raisonnables (850 F une table de 80 × 60 cm). Elles sont disponibles en général immédiatement (sinon en 4 ou 5 jours tout au plus). On peut leur adjoindre des chaises et tabourets de style évidemment « bistrot » ou « Thonet » (de 160 à 400 F), dont la maison possède un stock considérable. Possibilité de commandes spéciales. Livraisons à domicile. Vente également par correspondance, sur catalogue (s'adresser au 7, bd Edgar-Quinet).

PROTIS

● **16e** - *24, av. Raymond-Poincaré (704.60.40).*

Protis pratique avec bonheur le style contemporain dans le mobilier et les luminaires. Simplicité des formes, recherche esthétique, choix des matériaux nobles et esprit de création, que l'on doit aux designers italiens et allemands. C'est Ingo Maurer qui a conçu le parasol en bois naturel et en toile de coton, inspiré — dirait-on — des barnums que l'on déploie sur les marchés de province, ainsi qu'une série de lustres (2 200 F le grand modèle) et d'appliques graciles et diaphanes, faits d'assemblages d'éventails de bambou et papier de riz. Vous trouverez également ici un ensemble de plats, de saladiers et de shakers superbes, en verre et acier brillant, sortis des cartons de Lino Sabatini ; des ménagères aux formes épurées, et des canapés simples et de bon goût, dont vous pouvez choisir le revêtement : coton, laine, soie ou cuir. Prix assez élevés (5 500 F minimum, par exemple, pour un canapé).

REGAIN - A.M.C.

● **10e** - *105-107, bd Magenta (878.24.20).*

Beau mobilier contemporain en pin, en orme ou en bois africain massifs, dessiné par Roland Haeusler et édité par le groupe Regain, et quelques jolis bibelots, belles lampes pour les maisons de campagne ou de montagne.

ROCHE ET BOBOIS

● **2e** - *109, bd de Sébastopol (236.82.55).*
● **7e** - *193, bd Saint-Germain (222.11.12).*
● **12e** - *14-18, rue de Lyon (344.18.18).*
● **17e** - *52, av. de la Grande-Armée (574.73.30).*

Et ses nouvelles boutiques-« sœurs » :

LES PROVINCIALES

● **2e** - *105, bd de Sébastopol (236.88.55).*
● **7e** - *197, bd Saint-Germain (548.46.21).*
● **12e** - *12, rue de Lyon (344.18.18).*
● **17e** - *6, rue Denis-Poisson (574.48.72).*

La plus complète des maisons de mobilier moderne, du gadget au canapé cossu. Modèles esthétiquement réussis pour petits ou gros budgets dont beaucoup sont à choisir sur catalogue. En général, bon rapport « qualité-prix », mais les délais de livraison sont souvent incertains. Ajoutons que depuis peu la maison s'est lancée dans le mobilier « de style » et a ouvert de nouveaux magasins à l'enseigne des Provinciales. On y offre un vaste choix de meubles « travaillés à l'ancienne » en chêne massif ou en bois fruitier. Les vendeurs ne sont pas loquaces — c'est même le moins qu'on puisse dire — mais des étiquettes détaillées apposées sur chaque meuble vous renseignent sur son prix, son « style » et le bois dans lequel il est fait. Ainsi vous saurez qu'un bahut de style Louis XIV en chêne massif coûte 8 800 F, une bibliothèque « Régence » en chêne elle aussi : 19 780 F, un petit buffet « Restauration » en merisier : 1 750 F.

VINCENT B

● **7e** - *40, rue du Bac (548.81.21).*
● **8e** - *26, av. de Friedland (622.15.79).*

En granit, marbre ou travertin, ornementées, si l'on veut d'incrustations de pierres dures, les tables de salle à manger sont une grande spécialité de Vincent B. Elles sont exécutées sur mesure en 8 à 10 semaines et vendues à prix très lourd (20 000 F environ). En céramique émaillée, des tables de terrasse à décor florentin traditionnel (5 000 F environ en 120 cm de diamètre). Egalement des canapés (entièrement déhoussables) en toutes dimensions, et les somptueuses créations de Vivai del Sud, en bambou et rotin, dans le style romano-californien. Quelques beaux objets : lampes en terre cuite (à partir de 140 F), cache-pots de grande taille (800 F) en terre cuite naturelle ou émaillée, vases, tapis indiens, etc. Accueil parfait.

MIROITERIE

ANDREETTA-PFEIFFER

● **15e** - *32, bd Pasteur (734.21.45).*

Vente en gros et au détail de vitres et de glaces.

PERRIER-ROLIN

● **12e** - *85, av. Ledru-Rollin (343.13.12).*

Gravure de verre (sur devis). Installation de miroiterie.

PICTET ET SAALBURG

● **15e** - *9, rue François-Bonvin (783.61.10).*

Deux jeunes artisans-miroitiers diaboliquement habiles, au talent consacré dans la gravure dite « au jet de sable », en fait, au jet de corindon qui ne provoque pas de silicose. Cette technique ornementale aujourd'hui furieusement à la mode triompha à l'Exposition de 1937. Elle leur fut enseignée ici même par l'un de ses initiateurs virtuoses, M. Druet, alors qu'ils sortaient de l'école. Il faut savoir que le traitement d'un panneau coûte au mètre carré de 300 F (motif simple) à 2 000 F (motif nécessitant plusieurs sablages), verre non compris bien sûr (prix selon qualité et épaisseur), non plus que la coloration ou l'argenture.

PAPIERS PEINTS

LAURA ASHLEY

● **6e** - *22, rue de Grenelle (544.63.04).*

● **16e** - *95, av. Raymond-Poincaré (704.41.73).*

Papiers peints à gentils petits motifs assortis aux tissus de la maison (voir aussi « Tissus d'ameublement »). 25 F le rouleau de 10 m en 53 cm de large. Peinture également dans les mêmes tons.

BESSON

● **6e** - *18, rue du Vieux-Colombier (548.72.52).*

● **8e** - *46, av. Marceau (720.75.35).*

Une des meilleures maisons de Paris, proposant un choix considérable de papiers peints (avec tissus assortis) classiques, romantiques, exotiques, campagnards et modernes. Toujours des nouveautés et des exclusivités d'origine nordique, italienne, anglaise et américaine, que se disputent une foule de dames très comme il faut : Dieu sait que les vendeuses sont de bon conseil et armées de patience mais — à moins de préparer une thèse sur l'étude des mœurs féminines dans un magasin de papiers peints à la fin du XXe siècle — il vaut mieux posséder soi-même cette vertu. La récompense est au bout du rouleau : on vous en découpe de larges morceaux (gratuits). Matins plus calmes. Sur demande, matelassage et « sertissage » (surpiquage en suivant le dessin) des tissus.

LA BOUTIQUE EXOTIQUE

● **15e** - *20, bd du Montparnasse (734.16.58).*

Toujours une sélection de beaux papiers peints métalliques en exclusivité (environ 225 F le rouleau de 4,50 m en 0,70 m de large ; mesure américaine), mais aussi d'étonnants papiers kraft imprimés à la main au pochoir et inspirés de documents mexicains ou chiliens qui viennent des Etats-Unis (compter 3 semaines minimum de délai ; 350 F le rouleau de 4,50 m). Vous trouverez aussi dans cette petite boutique des perles de toutes les couleurs en provenance de Chine pour faire des rideaux ou des claustras, des céramiques portugaises et de très jolis lustes en perles (à partir de 1 100 F).

Pour faire votre choix

COMITÉ DE PROPAGANDE DU PAPIER PEINT

● **4e** - *12, rue Pavée (887.90.68).*

Pour consulter, dans un très bel hôtel du Marais, les collections de plusieurs fabricants français, avec conseil de décoration et de pose et adresses des détaillants (aucune vente sur place). Echantillons sur demande.

MANUEL CANOVAS

● **6e** - *6, rue de l'Abbaye (326.89.31).*

« Show-room ». Toute la collection de papiers peints de Canovas, dont certains sont coordonnés aux tissus. Echantillons gratuits. Conseils précieux. Voir aussi « Tapis et moquettes » et « Tissus d'ameublement ».

LES DOMINOTIERS

● **15e** - *4, av. du Maine (548.21.41).*

Judicieuse sélection des grands fabricants français. En exclusivité, des tissus allemands et américains et des papiers peints suédois, anglais et américains. A tous les prix : de 30 F le rouleau jusqu'à 55 F le mètre (pour un papier peint piqué blanc en 150 cm de large). Les échantillons sont gratuits et expédiés par la poste.

Consultez la table des matières : p. 631.

DUCHESNE

● **3e** - *5, bd des Filles-du-Calvaire (887.64.20).*

Papiers peints classiques ; un vaste choix, mais un inconvénient : la maison ne donne pas d'échantillon, sauf en de très rares occasions pour quelques papiers allemands ou anglais.

PIERRE FREY

● **1er** - *47, rue des Petits-Champs (297.44.00).*

Voir « Tissus d'ameublement ».

HABITAT

● **15e** - *11, rue de l'Arrivée (538.69.90).*
● **17e** - *35, av. Wagram (766.25.52).*
● **78 Orgeval** - *RN 13, La Maison Blanche (975.99.50).*
Et Forum des Halles, niveau - 2.

Une jolie collection de papiers peints, à motifs naïfs, (à partir de 20 F le rouleau de 10 m). Peinture dans les mêmes tons et tissus imprimés assortis. Et pour camoufler les imperfections des murs, un papier blanc qui imite le crépi et que l'on peut, éventuellement, peindre (40 F le rouleau de 33 m) et un revêtement mural en paille synthétique (plusieurs coloris : 33 F le m en 140 cm).

YVES HALARD

● **7e** - *24, av. de Breteuil (567.80.32).*

Imprimés de petits motifs, une dizaine de charmants modèles de papiers peints (peu renouvelés toutefois) qui existent en plusieurs coloris, tantôt acidulés tantôt « passés » (75 F environ le rouleau de 10 m en 0,50 m de large). Tissus assortis ou non, vendus dans la même boutique.

La palette de l'arc-en-ciel

PEINTURES GAUTHIER

En vente, entre autres, chez **Ramade**
● **11e** - *123, fg Saint-Antoine (343.37.53).*

Une formidable palette de coloris (les laques brillantes sont superbes) utiles bien sûr pour les peintres professionnels, mais aussi et surtout, à notre sens, pour les bricoleurs du dimanche qui peuvent ainsi éviter de fastidieux (et souvent peu heureux) mélanges, si difficiles, en outre, à « recomposer » quand, par malheur, on n'a pas fait les quantités suffisantes.

JADA

● **4e** - *15, rue du Pas-de-la-Mule (272.08.52).*

Des papiers, des papiers, toujours des papiers : américains imprimés à la main dans le coloris choisi (300 F environ le rouleau de 4,58 x 0,70 m), panoramique (prix sur devis), « à la cuve » (c'est-à-dire marbrés) en grande dimension, papier kraft, papier bois. Et aussi des revêtements muraux en paille synthétique et des panneaux de nacre ou de rotin.

JUSTE MAUVE

● **16e** - *29, rue Greuze (727.82.31).*

Une charmante boutique composée de plusieurs petites pièces dont l'une est réservée à la présentation des papiers peints, joliment disposés en patchwork collé aux murs, et aux tissus accrochés en panneaux. Sélection judicieuse de collections françaises, anglaises et américaines (parfois un bon mois de délai de livraison). Le choix est important et d'un goût toujours parfait, l'accueil délicieux, et les conseils efficaces quand ils sont prodigués par la « maîtresse de maison », Anne-Marie de Ganay. Egalement des cadeaux et accessoires de charme pour la maison.

Papiers-reliures

RELIURE 55

● **6e** - *55, rue des Saints-Pères (222.53.48).*

Ce relieur d'art vend également de jolis papiers à la cuve pour recouvrir vos murs (ou décorer meubles, boîtes, objets).

RELMA

● **6e** - *6, rue Danton (326.58.33).*

Ce magasin spécialisé dans les fournitures pour relieurs possède un grand choix de très beaux (et chers) papiers pouvant parfois remplacer avec originalité le papier peint classique (jolies marbrures).

MYRIAM

● **2e** - *14, rue Etienne-Marcel (236.94.67).*

Toujours l'une des plus sûres adresses du genre à Paris. Pour la bonne raison que Myriam ne porte la bannière d'aucune marque et que sa sélection des meilleurs papiers anglais, suédois, américains, italiens et français (à tous les prix) y est faite avec le plus grand goût et le plus grand discernement. Dans cette sorte d'antique bureau de poste, les vendeuses vous laissent fouiller dans les grands registres et vous donnent autant d'échantillons qu'il vous plaît. Tissus assortis aux papiers.

N'GOR

● **1er** - *8, 10, 12, rue Vauvilliers (508.86.50).*

Vaste maison installée dans le superbe décor d'une ancienne fabrique de foie gras des Halles.

Un choix original de papiers peints américains métalliques ou en vinyl, lavables, certains très sophistiqués. Nombreux panoramiques. Les prix s'échelonnent de 130 à 450 F le rouleau de 4,50 m.

A l'ancienne ou panoramiques

JEAN-LOUIS CHASSET

● **5e** - *6, rue Saint-Victor (326.83.00).*

La marotte de cet antiquaire c'est le papier peint ancien, avec ou sans frise, exactement reproduit sur planches ou documents anciens (XVIII et XIXe siècles). Le choix en est assez limité quant aux motifs, tous ravissants, mais très étendu par la gamme des couleurs. Celles-ci seront assorties à la demande dans tous les tons de la palette sans qu'il en coûte plus cher. Au reste, pour un travail fait à la main et aussi raffiné, les prix sont raisonnables et parfois mêmes moins élevés que ceux de certains papiers de grande diffusion du type papier japonais. Un mois de délai et commande de 10 rouleaux minimum.

NOËL DUMOLARD

● **14e** - *16 bis, rue Bardinet (villa Leone) (542.15.64).*

Sur rendez-vous.

Insensible aux modes et aux provisoires révolutions artistiques, ce réalisateur de sages papiers peints panoramiques exécute seul et sur commande toutes copies et compositions originales. Il ne se refuse plus maintenant à les reproduire et travaille même pour de célèbres maisons (Nobilis, Besson). Ses délais sont d'une quinzaine de jours environ, et ses prix tournent autour de 1 000 F le mètre de décor sur 3 m de haut. Un décor floral imprimé en sérigraphie est en vente (beaucoup moins cher) aux Dominotiers (4, av. du Maine, 15e).

MAUNY

● **16e** - *25 bis, rue Franklin (553.85.20).*

Remarquable maison spécialisée dans les papiers panoramiques (reproductions du XVIIIe siècle) imprimés à la main, et les papiers peints « au raccord et à la planche » (modèles Louis XVI, Empire, etc.), avec éventuellement de délicieuses frises et bordures. Fins de séries en solde.

NOBILIS

● **6e** - *32 et 40, rue Bonaparte (329.21.50).*

Créé en 1925, c'est-à-dire du temps des Années Folles. C'est pourtant la sagesse, la retenue et la « distinction » qui caractérisent les papiers peints et revêtements muraux de Nobilis et les tissus d'ameublement de Suzanne Fontan. Entre la place Saint-Germain-des-Prés et la rue Jacob les deux magasins (au nº 40 : le « show-room » qui s'ouvre sur une jolie cour-jardin) et les six vitrines se regardent comme des livres d'images : décors panoramiques, papiers imprimés à la main, motifs traditionnels, revêtements en herbe de Corée, chanvre, paille d'orge, etc. Accueil agréable sans être envahissant, présentation excellente sur des panneaux mobiles et grands échantillons gratuits. Nobilis vend aussi ses productions chez nombre de décorateurs et marchands de papiers peints.

PASSEMENTERIE

A. HOULÈS & CIE

● **12e** - *18, rue Saint-Nicolas (344.65.19).*

La maison Houlès tisse chaque année 7 millions de mètres de galons de passementerie en 4 400 coloris différents. Elle commercialise une qualité « moyenne » en fibre acrylique vendue dans les grands magasins et une collection plus luxueuse, en fibres naturelles aux coloris recherchés. Si luxueuse, que le roi Khaled ben Abdoul Aziz en a récemment prélevé un bon métrage — quelques kilomètres sans doute — pour la décoration de son palais de Ryad.

MARIN ET TULLET

● **8e** - *7, rue de Monceau (227.09.10).*

Choix énorme de galons, embrasses, mains courantes, provenant tous de la très remarquable maison Bourdon de Lyon qui fournit le Mobilier national, l'Hôtel Marigny, l'Élysée, etc. Rayon de quincaillerie d'ameublement : tubes chemins de fer, garnitures de style en bois et métal, etc.

PATCHWORKS

LE NID DE L'ÉCUREUIL

● **6e** - *25, rue Bonaparte (633.98.71).*

La succursale parisienne du Squirrel's Nest californien vend des patchworks américains, anciens ou modernes, des sets de tables imprimés aux U.S.A., des salopettes en tous tissus et pour tous les âges, et des animaux en peluche, américains eux aussi.

OLLIVARY

● **6e** - *1, rue Jacob (633.20.02).*

Une des plus anciennes boutiques (petites antiquités) de Paris à vendre des quilts, et une très charmante dame.

LE ROUVRAY

● **5e** - *1, rue Frédéric-Sauton (325.00.45).*

Diane Armand-Delille expose l'un des plus beaux choix d'authentiques patchworks anciens importés des U.S.A. : 200 modèles fabriqués entre 1860 et 1920 et vendus de 500 (rarement) à 3 500 F. Des cours fort sérieux pour apprendre l'assez difficile technique du patchwork sont donnés par une spécialiste (240 F les 4 séances de 2 heures). Meubles et brocante (en fin de semaine et sur rendez-vous) au Rouvray bis, une jolie ferme fortifiée sise à Maillebois, en Eure-et-Loir.

LE TEMPS RETROUVÉ

● **1er** - *6, rue Vauvilliers (233.66.17).*

Jolis patchworks américains anciens.

QUINCAILLERIE, BRONZES

Pensez aux rayons particulièrement bien fournis du **B.H.V.** et aux **Galeries Lafayette** qui ont créé, à l'automne 78, un magasin consacré au bricolage et à la décoration (angle des rues La Fayette et Chaussée d'Antin).

LES FORGES DE VULCAIN

● **1er** - *3, rue Saint-Denis (233.71.21).*

Merveilleuse maison pour les machines-outils, les moteurs électriques, les instruments de levage, et les accessoires sérieux du bricolage professionnel.

GARNIER

● **92 Boulogne** - *85 bis et 101, route de la Reine (604.81.61).*

Grande quincaillerie à l'usage des grands professionnels des environs ou des bricoleurs confirmés, qui s'y fournissent en boulonnerie, visserie, électricité, robinetterie, fers plats ou profilés, tubes, etc. Et matériel pour le jardin : grillage, tondeuses à gazon, tuyaux d'arrosage. La maison nous signale qu'elle réserve aux lecteurs de ce Guide une remise de 10 % sur la plupart des articles. Livraison gratuite.

LEJEUNE

● **11e** - *209, fg Saint-Antoine (372.27.37).*

Cuivre et bronze décoratifs, de la serrure à la boule d'escalier, en passant par le pied de meuble et le liston de la table haricot.

PINAZO

● **1er** - *35, rue Saint-Denis (233.13.00).*

Répare les moteurs électriques et brade toute sorte de matériel de bricolage d'occasion (ainsi que des vélomoteurs et des bicyclettes).

A LA PROVIDENCE (Quincaillerie Leclercq)

● **11e** - *151, fg Saint-Antoine (343.06.41).*

Vieille boutique du Faubourg. Ferrures, dorures, serrures et bronzes d'ameublement.

SUPER BAT

● **19e** - *22 à 28, av. Simon-Bolivar (205.48.87).*

Une immense boutique où l'on trouve tout pour refaire son appartement, des peintures aux robinets de lavabos, des lavabos eux-mêmes aux revêtements de sol, à des prix vraiment raisonnables.

WEBER

● **3e** - *9, rue de Poitou (271.23.45).*

Roulor (les rouleaux à peinture), Moulinex, le baron Bich (de la pointe) lui-même et bien d'autres doivent peu ou prou à cette formidable maison d'articles ferreux en tous genres. Barres, fils tôles, vis, tubes, profilés, plexiglas, rhodoïd de couleur, outillage : 160 000 articles en magasin, où Calder pour ses mobiles et César pour ses compressions ont puisé le matériau de leur immortalité.

SERRURERIE

BLINDAGES, systèmes d'alarme et autres verrouillages super-sophistiqués sont devenus monnaie courante, et tous les serruriers de quartier savent désormais poser ces appareils qui doivent « décourager » les voleurs. Nous ne vous donnerons donc que deux adresses que nous connaissons et qui sont réputées pour leur grand sérieux. Mais il en est beaucoup d'autres où vous pourrez vous adresser en confiance.

BRICARD

● **1er** - *39, rue de Richelieu (296.14.44).*

● **12e** - *84, cours de Vincennes (307.43.29).*

La plus grande et la plus sérieuse maison de la place pour la serrurerie de sécurité et la serrurerie décorative, qui a ouvert, dans le Marais, un très beau musée de la Serrure. (Voir « Musées »).

GARNIER

● **12e** - *30, bd de la Bastille (343.84.85).*

M. de Crépy vous aidera personnellement à choisir vos crémones, poignées de porte, etc. (de tous les styles) comme il le fait pour la cour du Maroc, le « Combattant Suprême » ou le musée du Louvre. Il pourra en outre réaliser n'importe quel modèle d'après vos indications et se chargera, bien entendu, de la pose à votre domicile. Une excellente adresse.

STORES

FILTRASOL

● **8e** - *1, rue du Boccador (225.34.81).*

Fourniture et installation de stores verticaux et de rouleaux automatiques en différents tissus et coloris. Filtrasol habille vitrines et fenêtres de bon nombre de couturiers : Dior, Lanvin, Scherrer, Cardin, etc.

LE PANNEAU COULISSANT

● **15e** - *132, rue Blomet (828.23.23).*

Cloisons japonaises coulissantes, doubles-rideaux, stores intérieurs sur mesure. On les exécutera pour vous en tissu — grand choix de bonnes marques : Frey, Fontan, Canovas, Halard, etc., mais vous pouvez aussi apporter votre propre métrage —, ou en bois tissé, naturel, verni ou teint dans de jolis tons pastel. Le bois tissé est vendu également au mètre pour le revêtement des murs : naturel : 65 F environ le m en 1 m de large, teint : 115 F le m en 0,90 m.

ROUSSEL

● **8e** - *177, bd Haussmann (359.33.14).*

Stores en toiles de toutes sortes, volets roulants, rideaux, stores vénitiens ou californiens (à lames verticales), opaques ou transparents : cette vieille maison (elle date de 1815) travaille avec sérieux et compétence — et, de novembre à février, à moindres frais (tarifs réduits de 15 %). Egalement blindage de portes, pose de cloisons japonaises (à claire-voie), isolation des fenêtres (« survitrage »).

STORES BELZACQ

● **16e** - *143, rue de la Pompe (727.06.48).*
● **17e** - *8 et 10, rue Torricelli (574.16.50).*

Cette excellente et plus que centenaire maison — elle date de 1857 — enverra chez vous, sur simple appel téléphonique, un technicien qui établira en 24 heures et sans engagement de votre part un devis gratuit pour toute installation de stores. Extérieurs, en toile de coton ou en dralon (imputrescible), dans une gamme immense de coloris, unis, rayés, double face ou « à décor ». Ou intérieurs : automatiques (à ressort), vénitiens, à lames verticales, etc. Les délais de pose sont variables : 15 jours dans le meilleur des cas, mais prévoyez un mois pendant la belle saison. Exposition des différents modèles dans les deux magasins ; ateliers : rue de Torricelli.

TAPIS, MOQUETTES, FOURRURES

BRAQUENTÉ

● **2e** - *16, rue Vivienne (261.53.94).*

Cette vénérable maison (voir aussi « Tissus d'ameublement - Les maisons-musées ») possède un stock de dessins anciens, du XVIIIe et surtout du XIXe siècle, superbes et exclusifs, d'après lesquels elle fabrique sur commande (et à partir de 50 m linéaires) de très belles moquettes imprimées, à des prix qui n'ont rien d'excessif (150 à 350 F le m).

MADELEINE CASTAING

● **6e** - *21, rue Bonaparte (354.91.71).*

Une des premières à avoir introduit les moquettes à dessins (surtout Napoléon III) dans les appartements parisiens bourgeois. A partir de 350 F le m en 70 cm de large, pour des modèles que vous ne trouverez que chez elle.

COGOLIN ET LAUER

● **1er** - *5, av. de l'Opéra (261.63.52).*

Le magasin d'exposition des ateliers de Cogolin a été tout récemment réaménagé. Outre les toujours superbes tapis en laine ou en coton tissés à la main, vous pourrez y choisir les non moins superbes tissus d'ameublement : gros tissages matelassés, lainages traités en chevrons, piqués épais ou cotons imprimés, que seuls les professionnels, décorateurs ou tapissiers, pourront commander pour vous.

BOUTIQUE DANOISE

● **8e** - *42, av. de Friedland (227.02.92).*

Riches et beaux tapis de laine unis (40 coloris, et trois épaisseurs : 2, 6 et 9 cm), chinés ou à motifs contemporains. Délais de livraison : 8 semaines, prix élevés : 450 F le m² en 2 cm d'épaisseur.

DEKORAS

● **7e** - *30, rue des Saints-Pères (222.09.98).*

Jolies moquettes, unies ou imprimées de motifs géométriques : elles existent en 6 coloris, mais peuvent être exécutées sur commande dans le ton de votre choix. A partir de 180 F le m en 70 cm de large. Cotonnades assorties et bon choix de meubles d'appoint, créés également par la maison.

FORMES ET SUPERFICIES

• **8e** - *156, bd Haussmann (267.57.59).*

Belles moquettes de laine unies exclusives : 75 coloris et une grande diversité de point et d'épaisseur (à partir de 200 F le m^2).

DAVID HICKS

• **6e** - *12, rue de Tournon (326.00.67).*

Très belles (et très chères) moquettes de laine à dessins géométriques (240 à 390 F le m en 0,70) : coloris à la demande, 2 mois de délai de livraison et jolis tapis tissés en Inde d'après des cartons de David Hicks, en laine ou en coton de couleurs vives (de 3 500 à 7 700 F).

Fourrures

BELLON

• **9e** - *72, rue de Provence (874.27.11).*
• **14e** - *189, bd Brune (539.56.86).*
• **20e** - *9, rue de Lagny (373.14.06).*

Ces tanneurs vendent dans ces trois boutiques parisiennes leur propre production de fourrures à des prix sans concurrence (descente de lit en chèvre de Chine : 169 F, tapis en peau de vache : de 498 à 798 F, couvre-lit en lapin ou en antilope de Chine : 1 500 F).

LE MONDE SAUVAGE

• **1er** - *86, rue Saint-Denis (508.96.57).*

André Laval est à la fois importateur (il sélectionne lui-même ses peaux), grossiste et détaillant, d'où ses prix assez bas pour une qualité souvent étonnante. D'Amérique latine, d'Afrique ou de Chine, ses peaux servent de tapis, carpettes, couvertures ou coussins (moquettes de fourrure, tapis et dessus-de lit sur mesure). Vous trouverez également ici un grand choix de jolis hamacs (15 modèles de 65 à 990 F), des suspensions en macramé, des sacs et des valises en cuir de porc importés de Chine et des objets d'artisanat oriental.

INDIGO-CANOVAS

• **6e** - *5, rue de Furstenberg (329.91.36).*

Presqu'en face du « show-room » où sont exposés les tissus Canovas, et sur l'exquise petite place Furstenberg, les moquettes et tapis — Canovas — de très belle qualité : tous les dessins, tous les tons, certains coordonnés aux tissus. Gouaches (gratuites) sur demande, d'après vos indications : commandes à partir de 35 m^2. De 183 à 408 F environ le m^2.

JAEGLER

• **18e** - *35, rue Marcadet (254.61.36).*

Vaste choix de moquettes à des prix particulièrement intéressants. Cet entrepôt, fréquenté surtout par les décorateurs et les architectes, accueille fort aimablement les particuliers. Prise des mesures à domicile, prêt d'échantillons pendant le week-end, pose (par des techniciens de la maison) comprise dans les prix : 160 F le m^2 environ pour une moquette de laine de grande qualité, 80 F pour une moquette synthétique.

KERSA

• **6e** - *53, rue du Cherche-Midi (548.02.70).*

Fabriquées dans le nord de l'Angleterre, à Durham plus précisément, des moquettes de laine de très grande qualité, proposées en 250 coloris, un millier de motifs et cinq hauteurs de mèche : Kersa en a pris l'exclusivité pour Paris et la région parisienne. Leurs prix s'échelonnent entre 291 et 507 F le m^2 (deux mois de délai environ). On peut aussi commander un dessin de son choix, ce qu'a fait, par exemple, la décoratrice Martine Nourissat pour assortir les moquettes de sa propre collection aux imprimés de ses tissus.

LES LISSES DE FRANCE

• **8e** - *98, bd Haussmann (522.88.25).*

Sérieuse maison qui fournit « les » ambassades et d'anciens ministres. Sur 800 m^2, des tapis d'Iran, de Chine, de Turquie, de Roumanie, etc., à des prix très variables selon l'origine, et des moquettes de qualité. Soldes en juillet-août.

A LA PLACE CLICHY

• **8e** - *93, rue d'Amsterdam (387.54.20).*

Le vieux magasin se modernise peu à peu et demeure l'un des meilleurs de la place Clichy, pour ne pas dire de Paris, pour les moquettes unies (laine, fibres synthétiques, coco, etc. aux jolis coloris) et à dessins (créés en collaboration avec Pierre Frey) et pour le choix étonnant de tapis : d'artisanat ou non, modernes ou anciens et de toutes provenances.

SAINT-MACLOU

• **8e** - *12, rue du Rocher (522.08.09).*
• **10e** - *142, rue La Fayette (203.61.72).*
• **12e** - *9, pl. de la Nation (373.78.05).*
• **13e** - *28, quai d'Austerlitz (584.43.70).*
• **15e** - *245, rue de Vaugirard (734.41.59).*

Il ne se passe guère de mois sans l'ouverture d'un nouveau point de vente en banlieue comme en province. Aussi nous contentons-nous de signaler les seuls magasins parisiens. Vous y trouverez moquettes et tapis à prix d'usine pour une qualité industrielle d'excellente tenue. Echantillons gratuits et livraison gratuite également dans toute la France.

SOLDÉCOR

- **4e** - *11, rue du Temple (272.09.09).*
- **9e** - *57, rue La Fayette (280.04.74).*
- **10e** - *235, rue La Fayette (607.79.33).*
- **14e** - *98 et 100, av. du Maine (322.22.00).*
- **14e** - *56, rue Sarrette (540.86.30).*

Du plus petit pinceau au tapis d'« Orient » et à la moquette, en passant par les peintures, le papier peint et les voilages. Bonne qualité courante à des prix raisonnables. Se charge de la pose.

Les bonnes affaires

LES ARTISANS RÉCUPÉRATEURS

- **11e** - *10, impasse Saint-Sébastien (355.66.50).*

Dans un arrière-fond d'impasse où règne une indéniable activité, ces soldeurs proposent de belles affaires pour les petits budgets. Aucun effort de présentation mais beaucoup de bonne humeur. Il faut connaître exactement son métrage, fouiner à travers les rouleaux et les pièces, bien les examiner avant de se décider rapidement (le lot peut disparaître dans la journée) et emporter son paquet avec soi.

MARCEL LANHAM

- **14e** - *98, rue de la Tombe-Issoire (322.80.70).*

Soldes permanents de moquettes, carpettes nylon sur caoutchouc, etc. (déclassées, fin de séries de grandes marques). Dalles et rouleaux de plastique, tissus et papiers vinyl.

MILSOLD

- **20e** - *8, bd de Charonne (373.03.51).*

Soldes permanents de moquettes (de grandes marques), de revêtements de sol et de tapis. Jusqu'à 60 % de remise sur certains articles.

MONDIAL MOQUETTE

- **13e** - *40, quai d'Austerlitz (584.72.38).*
- **14e** - *90, bd Jourdan (539.38.62).*
- **18e** - *114, rue Damrémont (606.05.73).*
- **19e** - *144, bd de la Villette (203.00.79).*
- **92 Boulogne** - *82 bis, rue Gallieni (605.45.12).*

Enorme choix dans les qualités standard. En fibre synthétique ou en laine, moquette au rouleau, au mètre, ou au kilomètre, déclassée et soldée en permanence. « Nocturnes » le vendredi jusqu'à 22 h dans tous les magasins (les autres jours, jusqu'à 20 h).

AU TROUBADOUR

- **6e** - *59, rue Saint-André-des-Arts (326.14.77).*

Beaux tapis de laine, espagnols, très colorés et réversibles à larges motifs (fleurs de lys, etc.). On les met sur le sol (mieux vaut alors les doubler d'une toile), ou on s'en sert comme couvre-lit. Plusieurs tailles : de 112 x 60 cm (190 F) à 280 x 217 cm (2 000 F). Possibilité de commandes spéciales (3 mois de délai).

TAPISSERIE

ATELIER D'ANAÏS

- **6e** - *23, rue Jacob (326.68.00).*

Cette charmante boutique propose d'innombrables cartons et canevas originaux d'inspiration très charmante : en particulier des carrés de 35 cm de côté à motifs de légumes, de fleurs ou d'animaux (300 à 500 F environ laines comprises) et des alphabets de style romantique. Elle prépare aussi des canevas d'après votre propre modèle ou vos idées et se charge du montage des ouvrages terminés.

BRAQUENIÉ

- **2e** - *16, rue Vivienne (261.53.94).*

Dans l'ancien hôtel Colbert de Torcy (du XVIIe siècle), une merveilleuse collection de tapis, tapisseries, cartons et canevas anciens. Tous les ouvrages de dames « au point » sur canevas (de style exclusivement).

BROCARD

- **4e** - *1, rue Jacques-Cœur (272.16.38).*

L'excellente et vieille maison Brocard (spécialisée dans la restauration des tapisseries et des broderies anciennes), se charge de la préparation des ouvrages en tapisseries (canevas dessinés d'après des documents anciens et fourniture de laines et soies aux coloris très raffinés).

CANEVAS ET TAPISSERIE

- **1er** - *6, rue Saint-Florentin (260.16.18).*

Outre le choix merveilleux de ses canevas de style Louis XVI, cette maison exécute sur canevas vierge des reproductions de vos propres modèles, dont les couleurs et les dessins sont fidèlement reportés.

CENTRE NATIONAL DE LA TAPISSERIE D'AUBUSSON (Galerie Inard)

- **7e** - *179, bd Saint-Germain (544.66.88).*

Créé pour développer et renouveler l'artisanat d'Aubusson. Tapisseries contemporaines : de 10 000 à 80 000 F selon la taille et l'auteur.

HENRIETTE GUICHARD

● **1er** - *8, rue des Pyramides (260.40.40).*

Très beaux et chers canevas classiques. Toute restauration de tapis et tapisseries.

JEUX D'AIGUILLES

● **1er** - *269, rue Saint-Honoré (260.22.19).*

L'un des (bons) fournisseurs des princesses de Monaco et du Luxembourg. Jeux d'Aiguilles propose des tapisseries sur mesure (et à faire soi-même), des canevas modernes pour coussins, des toiles dessinées et à broder pour nappes, sets de table, draps, etc. En bref tout ce qui concerne la tapisserie et la broderie. A la disposition des clientes : un dessinateur (sur place) et le Club Jeux d'Aiguilles qui organise des cours dont le succès va croissant.

KELL'S CORNER

● **7e** - *94, rue de Grenelle (544.64.26).*

De charmantes tapisseries américaines : les motifs, peints à la main, sont pleins d'invention et de gaieté. Elles feront merveille dans une chambre d'enfant ou une maison de campagne. Cours de tapisserie pour les enfants et les adultes le samedi après-midi (sauf pendant les vacances scolaires) : 400 F les 5 séances de 2 h 30, fournitures comprises.

SAMARITAINE

● **1er** - *Pont-Neuf (508.33.33).*

L'un des meilleurs choix de Paris pour les laines à tapisserie et pour les canevas.

TAPISSERIE AU POINT

● **1er** - *128, galerie de Valois (261.44.41).*

Les comédiens du Théâtre-Français y viennent en voisins choisir laines (superbes) et canevas (modernes ou de style) dont le maniement est, dit-on, souverain contre le trac. Claudine Brunet reproduit également des tapisseries anciennes (surtout pour les fauteuils) d'après des documents, même altérés par le temps.

TISSUS

Les boutiques

Voir également les importants rayons des grands magasins : **Samaritaine, Bon Marché, B.H.V.**, et surtout **Printemps.**

LAURA ASHLEY

● **6e** - *22, rue de Grenelle (544.63.04).*
● **16e** - *95, av. Raymond-Poincaré (704.41.73).*

Depuis quelques années, son inspiration ne varie guère et Laura Ashley reste fidèle à la formule (d'ailleurs excellente) qui a fait — et continue de faire — son succès : vendre à petit prix (25 F le m environ en 120 cm de large) des tissus de coton, unis ou imprimés. De jolis coloris, un peu froids parfois, et des imprimés discrets : fleurs désuètes ou petits dessins géométriques. Ils n'existent malheureusement pas en grande largeur mais son néanmoins parfaits pour les tentures murales ou la confection des nappes (les tissus sont lavables) ; également une qualité plus résistante pour recouvrir des canapés ou faire des rideaux.

BESSON

● **6e** - *18, rue du Vieux-Colombier (548.72.52).*
● **8e** - *46, av. Marceau (720.75.35).*

Voir « Boutiques de décoration » et « Papiers peints ».

Coussins cousus

Plus ou moins jolis, et souvent fort chers, vous trouverez des coussins dans la plupart des boutiques de décoration ou de cadeaux. Mais rien n'est plus simple à confectionner soi-même, ni moins onéreux si vous êtes de celles qui achètent des coupons au hasard des soldes. Voici aussi une bonne adresse pour des coussins plus sophistiqués :

AGNÈS COMAR

● **6e** - *76, rue de Seine (329.56.20).*

Une toute petite et jolie boutique où les coussins, en satin, en soie, en panne de velours, en patchwork, naïfs ou « rétro », grimpent jusqu'au plafond ; leurs prix en font tout autant.

THE COLEFAX AND FOWLER CHINTZ SHOP

● **6e** - *2, rue de Furstenberg (325.66.64).*

Succursale parisienne du fameux Colefax de Londres. Où vous trouverez, bien sûr, toutes sortes de chintz typiquement british (140 F le mètre environ), et toiles unies ou imprimées (à grands motifs floraux), et des sièges d'un confort tout britannique : 8 000 F le canapé (en plume), 3 000 F la chauffeuse. Livraisons en provenance de Londres tous les vendredis. Sur commande des moquettes exclusives : 350 F le m en 69 cm de large et 3 mois de délai.

COTTON

● **6e** - *6, rue Stanislas (548.65.60).*

Une bonne adresse pour les bricoleurs du dimanche qui veulent tendre de tissu les murs de leur appartement. Ils trouveront ici un vaste choix de tissus unis ou imprimés en grande largeur (à partir de 60 F le m en 240, 260 ou 280 cm de large), des agrafeuses, des baguettes, et les conseils éclairés de Jean-Marie Huot qui connaît sur le bout du doigt la technique de pose des tentures murales.

LE CRIN

● **6e** - *73, rue des Saints-Pères (548.53.01).*

Brillants comme la soie, parfaits pour recouvrir des fauteuils anciens ou des chaises de salle à manger, les tissus de crin sont à toute épreuve : ils ne craignent ni la poussière, ni l'humidité, ni les mites, ils durent « plus d'une génération », autant dire : ils sont increvables. Le crin de cheval (chinois) est tissé à la main sur d'anciens métiers jacquard. Vous trouverez ici plus de cinquante modèles différents : unis, chinés, à dessins géométriques ou « de style », en 70 cm de large, de 320 à 450 F le mètre. Les échantillons sont fournis gracieusement. Les délais de livraison peuvent atteindre trois mois.

LES DÉCORATRICES GOURMANDES

● **15e** - *118, rue de Lourmel (577.87.60).*

Sympathique boutique où l'on peut aussi bien fouiner à son gré, ou demander (et recevoir) d'excellents conseils. Une sélection de tissus gais, de bonne qualité et à des prix abordables. Bonne adresse pour les jeunes gens qui s'installent dans leurs meubles.

DESAGNAT

● **8e** - *54, rue d'Anjou (265.88.40).*

Une belle collection de tissus, papiers et moquettes mais surtout — et en exclusivité — du verre-miroir mural présenté en « nappes » de 50 cm x 50 cm sur support de jersey. 25 « coupes » (motifs) différents et onze coloris, du blanc au bleu vitrail en passant par le gris fumé, le rose, le jaune d'or, l'ambre, etc. Cet étonnant matériau s'utilise sur toutes surfaces, verticale ou horizontale, plane, courbe, convexe ou concave, sur les murs, les plafonds colonnes, niches, meubles, vitrines et tablettes.

ÉTAMINE

● **7e** - *13, bd Raspail (548.00.60).*

Ravissants chintz américains (42 F le mètre en 90) et très belle sélection de tissus en provenance d'Angleterre et d'ailleurs.

HABITAT

● **15e** - *11, rue de l'Arrivée (538.69.90).*
● **17e** - *35, av. de Wagram (766.25.52).*
● **78 Orgeval** - *RN 13, La Maison Blanche (975.99.50).*
Et Forum des Halles, niveau - 2.

Pour jeunes budgets, de charmantes cotonnades à partir de 19 F le mètre en 120 ou 130 de large. Certaines compositions ont leur papier peint assorti.

YVES HALARD

● **7e** - *24, av. de Breteuil (567.80.32).*

Les cotons les plus frais, les plus charmeurs, les plus gais de Paris : ceux que dessinent (ou choisissent) Yves et Michèle Halard. Ils sont vendus ici au mètre (de 54 à 85 F environ le m en 130 cm de large). Mais rien ne vous empêche, pour « prendre » des idées, d'aller les voir dans la boutique voisine au coin de l'avenue Duquesne, exposés dans toutes leurs utilisations : tentures murales, rideaux, canapés déhoussables, nappes, tables ou consoles gainées, abat-jour, etc. L'atelier de l'avenue de Breteuil peut se charger de la confection de rideaux sur mesure, de couvre-lits, ou de la pose des tentures murales. Voir aussi « Boutiques de décoration » et « Papiers peints ».

Les bonnes affaires

LES DEUX PORTES

● **4e** - *15, rue Beautreillis (278.65.53).*

Très bonne (et assez récente) adresse qui propose les fins de séries des grandes marques de tissus d'ameublement : Pierre Frey, Paule Marrot, Suzanne Fontan, Manuel Canovas, etc. Imprimés ou unis, en voile, toile, percale, soie et velours, ils sont vendus à 50 % de leur prix initial mais les métrages (en quantité limitée) ne sont pas suivis. 23 à 45 F le mètre pour les cotons en 1,30 m de large. 54 à 90 F le mètre pour les soies en 1,40 m. Egalement de la passementerie.

DREYFUS

● **18e** - *2, rue Charles-Nodier (606.56.34).*

C'est la grande adresse du Marché Saint-Pierre pour les soieries, les tissus « couture », les lainages en grand métrage, l'infinie variété des toiles de jute imprimées ou unies en grande largeur, les velours de laine, les tissus fantaisie bradés au rez-de-chaussée et bien sûr les affaires (extraordinaires) dans les tissus d'ameublement dont on aura intérêt à se pourvoir en une seule fois car ils ne sont généralement pas suivis. Dreyfus, c'est non seulement une bousculade délirante et des empoignades de tous les instants avec des vendeurs (et surtout des caissières) bien souvent agressifs, mais c'est aussi un choix, une fantaisie et surtout des prix dont Paris tout entier n'a pas d'équivalent.

LA MAISON DU FEUTRE

● **1er** - *194 bis, rue de Rivoli (260.58.92).*

Feutre uni (50 jolis coloris) vendu au mètre.

facile à « travailler » (ne s'effiloche pas) et parfait pour des tentures murales ou des placards. Deux qualités : en laine : 78 F le m en 180 cm de large, et plus mince, en fibranne (feutrine) : 43,50 F le m dans la même largeur. Se vend aussi en 90 cm de large dans une vingtaine de coloris.

Du liège sur vos murs

AU CHÊNE LIÈGE

● **14e** - *74, bd du Montparnasse (322.02.15).*

Si, comme ce brave homme particulièrement inquiet des inondations qui menaçaient sa maison, vous avez l'intention de la recouvrir entièrement de liège pour la maintenir hors de l'eau, c'est ici que vous viendrez chercher ce matériau miracle. Ou plus simplement des panneaux isolants en liège (1 m x 0,50, épaisseur : 30 à 50 mm), ou des revêtements décoratifs (dalles de divers formats et épaisseurs). Leurs prix s'échelonnent entre 30 F et 180 F le m². Livraison à domicile à partir de 600 F d'achat.

AU LIÉGEUR

● **7e** - *47, av. Bosquet (705.53.10).*

L'antique maison (1887) à la façade moderne vous fournira tous les lièges décoratifs muraux, du plus mince (et en aggloméré) au plus épais (et brut) : de 36 à 105 F le m². Dalles de parquet-liège : de 69 à 145 F le m².

SYNTÉKO

● **20e** - *141, rue de Bagnolet (360.55.55).*

Vaste choix de lièges pour le revêtement de sol et des murs (20 à 100 F le m²) au premier étage de ce magasin spécialisé dans les lambris et parquets (voir « Menuiserie de série »). Vendus en paquets pré-emballés, donc facilement transportables. Conseils pour la pose.

PAULE MARROT

● **8e** - *16, rue de l'Arcade (265.76.02).*

Paule Marrot est insensible au temps qui passe, et ses célèbres tissus imprimés ont ceci de particulier : leurs motifs n'ont guère varié depuis les années 30 et demeurent, contre vents et marées, gais, frais, indémodables (100 à 170 F le m en 130 cm de large). Vous les trouverez au deuxième étage au-dessus de la boutique où l'on vend — dans les mêmes tissus — nappes, serviettes et sets de table. 300 F environ une nappe en voile ou en toile.

JUSTE MAUVE

● **16e** - *29, rue Greuze (727.82.31).*

Jolie présentation de tissus assortis aux papiers peints. Voir à cette rubrique.

MAYARO

● **15e** - *2 bis, rue de Staël (306.53.24).*

Une stricte et ravissante sélection des derniers — et des plus gais — tissus de chaque collection, éparpillée dans une sympathique petite boutique tenue par une charmante jeune femme « très-comme-il-faut », décoratrice de métier.

NOBILIS

● **6e** - *29 et 40, rue Bonaparte (329.21.50).*

Voir « Papiers peints ».

MARTINE NOURISSAT

● **1er** - *202, rue Saint-Honoré (297.50.67).*

Le premier étage de sa nouvelle maison-boutique (voir aussi « Boutiques de décoration ») est réservé à la présentation. Choix remarquable des tissus d'ameublement : imprimés exclusifs, superbes dans tous leurs coloris, dessinés par Martine Nourissat (à partir de 85 F le m). Moquettes assorties. Egalement une excellente sélection de tissus des meilleurs fabricants.

QUENTIN D'HELLÈMES

● **6e** - *28, rue de Buci (326.55.25).*

Les jolies cotonnades imprimées, assorties de tissus plastifiés ou molletonnés et de papiers peints, s'y vendent à des prix très raisonnables : 53 F le mètre en 240 cm de large. Si les toiles de lin se renouvellent peu, au moins ont-elles le mérite d'être suivies. Mais la désinvolture de l'accueil nous étonne encore.

SIRWY

● **6e** - *13, rue de Condé (354.03.08).*

Toiles de Jouy et impressions sur étoffes d'après des documents de la fin du XVIIIe et du début du XIXe siècle. Perses et indiennes. De 90 à 150 F le mètre (en 1 m de large).

SOULEIADO

● **6e** - *78, rue de Seine (326.74.62).*

Motifs traditionnels, coloris raffinés : les tissus provençaux de Charles Deméry bravent toutes les modes et conviennent aussi bien pour les tentures de murs, la confection de nappes, de coussins, de rideaux, etc. On peut les faire matelasser (commande de 10 m minimum) pour les utiliser en couvre-lit ou en cabas, on peut aussi y tailler de jolies jupes campagnardes. Ils sont vendus au mètre : 46 F environ en 90 cm de large, 70 F en 130.

TOILES DE MAYENNE

● **6e** - *74, rue Notre-Dame-des-Champs (325.23.80).*
● **15e** - *48, rue Linnois (575.56.02).*
● **16e** - *37, rue Lauriston (553.42.83).*

Magasins d'exposition et de vente parisienne

d'une vieille entreprise de Mayenne. Seuls les tissus unis (toile ou satin de coton), proposés dans une infinité de coloris, sont vraiment intéressants — et, de surcroît, résistants au lavage et au soleil. En 140 cm de large : 28 F le m, en 260 : 60 F environ le m. Les commandes sont expédiées directement de l'usine. Service de confection sur mesure de rideaux, cantonnières, voilages, jetés de lit, etc.

Les « show-rooms »

Depuis quelques années, les show-rooms — autrement dit, parlons donc français : les magasins d'exposition — fleurissent dans Paris à tout bout de trottoir, souvent aménagés avec beaucoup de goût et de soin, ils sont parfois réservés aux professionnels. Nous ne vous parlerons ci-après que de ceux ouverts au public. Leurs avantages : vous voyez en une seule fois toute la production d'un fabricant ; vous êtes reçu, en principe avec le sourire ; on vous fait cadeau de plus ou moins larges échantillons ; on vous aide, à l'occasion à résoudre vos problèmes de décoration ; vous regardez sans rien acheter : le propre même du show-room est en effet de montrer et de ne pas vendre.
Leurs inconvénients, comme pourrait dire M. de La Palice, sont le contraire de leurs avantages : vous ne voyez la production que d'un seul fabricant à la fois et vous ne pouvez rien acheter... Voici en tout cas ces show-rooms classés par genre :

L'avant-garde :

BISSON-BRUNEEL-CONCEPT

● **2e** - *4, rue Vide-Gousset (296.87.94).*

Un créateur lyonnais installé dans un des très beaux hôtels de la place des Victoires. Collections orientées sur les textiles de style exclusivement contemporain (voilages, panneaux décoratifs, velours, toiles et chintz imprimés, etc.). Associé ici à Concept, d'orientation plus classique : une trentaine de qualités d'unis (chintz, soie, toile, percale, velours) pour 111 coloris et environ 600 dessins d'imprimés. Un stock de carrés et de grandes liasses peut vous être confié, et une hôtesse experte vous conseille.

Où dîner le dimanche ? Voir p. 108.

JACK LENOR LARSEN

● **7e** - *48, rue de Grenelle (548.62.69).*

Récemment ouvert. Tissus américains d'avant-garde. Beaucoup de velours de coton aux couleurs éclatantes, pour ne pas dire violentes. Présente aussi les collections de tissus Baumann, venant de Suisse (surtout voilages et tissus légers).

PLACIDE JOLIET

● **14e** - *8, rue Emile-Dubois (580.21.21).*

Original. Grande qualité. Spécialiste des tissus de laine. Conseils de décoration, échantillons.

Les grands :

MANUEL CANOVAS

● **6e** - *6, rue de l'Abbaye (326.89.31).*

Chintz, soies, piqués, jacquards, tissés de laine, cotons, unis ou imprimés, sortis des cartons de Manuel Canovas qui conçoit et dessine lui-même l'ensemble de sa collection. Présentation en murs rideaux, papiers peints assortis. Echantillons. Accueil aimable et conseils particulièrement attentifs et circonstanciés.

CASAL

● **92 Boulogne** - *12 ter, rue Diaz (604.81.24).*

Est devenu, en une petite dizaine d'années, un grand nom. Spécialisé dans les tissus façonnés et texturés. Va probablement déménager.

COGOLIN ET LAUER

● **1er** - *5, av. de l'Opéra (261.63.52).*

Superbes tissus de laine à chevrons, piqués épais, imprimés de coton à tendance exotique, tissus matelassés. Conseils de décoration. Egalement des moquettes et des tapis faits à la main sur commande (voir rubrique « Tapis et moquettes »).

DESCHEMAKER

● **2e** - *22, rue du Mail (233.35.80).*

Sur 400 m^2. Percales classiques, chintz colorés, jacquards, piqués, etc. Conseils de décoration.

PIERRE FREY

● **1er** - *47, rue des Petits-Champs (297.44.00).*

Très beau. Récemment rénové. Dans l'ancien hôtel particulier de Lulli, trois salons prolongés par une terrasse. L'ensemble des collections de tissus, papiers peints, carrelages, moquettes et objets coordonnés édités par Frey. Plus de 300 modèles d'imprimés, présentés sur « pentes » de 2,50 m de haut ou sur panneaux mobiles. Echantillons remis par des conseillères avisées.

Les plus confidentiels :

DELAROIÈRE-LECLERCQ-DUBLY (D.I.D.)

● **2e** - *2, rue d'Aboukir (233.71.41).*

Les plus beaux velours imprimés (et modernes) de Paris.

DUCROCQ

● **2e** - *6, rue du Mail (233.50.64).*

Petit show-room. Quelques très jolis tissus traditionnels.

LELIÈVRE

● **2e** - *13, rue du Mail (261.53.03).*

Magnifiques velours gaufrés « de style » et « Art Déco ». Bains de couleurs spéciales sur commande. Superbes chintz et toites imprimées. Et aussi, la collection anglaise de Victor Coates.

PRELLE

● **1er** - *5, pl. des Victoires (236.67.21).*

Très raffiné. Superbes jacquards et tissus imprimés de Prelle, et les étonnantes nouveautés (suisses) de Zumsteg. Egalement des fabrications spéciales : brochés, brocards, velours ciselés et de Gênes, lampas, failles et taffetas d'après des documents anciens. Remise d'échantillons.

RUBELLI

● **7e** - *6, av. de Breteuil (551.52.52).*

L'une des plus anciennes manufactures d'Italie. On travaille encore aujourd'hui, dans l'usine vénitienne, sur des métiers à bras, comme au XVIIIe siècle. Reproductions de motifs d'époque. Mais Rubelli, à l'heure actuelle, n'est pas encore vraiment équipé pour recevoir le grand public.

VERASETA

● **2e** - *18, rue des Petits-Champs (297.52.62).*

Spécialisé, depuis sa création, dans les belles étoffes de soie naturelle. Une collection traditionnelle de style : taffetas, failles, satins, damas tissés d'après des documents anciens, ainsi qu'une merveilleuse collection de soies indiennes aux subtiles nuances. Tissus présentés en grandes « pentes ». Petits échantillons.

Les maisons-musées :

BRAQUENIÉ

● **2e** - *16, rue Vivienne (261.53.94).*

Très ancienne maison (successeur des Demy-Doineau du XVIIIe siècle) de tapisseries et de tapis de la Savonnerie, tissés à la main à Aubusson. Extraordinaire département, en outre, de tissus d'ameublement : tissus de lin ou de coton, percales imprimées à l'aide de planches du XVIIIe siècle, répliques exactes des « perses » en vogue à cette époque. Bordures et galons assortis. Voir aussi « Tapis ».

CHOTARD-DEHESELLE

● **2e** - *5, rue du Mail (261.54.94).*

Il faut être accompagné d'un tapissier ou d'un décorateur pour avoir accès à ce sanctuaire des velours façonnés (superbes modèles « Art Déco ») et des mousselines de coton brodées d'après des dessins anciens. Importateur exclusif des chintz anglais Warner-Greeff.

GEORGES LE MANACH

● **2e** - *31, rue du 4-Septembre (742.52.94).*

Tissages sur métiers à bras, dessins exclusifs provenant des archives de la maison. Bains de couleurs et commandes spéciales. Fournisseur de l'Élysée et des musées nationaux. Soieries unies, brochées (et aussi des brochés de laine), toiles de Tours, velours moquette, etc.

TASSINARI ET CHATEL

● **2e** - *26, rue Danielle-Casanova (261.74.08).*

La chambre de la Reine, à Versailles, cette merveille en vert d'eau et mauve, c'est à Tassinari et Chatel que nous la devons et ce, doublement, puisqu'ils n'ont eu qu'à ressortir de leur fabuleuse documentation les soieries d'origine pour les recopier. Ce musée d'un artisanat qui s'éteint, faute de relève — les artisans qui en ont fait la réputation depuis trois siècles disparaissent sans qu'on puisse les remplacer, hélas —, offre encore à une clientèle de grand goût la splendeur de ses soieries, unies ou non, de ses moires imprimées sur chaîne (ce qui donne un léger flou au dessin) et autres tissus qui ont tous en commun d'être en soie.

VAISSELLE, CRISTALLERIE

Voir aussi « Boutiques de cadeaux ».

Bonnes adresses classiques

LA BOUTIQUE ANGLAISE

● **15e** - *19, rue de l'Abbé-Groult (533.79.10).*

Porcelaine et faïence anglaises traditionnelles à des prix modérés et, en exclusivité, neuf modèles de couverts en Sheffield de la maison Slack and Barlow vendus à la pièce ou en service complet (les 127 pièces 3 500 F environ).

BOUTIQUE DANOISE

● **8e** - *42, av. de Friedland (227.02.92).*

Belle verrerie contemporaine.

CRÉTIAUX

● **16e** - *109, av. Victor-Hugo (727.85.36).*
● **78 Vélizy 2** - *Centre commercial (946.29.63).*

Jolis services de porcelaine (française) et de faïence (anglaise) dans cette maison plus que centenaire. Soldes très intéressants en janvier et en septembre.

LALIQUE

● **8e** - *31, av. George-V (720.64.97).*
● **8e** - *11, rue Royale (266.52.40).*

Créée au début du siècle par l'orfèvre René Lalique sans lequel notre Modern'Style aurait sans aucun doute beaucoup tardé à être désigné Art Nouveau, l'entreprise est depuis lors partout tenue pour l'une des plus grandes cristalleries du monde. Les créations qui s'y succèdent — aux dernières nouvelles : vases à motifs géométriques ou floraux, coupes (Nogent), boîtes et flacons (Duncan), services de verres (Valençay, Roxane, Chenonceaux, etc.) — prendront dans quelques années leur place, une des toutes premières, au musée imaginaire des arts décoratifs. Une place que tient « au chaud » le jeu des enchères à Drouot où l'estimation des anciennes collections Lalique est en évolution constante.

MONTMARTRE-VERRERIE

● **9e** - *21, rue Henri-Monnier (878.64.63).*

Du matériel de restaurant solide et pratique (Baumann s'y fournit, par exemple) pour la table et la cuisine. Tout cela est vendu aux particuliers au même prix qu'aux professionnels. Bien agréables économies, surtout pour les grandes familles.

NICOLAS

● **8e** - *27, rue Marbeuf (359.72.80).*

Excellente maison pour les services en porcelaine et en cristal que l'on peut, si l'on veut, faire chiffrer. Soldes en janvier.

PORCELAINE

● **7e** - *22, rue de Verneuil (260.94.36).*

Voir « Boutiques de cadeaux ».

SIMON

● **2e** - *36, rue Etienne-Marcel (233.71.65).*

Vieille et sérieuse maison. Depuis près de cent ans, les Simon, de père en fils, fournissent en matériel de table et de cuisine les hôtels (le Crillon) et restaurants parisiens (Lipp, l'Escargot Montorgueil) et à l'occasion des établissements new-yorkais (La Goulue) ou japonais (Ai). Porcelaine, verrerie, métal argenté, inox, boissellerie, etc. sont vendus également aux particuliers qui bénéficient ici des mêmes prix que les professionnels.

AU VASE ÉTRUSQUE

● **8e** - *11, pl. de la Madeleine (265.36.26).*

Cette bonne, vieille et aimable maison, vend — depuis plus de cent ans — de très beaux services de table en cristal, en porcelaine française ou allemande (Meissen), de l'argenterie et des éditions limitées de pièces en pâte de verre.

WINDSOR

● **8e** - *5, rue des Saussaies (266.40.66.).*
● **15e** - *Centre Beaugrenelle (575.74.40).*

Margaret Thorogood a ouvert récemment ce magasin de porcelaine anglaise. Soixante-dix services, pas un de moins : Minton, Wedgwood, Royal Doulton, Royal Albert, Bone China (30 % de poudre d'os incorporée à la pâte), etc. Les prix sont relativement élevés mais quelle joie de prendre le thé dans la même tasse que sa Très Gracieuse Majesté. Les délais de livraison sont courts, sauf précisément pour le service de la Reine — à tout seigneur, tout honneur : il vous faudra patienter douze bons mois. Ajoutons que les services sont vendus également à la pièce et que le réapprovisionnement est garanti.

Bonnes affaires et vaisselle blanche

Elles ont essaimé à tous les coins de rues, ces boutiques qui se sont spécialisées dans la vente de porcelaine de second choix, blanche le plus souvent, décorée parfois, et aussi de verrerie courante. On peut y faire de bons achats, mais il faut savoir que les services risquent de ne pas être suivis.

BRITISH REJECT SHOP

● **16e** - *2, rue François-Ponsard (525.85.92).*

Succursale de la boutique de Knightsbridge, à Londres. Porcelaine et faïence anglaises de second choix, mais aussi quelques services de table, sans défaut, suivis, et presque toujours 10 à 20 % moins chers qu'ailleurs.

CLUB SIMON

● **10e** - *57-59, bd de Magenta (200.15.23).*

Pas de parrainage ou de conditions particulières à remplir pour faire partie de ce club qui propose à la clientèle privée tous les articles de grandes marques en métal argenté, inox, porcelaine, verrerie, cristallerie, etc., à des prix inférieurs de 12 % à ceux pratiqués habituellement. Précisons qu'il ne s'agit pas de fins de séries, de soldes ou de marchandises légèrement endommagées, mais bel et bien d'articles neufs et en parfait état. Entre autres grandes marques : Ercuis (métal argenté), Haviland (Limoges), Baccarat (cristallerie), Cristalleries d'Arques (verrerie), etc. Le tout fort bien exposé sur 750 m² (deux niveaux). Une carte de fidélité donne droit à 3 % de remise supplémentaire après 6 achats. Listes de mariage.

Vaisselle et verrerie « d'autrefois »

L'ARLEQUIN

● **4e** - *13, rue des Francs-Bourgeois (278.77.00).*

Prenez votre temps et cherchez à loisir avec les conseils éclairés de Dominique Ronot, la patronne, les vieux verres qui manquent à votre collection ou dont vos services sont dépareillés : verres de bistrot à pied ou de cristal taillé ou gravé, petits verres à liqueur émaillés ou non, carafes de cristal à partir de 150 F environ. Ravissants flacons de toilette, vases, bouteilles soufflées, etc. Déposez chez elle une pièce de votre service dépareillé, elle fera l'impossible pour le compléter.

AU BAIN-MARIE

● **2e** - *2, rue du Mail (260.94.55).*

Ravissante boutique derrière la place des Victoires, l'une des plus joliment fournies de Paris sûrement en objets domestiques touchant de près ou de loin à la table. L'inspiration en est presque toujours exclusivement rétro, sans tomber pour autant dans la triste brocante. Tout est choisi ici par Aude Clément, avec infiniment de goût et vendu à des prix, il est vrai, peu amènes : pièces de métal argenté provenant de la vente de grands hôtels, services à poisson, à huîtres ou à asperges, bols à caviar, porte-menus en porcelaine, manches à côtelettes et à gigot, râpes à truffe, couverts à écrevisses, livres de cuisine anciens, etc. Dans la boutique-sœur, au 4, rue du Mail : linge de table et de maison, classique et raffiné.

KAOLINE

● **16e** - *28, rue de la Pompe (870.04.94).*

Cette aimable boutique vend de la cristallerie de second choix et des porcelaines déclassées, décorées ou blanches. Elle peut personnaliser ces dernières, sur commande et dans un délai de 6 semaines, par un filet (or, argent ou couleur), un monogramme ou tout autre dessin que vous lui apporterez. Pour une assiette de 10 F, comptez un supplément de 7 F pour le filet, 15 F et plus pour le monogramme.

LA MAISON BLANCHE

● **16e** - *62, av. Théophile-Gautier (527.24.64).*

Porcelaines blanches de Limoges et du Berri, de second choix mais suivies, que l'on peut aussi faire décorer — à la main — au coloris de son choix. Verres soufflés... à la bouche (20 à 30 F l'unité). Egalement du tissu damassé pour faire des nappes (56 F le m), ainsi que du lin pour faire des torchons (21 F le m).

LA PORCELAINE BLANCHE

● **7e** - *25, av. de La Motte-Picquet (705.94.28).*

● **15e** - *66, av. Emile-Zola (575.58.47).*

Vous y trouverez en permanence plusieurs modèles de services de tables complets (de 450 à 850 F les 44 pièces) et des assiettes vendues à l'unité (à partir de 7 F).

STOCK-SOLDES

● **1er** - *60, rue Saint-Honoré (233.37.19).*

Des piles de porcelaine blanche de second choix (dont les modèles sont suivis). De la verrerie en pagaille et quelques beaux verres importés d'Italie. Et des tissus d'ameublement de second choix venus des Etats-Unis. Tout cela vendu à prix réduits.

LA TOUR DE PORCELAINE BLANCHE

● **16e** - *114, rue de la Tour (504.17.66).*

Porcelaine de grande série (et de second choix) à prix doux (8 F l'assiette). Porcelaine à feu également.

VERRES ET BLANC

● **15e** - *14, av. du Maine (222.04.05).*

A l'ombre de la Tour Montparnasse, quelques objets pour la table (verres et carafes, nappes en coton indien, etc.) parmi les piles d'assiettes en porcelaine blanche du Berri, vendues à prix cassés (à partir de 6,30 F l'assiette).

La rue de Paradis

Nous craignons fort de ne pas vous apprendre grand-chose en vous révélant que la rue de Paradis et ses abords sont le paradis de la vaisselle : faïence, porcelaine, cristallerie et argenterie à touche-touche. La plupart de ces maisons (Baccarat excepté) proposent des soldes chaque année à la fin de janvier. En outre, dans cette même rue de Paradis, le Centre International des Arts de la Table (voir ci-dessous) a ouvert depuis peu aux particuliers un « show-room » où sont exposées (mais elles ne sont pas à vendre) les créations des principaux fabricants français (et étrangers).

BACCARAT

● **10e** - *30 bis, rue de Paradis (770.64.30).*

Remarquable cristallerie traditionnelle. Voyez aussi son musée : magnifiques pièces et histoire du cristal.

LA BOUTIQUE PARADIS

● **16e** - *1 bis, rue de Paradis (824.45.96).*

Porcelaine, verrerie, argenterie de grandes marques : Raynaud (Limoges), Baccarat, Saint-Louis, Christofle, Ravinet d'Enfert, etc.

CENTRE INTERNATIONAL DES ARTS DE LA TABLE

● **10e** - *17 bis, rue de Paradis (770.76.02).*

Ouvert depuis avril 1979, le C.I.A.T. regroupe sur 8 000 m² (et 6 niveaux) plus de 80 fabricants français et étrangers de verrerie, cristallerie, porcelaine, faïence, orfèvrerie et linge de maison. Si les étages supérieurs sont réservés aux professionnels (y compris ceux de la restauration), la Maison des arts de la table, qui occupe une partie du rez-de-chaussée, est ouverte au public. Y sont exposées, en tables dressées, les dernières « créations » des exposants du C.I.A.T.

LIMOGES-UNIC

● **10e** - *12 et 58, rue de Paradis (770.26.65).*

Au n° 12, les services de table en porcelaine de Limoges, cristal de Baccarat, Lalique, Saint-Louis, Daum, l'orfèvrerie de Christofle, Ercuis, Tétard, pour les grands de ce monde ; au n° 58, des modèles classiques pour le vulgum pecus.

MADRONET CONTEMPORAIN

● **10e** - *34, rue de Paradis (770.34.59).*

Belles vaisselles modernes et verrerie originale (Rosenthal, pâtes de verre de Daum, etc.).

LE SERVICE DE TABLE

● **10e** - *56, rue de Paradis (770.49.01).*

Services de porcelaine, verrerie, couverts, etc. de style contemporain.

VITRAUX

Voir « Artisans-Vitraux ».

Boutiques de cadeaux

LES cadeaux : un casse-tête ou une partie de plaisir ? Ni tout à fait l'un ni tout à fait l'autre. Suivez-nous : nous faisons la moitié du chemin avec vous. Nous avons classé nos idées de cadeaux par genre et, en bons guides, nous vous laissons à la porte des magasins. A vous tout de même de choisir... et de payer. N'oubliez pas que vous ferez doublement plaisir si vous mariez vos cadeaux et offrez le joli contenant et son bon contenu : un seau à champagne et une bonne bouteille qui fait des bulles, un bocal à bonbons rempli de berlingots, etc.

D'autre part, vous trouverez beaucoup d'idées et des bonnes adresses dans les différents chapitres de ce Guide, en particulier ceux qui concernent l'alimentation (caviar, chocolats, confitures, épicerie de luxe, vins et alcools), les antiquités (objets insolites et jolie brocante), la mode féminine (bijoux, montres, maroquinerie, etc.), les enfants (jouets) et les jeux pour adultes, les animaux (pourquoi pas offrir un canari), les voyages (un billet pour les Seychelles ?), etc.

CADEAUX : LES GRANDS NOMS

BAGUÈS

● **16e** - *57, av. Raymond-Poincaré (704.51.00).*

Une belle boutique, dans un beau quartier, offrant de beaux objets de belle qualité, parfaitement à sa place avenue Raymond-Poincaré. Les futurs mariés du 16e se retrouvent dans les salons d'exposition du 1er étage pour faire leurs listes de mariage. Ils n'ont que l'embarras du choix : lampes, meubles, cadeaux pour la table et objets décoratifs.

CHRISTOFLE

● **2e** - *31, bd des Italiens (265.62.43).*
● **8e** - *12, rue Royale (260.34.07).*
● **16e** - *95, rue de Passy (647.51.27).*
● **78 Le Chesnay** - *Centre Commercial Parly 2 (954.35.40).*

Les diverses boutiques Christofle, auxquelles on a récemment accolé le nom de Pavillon, rajeunissent avec les ans, même si l'on y conserve, fort heureusement, tous les modèles d'argenterie qui ont fait le succès de la maison et les beaux jours des dîners bourgeois depuis quelques générations. Couverts à l'ancienne ou modernes, généralement de lignes agréables (particulièrement les modèles « Cluny » — le plus simple —, et « Marly » — le plus drôlement rococo —, et joli et vaste choix de services de porcelaine (certains exclusifs). Listes de mariage : celles déposées à Paris peuvent aussi être envoyées en province, chez les divers et nombreux correspondants de la maison. Aucune excuse, donc, si votre famille et vos amis « oublient » de vous faire un cadeau. Quelques meubles d'appoint. Soldes, à Parly 2 seulement, début janvier et en juillet.

CHRISTIAN DIOR

● **8e** - *30, av. Montaigne (256.74.44).*

Bon choix, constamment renouvelé, de jolis cadeaux pour la maison : plats, bougeoirs, plateaux, verrerie, cadres, etc., et maroquinerie de grand luxe. Le tout livré à domicile dans un emballage superbe.

JANSEN

● **8e** - *9, rue Royale (265.65.35).*

La boutique de cadeaux est au fond du célèbre magasin de décoration et d'antiquités. Brocante anglaise, petits objets raffinés, gravures, porcelaines, lampes, proposés avec une amabilité exemplaire à des prix qui le sont un peu moins.

MAXIM'S DE PARIS

● **8e** - *76, fg Saint-Honoré (266.10.09).*

Ouvert en grande pompe mais bientôt modifié

dans son esprit et dans son contenu, ce magasin extraordinaire déroute aussi bien les passants japonais du Faubourg que les Parisiens les plus blasés. Que vend-on derrière ces personnages de cire qui animent la grande vie de chez Maxim en devanture ? Des bonbons, du caviar, des cendriers, des peignoirs de bains ? Oui, et aussi d'excellentes conserves, du foie gras, des huiles raffinées, du linge de maison, de la vaisselle, armoriés bien entendu par Maxim's dont Pierre Cardin diffuse la marque. En réalité il s'agit surtout d'un « show-room », d'une boutique d'exposition où des commerçants peuvent venir choisir les produits à vendre chez eux sous licence Maxim's. Que cela ne vous empêche pas d'entrer si vous êtes un simple particulier : le décor 1900 est admirable, l'accueil souriant et des plus distingués, et les sardines, follement chères — mais leur noblesse oblige — sont les meilleures du monde.

PERRIER

● **7e** - *3, bd Raspail (548.25.23).*

Sérieuse et ancienne maison (elle date de 1821) où l'on trouvera un bon choix de services de table : faïences et porcelaines françaises, anglaises et italiennes.

GEORGE PESLE

● **6e** - *17, rue de Sèvres (548.60.65).*
● **8e** - *18, rue de l'Arcade (266.52.32).*
● **16e** - *54, av. Victor-Hugo (505.83.44).*

Le premier, George Pesle eut l'idée de la liste de mariage qui fit le succès de son magasin (en étage) rue de l'Arcade. Si la maison a changé de mains et s'est augmentée de deux nouvelles boutiques dans le 6e et le 16e arrondissements, elle reste fidèle à la décoration de maison traditionnelle : belles porcelaines et nappes brodées assorties aux assiettes, verrerie et orfèvrerie, lampes et tables basses, etc. Le tout classique et de bon goût, le « gadget » n'étant pas le style de la maison. Listes de mariage rue de l'Arcade, service de conseil en décoration rue de Sèvres et avenue Victor-Hugo.

VALENTINO PIU

● **8e** - *17-19, av. Montaigne (723.64.17).*

Des cadeaux à l'italienne, raffinés, joyeux, superflus et pourtant utiles, simples et cependant fastueux, en bref irrésistibles. Des couleurs éclatantes — bleu franc et blanc, rouge, vert vif — qu'on retrouve sur les assiettes en céramique disposées sur des tables rondes avec les verres décorés et les couverts qui les accompagnent, les nappes assorties, les bougeoirs, les cendriers, les lampes, etc. En céramique encore, des cache-pots et de jolies séries de boîtes en forme de cœur, de légume, de doudou antillaise (350 F), etc. Pour le reste quelques beaux (et chers) canapés, des meubles en rotin ou en bambou, du linge de maison et de superbes cotonnades imprimées vendues au mètre (170 F en 130 cm de large). Accueil parfait.

PUIFORCAT BOUTIQUES

● **6e** - *8, rue du Vieux-Colombier (544.71.37).*
● **8e** - *129, bd Haussmann (563.10.10).*
● **16e** - *48, av. Victor-Hugo (501.70.58).*

Cette vénérable (et vieille) maison d'orfèvrerie a décidé en 73 de se rajeunir en ouvrant une, puis deux, puis trois boutiques vouées aux « listes de mariage » et plus précisément au décor de la table. Outre l'argenterie (classique), on y trouve de beaux services de porcelaine fabriqués à Limoges d'après des assiettes anciennes (chinoises, coréennes, japonaises, etc.) de la collection Puiforcat, et de la vaisselle et verrerie d'excellentes marques.

CADEAUX : AUTRES BONNES ADRESSES

ARCASA

● **1er** - *219, rue Saint-Honoré (260.46.60).*

Jolie sélection très « internationale » de cadeaux et d'objets pour la table en provenance d'un peu partout (France, Italie, Scandinavie, etc.), réunie par Patrick Dollfus dans une boutique qui n'a pas lésiné sur les m². C'est tant mieux pour la variété des objets présentés : les uns vous incitent à mettre les petits plats dans les grands si l'on s'équipe d'un service de vaisselle de « vrai » restaurant : Bocuse, Troisgros, le Fouquet's ou Lipp par exemple (exclusivité reprise au magasin Le Grand Vaisselier), les autres à baisser l'abat-jour : quelques jolies lampes en céramique, créations de Véra Fabre (elle n'est autre que Mme Maurice Couve de Murville). Au premier étage, un département de décoration : voir « Décoration de la maison - Meubles modernes ».

BONNE FÊTE

● **92 Neuilly** - *134, av. du Roule (637.24.36). (637.24.36).*

Bonne Fête : on ne peut pas vous cacher plus longtemps que cette boutique noire et or a pour mission de résoudre tous les problèmes de cadeaux, qu'ils soient, dans un ordre chronologique, de naissance, d'anniversaire ou de mariage ou tout simplement de Noël, de week-end, etc. Cadeaux sophistiqués ou non, à tous les prix, de la babiole à 4,50 F à offrir le soir d'un dîner jusqu'à la folie à 14 500 F : un gigantesque et superbe aquarium à accrocher au mur, en forme de demi-sphère, contenant 480 litres d'eau. Entre ces deux extrêmes, vous trouverez des œufs en terre cuite émaillée, des cache-pot, des carnets de chasse, des jeux d'échecs en cuir, etc. La maison se charge de livrer gratuitement votre achat dans tout Neuilly et tout Paris, quelle qu'en soit la valeur.

LA BOUTIQUE MARIE-CLAIRE

● **8e** - *63, rue Pierre-Charron (225.04.51).*

La Maison de Marie-Claire (revue) a infiniment plus d'idées que la Boutique, qui se contente de ronronner gentiment depuis des années. Petits objets aux couleurs gaies. Accueil aimable.

LA BOUTIQUE DU SOMMEIL

● **16e** - *24, av. Pierre-1er-de-Serbie (720.57.36).*
Et Forum des Halles, niveau - 2.

Au 24, tout (ou presque tout) pour être heureux au lit : draps de satin ou de soie naturelle, lampes douces, couettes et coussins moelleux, plateaux et tables pour le premier déjeuner, cafetières électriques et « thermos », réveil-matin, etc. Et au 26, tout à côté, dans la boutique-annexe Sommeilla (tél. : 720.52.02), des chemises de nuit ou pyjamas de style Hollywood des années 30, des T-shirts géants, des chaussons de lit et bonnets de nuit pour les frileux et de beaux pyjamas anglais pour ceux qui restent « classiques » jusque dans leur chambre à coucher.

COME BAC

● **7e** - *25, rue du Bac (261.22.78).*

Jolie boutique à la pointe de l'actualité dans le domaine du cadeau utile ou facile, vanneries chinoises, photophores, verrerie, plateaux, vases, etc.

DIPTYQUE

● **5e** - *34, bd Saint-Germain (354.88.90).*

Une jolie (et déjà ancienne) boutique que la mode n'a pas gâtée. On y trouvera mille idées de cadeaux à des prix très séduisants : pots-pourris (de 10 à 140 F), pomanders (44 F), vanneries en roseau irlandais, coussins, bijoux de (bonne) fantaisie, photophores, etc. Accueil délicieux et ravissants paquets-cadeaux en papier de soie de couleurs vives.

DONA CARLOTTA

● **8e** - *22, rue François-1er (359.04.59).*

L'inutile de grand luxe et de grand prix : bijoux, cadres, superbes animaux en tout genre et de toutes tailles, assiettes peintes à la main et flacons dorés avec initiales (150 F environ plus prix de la gravure).

L'ENTREPÔT

● **16e** - *50, rue de Passy (525.64.17).*

Un reposant hangar-jardin d'hiver-entrepôt au-dessus de la tourbillonnante rue de Passy. Diverses allées où l'on fait d'agréables petits marchés : vaisselle, verrerie, toile cirée, mode sport (quelques modèles Scapa of Scotland), mignonne papeterie, bonbons de grand-mère, thés variés et quelques objets de brocante de maigre intérêt.

LA GADGETIÈRE

● **16e** - *1, rue Georges-Bizet (720.52.20).*
Et Forum des Halles, niveau - 2.

La boutique de Marianne Frey fut la première du genre à Paris — et le reste — pour les cadeaux inutiles, simples, luxueux voire très luxueux. Les objets cocasses ont le mérite de se renouveler constamment pour notre grand étonnement. Mais aussi des « gadgets » utiles comme les plateaux (superbes) et les tables chauffantes (2 000 F) importées des Etats-Unis. Vous trouverez dans la boutique voisine des objets pour la cuisine et toute la vaisselle à la pièce : plusieurs services différents et toujours suivis.

Cadeaux à la carte

QU'OFFRIR

● **8e** - *6, av. Percier (563.30.00).*

Vous n'aurez plus aucun souci à vous faire pour recevoir — enfin — des cadeaux qui vous plaisent, en déposant ici (il vous en coûtera 36 F d'abonnement par an) une liste complète et détaillée du moindre de vos désirs. Vos amis et connaissances, que vous aurez pris soin d'avertir, sauront en téléphonant au 563.30.00, si vous avez envie par exemple d'un abonnement à l'Opéra, d'un sac de voyage (avec un billet pour les Seychelles), d'une caisse de Dom Pérignon ou d'une robe blanche avec une ceinture dorée pour aller au bal danser. Qu'Offrir, précisons-le, ne vend rien, et se borne à renseigner, en indiquant éventuellement le prix des cadeaux en question et l'adresse des magasins où on peut les trouver.

HAGA

● **7e** - *22, rue de Grenelle (222.82.40).*

De vrais cadeaux, inutiles et précieux, à offrir à ceux qui ont déjà tout. La belle jeune femme suédoise qui tient ce charmant magasin les a choisis elle-même au hasard de ses voyages en Allemagne ou en Angleterre, aux Etats-Unis ou en Asie : animaux en terre cuite peinte, en pierre ou en bronze de Vienne, cannes (de 250 à

1 500 F), objets en bois tourné, loupes et coupe-papiers du XIXe siècle, verres en cristal coloré (150 F pièce), boîtes de toutes sortes, petits meubles en bambou, etc.

JONES

● **16e** - *39, av. Victor-Hugo (501.68.33).*

Sous des apparences un peu désuètes se cachaient souvent ici d'excellents cadeaux pour la maison (objets de décoration, orfèvrerie, linge de maison, etc.). Au moment où nous mettons sous presse, nous apprenons que cette vénérable maison va fermer ses portes. Le Tout-Seizième la regrettera... Nous aussi.

JUSTE MAUVE

● **16e** - *29, rue Greuze (727.82.31).*

Une des boutiques les plus charmantes de Paris. Anne-Marie de Ganay y propose, outre ses tissus et papiers peints assortis américains (grand choix d'échantillons), de très jolis services de porcelaine anglaise ou de faïence italienne et une foule d'objets sympathiques (exclusifs pour la plupart) à partir de 20 F. Accueil délicieux. Livraisons à domicile.

KAPRIKA

● **16e** - *17, av. Bugeaud (727.83.71).*

Tout près de la place Victor-Hugo, dans un aimable fouillis de plantes vertes et fleuries (à vendre) qui montent à l'assaut des vitrines, la charmante Anne Aublet réunit des cadeaux bien choisis, sans cesse renouvelés et pas très chers dans ce quartier qui est réputé l'être. Faïence et verrerie rétro, lampes en laiton ou en céramique, objets artisanaux (sacoches en cuir, délicieuses pochettes matelassées ou en appliqué, grands tabliers de cuisine, etc.). Et aussi quelques meubles en rotin ou en pin et de jolies cotonnades imprimées vendues au mètre qui donnent envie d'entreprendre dans l'heure un coussin, une nappe ou une paire de rideaux.

LA MAISON DE SYLVIE

Forum des Halles, Balcon Saint-Eustache, niveau - 2.

Sylvie a transporté sa maison, ses coussins précieux, ses bijoux anciens et ses vêtements sophistiqués de la rue du Dragon au Forum des Halles. Vous irez les découvrir en même temps que nous.

LA MAISON DU WEEK-END

● **6e** - *26, rue Vavin (354.15.52).*

Presque tout ce qui est vendu dans cette jolie boutique (installée dans le fameux immeuble de céramique blanche construit par Sauvage en 1913) chante les douceurs d'autrefois et célèbre la nostalgie des beaux matériaux ou des objets solides et utiles. Qu'il s'agisse des serviettes de toilette à l'ancienne en lin (55 à 72 F), damassées ou en nid d'abeille, brodées au point de croix, à frange ou à jours Venise, de la vaisselle en porcelaine à feu au décor début de siècle, des « tête-à-tête », des tartinières, des tisanières, etc. Quelques meubles de véranda ou de jardin, d'inspiration victorienne, en fonte d'aluminium laquée (650 F le fauteuil) : ils sont légers, jolis et démontables.

ALIETTE MASSENET

● **16e** - *169, av. Victor-Hugo (727.24.05).*

Cadeaux bien choisis et sans cesse renouvelés, à des prix très abordables pour le quartier : objets anciens, insolites ou pratiques, pièces de maîtrise, meubles anglais du XIXe siècle, armoires à pipes, boîtes et coffrets, etc. Et deux fois par an, dans les anciennes écuries de l'immeuble, une vente spéciale de brocante anglaise. Accueil des plus souriants.

MUNIER

● **15e** - *53, bd Garibaldi (566.54.48).*
● **17e** - *87, av. Niel (267.59.00).*

Bonne adresse pour les cadeaux « utiles » : linge de maison d'Olivier Desforges, meubles d'appoint et rayonnages en rotin, boîtes pour tout ranger, luminaires, verres à initiales et coussins marqués d'un prénom en appliqué (150 F sur commande), etc. Choix plus important dans la boutique du boulevard Garibaldi.

LE MUSÉE

● **16e** - *89, av. Victor-Hugo (704.55.94).*

Annexe de la librairie du musée du Louvre — « complexe » de commercialisation artistique le plus important au monde —, ce petit magasin en diffuse les productions. A savoir des gravures, des posters, des moulages, des copies — en argent ou en bronze doré — des bijoux du Louvre (150 à 900 F), réalisés par nos ateliers officiels. En vente également cette année, des verres et des bronzes en provenance du Metropolitan Museum de New York.

PORCELAINE

● **7e** - *22, rue de Verneuil (260.94.36).*

Suit-elle la mode ou la devance-t-elle ? Nous ne saurions trop le dire. En tout cas, des modèles colorés et qui vous mettront en appétit pour le petit déjeuner, le café, le thé, et aussi les grands comme les petits dîners.

LES QUATRE SAISONS

● **1er** - *2-4 et 6, rue du Jour (508.56.56).*
Succursales :
● **11e** - *20, rue Trousseau (805.68.81).*
● **15e** - *20, bd de Grenelle (577.46.39).*

Excellente maison. A notre avis la meilleure

Cadeaux anciens ou « à l'ancienne »

ARCANA

● **3e** - *83, rue Vieille-du-Temple (278.19.22).*

L'obsession la plus tyrannique de l'ordre et du rangement pourra trouver ici un début d'apaisement dans la multitude des boîtes et coffrets (anciens et contemporains) : à pilules, à gâteaux, à violon, à bijoux, à clous, à couture, de Pandore ou de santal, en bois incrusté d'ivoire ou en papier mâché et vendus à des prix (de 4 à 1 500 F) qui feraient parfois sortir le diable de la sienne. Egalement des lampes à contre-poids, de vieux outils, des gravures, miniatures et chromos encadrés et d'anciennes casses de typographie (de 60 à 115 F).

AU BAIN-MARIE

● **2e** - *2, rue du Mail (260.94.55).*

Voir « Décoration de la maison - Vaisselle, verrerie ».

LE BONHEUR DES DAMES

● **9e** - *39, passage Jouffroy (770.99.11).*

Au Bonheur des Dames on s'emploie surtout à rendre attrayantes les chambres à coucher et les salles de bains, avec, par exemple, des lits anciens en cuivre remis en état, des lavabos « d'autrefois », de vieilles baignoires en zinc, des coiffeuses, des cuvettes et pots à eau, des flacons à parfum, etc. Tout un joli petit matériel qu'utilisaient nos grands-mères. En outre — et peut-on penser, en hommage à Zola —, on trouve ici un coin de « nouveautés » : dentelles anciennes teintes, cartes de boutons, paillettes, plumes, boîtes à couture, etc. qui invitent à se mettre rapidement à l'ouvrage.

L'ÉCLAT DE VERRE

● **5e** - *5, rue Frédéric-Sauton (329.93.51).*

De 14 h à 20 h même le dimanche (les jeudi et vendredi jusqu'à 22 h). F. mardi.

Dans un ancien café-théâtre désaffecté, Nadine Puissesseau a ouvert en 78 un magasin bleu de nuit décoré de miroirs et constellé de verre et de cristal. Toutes les époques (du XVIIe siècle aux années 30 et même 80), toutes les provenances, tous les prix. Des billes de verre pour les petits enfants, des perles de verre pour les grands enfants, des boules de verre pot-pourri à suspendre au plafond, des boules d'escalier, des poignées de porte, des flûtes à champagne... Vous boirez éventuellement leur contenu chez Dodin-Bouffant, à quelques pas de là.

dans sa spécialité : les meubles en pin ou en frêne naturel. Des tables, des sièges, des lits, des étagères, des meubles de cuisine ou de jardin présentés sur plusieurs niveaux dans une vieille maison du quartier des Halles où l'on passe d'une verrière donnant sur l'admirable église Saint-Eustache à un sous-sol constitué par une suite de belles caves voûtées. Les deux boutiques contiguës vendent de la porcelaine blanche, de la verrerie robuste et du linge de maison. L'accueil est parfait, privilégié le samedi où l'on vous sert des gâteaux « faits maison ». Et bientôt vous pourrez vous asseoir devant une table dans la verrière aménagée en salon de thé.

LAURENCE ROQUE

● **4e** - *69, rue Saint-Martin (272.22.12).*

Jolie boutique et charmants cadeaux pour femmes raffinées : celles qu'on emmène en voyage et qui ont le goût des valises bien faites (pochettes à linge, housses à chaussures, trousses à maquillage, etc., taillées dans de délicieux tissus imprimés) ; ou celles qu'on garde à la maison et qui vous offrent le thé (nappes et serviettes, tea-cosy, linge brodé ancien, etc.). Quelques jolis bibelots aussi, et des meubles en pin, anglais ou irlandais, du début du siècle.

TANT QU'IL Y AURA DES HOMMES

● **6e** - *23-25, rue du Cherche-Midi (548.48.17).*

Entièrement et exclusivement réservée aux cadeaux masculins où les bijoux (en cuir, en argent, et surtout en pierres dures fort joliment montées et de prix raisonnable) tiennent une grande place, cette curieuse maison se signale encore par un choix d'objets originaux, du couteau au sac de cuir et du peignoir de boxeur à la salopette en passant par des jeux, des casseroles, des tabliers, etc. Bref le nécessaire et le superflu pour rester homme quoiqu'il advienne, jusqu'au bout des ongles.

FRANÇOISE THIBAULT

● **6e** - *1, rue Jacob (633.90.67).*
● **6e** - *1 et 2, rue Bourbon-le-Château (326.40.23).*

Joli bazar de petits (et de grands) riens plus ou moins utiles et drôles. De quoi composer une arche de Noé : poules marionnettes qui pondent des œufs, chats en pain d'épice (ne pas manger), colombes en céramique, appelants en liège peint, etc. Et des lampes, des miroirs, des objets peints. Accueil charmant.

LA TUILE A LOUP

● **5e** - *35, rue Daubenton (707.28.90).*

La Normandie, la Savoie, les Cévennes et toutes nos provinces sont ici mises à l'honneur dans leur littérature et leur artisanat pour le plus grand bonheur des zélateurs du retour aux sources. Livres d'art populaire et d'histoire régionale, jolie poterie vernissée de Bourgogne, du Dauphiné, d'Alsace, objets en bois sculpté ou tourné du Berri, du Jura et des Pyrénées, vannerie, et charmants « bouquets de moisson » (120 à 400 F).

CADEAUX DU MONDE ENTIER

Angleterre

THE COTTAGE

● **5e** - *3, rue de Lanneau (325.68.14).*

Dans une vieille rue de Paris, un peu à l'écart mais bien fréquentée — les professeurs du Collège de France et les autres riverains ont droit à une remise de principe de 5 % —, cette charmante petite boutique est tenue par une Anglaise qui veille à garnir les rayons de toutes sortes de choses qu'elle rapporte régulièrement de son pays : tissus de Liberty au mètre, kilts et plaids écossais, blouses de pêcheurs gallois, confitures, faïences anciennes, etc. Avec un peu de chance vous dénicherez ici quelque belle pièce de sheffield du XIXe siècle (légumier ou cloche pour tenir les plats au chaud, par exemple). Et si vraiment rien ne vous tente, vous n'aurez pas perdu votre temps : les exquises rues étroites de ce vieux quartier de la Montagne (Sainte-Geneviève) « méritent un détour ».

ENGLISH TRADING COMPANY

● **6e** - *7, rue de Coetlogon (222.24.90).*
● **7e** - *54, rue de Verneuil (261.19.07).*

Rue de Verneuil, un choix excellent sinon très étendu de faïences anglaises à bas prix ; en particulier une série de plats à pie et de bols à pudding. Rue de Coetlogon, c'est la boutique du « tea time » : des thés pour tous les goûts, en vrac, en boîtes, en caissettes ou en sachets, des confitures, des cakes et des biscuits et, bien sûr, des services à thé : tasses, théières, passe-thé, couvre-théières, nappes et petites serviettes, etc. Egalement des valises et des paniers à pique-nique, comme autrefois. Le tout, vous l'aurez deviné, vient directement d'Angleterre.

Consultez le sommaire, p. 5.

Brésil

LA BOUTIQUE DU BRÉSIL

● **8e** - *43, av. de Friedland (563.22.10).*

Canapés et fauteuils en cuir sont, en vérité, le seul attrait de la boutique. Le reste, minéraux, fossiles, statuettes, bibelots, bimbeloterie, etc., est bien décevant.

Extrême-Orient

LA FACTORERIE

● **8e** - *5, bd Malesherbes (265.96.87).*

Vaisselle thaïlandaise en bronze poli ou martelé à la main, animaux sculptés en bois doré de Birmanie, vêtements thibétains, armes anciennes arabes, coffres et portes sculptés de temples balinais, proues de bateaux malais, etc.

INDIA NÉPAL FRANCE

● **8e** - *26, rue de Berri (260.96.12).*

Des bijoux — émaux de Jaipur, turquoises du Cachemire — et des objets anciens en argent. Mais surtout un choix incomparable de tissus : pièces de cotonnades imprimées ou de batik dont les camaïeux subtils et les dimensions (180 × 220 cm et 220 × 260 cm) se prêtent à merveille à la réalisation de nappes, de couvre-lits ou de rideaux ; et de jolis tissus (coton, soie sauvage) vendus au mètre à partir de 50 F le m en 110 cm de large.

LA MAISON DE THAÏLANDE

● **6e** - *99, rue de Sèvres (galerie Le Sévrien) (544.72.05).*

Objets de très belle qualité originaires de Thaïlande : soies ou cotonnades vendues au mètre ou confectionnées en coussins ou en robes (à partir de 100 F), assiettes, verres et couverts en bronze doré dont de superbes ménagères complètes (82 pièces) vendues dans des boîtes en teck (820 F), charmantes boîtes en laque dorée (15 F), meubles en rotin (fauteuil « Emmanuelle » : 660 F, canapé : 1 800 F). Le magasin a beaucoup de succès et il est souvent en rupture de stock. Merveilleux accueil.

PIER IMPORT

● **1er** - *122, rue de Rivoli (233.97.80).*
● **9e** - *12, bd de La Madeleine, (073.13.27).*
● **16e** - *14, rue des Sablons (727.24.55).*
Forum des Halles, niveau - 2.
Et 7 magasins dans les centres commerciaux de la région parisienne.

Grand bazar d'artisanat international (et plus particulièrement extrême-oriental) où l'on peut trouver — à des prix plus que raisonnables — quelques jolies choses pour la maison : vaisselle et verrerie, tissus indiens, meubles en rotin et bambou, nattes, vanneries de toutes sortes, etc. Comme dans tous les « bazars », on y découvre aussi quelques petits lots de franches et bien divertissantes horreurs.

Scandinavie

BOUTIQUE DANOISE

● **8e** - *42, av. de Friedland (227.02.92).*

Les dimensions, la clarté et la remarquable présentation de cette « exposition permanente d'art appliqué danois » suffisent à distinguer cette superbe boutique. Objets de tous prix (surtout élevés) dont on retiendra les meubles en cuir (15 000 à 25 000 F), la vaisselle (porcelaine de la Manufacture Royale de Copenhague), les bijoux modernes et l'argenterie de Georg Jensen, et les jeux en teck ou en palissandre.

SCANDIART

● **6e** - *2, rue de Furstenberg (633.73.00).*

Outre le grand et beau choix de vaisselle scandinave (dont les prix sont élevés), on trouve chez Scandiart des petites commodes en bois de pin et des tables à rallonges ou à battants intéressantes, des toiles plastifiées originales (de 115 à 169 F en 145 ou 180 cm de diamètre) et parmi les tissus suédois, de jolies impressions naïves (38 à 50 F le m). Soldes en avril.

SIBO DÉCOR

● **4e** - *5, rue des Deux-Ponts (354.22.61).*

Spécialisé dans les objets suédois (vaisselle, photophores, sabots, verrerie, bougies).

TORVINOKA

● **6e** - *4, rue Cardinale (325.09.13).*

Vaisselle, verrerie et meubles finlandais. Meubles encore et tissus d'ameublement suédois. Vous aurez compris que tout ici est scandinave.

CADEAUX : CUISINE ET TABLE

ARTS POPULAIRES - TEA POT

● **6e** - *7 et 9, rue Bréa (326.58.42).*

Des ustensiles de cuisine et de table à foison (cloches à fromage en verre, boîtes à sel en bois, bons gros verres, etc.), quelques meubles en châtaignier, des chaises de jardin laquées en vert ou en blanc, etc., voilà de quoi séduire les citadins en mal de retour à la terre. Ils sont vendus ici à prix assez doux.

AU BAIN-MARIE

● **2e** - *2, rue du Mail (260.94.55).*

Voir notre encadré « Vaisselle d'autrefois » dans le chapitre « Décoration de la maison - Vaisselle, verrerie ».

LA CHOSERIE

● **5e** - *6, rue de l'Arbalète (587.36.98).*

Ce sympathique magasin de la Mouffe a changé de nom (ex-Oggetto) et de mains, mais vous y trouverez toujours des ustensiles de cuisine « façon fermière », des moules à gâteaux de formes diverses, de la vannerie, des étagères et caissons en bois blanc, un peu de linge de maison (Descamps), et des confitures, des tisanes aux plantes, des herbes de Provence, etc. Bref un tas de choses pratiques, amusantes et pas très chères pour les maisons de campagne ou les cuisines à l'ancienne.

CULINARION

● **5e** - *99, rue de Rennes (548.94.76).*
● **9e** - *9, rue des Mathurins (742.10.38).*

Jolies boutiques où l'avant-garde la plus extrême voisine avec le culte du passé : le presse-citron en bois avec les dernières productions du Creuset ou de Cousance, le gril de fonte pour cuire dans l'âtre avec la plaque à mijoter perfectionnée. Fonte, grès, porcelaine blanche, cuivres, bocaux, mouvettes, tables « bistrot », etc. et un rayon de livres de cuisine. Chaque mois un certain nombre d'articles sont vendus en promotion avec une remise de 10 %. Listes de mariage. Livraison gratuite à partir de 500 F d'achats.

GENEVIÈVE LETHU

● **6e** - *95, rue de Rennes (222.76.53).*
Et Forum des Halles, niveau - 2.

Une agrégation d'histoire, le sens du commerce et pas mal de goût ont conduit Geneviève Lethu à ouvrir boutique. On trouve chez elle tout ce qui peut rendre une cuisine sympathique et une table jolie et agréable : casseroles en émail blanc, grès, faïences, verrerie, tissus plastifiés vendus au mètre et serviettes en coton assorties, etc. Les tables de cuisine en pin et carreaux de faïence blanche sont une exclusivité et un grand succès de la maison. Accueil chaleureux sans être insistant.

OGGETTO

● **4e** - *143, rue Saint-Martin (278.55.55).*

Oggetto a quitté la Mouffe pour s'établir juste en face du « Palais » Beaubourg, sur la « piazza » piétonnière. On y fait toujours mille trouvailles, utiles ou amusantes : moules à gâteau en forme de lapin, de mouton, de cœur, de maison, etc. de toutes les tailles (de 1,50 à 35 F), plats à four « Arabia » (et pourtant scandinaves) en acier émaillé blanc ou noir et blanc (de 46 à 87 F), un très beau service de table complet, suédois, en grès fin gris clair à liséré bleu marine (35 F l'assiette plate), des torchons, des nappes en coton imprimé, des toiles plastifiées unies ou à rayures, vendues au mètre (78 F en 140) avec des serviettes en tissu assorti. Et encore des pots de confitures, des sirops, des savons à l'huile de palme, d'olive ou d'amande, des bonbons en vrac, etc.

PAIN D'ÉPICE - LA MAISON

● **9e** - *35, passage Jouffroy (770.51.12).*

Pour les délicieux jouets à l'ancienne, il faut faire halte chez Pain d'Epice (n°s 29 et 31 du passage Jouffroy). Pour tout ce qui concerne la table et la cuisine, on s'arrêtera dans la récente « succursale » (au n° 35 du même passage), dénommée Pain d'Épice-La Maison. Objets anciens (verres, assiettes, tasses, etc.) et récents y font bon ménage. La grande spécialité de Françoise Blinderman, ce sont les placards publicitaires anciens en tôle peinte, les boîtes à biscuits décorées, les vieux emballages (pots de confiture en grès, pots à café ou à chocolat et surtout une étonnante collection de pots à moutarde (dont elle fait reproduire quelques exemplaires, vendus ici même et diffusés dans d'autres magasins). Vous trouverez aussi, chez elle, quelques douceurs : des confitures de Michèle Chassagne, de vieux apéritifs comme le guignolet, la fraise de Villeneuve, des confiseries traditionnelles pour les goûters d'enfants et tout ce qu'il faut pour décorer les gâteaux (fleurs, « bon anniversaire », baigneurs, mariés en sucre, etc.). Naturellement, il y a aussi des pains d'épice, mais ils resteront accrochés aux murs tant ils sont beaux (bouquets, mariés, cœurs, etc.).

JANIE PRADIER

● **6e** - *78, rue de Seine (354.37.47).*

Toutes sortes de cadeaux pour la maison, utiles et agréables, et surtout bon marché (à partir de 5 F) : de la vaisselle, des paniers, des bougies, des plateaux, des étagères, des tables laquées en forme de cube, etc. Et très souvent des soldes : ces jours-là, la boutique se transforme en bazar.

LA TABLE D'EUGÉNIE

● **4e** - *27, rue du Petit-Musc (278.19.61).*

Au rez-de-chaussée d'un petit hôtel XVIIIe, un gentil bistrot où sont servis des repas à tout petits prix est relié par des caves (aménagées pour des réceptions ou expositions) à la boutique proprement dite. Où l'on trouve des objets choisis avec goût, astucieux ou originaux, presque tous inspirés par la cuisine ou la salle à manger : vaisselle, argenterie, saucières, nombreux modèles de couverts, bain-marie, etc. Le propriétaire, J.-J. Daubin, ancien pensionnaire de la Comédie-Française, accorde des réductions aux gens de théâtre et de cinéma.

TOPKA

● **4e** - *5, rue d'Arcole (354.73.27).*

Toujours spécialiste de l'objet courant pour gauchers (ciseaux, tire-bouchon, ouvre-boîte, etc.), avec de nouveaux modèles importés des Etats-Unis. Egalement un bon choix de toiles plastifiées (une vingtaine de modèles) à 70 F le mètre en 140 ou 145 cm de large et un rayon de verrerie et de vaisselle. Soldes intéressants (à moitié prix) en février et en juin.

LISTES DE MARIAGE : L'art de se faire offrir des cadeaux choisis par soi-même

UNE solution astucieuse pour les futurs mariés : des cadeaux de leur goût qu'ils peuvent changer selon leur bon plaisir. Une solution de facilité pour les « donneurs » : un coup de téléphone et un chèque suffisent souvent (attention toutefois aux indiscrétions : la liste en question est envoyée aux jeunes époux, avec, en regard, le prix de chaque cadeau). Notre liste de magasins n'est pas exhaustive. Bien d'autres maisons pratiquent cette formule ou sont toutes disposées à la pratiquer pour peu qu'on le leur demande.

Les grands magasins

BON MARCHÉ

● **7e** - *38, rue de Sèvres (260.33.45).*

Les habituels rayons de vaisselle, lampes, tapis, etc., et aussi un bon choix de meubles et de bibelots dans la « boutique d'antiquités » de ce grand magasin, qui offre un « avoir » de 10 % du montant total de la liste et en outre 10 % de remise sur tous les achats des jeunes mariés pendant un an.

GALERIES LAFAYETTE

● **9e** - *40, bd Haussmann (282.34.56).*

Tous les avantages d'un (très) grand magasin : quelque 320 000 articles. Quatre adresses à Paris et dans la région parisienne, et aussi à Lyon, Montpellier, Nantes et Nice. Offrent un cadeau correspondant à 5 % du montant de la liste, puis 5 % d'escompte sur les achats pendant un an. Reçoivent 5 000 listes chaque année, dont les montants s'échelonnent entre 7 000 et... 60 000 F. Une bonne idée : on peut même inclure dans sa liste son voyage de noce. Un seul point noir : en période « de pointe », c'est-à-dire en mai et juin, il faut s'armer de patience pour établir sa liste : les services concernés sont, en effet, passablement débordés.

HABITAT

● **15e** - *11, rue de l'Arrivée (538.69.90).*
● **17e** - *35, av. de Wagram (538.73.37).*
● **78 Orgeval** - *RN 13. La Maison Blanche (975.99.50).*
Et Forum des Halles, niveau - 2.

Quatre magasins Habitat dont un à Orgeval. Un « show-room » de 35 m² a été spécialement aménagé dans le magasin-Wagram, avec un échantillonnage de tous les articles de la boutique, ce qui représente une aide considérable pour les jeunes gens peu imaginatifs et un gain de temps important. Les parents et amis de province peuvent acheter leur cadeau en consultant le catalogue (très « parlant » et très bien fait) qu'édite chaque année Habitat, à moins qu'ils n'habitent Montpellier, Lille, Lyon, Strasbourg ou Marseille, où ils trouveront un magasin Habitat. Cadeau au choix des mariés correspondant à 5 % du montant total de la liste.

PRINTEMPS

● **9e** - *64, bd Haussmann (285.22.22).*

Toujours le choix extraordinaire des grands magasins, la possibilité de mettre sur sa liste des cadeaux de bricolage, une bicyclette, un sac de voyage, etc. 6 000 listes (de 8 000 à 70 000 F) ont été déposées ici en 1978. Le cadeau du Printemps aux jeunes mariés : 5 % du montant total de la liste plus une carte d'achats valable un an et donnant droit à 5 % d'escompte. Service un peu débordé à certaines périodes de l'année malgré une organisation très « étudiée ».

TROIS QUARTIERS

● **1er** - *17, bd de la Madeleine (260.39.30).*

Le service « liste de mariage » est relativement récent et l'accueil est agréable. En cadeau : 5 % du montant de la liste, plus une carte d'achats (5 % d'escompte) valable aussi chez Madelios, l'annexe masculine des Trois Quartiers.

Les « grandes » boutiques de cadeaux

BAGUÈS

● **16e** - *57, av. Raymond-Poincaré (553.82.47).*

Exposition sur 3 niveaux : cadeaux, vaisselle, meubles et luminaire. Offre 10 % du montant total de la liste et 10 % de réduction à vie au jeune ménage et aux parents respectifs.

CARDIN ÉVOLUTION

● **8e** - *29, fg Saint-Honoré (265.36.91).*

1 500 m² d'exposition, un dédale de pièces : des objets pour la table, des bibelots, des meubles, du luminaire. Un choix considérable pour tous les goûts. N'hésitez pas à monter dans les étages et à vous promener partout.

CHRISTOFLE

● **8e** - *12, rue Royale (260.34.07).*

36 boutiques à Paris, dans la région parisienne et en province. Essentiellement tout ce qui concerne les arts de la table ; un peu de mobilier aussi. Cadeau pour les jeunes mariés : de 5 % à 12 % du montant de la liste, selon son importance. Une liste déposée à Paris est automatiquement communiquée à toutes les boutiques de la région parisienne et, sur votre demande, aux boutiques de province.

CHRISTIAN DIOR

● **8e** - *30, av. Montaigne (256.74.44).*

La boutique « cadeaux » est petite mais bourrée d'idées. Beaucoup de clients célèbres (Caroline de Monaco y a fait sa liste...). Des modèles exclusifs qui changent selon les saisons. Accueil en général parfait. Cadeau correspondant à 5 % du montant total de la liste.

JONES

● **16e** - *39, av. Victor-Hugo (501.68.33).*

Nous allions vous parler de Jones et du souvenir ému de notre première culotte de flanelle quand nous avons appris que « Jones, c'est fini ». Versons donc un pleur en évoquant les bonnes vestes de tweed, les chemises, les pull-overs et les jolies cravates anglaises dont nous aimions faire l'emplette ici.

P. NICOLAS

● **8e** - *27, rue Marbeuf (359.72.80).*

La boutique s'est agrandie et vous propose quelque 300 m² d'exposition, uniquement consacrés aux arts de la table. Offre un « cadeau-participation » correspondant à 10 % du montant de la liste au-dessus de 10 000 F.

PERRIER

● **7e** - *3, bd Raspail (548.25.23).*

Maison traditionnelle (depuis 1821). Vous serez assuré de trouver ici une assez grande sélection de faïences et porcelaines françaises, anglaises et italiennes. Offre un cadeau correspondant à 5 % du montant total de la liste.

GEORGE PESLE

● **8e** - *18, rue de l'Arcade (266.52.32).*

« Inventeur » de la liste de mariage. Deux autres boutiques récemment ouvertes à Paris (17, rue de Sèvres, et 54, avenue Victor-Hugo), mais c'est celle de la rue de l'Arcade qui « reçoit » les listes. Décoration de la maison traditionnelle : porcelaines, nappes brodées, orfèvrerie, lampes, etc. Offre un cadeau en fin de course « selon l'importance de la liste ».

PETER

● **8e** - *191, fg Saint-Honoré (563.88.00).*

Très joli choix de couverts classiques ou contemporains. Services de porcelaine et de cristal. Accueil agréable. En prime : un cadeau correspondant à 5 % du montant de la liste.

VALENTINO PIU

● **8e** - *17-19, av. Montaigne (723.64.17).*

Des faïences italiennes, des tissus, des nappes, quelques meubles (en rotin principalement) : les cadeaux sélectionnés par le célèbre couturier italien. Vous serez très bien accueillis, mais on ne vous fera pas de cadeau.

PUIFORCAT BOUTIQUES

● **6e** - *8, rue du Vieux-Colombier (544.71.37).*

● **8e** - *129, bd Haussmann (563.10.10).*

● **16e** - *48, av. Victor-Hugo (501.70.58).*

Argenterie classique, métal argenté, beaux services de porcelaine et de cristal : tout le décor de la table. Un cadeau en fin de liste correspondant à 10 % du montant de celle-ci. Si on choisit la boutique du boulevard Haussmann, on n'aura qu'un pas à faire pour commander son argenterie chez Puiforcat Orfèvre... ou tout au moins admirer de près ses collections superbes.

Fleurs

FLEURS NATURELLES

Les très grands fleuristes

ARÈNE

● **16e** - *4 et 5, rue Mesnil (727.32.19).*

Merveilleux — et très cher. Arène fleurit l'Elysée, Matignon, le Quai d'Orsay, l'Opéra (pour les galas) et le Tout-Paris. Atelier floral plutôt que magasin de fleurs, où une vingtaine de petites-mains habiles et passionnées — certaines ont plus de trente ans de maison — s'affairent tout le jour (et parfois la nuit) à composer les bouquets les plus beaux, les plus frais, les plus raffinés, les plus fous qu'on puisse rêver. Ils peuvent être assortis au décor de votre appartement, à la couleur de votre nappe, au motif de votre service de table ; être disposés, par exemple, dans de jolis vases en céramique (italienne) ou en porcelaine (allemande ou anglaise) spécialement conçus pour les mettre en valeur (50 à 200 F) ; ou encore être façonnés sur une armature métallique et « sculptés » aux ciseaux (en forme de pyramide, d'animaux divers, etc.) pour faire des centres de table. Abonnement floral, location de plantes vertes, aménagement et entretien de terrasses, et « calendrier floral » : si vous désirez offrir des fleurs à dates fixes à vos amis, donnez noms et adresses, dates d'envoi (et sommes que vous voulez dépenser) à Arène qui vous téléphonera 48 h à l'avance pour confirmation. Dans le second magasin, situé juste en face (au n° 4), jolies fleurs pour chez soi et belles plantes vertes d'une grande fraîcheur aussi, à des prix très abordables, mais, attention, la livraison n'est pas assurée.

LACHAUME

● **8e** - *10, rue Royale (260.57.26).*

L'un des grands parmi les plus grands fleuristes de Paris. Toujours la perfection dans le classicisme.

ORÈVE

● **16e** - *25, rue de la Pompe (520.20.13).*

Certaine très vieille dame se souvient encore des pépinières et des serres que le grand-père Orève exploitait à la fin du siècle dernier sur l'emplacement actuel de l'avenue Georges-Mandel. Charles Orève, le petit-fils, « élève » aujourd'hui à Chatou la plupart des somptueuses fleurs coupées ou en pots qu'il expose (et vend à des prix raisonnables) dans le magasin de mosaïques prolongé par une superbe serre — la seule de Paris — construits en 1911, et qui servirent de décor au tournage de plusieurs films. Location (et abonnements avec entretien) de plantes d'ornement. Jolies fleurs et plantes vertes en tissu synthétique lavable, et supportant d'être installées sur un balcon. Parking réservé aux clients.

Apprenez à faire un bouquet

ATELIER COLETTE BAUMAN

● **6e** - *5, rue Jean-François Gerbillon (222.26.62).*

On vous y enseignera, en sessions de deux ou trois jours chacune, l'art et la manière de cueillir les fleurs, composer un bouquet, soigner les plantes. Voir « Jeux, loisirs, etc. ».

VEYRAT

● **8e** - *168, bd Haussmann (622.53.00).*

Une boutique d'angle, deux superbes vitrines et une débauche de couleurs dans cette portion un peu guindée du boulevard Haussmann finissant. Les plantes fleuries et les bouquets de René Veyrat, admirables dans leur simplicité et leur fraîcheur, sont vendus à des prix à peine supérieurs (parfois même égaux) à ceux que pratiquent bien des fleuristes de quartier qui ne le valent pas. Vendeuses souriantes et courtoises.

Autres très bons et bons fleuristes

LE BOUQUETIER DU MARAIS

● **3e** - *15, rue du Parc-Royal (272.67.85).*

Compositions pleines de charme de Michel

Brunot, le « bouquetier du Marais », qui pratique des prix extrêmement sages et arrangera lui-même le décor floral de votre table.

DÉCORATION FLORALE (Jacques Bedat)

● **18e** - *90, rue Damrémont (606.76.91).*

Pas de magasin, mais un atelier de décoration florale qui se charge, sur commande, de fleurir vos fêtes et vos réceptions. Jacques Bedat vous propose aussi de dessiner et de réaliser (sur devis) jardins, terrasses et jardins d'hiver et — sur abonnement — d'assurer leur entretien.

GUIGNARD

● **16e** - *4, av. Bugeaud (727.94.35).*

La pétrochimie et le prêt-à-porter masculin mènent à tout, y compris à devenir fleuriste si l'on est comme Louis Guignard enthousiaste et fou de fleurs. C'est par brassées qu'il les rapporte chaque jour de Roissy et ses bouquets simples et beaux sont d'une fraîcheur incomparable.

LAURENCE GUILLON

● **15e** - *17, rue Labrouste (250.00.33).*

Rien de sophistiqué ni de compliqué dans ce petit magasin mais, en revanche, le charme très particulier de bouquets composés de fleurs naturelles les plus simples ou les plus rares. Laurence Guillon a l'art de mélanger les couleurs et les formes. Ne cherchez pas chez elle la douzaine de roses Baccarat ou l'azalée en pot, mais regardez plutôt ses jardins en miniature faits de mousse et de plantes aromatiques, qui sont, avec les bouquets ronds, sa grande spécialité.

LES JARDINS D'ALYS

● **9e** - *18, rue La Fayette (770.59.40).*

Fleurs coupées, mais surtout très grand et beau choix de plantes vertes.

GUY MARTIN

● **1er** - *5, rue Cambon (261.30.13).*

Sa spécialité : les compositions florales luxueuses et sophistiquées : orchidées et fleurs exotiques, plantes tropicales (rares) présentées dans de beaux bacs en plexiglas (avec humidificateur) dont il a l'exclusivité, branches sèches piquées de fleurs fraîches (d'inspiration japonaise), arbustes de fleurs artificielles (séchées ou en tissu) de toutes les dimensions (150 à 6 000 F). A Noël, en souvenir de son enfance sarroise, il prépare les traditionnelles couronnes faites de branches de sapins mêlées de pommes de pins, de fruits secs et de bougies. Service d'abonnement (avec renouvellement hebdomadaire ou mensuel) pour la décoration des appartements, immeubles, bureaux, etc. en fleurs naturelles ou artificielles.

MOREUX

● **16e** - *72, av. Victor-Hugo (727.58.55).*

Un classique. Des fleurs « de luxe » mais un choix assez restreint.

SODÉFLORA

● **16e** - *156, av. Victor-Hugo (727.15.55).*

Infiniment de goût pour les bouquets de réception. Somptueuses et spectaculaires compositions florales exotiques ou champêtres, dont on admire les plus beaux spécimen sur les buffets de Gaston Lenôtre. Tous les prix, du grand motif de 5 m pour le bal de l'X à l'Opéra (très, très cher) au petit centre de table à 30 F.

Bouquets à la carte

NICOLE JOBA

● **16e** - *5, rue de la Manutention (723.52.83).*

Au deuxième étage à gauche.
Sur rendez-vous.

Pour le mariage de votre fille — ou tout autre réception — à Paris ou dans un rayon de 100 km autour de Paris, Nicole Joba peut vous décharger d'un souci : elle confectionnera sur place, avec autant d'habileté que de goût, de superbes compositions de fleurs fraîches. Et se chargera aussi du bouquet de la mariée. Voir aussi « Fleurs artificielles ».

VERT ET CIE

● **6e** - *41, rue du Cherche-Midi (548.96.30).*

Des plantes d'intérieur uniquement, simples ou rares : une centaine d'espèces à tous les prix (de 15 à 3 000 F), que vous choisirez selon votre budget, leur volume, leur couleur et les judicieux conseils qu'on vous prodiguera après vous avoir interrogé sur l'exposition et la température de votre appartement. Une fiche d'entretien très détaillée vous sera remise sur les exigences de votre plante et si, malgré tous vos soins, elle dépérit, on viendra sans tarder en consultation à votre domicile.

PLANTES RARES

BISSON-PLANTES EXOTIQUES

● **6e** - *41, rue Dauphine (633.84.08).*

Il vous montrera se collection de bonsaïs japonais (entre 6 et 50 ans), ses orchidées, ses orangers, ses mandariniers, ses caféjers et ses sapins en pot, qu'il vous suffira de garnir de guirlandes pour Noël. Alain-Frédéric Bisson est aussi et surtout un jeune paysagiste qui créera (et entretiendra) vos terrasses et jardins à Paris et dans sa banlieue. Vous le trouverez au fond de la cour.

E.V.E. (ESPACES VERTS ENVIRONNEMENT)

● **15e** - *1, 3 et 13, quai de Grenelle (578.72.06).*

Edouard d'Avdeew, se désolant de l'ignorance des Français en matière de plantes vertes et de l'indigence de certains magasins parisiens, créa voici trois ans, dans un ancien garage du quai de Grenelle, une sorte de pépinière et un magasin d'exposition qui occupent aujourd'hui près de 700 m². On y trouve l'un des plus beaux et vastes choix de Paris en plantes rares et de collection. Pour l'intérieur, des orchidées (en masse), des plantes insolites, tels le bananier, le caféier, le frangipanier, etc. Pour les balcons ou les jardins, des bambous, des mahonias, des magnolias, des rhododendrons (200 variétés à partir de 45 F), des espèces peu connues de conifères et de plantes méditerranéennes. Un service de location et d'entretien, un bureau d'études et de conseils, un rayon de poterie en terre de Biot, un autre de livres techniques rares (français ou étrangers) sur le monde végétal, complètent les activités de cet étonnant Russe aux mains vertes.

Des tropiques

CRÉZAN

● **16e** - *26, rue Chalgrin (500.19.40).*

Si vous aimez les fleurs tropicales — elles conviennent surtout à un décor moderne et ont la vie particulièrement dure — commandez-les donc par téléphone : vous recevrez directement du pays d'origine — via Roissy — un bouquet composé d'une vingtaine de fleurs : hélicomia, roses de porcelaine, pendulum, ananas rose ou gris, etc. Crézan n'est pas un magasin ni un atelier floral, mais simplement un bureau de commande : 250 F le bouquet, 2 000 F l'abonnement annuel (12 bouquets).

PLANTATIONS MODERNES

● **10e** - *182, fg Saint-Denis (607.64.96).*

M. Goarant est ingénieur horticole et, de surcroît, fort aimable. Les plantes peu communes sont sa spécialité. Il n'édite pas de catalogue mais sachant que ses compatriotes sont assez peu savants en botanique, il se fait fort de retrouver une plante rare dont vous ignorez le nom en latin, simplement d'après une photographie ou une coupure de presse. Si elle est disponible dans son magasin, vous l'emporterez avec vous, sinon il vous la fera expédier à domicile depuis les lieux de culture.

SAMSON

● **92 Châtenay-Malabry** - *25, rue de Chateaubriand (702.91.99).*

Le bonsaï est un arbre ou un arbuste (à feuilles caduques ou persistantes, à fleurs ou à fruits) miniaturisé par de savantes coupes et adapté à la vie en pot. Il se plaît dans les jardins et sur les terrasses, à la rigueur dans un appartement lumineux et peu chauffé. Il exige des soins attentifs et un entretien régulier : coupe et rempotage. Rémy Samson est un grand spécialiste de ces arbres nains originaires de Chine et vous en propose un vaste choix : plus de 2 000 en 80 espèces. Il les produit lui-même ou les importe du Japon, il en assure l'entretien et même la garde (15 F par mois) si vous devez vous absenter. Sachez cependant que, selon leur âge, les petits sujets atteignent des prix considérables, inversement proportionnels à leur taille : à partir de 90 F mais jusqu'à 15 000 F et plus. Livraison à domicile et expédition dans toute la France.

LIBRE-SERVICE

LA GRANGE BUCI

● **6e** - *7, rue de Buci (326.19.34).*

Le trottoir le plus fleuri de Paris : bouquets campagnards et camaïeux de fleurs en vrac.

HALLE AUX FLEURS

● **8e** - *5, rue de Rigny (522.85.70.)*

Profusion de plantes vertes ou fleuries à des prix imbattables, mais peu de fleurs coupées.

LAMARTINE FLEURS

● **16e** - *188, av. Victor-Hugo (504.29.50).*

Grand choix de fleurs et plantes, simples et rares, à tous les prix.

MILFLEUR

● **16e** - *160, av. de Versailles (224.45.31).*

Vaste self-service ouvert tous les jours jusqu'à 20 h 30. Bon choix de plantes arborescentes et d'arbustes décoratifs.

MONCEAU FLEURS

● **8e** - *92, bd Malesherbes (563.88.23).*

Très grand choix de fleurs coupées et de plantes en pots à des prix très raisonnables.

PRIMFLEUR

● **17e** - *80, av. de Villiers (227.13.06).*

Immense et superbe libre-service (1 000 m²).

Les fleurs et les plantes viennent directement d'un jardin horticole de 16 hectares à l'Isle-Adam. Livraison à domicile.

RIVIERA FLEURS

● **17e** - *72, av. des Ternes (574.17.17).*

Un amoncellement de plantes et de fleurs toutes plus belles les unes que les autres. Aménagement de terrasses et location de plantes.

Une pension pour les vacances

Il vous arrive de partir en vacances, et si vous n'avez pas une concierge complaisante, vos plantes vertes risquent fort de mourir de chagrin et de soif. Le grand fleuriste **Arène** *(5, rue Mesnil, 16e, 727.32.50)* propose de les prendre en pension pendant votre absence (100 F minimum), ou bien de venir chez vous pour les entretenir. Dans les deux cas, elles seront soignées à base d'hormones, de solutions nutritives et d'insecticides et elles auront sans aucun doute la mine aussi florissante que vous à votre retour.

SULLY FLEURS

● **4e** - *11, bd Henri-IV (272.24.86).*

Un joli coin fleuri à l'angle du quai des Célestins et du boulevard Henri-IV : plantes à repiquer, fleurs coupées, plantes vertes. Beaucoup de choix.

MARCHÉS AUX FLEURS

MARCHÉ AUX FLEURS DE L'ILE DE LA CITÉ

● **4e** - *Pl. Louis-Lépine (quai de Corse).*

Tous les jours, sauf le dimanche, de 8 h à 19 h 30.

MARCHÉ DE LA MADELEINE

● **8e** - *Côté est de la Madeleine.*

Mardi, mercredi, vendredi, samedi et veilles de fêtes, de 8 h à 19 h 30.

MARCHÉ DES TERNES

● **17e** - *Pl. des Ternes.*

Tous les jours sauf le lundi, de 8 h à 19 h 30.

Envoyez-nous vos bonnes adresses.

FLEURS ARTIFICIELLES

ESPACE FLORAL

● **6e** - *7, rue Mayet (566.76.51).*

Une « artificieuse » bien charmante, Catherine Sciacco. Dans sa (récente) boutique, elle vend de gracieuses guirlandes mêlant le sapin et les fruits en plastique qui vous donneraient envie de fêter Noël toute l'année, des grappes de raisin de Hong-Kong à vous mettre l'eau à la bouche et des couronnes de fleurs (en tissu) piquées de groseilles, de cerises ou de glands, qui font de bien jolis centres de table. Si vous lui apportez un vase, elle le remplira de fleurs en tissu (lavable); ou bien — si vraiment l'artifice vous chagrine — d'un bouquet de fleurs fraîches savamment composé.

NOÉMIE FROMENTIN

● **8e** - *9, rue Saint-Florentin (260.73.42).*

Noémie Fromentin, mère de l'actuel propriétaire, fonda en 1900 cette boutique où l'on compose d'admirables fleurs en soie : bouquets, fleurs assorties à votre toilette et que vous piquerez au revers d'un tailleur. Fromentin réalise également des broderies pour robes de mariée et des coiffures (avec essayage).

GUILLET

● **7e** - *99, av. de La Bourdonnais (551.32.98).*

Guillet fabrique dans ses propres ateliers des fleurs artificielles depuis 1896 et fournit Dior et Hermès pour le décor de leurs vitrines — les plus sophistiquées de Paris — ainsi que l'Opéra et la Comédie-Française pour l'ornement des costumes de scène. Jolies fleurs en tissu (soie, coton ou rayonne) à prix très raisonnables. Plantes vertes (en plastique) de bonne facture : les buis et les tuyas sont particulièrement réussis. La maison se charge de la composition des bouquets et de l'aménagement des terrasses.

HARPEL

● **1er** - *43, rue Sainte-Anne (296.07.47).*

Compositions sèches : fleurs de bois ou laquées sur commande.

UN JARDIN EN PLUS

● **7e** - *224, bd Saint-Germain (548.25.71).*

Un luxuriant jardin d'hiver pour Paul et Virginie, qui n'en croiraient pas leurs yeux : les palmiers, les yuccas, les dracénas, les citronniers et orangers, etc., tout est faux et semble presque plus vrai que nature, laquelle est bernée de la plus jolie façon, sur deux étages, dans une immense serre où le printemps est éternel. Beaucoup de plantes, aussi, de climat tempéré : glycine (420 F), fougère géante (120 F), lierre (130 F le sachet de 12 brins), etc. Voir aussi « Meubles de jardin ».

NICOLE JOBA

● **16e** - *5, rue de la Manutention (723.52.83).*
Au deuxième étage à gauche. Sur rendez-vous.

Pour composer ses gerbes, elle invente de nouvelles fleurs. Entre ses mains, le papier, la soie ou la modeste monnaie-du-pape deviennent d'étonnants bouquets. De toutes nuances, de toutes formes, de tous styles, ils ont en commun d'avoir été longuement conçus, élaborés, faits et refaits avec art et minutie. Premier prix : 250 F. Nicole Joba fait également des décorations en fleurs naturelles à domicile et des bouquets de mariée. (Voir notre encadré).

BERTHE RAMBOURG

● **2e** - *12, rue Monsigny (742.93.46).*

Dans sa jolie boutique-atelier, elle découpe au fer, teint et forme la soie dont elle fait les plus merveilleux bouquets qu'on puisse rêver, des guirlandes et des centres de table (100 à 300 F), des « boutonnières » et des couronnes de mariée (de 200 à 700 F).

TROUSSELIER

● **8e** - *73, bd Haussmann (265.32.23).*

Immense et merveilleuse maison au vieillot décor. Ses compositions de fleurs artificielles « d'art » sont des prodiges de beauté et de finition. D'inestimables petites mains font jaillir de leurs doigts, au fond de l'atelier centenaire, les pruniers du Japon, soucis, roses-mousse et autres fleurs rares ou champêtres plus vraies que nature. Prix évidemment élevés : roses de jardin : de 80 à 190 F pièce, anémone en soie : 15 F, arbres de décoration fleuris, montés sur bois : de 650 à 2 000 F environ.

INSTRUMENTS DE JARDINAGE, plantes, graines

Voyez les rayons très fournis de la Samaritaine et du B.H.V.

CLAUSE (PIERRE TREMOIS)

● **10e** - *115, rue La Fayette (878.47.26).*

Mireille y a puisé l'inspiration de quelques-unes de ses merveilleuses chansons « fleur bleue ». Oignons à fleurs, plantes vivaces et à massifs, graines potagères et de fleurs « d'élite Clause » (seul dépositaire à Paris), outillage horticole, guide Clause (un bon manuel du petit jardinier), etc. Catalogue gratuit sur demande, au printemps et à l'automne.

GEORGES DELBARD

● **1er** - *16, quai de la Mégisserie (236.17.43). Et à Vélizy 2, Evry 2, Rosny 2, Créteil-Soleil.*

Ce très grand pépiniériste a aménagé, quai de la Mégisserie, un sous-sol de 100 m² pour y exposer de mai à septembre du matériel horticole, et d'octobre à avril, des plantes d'ornement et des arbres fruitiers (ne manquez pas les cerisiers en fleurs en février). Ses grandes spécialités demeurent les arbres et arbustes à fruits et les rosiers (en vedette : Grand-Siècle, Nil Bleu, Camara et Perle Noire). Expéditions dans la France entière.

A chacun sa soif

Pour connaître l'exact besoin d'eau de chacune de vos plantes, offrez-vous un hygromètre. Vous le ficherez dans la terre de vos pots et saurez ainsi quand votre plante a vraiment soif. Un ficus et une fougère ne sont par exemple pas aussi avides l'un que l'autre. Vous trouverez ce « Savaplan » chez **Grimoux** (14, quai de la Mégisserie, 1er), une des excellentes maison de ce quai-jardin.
Un autre petit appareil — le « Blumat » vous remplacera, lui, quand vous partirez en vacances. Il s'agit d'une sorte de carotte poreuse que l'on remplit d'eau et enfonce dans la terre. Reliée par un fin tuyau à un récipient plein d'eau, elle alimente les plantes selon leur besoin en liquide. Le « Blumat » se trouve dans toutes les bonnes maisons spécialisées dans les fournitures pour jardin.

DESPALLES

● **5e** - *76, bd Saint-Germain (354.28.98.).*

Les patrons de cette merveilleuse et vieille maison entièrement tapissée de boiseries à tiroirs sont de ceux qui pensent qu'il n'est pas moins nécessaire d'être attentif à des graines de pois de senteur qu'à des bulbes de pleione limprichtii, qui vous disent leur répugnance à vendre autre chose que des graines vraies et de bonne germination, leur joie de proposer enfin après essais concluants cette nouvelle reine-marguerite « super-super-rayonnante-résistante pyramidale-radar », qui se font fort de vous dénicher sur demande toute espèce rare non cataloguée, qui ne cherchent pas à vous bluffer avec des promesses de rendement vertigineux et qui n'ont de cesse, enfin, d'améliorer leurs sélections et de proposer chaque année de merveilleuses nouveautés. Poteries vernissées. Trois catalogues par an. Au printemps, les graines de fleurs les plus extravagantes aux légumes les plus simples, les plantes vivaces (beaucoup d'espèces rares). A l'automne, les oignons à fleurs. Expéditions dans toute la France et à l'étranger.

Un téléphone en or

Vous désirez connaître la bonne époque pour les pois de senteur, le truc pour ressusciter une plante grasse moribonde, les meilleures variétés de gazons anglais, l'adresse d'une maison de gardiennage pour vos plantes vertes. Appelez : **le Téléphone vert : 687.23.83,** qui fonctionne toute l'année, du lundi que vendredi, de 9 h à 17 h.

RED CEDAR

● **1er** - *22, av. Victoria (233.71.05).*

Des serres de toutes dimensions et des abris de jardin pour ranger les instruments de jardinage en cèdre rouge du Canada. Voir « Décoration de la maison - Meubles de jardin ».

THIÉBAUT (LA PROVIDENCE DES JARDINS)

● **8e** - *30, pl. de la Madeleine (742.29.03).*

Installée au même emplacement depuis 1857, la maison Thiébaut fournit à la fine fleur parisienne des oignons (à fleurs), des fleurs à repiquer, des semences pour gazon, des outils anglais de jardinage et tous les appareils de lutte contre les insectes. En outre, vous trouverez ici les plus belles variétés d'amaryllis hypeastrum. Aménagement et entretien de terrasses et de jardins (à Paris uniquement). Catalogues.

TRUFFAUT

● **1er** - *16, quai de la Mégisserie (236.70.81).*
● **1er** - *20-24, av. Victoria (236.52.27).*

L'une des solides maisons de la place. Sur les quais de la Seine, une profusion de plantes fleuries (ou non), de graines et autres « matières premières » pour le plus pimpant des jardins. Mais le choix est infiniment plus imposant au Chesnay (voir « Horticulteurs aux portes de Paris »). Belle succursale à Neuilly, 182, av. de Neuilly (624.50.12).

VILMORIN

● **1er** - *4, quai de la Mégisserie (233.61.62).*

C'est un Vilmorin, le sait-on, qui introduisit en France la betterave à sucre et le rutabaga. Cette maison trois fois centenaire peut-être, aujourd'hui encore, recommandée pour son sérieux et la compétence de son personnel.

PLANTES SUR CATALOGUE

VOUS n'avez pas le temps de vous promener quai aux fleurs, à Paris, ou dans les grandes « jardineries » des environs. Reste la solution, qui est d'ailleurs excellente, de faire appel à des spécialistes auxquels vous commanderez en confiance les plantes qu'ils vous expédieront dans des conditions parfaites. Ecrivez-leur auparavant pour leur demander leur catalogue.

ETS BOURDILLON

● **41 Soings-en-Sologne** - *Champagne, Mur-de-Sologne (54/83.81.06).*

Superbes variétés d'iris (du 10 juillet au 31 décembre) et aussi d'hémérocalles (du 1er septembre au 31 mars). Vente par correspondance. Envoi gratuit d'un catalogue en couleur.

ETS J. CAYEUX

● **45 Gien** - *B.P. 33, Poilly-lez-Gien (38/67.05.08).*

La plus importante maison d'Europe pour la culture des iris : plus de six hectares plantés chaque année. Les Cayeux sont cultivateurs, sélectionneurs et hybrideurs depuis trois générations. Iris courants (mais néanmoins fort jolis) à partir de 7 F et nouvelles obtentions d'une grande finesse de coloris, qui peuvent atteindre 45 F (la pièce), par exemple pour un « condottiere » bleu clair vaporeux, fortement ondulé, piqué de bleu lilacé vif et orné d'une belle barbe mandarine... Très bonne collection d'hémérocalles.

HORTICULTEURS aux portes de Paris

CROUX

● **92 Châtenay-Malabry** - *46, rue Chateaubriand (661.04.06).*

Les azalées et les rhododendrons y sont si beaux qu'ils méritent une visite promenade, même si l'on est décidé à ne rien acheter. Parc admirable, et toutes les plantes, des vivaces aux arbustes.

LES FLORÉLITES CLAUSE

● **91 La Ville-du-Bois** - *N. 20 (901.10.45).*

Quatre hectares et vingt-cinq jardins dessinés (ouvert sept jours sur sept sans interruption) pour les nostalgiques citadins du retour à la terre. Que celui-ci se manifeste innocemment dans la culture des géraniums d'appartement ou dans la recherche de fraisiers donnant leurs fruits en décembre. Pépinières, plantes de serre, outillage de la binette au tracteur, graines, arbres fruitiers mais aussi mobilier de jardin, fleurs séchées ou de soie et petits animaux domestiques.

GARDEN CENTER TRUFFAUT

● **78 Le Chesnay - Parly 2** - *24, route de Saint-Germain (954.88.00).*

Pour renifler le bon air de la (presque) campagne, se promener dans un immense jardin et acheter (même le dimanche sauf en janvier) tout le matériel pour entretenir son lopin de terre et tout ce qui peut pousser dessus, par exemple toutes les plantes vivaces en godets ou bien un actinidia, une jolie plante grimpante qui nous vient de Chine et donne de délicieux fruits — les kiwis — bourrés de vitamines et dont les adeptes de la nouvelle cuisine font grande consommation et grand cas. On vous donnera en outre ici de judicieux conseils et vous pourrez demander une « carte de fidélité » qui vous octroiera une réduction de 5 % après 10 achats dans l'année. Plantes vertes et fleuries d'intérieur.

Apprenez à jardiner

Qu'on soit jardinier en herbe ou averti, on peut apprendre à Paris même l'horticulture et ses passionnants à-côtés en suivant les cours théoriques et pratiques que dispensent — à des prix d'une modicité exemplaire — l'**Association des Auditeurs du Luxembourg,** l'**Ecole de Breuil** et la **Société Nationale d'Horticulture de France.** Voir au chapitre « Jeux, Loisirs, etc. - Cours de jardinage ».

LA GUILDE DU JARDIN

● **78 Feucherolles** - *44, Grande-Rue (056.46.09).*

Les meilleurs paysagistes se fournissent chez cet excellent horticulteur qui possède un choix considérable de plantes, de fleurs et d'arbres, d'une qualité absolument parfaite, et qu'une équipe hautement spécialisée viendra planter dans votre jardin ou sur votre terrasse. Egalement fourniture de terre et fabrication de treillage.

THUILLEAUX

● **78 La Celle-Saint-Cloud** - *44, rue de Vindé (969.00.24).*

Un grand et sérieux pépiniériste de la banlieue ouest qui, dans ses six immenses jardins (à La Celle-Saint-Cloud, Choisel par Chevreuse, La Maladrerie de Poissy, Vaucresson et Crespières) fait pousser (et vend) des résineux, des conifères, des plantes de terre de bruyère, aquatiques ou vivaces, des arbres fruitiers de toutes formes, des rosiers, des arbres forestiers, etc.

PAYSAGISTES Entretien de vos jardins

BISSON-PLANTES EXOTIQUES

● **6e** - *41, rue Dauphine (633.84.08).*

Voir « Plantes rares ».

JARDÉCO

● **16e** - *60, av. Henri-Martin (504.74.42).*

A ceux qui n'ont pas vraiment la main verte, Gérard Calmettes, un ancien centralien qui a su associer gestion et retour à la terre, propose un contrat annuel (de 750 à 2 000 F) pour bannir les jardins-paillassons et les terrasses désertiques. Taille, bêchage, traitements divers, épandages d'engrais et de désherbants sélectifs, palissage des plantes grimpantes, plantation de fleurs au printemps et à l'automne, seront assurés par un jardinier de Jardéco — toujours le même. Une notion de service très répandue aux Etats-Unis mais peu courante à Paris.

TOBIE LOUP DE VIANE ET HUBERT MONTIGNAC

● **92 Neuilly** - *8, rue Gal-Henrion-Bertier (624.52.12).*

Assisté par le décorateur Hubert Montignac, Tobie Loup de Viane, qui est un des tout premiers paysagistes-conseils de Paris, aménagé avec un art savant mais discret les plus jolis jardins privés de France, somptueux ou au contraire modestes. Toutes ses plantes sont garanties, et on peut lui faire la plus entière confiance pour dénicher les essences les plus rares. Ajoutons que c'est un homme de parole et que les plantations ont toujours lieu le jour dit. Vous pourrez également le joindre (sur rendez-vous) à Cannes où il passe dix jours par mois, 3, av. de la Gare du Funiculaire (93/38.34.51).

Grands magasins

BAZAR DE L'HÔTEL DE VILLE

● **4e** - *55, rue de la Verrerie (274.90.00).*

Ouvert du lundi au vendredi de 9 h à 18 h 30 (19 h le samedi). Nocturne le mercredi jusqu'à 22 h.

Succursales : 119, rue de Flandre, 19e (205.71.69) et Parly 2, Rosny 2, Belle-Epine, Créteil, Garges et Montlhéry.

C'est le seul grand magasin de Paris qui suscite des engouements, des passions, voire même (lorsqu'il s'agit notamment du rayon quincaillerie) de véritables fanatismes. Nombreux en sont les ombrageux pèlerins. Ils entretiennent l'atmosphère bazar du grand sous-sol où il est certain que la quincaillerie est l'une des plus belles et des plus complètes qui soient (50 000 kg de clous par an, 260 sortes de tournevis et 185 de pinces ; rayon de serrurerie de sécurité le plus important de France), malheureusement desservie par des vendeurs pas toujours très prévenants. Signalons encore le rayon de librairie générale, l'un des tout premiers de France (tout comme celui des luminaires) et celui des disques. La coutellerie et les objets de ménage, les luminaires et articles d'électricité, le dessin et les arts d'agrément, l'électro-ménager, le bois au détail, le sport enfin (tennis et accastillage pour voiliers surtout) constituent à notre avis les plus originaux rayons du magasin. On y appréciera l'air conditionné et le nombre des remontées mécaniques. Agence de voyages. Intelligent service de crédit rapide.

AU BON MARCHÉ

● **7e** - *38, rue de Sèvres (260.33.45).*

Ouvert du lundi au samedi de 9 h 30 à 18 h 45.

Aristide Boucicaut, ancien chef de comptoir aux châles dans un magasin de confection, acquiert le Bon Marché en 1852 et y révèle vite son génie en promouvant, pour la première fois en France, les méthodes de vente modernes : l'entrée libre, le prix fixe et la courte marge bénéficiaire, et en introduisant par ailleurs le repos du dimanche et la participation des employés aux bénéfices. Boucicaut fut certes un précurseur mais le « magasin de la Famille » continue d'aller de l'avant comme en témoigne le sérieux coup de plumeau donné au cours de l'automne 79, dans le magasin 2 notamment, où les rayons ont été considérablement modernisés. Au sous-sol le libre-service du bricolage a pratiquement doublé de taille (1 400 m²) : bois de détail avec découpe à la demande, outillage (vente et location), quincaillerie d'ameublement, papiers peints (un choix très étendu), meubles en bois blanc ou en kit, etc. Au rez-de-chaussée une grande surface d'alimentation dont il faut retenir les rayons fromages, fruits exotiques, pâtisseries, épicerie fine (et produits anglais), thés, cafés, pâtes fraîches (elles sont faites sous vos yeux) et service traiteur. Au premier étage, autour du jardin japonais : un restaurant et une cafétéria. Enfin un salon de coiffure, des cabines de soins de beauté et, sur 600 m², 37 stands d'antiquaires.

Pas de changements notables, en revanche, dans le magasin 1 : mêmes rayons de confection, cadeaux, lingerie, linge de maison (excellent choix), tapis (à propos, le Bon Marché est le premier marchand de tapis de France avec 10 000 pièces en stock, de 250 à 200 000 F), une librairie remarquable (en particulier pour les enfants : Les Trois Hiboux) et un important rayon permanent d'antiquités et bibelots (1900 et rustiques) vendus souvent, il est vrai, à des prix ridiculement élevés. Parmi les services intéressants, signalons une banque, un bureau de change, une agence de voyages, et la garde et le nettoyage des fourrures et des tapis.

FNAC

● **1er** - Forum : *niveau-2, 1 à 7, rue Pierre-Lescot (261.81.18).*

Ouvert du mardi au samedi de 10 h à 20 h, le lundi de 13 h à 20 h.

● **1er** - Sports-Forum : *niveau-3, 1 à 7, rue Pierre-Lescot (261.81.18).*

● **6e** - Montparnasse : *136, rue de Rennes (544.39.12).*

Ouvert du mardi au samedi de 10 h à 20 h et le mercredi jusqu'à 21 h 30.

● **8e** - *Etoile : 26, av. de Wagram (766.52.50).*

Ouvert du mardi au samedi de 10 h à 20 h.

La Fédération Nationale d'Achat des Cadres (Fnac) compte aujourd'hui, en plus de sa clientèle ordinaire, plus de 350 000 adhérents bénéficiant d'avantages nombreux (réductions sur les achats, crédits, agence de théâtre et de voyages, etc.). Par ses conférences, ses colloques, ses expositions, organisés à longueur d'année dans l'un ou l'autre de ses magasins, la Fnac concilie avec une habileté remarquable les impératifs de rentabilité et les activités culturelles, celles-ci servant ceux-là. Plus que par ses prix qui tendent à s'aligner sur ceux de ses concurrents, quand ils ne les dépassent pas, la Fnac se signale surtout par la compétence de son personnel, du moins en ce qui concerne la photo, l'audiovisuel ou les articles de sport, par le choix étendu et la qualité du matériel proposé. Le magasin du Forum des Halles, ouvert en septembre 79, spécialisé dans la photo, l'audiovisuel, la micro-informatique, les disques, les livres, comporte également un vaste auditorium (250 places), voué à toutes sortes d'animations Fnac : rencontres littéraires, ateliers pour les enfants, projections Super 8, cours de photographie, écoute de disques, etc. (programme disponible dans tous les points de vente Fnac). La Fnac-Sports est l'un des magasins de sports les plus complets de Paris et aussi les mieux fournis dans certaines branches comme la chasse, le camping, la plongée, le nautisme. Le magasin de l'Etoile est consacré à l'audiovisuel (grand choix de disques en particulier) et au petit électro-ménager. Celui de Montparnasse possède les mêmes services auxquels s'ajoutent un rayon vidéo et une remarquable librairie (120 000 titres). Enfin quelques petites boutiques Fnac sont installées dans certaines stations de métro R.E.R. (Sébastopol, Châtelet, Auber, Gare de Lyon, etc.) : vente de films, pellicules, cassettes vierges, développement de photos.

GALERIES LAFAYETTE

● **9e** - Haussmann : *40, bd Haussmann (282.34.56).*

Ouvert du lundi au samedi de 9 h 30 à 18 h 30.

● **14e** - Maine-Montparnasse : *22, rue du Départ (538.52.87).*

Ouvert du lundi au samedi de 10 h à 19 h 30.

Succursale à Belle-Epine.

Les Galeries Lafayette ont près de 300 m de vitrines sur rue et plus de 120 000 m carrés de superficie. En dépit de la criminelle destruction du grand escalier, il reste encore de quoi s'émerveiller avec le grand hall central sous les étages en galeries et la somptueuse coupole de verre. Même s'il ne se passe pas « à tout instant quelque chose » aux Galeries Lafayette, signalons particulièrement l'immense rayon de vaisselle (60 000 assiettes vendues chaque mois, la plus importante vente à Paris), verrerie et articles de cuisine du sous-sol (soldes intéressants), celui de la parfumerie (2 000 m² et 9 000 références), des bagages avec toutes les grandes marques, celui des éclairages, du linge et de la lingerie, le Galfa-Club (vêtements et accessoires pour les hommes), la boutique Vingt-ans, les Galeries de la mode du 1er et du 3e étage (prêt-à-porter féminin et boutiques de couturiers). Citons aussi les rayons de bricolage et de décoration de Lafayette 2, à l'angle de la rue La Fayette et de la Chaussée d'Antin : outillage à main ou électrique, bois et verre découpés sur mesure, location de matériel lourd (ponceuse à parquet, par exemple), papiers peints, peinture, revêtements muraux, tringles à rideaux, etc. Parmi les très nombreux services « maison », celui qui permet de retrouver ses achats directement à la consigne de la gare Saint-Lazare et l'efficace département « travaux-décoration » assurant à des prix intéressants assortis de crédits tous les travaux de décoration, d'isolations phonique et thermique d'un appartement. Merveilleuse vue sur Paris (orientation sud) depuis l'immense terrasse du dernier étage.

MAGASINS RÉUNIS

● **11e** - *Pl. de la République (355.39.09).*

● **17e** - *30, av. des Ternes (380.20.00).*

Ouvert du mardi au samedi de 9 h 40 à 18 h 30.

Seul grand magasin (10 000 m² de vente) dans l'ouest de Paris, celui des Ternes se signale à l'attention moins par son décor un peu provincial que par quelques-uns de ses rayons. Notamment ceux de l'alimentation (produits de luxe, produits étrangers, vins, thés), de la décoration, et des tapis « d'Orient » (un des plus importants choix de Paris). La maison est en outre dotée d'une très vaste (300 m²) salle de culture physique superbement aménagée, d'un sauna, d'un restaurant et d'un agréable salon de thé au 3e étage. Le personnel y est aimable et généralement compétent. Graveur, clé-minute, cordonnier. Livraisons gratuites à partir de 500 F d'achats. Parking payant (1 400 places). Soldes de Blanc en janvier et de vêtements en janvier et juin. La succursale de la République est une réduction fidèle de la maison mère.

PRINTEMPS

● **9e** - Haussmann : *64, bd Haussmann (285.22.22).*

Ouvert du lundi au samedi de 9 h 35 à 18 h 30.

● **12e** - Nation : *21, cours de Vincennes (371.12.41).*

Ouvert du lundi au samedi de 9 h 30 à 19 h. Le vendredi de 10 h à 21 h.

● **13e** - Italie : *Centre commercial Galaxie, pl. d'Italie (581.11.50).*

Ouvert du lundi au samedi de 9 h à 19 h 30. Le mardi de 11 h à 22 h.

Succursales à Parly 2, Vélizy 2.

Plusieurs rayons de ce magasin se distinguent avec éclat de ceux des autres maisons similaires, comme celui de la lingerie (une des plus fortes ventes du monde pour les gaines et soutiens-gorge), du prêt-à-porter de luxe (rue de la Mode), des cadeaux (boutique Primavera), des parfums (le plus grand choix de France), des bagages, des jouets (l'un des plus vastes et des mieux fournis de Paris), du son (comparable au choix du B.H.V.), des meubles modernes (ravissant mobilier en rotin), des fleurs artificielles, des bijoux fantaisie et de la papeterie. Toutefois, l'attraction principale des lieux est fournie par l'étonnant restaurant du sixième étage, « Le Square du Printemps », avec ses guirlandes d'ampoules électriques au-dessus des balcons de stuc doré, ses attendrissants massifs de plantes vertes entre les tables et surtout sa merveilleuse coupole vitrée. Louangeons aussi le rayon alimentation de la succursale Nation et sa très sérieuse politique d'achats qui fait voisiner les « boutiques » de luxe (Hédiard, Battendier) avec les rayons de produits courants et propose par ailleurs un bon stand de vins fins (voir « Alimentation - Vins »), d'épicerie fine et de produits régionaux étrangers, un autre très bien fourni d'épices en vrac, d'herbes et de plantes, et de nombreux excellents fournisseurs comme Petrossian, Poilâne, Unish Fish and Food, Malaurie, Labeyrie, etc. Livraisons à domicile (25 F au-dessous de 1 000 F d'achats).

Ventes en entrepôts

Quelques « grands » magasins parisiens (et d'autres qui le sont moins) ouvrent leurs entrepôts au public. Consultez les rubriques « Décoration de la maison - Meubles modernes et Accessoires de cuisine (Les bonnes affaires) ».

SAMARITAINE

● **1er** - *Pont-Neuf (508.33.33).*

Ouvert du lundi au vendredi de 9 h 30 à 18 h 30 (19 h le samedi). Parking pl. du Louvre avec accès au magasin par tapis roulant.
Nocturne le mercredi jusqu'à 22 h.

Succursales à Vélizy 2, Cergy, Rosny.

Avec ses contrôleurs affables en costume strict et nœud papillon, ses demoiselles d'ascenseur, ses caissières de fondation, la qualité du personnel de certains rayons (mercerie, chapeaux, lingerie), l'importance de certains autres comme la fumisterie et le chauffage, les tissus et la passementerie, les vêtements professionnels (52 tenues différentes), la pêche encore (300 m²), la Samaritaine n'est pas tout à fait un grand magasin comme les autres. Il s'y respire encore une agréable atmosphère d'avant-guerre que ne dessert pas la triomphante laideur architecturale des divers bâtiments, ce qui n'empêche pas les successeurs de l'exemplaire M. Ernest Cognacq, fondateur de la maison en 1870, de pratiquer une gestion intelligemment moderne. Les rayons peinture, jardinage, bricolage (stand de location d'outils), librairie, luminaire, encadrement, alimentation, fourrures, animaux, vélocipèdes, en portent témoignage par leur choix et leur qualité. Il est parfaitement exact que la vue circulaire sur Paris depuis le 10e étage du Magasin II est la plus somptueuse qui soit. Une remarquable table d'orientation en lave émaillée permet de déchiffrer en un clin d'œil tous les monuments de la capitale. Plusieurs salons de thé, self-service et restaurants. Etonnant salon de coiffure au sommet du Magasin I.

AUX TROIS QUARTIERS

● **1er** - *17, bd de la Madeleine (260.39.30).*

Ouvert du lundi au samedi de 9 h 40 à 18 h 30. F. le lundi en juillet et août.

Ce ne sont pas les quartiers de la Madeleine, des Tuileries et des Champs-Elysées qui inspirèrent initialement le nom de ce petit grand magasin, mais le titre d'une comédie de boulevard en vogue dans les années 1830. C'est dire que l'établissement est d'une ancienneté remarquable et, de fait, presque tout ici dénonce les outrages du temps, qu'il s'agisse de la présentation, de l'ennuyeux et reposant décor, des vendeuses elles-mêmes (les plus aimables de Paris, elles sont formées en « séminaires »). Quoi qu'il en soit, les Trois Quartiers demeurent un magasin plein de séduction, à la distinction duquel contribue une clientèle qui n'est pas, dans l'ensemble, de la première jeunesse. Hormis son très plaisant et tranquille salon de thé du quatrième étage (où l'on sert aussi des plats chauds à l'heure du déjeuner), cet établissement doit être recommandé moins pour la douceur de ses prix que pour le choix et la qualité de son linge de maison, son rayon de bagages bien fourni, comme aussi celui des parapluies et des gants, son sous-sol, récemment réaménagé (cadeaux et objets pour la maison) et son intéressante annexe pour les hommes : Madelios.

Mode féminine

Couture

LA « HAUTE-COUTURE »

COMME pour les grands joailliers, nous nous abstiendrons de commenter, les unes après les autres, les grandes maisons de couture — « celles qui portent haut et loin le renom de la France » — partant de ce principe : vous n'avez nullement besoin de nous pour en connaître les mécanismes et sésame. Un bon carnet de chèques, hélas, suffira. Toutes (ou presque) sont groupées dans le même arrondissement, le 8e, et quelquefois même à quelques immeubles de distance.

PIERRE BALMAIN

● **8e** - *44, rue François-1er (225.68.04).*

PIERRE CARDIN

● **8e** - *27, av. Marigny (266.92.25).*

CARVEN

● **8e** - *6, Rond-Point-des-Champs-Elysées (225.66.50).*

CHANEL

● **8e** - *31, rue Cambon (261.54.55).*

CHRISTIAN DIOR

● **8e** - *30, av. Montaigne (256.74.44).*

LOUIS FÉRAUD

● **8e** - *88, fg Saint-Honoré (260.08.08).*

GIVENCHY

● **8e** - *3, av. George-V (225.92.60).*

GRÈS

● **2e** - *1, rue de la Paix (261.58.15).*

LANVIN

● **8e** - *22, fg Saint-Honoré (265.27.21).*

TED LAPIDUS

● **8e** - *37, av. Pierre-Ier-de-Serbie (225.52.44).*

GUY LAROCHE

● **8e** - *29, av. Montaigne (225.77.23).*

HANAE MORI

● **8e** - *17, av. Montaigne (359.75.59).*

JEAN PATOU

● **8e** - *7, rue Saint-Florentin (260.36.10).*

NINA RICCI

● **8e** - *17, rue François-1er (256.88.11).*

YVES SAINT-LAURENT

● **16e** - *5, av. Marceau (723.72.71).*

JEAN-LOUIS SCHERRER

● **8e** - *51, av. Montaigne (256.38.08).*

TORRENTE

● **8e** - *9, fg Saint-Honoré (266.14.14).*

EMANUEL UNGARO

● **8e** - *2, av. Montaigne (256.27.70).*

PHILIPPE VENET

● **8e** - *62, rue François-Ier (225.33.63).*

LES BOUTIQUES DE COUTURIERS

BALENCIAGA

● **8e** - *10, av. George-V (225.98.70).*

Habille les femmes qui n'ont plus vingt ans et ne souhaitent pas le cacher : manteaux et tailleurs très classiques et souvent de couleurs sombres. Mais qui peut bien porter ses robes du soir?

PIERRE BALMAIN

● **1er** - *237, rue Saint-Honoré (260.68.38).*
● **8e** - *44, rue François-1er (225.68.04).*

Des modèles classiques et sages, partant, indémodables. Compter 2 600 F environ pour un tailleur ou un manteau.

PIERRE CARDIN

● **7e** - *185, bd Saint-Germain (548.62.46).*
● **8e** - *59, fg Saint-Honoré (266.92.25).*
● **8e** - *83, fg Saint-Honoré (266.62.94).*

Trois boutiques : celle du 59, faubourg Saint-Honoré, dans l'immeuble de la « haute-couture », vend quelques modèles très beaux et très chers, répliques de la grande collection, en demi-mesure ou sur mesure : tailleurs (5 000 F), chemisiers en soie ou jupes (1 500 F) et des robes du soir qui frisent l'excentricité. Boulevard Saint-Germain, c'est la boutique du prêt-à-porter, plus simple, plus classique, plus abordable aussi : tailleurs à 1 700 F, jupes à partir de 450 F. Enfin au 83, faubourg Saint-Honoré, la boutique « sportswear » : quelques jupes et tailleurs à des prix très raisonnables, mais surtout des chandails, T-shirts et robes en maille.

CERRUTI

● **8e** - *15, pl. de la Madeleine (742.10.78).*

La mode italienne a du bon, parfois même de l'excellent : Cerruti en fait la démonstration dans une minuscule boutique récemment ouverte aux pieds de la Madeleine. Aucune outrance transalpine dans ces modèles sobres et bien coupés dans de beaux tissus (lourde soie naturelle pour les robes chemisiers, flanelle, lin ou tweed pour les tailleurs), ni dans les élégants accessoires : carrés de soie, souliers bicolores à talons plats pour le jour, jolies ceintures, etc. Un blazer ou une jupe : 700 F.

CHANEL

● **1er** - *31, rue Cambon (261.54.55).*

L'entrée de Chanel dans le monde du « prêt-à-porter » a fait couler beaucoup d'encre. Il reste que la boutique de la rue Cambon est l'une des plus chères de Paris. Si l'on ne résiste pas à un petit chanel doublé de soie surpiquée (5 000 F) et accompagné d'une blouse en soie assortie, on se donnera bonne conscience en pensant aux prix de la « haute-couture » (trois fois plus et davantage). Beaucoup de jolis accessoires, en particulier les fameux bijoux et les merveilleux sacs Chanel (de 700 à 10 000 F) dont les plus beaux sont rangés dans les tiroirs pour être montrés aux bonnes clientes. Les vendeuses, quoiqu'en nombre insuffisant et souvent débordées par le flot des visiteurs étrangers, restent en toute occasion d'une courtoisie parfaite. Soldes début janvier et fin juin.

CHLOÉ

● **7e** - *2 bis et 3, rue de Gribeauval (544.02.04).*

Les deux jolies boutiques se font face et occupent presque toute la petite rue de Gribeauval. Au n° 3, vous trouverez les robes et les ensembles créés par Karl Lagerfeld, en soie naturelle imprimée, superbes et vendus à des prix qui ne le sont pas moins : un chemisier à manches courtes à 1 200 F vous laisse augurer du prix d'un ensemble. Ne vous laissez pas non plus trop séduire par l'image très flatteuse que vous renverront les miroirs de la maison : ils sont, de l'aveu même des vendeuses, savamment orientés pour devenir « amincissants » : vous risquez donc d'être déçue en rentrant chez vous. Pour les tenues de grand soir, il suffit de traverser la rue : elles sont grisantes, souvent brodées et pailletées (à la main) et si décolletées que leurs prix donnent froid dans le dos : 15 000 F environ.

COURRÈGES

● **8e** - *40, rue François-1er (261.52.03)*
● **8e** - *46, fg Saint-Honoré (265.37.75).*
● **16e** - *50, av. Victor-Hugo (553.70.18).*

Ligne droite et amincissante, modèles classiques et bien coupés, jolis en beige, bleu marine ou blanc, moins heureux dans les « couleurs-choc » (rose, vert cru ou jaune) et presque toujours marqués d'un sigle (facile à découdre). Prix raisonnables : 460 F une jupe, 1 600 F un manteau. Au-delà du 44, on commande les modèles sur mesure : 200 F de supplément et 3 semaines de délai. Soldes en décembre et juin.

CHRISTIAN DIOR

● **8e** - *26 à 32, av. Montaigne (256.74.44).*

Musarder à travers l'empire Dior est l'une des distractions favorites des étrangères (fortunées) de passage à Paris. Les boutiques annexes rassemblées au chevet de la « haute-couture » dont l'entrée se situe au 30 de l'avenue Montaigne, donnent l'occasion de dépenser quelques dizaines ou quelques milliers de francs en un clin d'œil. Il n'en reste pas moins vrai que, pour peu qu'on en ait les moyens, on en a — plaisir compris — vraiment « pour son argent ». Cadeaux pour la maison, boutique pour les hommes, maroquinerie, bijoux, foulards, lingerie, parfums et produits de beauté sont groupés dans le vaste rez-de-chaussée du 32, avenue Montaigne. Au premier étage : les chapeaux, les fourrures (somptueuses) et le prêt-à-porter, le plus divers qui soit : pour tous les âges et toutes les occasions (les robes de dîner et du soir sont particulièrement jolies). Au n° 30 encore, mais une entrée différente, le sportswear élégant et la collection « croisières » en hiver. Au n° 28, deux petits magasins : Baby Dior (luxueuse layette et cadeaux de naissance) et la boutique de linge : peignoirs, maillots et draps de bains. Enfin au n° 26 : les chaussures, les collants, les sacs, les bagages; ces derniers hélas bien souvent « gâchés » par le sigle C.D. L'accueil est délicieux partout, et les services — retouches, emballage, livraison — dignes de cette grande maison, autant dire parfaits. La succursale, 12, rue Boissy-d'Anglas, 8e (265.52.24), propose une petite sélection de l'ensemble des collections.

LOUIS FÉRAUD

- **6e** - *47, rue Bonaparte (326.82.99).*
- **8e** - *88, fg Saint-Honoré (265.27.29).*

Les femmes — de tout âge — qui aiment « se mettre en long » pour recevoir ou pour dîner trouveront ici des robes d'hôtesse jolies et pas ruineuses : imprimées, en voile de coton, en soie naturelle ou synthétique (de 450 à 1 500 F).

TAN GIUDICELLI

- **6e** - *2, rue de Tournon (326.84.97).*
- **8e** - *84, fg Saint-Honoré (265.43.37).*

Un couturier bien doué, Tan Giudicelli. Un rien sophistiquées, raffinées dans tous leurs détails, soyeuses, mouvantes et féminines, ses robes du soir sont des tenues de grand charme (à partir de 3 000 F). Ses robes d'après-midi en crêpe imprimé ou uni (2 500 F), ses tailleurs en mohair ou en velours, ses blouses en crêpe de Chine, plissées, brodées ou peintes à la main, ont la qualité d'être indémodables. Vous trouverez au 13 de la rue de Tournon, dans la boutique T 13, des tenues « de ville » — mais en aucun cas « de campagne » — moins habillées et beaucoup moins chères (un ensemble en lainage : 800 F), et, l'hiver, de superbes manteaux de cachemire.

GIVENCHY

- **8e** - *3, av. George-V (225.92.60).*
- **16e** - *66, av. Victor-Hugo (553.08.76).*

Avenue George-V, une collection élégante et chère, inspirée de la « haute-couture » (même immeuble) : en particulier de ravissantes robes de dîner (2 500 F environ) et du soir (4 000 F) qui peuvent, si nécessaire, être mises à vos mesures avec essayage. Moins de luxe mais des prix plus abordables dans la boutique du 16e : robes chemisiers de « bon ton » et tailleurs classiques.

LANVIN

- **8e** - *22, fg Saint-Honoré (265.14.40).*

Les jolis accessoires vendus au rez-de-chaussée de la boutique ne parviennent pas à faire oublier la médiocrité des modèles « diffusion », indignes, en vérité, de cette grande maison. Au premier étage, vous risquez d'être déçue par les imprimés violents de la collection « boutique » et plus encore par le prix des modèles : 1 500 F une petite robe en voile de coton, 4 000 F une robe en soie et 1 000 F supplémentaires si vous n'avez pas les mensurations « standard » et s'il faut la refaire à votre taille.

TED LAPIDUS

- **6e** - *52, rue Bonaparte (326.87.84).*
- **8e** - *37, av. Pierre-1er-de-Serbie (225.52.44).*
- **8e** - *23, fg Saint-Honoré (266.69.30).*
- **15e** - *11, rue de l'Arrivée (538.65.02).*
- **16e** - *6, pl. Victor-Hugo (704.40.19).*

Egalement Forum des Halles, niveau - 1 et Galerie du Claridge.

Décor très contemporain et tenues jeunes. Les modèles, moins variés qu'il n'y paraît à première vue, sont souvent répétés dans des tissus et des coloris différents et se signalent surtout par la gaieté des robes habillées, le classicisme des tailleurs et des blazers, le prix peu élevé des ensembles, robes, jupes et pantalons de coton en été. Les vendeuses ont souvent mieux à faire qu'à s'occuper de vous.

GUY LAROCHE

- **6e** - *47, rue de Rennes (548.18.50).*
- **8e** - *29, av. Montaigne (359.99.10).*
- **8e** - *30, fg Saint-Honoré (265.62.74).*
- **16e** - *61, av. Victor-Hugo (501.78.47).*

La moins chère des boutiques de couturier. Rien de très original mais un prêt-à-porter classique, impeccable et de bonne allure à prix abordable. Ensemble pantalon en flanelle : 1 195 F, chemisier 270 F. Jolis blazers : 795 F.

HANAE MORI

- **8e** - *17-19, av. Montaigne (359.75.59).*

Hanae Mori se défend bien de vous pousser à la dépense. Sa boutique (contiguë à la maison de couture) se cache au fond d'une courte impasse qui borde le Théâtre des Champs-Elysées : vous passerez dix fois avenue Montaigne sans la voir. La vitrine est modeste, les modèles, peu nombreux, s'y montrent plus tard dans la saison que partout ailleurs, la lourde et superbe porte en chêne sculptée est peu engageante. Et pourtant, vous auriez raison de la pousser :

l'accueil qui vous attend ici est particulièrement aimable, et les tailleurs, les robes courtes (en crêpe de Chine : 1 900 F) ou les tenues du soir, en soies imprimées de motifs discrets ou somptueux (2 000 à 4 000 F et plus) qu'on vous propose sont élégantissimes. Retouches gratuites. Soldes : au début de janvier et à la mi-juin.

JEAN PATOU

● **8e** - *7, rue Saint-Florentin (260.17.92).*
● **16e** - *52, av. Victor-Hugo (501.66.20).*

Deux belles boutiques et un grand nom, mais des modèles bien ennuyeux.

NINA RICCI

● **8e** - *17, rue François-1er et 39, av. Montaigne (256.88.11).*
● **8e** - *31, av. George-V (720.80.01).*

5 000 m^2, ni plus ni moins, et deux hôtels particuliers pour le nouveau Nina Ricci installé à une courte tête du grand bastion Christian Dior, c'est-à-dire sur l'autre trottoir de l'avenue Montaigne, à l'angle de la rue François-1er. On a fait appel à Alain Demachy pour décorer ces immensités dans une harmonie douce et raffinée de beige et de blanc. Vaste univers, en vérité, peuplé de mannequins saisissants de naturel, où règne le goût le plus classique et le plus sûr dans le prêt-à-porter : robes de soie imprimée (2 300 F), tailleurs sobres (2 900 F) et accessoires de bon ton dont le choix est encore limité : bijoux fantaisie, foulards, gants, ceintures, parapluies, sacs, bagages de cuir naturel, ravissante lingerie, sans oublier les célèbres parfums et un petit rayon de cadeaux charmants venant d'Italie. Retouches gratuites. Accueil efficace et discret.

SAINT-LAURENT RIVE GAUCHE

● **6e** - *6, pl. Saint-Sulpice (326.07.05).*
● **8e** - *88, Champs-Elysées (225.92.09).*
● **8e** - *38, fg Saint-Honoré (265.74.59).*
● **16e** - *7, av. Victor-Hugo (500.64.64).*
Et Forum des Halles, niveau - 1.

Sans doute le prêt-à-porter le plus classique et le plus élégant. Le plus cher aussi, mais il est vrai qu'on portera pendant des années, avec un égal bonheur, ces admirables chemisiers de soie naturelle (à partir de 900 F), ces blazers (1 700 F) et ces jupes en flanelle, en velours, en popeline ou en soie, parfaitement coupés et indémodables. Les ensembles habillés sont parfois moins heureux et mieux vaut écarter deux ou trois modèles voyants (et très vite lassants) qui sont là pour signaler chaque collection nouvelle. Une multitude d'accessoires ravissants — et, vous dira-t-on, indispensables — : ceintures, sacs, carrés en cachemire et soie, bijoux, etc. Accueil délicieux si on a le « style » de la maison, mitigé dans le cas contraire. Soldes particulièrement intéressants (50 %) en janvier et en juillet. Une jolie collection « croisières » en décembre. Voir aussi « Fourrures ».

JEAN-LOUIS SCHERRER

● **6e** - *31, rue de Tournon (354.49.07).*
● **8e** - *51, av. Montaigne (359.55.39).*
● **8e** - *90, fg Saint-Honoré (265.70.96).*
● **16e** - *14, av. Victor-Hugo (501.71.53).*

Avenue Montaigne, vous serez tentée de jeter un œil sur les superbes modèles de la « haute-couture ». La collection de prêt-à-porter n'a évidemment rien de comparable, mais vous y trouverez de bons tailleurs classiques (2 500 F environ) et de jolies robes chemisiers en soie naturelle (2 800 F). On vous accueillera fort aimablement si vous êtes bonne cliente ; sinon, vous pourrez aller et venir dans la boutique (sans rien acheter) : on ne prêtera aucunement attention à vous.

TORRENTE

● **8e** - *9, fg Saint-Honoré (266.14.14).*
● **16e** - *6, av. Victor-Hugo (501.66.80).*
Et Forum des Halles, niveau - 1.

Très « Faubourg Saint-Honoré », classiques sans être ennuyeux, les modèles de Torrente sont exécutés, tout comme ses accessoires, dans ses propres ateliers. En général bien coupés dans de beaux tissus, ils ne sont pas excessivement chers : 1 800 F une robe en soie. Les collections sont présentées deux fois par semaine, celle d'été en janvier, celle d'hiver en juillet dans le joli salon-jardin du rez-de-chaussée. Soldes en janvier et en juillet. Le choix est plus restreint avenue Victor-Hugo. Boutiques au Printemps et aux Galeries Lafayette.

UNGARO PARALLÈLE

● **6e** - *56, rue de Rennes (548.83.50).*
● **8e** - *2, av. Montaigne (359.51.49).*
● **8e** - *25, fg Saint-Honoré (266.04.21).*
Et Forum des Halles, niveau - 1.

L'accueil est également aimable dans les quatre boutiques, mais c'est avenue Montaigne, dans l'immeuble de la « haute-couture », que les modèles sont les mieux présentés. Couleurs fortes et mélanges d'imprimés dont les harmonies recherchées masquent parfois la ligne des vêtements, lesquels sont dans l'ensemble élégants et de prix, somme toute, « justifiés » (2 000 F une robe en soie). Soldes en janvier et en juin (la boutique de l'avenue Montaigne solde également les modèles de la grande collection : idéal si vous mesurez 1,78 m, si vous êtes dotée d'une solide carrure et pesez moins de 45 kilos.

VALENTINO

● **8e** - *17-19, av. Montaigne (723.64.61).*
● **8e** - *5, fg Saint-Honoré (226.23.72).*

Humour et fantaisie superbe à l'italienne. Les

prix donnent le frisson : 3 500 à 7 000 F une robe habillée, 800 à 1700 F une blouse, 2 500 F un blazer, 4 000 F une robe pour un déjeuner de soleil (une jupe longue et un haut décolleté)... Et l'accueil parfaitement glacé (avenue Montaigne) est tout sauf méditerranéen. Retouches gratuites, Soldes : 1ère quinzaine de janvier et 2e quinzaine de juin.

PHILIPPE VENET

● **8e** - *32, av. George-V (256.24.06).*

Petite boutique et choix restreint malheureusement. Quelques modèles élégants ; les manteaux sont les plus réussis (2 800 F environ).

PRÊT-A-PORTER : LES GRANDS CRÉATEURS

GIORGIO ARMANI

● **6e** - *31, rue du Four (354.87.98).*

Plafond en stuc, sol en ardoise, murs en ciment gris, c'est le décor à l'italienne — conçu par un architecte milanais — que Giorgio Armani a choisi pour sa (récente) boutique à Paris. Célèbre dans son pays pour la coupe rigoureuse de ses tailleurs en flanelle ou en lin et l'élégance de ses ensembles en crêpe de Chine, ce « Saint-Laurent » italien a proposé, rue du Four, une première collection un peu décevante dans ses coloris. Mais ne préjugeons pas de la suite.

LAURA ASHLEY

● **6e** - *94, rue de Rennes (548.02.44).*
● **6e** - *66, rue des Saints-Pères (544.15.96).*
● **16e** - *95, av. Raymond Poincaré (704.41.73)*

Les robes longues « victoriennes » (à smocks, à bretelles, à taille haute), les blouses paysannes, les grandes jupes à volants de Laura Ashley ont constitué l'uniforme de « première sortie » de bon nombre de petites jeunes filles. Vites coupées dans les célèbres cotonnades à motifs désuets, et sommairement cousues, leur succès pourtant ne se dément pas puisque le magasin de la rue des Saints-Pères, récemment refait, leur est entièrement consacré (avec quelques modèles nouveaux et des vêtements d'enfants) ainsi qu'une bonne partie du magasin de l'avenue Raymond-Poincaré, qui vend aussi des tissus au mètre et des papiers peints.

MICHEL AXEL

● **6e** - *121, bd Saint-Germain (326.01.96).*
● **6e** - *2, rue de Tournon (633.41.03).*

Les deux magasins sont tout proches l'un de l'autre. Vous trouverez dans le premier (qui fait l'angle de la rue de Seine) de jolis chemisiers en coton ou en soie, à porter avec un blazer en lin (350 F) ou un tailleur en tweed (650 F) : une coupe « sport » et des prix agréables. Un peu plus haut, rue de Tournon, les modèles sont plus habillés et plus chers : tailleurs (1 900 F environ), jolies robes en soie (1 500 F) et un rayon (parfois inégal) de tenues du soir. L'accueil est parfait.

CACHAREL

● **6e** - *30, rue de Buci (354.88.27).*
● **6e** - *165, rue de Rennes (548.96.77).*
● **8e** - *34, rue Tronchet (742.13.63).*
● **16e** - *7, rue de Passy (288.10.87).*
Centre Galaxie et Forum des Halles, niveau - 3.

Le grand classique des adolescentes s'est un peu endormi, ces temps derniers, sur ses lauriers. Moins d'invention dans les couleurs et dans les formes. Attendons les prochaines collections.

J.-CH. DE CASTELBAJAC

● **1er** - *31, pl. du Marché-Saint-Honoré (260.78.40).*

Rien ne signale ici l'origine languedocienne de Castelbajac. Le décor de bois blond ? Scandinave. L'accueil? Bref et « décontracté ». Les vêtements « fonctionnels » ? Voire. Confortables ? Sans doute. Seyants ? Bof... Chers ? Oui. Oui, mais taillés dans de beaux matériaux naturels : le lin, la laine, le coton et le cuir.

DEJAC

● **6e** - *39, rue du Four (236.75.13).*

Une des boutiques les plus nouvelles, et en tout cas la plus classique de la rue du Four, où l'on trouve l'ensemble de la collection du fabricant de prêt-à-porter Dejac. Les couleurs sont à la mode, les prix abordables, la coupe est excellente, l'accueil l'est aussi.

FOUKS

● **7e** - *4, rue de Sèvres (548.08.01).*
● **16e** - *7, av. Victor-Hugo (501.85.87).*

Les dames « de bonne façon », passé quarante ans, auront raison de choisir ici des vêtements classiques, bien coupés dans de beaux tissus, et à bons prix : tailleurs en laine : de 1 000 à 1 400 F, manteaux réversibles ou en cachemire : à partir de 1 200 F, blazers : 750 F. Soldes en janvier et en juillet.

DANIEL HECHTER

● **6e** - *146, bd Saint-Germain (326.96.36).*
● **8e** - *50, Champs-Elysées (225.05.52).*
● **8e** - *12, fg Saint-Honoré (265.59.65).*
● **16e** - *71, rue de Passy (288.01.11).*
Et Forum des Halles, niveau - 1.

Une mode classique, et plutôt « sport », pour les jeunes filles et les jeunes femmes. Pantalons, jupes, tailleurs (800 F), blazers (550 F), robes chemisiers (600 F), sont bien coupés et faciles à porter. Collection « croisière » dès le 10 décembre. Accueil aimable, mais dès que survient un petit problème, il n'y a plus personne pour vous téléphoner (par exemple pour un retard de retouche) et plus personne de « responsable » (rue de Passy : on est aussi efficace que dans certains services de l'Administration).

JUNGLE JAP (KENZO)

● **1er** - *3, pl. des Victoires (236.56.86).*

Des vitrines à couper le souffle, des ensembles éclatants « d'avant-garde », pleins d'invention, astucieux dans leur coupe, dont raffolent notre jeunesse dorée et les étrangers — Nippons compris — de passage à Paris, insensibles à la relative médiocrité des tissus, aux prix, de ce fait, décevants, et à l'incompétence des vendeuses qui semblent toujours périr d'ennui. Bottes, chaussures et séduisants accessoires, et des soldes, toute l'année, au sous-sol.

GASTON JAUNET

● **8e** - *40, rue François-1er (256.11.34).*
Et Forum des Halles, niveau - 3.

Classiques dans l'ensemble et assez peu chers pour ce quartier hanté par la haute-couture, des modèles sans prétention et faciles à porter : tailleurs bien coupés en tweed, gabardine ou coton, selon la saison (800 F environ) et jolis chemisiers en tissu synthétique : ils imitent bien la soie, se lavent facilement et ne se repassent pas (200 F environ).

MARIE-MARTINE

● **6e** - *8, rue de Sèvres (222.18.44).*
● **8e** - *50, fg Saint-Honoré (073.27.50).*

Marie-Martine en fait trop. C'est là plus qu'un péché mignon. Si vous succombez à ses charmes alambiqués, sachez que vous devrez les payer fort cher. Grand choix de robes du soir : à partir de 4 500 F.

ISSEY MIYAKE

● **7e** - *201, bd Saint-Germain (548.10.44).*

Le styliste japonais Issey Miyake a délaissé le charmant Marché Saint-Honoré pour le noble Faubourg où il tient désormais boutique. Une boutique spacieuse et bien décorée où vous retrouverez ses modèles favoris : grandes robes en lin tissé à la main et vastes blouses paysannes qui « avantagent » les femmes minces et dissimulent les rondeurs de celles qui ne le sont pas ; et aussi de jolies jupes (580 à 750 F) à combiner avec différents hauts (à partir de 350 F) pour former des ensembles sans prétention et élégants du matin au soir. Séduisants accessoires : ceintures, T-shirts, sacs fourre-tout (plusieurs coloris), lunettes de soleil, etc. Vendeuses compétentes et souriantes.

THIERRY MUGLER

● **2e** - *10, pl. des Victoires (260.06.37).*

Thierry Mugler diffuse ses modèles un peu partout mais c'est ici que vous trouverez l'intégralité de sa collection. S'il est vrai qu'il « habille des stars de cinéma », espèce — pensions-nous naïvement — en voie de disparition, bon nombre de jeunes et jolies femmes apprécient ses ensembles gais, hauts en couleur, et assez extravagants : (robes : 450 à 2 800 F, tailleurs : 1 300 à 2 000 F) et ses accessoires assortis.

GEORGES RECH

● **6e** - *54, rue Bonaparte (326.84.11).*
● **16e** - *23, av. Victor-Hugo (500.83.19).*

Bonne adresse pour se remettre en frais sans trop en faire. Des modèles faciles à porter, classiques sans excès, bien présentés dans un décor agréable par des vendeuses qui ne le sont pas moins. Tailleur : 1 200 F environ, robe : 600 F.

La Galerie du Claridge...

... N'était pas encore ouverte quand nous mettions sous presse. Vous découvrirez donc en même temps que nous ses nouvelles boutiques : Cacharel, Dior, Jourdan, Rodier, etc.

RENOMA

● **8e** - *19, av. Matignon (359.79.31).*
● **16e** - *129 bis, rue de la Pompe (727.13.79).*
Et Forum des Halles, niveau - 1.

La « vraie » boutique, c'est (pour nous) celle de la rue de la Pompe. Les frères Renoma — il y en a toujours un pour vous accueillir — y taillent volontiers des bavettes avec leurs jeunes et jolies clientes, mais aussi des blazers, de bons tailleurs-pantalon (ou jupe) en coton, en lin, en flanelle ou en tweed (1 300 F environ). Elégants accessoires, chaussures et bagages.

SONIA RYKIEL

● **6e** - *6, rue de Grenelle (548.67.13).*

On se rue encore et toujours chez elle à chaque collection pour ses jupes et ses pantalons, fluides, non doublés et merveilleusement coupés, pour ses chandails assortis, unis, rayés, décolletés ou classiques et ses chaudes vestes en mohair. Tout se coordonne, se superpose, se complète, jusqu'aux accessoires (écharpes, sacs, gants, bonnets, etc.), dans des coloris très subtils. Le revers de la médaille, selon nous, est que le style Sonia Rykiel est si particulier qu'il se marie mal avec celui des autres boutiques de prêt-à-porter. Si bien que pour être vraiment élégante, il faut choisir d'être « Rykiel » de la tête aux pieds et donc renoncer à acheter ici

Une robe pour le soir

Trouver une robe du soir à son goût et à sa taille le jour où l'on se décide à faire cet achat est moins simple qu'il n'y paraît. Les boutiques de couturiers en ont en effet rarement en stock. Alors? C'est vraisemblablement chez Dior-Boutique et Tan Giudicelli que vous découvrirez en permanence le meilleur choix, ainsi qu'aux adresses suivantes :

LORIS AZZARO

● **8e** - *65, fg Saint-Honoré (266.92.06).*

Scintillantes, séduisantes et superbes, les robes de grand soir de Loris Azzaro feront de vous « la plus belle pour aller danser » (à partir de 2 800 F). Egalement des robes de dîner, élégantes dans leur simplicité, en jersey (1 000 F environ).

FRANCE FAVER

● **6e** - *79-81, rue des Saints-Pères (222.04.29).*

Raffinés et romantiques, de très jolis modèles sur mesure ou en demi-mesure, à partir de 2 000 F.

LES FOLIES D'ÉLODIE

● **16e** - *56, av. Paul-Doumer (504.93.57).*

Un choix restreint mais élégant de tenues du soir, certaines dans le style 1930-50, à des prix abordables.

LUCIENNE PHILLIPS

● **8e** - *9, bd de la Madeleine (265.10.53).*

Robes de petit et grand soir, fluides et hyper-féminines.

SCHIAPARELLI

● **1er** - *21, place Vendôme (296.14.50).*

Serge Lepage, modéliste chez Schiaparelli, ouvre au deuxième étage une boutique vouée surtout aux petits et aux grands soirs. Robes en mousseline, crêpe ou soie à partir de 1 500 F. Allez toujours voir, vous ne risquez pas de faire la queue aux cabines d'essayage.

SARA SHELBURNE

● **1er** - *10, rue du Cygne (233.74.40).*

Toutes simples ou follement sophistiquées, une multitude de robes du soir, longues ou mi-longues, décolletées ou non, drapées ou brodées. A partir de 2 000 F. Si vous trouvez modèle à votre goût, vous pouvez l'emporter avec vous, ou le faire retoucher rapidement (et sans frais), ou encore le faire reproduire à vos mesures et livrer à domicile. Un rayon intéressant de robes de la saison précédente (en solde).

THÉA PORTER

● **6e** - *9, rue de Tournon (329.41.35).*

En passant la porte de son magasin, vous devinerez, si vous ne le savez déjà, que cette créatrice anglaise à vécu longtemps au Moyen-Orient. Dont toute sa collection s'inspire : robes longues ou mi-longues, blouses en façonné de satin, cafetans et djellabas exécutés dans des tissus pailletés, perlés, brodés ou bordés de galons d'or. Théa Porter, qui tient aussi boutique à Londres dans Soho, diffuse largement aux Etats-Unis ses modèles dont se parent volontiers Liz Taylor, Barbara Streisand et les héroïnes des romans de Jacqueline Susan.

VICKY TIEL

● **6e** - *21, rue Bonaparte (633.33.80).*

Charmante boutique où les femmes « très » féminines trouveront (pour 1 500 F environ) de jolies robes du soir. Longues ou courtes, moulantes ou vaporeuses, elles sont exécutées sur mesure (avec essayage), très rapidement, dans l'un des tissus de la collection. Celles en jersey et en mousseline unie sont particulièrement réussies.

---

seulement une ou deux pièces de sa garde-robe. Soldes monstres en janvier qui méritent qu'on se lève de bonne heure pour faire la queue. Boutique (choix plus restreint) aux Galeries Lafayette.

SARA SHELBURNE

● **1er** - *10, rue du Cygne (233.74.40).*

L'une des plus jolies boutiques de mode des Halles. Le charme et la fougue de Sara Shelburne — ex-avocat international — risquent fort de vous entraîner à quelques folies. Que vous ne regretterez pas. Sa collection est d'un goût exquis. Les modèles peuvent être exécutés sur mesure très rapidement (et livrés à domicile) dans des tissus séduisants et exclusifs, des jerseys principalement, de laine ou de coton, et des soies, pas tout à fait naturelles, selon nous, mais si jolies qu'on s'y trompe volontiers. Des ensembles « sport habillé », mais surtout des robes du soir, longues, mi-longues, toutes simples ou follement sophistiquées. Sachez qu'il vous faudra y consacrer 20 billets de 100 francs, dans le meilleur des cas. Mais aussi que vous trouverez presque toujours une jolie robe de la collection précédente en solde.

CHANTAL THOMASS

● **6e** - *5, rue du Vieux-Colombier (544.60.11).*
Et Forum des Halles, niveau - 1.

Toujours excentriques (de 400 à 1 000 F) pour les jeunes filles et les jeunes femmes « qui se sentent belles ou qui ont envie de l'être ». Pourquoi pas? Chantal Thomass affirme aussi habiller les femmes « de 45 ans et plus ». Nous aimerions les voir dans ces déguisements.

AUTRES BONNES BOUTIQUES

FRANCE ANDREVIE

● **1er** - *2, pl. des Victoires (233.17.45).*

Un choix restreint sans doute mais original et séduisant de modèles bien coupés et bien « finis » qui se marient avec bonheur. Vendeuses discrètes, mais aimables et de bon conseil. Comptez 600 F environ pour une jupe, 800 F pour une veste.

APOSTROPHE

● **6e** - *54, rue Bonaparte (329.08.38).*
● **16e** - *11 bis, av. Victor-Hugo (501.81.05).*

Des tenues « sophistiquées-décontractées » aux couleurs très vives, presque toutes à base de soie : pantalon ou jupe (425 F), avec un « débardeur » (350 F), un chemisier (500 F), une tunique (700 F) ou une veste (775 F). Tous les modèles sont gais, bien coupés et faciles à porter (le soir surtout).

AGNÈS B

● **1er** - *3, rue du Jour (233.04.13).*

Avec une jupe en toile à beurre et un duvet de plume, vous voilà déguisée en presque campagnarde. Agnès B est la spécialiste de ces vêtements souples, simples, qu'on met le matin sans y penser, qu'on remarque à peine, mais qui vous donnent un petit air « sport-mode-Halles ». Annexe dans le 6e au 13, rue Michelet (633.70.20).

FRANCE FAVER

● **6e** - *79-81, rue des Saints-Pères (222.04.29).*

Un style marqué par la minutie et le raffinement, des modèles coupés dans des soies légères ou des lainages mœlleux. Si le goût de France Faver est le vôtre, vous pouvez sortir de chez elle habillée — en demi-mesure ou sur mesure, à partir de 600 F un chemisier en soie, 550 F une jupe, 2 000 F une robe du soir —, chapeautée et chaussée (dans le magasin voisin). Maquillée enfin, et remise en forme, après une séance dans l'institut du premier étage où elle conseille (et vend) ses propres produits de beauté et où sont pratiqués les soins du visage, du décolleté, du buste, des jambes et des pieds.

LES FOLIES D'ÉLODIE

● **16e** - *56, av. Paul-Doumer (504.93.57).*

Vaste boutique décorée dans le goût 1930 et jolies vitrines. Même direction et même accueil aimable qu'aux Nuits d'Élodie (1 bis, avenue de Mac-Mahon, 17e), mais les modèles sont différents : des robes habillées pour la plupart, d'après-midi ou du soir, bien coupées (en prêt-à-porter ou sur mesure) et abordables pour leur qualité : 1 400 F une robe-chemisier en soie naturelle. Jolis accessoires : chapeaux, ceintures, bijoux, etc. et quelques bons cadeaux pour une chambre à coucher ou une salle de bains.

HUG AN'CO

● **6e** - *20, rue de Buci (326.34.57).*

La styliste-propriétaire de cette charmante boutique habille les femmes très jeunes, très minces et très féminines avec des robes fluides et seyantes et — l'été — légères à souhait. Beaucoup d'imprimés naïfs ou rétro.

La « couturière » des beaux quartiers

ISABELLE ALLARD

● **16e** - *59, bd Exelmans (651.97.01).*
Au fond de la cour, au 4e étage.

Si vous ne dépassez pas le 42, voire le 40, si vous êtes longiligne, sophistiquée et légèrement snob, vous êtes exactement le type de femme qu'Isabelle Allard aime habiller. Téléphonez-lui, elle vous recevra l'après-midi (sauf le mercredi) entre 14 et 18 h. Ancienne styliste chez Torrente et chez Lagerfeld, elle crée constamment des modèles : robes du soir provocantes (elle aime les grands décolletés) et robes d'après-midi à la pointe de la mode, qui sont ses deux spécialités. Mais aussi jupes et tailleurs (très bien coupés), bustiers et chemisiers (drôles et gais), lingerie (raffinée), jusqu'à des maillots de bains et des jupes de plage qu'elle taille dans ses chutes de tissus. Les prix sont très raisonnables : 800 F une robe du soir, 500 F un blazer, 250 F une jupe.

FABIENNE K

● **2e** - *2, rue de la Petite-Truanderie (233.63.42).*
● **6e** - *76, rue de Seine (633.25.71).*

A des prix très abordables, des ensembles en maille à chevrons ou en tissu (coton, fibranne, etc.) qui se décomposent ou se recomposent à volonté, selon le goût et la morphologie de chacune. 195 F la jupe, 245 F le pull-over.

MEREDITH

● **16e** - *14, rue de Passy (288.08.20).*

Parmi la multitude de boutiques de fringues qui occupent les deux rives de la rue de Passy, Meredith se distingue par l'élégance de ses vitrines, l'amabilité de son accueil et l'excellence de son choix de « prêt-à-porter » : Jean-Claude de Luca, Thierry Mugler, France Andrevie, Angelo Tarlazzi, etc.

Strass et paillettes

YVAN ET MARZIA

● **1er** - *4, pl. Sainte-Opportune (233.00.56).*

Dans le miroitement nostalgique de miroirs rosés prélevés à un vieux bistrot, de remarquables modèles soigneusement coupés dans de beaux tissus. Des robes du soir en paillettes, dentelles, tulle brodé, lurex ou satin cloqué qui rendent plus séduisantes encore les belles Raquel Welch et Laura Antonelli pourtant orfèvres en la matière. Egalement lingerie, maillots de bain et accessoires.

VICAIRE

● **9e** - *1, rue Richer (770.91.38).*

De Mistinguett à Sylvie Vartan, via Joséphine Baker, Line Renaud, Zizi Jeanmaire, Annie Cordy — et, à l'occasion, Jean-Claude Brialy —, toutes les grandes vedettes du spectacle de variétés se sont fournies depuis plus d'un demi-siècle chez les Vicaire, parents et fils. Lesquels demeurent encore sans rivaux dans la distribution alternée du strass et des paillettes sur toutes sortes de costumes de piste et de scène d'aussi coûteuse qu'étincelante exécution (brodés sur demande). La maison fournit d'autre part en précieux accessoires vestimentaires tous les music-halls universellement réputés pour leurs revues nues (Folies Bergère, Lido, Moulin Rouge ; Dunes, Star Dust, de Las Vegas, etc.) et nos chaînes de télévision.

MIC MAC

● **6e** - *13, rue de Tournon (354.44.99).*
● **16e** - *46, av. Victor-Hugo (501.87.52).*
Et Forum des Halles, niveau - 1.

On s'y habille — vite fait, bien fait — sans trop se ruiner. Joli choix de jupes, vestes et chemisiers (bonne coupe, mais finitions parfois hâtives) et ravissants T-shirts à acheter un peu grands car ils rétrécissent au lavage. Charmantes robes d'été en coton de couleurs éclatantes, qui ont l'avantage de « sortir » très tôt dans la saison. Agréables vendeuses.

MILANKA

● **1er** - *5, rue Cambon (260.78.15).*

Cette styliste d'origine yougoslave, qui vendait ses modèles en appartement, a ouvert une jolie boutique rue Cambon. Ses clientes : des femmes minces qui supportent le style « fourreau », et des mannequins. Robes de teintes sombres (bleu marine, bordeaux, gris et noir, jamais d'imprimés) en jersey de laine et angora pour le jour, de soie et viscose (parfois brodées) pour le soir. 1 200 à 2 500 F à condition de ne pas dépasser la taille 40. 500 F en supplément pour les robes exécutées à vos mesures avec deux essayages. Egalement de beaux tailleurs et des manteaux (2 200 F) unis ou à chevrons.

POPY MORENI

● **1er** - *46, rue Saint-Denis (261.23.51).*

En face de l'admirable fontaine des Innocents, le tout petit magasin de l'Italienne Popy Moreni ne désemplit pas de fringantes jeunes femmes venues chercher ici principalement des tenues du soir : aériennes djellabas en mousseline de soie (1 400 F), jupes longues ou pantalons (450 F) en satin chatoyant, à porter avec différents « hauts » (à partir de 150 F), écharpes et sandales assorties. Egalement quelques robes en jersey de laine ou de coton (à partir de 350 F). Les retouches sont payantes. Soldes : premiers jours de janvier.

LUCIENNE PHILLIPS

● **8e** - *9, bd de la Madeleine (265.10.53).*

Les robes de la célèbre créatrice anglaise Jean Muir avaient disparu depuis cinq ans des boutiques parisiennes. Elles reviennent en masse chez Lucienne Phillips qui a ouvert, à deux pas de la Madeleine, une succursale de sa maison de Knightsbridge à Londres. En jersey fluide, les robes d'après-midi (1 800 F environ), de petit soir ou de grand soir, suivent la ligne du corps, ne pèsent rien, se roulent dans une valise et sont d'un style extrêmement féminin. A celles qui n'aiment pas passer inaperçues, Lucienne Phillips propose des modèles créés par d'autres leaders de l'élégance britannique encore inconnus à Paris, comme Bill Gibb et John Bates, et que vous ne trouverez que chez elle puisqu'elle en garde l'exclusivité. Retouches payantes. Soldes en janvier et en juillet.

GIANNI VERSACE

● **6e** - *53, rue Bonaparte (354.01.15).*

Un Italien. Encore l'un des « grands » du stylisme ultramontin qui part à la conquête de Paris. Et qui réussira sans aucun doute. Tout ici est élégant, raffiné et cher. Vaste choix de chemisiers en soie, décolletés (229 F), croisés (760 F) ou réversibles (950 F), assortis de jolies jupes et de pantalons bien coupés. Assortis, toutefois, quand la chance est de votre côté : approvisionnements irréguliers, en effet, mais sourires éclatants, de Noël à la Saint-Sylvestre.

VICTOIRE

● **2e** - *12, pl. des Victoires (260.95.35).*
● **8e** - *38, rue François-1er (723.89.81).*

Le succès de Victoire va croissant, comme en témoignent l'agrandissement de sa première boutique, place des Victoires (où des cohortes de jeunes femmes pressées s'obstinent à piller les étagères, bousculer les comptoirs, décrocher les robes, sous l'œil impavide des vendeuses), et l'ouverture d'un second magasin, rue François-1er, plus petit, plus raffiné (et très bien ordonné). Elle vend toujours, à côté de ses propres modèles, ceux de ses « créateurs » favoris : Angelo Tarlazzi, Jean-Claude de Luca, Lison Bonfils, Marimekko, etc. Quatre jours de soldes au début de janvier.

ZOZO

● **1er** - *24, rue Pierre-Lescot (233.28.41).*

Jupes, pantalons et jolies robes (de 400 à 1 200 F). Tous les modèles — très jeunes — peuvent être exécutés également sur mesure (avec essayage) dans vos propres tissus. Délai : une semaine environ.

FOURRURES

ROBERT BEAULIEU

● **6e** - *22, rue du Vieux-Colombier (548.66.89).*
● **8e** - *59, rue La Boétie (563.48.81).*
● **8e** - *18, rue Tronchet (742.11.90).*

Modèles exclusifs, jeunes et gais. Manteaux réversibles, patchworks en marmotte (3 100 F), vestes en castor à poil long, pelisses en toiles de bâche (à partir de 3 500 F), et, bien sûr, renards et visons. Soldes à partir du 10 janvier jusqu'à fin février.

CHOMBERT

● **8e** - *422, rue Saint-Honoré (260.72.00).*

Chombert a changé (très récemment) de mains, mais tout laisse à penser que ses collections « haute-fourrure », « Miss Chombert » (prêt-à-porter) et l'intermédiaire collection « Boutique » conserveront les qualités de coupe, de style, d'élégance et de jeunesse qui ont fait depuis plusieurs années la renommée de la maison.

A LA COUR DU DANEMARK

● **8e** - *3, rue Tronchet (265.35.88).*
Au premier étage.

Du noble Faubourg où elle siègeait depuis 1900, elle s'est déplacée jusqu'au chevet de la Madeleine, suivie par une clientèle fidèle de dames exigeantes et sensibles à son art très classique de la coupe. Fourrures superbes et sur mesure, et un petit choix de modèles prêts-à-porter dans le goût du jour.

CHRISTIAN DIOR

● **8e** - *30, av. Montaigne (256.74.44).*

Des modèles somptueux, splendidement coupés et chers. Attendez donc les soldes, particulièrement intéressants.

MAURICE KOTLER

● **8e** - *10, rue La Boétie (266.12.16).*

Il ne voit la vie qu'en visons, de toutes les couleurs.

RAD

● **8e** - *412, rue Saint-Honoré (260.36.50).*

Sérieuse maison et accueil attentif. Les nombreux modèles de la collection peuvent être exécutés sur mesure sans supplément de prix. Belles pelisses (imperméables) doublées de ragondin, de vison ou de zibeline : la plus discrète des élégances.

REVILLON

● **8e** - *40-42, rue La Boétie (561.94.30).*

Ne vous laissez pas intimider par cette très grande et vénérable maison. Vous y achèterez, avec le conseil de vendeuses intelligentes et discrètes, des fourrures d'une qualité incomparable et « coupées » à la perfection. Bien entendu, Revillon se chargera de faire prendre chez vous vos fourrures pour les nettoyer et les garder au frais pendant l'été et vous les rapporter quand la bise sera venue. Les prix vous donneront sans doute froid dans le dos... mais pas pour très longtemps. Tarifs moins saignants et modèles plus fantaisistes chez Revillon-Boutique, 44, rue du Dragon, 6e (222.38.91).

SACK

● **8e** - *22, rue Royale (260.29.77).*

Un aimable salon — en étage — où les filles, après leurs mères, viennent choisir leur première veste en mouton du Montana (3 700 F environ) ou encore une canadienne doublée de castorette, en attendant de pouvoir commander — ou se faire offrir — un manteau de marmotte, de renard ou de lynx, fait à leurs mesures et superbement élégant.

SAINT-LAURENT

● **6e** - *6, pl. Saint-Sulpice (326.07.05).*
● **8e** - *38, fg Saint-Honoré (265.74.59).*

Les manteaux de fourrure y sont coupés, comme les manteaux de drap, dans l'esprit de la collection « haute-couture ». Autant dire qu'ils « tombent » à la perfection... quitte à faire trébucher sur les prix. Des manteaux somptueux et affreusement chers donc (300 000 F en zibeline), mais aussi quelques modèles trois-quarts ou longs, de ligne cosaque, en daim (bordeaux, marron ou kaki) doublés de ragondin (7 000 F), et de petites vestes en agneau (3 000 F) pour faire son marché avec élégance.

MODE DE WEEK-END « Sportswear »

En attendant la semaine de 35 heures, puis, pourquoi pas, celle de 30 heures, qui allongera nos week-ends d'autant et qui nous mettra en vacances à mi-temps (encore mieux, dans les termes, que le travail à mi-temps). Bref, l'avenir est rose pour les travailleurs. Enfilons notre petite tenue sport, après avoir couru les boutiques dont les noms suivent.

ANNE-MARIE BERETTA

● **6e** - *24, rue Saint-Sulpice (326.99.30).*

« Sportswear de ville ». Bons imperméables en popeline autour de 1 000 F. Accueil indifférent.

BERTEIL

● **8e** - *3, pl. Saint-Augustin (265.28.52).*

Coiffer les messieurs n'empêche pas d'habiller les dames. Et de bien les habiller. Ce chapelier possède en effet un plaisant rayon de mode féminine où les jupes, les tailleurs de tweed (1 000 à 1 500 F), les manteaux ont ce bon chic inspiré d'outre-Manche, d'où viennent encore directement de ravissants chemisiers d'Austin Reed (200 F environ). L'accueil est aimable, les retouches et les livraisons sont gratuites et l'échange — ce qui est rare aujourd'hui — possible.

BURBERRYS

● **8e** - *8-10, bd Malesherbes (266.13.01).*

Les kilts longs et courts, les célèbres imperméables en prêt-à-porter (jusqu'au 50) et sur mesure, le « sportswear » le plus traditionnel qui soit.

LE CLAN

● **1er** - *20, rue Cambon (260.07.51).*

Sportswear (pour femmes et pour hommes) bien coupé, dans de belles matières, et à des prix raisonnables. Chandails de cachemire (400 à 500 F), vrais shetlands, tartans traditionnels, lodens autrichiens, chemises Arrow, et un rayon de casquettes, chapeaux, écharpes, cravates, etc.

DIANNE B

● **1er** - *28, rue Pierre-Lescot (236.59.61).*

Bon « sportswear » amusant et pas très cher ; les tweeds sont français, les soies américaines, les formes décontractées. Collection « croisières » dès le mois d'octobre.

DONALD DAVIES OF DUBLIN

● **8e** - *11, av. Matignon (359.62.33).*

Robes sacs, vastes chemises taillées dans de moelleux lainages écossais ou unis (et lavables), confortables chandails irlandais et, en été, quelques jolies robes en Liberty : bonne adresse avant un week-end à la campagne.

DOROTHÉE BIS

● **6e** - *33, rue de Sèvres (222.00.45).*
● **8e** - *10, rue Tronchet (742.60.82).*
Et Forum des Halles, niveau - 1.

Des ensembles et des accessoires éclatants et à l'avant-garde de la mode, propres à réjouir les jeunes femmes gaies et à dérider pour un temps les moroses. Une collection « Dorotennis » pour les sportives, vraies ou fausses : séduisantes tenues de tennis, de jogging ou simplement de week-end à la campagne. Prix élevés (surtout pour les accessoires).

ERÈS

● **8e** - *2, rue Tronchet (742.24.55).*

On y trouve toute l'année des tenues de vacances « coordonnées » et gaies, parfaites pour la plage et les dîners-terrasse. En hiver, elles sont réunies au premier étage, et le rez-de-chaussée est alors consacré aux tenues de ville : manteaux, imperméables, ensembles en soie, etc. Les différents modèles sont jeunes et jolis. Un seul reproche : les finitions sont parfois inégales. Une semaine de soldes au début de janvier. Voir aussi « Maillots de bains ».

HÉMISPHÈRES

● **17e** - *22, av. de la Grande-Armée (380.25.00).*

Hémisphères, c'est chic, c'est cher, on en parle dans les chaumières... C'est le magasin où il faut aller acheter les dernières trouvailles du sportswear de luxe. Ses « animateurs » sont, en effet, des « fous du vêtement » (comme il y a des « cinglés de cinéma ») qui s'adressent à des clients aussi « fous » qu'eux. Les vitrines — très dépouillées en même temps que très « mode » — sont réalisées par un ancien assistant du grand photographe Guy Bourdin, mais on a fort heureusement conservé à ce magasin, créé au début du siècle par le coureur à pied

Vêtements d'été en hiver

Janvier sous les tropiques, février en croisière... Voici des adresses où vous trouverez l'été en hiver, c'est-à-dire toutes sortes de tenues légères et de soleil à emporter dans vos valises.

ERÈS

● **8e** - *2, rue Tronchet (742.24.55).*

Les fameux maillots de bains et les tenues de plage assorties sont exposés en hiver au premier étage du magasin.

FRANCK & FILS

● **16e** - *80, rue de Passy (527.90.28).*
Et Forum des Halles, niveau - 1.

Vêtements de plage au second étage dès janvier.

DANIEL HECHTER

● **6e** - *146, bd Saint-Germain (326.96.36).*
● **8e** - *50, Champs-Elysées (225.05.52).*
● **8e** - *12, fg Saint-Honoré (265.59.65).*
● **16e** - *71, rue de Passy (288.01.11).*
Et Forum des Halles, niveau - 1.

Ensembles jeunes, plutôt classiques, en vente mi-décembre.

GASTON JAUNET

● **8e** - *40, rue François-1er (256.11.34).*
Et Forum des Halles, niveau - 3.

Collection d'été dès janvier.

MIC MAC

● **6e** - *13, rue de Tournon (354.44.99).*
● **16e** - *46, av. Victor-Hugo (501.87.52).*

Dès janvier, ravissants T-shirts et éclatantes robes de coton.

GEORGES RECH

● **6e** - *54, rue Bonaparte (326.84.11).*
● **16e** - *23, av. Victor-Hugo (500.83.19).*
Et Forum des Halles, niveau - 1.

Une grande partie de la collection d'été en vente au début de janvier.

SARA SHELBURNE

● **1er** - *10, rue du Cygne (233.74.40).*

Elle solde en hiver sa collection de l'été précédent : jolies jupes (longues ou courtes) en jersey de coton imprimé et infroissable, blouses, etc.

STRÉA

● **6e** - *64, rue de Rennes (544.23.75).*

Dès novembre, maillots de bains et robes de coton.

Plusieurs boutiques de couturiers sortent une collection « croisières » en décembre, différente de la collection d'été : un choix moins étendu mais d'excellents modèles. C'est le cas, entre autres, de **Saint-Laurent Rive gauche, Ungaro Parallèle, Valentino et Christian Dior.**

Enfin certains grands magasins mettent en place au début de janvier des rayons « de vacances », comme par exemple le **Bon Marché** (boutique « La Cavale » au premier étage), les **Galeries Lafayette** (boutique « Croisières » au premier étage), le **Printemps** (« Soleil Exotique » au premier étage du nouveau magasin).

Ragueneau, ses cabines d'essayage et ses boiseries en acajou. Et c'est au milieu de ce cadre d'avant-guerre que vous pourrez faire votre choix : bottes texanes (luxueuses) en cuir, antilope ou autruche (de 600 à 2 000 F) ou escarpins en lézard montés à la main par un artisan qu'Hémisphères tient jalousement caché au fond d'une province française, jupes en coton indien, ou en toile à jeans, pull-overs en lin et coton (120 F), en alpaga ou en cachemire (800 F), pantalons classiques ou « levi's », etc.

HERMÈS

● **8e** - *24, fg Saint-Honoré (256.21.60).*

Le « sportswear » le plus luxueux et le plus ruineux sans aucun doute, mais pas le plus réussi pour autant.

JAEGER

● **8e** - *3-5, fg Saint-Honoré (265.22.46).*

Superbes manteaux en cachemire (3 000 F environ) et choix incomparable de pull-overs et de cardigans dans les plus jolis tons pour accompagner des jupes classiques et bien coupées. « Bon chic » et « bon genre » garantis dans cette filiale du fameux Jaeger of London.

LA MAISON DU LODEN

● **1er** - *146, rue de Rivoli (260.13.51).*

Un uniforme toujours en vogue : manteaux de loden (vert, bleu marine, camel, bleu RAF,

Où dîner le dimanche ? Voir p. 108.

gris), capes, vestes et jupes importés directement d'Autriche. Un rayon pour les enfants (de 2 à 16 ans).

OLD ENGLAND

● **9e** - *12, bd des Capucines (742.81.99).*

Grand (et luxueux) magasin de sportswear « made in England » où l'on trouvera (au 1er étage) de beaux manteaux de cachemire ou de poil de chameau, de bons tailleurs de tweed, des « twin-sets » dans tous les coloris, en cachemire ou en shetland, bref les éléments de base du bon chic anglais. Soldes en janvier.

ROGER ET GALLET

● **8e** - *62, fg Saint-Honoré (266.45.65).*

A débuté dans la griserie des eaux de Cologne et savons fins. Mais il faut bien se mettre au goût du jour. Les couturiers se lancent dans la parfumerie... Roger et Gallet fait le trajet inverse : il habille les jolies femmes raffinées avec des ensembles bien coupés, à jupe ou à pantalon (1 800 F), de bons manteaux de pluie (1 100 F), des chandails en cachemire, de ravissants chapeaux (300 F), sans oublier les chemises de nuit d'une exquise féminité (mais chères : à partir de 750 F). Avec un parapluie (italien) et des bagages « fourre-tout » (amusants), les voici prêtes à partir en week-end.

SCAPA OF SCOTLAND

● **6e** - *71, rue des Saints-Pères (548.99.44).*

A part les kilts et les superbes chandails en shetland jacquard (399 F le gilet), une collection de prêt-à-porter qui n'est pas bien écossaise. Jolies tenues de week-end, jupes, blazers, chemisiers à col rond en coton de toutes les couleurs, et une foule d'accessoires de charme. Soldes en janvier et fin juin.

THE SCOTCH HOUSE

● **16e** - *56, rue de Passy (288.28.24).*

Sous une enseigne différente, les mêmes articles que chez Burberry pour hommes et femmes. Le rayon enfants n'existe que boulevard Malesherbes.

MAILLOTS DE BAIN

QUELQUES modèles de maillots de bain dans la plupart des boutiques de couturier, et, bien sûr, un très vaste choix dans les grands magasins. Partez tôt à leur recherche ; dès les premiers rayons du soleil, ils « fondent » à vue d'œil sur les comptoirs.

BERLÉ

● **8e** - *14, rue Clément-Marot (359.62.32).*

Sur mesure et merveilleusement ajustés, des costumes de bain une pièce en lycra (1 500 F) ou deux pièces en piqué de coton (900 F) : deux semaines de délai. Modèles (pas jeunes) à armature, et qui effacent merveilleusement les rondeurs. En prêt-à-porter également jusqu'à la taille 46.

CADOLLE

● **1er** - *14, rue Cambon (260.94.94).*

Maillots de bain de confection dans la boutique du rez-de-chaussée. Maillots en demi-mesure (à partir de 395 F), au 3e étage dans un appartement que la Castiglione occupa à la fin de sa vie et où elle se faisait monter à dîner par le restaurant Voisin.

CHRISTIAN DIOR

● **8e** - *28, av. Montaigne (256.74.44).*

Très belles serviettes éponge unies (85 F, et 155 F le drap de bain), peignoirs de plage superbement coupés, paréos (400 F), maillots de bains (250 F). Mais afin que nul n'en ignore, le sigle de la maison les marque en long, en large et en travers.

ERÈS

● **8e** - *2, rue Tronchet (742.24.55).*

Les maillots de bain — sophistiqués et chers — sont la spécialité de la maison. « Une pièce », ou « deux pièces » (le haut et le bas sont vendus séparément) de toutes les formes et de toutes les couleurs. Très jolies tenues de plage — ou d'après-plage — assorties, en éponge, jersey ou voile de coton, etc. En hiver, les adeptes de vacances sous les tropiques trouveront l'ensemble de la collection au premier étage du magasin.

HERMÈS

● **8e** - *24, fg Saint-Honoré (265.21.60).*

Peu de modèles, mais excellente coupe flattant aussi bien les femmes trop minces que trop rondes. Mais il faut aimer leurs imprimés.

REARD

● **1er** - *9, av. de l'Opéra (260.40.21).*

Créateur en 1946, du très fameux « bikini » (marque déposée et nom commun figurant désormais dans le Larousse), en 1954, du maillot « caméléon » qui change de couleur en dix secondes, en 1955 du maillot « gutenberg » avec un texte en relief qui s'imprime dans le sable, en 1962 du maillot « de l'an 2000 » tout en rhodoïd... Bref tous les modèles possibles, qu'ils soient créés à des fins publicitaires ou faits pour gommer certaines imperfections physiques (ils sont exécutés sur mesure ou en demi-mesure, rapidement, dans des tissus exclusifs). Le livre d'or de Reard renferme, nous dit-on, « plusieurs impromptus poétiques de vedettes et de grands de ce monde qui méritent la plus grande attention ». Une petite séance de lecture s'imposera donc, quand vous passerez par l'avenue de l'Opéra.

VÊTEMENTS DE TRICOT

ANAM

● **16e** - *15, av. Victor-Hugo (727.34.64).*

Beaux chandails en cachemire de coloris et de coupe superbes. Autour de 500 F (les cardigans : 600 F).

GENEVIÈVE BADIN

● **1er** - *9, rue Pierre-Lescot (508.11.48).*

Une ancienne comédienne installée dans un ancien BOF. Les chambres froides qui conservaient les fromages tiennent désormais lieu d'armoires aux tricots de toutes sortes que Geneviève Badin dessine elle-même : vestes trois-quarts et manteaux faits à la main (de 400 à 1 300 F) en mohair, en alpaga ou en laine, quelques robes ou ensembles tricotés à la machine, des châles, des bonnets, des chapeaux, des écharpes. Et aussi des couvertures, sur mesure, à partir de 1 500 F.

BENETTON

● **6e** - *47, rue Bonaparte (326.39.74).*
● **6e** - *28, rue du Dragon (548.52.38).*
● **6e** - *61, rue de Rennes (544.15.86).*
● **6e** - *52, bd Saint-Michel (326.78.68).*
● **16e** - *75, rue de Passy (288.54.10).*
Et Forum des Halles, niveau - 3, Galerie du Claridge.

Benetton ne cesse de croître et de multiplier. Méfiez-vous, cependant, et sachez que si vous entrez dans l'une de ces boutiques pour un achat précis, vous risquez fort de vous laisser tenter et d'en sortir les bras chargés de paquets, provision faite de chandails de toutes les couleurs, de toutes les formes, pour toutes les occasions. Leur qualité n'est pas toujours absolument parfaite, mais leurs prix, en revanche, sont intéressants : 290 F un « cachemire », 125 F un « lambswool ». Tout compte fait, vous aurez fait une bonne affaire.

CASHMERE HOUSE

● **8e** - *2, rue d'Aguesseau (265.42.61).*

Très beaux chandails de cachemire — enseigne oblige. Un « col roulé » : 430 F.

C. CYRIAQUE

● **6e** - *13, rue du Vieux-Colombier (544.57.93).*

De jolis ensembles en laine très fine tricotés, diminués, assemblés sur des machines artisanales (et familiales) : jupe (400 F), pull-over (350 à 520 F), veste (400 à 600 F). Les modèles de la collection peuvent être exécutés sur mesure, sans supplément de prix et dans un délai de huit jours. Très bon accueil.

CHRISTIAN DIOR

● **8e** - *30, av. Montaigne (256.74.44).*

Une nouvelle annexe Dior, tout à côté de la « grande » boutique. Vous y trouverez tous les tricots « coordonnés » de Christian Dior : vastes cabans en laine moelleuse chinée, pull-overs, écharpes, gants, bonnets, etc. ; et pour les accompagner des jupes de sport et des pantalons assortis.

ALEXANDRA FARY

● **6e** - *23, rue du Cherche-Midi (222.66.02).*

Une coupe « amincissante » et des mélanges habiles de laine et de rayonne font le succès des (jolis) modèles qu'Alexandra Fary exécutera à vos mesures (mais pas au-delà du 48), en une quinzaine de jours. Moins de 1 000 F pour une robe ou un ensemble (jupe et chandail).

GALATÉE

● **16e** - *73, rue de Passy (527.90.28).*

Cette minuscule boutique vend essentiellement des tricots et à des prix imbattables : des robes, des manteaux en laine, angora et nylon (autour de 250 F) et une multitude de chandails (autour de 120 F) dans plus de 20 coloris. Vous y trouverez aussi quelques modèles de prêt-à-porter de chez Gaston Jaunet.

PAUL DE GALVERT

● **8e** - *350, rue Saint-Honoré (260.67.38).*
Au fond de la cour.

Paul de Galvert a fermé sa boutique du 342, rue Saint-Honoré, pour ouvrir dans les anciennes écuries de Joséphine de Beauharnais un « show-room » de ses fabrications. On y trouve des robes de mohair, des vestes-cabans, des pull-overs et des gilets en cachemire (modèles de collection ou pièces sans suite, soldés toute l'année), à des prix qui n'ont rien d'outrageux et dans toutes les tailles jusqu'au 48. Une veste de cachemire : 600 F environ.

GRIFFITH

● **16e** - *72, av. Kléber (553.69.72).*

C'est au « Cashmere Club » de Griffith que vous trouverez les célèbres « Pringle » et « Braemar » écossais : des cachemires aux coloris superbes (unis ou rayés), en plusieurs épaisseurs de maille, et de toutes les formes (pull-overs à col roulé, ras du cou, décolleté en V, à côtes « chaussettes », vestes longues ou courtes, avec ou sans col). A partir de 390 F. Mais attention : essayez avant d'acheter, car on vous laisse facilement croire qu'un 36 anglais équivaut à un 44 français. Soldes en janvier et en juin.

AUX LAINES ÉCOSSAISES

● **7e** - *181, bd Saint-Germain (548.53.41).*

Très bonne maison : chandails en cachemire (500 F environ), shetland, lambswool, importés d'Ecosse. Jolis coloris, bonne coupe et prix raisonnables pour la qualité.

MISSONI

● **6e** - *79, rue de Rennes (548.12.12).*

Robes en jersey de soie (2 000 F), chandails en laine et soie (1 000 F), lainages « coordonnables » à l'infini, élégance à l'italienne bien tempérée. Si les prix ne sont pas toujours bien raisonnables, les vendeuses ont appris à sourire, et c'est tant mieux.

SONIA RYKIEL

● **6e** - *6, rue de Grenelle (548.67.13).*

Ses belles vestes en mohair et ses incomparables pull-overs, plutôt « habillés », en laine fine, sont fameux à juste titre. Bonnets, gants, écharpes assortis.

SUZUYA

● **6e** - *163, bd Saint-Germain (548.00.18).*
Et Forum des Halles, niveau - 1.

Les jeunes filles bien argentées y viennent et y reviennent régulièrement vérifier les coloris toujours renouvelés des amples et superbes pull-overs en laine de Suzuya (220 à 550 F) et, dans la mesure de leurs moyens, en faire bonne provision pour quand la bise sera venue. Joli choix de jupes et accessoires.

DAIM ET CUIR

M. CHOW

● **6e** - *23, rue Saint-Sulpice (326.45.83).*

Bon choix de modèles et grande gamme de coloris. Egalement un rayon de vêtements Mac Douglas.

DAIM-STYLE

● **2e** - *8, pl. des Victoires (260.95.13).*

Vêtements de cuir prêts-à-porter ou exécutés sur mesure d'après un croquis. Réparations, transformations et nettoyages. Soldes début janvier et début juin.

MAC DOUGLAS

● **1er** - *20, rue Pierre-Lescot (236.15.48).*
● **6e** - *1, rue de Tournon (326.67.22).*
● **8e** - *155, fg Saint-Honoré (561.19.71).*
Et Forum des Halles.

Vêtements de cuir pour femmes et hommes. Un choix énorme de pantalons sous toutes leurs formes (jeans, collants, à pinces, droits) à partir de 600 F, blousons (1 300 F), vestes coupées dans des peaux de toutes les couleurs, souples et légères. Imperméables doublés de fourrure (6 500 F).

MERENLENDER

● **8e** - *3, fg Saint-Honoré (265.12.36).*
Au 3e étage.

En peau (côté cuir ou côté daim), de superbes manteaux, capes, blousons et pelisses doublés de fourrure, que ce « couturier-tailleur » exécute depuis plus de trente ans sur mesure (et avec essayage sur toile), dans des matériaux d'une souplesse exceptionnelle, pour une clientèle qui vient ici « les yeux fermés ». Un manteau en porc-velours : 3 500 F (mais c'est un premier prix). Ajoutons que M. Merenlender est le fournisseur attitré de plusieurs maisons de haute-couture, et qu'il se charge des transformations, du nettoyage, de la garde et de l'entretien en général des vêtements de peau et de fourrure même s'ils ne viennent pas de chez lui.

Bonnes affaires

MAC DOUGLAS

● **11e** - *90, rue Saint-Maur (357.62.42).*

Ayez donc le courage d'aller jusqu'à la rue Saint-Maur, où siège l'entreprise. Vous serez récompensée de vos efforts puisque vous paierez les vêtements de cuir Mac Douglas deux fois moins cher.

ROYALDAIM

● **6e** - *74, rue de Rennes (548.44.84).*

Modèles jeunes. Beaucoup de sahariennes et de blousons (lainés double face). Soldes à la mi-décembre et au début de juin.

RUBMAN

● **3e** - *11, rue des Fontaines-du-Temple (887.47.20).*

Belle qualité de peaux. Superbes manteaux de cuir (dans plusieurs coloris) doublés de flanelle rayée, manteaux de daim sur mesure et blousons doublés de « rexotherm » (matériau au pouvoir calorifique surprenant).

ROBES DE MARIÉE

AURORE

● **8e** - *195, fg Saint-Honoré (561.18.16).*

Quelques robes très charmantes parmi d'autres plus contestables : 2 000 à 3 000 F sur mesure dans un délai de deux mois.

FRANCE FAVER

●, **6e** - *79-81, rue des Saints-Pères (222.04.29).*

Une dizaine de modèles qui peuvent être variés à volonté (de 1 800 à 8 000 F). Chaque robe, parfaitement « finie », est faite sur mesure, dans un délai de trois semaines. La maison se charge aussi du voile, des chaussures (boutique voisine) et du maquillage le jour J à domicile.

FRANCK & FILS

● **16e** - *80, rue de Passy (647.86.00).*

Si les modèles de la collection ne vous plaisent pas, faites donc un croquis et l'atelier Franck exécutera la robe de vos rêves. Avec essayage, il faut compter de 2 000 à 3 000 F et deux mois de délai.

LES MUSES D'EUROPE

● **6e** - *66, rue de Seine (326.89.63).*

De très jolies robes de dentelles anciennes pouvant faire office de robe de mariée (à partir de 1 000 F), des blouses, des jupes et de la lingerie d'avant-guerre, en parfait état. Un petit rayon de brocante au premier étage.

RIFFAULT

● **8e** - *32, rue Laborde (522.31.99).*

Robes de (grands) mariages. De la robe d'apparat à la tenue presque champêtre, Riffault crée des modèles uniques suivant la personnalité et les goûts de chacune. Il est préférable de prendre rendez-vous. 5 000 F minimum, mais que faudrait-il compter chez un grand couturier ?

SARA SHELBURNE

● **1er** - *10, rue du Cygne (233.74.40).*

Quelques robes de mariée superbes, exécutées sur mesure et rapidement dans des tissus exclusifs (surtout des jerseys). A partir de 2 000 F.

LA VIE EN ROSE

● **6e** - *27, rue de l'Abbé-Grégoire (548.85.81).*

Ouvert de 13 h à 19 h.

Spécialisée dans le linge ancien, la charmante et volubile Rolande Blin a découvert de très belles robes de mariée (à partir de 1 500 F) de grands couturiers de 1900 à 1950, tels Calot, Poiret, Balmain et Dior, accompagnées de jupons, gants, rubans et voiles de la même époque, le tout en parfait état. Egalement des robes habillées romantiques (femmes et enfants) roses, blanches ou ivoire en batiste, en soie, en satin, en faille ou en tulle, rebrodées à la main, des blouses en fine dentelle et les robes perlées des stars du cinéma muet. Prix assez élevés pour les très belles pièces.

FEMMES ENCEINTES

BALLOON

● **6e** - *70, rue Bonaparte (633.45.79).*
● **9e** - *26, rue des Mathurins (742.17.62).*
● **16e** - *3, rue Guichard (288.45.00).*

Des jeunes femmes un peu rondes et pas du tout enceintes y achètent parfois leurs robes, surtout l'été, tant les modèles (robes, ensembles-pantalons, costumes de bain, chemises de nuit, etc.) sont jolis et seyants.

PLUSS

● **6e** - *42, rue du Cherche-Midi (548.33.63).*

Des robes à taille haute plus jolies les unes que les autres en coton (toute l'année), en soie naturelle, en liberty, smockées à la main (750 à 1 000 F) ou à fines nervures, exécutées sur mesure dans un délai d'une semaine, des tuniques, des jupes et un bon modèle de pantalon (240 F). Soldes en janvier et en juillet.

SARA SHELBURNE

● **1er** - *10, rue du Cygne (233.74.40).*

Parfaitement adaptée à la situation — Sara Shelburne en a fait elle-même l'expérience — une robe bien étudiée qui pourra être exécutée en trois jours dans un des tissus de la collection, et un pantalon bien coupé qui ne laissera rien deviner de vos rondeurs.

GRANDES TAILLES

SANS souffrir du « martyre de l'obèse », on peut avoir sur soi quelques rondeurs plus ou moins bien placées et qu'on veut à tout prix dissimuler. C'est alors la quête aux « grandes tailles » (au-delà du 48 « normalisé »). Quelques grands magasins possèdent un rayon spécialisé, comme les **Galeries Lafayette** (3e étage) : modèles classiques, certains jusqu'au 58 ; le **Printemps :** choix assez restreint, jusqu'au 54 ; la **Samaritaine :** un rayon important de jupes, blazers et robes, classiques et à prix très abordables ; **C & A :** modèles à petits prix jusqu'au 54. Voici aussi quelques bonnes maisons qui s'intéressent tout particulièrement aux grandes tailles :

ALEXANDRA

● **16e** - *97, rue de Longchamp (553.60.68).*
Et Forum des Halles, niveau - 3.
Jolies robes à partir de 1 000 F et bons ensembles amincissants et bien coupés. Du 44 au 52. Retouches gratuites. Soldes en janvier et juillet.

AMBRE

● **1er** - *150, rue de Rivoli (260.14.41).*
● **14e** - *83, av. du Gal-Leclerc (327.00.50).*
Du 42 au 54, une mode classique mais jeune et bien coupée qui dissimule allègrement les rondeurs. Soldes fin janvier et fin juin.

AUTEUIL

● **9e** - *41, rue La Fayette (878.89.84).*
● **16e** - *99, rue de Passy (527.10.66).*
Un choix énorme de vêtements pour tous les goûts, allant de la lingerie à la robe du soir, et du 46 jusqu'au 60, les plus classiques étant les plus réussis.

BURBERRYS

● **8e** - *8-10, bd Malesherbes (266.13.01).*
Les célèbres imperméables se font jusqu'à la taille 50.

GERLANE

● **6e** - *133, rue de Sèvres (743.66.93).*
Un style jeune et dans le vent. Gerlane habille les femmes jusqu'au 52 : jupes à plis, robes, ensembles tunique-pantalon, pas vraiment bon marché, mais jolis et amincissants. Retouches gratuites. Livraisons à domicile (et expédition en province).

ROBINCE

● **9e** - *58, rue Caumartin (285.14.90).*
En étage.
La jeune (et mince) directrice semble bien connaître les problèmes des grandes tailles et sait vous conseiller avec beaucoup d'amabilité. Les pantalons en toile vont jusqu'au 52, en jersey jusqu'au 60, et les robes courtes, longues, habillées ou pour la plage sont vendues à des prix particulièrement doux (à partir de 200 F).

GRANDS MAGASINS DE VÊTEMENTS

TOUS les grands magasins ont de bons rayons de vêtements. Deux d'entre eux sortent du lot : les **Galeries Lafayette** et le **Printemps,** qui ont ouvert, en 1978, de véritables « rues » ou « galeries » de la mode qui rassemblent sur un ou deux étages les collections de prêt-à-porter des principaux stylistes français (et italiens), y compris quelques grands couturiers. Les femmes qui n'ont ni le temps ni le goût de parcourir Paris à la recherche d'un modèle « griffé » y trouveront leur compte. Mais le choix de vêtements proposés est, bien entendu, plus limité que dans les maisons-mères. A moindre frais, les **Prisunic** permettent en outre de s'équiper dans un style qui en vaut beaucoup d'autres.

C. & A.

● **1er** - *122, rue de Rivoli (233.39.11).*
● **15e** - *Centre commercial Maine-Montparnasse (538.52.76).*
● **92 Boulogne** - *141, av. Jean-Jaurès (603.89.19).*
Et Vélizy 2, Rosny 2, Créteil-Soleil, etc.
Une bonne qualité industrielle et des prix très raisonnables. Les vêtements « sport » restant les plus intéressants : jupes, pantalons, vestes, blousons, imperméables. Nombreux modèles dans les tailles 48 et 50, quelques-uns jusqu'au 54. Les achats peuvent être échangés pendant 15 jours. Soldes en janvier et en juillet.

FRANCK & FILS

● **16e** - *80, rue de Passy (647.86.00).*
Et Forum des Halles, niveau - 1,
Centre Maine-Montparnasse, 14e, Parly 2.
Ni très cher, ni vraiment bon marché, tout pour habiller de pied en cap les femmes de 17 à 77 ans. Robes et manteaux sont bien conventionnels, mais le choix des chemisiers est large (prix moyen : 180 F), et les accessoires sont nombreux (chaussures, gants, sacs, et chapeaux pour toutes les occasions). Un bon rayon bien classique pour les jeunes filles au rez-de-chaussée. Soldes intéressants, signalés par une longue queue de fidèles, le premier jeudi de janvier et le dernier jeudi de juin.

JONES

● **16e** - *39, av. Victor-Hugo (501.68.33).*

A contre-courant de la nouveauté à tout prix et du clin d'œil au public, Jones était un magasin de bonne compagnie et que nous aimions bien. En dépit d'une présentation qui datait un peu — c'est le moins qu'on puisse dire — et d'un choix, somme toute, assez restreint, on pouvait y faire au calme et avec le conseil de vendeuses de la vieille école, c'est-à-dire un peu lentes mais toujours courtoises, des achats raisonnables et raisonnés.
Mais vous l'aurez remarqué, nous parlons de Jones au passé. En effet, au moment où nous mettons sous presse, nous apprenons que ce mini-grand magasin — une succursale du Printemps — va fermer ses portes. Ainsi va la vie parisienne... Qui remplacera ce vieux « monument » du 16e? Nous ne le savons pas encore et le découvrirons en même temps que vous.

SAMARITAINE-PONT NEUF

● **1er** - *19, rue de la Monnaie (508.33.33).*

Les jeunes filles à la page y achètent à prix raisonnable toute la panoplie des vêtements de travail : vestes de pâtissier ou de serveur, bourgerons de peintre, « chemises de corps », etc. qu'elles teindront ou modifieront à loisir avec leurs accessoires personnels. A la Samaritaine-Capucines, leurs mères trouveront des vêtements prêts-à-porter ou sur mesure très classiques et un rayon de maroquinerie et bagages « Innovation ».

BONNES AFFAIRES

Les « dégriffés »

Les grands noms du prêt-à-porter et les « couturiers » vous font chavirer le cœur, mais il n'est pas question que vous vous laissiez aller à de folles dépenses. La solution ? Les boutiques spécialisées dans les soldes de grandes marques, qui vous proposent, toute l'année, des vêtements dégriffés ou non, avec des rabais qui peuvent aller jusqu'à 75 %. Comptez un minimum de 450 F pour une robe courte, 650 F pour une robe longue, mais attention ! il y a peu de choix au-dessus du 42, voire même du 40.

Voici les meilleures adresses, où vous dénicherez plus d'oiseaux rares que de rossignols :

BABS

● **1er** - *34, rue du Marché-Saint-Honoré (360.07.87).*

● **16e** - *7, av. Marceau (720.84.74).*

Excepté Saint-Laurent et Chanel, toutes les maisons de couture y sont représentées. Un très grand choix de robes du soir dégriffées (1 000 à 1 500 F en mousseline de soie, 800 F en jersey). Retouches sur place dans la semaine.

FERNANDE

● **8e** - *3, rue d'Anjou (265.79.13).*

De tout, pour tous les goûts mais il faut fouiner. Beaucoup de robes du soir dégriffées.

GRIFFSOLDE

● **20e** - *3, rue de Lagny et 1, rue de la Plaine (373.16.30).*

Modèles dégriffés provenant de bonnes maisons, constamment renouvelés et vendus à des prix sensiblement inférieurs à la moyenne.

ANNA LOWE

● **8e** - *35, av. Matignon (359.96.61).*

La plus nouvelle et la plus chère. Deux ex-mannequins y proposent des vêtements de « haute-couture », en particulier des robes longues.

MISS GRIFFES

● **8e** - *19, rue de Penthièvre (265.10.00).*

Vêtements portant encore la griffe de très bonnes maisons et déjà portés par leurs mannequins. Rayon de fourrures (Dior, Revillon, Kotler).

LA NIPPERIE

● **16e** - *88, rue de la Pompe (704.70.68).*

Modèles neufs (couture et prêt-à-porter) souvent jusqu'au 44. Retouches gratuites.

PARIS NORD DIFFUSION

● **20e** - *62, rue Pelleport (360.77.69).*

Modèles dégriffés de Daniel Hechter exclusivement.

TOUTES GRIFFES DEHORS

● **7e** - *76, rue Saint-Dominique (551.68.14).*

Vêtements de couturiers griffés (Lapidus, Laroche, Giudicelli) de la saison le plus souvent.

Pour dîner tard le soir et même après minuit, consultez notre liste de restaurants, p. 106.

LES TROUVAILLES

● **15e** - *55, rue de la Convention (578.21.95).*

Vêtements de grandes marques, dégriffés et vendus à 50 % de leur prix initial. Certains n'auront pas de retard sur la dernière mode des « boutiques ». En juin et janvier : soldes de ces soldes.

Les dépôts-ventes

Les boutiques de « dépôt-vente » se multiplient dans Paris et il s'en crée dans tous les quartiers. Plus ou moins luxueuses, plus ou moins exigeantes, mais le principe reste le même : on y dépose une pièce de sa garde-robe (manteau, ensemble, robe, accessoire, etc.) qui doit être bien évidemment en parfait état, sortant de chez le teinturier, adaptée à la saison, portant — si possible — une griffe. La boutique en propose un prix (50 % environ de la somme qu'elle espère en tirer). On vient chercher la somme convenue après la revente... ou on reprend le vêtement qui n'a pas trouvé preneur après quelques semaines d'exposition.

Vous trouverez ci-après une très courte liste de maisons, qui nous semblent, à différents égards, les meilleures de la place.

BOULEVARD DU TROC

● **6e** - *90, rue de Vaugirard (544.56.23).*

Achat, vente, échange et location de vêtements récents et « dans le coup ».

MAXIPUCES

● **16e** - *18, rue Cortambert (520.27.31).*

Des modèles « griffés », d'autres non.

RÉCIPROQUE

● **16e** - *95, rue de la Pompe (704.30.28).*

Récente. Pour hommes et enfants également.

SAINT-FRUSQUIN

● **15e** - *1, villa Juge (675.13.56).*

L'après-midi seulement (sauf le mercredi) de 14 h 30 à 18 h 30.

Un pionnier du genre. Au fond d'une ruelle, au premier étage d'un immeuble fin de siècle, dans un décor 1925, vous apercevrez peut-être la propriétaire, Sylvie Joly, si elle n'est pas occupée ailleurs à répéter quelque spectacle. Saint-Frusquin, en dépit de son nom, refuse les frusques démodées ou défraîchies et ne prend « en dépôt » que la crème des garde-robes (vêtements, fourrures, chaussures, sacs, bijoux, et même flacons de parfum entamés), qu'il vend à 50 % environ de son prix d'achat (chez Saint-Laurent, Dior, Chloé, Scherrer, Kenzo, etc.). 300 à 650 F environ un ensemble, 900 F une robe longue.

Accessoires

BIJOUX

Voir également au chapitre « Antiquités » la rubrique « Bijoux ».

La haute joaillerie

CHEZ les plus grands de la place, des folies dont le revers est un chèque à multiples zéros, mais aussi des cadeaux presque sages (premier prix autour de 1 000 F) qui portent une signature prestigieuse.

BOUCHERON

● **1er** - *26, pl. Vendôme (261.58.16).*

CARTIER

● **2e** - *13, rue de la Paix (261.58.56).*

CHAUMET

● **1er** - *12, pl. Vendôme (260.32.82).*

GÉRARD

● **8e** - *8, av. Montaigne (359.83.96).*

MAUBOUSSIN

● **1er** - *20, pl. Vendôme (260.32.54).*

MELLERIO DITS MELLERS

● **2e** - *9, rue de la Paix (261.57.53).*

VAN CLEEF ET ARPELS

● **1er** - *22, pl. Vendôme (261.58.58).*

Grands joailliers et bons bijoutiers

BOIVIN

● **1er** - *4, av. de l'Opéra (296.01.38).*
En étage.

Il montre régulièrement ses admirables créations, plus souvent baroques que classiques, à la Biennale des Antiquaires, et il ne refusera pas non plus de monter — ou de remonter — des poussières de diamant ou des bijoux qui n'ont plus l'heur de vous plaire et qui trouveront un nouveau printemps sous ses doigts et son œil experts.

CARTIER-LES MUST

● **2e** - *13, rue de la Paix (261.58.56).*
● **8e** - *12, av. Montaigne (225.71.72).*

Assez discrets pour qu'on les remarque juste ce qu'il faut, signés Cartier, des bagues, des boucles d'oreille, des broches et des pendentifs en or, petits brillants, pierres semi-précieuses et perles. La dernière « cuvée » des Must est particulièrement réussie et reprend les thèmes chers à la maison : le mélange d'or de différentes couleurs, les trois anneaux et les godrons (bague en or jaune avec des godrons : 1 300 F).

JEAN DINH VAN

● **1er** - *7, rue de la Paix (261.66.21).*

Dans un très beau décor 1930, Jean Dinh Van expose, sous les formes simples, rondes ou carrées qu'il affectionne, tous ses bijoux en or et pierres dures (ou précieuses) et surtout ses chaînes fameuses, faites à la main : pour le poignet (à partir de 400 F), et pour le cou (de 700 à 13 000 F). Une collection pour les bébés : médailles en or (350 F) et bracelets gravés (700 F). Voir aussi « Papeteries ».

ILIAS LALAOUNIS

● **1er** - *364, rue Saint-Honoré (261.55.65).*

Colliers, pendentifs, bracelets et bagues inspirés de la Grèce antique. Bijoux certes beaux, mais difficiles — voire impossibles — à porter. D'autres, moins imposants, « sculptés » en forme de coquillages, mêlent très joliment le cristal de roche à l'or jaune.

POIRAY

● **2e** - *8, rue de la Paix (261.70.58).*

Classiques ou superbement baroques, toutes simples ou somptueuses, d'un prix parfois abordable et d'un goût toujours parfait, les créations de deux (jeunes) joailliers bien doués : Michel Herbelin et François Hérail. Un joli modèle de montre en or à godrons (4 500 F) dont les bracelets en cuir de toutes les couleurs sont interchangeables. Transformation de bijoux sur dessin. Accueil délicieux.

JEAN VENDÔME

● **1er** - *350, rue Saint-Honoré (260.88.34).*

Cité dans le Larousse, tout comme Julien Green, Roger Caillois et Maurice Schuman dont il cisela les épées d'immortels, Jean Vendôme collectionne pierres précieuses et minéraux et crée des bijoux-sculpture curieux, beaux et originaux : bagues, colliers, pendentifs, boucles d'oreille, etc.

ZOLOTAS

● **1er** - *370, rue Saint-Honoré (260.98.63).*

Beaux bijoux inspirés de l'antiquité grecque.

Bijoux fantaisie

N'OUBLIEZ pas non plus les étonnantes créations de **Chanel** et de **Christian Dior** (qui ont le mérite d'être pratiquement indémodables) et, dans une toute autre catégorie, les rayons des grands magasins, Prisunic et autres Inno où, pour des prix modestes, on peut se permettre de varier les plaisirs au fil des saisons.

AGATHA

● **2e** - *8, rue de la Paix (296.49.97).*
● **5e** - *59, rue Monge (707.16.12).*
● **6e** - *97, rue de Rennes (548.81.30).*
● **8e** - *Galerie Les Champs, 84, Champs-Elysées (359.68.68).*
Et Forum des Halles, niveau - 2.

Charmantes petites boutiques et charmants petits bijoux « jeunes » : en or et « fantaisie » de tous les styles.

Un diamant gros comme une bulle de savon

DIEMLITE

● **8e** - *Galerie Point Show, 66, Champs Elysées (723.48.30).*

Blue River : un « diamant » — tout au moins une remarquable imitation — gros comme le Ritz, à 190 F le carat, admirablement monté et presque plus « vrai » que nature. Voilà ce que vous offre Diemlite. Cela jette pas mal de poudre aux yeux — même aux yeux des spécialistes. C'est aussi un excellent trompe-valeur.

ANÉMONE

● **1er** - *235, rue Saint-Honoré (296.44.85).*

● **6e** - *4, rue Bernard-Palissy (544.44.80).*
Et Forum des Halles, niveau - 2.

Superbement présentés, d'éclatants bijoux — en bois laqué, en coquillages, en perles, etc. — que vous porterez avant tout le monde (deux collections par an), et quelques très fins bracelets et bagues en or.

JANE BEAUCAIRE

● **8e** - *29, rue Marbeuf (359.04.22).*

Parez-vous pour un soir des plumes du paon avec les broches, boucles d'oreilles, colliers et autres bibis, tout en plumes que vous propose Jane Beaucaire. Egalement des bijoux et accessoires — plus sages — de couturier (Dior, Chanel, Lanvin).

EXACTEMENT FAUVE

● **6e** - *5, rue Princesse (325.00.09).*

Pour ses bijoux exquisément féminins, notamment ceux en nacre dont l'éclat irisé sied si bien au teint des dames et des demoiselles.

FABRICE

● **6e** - *26, 33 et 54, rue Bonaparte (326.57.95).*

Fabrice, comme Nobilis, mais de façon très discrète, a annexé la rue Bonaparte. Les deux petits magasins du côté pair vendent de très beaux bijoux exclusifs — et irrésistibles —, en corne, en bois, en écaille, en cristal, en ivoire (en plume même, en coquillages ou en soies mélangées), à des prix assez fous : 80 à 8 000 F. Deux collections par an. Soldes la deuxième quinzaine de janvier. En traversant la rue, vous trouverez dans la boutique du n° 33 des turbans et des chapeaux ravissants et drôles, des parapluies, des lunettes de star (en strass), des pochettes, des boîtes à bijoux, etc.

LA GENTRY

● **16e** - *26, rue Copernic (553.14.29).*

Pour la douceur de ses prix et le charme de son accueil. Une toute petite boutique mais beaucoup de bijoux de jolie « fantaisie ».

PHILOMÈNE

● **6e** - *15, rue Vavin (633.62.01).*

Jolis petits bijoux anciens (1900 à 1925) en argent parmi des objets de charme ou de curiosité et de la lingerie de la même époque.

PULCINELLA

● **9e** - *10, rue Vignon (073.95.01).*

Bijoux en or ou plaqué or, mais aussi en ivoire, écaille et corail dans cette charmante boutique où l'on trouve aussi des vaporisateurs et des brosses anciennes et toute une collection de lampes 1900.

Des perles et des pierres dures

YVONNE ANSAY

● **8e** - *2, rue de la Trémoille.*

Elle dessine et son mari veille à l'exécution de ses créations originales et extrêmement soignées. De longs sautoirs, des colliers de pierres dures à des prix étonnamment modestes. Réparation, reproduction et transformation de bagues anciennes. Nettoyage et renfilage très soigné.

MIKITO

● **16e** - *9, av. Victor-Hugo (501.70.11).*

Des perles (en colliers, en bracelets, en boucles d'oreilles), des joncs de jade pour le poignet, des sautoirs de lapis-lazuli, de cornaline, d'aventurine, etc. et des statuettes en pierre dure en provenance directe d'Extrême-Orient.

TÉCLA

● **2e** - *2, rue de la Paix (261.03.29).*

On y a le culte des perles de culture (Técla les introduisit d'ailleurs en France), fort joliment montées ; et accessoirement, des perles de corail (choisissez la couleur dite Peau d'ange : elle est d'une rare douceur).

AUX TORTUES

● **8e** - *55, bd Haussmann (265.56.74).*

La maison, fondée en 1864, a conservé une admirable façade qui date de 1880. Les Frères Garand fournissaient les peignes et brosses en écaille ou en ivoire qui garnissaient les coiffeuses des dames de ce temps-là. La quatrième génération de Garand propose à leurs arrière-petites-filles des bijoux en écaille, en ivoire, en corail, en nacre ou en pierres dures (à partir de 200 F).

Les montres

AUDEMARS-PIGUET

Vous les trouverez chez :

● **1er - Aldebert,** *16, pl. Vendôme (260.30.44).*

● **2e - Clerc,** *4, pl. de l'Opéra (073.59.21).*

● **8e - Fred,** *6, rue Royale (260.30.65).*

● **8e - Hermès,** *24, fg Saint-Honoré (265.21.60).*

● **16e - Perrin,** *33, av. Victor-Hugo (501.88.88).*

Sobre raffinement et remarquable finition des mécanismes. Montre-squelette dont le cœur bat sous la vitre (mouvements ciselés et réduits à la main) ; robustes montres sport Royal Oak en or et acier, ou tout en or (20 000 à 50 000 F), et des modèles extra-plats très habillés pour le soir (15 000 à 50 000 F).

LA BOUTIQUE DES HEURES VAN CLEEF ET ARPELS

● **1er** - *22, pl. Vendôme (261.58.58).*

Accueil de grande maison, cadre ravissant et choix considérable. Et surtout une montre en or qui porte la signature Van Cleef et ne coûte que 2 500 F. C'est un « premier prix » qui vaut un prix d'excellence.

BRÉGUET

● **1er** - Chez **Chaumet,** *12, pl. Vendôme (260.69.34).*

Chaumet a repris la grande marque qui est aux montres plus encore que n'est la Rolls-Royce aux automobiles. Depuis plus de deux siècles, les archives soigneusement gardées racontent fidèlement les événements de la vie de chaque article fabriqué. On vient du monde entier acheter les montres-bracelets (de 7 200 F, un premier prix à... bien davantage) ou la réplique du vieux cadran conçu par ce Français protestant, émigré de Suisse, qu'était Bréguet. Les pilotes d'avions ne veulent rien porter d'autre. Aussi bien, Chaumet fournit-il aujourd'hui la marine et l'aéronautique en chronomètres et en compteurs pour tableaux de bord, notamment ceux de Concorde et d'Airbus.

CARTIER

● **2e** - *13, rue de la Paix (261.58.56).*

En 1904, Cartier crée le premier bracelet-montre à l'intention d'un pionnier de l'aéronautique : le Brésilien Santos-Dumont. De nos jours, les montres Cartier ornent les poignets de tout un chacun qui a réussi. En y regardant de près, toutefois, on s'aperçoit parfois que la grande Cartier a des enfants moins bien venus... qui ne sont, en fait, que des imitations plus ou moins parfaites. La vraie fille de la maison a un mouvement suisse, garanti à vie, un boîtier extra-plat inspiré par les dessins de Louis Cartier et une fermeture autodépliante, dont le modèle a été créé en 1910. A partir de 2 800 F en vermeil, de 7 700 F en or et bien davantage en joaillerie. Un inconvénient : si vous cassez, par exemple, le verre de votre montre le 25 juillet, on vous priera de rappeler le 5 septembre suivant pour « savoir quand la réparation pourra être faite ». Deux mois environ sans montre. Il y a d'autres Cartier et d'autres marques...

PATEK-PHILIPPE

● **16e** - Chez **Aldebert,** *16, pl. Vendôme (260.30.44).*

Lorsqu'en 1851, à l'Exposition Universelle, la reine Victoria voulut posséder la meilleure montre du monde, elle choisit tout naturellement la marque qui venait d'obtenir la médaille d'or, marque précédemment fondée à Genève par le Polonais Antoine de Patek et le Français Adrien Philippe. Tout le Gotha suivit son exemple et continue de le suivre. Pourtant rien ne semble différencier au premier regard une Patek-Philippe d'une autre montre de bonne marque. Rien, sinon l'essentiel : le mouvement. La célèbre manufacture genevoise fabrique chaque pièce elle-même, les finit à la main et soumet chaque montre à une infinité de tests. Il est donc presque inutile de vous dire que cette montre qui ressemble à la vôtre coûte dix, voire cent fois plus cher.

PIAGET

Vous les trouverez chez :

● **1er - Aldebert,** *16, pl. Vendôme (260.30.44).*

● **8e - J. Bernard,** *6, fg Saint-Honoré (265.59.44).*

● **8e - Fred,** *6, rue Royale (260.30.65).*

● **1er - Mauboussin,** *20, pl. Vendôme (260.32.54).*

● **16e - Perrin,** *33, av. Victor-Hugo (501.88.88).*

● **1er - Van Cleef,** *22, pl. Vendôme (261.58.58).*

Extrême qualité des mouvements et élégance des formes. Les montres suisses Piaget, extra-plates, sont réparées gratuitement chez n'importe quel dépositaire de la marque.

CHAPEAUX

JEAN BARTHET

● **8e** - *13, rue Tronchet (265.98.13).*

Les « pill-boxes » (boîtes à pilules — traduisez tambourins) de Jackie Kennedy, c'était lui. Lui encore, les turbans de Liz Taylor, les sombreros de Sophia Loren, les mille-et-une « coiffures » de Grace de Monaco. Ce bouillonnant Béarnais, à peine sorti de l'école des Beaux-Arts de Toulouse, n'a eu de cesse de conquérir Paris — et y a réussi — avec ses bobs et ses calots (de 400 à 900 F), ses bibis à fleurs ou à voilettes, ses toques et ses cloches, ses coiffures de mariée (de 1 200 à 2 500 F) et ses capelines en crin cousu. Depuis quelques années, il diffuse certains modèles dans les grands magasins d'Allemagne, d'Italie, des Etats-Unis et du Japon. Vous les trouverez désormais à prix abordables (200 à 600 F), dans la boutique Jean Barthet au Printemps.

JEAN-CHARLES BROSSEAU

● **1er** - *3, pl. des Victoires (508.84.44).*

Un modiste bien inspiré qui a su, depuis vingt ans, donner aux jeunes femmes le goût des chapeaux simples, pratiques et gais. N'espérez pas trouver chez lui un bibi à voilette un peu fou, mais allez, les yeux fermés, choisir dans sa collection bérets (40 F), casquettes, bobs et casques en toile, en paille cousue ou en feutre (250 F), plus seyants les uns que les autres, et qu'on peut aussi commander dans le coloris de son choix (sans supplément de prix, 8 jours de délai). Egalement des vêtements « prêts-à-porter » donnant irrésistiblement envie de partir en vacances dans l'heure. Soldes fin janvier.

CHRISTIANE ET MARINETTE

● **8e** - *254, fg Saint-Honoré (924.33.81).*

Près de 500 modèles de couvre-chefs. A partir de 300 F, du plus strict au plus fantaisiste, en tous les genres et toutes matières.

DANIEL MASSON

● **16e** - *7, rue de la Manutention (723.51.36).*

Daniel Masson réalise avec un égal bonheur de ravissantes coiffures pour ravissantes jeunes mariées et de très jolis chapeaux pour leurs mères, voire leurs grand-mères.

JEANNINE MONTEL

● **7e** - *38, rue du Bac (548.48.85).*

Ne la cherchez plus rue des Quatre-Vents, elle s'est installée rue du Bac. Elle a toujours son « œil », infaillible pour décider — selon votre silhouette, la longueur de votre nez, votre façon de pousser la porte ou de porter la toilette — du chapeau dont elle vous coiffera. Quatre petites mains aux doigts de fée travaillent en vitrine, façonnant les sparteries, ajustant les crins et les taupés, cousant les rubans ou froissant les voilettes, pour confectionner — en 48 heures si vous êtes pressée — « la » coiffure qui vous rendra plus jolie (et plus assurée de l'être). Tan Giudicelli et Karl Lagerfeld ne s'y trompent pas, qui confient à cette charmante et talentueuse personne le soin de « chapeauter » leurs collections.

PAULETTE

● **8e** - *63, av. Franklin-Roosevelt (359.88.79).*

Au 4e étage.

Un nom à la Mimi Pinson et une dame exquise. Paulette chapeaute — dans le bon ton ou l'excentricité distinguée — les têtes les plus célèbres, couronnées ou non et « coiffe » les collections de Chanel, Jean-Louis Scherrer et Hanae Mori.

VÉNUS ET NEPTUNE

● **5e** - *83, rue Monge (707.47.32).*

Ancienne styliste et journaliste, France-Ann Bennett s'est faite « chapeautière », un peu par hasard, en achetant le stock fabuleux d'une « modiste-plumassière » des années 30. Sa petite boutique ne jette aucune poudre aux yeux, mais France-Ann Bennett a bien du talent au bout des doigts et bien de l'imagination dans la tête pour coiffer celle des autres avec de ravissants bibis à voilette. Elle vend aussi des voilettes au mètre, des plumes à piquer dans un chignon ou au revers d'une veste, des rubans en guise de ceinture. Tout cela est amusant et très à la mode, justement parce que datant des années post-tango. Regardez toutefois vos futurs achats à la lumière du jour : certaines pièces sont parfois défraîchies.

CHAUSSURES

BALLY

● **1er** - *11, bd de la Madeleine (261.11.60).*
● **2e** - *35, bd des Capucines (261.67.34).*
Et une vingtaine de magasins à Paris.

Chaussures classiques généralement de bon goût et assez solides. Les femmes qui ont du mal à se chausser parce qu'elles ont le pied très mince trouveront là « chaussure à leur pied ». Prix raisonnables.

BOOTSHOP

● **6e** - *25, rue du Four (354.12.82).*

Durera ce que la mode le voudra bien, mais, pour l'instant, la vitrine fait rire, avec sa Buick toute en rondeurs peinte sur fond violet, ses néons enrubannés, son podium éclairé qui conduit à la caisse (cash) et sa multitude de chaussures multicolores pour pieds gamins.

CAREL

● **2e** - *41, bd des Capucines (261.17.85).*
● **5e** - *29, bd Saint-Michel (354.20.46).*
● **6e** - *12, rue du Four (354.11.69).*
● **8e** - *2, rue Tronchet (266.21.21).*
● **16e** - *9, av. Mozart (288.20.97).*

Les mères y trouveront de jolis modèles classiques ; les filles des chaussures plates, souvent bicolores, et d'amusantes sandales.

CARVIL

● **6e** - *135, bd Saint-Germain (326.02.97).*
● **8e** - *67, rue Pierre-Charron (359.05.30).*
● **8e** - *22, rue Royale (260.23.06).*
● **16e** - *20, av. Victor-Hugo (500.84.21).*

Chaussures élégantes et de bonne qualité.

CÉLINE

● **6e** - *58, rue de Rennes (548.58.55).*
● **8e** - *24, rue François-1er (225.81.81).*
● **16e** - *3, av. Victor-Hugo (555.17.96).*

Bonnes chaussures, classiques de coupe et de coloris, à talons modérés. Aucune fantaisie mais toujours d'excellents mocassins et de belles bottes. Soldes très courus en janvier et en juin.

CHRISTIAN DIOR

● **8e** - *26, av. Montaigne (256.74.44).*

L'élégance traditionnelle de la maison pour les chaussures, la maroquinerie (sacs et bagages) et les accessoires : bas, collants, parapluies, ceintures.

DURER

● **8e** - *28, fg Saint-Honoré (265.25.76).*
● **16e** - *94, av. Victor-Hugo (704.70.23).*

Très beaux modèles exclusifs et chers (540 à 650 F) de chaussures en chevreau de fabrication artisanale française.

FRANCE FAVER

● **6e** - *79-81, rue des Saints-Pères (220.04.29).*

De très jolies sandales et des chaussures cousues à la main dans une grande variété de couleurs. Grandes tailles sur commande (3 semaines de délai).

MAUD FRIZON

● **6e** - *7, rue de Grenelle (222.19.86).*
● **6e** - *83, rue des Saints-Pères (222.06.93).*

Bottes et sandales superbes et sophistiquées pour cover-girls et jeunes femmes délurées. Les vendeurs font de louables efforts d'amabilité, mais les prix donnent toujours froid dans le dos.

CHARLES JOURDAN

● **1er** - *5, bd de la Madeleine (261.13.63).*
● **6e** - *60, rue de Rennes (548.97.01).*
● **8e** - *86, Champs-Elysées (256.29.28).*
● **8e** - *12, fg Saint-Honoré (265.35.22).*
● **9e** - *Au Printemps, 64, bd Haussmann (285.22.22).*
● **13e** - *Centre Commercial Galaxie (580.18.12).*
Et Forum des Halles, niveau - 1.

A la pointe de la mode, pour ne pas dire au-delà.

STÉPHANE KÉLIAN

● **7e** - *62, rue des Saints-Pères (222.03.65).*
Et Forum des Halles, niveau - 1.

Elles ont fait les beaux jours de l'avant-guerre. Elles sont donc furieusement rétro et à la dernière pointe de la dernière mode. Tressées à la main, celles-ci chausseront vos pieds mignons (jusqu'au 40) avec élégance (amusantes couleurs très vives). Vous les accompagnerez d'un petit sac lui aussi tressé.

MANCINI

● **8e** - *20, rue du Boccador (225.42.86).*
● **16e** - *72, av. Victor-Hugo (727.86.75).*

Très chers, mais tellement élégants : escarpins légers, bottes à talons raisonnables et divines sandales (450 à 650 F) que Mancini peut également reproduire, dans son atelier parisien, en chevreau ou en tissu, teintes à l'échantillon (4 semaines de délai, 750 à 1 200 F), ou bien exécuter à vos mesures et avec essayage (rue du Boccador seulement) pour 3 000 à 3 500 F.

MANFIELD

● **2e** - *39, bd des Capucines (261.16.12).*
et de nombreuses autres adresses à Paris.

Chaussures sans histoires et prix raisonnables.

LES MESSAGERIES

● **1er** - *6, pl. Sainte-Opportune (233.80.44).*

Chaussures (et vêtements) rétro mais aussi des chaussures américaines et anglaises traditionnelles (250 à 500 F).

Pieds à problèmes

JEAN DARNEL

● **16e** - *62, rue de Passy (288.17.82).*

Chausse avec élégance les pieds difficiles du 35 au 44 et du AA (pieds très étroits) à la 7e largeur.

JOSIA

● **20e** - *9, rue Emile-Landrin (797.98.71).*

Chaussures de série pour pieds sensibles du 32 au 45 en 10 largeurs et différentes cambrures (de 380 à 450 F). Bottes en cinq tours de « tige » pour petits et gros mollets.

SAINGLAS

● **16e** - *50, rue de Longchamp. (727.06.09).*

Spécialiste des pieds sensibles et des « compensations ». Toutes pointures (jusqu'au 44) et en toutes largeurs.

ANDREA PFISTER

● **1er** - *4, rue Cambon (296.55.28).*
● **6e** - *56, rue du Four (548.12.89).*
Et Forum des Halles, niveau - 1.

Chères (500 à 700 F), élégantes et séduisantes chaussures. Tout le raffinement italien et des pointures allant du 34 au 42. On exécute sur commande tous les modèles de la collection dans le coloris choisi, avec un supplément de 70 F et dans un délai de 4 semaines.

SACHA

● **2e** - *15, rue de Turbigo (508.13.15).*
● **6e** - *24, rue de Buci (033.43.50).*
● **9e** - *43, bd Haussmann (742.16.65).*

Après avoir lancé, voici cinq ans environ, la vogue des chaussures compensées à semelle débordante en cuir naturel, perforé ou de couleurs tendres, qui remportèrent immédiatement tous les suffrages dans les lycées et collèges, Charles Kammer, sans renoncer à sa clientèle de jeunes filles qui suivent le dernier train de la

Ils vous bottent

CASTELLI

● **8e** - *27, rue de Penthièvre (359.55.64).*

Escarpins et « trotteurs » (bottes et sandales aussi) à talons raisonnables (4 à 7 cm) dans le cuir et le coloris de votre choix : 800 F environ en demi-mesure, 1 300 F sur mesure (avec un ou deux essayages et trois bonnes semaines de délai). Mais rien ne vous empêche, si vous trouvez, parmi les modèles de la collection, chaussure à votre pied, de l'emporter sur le champ (moyennant — il est vrai — la somme de 600 à 700 F).

HELLSTERN GERMAINE GUÉRIN

● **1er** - *243, rue Saint-Honoré (260.08.74).*

Hellstern est installé chez Germaine Guérin. Ses modèles de « très bon ton » s'assortissent aux sacs de la célèbre maison. Ils vous reviendront à 1 000 F (minimum) si vous avez un pied sans problème ; comptez 1 500 F pour une forme spéciale, avec essayage.

JOHN LOBB

● **8e** - *24, fg Saint-Honoré (265.24.45).*

Ce représentant fameux d'une dynastie de bottiers londoniens est installé chez Hermès. Il exige trois mois de délai pour livrer la première paire de chaussures sur mesure qu'on lui demande (délais réduits pour les suivantes). Elles sont parfaites. Les prix sont évidemment en rapport avec la qualité du travail et le temps passé. John Lobb supervise également la fabrication des souliers classiques (délibérément) vendus en prêt-à-porter chez Hermès (prix moyens : 1 000 F). Possibilité de commandes spéciales portant sur 10 largeurs de pied : délai de 5 semaines et supplément de 150 F.

MICHEL (DELICATA)

● **8e** - *12, av. Montaigne (256.17.08).*

Vous choisirez chez cet excellent bottier un de ses propres modèles, ou tout autre à votre convenance, qui sera exécuté à vos mesures dans un délai d'un mois pour la somme de 750 F (minimum).

LE SAVETIER D'AYA

● **1er** - *207, rue Saint-Honoré (260.43.08).*
A l'entresol.

Des chaussures en demi-mesure (lézard, serpent, daim ou chevreau de toutes les couleurs et jusqu'au 44), jolies et vraiment pas plus chères qu'ailleurs : 480 F environ et 960 F pour les bottes. Une vendeuse de bon conseil mettra votre pied sur fiche et vous pourrez ainsi passer vos commandes par téléphone si vous n'habitez pas Paris.

mode — on fait la queue le samedi pour pénétrer dans le petit magasin de la rue de Buci — propose cette année, à côté de modèles multicolores et résolument « disco », des escarpins classiques (à 3 ou 400 F) et de jolies sandales du soir.

SAINT-LAURENT

● **6e** - *6, pl. Saint-Sulpice (326.07.05).*
● **8e** - *38, fg Saint-Honoré (265.74.59).*

C'était la boutique favorite des grandes femmes à longs pieds, du temps où la directrice chaussait du 41 1/2, comme les mannequins de la maison d'ailleurs. Plus de très grandes tailles mais toujours les « faire-valoir » de la collection haute-couture (ou boutique) : superbes bottes, souliers à boucles pour porter avec les knickers, boots pour accompagner les pantalons, sandales à talons vertigineux pour faire son entrée chez Régine.

WALTER STEIGER

● **6e** - *7, rue de Tournon (633.01.45).*
● **8e** - *49, fg Saint-Honoré (265.96.48).*

Même cadre raffiné faubourg Saint-Honoré que dans la première boutique, rue de Tournon. Luxueuses chaussures italiennes (ne dépassant pas le 40) et plus spécialement des sandales du soir ravissantes, des boots (650 F) et des escarpins de chevreau verni perchés sur de très hauts talons (550 F). Clientèle élégante.

MARIO VALENTINO

● **8e** - *24, rue Royale (260.20.06).*

Des modèles ravissants à 500 F, d'autres qui le sont moins, à moindre prix.

Bonnes affaires

CHICHE

● **1er** - *10, rue du Roule (261.78.06).*
● **8e** - *38, rue de Berri (563.49.50).*
● **10e** - *35, rue du Château-d'Eau (208.72.68).*
● **16e** - *28, av. Mozart (524.28.50).*

Spécialiste du « dégriffage » de chaussures de luxe vendues 50 % moins cher que dans le commerce « normal » (souliers de ville : 250 F).

FRANÇOIS VILLON

- **1er** - *26, rue Cambon (742.40.60).*
- **6e** - *58, rue Bonaparte (325.98.36).*
- **8e** - *57, rue Pierre-Charron (359.70.59).*
- **8e** - *8, rue Royale (260.58.23).*
- **8e** - *27, fg Saint-Honoré (265.14.43).*
- **16e** - *14, av. Victor-Hugo (500.91.12).*

Chaussures pour femmes jeunes, élégantes et fortunées, n'ayant ni de trop grands pieds (les pointures ne dépasse pas le 40) ni de trop longues jambes (très hauts talons).

FLEURS ARTIFICIELLES

Voir aussi le chapitre « Fleurs ».

NOÉMIE FROMENTIN

- **8e** - *9, rue Saint-Florentin (260.73.42).*

Un merveilleux choix de fleurs et de petits bouquets composés assortis à vos robes. Ravissants bouquets et couronnes de mariée.

NICOLE JOBA

- **16e** - *5, rue de la Manutention (723.52.83).*

Au deuxième étage à gauche.

Des bouquets de mariée les plus raffinés qui soient. Nicole Joba reçoit sur rendez-vous.

BERTHE RAMBOURG

- **2e** - *12, rue Monsigny (742.93.46).*

Ravissantes coiffures de mariée en fleurs de soie (200 à 700 F), mais aussi des coiffures du soir ou encore, pour un dîner de têtes, de superbes masques faits de plumes et de fleurs (150 à 1 000 F).

TROUSSELIER

- **8e** - *73, bd Haussmann (265.32.23).*

Des fleurs « de corsage » en soie, délicates et plus vraies que nature, et d'exquises coiffures de mariée.

GANTS

DELREY

- **6e** - *47, rue du Four (548.37.71).*

Vous pouvez passer cent fois rue du Four sans remarquer Delrey, gantier depuis cinquante ans, qui dissimule derrière une vitrine très discrète, pour ne pas dire insignifiante, un trésor : 150 tiroirs emplis de gants de toutes matières, de toutes longueurs et de tous coloris. Ajoutons que Delrey vous fournira sur commande, dans un délai de 15 jours, une paire de gants très exactement assortie à la couleur de votre robe et que l'accueil, dans cette bonne maison, est des plus courtois.

CHRISTIAN DIOR

- **8e** - *32, av. Montaigne (256.74.44).*

Qualité et élégance parfaites. C'est, bien sûr, dans la boutique de l'avenue Montaigne, que l'on trouve le choix le plus étendu et la toute dernière collection, mais les gants Dior sont également vendus un peu partout dans Paris et notamment dans les grands magasins.

HERMÈS

- **8e** - *24, fg Saint-Honoré (265.21.60).*

Toujours le même choix de très beaux gants traditionnels, en chevreau, daim, pécari, autruche, etc.

MURIEL

- **8e** - *4, rue des Saussaies (265.95.34).*

Probablement un des derniers spécialistes des gants à Paris (mais il suffit peut-être à combler les derniers utilisateurs de cet accessoire), qui propose encore un très bon choix de modèles en peau pour femmes et hommes (à partir de 70 F). Merveilleux gants d'autruche, de pécari, d'antilope et de gazelle. Soldes toujours intéressants en janvier et en juin.

LINGERIE

J. BERLÉ

- **8e** - *14, rue Clément-Marot (359.62.32).*

Son modèle de soutien-gorge — « inimitable » et fait à la main — habille depuis 1934 chèrement mais superbement les poitrines rondes ou à problèmes. On peut le commander à ses mesures.

CADOLLE

- **1er** - *14, rue Cambon (260.94.94).*

Herminie Cadolle mérite assurément de passer à la postérité. Corsetière à Paris en 1889, elle inventa tout simplement le soutien-gorge. Aujourd'hui, c'est son arrière-petite-fille qui soutient, osons le dire, la réputation de cette invention capitale et de cette maison à laquelle, de mère en fille, les Parisiennes — et les autres — sont restées fidèles. Modèles sur mesure ou demi-mesure, somptueux, au troisième étage. Prêt-à-porter et modèles plus jeunes au rez-de-chaussée. Déshabillés, combinaisons, chemises de nuit de 175 à 500 F en prêt-à-porter, de 400 à 1 200 F faits à la main dans les mêmes beaux tissus.

CANDIDE

● **8e** - *4, rue de Miromesnil (265.80.55).*

La présentation des modèles et le décor du magasin n'intéressent visiblement pas Candide. On se croirait à Berne ou à Liverpool, en aucun cas à deux pas de l'élégant Faubourg (Saint-Honoré). Mais l'amabilité exemplaire des vendeuses et le charme de certains modèles de chemises de nuit en fin linon plissé à la main suffisent à séduire les femmes élégantes, françaises ou étrangères. Livraisons à domicile. Soldes début janvier et fin juin.

Lingerie à prix doux

LAURA ASHLEY

● **7e** - *66, rue des Saints-Pères (544.15.96).*
● **16e** - *95, av. Raymond-Poincaré (704.41.73).*
● **6e** - *94, rue de Rennes (548.02.44).*

Toutes simples et jolies chemises de nuit longues, en coton, à encolure ras de cou ou pointue, à partir de 125 F (smocks et fines bretelles). D'autres à manches longues, qu'on pourrait dire « de grand-mère », bordées de dentelles ou de volants (145 F). Beaucoup de blanc, quelques imprimés à très petits motifs pastel.

ETAM

● **2e** - *39, av. de l'Opéra (261.65.78).*
● **16e** - *31, rue de Passy (527.79.06).*
Et 20 autres boutiques à Paris.

Lingerie et gentils ensembles (chemises de nuit, robes de chambre). En linon, en jersey, etc. à petits prix.

PÉNÉLOPE

● **16e** - *19, av. Victor-Hugo (500.90.90).*

Un bon choix de jolies chemises de nuit aux couleurs fraîches (160 à 300 F environ). Voir aussi « Décoration de la maison - Linge de maison ».

CHEZ PERRETTE

● **8e** - *15 bis, rue de Marignan (359.56.90).*

Chemises de nuit à petits plis et incrustations de dentelles, entièrement faites à la main, robes de chambres simples et fraîches réalisées par des femmes âgées ou handicapées, ce qui explique la modicité des prix. Le magasin ne sert en réalité que de dépôt à cette association de bienfaisance, régie par la loi de 1901, et créée à l'origine pour venir en aide aux veuves de guerre. Vous pouvez apporter votre tissu et faire exécuter sur mesure une chemise de nuit pour 150 à 200 F, ou choisir l'un des modèles exposés (à partir de 200 F environ). Un rayon de layette et de vêtements d'enfants (robes à smocks : 250 F). Soldes en février.

CHRISTIAN DIOR

● **8e** - *30, av. Montaigne (256.74.44).*

De très jolis modèles (chemises de nuit, déshabillés, « dessous », collants, etc.) que vous trouverez ici bien sûr, mais aussi dans la plupart des grands magasins et des boutiques spécialisées.

FRIVOLITÉS

● **18e** - *56, bd de Clichy (606.71.29).*

Lingerie légère, très légère et même « spéciale », celle qui plaît à la plupart des messieurs — vieux, jeunes ou très jeunes. C'est du moins ce que nous dit la patronne. Les modèles de la maison existent du 36 au... 52, mais avec un peu d'invention on peut aussi apporter un croquis qui sera exécuté très scrupuleusement et livré (ou expédié) à domicile avec discrétion. Catalogue sur demande.

LES NUITS D'ÉLODIE

● **17e** - *1 bis, av. Mac-Mahon (755.68.95).*

Ne la jugez pas sur sa mine : la boutique, vitrine et décor, est peu attirante, mais vous y découvrirez des chemises de nuit et des déshabillés (en crêpe de Chine ou en satin de soie incrustés de dentelles) les plus raffinés et les plus jolis qui soient. Si vous dépassez le 40, ils sont faits à vos mesures ; et si vous voulez dépenser moins d'argent — mais finalement guère moins — vous pourrez commander les mêmes modèles en tissu synthétique.

PRINCESSE MARY

● **1er** - *205, rue Saint-Honoré (260.70.37).*

Un bon rayon de sous-vêtements — pour celles qui en portent encore — suisses et, n'en doutez pas, les plus fins du monde : les « Zimmerli », en laine ou en soie. Suisses aussi, mais en fil d'Ecosse : les « Hanro ».

NINA RICCI

● **8e** - *17, rue François-Ier et 39, av. Montaigne (256.88.11).*
● **8e** - *31, av. George-V (720.80.01).*

Investir dans la lingerie, on en ressent l'urgence en se promenant — c'est le terme qui convient — dans la superbe boutique Ricci de l'avenue Montaigne ou en jetant simplement un coup d'œil aux vitrines côté François-Ier. Mais l'élégance des vaporeux déshabillés et des luxueuses tenues de nuit a peine à faire oublier les prix : 1 000 à 2 300 F une chemise de nuit (merveilleusement ouvragée, il est vrai) qu'elle soit en coton, en crêpe de chine ou en soie.

ROGER ET GALLET

● **8e** - *62, fg Saint-Honoré (265.28.40).*

Très jolis, très raffinés et chers déshabillés et chemises de nuit. Ces dernières : à partir de 750 F.

SABBIA ROSA

● **6e** - *71-73, rue des Saints-Pères (548.88.37).*

Quand bien même elles dormiraient comme Marilyn Monroe en Chanel n° 5, les femmes très jeunes, très minces, très belles (et très riches) le paraîtront bien davantage encore, si, au saut du lit, elles se glissent dans les chemises de nuit (800 F) et déshabillés en satin de soie incrusté de dentelles, les mules en cygne, les « combinaisons » en satin ou en crêpe de Chine (500 F) et autres ravissants dessous qu'imagine Sabbia Rosa. Modèles exclusifs et sur mesure.

CHANTAL THOMASS

● **6e** - *11, rue Madame (544.57.13).*
Et Forum des Halles, niveau - 1.

Une lingerie douce, raffinée, originale, toute simple ou de grand luxe, dans des matières naturelles : coton, laine, laine et soie et pure soie. Chemises de nuit (en soie) : de 800 à 1 800 F ; body-stocking (c'est un « dessous » en forme de costume de bain) en laine et soie : 70 F ; culotte (en soie) : 125 F. Les modèles ne dépassent pas le 42. Retouches possibles.

LUNETTES

COSMAS OPTIQUE

● **6e** - *41, bd du Montparnasse (222.81.10).*
● **8e** - *22, rue de la Pépinière (522.80.44).*
● **10e** - *63, bd Magenta (208.35.37).*
● **11e** - *45, av. Philippe-Auguste (370.91.40).*

Les prix des montures « couture » (Dior, Lanvin, Cardin, etc.) y sont effectivement 50 % moins chers que dans d'autres boutiques.

ÉLYSÉES-OPTICAL

● **8e** - *55, rue Pierre-Charron (225.79.24).*

Large choix de modèles de couturiers.

LES FRÈRES LISSAC

● **1er** - *112-114, rue de Rivoli (233.44.77).*
Et une douzaine de succursales.

Les frères en question demeurent les spécialistes éprouvés de la malvision des enfants, des aphakes (opérés de la cataracte), des amblyopes et éventuellement des hommes politiques (Alain Poher, Georges Marchais), sensibles aux bas prix de la maison. Lunettes sur mesure, verres de contact, lunettes acoustiques et un service rapide S.O.S. pour ceux qui ont perdu (ou cassé) leurs lunettes. Une des meilleures adresses de Paris pour son grand sérieux.

Les prix changent : nous n'y pouvons rien.

GUALDONI

● **1er** - *228, rue de Rivoli (260.77.44).*
● **16e** - *8, av. Mozart (224.77.87).*
● **16e** - *65, rue de Passy (647.40.27).*

Très bon opticien qui jouit de la clientèle de « célébrités ». Depuis qu'ils portent des lunettes de la maison, Maurice Druon, Michel Guy, Jane Fonda, etc. profitent pleinement des sobres beautés de sa vieille façade 1900 jouxtant l'hôtel Meurice. Les deux magasins du 16e arrondissement ont un rayon important de lunettes pour les enfants. En cas de perte, Gualdoni est capable de livrer une paire de lunettes de remplacement dans un délai extrêmement court.

JEAN LAFONT

● **8e** - *11, rue Vignon (742.25.93).*

Une jolie petite collection de lunettes anciennes et de cornets acoustiques (que vendaient les père et grand-père de l'aimable Jean Lafont), mais surtout des lunettes originales (et éventuellement sur mesure, à fleurs, pailletées ou lamées ou teintes dans le ton exact souhaité : 350 F) ou sages, en matière plastique opaque ou transparente (170 à 230 F), en corne (750 F), en écaille (jusqu'à 5 000 F).

PIERRE MARLY

● **6e** - *125, rue de Rennes (548.23.95).*
● **8e** - *50, rue François-1er (256.00.14).*
● **16e** - *2, av. Mozart (527.21.05).*
● **17e** - *9, av. Niel (574.61.08).*
● **92 Neuilly** - *140, av. Charles-de-Gaulle (624.47.46).*

Jolis modèles exclusifs en or, en écaille ou en corne. Pierre Marly trouvera exactement, comme il le fait pour Sophia Loren ou Lauren Bacall, la monture qui s'harmonise le mieux à votre visage. Il a ouvert au public, dans le magasin de l'avenue Mozart, un musée de la Lunetterie qui renferme des pièces fort belles et rares. Pour le visiter, téléphoner pour prendre rendez-vous.

MEYROWITZ

● **1er** - *5, rue de Castiglione (260.63.64).*

Grande, sérieuse et vieille maison (elle est centenaire). Un personnel polyglotte, distingué et parfaitement affable reçoit une clientèle qui ne l'est pas moins. Belles montures en or ou en écaille sur mesure.

OPTICAL-FORFAIT

● **5e** - *37, bd Saint-Michel (634.66.96).*
● **8e** - *48, rue de Miromesnil (266.56.78).*
● **17e** - *92, av. des Ternes (754.47.56).*

Pour simplifier le choix difficile (et coûteux) d'une paire de lunettes, cette maison pratique une formule déjà courante aux Etats-Unis et en Allemagne de l'Ouest : le forfait optique. Pour des verres correcteurs (blancs) à simple foyer, une monture et un étui, trois forfaits — tout compris — sont proposés : le forfait « op-for » à 350 F avec une monture en métal blanc ou plaqué or, ou en plastique de couleur ou façon écaille ; le forfait « couturier » à 450 F, monture de Lanvin, Cardin, Givenchy, etc. (excepté Dior pour lequel est demandé un supplément de 100 F) ; le forfait « social » à 170 F, monture plus simple (15 modèles au choix) et de bonne qualité courante. Pour les verres spéciaux (teintés, à double foyer ou varilux), on demande un supplément, forfaitaire lui aussi. Enfin pour les enfants un forfait à 220 F (verres incassables).

OPTIQUE MAZET

● **6e** - *10, rue de Buci (326.28.25).*

Là où Marat imprimait ses affiches révolutionnaires, l'Optique Mazet vole au secours des mal voyants en leur proposant des lentilles cornéennes, des lunettes à montures transparentes ou « rétro », dont s'ornent parfois des nez célèbres (de Françoise Mallet-Joris à Marlène Jobert, et de Montand à Signoret). Casse, vol et perte sont garantis à 50 % pendant un an.

POUILLOUX

● **8e** - *28, rue Boissy-d'Anglas (265.86.10).*

Inventeur des fameuses lunettes de sports d'hiver « Vuarnet » et anti-phares qui portent son nom.

MAROQUINERIE

ÉTIENNE AIGNER

● **8e** - *3, fg Saint-Honoré (742.90.27).*

Somptueuse et nouvelle boutique où l'on peut rêver d'horizons lointains et de croisières autour du monde devant une luxueuse malle-cabine à 15 000 F. Très beaux bagages rigides en cuir clouté (2 000 F environ la valise de dimensions moyennes), lourds, d'un goût très sûr, mais il faut toutefois supporter qu'ils soient marqués — comme tant d'autres — du sigle de la maison. Un rayon de vêtements de cuir (bottes, vestes, etc. pour hommes et pour femmes) aux tons assortis à ceux des bagages — on ne peut être plus simple ni plus raffiné.

LA BAGAGERIE

● **6e** - *41, rue du Four (548.85.88).*
● **8e** - *13, rue Tronchet (265.03.40).*
● **15e** - *Tour Montparnasse (538.65.53).*
● **16e** - *74, rue de Passy (527.14.49).*

Bonne adresse et vaste choix de sacs jeunes, jolis et pas trop chers (en chèvre, en chevreau, en box ou en lézard) et de bagages légers et pratiques. Soldes intéressants en janvier et en juillet.

CASSEGRAIN

● **8e** - *84, Champs-Elysées (256.13.03).*
● **15e** - *20, av. de Suffren (566.77.43).*

Ancienne maison d'articles de fumeurs reconvertie dans la maroquinerie. Très grand choix d'élégantes valises en nylon bordé de cuir (1 000 à 1 200 F) ou en cuir à coins de métal doré (1 700 à 2 200 F), souvent munies de fermetures à combinaison. Les vendeuses recommandent les valises en nylon (elles ne se rayent pas) et rigides (elles protègent mieux les vêtements). Pour les jeunes gens, un modèle en toile de jean, et pour l'avion (à toute épreuve mais très lourde), une valise américaine en aluminium doré, à un prix très doré lui aussi : 2 500 F.

CÉLINE

● **6e** - *58, rue de Rennes (548.58.55).*
● **8e** - *24, rue François-1er (225.81.81).*
● **16e** - *3, av. Victor-Hugo (501.79.41).*

Très jolies (et classiques) pochettes en toile (240 F), en cuir (640 F) ou en autruche (1 200 F) : elles existent en plusieurs coloris. Les sacs « à main » ou « à bandoulière », remarquables pour la qualité de leurs peaux et de leurs finitions, sont vendus à des prix exorbitants et ont l'inconvénient d'être bien souvent ornés d'un lourd fermoir doré frappé au sigle de la maison (qui n'est pas bien joli). L'accueil des vendeuses est rarement gracieux : ne les dérangez pas pour un simple renseignement.

CHICHEN-ITZA

● **1er** - *231, rue Saint-Honoré (260.80.16).*

C'est le fournisseur de Balenciaga. Il réalise sur mesure et dans tous les coloris le modèle de votre choix : en box (1 000 à 1 500 F environ) ou en crocodile (à partir de 6 000 F). Tous les fermoirs sont en plaqué or.

CHRISTIAN DIOR

● **8e** - *26, av. Montaigne (256.74.44).*

Une nouvelle annexe Dior, où voisinent désormais les sacs, chaussures et bagages, certains fâcheusement marqués aux initiales de la maison. Mais c'est au 30, avenue Montaigne (au rez-de-chaussée de la grande boutique Dior) que sont vendus les modèles les plus luxueux — et exclusifs — de Christian Dior : les somptueux bagages en marocain anglais « grain d'orge », vert mousse ou fauve (4 800 F la valise rigide de 70 × 50 cm, 1 800 à 3 000 F le sac « squaremouth »). Ou encore les plus jolis sacs de la collection. Les plus chers aussi...

COACH BAG

● **6e** - *23, rue Jacob (326.29.17).*

Les célèbres sacs de sport et sacoches américaines Coach Bag, en cuir naturel. Très jolis, bonne finition, mais chers (580 F environ un sac en bandoulière de taille moyenne).

AUX ÉTATS-UNIS

● **1er** - *229, rue Saint-Honoré (260.73.95).*

Valises françaises et américaines, mais l'aimable patron de ce petit magasin, bon commerçant et bon patriote — même s'il a placé sa maison sous la bannière des États-Unis — recommande les premières. Les bagages, en nylon plastifié (noir, marron, bleu marine ou beige) bordé de cuir, se signalent par leur élégance, leur souplesse et leur extrême légèreté (1 800 g environ). Les valises, pliables de surcroît et entrant les unes dans les autres, se rangent aisément. 15 modèles de sacs, pliables eux aussi, et dont les poches intérieures peuvent être exécutées à la demande. Une valise de 75 cm : 790 F.

GUCCI

● **1er** - *350, rue Saint-Honoré (296.89.89).*
● **8e** - *27, fg Saint-Honoré (296.81.89).*

Sacs classiques fabriqués à Florence et vendus ici de 500 à 12 000 F. Beaux bagages en sanglier, en toile, en veau : valises (de 900 à 1 800 F), sacs de voyage, de tennis, de golf, sacs pour les fourrures, etc. (à partir de 450 F).

GERMAINE GUÉRIN

● **1er** - *243, rue Saint-Honoré (260.08.74).*

L'élégance de ses sacs de grande tradition assure — justement — sa célébrité. Sacs que vous n'aurez aucun mal (si vous n'avez pas de soucis d'argent) à assortir aux chaussures du bottier Hellstern installé à la même adresse.

HERMÈS

● **8e** - *24, fg Saint-Honoré (265.21.60).*

Nous enfoncerons des portes ouvertes en disant qu'Hermès pratique des prix parmi les plus fous de Paris. Mais il serait scandaleux de notre part de taire l'extrême qualité des cuirs et le soin avec lequel les artisans de la maison découpent les peaux, ajustent et cousent (à la main) les sacs — dont les prix s'échelonnent entre 940 F (en box) et 11 000 F (en crocodile de Singapour) — et les bagages, qui portent — discrètement — sous le rabat la signature Hermès. La série de bagages « de prestige » (entièrement faite à la main : 7 500 F la valise de 75 cm) n'est certes pas à la portée du premier venu, et il s'en « écoule » fort peu, de l'aveu même des vendeurs. Les valises courantes, si l'on peut dire, en toile et vache, en vache, ou en veau grainé, semi-rigides et exécutées partiellement à la main, sont toutefois d'un prix plus abordable (2 500 à 3 200 F), compte tenu de leur remarquable qualité. L'accueil, toujours parfait, est celui d'une grande maison. Soldes en mars et en octobre. Voir aussi « Vêtements et articles de sport - Equitation ».

Un bon "chinois" : voir p. 115.

LANCEL

● **6e** - *43, rue de Rennes (222.94.73).*
● **8e** - *4, Rond-Point des Champs-Elysées (225.18.35).*
● **9e** - *8, pl. de l'Opéra (742.37.29).*
● **17e** - *Palais des Congrès (758.24.26).*

Sacs et bagages en cuir, toile et cuir, nylon et cuir, bien conçus et à des prix très convenables. Beaucoup de créations nouvelles chaque année, souvent réussies, mais gagnées elles aussi par la maladie du sigle.

Un chirurgien pour votre sac

ROBERT DIOT

● **15e** - *22, rue de la Croix-Nivert (783.79.12).*

Cette vénérable maison fondée en 1900 a plus d'un tour dans son sac, dont celui de réparer le vôtre, que ce soit un sac de dame, une serviette d'école ou d'affaires, une valise de cuir, etc.

PARSAC

● **8e** - *31, rue Marbeuf (225.60.21).*
Au rez-de-chaussée dans la cour.

M. Hass se charge de toutes réparations (et transformations) de maroquinerie, dans la journée si vous êtes pressé, en deux semaines au maximum si le travail est important. Il recoud les portefeuilles, répare les poignées de valise, change les fermetures à glissières des blousons ou des bottes, teint à l'échantillon sacs et chaussures défraîchies, et transforme à merveille (c'est sa spécialité) les sacs en crocodile dont la forme a cessé de vous plaire.

SYLVAIN LEFEBVRE

● **6e** - *108 bis, rue de Rennes (548.54.08).*

Cette nouvelle (et aimable) boutique vend des bagages Bree, en cuir piqué façon sellier, importés d'Allemagne. De là, sans doute, le sérieux et la bonne finition des valises (de 1 160 à 1 340 F) qui existent en trois coloris : noir, cognac et acajou. Serrures solides à combinaison. Deux très beaux modèles d'« attaché-case ».

MAQUET

● **8e** - *45, rue Pierre-Charron (256.36.45).*

Voir « Papeteries ».

MORABITO

● **1er** - *1, pl. Vendôme (260.30.76).*

D'admirables sacs en crocodile (à partir de 4 000 F) y voisinent avec des sacs en box et toile (de 500 à 2 000 F) et des articles de voyage portant le sigle de la maison pour ceux et celles (ils sont légion) qui ne craignent pas de porter les couleurs de leur fournisseur. Dans la boutique de bijoux, on trouve les très jolies montres de Pascal Morabito.

LA PEAU DE PORC

● **7e** - *240 bis, bd Saint-Germain (548.81.17).*
● **8e** - *67, fg Saint-Honoré (266.67.73).*

Maroquinerie classique. Bons bagages de toutes dimensions aux tons chauds de la peau de porc. Valises à partir de 1 100 F. Sacs de voyage bien conçus à partir de 400 F.

RENARD

● **7e** - *3, pl. du Palais-Bourbon (551.77.87).*
Atelier à droite au fond de la cour.

Jean-Pierre Renard, authentique sellier, conçoit et réalise des sacs d'un extrême bon goût et d'une finition admirable. Cousus à la main, en crocodile : de 2 400 à 3 900 F ; en box, en autruche, en lézard, en toile et cuir, et même en éléphant (de 850 à 1 500 F). Modèles disponibles immédiatement, ou prêts en 15 jours à 3 semaines tout au plus.

RIA VIALE

● **8e** - *31, av. Matignon (225.04.39).*

Ria Viale dessine ses modèles originaux et les exécute sur mesure avec un soin extrême. Les fermoirs sont souvent des bijoux anciens. Michèle Morgan et Lauren Bacall sont des fidèles de la boutique, qui réalise également toutes les commandes spéciales, en particulier pour des films ou des pièces de théâtre.

SELLERIE MALAKOFF

● **16e** - *91, av. Raymond-Poincaré (727.16.82).*

Bagages de bonnes marques. Valises rigides en toile grainée brune bordée de cuir « dans le goût Vuitton » qui a fait très largement école (à partir de 750 F), et toute une série de valises à roulettes incorporées qui permettent de se passer des services de plus en plus incertains d'un porteur. 1 170 F la valise. 540 F le sac à roulettes.

SELLERIE SAINT-GERMAIN

● **7e** - *256, bd Saint-Germain (548.07.46).*

Spécialiste du « cousu-main » classique et soigné. Jolies valises en toile et cuir, sacs en vache, petits articles en phoque et en box.

LOUIS VUITTON

● **8e** - *78 bis, av. Marceau (720.47.00).*

On a vu, revu, copié les célèbres initiales LV entrelacées dont sont toujours couverts les bagages de Vuitton, « malletier depuis 1854 ». Nous en sommes un peu lassés. Cela dit, si vous voulez vraiment avoir la valise, chère, de tout le monde, levez-vous de bon matin et rendez-vous avant 10 heures avenue Marceau. Vous y ferez démocratiquement la queue — une queue ordonnée par un caporal parfois revêche. C'est seulement quand votre excitation sera tombée et votre patience prouvée, que vous serez admis à admirer, voire à acheter, une superbe valise que vous aurez bien du mal à retrouver par la suite dans les aérogares hantées par ses sœurs innombrables. De celles-ci, la vôtre différera seulement par la serrure (une, unique, par client) et éventuellement par vos initiales (posées gratuitement, ici comme partout ailleurs). Valises rigides (toile collée sur contreplaqué et cuir) : 2 900 F en 70 cm. Valises souples (toile et cuir) : 1 400 F en 70 cm.

MERCERIES, BOUTONS

AU BON GOÛT

● **16e** - *1, rue Guichard (288.61.68).*

Bien connue des élégantes industrieuses de l'arrondissement, cette mercerie, plus que centenaire, possède une quantité confondante de boutons, galons perlés, guipures et broderies anglaises, passementerie de toutes sortes, et même, pour les grands soirs de l'Opéra, des plumes d'autruche et des hauts perlés à faire pâlir le firmament.

Rubans et faveurs

BONNET-MAZAUD

● **3e** - *325, rue Saint-Martin (272.35.82).*

Belle et ancienne maison, spécialiste des rubans, faveurs, tulles, fils d'or et d'argent, vendus en gros (25 m au minimum). L'accueil y est aimable : entrez-y comme Cendrillon ou Crainquebille, vous en sortirez comme Escarbagnas ou Mascarille.

LA BOUTIQUE DES BOUTONS

● **6e** - *110, rue de Rennes (548.34.85).*

Des milliers de boutons, classiques et fantaisie. Des accessoires de mode : boucles, ceintures, bijoux, des ouvrages de dame, et des vendeuses très aimables qui vous conseillent judicieusement.

BOUTON D'OR

● **8e** - *27, rue Vignon (742.44.15).*

Vous trouverez dans cette petite boutique avenante tous les boutons choisis par les couturiers pour leurs collections, des boucles de ceintures, des galons, etc. Boutons teints à l'échantillon en 24 h et ceintures faites à vos mesures en peau ou en tissu.

AU FIL D'ARIANE

● **8e** - *40, rue de Ponthieu (225.10.02).*

Boutons, galons, dentelles, broderies anglaises, etc. choisis et proposés ici par une femme de goût.

AU GANT D'OR

● **16e** - *118, av. Victor-Hugo (727.06.46).*

Au Gant d'Or : pour doigts de fée. Cette excellente mercerie de (beau) quartier ne désemplit jamais, ce qui donne à penser que les dames du 16e arrondissement ont conservé le goût de coudre et l'art de ravauder. Elles trouvent aussi leur compte à se fournir ici en bons sous-vêtements classiques en laine, coton ou soie, et en jolies blouses « de service » en zéphyr rayé (gris, bleu ou rose) à parements de piqué blanc, vendues 160 F environ (tabliers assortis).

Aux enfileuses de perles

LUKES

● **3e** - *9, rue Meslay (272.11.17).*

Une mirifique profusion de perles, pierres et verroteries, et toutes fournitures pour la bijouterie « fantaisie » ou de bazar. L'apothéose de la pacotille. Pour le bonheur des Iroquois, des clowns blancs et des sirènes de music-hall.

LA PERLOTTE

● **6e** - *54, rue Notre-Dame-des-Champs (325.04.88).*

A quelques pas d'Assas (la faculté) et de Sion (le pensionnat Notre-Dame), c'est assez dire l'assiduité d'une clientèle de jeunes filles qui viennent faire provision ici de perles, paillettes et autres accessoires permettant de briller en société pour trois fois rien. Aide et conseils sont donnés gracieusement aux apprenties-bijoutières. La maison vend aussi des franges de perles toutes enfilées pour orner un abat-jour, un rideau ou une robe comme au temps des Années Folles.

ROUGIER ET PLÉ

● **3e** - *13-15, bd des Filles-du-Calvaire (272.82.90).*

Perles de bois (vendues par 20, 100 ou 1 000 unités), perles de verre (vendues au poids) et tout ce qu'il faut pour les assembler et confectionner quelques bijoux de plus ou moins haute fantaisie.

RÉJANE HÉRITIER

● **16e** - *15, rue Daumier (647.85.35).*

Mme Réjane Héritier, qui a travaillé « dans la couture », saura vous conseiller utilement dans le choix de boutons, galons, passementeries (pour les robes et pour l'ameublement), etc.

RÉNOVEX

● **17e** - *29, rue de Lévis (227.21.91).*

L'ancienne Mercerie de la rue de Tocqueville s'est installée une rue plus loin. Toujours un choix remarquable de boutons, fils, passementeries, patrons, etc.

PARAPLUIES

ANTOINE

● **1er** - *10, av. de l'Opéra (296.01.80).*

Bonne et fort ancienne maison. Ses fondateurs (en 1740), mari et femme, établis de part et d'autre du Pont-Neuf, louaient aux passants un parapluie le temps de passer le pont sans être mouillé. On l'empruntait rive droite pour le rendre rive gauche et vice-versa. Depuis les travaux du baron Haussmann, leurs successeurs, établis avenue de l'Opéra, ne louent plus mais vendent toutes les formes et toutes les sortes de parapluies : de poche, de sac, de jardin, télescopique, etc. A partir de 50 F.

MADELEINE GÉLY

● **7e** - *218, bd Saint-Germain (222.63.35).*

Madeleine Gély vous aidera avec beaucoup de gentillesse à choisir le pommeau, ancien ou moderne, qui s'accordera le mieux à votre style et le tissu qui fera de votre parapluie un exemplaire unique. Elle vous proposera des modèles spécialement conçus pour le golf, la pêche ou les réceptions. Elle habille aussi de shantung, de dentelle ou de tissu assorti à celui de la robe les ombrelles les plus romantiques. Elle vend également des parasols pliants, dans un étui de toile, très faciles à porter, des cannes utilitaires, de la plus simple à la plus précieuse et des cannes-sièges pour les visiteurs de musées ou les promeneurs, et aussi de ravissantes cannes anciennes.

LAFARGE

● **9e** - *40, rue Vignon (742.25.97).*

Vieille maison fabriquant des cannes et des parapluies très classiques en soie (450 à 850 F) ou en coton. Des parasols également, jusqu'à 2,50 m de diamètre, qu'on peut aussi commander dans le tissu de son choix.

Pour retrouver rapidement une adresse consultez l'index, p. 641.

TISSUS

ALEXANDRA

● **8e** - *95, fg Saint-Honoré (266.62.91).*

Zéphyrs, viyellas, tissus de Liberty, voiles suisses et une fine toile de lin italienne (Bisso), unie ou brodée à la machine, parfaite pour faire des nappes (120 F le m en 180).

BOUCHARA

● **3e** - *7, pl. de la République (272.63.69).*
● **9e** - *54, bd Haussmann (280.66.95).*
● **15e** - *330, rue de Vaugirard (828.13.76).*
● **16e** - *57, rue de Passy (525.74.46).*
● **17e** - *8-10, av. des Ternes (754.63.35).*

Une grande maison à multiples succursales. Beaucoup de choix, de jolies choses et de moins jolies. Tous les prix, et souvent de bonnes et même très bonnes affaires.

DREYFUS

● **18e** - *2, rue Charles-Nodier (606.56.34).*

Voir « Décoration de la maison - Tissus d'ameublement ».

MAX

● **8e** - *70, Champs-Elysées (225.10.70).*

Max a pris feu l'été dernier mais sera refait à neuf quand vous lirez ces lignes, avec le même choix étonnant de tissus parmi lesquels, si vous avez l'œil, vous dénicherez ceux des collections des couturiers. Vendeuses aimables et de bon conseil. Soldes intéressants (décembre et juin).

PASSY TISSUS

● **16e** - *8, rue Guichard (525.28.57).*

Des « Liberty » exclusivement, mais plus jolis les uns que les autres.

PEINTURE

● **7e** - *18, rue du Pré-aux-Clercs (548.18.52).*

Un choix étourdissant de tissus imprimés Liberty (et ceux-là seulement), en coton, en laine, en soie et en toile pour l'ameublement.

REINE

● **18e** - *5, pl. Saint-Pierre (606.02.31).*

Plus élégant et plus cher que Dreyfus, son voisin. Le choix, quoique fort important, est également moindre, mais les tissus sont généralement suivis.

RODIN

● **8e** - *36, Champs-Elysées (359.58.82).*

Moins de choix que chez son voisin Max, mais on y fait aussi de très bonnes affaires.

LA SOIE DE PARIS

● **2e** - *14, rue d'Uzès (508.12.21).*

Choix énorme de jersey, du plus fin au plus épais, en banlon, coton, mohair, angora, laine, uni, rayé, imprimé (de 30 à 150 F le m) et aussi des coupons vendus au poids (48 F le kilo).

TISSROY

● **16e** - *97, av. Victor-Hugo (727.61.01).*

Une toute petite boutique mais un joli choix de tissus utilisés par les grands couturiers et en provenance des meilleures maisons : Dormeuil, Abraham, Moreau, Burg, etc. Soldes intéressants. Accueil et conseils excellents.

Services

BLANCHISSERIES

AMBROSINI

● **8e** - *17, rue de Lisbonne (522.81.73).*

Louise Ambrosini repasse le linge fin avec des fers de fonte chauffés à l'ancienne (au coke). Elle traite admirablement les stores et voilages et accepte de repasser le linge lavé qu'on lui apporte.

BLANCHISSERIE DE L'ÉGLISE

● **16e** - *2, rue Corot (288.86.56).*

Le linge fin de la paroisse y est lavé et repassé à la main et les robes de baptême y sont délicatement apprêtées.

BLANCHISSERIE DES ÉTUDIANTS

● **6e** - *7, rue de Condé (633.14.40).*

Si les étudiants du Quartier latin ne pratiquent guère la maison, en revanche Jean-Marie Rivière, du Paradis Latin, confie ses chemises à la patronne, une amoureuse du beau linge délicatement repassé, qui se trouve être également la mère de Jean Bouquin. Dans sa boutique à la devanture charmante, quatre blanchisseuses en jolie blouse rose exécutent un travail impeccable et rapide. Tout est lavé et repassé à la main : robes de baptême, dentelles, fins rideaux, etc.

FLORENT

● **8e** - *273, rue Saint-Honoré (260.14.93).*

Maison de (grand) luxe pour les nappes et les voilages les plus fins. Livraison gratuite.

LAVOIR DU MARCHÉ LENOIR

● **12e** - *9, rue de Cotte (343.15.08).*

Un des derniers vieux lavoirs de Paris. Le dernier peut-être à garder son drapeau de zinc à l'entrée. En voilà un que vous ne serez pas tenté de mettre dans la poche. Mais où se procure-t-on des battoirs?

LES LINGÈRES DE PARIS

● **92 Boulogne** - *129, rue d'Aguesseau (605.45.66).*

Les blanchisseuses attitrées de la maison Porthault comptent parmi leurs clients de grands hôtels, tel le George-V, de grands restaurants, tel La Tour d'Argent, des personnalités (la princesse de Monaco et les Rothschild). Toutes les pièces de qualité — et même le linge moins fin — sont traitées une à une, lavées à la « portheline », une poudre qui ravive les couleurs sans user les tissus, et repassées à la main. A tout cela s'ajoute deux avantages : le ramassage et la livraison à domicile. Prix raisonnables compte tenu de la qualité du travail.

PALADINI

● **16e** - *77, rue Chardon-Lagache (527.06.29).*

Linge fin, nappes délicates, robes de baptême sont traités ici avec d'infinis égards. Pas de livraison à domicile.

SORET

● **8e** - *24, rue Boissy-d'Anglas, cité Berryer (265.77.28).*

Au 2e étage à gauche.

Une maison pour messieurs seulement. Sa réputation n'est plus à faire : elle avait déjà la « pratique » de tous les grands personnages de la IIIe République : hauts fonctionnaires, industriels, généraux, ministres et plusieurs présidents de la République. Le blanchissage des trousseaux d'hommes reste sa grande affaire. En particulier les chemises de smoking et d'habit, gilets d'habit, faux-cols empesés (mais non glacés). Elle travaille également pour les grands chemisiers. Livraison à domicile.

VENDÔME

● **1er** - *24, rue du Mont-Thabor (260.74.38).*

Mousseline, linon, batiste, soie et dentelles n'ont pas de secrets pour les blanchisseuses de fin de cette remarquable maison. Non plus que glacés, tuyautés, plissés ou amidonnés pour les repasseuses, formées à la bonne école, qui travaillent dans l'atelier au premier étage sur la cour. Elles feront merveille des chemises d'homme, des blouses et des déshabillés, des parures de lit et des nappes que vous voudrez bien leur confier et que Madame Elise vous fera livrer à domicile sous huitaine.

CORDONNERIES

ARSÈNE

● **9e** - *40, rue de Dunkerque (285.43.52).*

L'esprit souffle sur son alène qu'il tire jusqu'à la perdre dans le cuir des princes et des gueux.

CENTRAL CRÉPINS

● **3e** - *48, rue de Turbigo (272.64.68).*

La maison date de 1900. M. Bodet qui la tient depuis 35 ans est l'un des rares à Paris et en banlieue — sinon le dernier — à vendre des crépins, c'est-à-dire les outils et accessoires pour cordonniers, ou simplement pour ceux qui veulent réparer eux-mêmes leurs chaussures. Il menace parfois de fermer boutique, mettant ainsi au désespoir une clientèle fidèle qui ne rechigne pas à se salir un peu les mains et qui vient se fournir ici en lacets, semelles intérieures, compensées, en cuir, en caoutchouc, etc. ; et aussi en sabots dont la maison s'est fait une spécialité annexe.

CLARASO

● **9e** - *34, rue Godot-de-Mauroy (742.49.79).*

Ce ne sont pas les dames qui battent la semelle autour de cette cordonnerie qui ont assuré la réputation et la fortune de la maison, mais le sérieux et la qualité du travail d'André Paulin. Sur simple coup de téléphone, il fait prendre les chaussures à domicile et les rapporte de même. Sa manière de monter et démonter les bottes et les souliers, de réparer les sacs et les vêtements de peau est certainement inimitable. Les prix sont évidemment en rapport avec ce savoir-faire exceptionnel.

CORDONNERIE VANEAU

● **7e** - *44, rue Vaneau (222.06.94).*

Les clients et les clientes de M. Despicht lui sont extraordinairement fidèles (tel ce prince saoudien qui vient quatre à cinq fois l'an lui porter 20 à 30 paires de chaussures à chaque visite, pour en faire ajuster les talons à la hauteur très précise de 4,5 cm qu'il vérifie lui-même, paire après paire). Ils ont bien raison, car le travail de ce cordonnier « agréé » par Lobb, Berluti, Saint-Laurent, etc. est exceptionnellement soigné. Il effectue avec les meilleurs cuirs et peaux tous les remontages et ressemelages, adapte les bottes et les chaussures à vos mesures, les rétrécit, les élargit, change la totalité des talons de femmes (et pas seulement la semelle), bref remet à neuf vos « gants de pied » selon les vieux usages d'autrefois. Prend et livre à domicile.

PIGEON

● **9e** - *28, rue Rodier (878.03.10).*

Habile et consciencieux, il répare aussi bien les chaussures de chez Weston (ou autres bonnes maisons) que les délicates bottes cavalières.

LE RESSEMELAGE PARFAIT

● **17e** - *7, rue Berzelius (229.24.89).*

L'enseigne n'est pas trompeuse. Demandez donc à M. Harteloup de vous montrer, à l'occasion, sa petite collection de chaussures miniatures.

AU TALON QUI DURE

● **16e** - *5, rue Géricault.*

Honnête et sérieux — sauf avec les dames pour qui il reconnaît avoir quelques faiblesses —, un cordonnier de légende travaillant à la petite semelle dans son « palace » qui, bêtement, nous a paru grand comme un cagibi.

RETOUCHES

CERTAINS **Inno** (Maine et Passy) et **Prisunic** (Caumartin, Courcelles, Crimée, Italie II, Saint-Augustin, Ternes, Vaugirard, Boulogne) possèdent un bien pratique atelier de retouches rapides, faites dans la journée ou pour le lendemain : 16 à 20 F pour coudre un ourlet, 17 à 25 F pour remplacer une fermeture à glissière, 25 F (et plus) pour rétrécir le tour de taille d'une jupe, 60 F pour la doubler (fournitures non comprises) et 6 F pour terminer des rideaux.

Dans les **Euromarché,** mêmes services mais délais plus importants (4 ou 5 jours), car les retouches ne sont pas faites sur place, et prix souvent inférieurs : 50 F pour doubler une jupe, fournitures comprises.

Voici aussi quelques autres bonnes adresses spécialisées dans les retouches ou la couture à façon :

FOURRURE I. PIERRE

● **16e** - *12, rue Jean-Bologne (527.45.62).*

Une bonne adresse sérieuse pour les petites et grosses réparations et les transformations de vos vêtements de fourrure. Devis préalables.

KIMON

● **7e** - *24, av. de La Bourdonnais (705.10.86).*

Ce Grec volubile et charmant fait toutes les retouches sur les vêtements masculins et féminins et aussi des modèles à façon avec les tissus qu'il fournit (laine, cachemire, soie des collections de couturiers) ou ceux qu'on lui apporte. Une bonne adresse.

MERMOZ RETOUCHES

● **8e** - *21, rue Jean-Mermoz (225.73.36).*

100 F environ pour refaire un pantalon, 85 F pour l'ourlet d'un manteau, 155 F (et plus) pour une retouche sur un vêtement de cuir. Transformations sur devis et avec essayage.

MICKEY KERVAREC

● **8e** - *9, fg Saint-Honoré (265.25.68).*

Jupes, pantalons (700 F) et blazers (1 400 F) sur mesure, dans un tissu que vous choisissez sur place. 15 jours de délai.

PARKER RETOUCHES

● **12e** - *34-36, av. Ledru-Rollin (307.46.99).*

Maurice Parker allonge, raccourcit, élargit et rétrécit tous les vêtements, même ceux en peau. Sa femme, elle, tient brocante la porte à côté.

PATRONS FORTIN

● **1er** - *4, rue Croix-des-Petits-Champs (260.70.30).*

Apportez un dessin, une photo, un modèle et les très charmantes dames de la maison confectionneront sur vous en un tournemain et à vos exactes mesures le patron de votre choix : 50 F pour une jupe, 80 F environ pour une robe ou un manteau. La coupe du tissu peut également être faite sur place : dans ce cas, les prix sont doublés. Essayage : 30 F.

POIVRE ET SEL

● **8e** - *15, rue Tronchet (265.31.54).*
Au 3e étage dans la cour.

Deux jeunes stylistes vous proposent des modèles — constamment renouvelés — qui seront exécutés à vos mesures dans un des tissus de leur collection. 8 à 15 jours de délai et des prix raisonnables (une robe en coton : 500 à 600 F, en soie naturelle : 800 F environ). Mais vous pouvez aussi apporter un croquis ou une photo et votre propre tissu.

ZOZO

● **1er** - *21, rue Pierre-Lescot (233.28.41).*

Entrez chez Zozo une pièce de tissu sous le bras et venez rechercher une semaine plus tard (un essayage) une robe (200 F de façon) ou une jupe (150 F), taillées à vos mesures d'après un des 500 modèles jeunes et gais de la maison.

TEINTURERIES

DELAPORTE

● **8e** - *62, rue François-Ier (359.82.11).*

Le teinturier de Dior, Balmain, Nina Ricci, Scherrer et de la présidence de la République. Stoppages miraculeux. Repassage aérien des dentelles anciennes. Livraison dans les 7e, 8e, 16e, 17e arrondissements et à Neuilly.

FLORENT

● **8e** - *273, rue Saint-Honoré (260.14.93).*

Robes du soir, fourrures, vêtements de cuir et de daim, tapis précieux seront ici nettoyés avec le plus grand soin. Livraisons gratuites.

HALLU

● **7e** - *45, av. de La Motte-Picquet (734.64.20).*
● **7e** - *203 bis, bd Saint-Germain (548.83.72).*
● **8e** - *139, fg Saint-Honoré (563.74.99).*
● **20e** - *68, bd Mortier (360.94.73).*
● **20e** - *118, rue des Pyrénées (370.93.93).*

Maison sérieuse et fort ancienne (elle fut fondée sous Napoléon III) à laquelle vous confierez sans crainte votre robe de soie — ou les tentures de votre salon (devis gratuits).

Remmaillage

PARIS-REMMAILLAGE

● **1er** - *29, rue des Petits-Champs (297.53.49).*

La maison Nibelle reprise, remmaille, stoppe avec adresse les accrocs en tous genres, réajuste, retouche et rectifie les vêtements. Elle est pratiquement la seule boutique de France spécialisée dans le « raccoutrage », c'est-à-dire la réparation des vêtements de maille (cachemire, shetland, jersey, etc.) et elle travaille régulièrement pour les grands teinturiers parisiens (Pouyanne, Delaporte, Rebiscoul, Starisky, Anne Leduc, etc.). Petites réparations de couture, fines reprises du linge de maison, fourniture de plissés et incrustations dans tous tissus.

REMMAILLAGE TRONCHET

● **8e** - *24, rue Tronchet.*

Les touristes japonais affectionnent particulièrement le « mitraillage » de la dame qui, enfermée dans sa vitrine sur le bord du trottoir, remmaille à longueur de temps et avec agilité les bas et collants. Celle-ci travaille remarquablement bien et, qui plus est, est fort aimable. Elle répare aussi tricots et vêtements de jersey.

HUGUET

● **16e** - *47, av. Marceau (720.23.02).*

Depuis plus d'un siècle comme en témoigne la façade et la décoration d'origine (1870), on s'y consacre au nettoyage, à l'égalisage et au repassage, spécialement des robes du soir perlées et pailletées, qui seront, si vous le désirez, prises à domicile et rapportées gracieusement.

ANNE LEDUC

● **16e** - *12, rue Léonce-Reynaud (720.54.35).*

Une bonne adresse pour le nettoyage à la main des vêtements de grands couturiers. On vient les prendre à domicile et on vous les rapporte dans la semaine, impeccables et superbes.

GERMAINE LETOURNEUR - LESÈCHE

● **8e** - *11 bis, rue de Suresnes (265.12.28).*
● **17e** - *8, bd de Courcelles (924.24.33).*

Les travaux délicats sont sa spécialité : nettoyage des vêtements de peau (mais celui, souvent aléatoire, des gants n'est pas garanti), des fourrures, des robes du soir pailletées ou perlées, teinture des cuirs, etc. Prix élevés mais justifiés. Livraisons à domicile.

PARFAIT

● **8e** - *57, bd Haussmann (265.34.23).*

On ne saurait rien ajouter au nom de cet « élève » du grand Pouyanne. Livraisons gratuites à Paris et dans la proche banlieue.

POUYANNE

● **8e** - *28, av. Franklin-Roosevelt (359.03.47).*

Le médecin des robes fragiles et des tapisseries de valeur. Les « élèves » de Pouyanne ne se comptent plus. Livraisons gratuites.

STAR (REGNARD-REGNIER)

● **8e** - *27, rue d'Anjou (265.05.99).*
● **13e** - *Centre commercial Galaxie, niveau 1, 30, av. d'Italie (580.17.06).*

La société Star gérée par M. Lesèche — de la célèbre famille de teinturiers — a ouvert depuis 76 un pressing-blanchisserie-teinturerie au centre Galaxie, avec des installations des plus perfectionnées où la machine remplace souvent le travail à la main. Deux formules : l'une « économique », l'autre « de luxe et à la main ». Spécialiste du daim, de la fourrure, du cuir et de l'ameublement.

STARISKY

● **8e** - *12, rue George-V (359.75.71).*

Tous les nettoyages sont faits à la main. Vous pouvez donc lui confier tout ce que vous possédez de plus fragile.

Mode masculine

TAILLEURS ET GRANDS TAILLEURS

ANDRÉ BARDOT

● **16e** - *19, av. de la Grande-Armée (500.25.02).*

Ici, on rêve encore du temps où venait se vêtir la bande à Cocteau dont Jean Marais reste le dernier fidèle. A la boutique quelques accessoires, entre autres les fameux polos et sous-vêtements suisses Zimmerli ; en montant au premier étage, au rayon grande mesure, prenez garde de ne pas faire tomber le dangereux chandelier moyenâgeux qui doit dater du temps de La Belle et la Bête, et où sont misérablement disposées quelques cravates. Grand tailleur sans doute (tissus anglais : prix moyen 4 500 F) mais les temps ont changé, l'ange Heurtebise est mort, et vous ne recontrerez ici ni parents, ni enfants terribles.

BUNTLEY

● **8e** - *35, Champs-Elysées (225.59.36).*

On sait ici de père en fils, de quoi est fait un vêtement. Vous essaierez un complet parfaitement fini devant un paysage breton qui ne projette pas d'embruns et un lustre à breloques qui tintinnabulent au rythme de la circulation élyséenne. Tissus d'origine anglaise, petit atelier ; soyez confiant, cela vous ira même si ce n'est pas à la dernière mode. Entre 3 500 et 4 000 F.

MARCEL BUR

● **8e** - *138, fg Saint-Honoré (359.45.68).*

Le maître du « Saxbury », un tissu imaginé par M. Marcel, comme on l'appelle dans la maison : un mélange de peigné et de cardé de laine qui lui donne une souplesse et une solidité à toute épreuve (très belle gamme de dessins et de coloris). M. Marcel connaît son métier sur le bout de l'aiguille, et il vous convaincra avec son admirable accent des marches françaises de l'est. Au total, une très bonne maison, où vous paierez un costume 3 100 F et une veste de cachemire 1 700 F. Exigez les détails que vous désirez ou ne désirez pas ; M. Marcel aime un peu trop les surpiqûres, mais ses vêtements sont bien faits et vous en aurez pour votre argent.

CAMBOURAKIS

● **6e** - *97, bd Raspail (548.22.23).*

Une longue histoire en forme de légende grecque que celle de la famille Cambourakis, venue de Salonique pour s'installer avant 1914 à Paris. Tout le monde tirait l'aiguille à l'époque, mais la vie et les temps ont changé, et le dernier des Cambourakis est le seul présent de cette grande lignée. Dans sa boutique un peu désuète du boulevard Raspail, règne toujours la ferveur du métier. Bonne coupe classique, solides et beaux tissus anglais. Un complet 3 500 F.

CAMPS DE LUCA

● **8e** - *11, pl. de la Madeleine (266.40.01).*

M. de Luca, un Romain chaleureux et plein de talent, sait immédiatement ce qui va vous aller. Il le sait parce qu'il à l'œil, et le bon. Ici sont passés en apprentissage les meilleurs de ce métier de tailleur et aussi quelques couturiers devenus célèbres, tel Ungaro. Une coupe irréprochable, des tissus d'origine anglaise pour la plupart, et choisis avec passion. De Luca est connu dans le monde entier qu'il sillonne à la demande des grands, des gros et des argentés d'Argentine ou d'ailleurs pour prendre leurs mesures. Il est l'âme de ces salons un peu rétro de la place de la Madeleine. C'est sans aucun doute un des grands et il n'en existe plus guère. Prix moyen : 5 500 à 6 000 F pour un complet deux pièces, mais c'est un Camps de Luca !

CHAUMARD-SCHLÉRET

● **8e** - *7, rue d'Artois (359.17.66).*

Encore un ancien de chez Camps de Luca. M. Chaumard a l'amour de son métier et, dans cet appartement un peu triste de la rue d'Artois, il vous reçoit avec une si grande gentillesse que l'on a envie, tout de suite, de se faire faire un complet. Il a beaucoup de métier, mais il aimerait tant pouvoir sortir des vêtements classiques que sa clientèle lui demande, et lui redemande. Une très bonne coupe, de bons tissus anglais. Prix : 4 000 F.

CIFONELLI

● **8e** - *31, rue Marbeuf (225.38.84).*

Chez Cifonelli, la mode dépasse la mode.

« Un » Cifonelli a une tombée, un dos, une manche et une épaule inégalés. Ce Romain, Parisien depuis 1926, est à classer en tête de la profession, et si vous devez (ou pouvez) mettre 6 000 F dans un costume, courez donc chez lui. Votre Cifonelli sera comme une seconde peau, vous ne le sentirez pas sur vous et, fait rare et sublime élégance, vous n'aurez pas l'impression de porter un vêtement neuf. Accueil à l'italienne dans tout le bon côté du terme, tissus de provenance anglaise et, pour l'été, un peu d'italien bien sûr. On peut regretter l'importance des dessins de la moquette des salons qui ne nous semble pas être le « support » idéal pour essayer un vêtement.

COURTÈS

● **8e** - *33, rue Marbeuf (225.04.81).*

Vous serez reçu dans le cadre d'un appartement bourgeois un peu fatigué, où trône la photo du comte de Paris et le tableau des tarifs maison : 4 600 F le « deux-pièces ». Le grand-père ariégeois de M. Courtès tenait déjà les ciseaux ; c'est donc une famille de tradition. Installé depuis 1926, Courtès a vu défiler bien du beau monde et, en 1952, c'est le miracle : il invente une coupe secrète et scientifique qui donne le bon tombé et réduit les essayages. A recommander aux cadres arrivés sur le tard, ayant de l'appétit et de l'embonpoint.

CREED

● **8e** - *7, rue Royale (265.25.56).*

En 1760, un soir de brume à Londres, naissait la maison des Creed. Les cours royales s'en entichèrent bientôt, et Napoléon III lui décerna un grand diplôme de bon faiseur. Ils firent aussi le bonheur des dames en leur proposant, à cette époque, les premiers tailleurs. Depuis, de l'eau a coulé sous les ponts de Londres et de Paris, mais ils sont toujours présents dans ce grand appartement où les cabines d'essayage ressemblent à un ancien salon de coiffure. Peut-être est-ce là la raison qui les ont poussés vers les savons et les eaux de toilette, excellentes (vingt-cinq senteurs différentes dans de beaux flacons). Ceci pourrait devenir une grande affaire et relancer ce nom si parfait. Les complets ne méritent pas autant d'éloges : ils sont coupés dans de remarquables tissus anglais, mais il leur manque la touche « british ».

MAX EVZELINE

● **8e** - *103, fg Saint-Honoré (359.09.84).*

M. Max, dont le père était « dans la casquette », a fait le tour du monde sur le vaisseau amiral Edgar-Quinet comme tailleur de la marine française (demandez-lui donc ses amusantes photos souvenirs). C'est aussi un peintre du dimanche : ses œuvres à la facture tendre, naïve et un brin prétentieuse sont accrochées aux murs. Yeux rieurs et malins, enveloppé comme un maître du bistouri dans une blouse blanche, il exerce aujourd'hui son métier avec son fils, dans la tradition de la bonne coupe, dans de bons tissus anglais. Prix moyen : 5 000 F (finitions à la main).

FERUCH

● **8e** - *35, rue François-Ier (265.65.43).*

« Le vêtement est ma seconde nature ». Ainsi parle Gilbert Feruch, ce passionné de la coupe : c'est un des grands de la profession. Des vêtements en tissus anglais, aux finitions parfaites et d'une grande souplesse. Aux murs des œuvres d'art de la collection Feruch : amateur éclairé, et un peu mécène à ses heures. Prix moyen : de 5 000 à 5 500 F.

CHARLES HUTMAN

● **12e** - *40, rue Taine (307.59.52).*

Les pilotes d'Air France dont il est le tailleur officiel doivent beaucoup de leur prestance à son coup de ciseaux précis. De fil en aiguille, impressionnés par l'élégance des navigants, les passagers lui commandent des costumes, coupés artisanalement, en vraie mesure, qui ont la qualité « Faubourg » sans en avoir le prix. Beaucoup d'hommes politiques et de journalistes apprécient également ses costumes légers en prêt-à-porter.

LANVIN

● **8e** - *15, fg Saint-Honoré (265.14.40).*

Hors de prix et hors du temps, un costume de Lanvin ne se remarque jamais : c'est sa gloire et sa punition. Lorsque vous serez élu à l'Académie Française, téléphonez à M. Deschamps qui, avec son équipe de coupeurs, vous mettra au vert (avec une facture, également immortelle).

MANO

● **8e** - *38, rue de Penthièvre (562.07.09).*

Les Dinopoulos sont tailleurs depuis trois générations et M. Mano a abandonné l'appartement de papa Dinopoulos pour une petite boutique où il a su, avec bonheur, ajouter à son rayon « mesure » de bons articles pour hommes en provenance d'Angleterre. Tissus d'origine britannique, travail très soigné, prix étudiés : c'est le début d'un certain succès. Avec son œil de velours, M. Mano vous attend et, même si vous ne lui prenez qu'une cravate, il sait qu'il vous coupera un jour un complet ! Prix moyen : 3 500 F.

OPELKA, CUMBERLAND ET DEBACKER

● **16e** - *26, av. Kléber (500.68.48).*

Ce fut, en son temps, un célèbre trio de maîtrestailleurs : le Viennois Opelka s'installa à Paris en 1934, Cumberland débarqua de Londres avec les Creed en 1854, et Debacker arriva de son Danemark natal en 1874 ; voilà pour la petite histoire et pour satisfaire votre curiosité. M. Alexandre préside, dans son bien agréable rez-de-chaussée de l'avenue Kléber, aux destinées de O.C.D. et, coupeur de grand talent, il travaille avec autant de bonheur les tissus anglais que les légères soies italiennes. Prix moyens : 5 000 et 5 500 F le costume trois pièces.

PAUL PORTES

● **1er** - *194, rue de Rivoli (260.55.34).*

Tailleur de père en fils, M. Portes dont nous aimons le goût et la coupe vous recevra dans un très agréable appartement dont la vue admirable vous fera découvrir le jardin des Tuileries et une partie du Louvre. Son choix de tissus anglais est remarquable et un complet sortant de ses ateliers est tout à la fois confortable et élégant. Prix moyen : 5 000 F. Un Portes, comme un grand cru, vieillit bien.

CLAUDE ROUSSEAU

● **8e** - *279, rue Saint-Honoré (260.84.03).*

Dans ce clair appartement de la rue Saint-Honoré, vous serez agréablement reçu par la toute charmante et rousse Mme Rousseau. M. Claude est un très bon ciseau, ancien élève, lui aussi, de Camps de Luca. Il a beaucoup de talent, utilise des tissus anglais et des soies italiennes et, miracle dans cette profession, il fait des vêtements non doublés et légers (nous en avons pesé un : 750 grammes seulement, qui est merveilleusement fini). C'est aussi l'un des rares à suivre l'évolution du vêtement masculin, trop souvent figé par l'habitude. Prix moyen : 5 000 F.

HENRI URBAN

● **8e** - *8, rue Marbeuf (359.00.97).*

Derrière ses lunettes, les yeux vifs de M. Henri Urban vous jugent et vous jaugent. Formé par Camps de Luca, il connaît son métier et — est-ce en hommage à Christian Dior? — son appartement porte les couleurs de la maison de l'avenue Montaigne : le gris et le blanc. Costumes classiques, bien faits, dans des tissus de provenance britannique, mais ce n'est pas « la coupe » de foudre ! Prix de base : 4 600 F.

PAUL VAUCLAIR O'ROSSEN

● **8e** - *10, rue Royale (260.58.43).*

Depuis 1933, M. Paul habille les importants de ce monde. Si vous êtes élu à l'Académie, sachez que votre habit vert vous reviendra ici à 30 000 F, bicorne en supplément. Paul Vauclair a de nombreuses fonctions officielles, dont la présidence nationale et internationale de la Fédération des tailleurs. Il croit encore à ce métier, qu'il défend avec vigueur et foi dans son royal appartement de la rue du même nom. Ses tissus proviennent d'Angleterre, sa coupe se conforme à votre corps, dont, au préalable, on a fait le « moule de travail » pour réduire les essayages. Coupe classique pour conseil des ministres. Show business et minets s'abstenir. Prix moyen : 5 000 F.

BOUTIQUES DE PRÊT-A-PORTER

ARNYS

● **7e** - *14, rue de Sèvres (548.76.99).*

Avec un coup d'œil inimitable et aussi de merveilleux tweeds et des coupeurs d'élite, Jean et Michel Grimbert sont les artisans d'une nouvelle entente cordiale. Ils ont su, en effet, angliciser la mode continentale et continentaliser la mode anglaise, de telle façon que lorsqu'on sort de ce très beau magasin aux murs lambrissés, on se sent à la fois Sherlock Holmes et Hercule Poirot. Nos deux anglomanes sont aussi, évidemment, de grands cavaliers. Au premier étage, où l'on vous prend vos mesures pour, par exemple, une veste de sport en cachemire assez époustouflante ou un costume de ville pas ennuyeux pour deux sous (enfin, c'est une façon de parler car vous le paierez environ 2 000 F), vous admirerez, des bottes à la selle, la plus belle panoplie dont un homme de cheval puisse rêver. Au rez-de-chaussée, un bon choix de chemises en prêt-à-porter et un rayon de cravates assez maigre.

CHRISTIAN AUJARD

● **6e** - *15, rue de Tournon (325.64.50).*

Une boutique bien agréable, avec ses étagères et ses tables de loupe blonde, le tout dans une harmonie de beige doux qui met en valeur les modèles de la collection. Style ample, quelquefois un peu trop pour les vestes, voire les blousons, les chemises et les pantalons, et de très bon pull-overs. Sportswear de luxe pour directeur artistique d'agence de publicité qui a l'intention de montrer au client qu'il est dans le coup. Une très bonne adresse. Prix assez élevés.

MICHEL AXEL

● **6e** - *121, bd Saint-Germain (326.01.96).*

Dans cet enfer de la fripe qu'est devenu le noble Faubourg, Michel Axel est un des seuls fréquentables. Vitrines toujours très bien faites, illustrant une certaine façon de voir et de concevoir la mode pour une certaine clientèle et un certain type d'hommes : ceux qui laissent voler l'écharpe avec négligence et portent le bonnet de laine à la Jack Nicholson. Intérieur agréable en pin blond. Un bon choix de pull-overs, pantalons et blousons. Prix dans le vent.

BELLINI

● **8e** - *Galerie Point Show, 66, Champs-Elysées (359.66.38).*

Style « Naples au baiser de feu ». C'est un peu voyant, mais si vous aimez vous vêtir d'une façon un peu « typée » dans une bonne qualité et coordonner les accessoires, Bellini est fait pour vous. Il vous proposera même la chaussure fine et pointue.

BENETTON

● **6e** - *47, rue Bonaparte (326.39.74).*
● **6e** - *61, rue de Rennes (544.15.86).*
● **8e** - *84, Champs-Elysées (359.93.98).*

Des pull-overs, encore des pull-overs, toujours des pull-overs. Ces Italiens, avec toutes les boutiques qu'ils ouvrent, sont en passe de devenir les empereurs du cachemire pas cher. Un choix de coloris merveilleux, mais attention à l'usage et au lavage façon madame Denis.

BERTEIL

● **8e** - *3, pl. Saint-Augustin (265.28.52).*

Nos grands-pères s'y chapeautaient de feutres et de casquettes avec beaucoup de bonheur. Le temps aidant, Berteil a évolué en se tournant vers des spécialités britanniques et le magasin est presque digne de Burlington Arcade, à Londres. Berteil est d'ailleurs « Appointed by Austin Reed of Regent Street ». Ce n'est pas un grand point, mais un bon point. Vous y trouverez la marque Aquascutum, de très bonnes chemises, des cravates club, des pull-overs et des chaussettes de la marque Pantherella et un très bon choix de vêtements et vestes de sport. Comme pour grand-papa, les chapeaux (et les casquettes aussi) sont livrés dans le fameux carton rond aux armes de Berteil. Très bonne adresse en vérité. Il est simplement triste de constater que l'architecture du magasin, surtout à l'extérieur, ne correspond pas au style de ce que l'on vous propose. Berteil is good for you.

BONPOINT

● **7e** - *69, rue de l'Université (551.09.09).*

Papa, maman, la nurse et moi... Maman m'y a choisi mes premières brassières, la nurse me les a enfilées, papa les a payées. La boucle est maintenant bouclée : papa peut, lui aussi, s'y habiller. C'est un petit magasin pour papa sage (chemise Lacoste, blazer bleu marine, mocassins Church's et chemise à rayures bleu ciel naturellement). Bon ton, bon chic, bon genre, bon point, mais un seulement, et ne mérite pas encore la médaille. Doit faire encore des progrès.

BURBERRYS

● **8e** - *8-10, bd Malesherbes (266.13.01).*

L'imper des impers, la Rolls des impers, le « King » des impers. Tout a été dit sur le fameux trench de Thomas Burberry qui équipait déjà en 1914 les officiers de Sa Très Gracieuse Majesté. Les temps ont changé, l'empire n'est plus, mais celui de Burberry's règne toujours sur nos pluies et nos jours. Ce trench est le seul, le vrai ; on regrette simplement qu'on lui ait enlevé les anneaux et les larges surpiqûres à la ceinture. Choisissez-le en coton véritable, plus cher, mais quelle merveille ! En entrant dans cette noble maison, on est envahi par une débauche d'écossais, et la tête vous tourne en constatant que la fameuse doublure a été mise à toutes les sauces anglaises. C'est tout juste si on ne vous la propose pas en caleçon. Suivez le guide au rez-de-chaussée, voyez les impers, « le » trench et les classiques ; n'oubliez pas les réversibles qui sont les meilleurs que l'on puisse trouver à Paris, et aussi les casquettes, les pull-overs et les chemises, les bonnets écossais, les écharpes et les plaids : tout cela est parfait. Cela se gâte un peu au rayon vestes « sport » et complets. Nous regrettons que le choix ne soit pas plus rigoureux dans un style plus british. Une succursale dans le 16e : Scotch House, 56, rue de Passy (288.88.24).

CACHAREL

● **8e** - *34, rue Tronchet (742.13.63).*
● **6e** - *30, rue de Buci (354.88.27).*
● **17e** - *Palais des Congrès, porte Maillot (758.21.51).*
Et Forum des Halles, niveau - 3.

Au Palais des Congrès, deux étages de galeries marchandes et beaucoup de tailleurs-chemisiers-habilleurs pour les passagers étrangers en transit, mais rien pour vous, sinon une boutique Cacharel Hommes ; ce n'est pas si courant. Mode décontractée, tissus bien choisis, coupe en amélioration. On a changé de modéliste chez Cacharel Hommes, et les résultats sont probants.

PIERRE CARDIN

● **8e** - *59, fg Saint-Honoré (266.92.25).*

Si vous aviez oublié que Pierre Cardin fait aussi des vêtements, cette boutique, troisième monument de la place Bauveau avec l'Elysée et l'Intérieur, est là pour vous le rappeler. Boutique pour homme, pour superman plutôt puisque l'hiver 1979/80 va vous voir avec des épaules de déménageurs culturistes. C'est de là que, de son poids considérable, Cardin pèse sur la mode masculine mondiale. Des jeunes gens blasés mais efficaces proposent de quoi vêtir avec la dernière élégance et des pieds à la tête, une clientèle dont les poches sont aussi rembourrées que les épaules.

CERRUTI

● **8e** - *27, rue Royale (265.68.72).*

Malgré les excès de ses nouvelles collections, Cerruti reste l'une des meilleures adresses de Paris. Nous vous recommandons les gros pull-overs et les cardigans, mais pas du tout les chemises. Les cravates sont belles de matière et de coloris. Choisissez les vêtements classiques ou légèrement « déstructurés », mais attention ! ne vous laissez pas aller vers les trop grandes fantaisies de coupe. Tissus de haute qualité et une des plus belles et des plus solides flanelles que vous puissiez trouver. Tenues du soir toujours amusantes, mais pour un soir. Quand les vendeurs ne sont pas énervés, ils sont charmants, et quand ils sont énervés, il sont quand même charmants, mais sur les nerfs ! Des vitrines qui vous donnent l'envie de faire un tour à l'intérieur (qui avait bien besoin d'être repeint, mais cela est fait). Prix justes pour la qualité et la création.

CHARVET

● **1er** - *8, pl. Vendôme (260.30.70).*

Depuis des années Charvet règne sur le monde de la chemise. Il faut savoir avec quelle passion M. Colban choisit ses coloris, avec quel amour il palpe ses pièces de popeline, pour comprendre pourquoi les chemises de Charvet sont uniques et irremplaçables. Rien n'est laissé à l'improvisation et la plus petite des coutures est parfaite (en prêt-à-porter ou sur mesure). De très jolis carrés et pochettes de soie, de vrais caleçons pour les amateurs, des cravates aux dessins très quatrième République pour ministres sans portefeuille. Magasin agréable, vendeurs un peu compassés.

CIFONELLI Boutique

● **8e** - *33, rue Marbeuf (359.39.13).*

Cifonelli est un très grand tailleur, et on ne peut qu'être assez déçu par la boutique qu'il vient d'ouvrir. De bons vêtements qui viennent d'Italie, qui singent un peu la coupe du maître, mais sans en avoir la ligne. Choix pas très large et tout ce qui n'est pas « tailleur » n'a rien d'admirable. Enfin, vous pourrez quand même avoir la griffe Cifonelli sur votre veste ou votre pardessus : pour les dames du vestiaire de chez Maxim's, c'est un bon point.

COURRÈGES

● **8e** - *40, rue François-1er (261.52.03).*

Si vous aimez une certaine façon d'être « sport », si vous aimez le blanc (merci d'essuyer vos pieds avant d'entrer et de ne pas fumer), si vous êtes d'accord pour porter « du » sigle et « du » label, une casquette américaine modifiée à la visière, si vous aimez les Matra blanches et les Ford Capri roses, c'est une adresse pour vous.

DANIEL CRÉMIEUX

● **8e** - *6, bd Malesherbes (265.96.15).*

Une toute petite boutique très agréablement aménagée. Une mode pour le sport et les loisirs. Une majorité d'articles venant d'Italie, sélectionnés avec un goût très sûr dans des coloris sobres et des matières de très grande qualité : vestes sport, chemises, pull-overs, cravates et des accessoires inédits. Le tout à prix très convenables. A noter, donc, sur votre carnet d'adresses.

DELAUNAY

● **6e** - *159, bd Saint-Germain (548.37.80).*

CHARLES BOSQUET

● **8e** - *13, rue Marbeuf (359.65.75).*

BARNES

● **16e** - *61, av. Victor-Hugo (500.98.10).*

HARRISON

● **16e** - *130, rue de la Pompe (727.96.62).*

La recette pour réussir, la voici : vous avez du goût, une grande connaissance « du » métier, vous ouvrez un magasin (d'autres par la suite) discrètement tapissé de peintures en demi-teintes et de bois — patinés de préférence. Vous sélectionnez des vendeurs compétents et aimables (espèce rare aujourd'hui). Vous choisissez de nombreuses coupes de tissus de texture et de coloris différents pour la ville et pour le « sport-habillé ». Vous exposez sur des portants des séries de vêtements bien coupés et vous lancez un département de vêtements « aux mesures ». Vous y ajoutez un vaste choix de cravates, de pochettes, et de chemises, dans le même esprit que celui de vos tissus. Voici pourquoi ces quatre boutiques bien différentes mais travaillant de connivence, font un succès d'une formule unique en son genre à Paris. Soyez cependant attentif à l'arrondi de la veste et à la tombée des fentes dans le dos que nous vous conseillons d'ailleurs de faire supprimer. Enfin, pour les amateurs, signalons les chemises « Arthur Fox » à col boutonné, réplique parfaite de celles de chez Brooks Brothers, avec souplesse du col et pli dans le dos. Quatre très bonnes adresses, donc, avec peut-être une petite préférence de notre part pour Harrison.

CHRISTIAN DIOR

● **8e** - *30, av. Montaigne (256.74.44).*

A gauche en entrant, si vous passez par la grande porte de la boutique Dior (mais une entrée directe au 13, rue François-1er). Admirez au passage les somptueux bagages (exclusifs) en maroquin anglais, vert mousse ou fauve, vendus fort heureusement dans le C.D. habituel mais à prix Dior tout de même. Traversez la boutique des cadeaux (les vendeuses sont ravissantes) et tournez à droite : vous êtes au département des hommes. Vaste salon en rotonde éclairé par une verrière, musique douce, vendeurs attentifs et discrets juste ce qu'il faut. Vous trouverez ici un choix assez limité de vêtements classiques sans être ennuyeux, de très élégantes chaussures, un bon rayon de chemises et les plus jolis caleçons de Paris en fin Liberty à fleurs (175 F). Succursale assez morne et de moindre intérêt au 12, rue Boissy-d'Anglas, 8e (256.74.44).

Vêtements d'été en hiver

EM-MANUEL

● **8e** - *16, rue La Boétie (265.47.26).*
● **17e** - *30, av. de la Grande-Armée (380.09.30).*

Si votre femme a retenu des places pour la croisière de Noël du Renaissance vers des horizons chauds et si, à cette date, vous avez l'angoisse de ne pas trouver le petit costume léger pour admirer avec Emmanuelle le soleil couchant sur Miami, c'est la bonne adresse. Em-Manuel vous propose toute l'année des vêtements d'été à des prix pont-promenade.

SPORT ET CLIMAT

● **7e** - *223, bd Saint-Germain (548.80.99).*

Si vous êtes un partisan du stylo colo-para modifié safari Kenya, sachez que Sport et Climat vise le tropical. Ici, même au cœur de l'hiver, vous trouverez la saharienne ou la chemise à pattes d'épaules où vous pourrez glisser vos galons pour rendre visite à quelque Majesté africaine. Prix de saison.

ÉLYSÉES-SOIRIES

● **8e** - *65, Champs-Elysées (359.24.39).*

Un vieux roi des Champs-Elysées, qui a su traverser toutes les époques, en sachant avec discernement et goût ce qui allait plaire à ses clients. La chemise a été et est encore un des moteurs de cette boutique célèbre. Vous y trouverez également des imperméables, quelques bons vêtements et tous les accessoires qui feront de vous un Elyséen. On y habille les grands, les plus grands et les très grands et, si vous êtes du Quai, votre nouveau patron vous saluera d'un bon œil car ici vous pourrez, d'année en année, renouveler votre garde-robe sans qu'elle se démode et sans que cela se remarque. Tout le monde est très aimable et connaît, depuis longtemps, son métier. Nick Louvier pourrait quand même s'offrir un jour un décor un peu plus imaginatif. Une très bonne adresse des Champs. Prix très compétitifs.

PIERRE FAIVRET

● **1er** - *165, rue Saint-Honoré (260.68.29).*

Si, vous aussi, vous voulez être désigné comme l'homme le plus élégant de Paris : c'est la bonne adresse. Cela vous montera à la tête et nous tapera dans l'œil. Pierre Faivret est la boutique des toujours jeunes passionnés de la Comédie-Française. Mérite le déplacement si vous êtes curieux et si vous raffolez de la chemise à jabots ou si vous voulez faire des folies pour la première des tournées Karsenty.

FERUCH

● **8e** - *35, rue François-1er (256.65.43).*

La réussite de Gilbert Feruch fait penser à Chagall. Un petit tailleur qui monte au ciel des grands et n'en revient pas d'être en leur compagnie, avec ses ciseaux et sa machine à coudre sous le bras. Ce nouveau magasin est sans doute l'aboutissement d'un complexe dont on est venu à bout. Un « département » réservé aux hommes, avec peu de modèles mais bien sélectionnés ; du sur mesure également, dont Feruch est un maître. Une autre partie du magasin est consacrée aux femmes, hélas pour elles : à part les excellents tailleurs, le reste est une catastrophe. N'est pas Jacques Fath qui veut. Accueil charmant. Prix très au-dessus de la moyenne.

ALAIN FIGARET

● **2e** - *17, rue de la Paix (261.62.35).*

Toutes les formes de chemises et de cols. Un choix très grand dans des tissus très au-dessus de la moyenne. Style hyper-classique pour cadre ayant le désir de passer à l'échelon supérieur et voulant se hausser du col. Bonnes cravates et prix « étudiés ».

GARY

● **8e** - *73, Champs-Elysées (359.77.76).*

Chez Gary on connaît son client et ses désirs. Des vêtements justes à la mode, mais classiques. Bons prix et bonne qualité et des costumes « wash and wear » tout l'année. Une bonne adresse sans surprise et sans coup de foudre.

GIVENCHY Gentlemen

● **8e** - *8, av. George-V (259.63.20).*

Une boutique trop méconnue pour un nom très connu. Dans un cadre agréable et de bon ton, tous les grands classiques, mais choisis avec beaucoup de goût et de tact. Pas un très grand choix, mais tout ici est de qualité. Une très bonne adresse. Prix en rapport avec la griffe.

DORIAN GUY

● **8e** - *36, av. George-V (359.45.48).*

Succursale de luxe d'Elysées-Soieries. Ici, une

clientèle fidèle de messieurs arrivés qui veulent retrouver, en compagnie de Nick, le temps de leur jeunesse. Comme ils ont un peu forci en grandissant, ils savent que, pour eux, il y a un rayon grande taille. Luxe et confiance, donc. Des prix assez élevés, de beaux tissus pour des complets classiques et fantaisie. On peut faire faire sa cravate dans le tissu de sa chemise (si on aime ça...).

DANIEL HECHTER

● **6e** - *146, bd Saint-Germain (326.96.36).*
● **8e** - *50, Champs-Elysées (225.05.02).*
● **8e** - *13, fg Saint-Honoré (225.59.65).*
● **16e** - *71, rue de Passy (288.01.11).*
Et Forum des Halles, niveau - 1.

Cinq boutiques où les vêtements sont presque identiques. Nous vous parlerons ici de l'avant-dernière-née, celle des Champs-Elysées, car c'est une réussite. Premier étage bien agréable à parcourir et consacré aux hommes. Des vestes sport et « déstructurées », sans doublure, dans des tissus chauds et chaleureux, du velours à grosses et fines côtes. Mode sport et « dans le coup », mais sans excès. Quelques bonnes chemises avec des pull-overs dans les mêmes tons ; une unité dans le choix, un style. Prix un peu au-dessus de la moyenne, mais cela en vaut la peine. Pas l'ombre d'une faute ni d'un penalty pour cette récente boutique Daniel Hechter. Très bon accueil.

HÉMISPHÈRES

● **17e** - *22, av. de la Grande-Armée (380.25.00).*

Les premiers transfuges des Halles. La marche vers l'ouest en baskets vient de commencer, mais elle peut se faire également en bottes texanes que vous trouverez dans ce magasin au merveilleux décor des années trente. Choix « à la mode » pour les décontractés et les snobs de la simplicité. Bonneterie U.S., pantalons français, pull-overs anglais, tous les alliés de la Grande-Armée sont présents, sauf les Belges. Jetez un œil sur les manteaux réversibles, les casquettes et les bonnets. Mérite un bivouac, mais ce n'est pas la victoire en souriant quand on demande un renseignement. Valises U.S. « Aliburton », série acier or, à recommander à vos amis photographes s'ils sont bien en règle avec la douane pour leurs appareils.

HIPPOLYTE

● **6e** - *19, rue de l'Ancienne-Comédie (354.67.35).*

Dans tout le lot des tontons fringueurs du boulevard Saint-Germain et des rues qui le jouxtent, la meilleure des adresses dans ce style bien particulier où la vitrine est faite pour donner à rêver à ceux qui se prennent pour Delon ou Belmondo. Une bonne marchandise, des prix « placés » et des accessoires qui feront chanter le tout, pour si, ce soir, on danse.

HOLLINGTON

● **6e** - *9, rue Racine (326.57.91).*

Vous avez l'intention de manifester avec des écologistes chics pour le Larzac, pour le solaire et contre la pollution des scooters : Hollington c'est dans l'air et c'est pour vous. Vous pourrez garder la même tenue pour le cocktail donné par Le Sauvage et les défenseurs de la forêt de Saint-Cucufa. Nous vous signalons le gilet à 18 poches qui vous permet de ne pas savoir dans laquelle vous avez mis vos clefs. Un bon choix dans le genre toile de lin et velours. Une boutique « sympa » !

HOLMES

● **16e** - *22, av. Victor-Hugo (501.70.22).*

Dans ce très bon et très honnête magasin on vient de père en fils se vêtir de complets et de manteaux dont la qualité, la coupe et les prix sont « bien étudiés ». Par les temps qui courent, c'est plutôt rare. Fantaisistes s'abstenir. Maison de longue confiance.

HONEST

● **8e** - *37, rue Marbeuf (225.87.27).*

Le sportswear de « l'homme tranquille », des matières de plein air, de bons pull-overs, des duffle-coat solides, des chapeaux en tweed, des chemises douillettes. Vous pouvez descendre de votre vieille Bentley décapotable pour choisir votre garde-robe ici. Prix agréables et très bonne qualité.

MARGARET HOWELL

● **6e** - *68, rue Bonaparte (634.75.17).*

Après Sa Majesté la Reine, après l'élection de Madame la nouvelle Premier ministre, voici encore une Anglaise qui, sur le continent cette fois, vient se pencher sur notre habillement. Tout ici est, paraît-il, pensé par Margaret : ce n'est ni travailliste ni conservateur, c'est simplement agréable, sauf les vestes dont la coupe ne nous a pas paru excellente. Peu de choix, mais tout est assez raffiné. Vous pouvez entrer, on « speak » français. Doit encore faire ses preuves pour nous conquérir.

ISLAND

● **1er** - *3, rue Montmartre (233.15.74).*

Pour les mordus du col de chemise, voici une très bonne adresse. Un très grand choix de formes à la mode, des tissus et des coloris remarquables. De bons pull-overs et des accessoires peu nombreux, mais toujours originaux. N'attendez pas qu'ils aient trop de succès pour leur rendre visite. De vrais pros, vraiment gentils : c'est agréable et rare.

JAEGER

● **8e** - *3-5, fg Saint-Honoré (265.22.46).*

Si nous n'aimez pas le ton « camel », ne poussez pas la porte de chez Jaeger... Dans cette boutique de ladies, un petit département pour les hommes : pull-overs, vestes, manteaux, cravates et chemises, tout en couleur camel et, en attendant que l'on veuille bien s'occuper de vous, vous pouvez en griller... une camel « of course ». Les prix ont augmenté, la livre aussi, les camels également.

KERRINGTON

● **16e** - *133, rue de la Pompe (553.12.12).*

Quelle était belle la librairie que Kerrington a remplacée... Souvenirs, souvenirs... Kerrington se veut Anglais, nous voulons bien ne pas le contrarier; alors, si vous désirez le petit costume de tweed, la petite casquette, la petite chemise à carreaux, l'écharpe et la cravate club, vous en sortirez comme un enfant de Dickens qui aurait réussi.

LANVIN

● **8e** - *15, fg Saint-Honoré (265.14.40).*

Académiciens, c'est ici que vous viendrez vous faire tailler votre habit vert. Vous pourrez également commander du civil, voire des chemises et des cravates. Tout est de très bonne qualité, mais pour qui ? Prenez l'ascenseur : au second étage, il y a le département Gelot, dont nous regretterons toujours la si belle boutique de la place Vendôme. Il en a coiffé de plus célèbres que vous et, avec son talent et son goût, il reste le premier bon faiseur de couvre-chefs de Paris.

LANVIN 2

● **1er** - *2, rue Cambon (260.38.83).*

Lanvin 2, c'est du sérieux. Si vous roulez en 604 Peugeot, venez vous habiller ici. Des vêtements discrets, de bon aloi et de bonne coupe, avec tout pour les faire chanter : cravates, chemises et pochettes. On aimerait quand même un petit effort côté « sport-ville » ou sportswear tout court, et un regard plus attentif sur l'évolution de la mode masculine. A part cette remarque importante, Lanvin 2 est une bonne adresse. Tout le monde y est compétent et vous accueille d'une façon très aimable.

TED LAPIDUS

● **6e** - *52, rue Bonaparte (325.15.79).*
● **8e** - *37, av. Pierre-Ier-de-Serbie (225.52.44).*
● **8e** - *23, fg Saint-Honoré (226.69.30).*
● **16e** - *6, pl. Victor-Hugo (704.41.20).*

Si vous êtes un adepte du fameux blazer Ted Lapidus qui a fait son succès, vous pourrez venir ici avec votre flacon de Miror pour astiquer tous les boutons qui s'y trouvent accrochés. On est devenu quand même un peu plus avare sur toutes les petites découpes, les surpiqûres et les pattes d'épaules. Lapidus, c'est un style, et il a ses amateurs. Voyez les blousons, les cabans, les sahariennes et quelques bons vêtements plus sobres maintenant. Les accessoires restent ce qu'ils ont toujours été : assez peu discrets, tels les bagages. Prix assez élevés mais les grands hôtels dont la clientèle compte en pétro-dollars ne sont pas loin.

MARCEL LASSANCE

● **6e** - *17, rue du Vieux-Colombier (548.29.28).*

Quand on est le chouchou des rédactrices de mode, quand on a du goût par-dessus les pardessus, les vestes, les pull-overs, les pantalons et les chemises, quand enfin on sélectionne avec clairvoyance de bons articles made in Italy, on a tout pour réussir. Donc, c'est une bonne adresse que celle du beau Marcel. Attention pourtant : l'éventail des tailles est un peu réduit et ce qui pourrait vous plaire risque de ne pas se trouver dans votre conformation. Style souple et élégant. Il suffirait que l'on soit un peu mieux accueilli quand on n'est pas de la « bande à Marcel » pour que tout soit parfait.

TED LENGLEY

● **8e** - *Galerie du Lido, 76, Champs-Elysées (359.75.35).*

Les nostalgiques des années trente savent que la première galerie des Champs n'est plus ce qu'elle était. Ce grand boyau sent la pizza réchauffée et le café brésilien. Seul, Ted Lengley nous semble digne d'être signalé. De bonnes griffes (sans doute un peu trop vouées au gris et au bleu) et de bons accessoires. En outre, le seul magasin à Paris à posséder cette espèce en voie de disparition : un cireur. Vendeurs aimables qui vous convaincront de la qualité de ce qu'ils vous proposent.

PHILIPPE MAEDER

● **1er** - *9, rue de la Cossonnerie (508.93.03).*

Très joli petit magasin où vous pourrez choisir des vêtements doux et décontractés. Des griffes à la mode, comme Jef Sayre et autres. Peu de choix, mais du très bon dans ce style. Prix du cours des halles et des matières premières.

MAXIM'S L'HOMME DE LA NUIT

● **8e** - *82, fg Saint-Honoré (265.99.14).*

Tout comme sa voisine plus ou moins alimentaire de l'autre côté de la rue de Duras, cette boutique Maxim's est surtout un show-room où sont exposés, pour les commerçants désireux de les vendre sous licence des vêtements signés Maxim's, choisis ou conçus par Pierre

Cardin. Ce sont principalement des vêtements du soir, pour jeunes gens minces, d'une élégance exquise, plus à la mode que la plus à la mode des modes. Ravissant, intime et feutré, ce magasin est néanmoins ouvert à tous et vend ses merveilles au détail. C'est le paradis pour qui ressent l'urgence d'un achat de nœud papillon, lequel coûte à peine plus cher qu'un smoking de confection. Les chemises habillées, les chaussures du soir, les costumes de noctambule alangui sont des splendeurs de goût et de qualité. Vous les trouverez également au 5, rue Royale (742.81.04) dans la seconde boutique de l'Homme de la Nuit, juste à côté de chez Maxim's (le restaurant).

MEZZO MEZZO

● **6e** - *159, bd Saint-Germain (222.99.92).*

A l'angle de la rue du Dragon. Spécialiste du style jeune et coloré, vite adopté par les gentils messieurs officiant dans les salons de coiffure féminins de la capitale. Attention! car ce sont des « leaders » de la mode. Des vêtements pour vous rajeunir, présentés avec beaucoup de goût. Au-desus de trente ans s'abstenir, à moins que vous soyez Alexandre... le grand bien sûr. Prix raisonnables.

MODERN HOUSE

● **5e** - *15, bd Saint-Michel (354.21.65).*

Dans le grand « décrochez-moi ça » du boulevard Saint-Michel, on se perd dans la médiocrité, le tape-à-l'œil, le faux-semblant et le prétentieux. Seule Modern House est une maison respectable et respectée depuis des années pour son style, sa qualité et ses prix. Mode « sport » et décontractée, spécialiste du complet de velours, des pull-overs, des chemises et des cravates. Prix étudiés pour une qualité certaine et, sur ce Boul'Mich, c'est à signaler.

FRANCK NAMANI

● **8e** - *6, rue Marbeuf.*

Petite boutique agréablement conçue. Un choix restreint de vêtements italiens, de chemises et de cravates. La griffe « Misto Seta » a un peu trop tendance à être chargée de surpiqûres ; c'est dommage. Les messieurs du Golfe, qui descendent dans les grands hôtels des alentours et qui possèdent plus de dix-huit puits, trouvent que cela fait riche.

OLD ENGLAND

● **9e** - *12, bd des Capucines (742.81.99).*

En ces temps de nostalgie, ce merveilleux magasin à l'architecture si parfaite pourrait être notre Angleterre à nous. Hélas ! « my dear », trois fois hélas ! On a déjà commencé à démolir le sous-sol, sous prétexte de faire jeune, et cela ressemble à un drugstore raté. Le rez-de-chaussée va sans doute y passer un jour. On aimerait, puisque le cadre s'y prête, se croire à Cambridge ou à Oxford, mais on est vraiment sur les Capucines, sans la danse. Bien sûr, il y a des tweeds, des vêtements prince-de-galles, des casquettes anglaises et des shoes, mais tout cela ne sent ni la lande, ni la lavande, ni le feu de bois. Un tout petit peu d'imagination, des achats peut-être mieux faits et le tour serait joué. Il y avait un rayon de bagages, avec d'admirables grands sacs souples ; ceux-ci aussi ont disparu. Quel dommage !

LUC D'ORNAC

● **1er** - *58, rue des Lombards (236.82.88).*

Pour ceux qui fréquentent les Halles et qui ne veulent pas trop avoir l'air canaille : un magasin sympathique de briques roses et de hêtre. Vous pourrez vous y habiller sans trop dépenser et le résultat ne sera pas trop mauvais. Bons vêtements classiques et accessoires bien choisis.

AU PETIT MATELOT

● **16e** - *27, av. de la Grande-Armée (500.15.51).*

Ah ! qu'il était beau et jeune quand il était ancré, il y a des années, sur les berges de l'île Saint-Louis. Mais c'est toujours un bon port pour trouver un bon caban, article qui se fait rare de nos jours. Des lodens et des vestes de sport pour la chasse, des impers pour l'équitation : une fine adresse pour écolo chic. Un coup de vent du large serait souhaitable pour l'entrain et la mine des vendeurs.

GEORGES RECH

● **6e** - *74, rue de Seine (329.50.75).*

Depuis des années, Georges Rech tient une place importante dans la conception de la mode masculine. Est-ce le départ du principal de leurs stylistes ? Cette boutique est moins représentative du style Rech. Toujours est-il que depuis son ouverture, il a toujours semblé manquer une âme dans ce lieu pourtant si agréable. Des matières chaudes et bien choisies pour les pull-overs et les pantalons, quelques chemises, des blousons et souvent un beau manteau. Style « sport-ville » et résidence secondaire de luxe. Prix assez élevés mais très bonne qualité.

RENOMA

● **8e** - *19, av. Matignon (359.79.31).*
● **16e** - *129 bis, rue de la Pompe (727.13.79).*

Les turbulents frères de la rue de la Pompe ont su bien vieillir et Dieu sait si cela n'est pas facile dans le métier de la mode ! Renoma a ouvert une seconde boutique au rez-de-chaussée du coiffeur Desfossé. Pour nous, leur vraie boutique demeure pourtant rue de la Pompe, dans ce joyeux fouillis où panneaux et photos sont disposés n'importe comment et n'importe où pour vous prouver, si vous en doutiez, que l'on parle toujours d'eux et qu'ils ont toujours le vent en poupe ! Ici, on habille « jeune », même si la terminale de Janson est un lointain souvenir. Toujours une sélection très rigoureuse : de très bons pull-overs, un choix de chemises bien varié et des vêtements en définitive plus classiques qu'on pourrait le penser à première vue. Enfin, si vous avez une soirée habillée, vous trouverez toujours la tenue du grand orchestre du Splendid ou du carnaval à Rio-sur-Seine. Beaucoup d'accessoires. Un magasin vivant.

SAINT-LAURENT RIVE GAUCHE

- **6e** - *12, pl. Saint-Sulpice (326.84.40).*
- **8e** - *38, fg Saint-Honoré (265.43.76).*

Il fallait, il n'y a pas si longtemps, une taille de bergère pour se glisser dans un costume de chez Saint-Laurent. Les vendeurs, en outre, affichaient une langueur distinguée et vous donnaient l'impression d'être importun. Tout cela, fort heureusement, est en train de changer. Vous trouverez ici un choix raffiné de vêtements élégants : costumes en flanelle (1 500 F environ), chemises classiques ou non, blousons, chaussures, tenues du soir plus ou moins fantaisistes, etc., et de jolis accessoires. Les prix — compte tenu de la griffe — sont assez raisonnables.

SMALTO

- **8e** - *44, rue François-1er (359.17.56).*
- **8e** - *7, bd de la Madeleine (261.12.61).*
- **15e** - *Centre Maine-Montparnasse (528.72.34).*
- **16e** - *5, pl. Victor-Hugo (727.86.12).*

Nous ne vous parlerons que de la boutique mère, celle de la rue François-1er. Elle seule représente vraiment l'esprit Smalto, avec son jardin, ses ateliers et son département tailleur au premier étage. Au rez-de-chaussée, un grand choix d'accessoires ; au sous-sol, tous les vêtements et les pull-overs, et si vous ne trouvez pas manches à votre bras, c'est que, vraiment, vous ne savez ce que vous voulez ; et au premier, le domaine de Francesco, éblouissant tailleur (ce que l'on sait moins est qu'il habille aussi les grand mariages). Pour les vêtements de prêt-à-porter qui, en général, sont exclusifs, et viennent en majeure partie d'Italie, les retouches, très rapides, sont exécutées dans les ateliers de la maison. Personnel très compétent et aimable, prix parfaitement « placés ». Francesco Smalto est un très grand du métier et une des très grandes adresses de Paris.

Consultez le sommaire, p. 5.

SULKA

- **4e** - *2, rue de Castiglione (260.38.08).*

Une vitrine plus gaie, une boutique toujours triste, mais de bons vêtements, pour la plupart de fabrication italienne, et un joli choix d'accessoires de qualité. Les cravates Sulka continuent d'avoir beaucoup de succès auprès des dandies texans. Prix élevés.

SURPLUS AMÉRICAINS

- **8e** - *24, rue La Boétie (265.43.73).*
- **5e** - *39-41, rue de Jussieu (326.07.00).*
- **5e** - *12, rue de Santeuil (337.58.55).*

Le père Baroux fut le Mac Arthur du surplus et un pionnier de la marche de l'ouest vers l'est, c'est-à-dire vers nous. Il fallait l'entendre : on avait l'impression qu'il avait débarqués ses premiers ballots sur la côte normande avec Patton. Sa « fligth jacket » est toujours celle des pilotes des Grumman que vous pouvez assortir avec la gourde U.S. et le vrai rasoir de papa Gillette. Vestes de trappeur, jeans, boots et tout le barda. Les temps ont pu changer, mais c'est toujours ici le rêve made in U.S.A. Prix alignés sur le cours du dollar au moment des arrivages.

TAKEO KIKUCHI

- **6e** - *74, rue Bonaparte (326.03.41).*

Si vous mesurez 1,80 m sans faire monter la balance à plus de 65 kilos, vous avez toutes les chances de parvenir à vous glisser dans les tenues assez étonnantes dues au crayon acide d'un styliste japonais. Rappelons que l'on nomme stylisme ce furieux appétit de la création à tout et à n'importe quel prix : vestes-spencers, jaquettes aux poches en biais et aux manches blousantes qui donnent des silhouettes d'hyménoptères à ceux qui osent les porter. L'humour aux yeux bridés permet peut-être de tout faire passer...

UPLA

- **1er** - *17, rue des Halles (261.49.96).*

Un pionnier des Halles, un bazar au sens noble du terme, avec beaucoup de charme et toujours une idée de vêtements ou d'accessoires que l'on ne trouve pas ailleurs. Cela vous donne d'ailleurs envie de vider votre porte-monnaie. Venez y traîner avec elle ou sans elle, de toute façon c'est un repaire de jolies filles. Parfums made in England, jeans Smith, pantalons et un tas de choses bien sélectionnées selon l'arrivage des commandes passées surtout en Angleterre ou aux U.S.A. Attention ! les caramels anglais Fara sont dangereux pour votre bridge... de Londres évidemment.

VALENTINO

- **8e** - *17, av. Montaigne (723.64.17).*

Si vous osez entrer dans la princière boutique

de ce prince italien, vous y trouverez un choix assez limité, mais en général de bon ton, avec quelquefois des articles trop « ritals » dans l'extravagant. Voyez les bagages, malheureusement ornés du sigle maison : nous commençons à en avoir assez de notre condition de porteurs de label. Prix assez bien étudiés et bonne coupe pour les vestes et les complets. Accueil un peu mou.

VENTILO

● **6e** - *68, rue Bonaparte (326.30.81).*

Soyez dans le Ventilo, c'est à la mode. Ce magasin très joliment installé fait partie d'une nouvelle génération de petits points de vente avec qui il faut compter. Vestes souples, pantalons très bien coupés et quelques accessoires raffinés qui complètent avec intelligence tout ce que vous aurez envie d'acheter. Prix moyens supérieurs.

WELLS

● **5e** - *22, rue Gay-Lussac (633.66.18).*

Une boutique de quartier comme on voudrait en connaître beaucoup dans Paris. De père en fils, on est dans le métier. Tout est bien choisi : vêtements et accessoires et, l'été, de très bons maillots de bains.

GRANDS MAGASINS DE VÊTEMENTS

BRUMMEL PRINTEMPS

● **9e** - *112, rue de Provence (285.22.22) Et Forum des Halles, niveau - 2.*

Si vous ne le saviez pas, nous vous l'apprenons : Brummel-Printemps et Galeries-Galfa sont des frères ennemis. Journellement, ils s'espionnent avec leurs services comparaisons, ce qui vous donne la possibilité d'y acheter souvent les mêmes articles à des prix très avantageux. Brummel vient de se refaire une nouvelle jeunesse fort réussie. Demain, cela sera le tour de Galfa des Galeries et ainsi de suite jusqu'à la fin des fins. Cinq étages consacrés aux hommes, mais on aimerait y trouver des coins repos, des expositions, de la hi-fi. La sainte règle demeure : pas un mètre de perdu. Nous croyons toujours être dans l'ascenseur de notre enfance, avec la litanie des étages, 2e : week-end, 3e : ville décontractée, 4e : la ville. Il manque l'étage du rêve... Au sous-sol, un très bon rayon sport. A la vérité, Brummel est une excellente adresse pour ceux qui aiment le sentiment d'espace et de liberté que donne un grand magasin. Le choix est ici très important et apporte une vision assez juste des tendances de la mode. L'habillement des vendeurs, hélas, ne fait pas honneur à Brummel, qui doit froncer des sourcils dans sa tombe. Qu'attend-on pour leur offrir un costume de temps à autre ?

GALFA CLUB GALERIES LAFAYETTE

● **9e** - *38-48, bd Haussmann (282.34.56).*

Le Galfa Club des Galeries est donc le frère ennemi du Brummel-Printemps (voir ci-dessus). Nous ne vous conseillons pas d'aborder ce magasin par son rez-de-chaussée affligeant et confus, où rien ne manque, pas même la tour Eiffel souvenir. Au premier étage, dirigez-vous tout de suite vers les boutiques « sportswear » et jetez un œil sur les vêtements et chemises griffés Galfa (des affaires intéressantes). A l'étage supérieur, voyez les complets de ville avec les meilleures griffes. Dans l'ensemble, Galfa est plus petit que Brummel, et il nous semble que le choix y est souvent meilleur. Même remarque que pour Brummel-Printemps : les vendeurs, les pauvres, ne sont pas non plus ici la démonstration vivante de ce qu'ils vous proposent.

JONES

● **16e** - *39, av. Victor-Hugo (501.68.33).*

Félicitations, Mister Jones, nos enfants ne garderont peut-être pas le même souvenir ému de leur première culotte de flanelle chez vous, mais pour une fois nous n'avons pas à regretter un changement total de style. De très bons vêtements, aussi bien « ville » que « sportswear » (dont l'excellente griffe Façonnable), et des accessoires très bien choisis : par exemple les ceintures et le vaste rayon de chemises Arrow. Sûrement un des meilleurs et des plus agréables magasins de cette partie de l'avenue Victor-Hugo.

MADELIOS

● **8e** - *17, bd de la Madeleine (260.39.30).*

A cet emplacement merveilleux, dans des locaux de dimensions parfaites, Madelios aurait pu devenir l'égal du Men's store de Bloomingdale's à New York. Il est vrai que l'on y a fait des progrès depuis quelques années, mais hélas, tout cela manque de vie, d'un choix un peu plus gai, de vitrines un peu moins sages. Madelios ronronne comme un monomoteur quand il faudrait quatre forts réacteurs pour le faire décoller. De très bonne choses à tous les rayons, mais rien n'est mis en valeur.

MARKS AND SPENCER

● **9e** - *35, bd Haussmann (742.42.91).*

En compagnie des épouses anglaises des chauffeurs de l'ambassade de Sa Très Gracieuse

Majesté, vous pourrez faire une visite à ce magasin, très prisé également par les touristes de l'Europe de l'Est qui ne sont pas choqués, et pour cause, par sa grande tristesse. Un simple regard sur les pull-overs en lambswool de la marque maison — Saint-Michael — : bons prix et bons coloris.

HENRI THIÉRY

● **9e** - *45, rue Caumartin (742.76.57).*

Saluons d'abord l'effort réalisé par ce moyen grand magasin consacré aux hommes. On y trouve en effet de très bonnes griffes, telles Saint-Laurent, Daniel Hechter, Harry Lans et beaucoup d'autres, quelques accessoires bien sélectionnés ; tout ceci dans une très large gamme de prix. La mise en valeur des articles est pitoyable, la circulation mauvaise : on se croirait presque revenu au temps de la B.J. (feu la Belle Jardinière pour les connaisseurs). Au sous-sol, les vendeurs doivent manquer d'air, ou bien ils sont fatigués. En tout cas, ils sont là et las. Mérite quand même votre passage.

ACCESSOIRES

Cannes et parapluies

ANTOINE

● **1er** - *10, av. de l'Opéra (296.01.80).*

Quelques amateurs élégants viennent encore dans cette charmante et ancienne boutique négocier l'achat d'une canne — des XVIIIe et XIXe siècles — à pommeau d'or, d'argent, d'ivoire, de bois précieux ou de pierres dures, celui de cravaches anciennes (à partir de 500 F) et de bien réjouissants parapluies.

MADELEINE GÉLY

● **6e** - *218, bd Saint-Germain (222.63.35).*

Petite « grande » boutique, unique à Paris pour ses parapluies, ses manches et ses cannes. Merveilleux musée du pépin et toujours un accueil parfait.

Chapeaux

GOUJARD

● **3e** - *82, bd de Sébastopol (272.38.37).*

Les fameux chapeaux de Jean-Pierre Melville venaient de cette maison centenaire. Très grand choix de feutres et de casquettes jusqu'au 62.

MOTSCH

● **8e** - *42, av. George-V (723.79.22).*

Si vous en pincez encore pour le charme discret du feutre et du taupé, ce merveilleux magasin à la si belle façade bien conservée fera votre joie. Voir les cannes et les hauts-de-forme si vous en avez l'usage. Merci M. Motsch Fils de rester tel que l'éternité vous a créé.

Chaussures

AUBERCY

● **2e** - *34, rue Vivienne (233.93.61).*

Même si vous n'êtes pas un habitué de la Bourse ou de chez Galopin, en passant rue Vivienne, vous pourrez constater que, dans cette maison de tradition, la chaussure est traitée comme une valeur sûre et solide et que vous en aurez pour votre bourse.

BALLY

● **2e** - *35, bd des Capucines (261.67.34).*
● **5e** - *3, bd Saint-Michel (354.19.28).*
● **9e** - *14, pl. du Havre (874.52.32).*

Le meilleur Bally de ces trois adresses, entièrement consacré à l'homme, est le magasin Capucines. Les Bally sont de solides chaussures dans des formes courantes. Quelques paires portent la griffe Bally Suisse : on dit qu'elles sont à l'épreuve du temps ! Magasin qui semble un peu fatigué ; la tapisserie d'Aubusson signée Lurçat au mur ne date pas non plus d'hier. Prix dans la moyenne.

CAREL

● **8e** - *4, rue Tronchet (266.21.21).*
● **16e** - *9, av. Mozart (288.20.97).*

Chez Carel, on est de père en fils dans le trotteur et le richelieu. On a le cuir dans la peau et la forme dans l'œil. Chaque saison, c'est un plaisir de découvrir les bons modèles de la maison. De la mode, mais sans excès, et des prix toujours très justes.

CARTIER

● **8e** - *23, rue des Mathurins (260.25.85).*

Voici certainement une des meilleures adresses de Paris pour ceux qui aiment les chaussures britanniques. La gamme complète des « Church » et les très rares « Kangaroo » produites en Australie. Petit magasin à l'accueil très aimable. On regrette simplement que le style anglais de l'installation soit plus Faubourg Saint-Antoine que Old Bond Street.

CARVIL

● **6e** - *135, bd Saint-Germain (326.02.97).*
● **8e** - *67, rue Pierre-Charron (359.05.30).*
● **8e** - *22, rue Royale (260.23.06).*
● **16e** - *20, av. Victor-Hugo (500.84.21).*

Le temps est loin où Jacques Dutronc chantait les mannequins chaussés par Carvil et habillés par Cardin, mais ce nom de Carvil reste à juste titre gravé dans nos mémoires. Toujours quelques modèles élégants et de première qualité. Mme Rolande dirige la boutique de la rue Pierre-Charron avec charme et compétence, et elle vous aidera dans « le bon choix ». Même si vous lui faites faire un Rouen (en terme de métier : vous obliger à tout déballer et ne rien prendre), elle ne vous en tiendra pas rigueur. Toujours une très bonne adresse. Prix dans la moyenne élevés.

CÉLINE

● **6e** - *58, rue de Rennes (548.58.55).*

Les mocassins « classiques, simples et de bon goût » ont fait la réputation de la maison. Pourquoi changer ? D'autant que la qualité de la confection et la résistance à l'usure font passer les prix : 370 à 440 F.

CLARENCE

● **8e** - *104, Champs-Elysées (225.75.19).*

Si vous aimez les chaussures de pure fantaisie italienne, le petit bout doré sur les mocassins ou les boots ceinturés du même métal, les vernis pour parader le soir, n'hésitez pas : Clarence possède tous ces articles, avec d'autres modèles plus classiques. Les vendeurs sont si aimables qu'on ne peut leur refuser son pied.

JEAN DARCHAMPS

● **8e** - *6, av. George-V (255.56.51).*

N'a pas la place qu'il mérite. Maison discrète et de bon ton, où on a l'amour de la belle chaussure. Classique, un choix assez restreint dans des formes toujours excellentes. Prix moyens élevés.

FLASH

● **6e** - *115, bd Saint-Germain (354.56.00).*

Le patron a l'œil noir d'un passionné de chaussures : les siennes viennent d'Italie, dans un style souple, sportif et écologique. Une bonne adresse pour ceux qui s'habillent en velours et qui aiment marcher sans souffrir.

HERMÈS

● **8e** - *24, fg Saint-Honoré (265.21.60).*

Toujours un merveilleux magasin, un bazar de luxe, un petit département homme, avec du cuir, bien sûr, touchable et intouchable (pour le prix), de bons pull-overs et les mocassins Lobb série Hermès. M. Dickinson (de Lobb) est installé au premier étage. Les chaussures sur mesure de sa production sont toujours aussi extraordinaires; tant pis pour le prix : il n'y en a pas pour les œuvres d'art.

Consultez la table des matières : p. 631.

JOCELYN

● **6e** - *134, bd Saint-Germain (354.44.10).*

Si vous aimez la fantaisie débridée et à brides, les boots qui vous poussent du talon et vous donnent des centimètres, les chaussures pop, rock, du style Broadway tempéré par Florence (mais la qualité et la finition ne manquent pas), Jocelyn est fait pour votre pied.

CHARLES JOURDAN

● **6e** - *62, rue de Rennes (548.97.01).*
● **8e** - *12, fg Saint-Honoré (265.35.22).*
Et Forum des Halles, niveau - 1.

D'année en année, les modèles hommes de Charles Jourdan embellissent : les formes s'améliorent et la qualité de la peausserie est presque parfaite. Nous vous recommandons les formes classiques, toutes les chaussures sport et les boots sages que l'on avait abandonnés mais qui sont réapparus cette année. Une nouvelle série de beaux bagages. Un des meilleurs rapports qualité-prix de Paris. Bijoux et pacotilles dorés ratés : on ne peut pas tout faire à la fois.

CHRYS KECHICHIAN

● **17e** - *109, rue de Courcelles (227.70.97).*

Chaussures classiques et pas trop chères : de 270 à 380 F. Un grand choix de « chaussures d'intérieur » : c'est-à-dire d'élégantes pantoufles comme de braves petites mules, mais pas de charentaises...

W.S. KENDAL

● **6e** - *99, rue de Seine.*

Toute petite boutique avec des Kendal « shoes of England » de très grande qualité et de très belle forme. Tant pis si vous dérangez le vendeur dans ses lectures : cela en vaut la peine. Le prix de ces bonnes chaussures ? Comme partout ailleurs.

MESSAGERIES

● **1er** - *6, pl. Sainte-Opportune (233.80.44).*

Si vous aimez les « Cole Haan », ces chaussures made in U.S.A., ce magasin est fait pour vous. De vraies chaussures de comédie américaine de la grande époque. Vous pourrez également assouvir vos fantasmes de hauts talons, car les Messageries ont déniché tout un stock de chaussures neuves destinées au trottoir et qui n'ont pas trouvé preneuses. Demandez à voir les modèles incrustés de diamant (faux). Il y a également des affaires à faire selon l'arrivage de ballots de fripes fraîches. Ne soyez pas impatient : ici on a tout le temps et on prend le vôtre avec gentillesse et décontraction, un chapeau sur la tête et à la bouche une chanson. Prix des Halles, selon arrivages et tête du client. A visiter.

EL PEISO BOOTS

● **1er** - *79, rue Saint-Denis (770.75.19).*

Pour les fervents des westerns, pour ceux qui rêvent de rodéo et qui attendent que le train siffle trois fois. Un très grand choix de bottes texanes, dont les Sanders Boots. Prix assez raisonnables.

ROOTS

● **6e** - *20, rue Saint-Sulpice (354.78.66).*

Les randonneurs de tout poil connaissent Roots, ce Canadien spécialisé dans les chaussures de marche et de détente à la suite de profondes recherches podologiques. Il faut dire que l'on peut avaler des kilomètres sans retenue dans ces chaussures ultra-confortables, aux bouts larges, aux talons surbaissés et aux semelles sculptées (de 250 à 350 F).

ROSSETTI

● **8e** - *18, rue Royale (260.21.39).*

Fratelli Rossetti est un grand nom de la chaussure transalpine, et les connaisseurs savent que ses productions se vendent dans les meilleures boutiques spécialisées de la péninsule. Vous les trouverez à Paris dans le nouveau (et très réussi) magasin de la rue Royale, où le cuir naturel s'harmonise à des panneaux de laque noire. Les « Rossetti » sont parfaites de ligne et de qualité ; elles ont un peu le style bottier italien, leur prix est élevé, mais avoir des Rossetti aux pieds, c'est comme conduire une Ferrari, cela mérite quelques sacrifices. Une succursale au Forum des Halles.

SACHA

● **2e** - *15, rue Turbigo (508.13.15).*
● **6e** - *24, rue de Buci (354.43.50).*
● **9e** - *43, bd Haussmann (742.16.65).*

Des chaussures italiennes de couleurs tendres, et folles, folles, folles. L'adresse pour avoir son pied à l'extrême pointe de la mode et pour pouvoir entrer au Palace sur les mains. La fantaisie se paie !

AU SOULIER D'OR

● **8e** - *9, bd Malesherbes (265.09.92).*

Vous pouvez dormir sur vos deux oreilles, vous réveiller dix ans après, ils n'auront pas bougé vos souliers d'or, aussi solides que ceux proposés dans la bonne ville de Vitry-le-François à l'élite de la région marnaise par les grands-parents de l'actuel propriétaire du Soulier d'Or. Une adresse « de confiance », où l'on ne court pas après la mode, mais où l'on recherche l'usage et le confort.

TILBURY

● **6e** - *23, rue du Four (326.03.84).*

Collection très originale en provenance d'Italie. Style « sport et campagne » avec une préférence pour les semelles de crêpe. De parfaites bottines pour les amateurs (vitrine pour hommes rue Princesse).

UPLA

● **8e** - *47, rue Pierre-Charron (225.01.12).*

Un choix réduit de chaussures dans cette succursale du grand « bazar » Upla des Halles, toutes importées des U.S.A., et le fameux mocassin « Alden » à pompons, d'une qualité à toute épreuve. Quelques accessoires bien sélectionnés, comme la fameuse sacoche « Brady » qui est l'indispensable sac des gens qui savent ce que fut « Hunting World » à New York. Prix élevés, mais qualité aussi.

FRANÇOIS VILLON

● **6e** - *58, rue Bonaparte (325.98.36).*
● **8e** - *57, rue Pierre-Charron (359.70.59).*
● **16e** - *14, av. Victor-Hugo (500.91.12).*

Pour nous présenter ses chaussures, M. Villon a opté pour le style feu de bois, que l'on voit sur certaines autoroutes. On regrette que M. Villon, qui doit certainement se rendre souvent en Italie, n'ait pas mis à profit ses déplacements pour s'inspirer de ce qui se fait dans ce pays du point de vue de l'architecture des magasins. Ses chaussures méritent en effet mieux que cette ambiance campagne à la ville qui s'agrémente, on se demande bien pourquoi, de bouddhas en toc dans la vitrine. Cela dit, des boots de très belle forme et de très belle qualité, des mocassins et quelques modèles exclusifs. Prix élevés.

WESTERN HOUSE

● **6e** - *23, rue des Canettes (354.71.17).*
● **16e** - *13, av. de la Grande-Armée (500.06.05).*

Ce n'est pas ici que les loubards à bananes brillantinées viennent se fournir en « Santiags », ces inénarrables bottes à bouts pointus et à talons fuyants. Celles que l'on vend ici sont pourtant made in U.S.A. (250 F « l'unité »), comme les « baskets », parmi les meilleures qu'on puisse trouver à Paris (en toile ou en cuir). Des vêtements de détente et de vacances : T-shirts imprimés, jeans, chemises, blousons, etc. Tout cela, très teenager.

WESTON

● **8e** - *114, Champs-Elysées (225.26.47).*
● **17e** - *98, bd de Courcelles (924.18.13).*

Un temple de la belle chaussure. Weston n'a pas varié d'un pouce ni d'un pied, et comme la mode est un éternel recommencement, les bons modèles de chez Weston savent rattraper le temps. Dans la vitrine, ils sont bichonnés comme des voitures de maître. On connaît tout ici du cuir et de la trépointe. Faites-y donc entrer vos pieds, ils seront toujours dans le coup. Bon rapport qualité-prix. Nous préférons le magasin élyséen.

Daim et cuir

M. CHOW

● **6e** - *23, rue Saint-Sulpice (326.45.83).*

Un passionné du cuir, de très bons modèles, beaucoup portant la griffe Mac Douglas. Une bonne adresse pour les « cuirmen » de la rive gauche. Bons prix pour bons articles.

MAC DOUGLAS

● **1er** - *20, rue Pierre-Lescot (236.15.48).*
● **6e** - *1, rue de Tournon (326.67.22).*
● **8e** - *155, fg Saint-Honoré (561.19.71).*

Aucun doute : pour le cuir, l'adresse est excellente (choix, coupe, qualité et finition). Souvent des exclusivités très réussies. Ce qui ne gâche rien, ils sont gentils chez Mac Douglas, et connaissent leur affaire. Prix : allez donc faire un tour ailleurs et revenez les voir.

MICHEL LIPSIC

● **6e** - *76, rue de Seine.*

Un des nouveaux durs à cuire de la mode « cuir ». Des blousons et des parkas, de la peau retournée, le tout superbe, dans un cadre agréable. Prix élevés.

MERENLENDER

● **8e** - *3, fg Saint-Honoré (265.12.36).*
Au 3e étage.

Somptueux manteaux de peau, blousons ou pelisses exécutés sur mesure (et avec essayage sur toile) chez ce « couturier-tailleur » en étage, qui se charge, en outre, des transformations, du nettoyage et de l'entretien en général des vêtements en peau, fussent-ils achetés ailleurs que chez lui — comme par exemple dans l'une ou l'autre des grandes maisons qu'il fournit régulièrement.

Fourrures

ROBERT BEAULIEU

● **8e** - *59, rue La Boétie (563.25.65).*

Si vous redoutez que l'hiver soit sibérien, c'est ici la bonne étape pour découvrir les fourrures qui iront à votre virile allure d'homme des steppes parisiennes (méfiez-vous des fantaisies). Prix selon les cours des ventes de peaux canadiennes ou russes.

Un bon "chinois" : voir p. 115.

REVILLON BOUTIQUE

● **6e** - *44, rue du Dragon (222.38.91).*

Quelques articles pour homme à des prix assez bien « étudiés », mais ce n'est pas « la classe ». Un peu trop de fourrure en garniture pour faire bien. Ni la griffe ni les prix de la maison mère rue La Boétie, mais avec un tel nom, la diffusion devrait se montrer très au-dessus de ce qui est présenté dans ce magasin, en outre pas très soigné. Devrait faire peau neuve à tous les points de vue.

SACK

● **8e** - *22, rue Royale (260.29.77).*

Les plus somptueux manteaux de loup. Vous ne pourriez les trouver dans une bergerie ni ailleurs. Prix carnassiers.

Montres

Voir « Mode féminine » à la rubrique « Montres ».

Tricots

ANAM

● **16e** - *15, av. Victor-Hugo (501.67.32).*

Inchangé et immuable. Traverse le temps dans ses plaids et ses pull-overs en cachemire. A notre dernier passage, ils étaient à 620 F. Cela nous semble tout à fait excessif.

HILDITCH & KEY

● **1er** - *252, rue de Rivoli (260.36.09).*

Le royaume de l'Angleterre éternelle. La réputation de sérieux de la maison se paie au prix fort mais les cachemires : pull-overs, cardigans, chaussettes, foulards, sont de toute première qualité et leurs finitions parfaites. Accueil irréprochable, mais soyez certains qu'on vous « jauge » à l'entrée.

AUX LAINES ÉCOSSAISES

● **7e** - *181, bd Saint-Germain (548.53.41).*

Nous aimons ce magasin qui conserve le côté province du Faubourg Saint-Germain. Des pull-overs, des plaids et tout ce qui est en laine d'Écosse, naturellement, mais n'attendez pas que l'hiver soit venu pour y faire emplette car ils seront démunis des meilleurs coloris et vous aurez beau crier : j'ai froid, on ne vous répondra pas. Les chandails de cachemire sont à des prix intéressants.

SONIA RYKIEL

● **6e** - *6, rue de Grenelle (548.67.13).*

Sur le panneau extérieur de la boutique

Hommes, il y a également le mot confitures. Si les confitures sont au prix des fameux pull-overs à coutures apparentes, cela vous fera un marché pas très bon marché.

SCAPA OF SCOTLAND

● **6e** - *6, rue de Grenelle (222.81.76).*

Ici tout a été pensé par Brian Redding, qui dessine ses collections dans une des petites îles des Orkney, au sud des Shetland. Pour ce qui est des pull-overs, des matières, des coloris et des dessins, il en connaît un bout... de laine. Ses spécialités : les pull-overs à dessin style jacquard ou à teintes vives mélangées harmonieusement, les vestes souples en gros tissu bourru, les écharpes, les cardigans et les cravates. Les tailles semblent un peu justes. Faites attention donc, même si l'aimable moustachu de service essaie de vous convaincre du contraire. Prix assez sévères.

SERVICES

Pour ce qui concerne les blanchisseries de fin, les cordonneries, les retouches, les teintureries, se reporter à ces différentes rubriques dans le chapitre « Mode féminine ».

Enfants : habillement, jouets, meubles

L'HABILLEMENT

LES nombreuses boutiques dont les noms suivent proposent des vêtements de petits princes et princesses, à des prix assez suffocants (la main-d'œuvre, dit-on dans la profession, coûte aussi cher pour une taille réduite que pour un grand format). Fort heureusement, il reste les remarquables **Monoprix** et **Prisunic** qui permettent d'équiper ses enfants de la tête aux pieds, en suivant la mode et sans se ruiner.

Chaussures

BRÉACUIR

• **6e** - *21, rue Bréa (354.14.63).*

Bon spécialiste des chaussures médicales.

CENDRINE

• **6e** - *3, rue Vavin (354.81.20).*

Boutique recommandée par de nombreux pédiatres et podologues, où tous les pieds à problèmes (trop cambrés, trop larges, trop étroits ou plats) sont ici pris en main, si l'on peut dire, par un personnel vraiment spécialisé, compétent, sérieux et aimable.

ARBELL

• **10e** - *102, fg Saint-Denis (770.61.41).*

BESSY

• **6e** - *7, rue Vavin (354.33.15).*

CAMILLE

• **16e** - *50, rue Vital (224.82.70).*

AUX ENFANTS DU PARC

• **8e** - *103, bd Malesherbes (561.07.37).*

PASCAL

• **7e** - *55, av. de La Bourdonnais (551.90.55).*

Ces cinq magasins vendent des modèles classiques ou « fantaisie » du grand spécialiste pour bébés et enfants, **Froment-Leroyer.**

JOSIA

• **20e** - *9, rue Emile-Landrin (797.98.71).*

Séries pour les enfants en quatre largeurs. Du 19 au 34. De 200 à 240 F environ.

Vêtements : le grand luxe

BABY-DIOR

• **8e** - *28, av. Montaigne (256.74.44).*

Délicieuse layette et vêtements de (grand) prix pour bébés très, très gâtés.

LA CHÂTELAINE

• **16e** - *170, av. Victor-Hugo (727.44.07).*

La grande maison des enfants des beaux quartiers. La layette la plus raffinée de Paris à des prix, il est vrai, de château. Pour les plus grands, des vêtements classiques, élégants et admirablement finis que vous pouvez emporter pour les essayer tout à loisir chez vous (robe à smocks taille 4 ans : 510 F). Retouches : 40 F. Chaque modèle peut également être exécuté sur mesure dans un tissu de la maison. Soldes deux jours par an : début janvier et début juin. Livraisons à domicile.

NAHALA

• **8e** - *8, rue des Saussaies (265.96.71).*

Nahala, une jeune styliste libanaise, présente, comme si elle se trouvait à Beyrouth où les enfants sont de toutes les fêtes, de somptueuses tenues en organdi, dentelle de Valenciennes, taffetas, etc., à des prix défiant toute concurrence (2 000 à 5 000 F). Sa clientèle, il est vrai, est principalement outre-méditerranéenne.

NOEL

• **8e** - *90, rue La Boétie (359.66.30).*

En voile suisse ou en organdi, brodées et montées à la main, d'exquises et luxueuses robes de baptême (bonnets assortis), toutes faites ou sur commande (deux mois de délai). Leur prix, quoique justifié, donne le frisson. Mais rien n'empêche d'acheter le modèle « à plat » (1 200 à 1 800 F tout de même...) et de le broder soi-même. Noël se chargera du montage (délicat) et du blanchissage.

Vêtements : le « bon ton » à la mode

LES BONNES FÉES

● **16e** - *57, av. Mozart (288.14.22).*

De la naissance jusqu'à 14 ans, une foule de jolies robes à partir de 180 F, et des culottes anglaises de toutes les grandes marques (à partir de 120 F). Remarquable adresse pour habiller les familles nombreuses à l'unisson (et avec diverses réductions).

BONPOINT

● **7e** - *67, rue de l'Université (555.63.70).*
● **17e** - *184, rue de Courcelles (924.87.49).*

L'un des tout premiers, Bonpoint a « créé » une vraie mode enfantine, douce, romantique et raffinée : formes simples et élégantes, vêtements bien « finis », tissus recherchés aux couleurs tendres pour les filles comme pour les garçons. Un style plutôt habillé, luxueux même. Ajoutons que Bonpoint a ouvert depuis peu un nouveau magasin, au 7, rue de Solférino, 7e (555.42.79), consacré à la décoration des chambres d'enfants. On y vend également des landaus (Silver Cross) et des poussettes (Mac Laren, entre autres).

CADDIE

● **16e** - *112, av. Victor-Hugo (553.76.00).*

Magasin sage. Décor anglais et vêtements classiques pour les bébés et les enfants jusqu'à 16 ans : layette, costumes marins, culottes à revers, cardigans et blazers, chemisiers, robes de « premières sorties ». Beaucoup de bleu (clair et marine), de gris et de blanc.

CAMOMILLE

● **16e** - *10, rue Bois-le-Vent (224,87.58).*

Ravissants modèles pour garçons et filles, dessinés et exécutés dans son atelier par Viviane Guire. Beaux tissus, coloris pastel, robes originales, spécialement pour les 4 à 8 ans. Et aussi de très jolis pyjamas avec robe de chambre assortie et de mignons chapeaux de paille ou de toile pour l'été.

COMPTINE

● **7e** - *38, rue Saint-Dominique (551.37.21).*

Modèles simples, « campagnards » et exclusifs pour les enfants jusqu'à 12 ans. Culotte courte en flanelle : 127 F, robe à smocks : 400 F.

CLAUDE DEMACHY

● **7e** - *42, rue de Grenelle (544.41.20).*

Le « style » Claude Demachy, c'est le bon classique du bon vieux temps revu et corrigé par un œil tout neuf : raffinement et détails pratiques se conjuguent sur tous les modèles : barboteuses, robes de popeline pastel et bloomer assorti, salopettes courtes et chemises coordonnées à col rond et manches ballon (ou col pointu et manches droites pour les garçons), pyjamas en oxford qui font aussi de parfaites tenues de jardin, etc. Pour les enfants (aux parents argentés) jusqu'à 12 ans.

SOPHIE DESS

● **7e** - *67, av. de Suffren (273.24.87).*

La rousse propriétaire de ce doux magasin, crée elle-même ses modèles (jusqu'à 10 ans) : raffinés, ravissants et très chers : une layette « coordonnée » et admirablement finie dont les cols et les bords sont terminés à la main ou au crochet, d'adorables robes et chasubles en flanelle égayées par des plis religieuses et des ganses ou encore des chemises à smocks, de stricts tabliers d'uniforme pour garçons et filles. Et pour l'été, d'exquises robes à petits pois ou à fleurs, en batiste suisse, des tabliers à volants en plumetis blanc, des robes à manches ballon en seersucker, etc. De quoi ressembler à une petite fille modèle.

DANIEL HECHTER

● **8e** - *12, fg Saint-Honoré (265.71.53).*
● **8e** - *50, Champs-Elysées (225.05.52).*
● **16e** - *71, rue de Passy (288.01.11).*

Vêtements « design » gais et colorés.

MANBY

● **16e** - *9, av. Victor-Hugo (501.66.05).*

Excellente adresse pour équiper avant la rentrée et à prix raisonnable les petits écoliers (jusqu'à 16 ans). Vêtements d'enfants (garçons et filles) ultra-classiques et à l'épreuve du temps.

MARIE-DOMINIQUE

● **6e** - *2, rue Lobineau (633.49.27).*

Une « vieille » du quartier : une petite boutique ouverte voici trente ans, ce qui ne l'empêche pas de suivre de près (mais avec sagesse) la mode enfantine (jusqu'à 12 ans) : salopettes en velours l'hiver, robes d'été en piqué, croisées dans le dos avec une petite blouse à col rond, mignons costumes de bains et charlottes assorties, et de bonnes robes de chambre confortables en lainage à carreaux bleu marine ou vert bouteille, le tout à des prix raisonnables (et réduits pour les familles nombreuses).

OLD ENGLAND

● **9e** - *12, bd des Capucines (742.81.99).*

Un bon (et très cher) rayon au premier étage pour habiller ses enfants comme à Londres :

manteaux en shetland à col de velours (655 F le 6 ans), classiques gabardines bleu marine (600 F environ le 10 ans), culottes de flanelle et jupes écossaises, chandails, etc.

OUAH OUAH

● **16e** - *14, rue d'Auteuil (288.00.31).*
● **16e** - *119, rue de la Pompe (553.05.70).*

Habille garçons et filles de 2 à 16 ans avec des culottes de velours côtelé, des shetlands dans tous les tons, des chemises fleuries en coton, des blousons en cuir, velours ou toile, etc. Soldes intéressants en juin et décembre.

PEAU DE PÊCHE

● **7e** - *50, rue du Bac (222.52.21).*

Un magasin couleur d'abricot sur fond de gazon, qui habille les enfants jusqu'à l'âge de 14 ans. On y trouve une layette raffinée, des salopettes courtes (pour garçons ou filles) avec chemise assortie, une foule de jolies robes en viyella à carreaux pastel (ensemble robe et chemisier, 165 et 117 F le 2 ans), ainsi que des culottes anglaises à revers, en velours ou en flanelle (120 et 140 F le 6 ans, avec un débardeur en laine à côtes assorti. Pour les plus grands, Peau de Pêche se spécialise dans les ensembles classiques : kilts, shetlands, manteaux anglais à col de velours, imperméables en gabardine de laine, doublés, à capuche, etc. Egalement de mignonnes chaussures pour Cendrillon des beaux quartiers.

Habillez-les sur catalogue

CYRILLUS

● **91 Longjumeau** - *B.P. 25 (909.96.09).*
Téléphoner entre 14 h et 16 h.

Le catalogue envoyé gratuitement sur simple demande propose un choix restreint mais judicieux de jolis vêtements classiques pour habiller les enfants de 2 à 16 ans. Belle qualité des tissus, bonne coupe et prix très raisonnables (94 F la culotte anglaises taille 6 ans). Les commandes sont livrées en trois jours et les échanges sont toujours possibles.

LE PETIT FAUNE

● **6e** - *33, rue Jacob (260.80.72).*
Et Forum des Halles, niveau - 1.

Ce ne sont pas des jumeaux qu'on souhaiterait — quoique la maison leur accorde une remise de 10 pour cent — mais six ou huit enfants, pour avoir le plaisir de les habiller dans cette délicieuse boutique — outre celui de contenter M. Debré. On trouve ici de très jolis trousseaux de naissance, des ensembles en laine tricotée de couleurs tendres (200 F les trois pièces), des robes à empiècement ou à smocks (celles-ci, à partir de 300 F) et toute une garde-robe simple et raffinée pour garçons et filles jsqu'à douze ans. Les retouches sont gratuites excepté pour les manteaux. On peut aussi commander des tenues plus habillées : robes de baptême ou de cortège (4 ans : 420 F) en coton ajouré et festonné (10 jours de délai). Egalement un rayon de vêtements pour les tout-petits, coupés dans des tissus exclusifs, prêts-à-coudre et faciles à exécuter (de 32 à 69 F) et quelques robes (à partir de 290 F) pour attendre les événements heureux évoqués plus haut.

LA PETITE GAMINERIE

● **6e** - *28 et 32, rue du Four (548.39.31).*

La mode enfantine au goût du jour et griffée le plus souvent (Cacharel, etc.).

POMME CANNELLE

● **6e** - *4 bis, rue du Cherche-Midi (222.91.87).*

Un charmant magasin pour les enfants sages. Layette et jusqu'à dix ans. Culottes en flanelle ou en seersucker (de 90 à 140 F), jupes écossaises et robes de coton, salopettes et tabliers d'écolier.

LA PUCE HABILLÉE

● **8e** - *25, rue de Penthièvre (359.27.09).*

Une vitrine verte et blanche décorée de lampes-chapeaux, hamac et commode où sont présentés les plus jolis modèles de cette Puce à des prix vraiment raisonnables : ensembles de laine et mignons souliers de cuir pour bébés, chemisettes à cols amovibles en « pétales de fleurs » (60 F), robes à smocks (200 F), à grands cols marins (120 F), shetlands, chemises et chaussettes « habillées », etc.

ROBERT'S

● **16e** - *72, av. Victor-Hugo (727.13.95).*

Le nec plus ultra des robes et des barboteuses enfantines. Des modèles classiques et indémodables, tout en finesse et en raffinement à conserver vingt ans si on est soigneux et à garder pour ses petits-enfants. Un style et une qualité qui justifient — sans doute — des prix assez extravagants. Jusqu'à 7 ou 8 ans.

LES SABOTS D'HÉLÈNE

● **14e** - *58, rue du Montparnasse (322.72.53).*

Bleu vif, rose et violet sont de toute évidence les couleurs préférées d'Hélène Crestion et de Pierre Meyrier. En témoignent le décor (très gai) de leur magasin et le joli choix de vêtements d'enfants (jusqu'à 4 ans) qu'ils proposent : salopettes en velours côtelé ou en toile, robes en coton, pull-over en mohair, etc. Si vous préférez le jaune ou le rouge, tous les modèles peuvent être exécutés sur commande dans un vaste choix de tissus (8 jours de délai). Un rayon de « fripes anciennes ».

S'IL VOUS PLAIT, DESSINE-MOI UN MOUTON

● **16e** - *7, rue Gustave-Courbet (553.33.73).*

Une boutique ouverte récemment par Marie-Françoise Valois qui ne crée pas elle-même ses modèles mais les choisit — fort bien — dans les meilleures marques : layette du Petit Faune, tenues sport ou habillées de Cacharel, Hechter, Renoma, Bercher, bien coupées et coordonnées. Jolis accessoires : sandalettes, chapeaux et bagages (pour enfants) bleu marine et rouge : sacs multipoches souples, valises portables sur le dos, à roulettes, baluchons, etc.

VERT-POUCE

● **16e** - *66, rue de la Tour (520.16.13).*

Une excellente adresse pour la layette (exquise), les robes et les barboteuses smockées des tout-petits, qui sont exécutées dans l'atelier de Dominique Girardeau. Petits meubles naïfs : chaises, tables et commodes peintes, et jolis dessus-de-lit en piqué de coton.

Vêtements à petits prix

ARTISANAT MONASTIQUE

● **14e** - *68 bis, av. Denfert-Rochereau (633.29.50).*

Ouvert de 13 h 45 à 19 h.

Délicieuses robes à smocks en Liberty (laine ou coton : 270 F le 4 ans), robes de chambre, chemises de nuit (62 F le 2 ans) et tricots faits à la main. Robes de demoiselles d'honneur exécutées sur mesure d'après vos modèles.

MARKS AND SPENCER

● **9e** - *35-37, bd Haussmann (742.42.91).*

Solides et pas trop raffinés, des vêtements qui ne craignent pas la machine à laver. Pyjamas et chemises de nuit souvent très réussis.

PÉNÉLOPE

● **16e** - *19, av. Victor-Hugo (500.90.90).*

Au fond de la cour.

Charmante layette (petits chemises à 42 F, barboteuses à partir de 135 F, etc.) et jolies robes à smocks (145 à 380 F le 4 ans), toutes faites ou sur commande (en 3 ou 4 semaines). Voir aussi « Décoration de la maison - Linge de maison ».

Vêtements : les tricots

BENETTON

● **6e** - *2-4, rue du Sabot (544.51.16).*

Très joli choix de chandails de toutes les couleurs à des prix très raisonnables et, pour les accompagner, des chemises, des pantalons, des bermudas assortis. De 2 à 16 ans.

LAINES ÉCOSSAISES

● **7e** - *181, bd Saint-Germain (548.53.41).*

Pull-overs et solides lainages (écharpes, bonnets, kilts) de shetland (écossais bien sûr) pour les enfants de 2 à 14 ans. Ni lambswool, ni cachemire (trop chers).

Vêtements : soldes permanents

PARIS NORD DIFFUSION

● **20e** - *34, rue Pelleport (360.88.52).*

Modèles dégriffés de Daniel Hechter exclusivement.

LES TROUVAILLES

● **15e** - *55, rue de la Convention (578.21.95).*

Un très bon rayon de vêtements d'enfants soldés en permanence. Culottes anglaises, pulls et robes à 50 % de leur prix initial et des tenues de ski très avantageuses.

LA SOLDETIÈRE

● **16e** - *76, rue de la Pompe (504.62.84).*

Choix intéressant de vêtements en solde pour enfants, et quelques modèles allant jusqu'au 42 dans la plupart des grandes marques. Egalement un assortiment « hors saison » de vêtements d'été en hiver (et vice versa).

Vêtements : dépôt-vente

TANTE AMÉLIE

● **9e** - *2, rue Pierre-Haret (280.49.24).*

Dépôt-vente de jolis vêtements d'occasion (encore à la mode ou anciens) et en bon état pour enfants, jeunes filles jusqu'à 18 ans et futures mamans, et de mobilier d'enfants : lits (100 à 250 F), parcs, etc. et landaus (Silver Cross : 1 000 F, poussette : 300 F). Tante Amélie offre aussi un service de location (de 70 à 150 F) d'aubes et de robes de baptême anciennes.

LA MARELLE

● **2e** - *21-23, galerie Vivienne (260.08.19).*

Dépôt-vente de vêtements d'enfants de la naissance à 14 ans : tenues « habillées » ou tenues « sportives » (judo, danse, ski, etc.).

LES JOUETS

« Farces et attrapes »

L'AMICALE-COMPTOIR DES ARTICLES DE FÊTES

● **20e** - *32, rue des Vignoles (370.21.00).*

Où donc trouver, ailleurs que dans ce vaste entrepôt opiniâtrement voué aux plus émouvantes traditions du divertissement domestique et de la kermesse d'école, un choix aussi confondant de tout ce qui peut distraire l'humanité chagrine, du pistolet à bouchon au feu d'artifice et des monologues de Coquelin Cadet au matériel de scène perfectionné? Des dizaines de milliers d'articles (10 000 exactement, dont plus de 600 chapeaux de papier) vendus au prix de gros (plus de 10 % de remise pour tout achat supérieur à 200 F), des jouets classiques, des jeux de société ou éducatifs à des prix incroyables, de jolis lampions et lanternes de papier (à partir de 1,50 F), tout l'arsenal des batailles de fête (confetti, boules dancing, serpentins, une. infinité d'accessoires de toutes époques et tailles, de jolis castelets de guignol décorés à la main (à partir de 115 F), avec une bonne centaine de personnages à main ou à fil, les ouvrages techniques pour les animer et les grands textes du répertoire. Et encore des saynètes d'enfants, des pantomimes, des traités et matériels de magie, des billets de tombola et des disques d'atmosphère, des perruques, des cosmétiques, des farces et attrapes.

COTILLON MODERNE

● **11e** - *13, bd Voltaire (700.43.93).*

Farces et attrapes, cotillons et guirlandes, fleurs, masques de la comédie italienne, etc.

Jouets anciens

LABARRE

● **6e** - *22, rue Dauphine (354.72.62).*

Un libraire amoureux du rêve, qui collectionne tout ce qui a pu se faire autrefois avec du papier et du carton : livres, jouets, puzzles, planches en couleurs, canivets et vélins précieux. Ses lanternes magiques, dioramas et théâtres d'ombres constituent le plus invraisemblable musée du rêve enfantin.

PAIN D'ÉPICE

● **9e** - *29-31, passage Jouffroy (770.82.65).*

C'est le plus insolite, le plus charmant, le plus attendrissant des magasins de jouets. C'en est devenu aussi — les prestiges du rétro aidant — le plus couru de Paris. Ce merveilleux bric-à-brac renoue en effet de la manière la plus intelligente qui soit avec le vert paradis des enfances désuètes. On y trouve des répliques exactes de poupées du XIXe siècle à monter soi-même, des coloriages superbes, des découpages fastueux et toutes sortes de répliques de jouets anciens dont Jean-Pierre et Françoise Blindermann s'efforcent de retrouver les charmes secrets dans leur petit atelier. Ils en ont réhabilité quelques-uns déjà : cerceaux et cordes à sauter, marionnettes, gyroscopes et jokaris, toupies et diabolos, jeux des sept familles, cartes à jouer, tarots, et c'est pourquoi les adultes sont les plus assidus à fréquenter leur étonnante petite boutique. En projet : un rayon de fournitures pour réparer soi-même les poupées.

SCARAMOUCHE ET POLICHINELLE

● **18e** - *14 et 20, rue André-del-Sarte (259.45.54 et 255.85.65).*

Deux magasins voisins et frères où se cultivent avec ferveur l'horreur du plastique, le mépris du jouet psychologique et l'amour de l'enfance non encore libérée des fantasmes du puéril joujou. Chez Scaramouche, tout le quartier en culotte courte vient se ruiner, sous l'œil absent de M. Franck, en cerceaux, marionnettes à fils (à partir de 100 F), automates, jouets anciens, miniatures, soldats de plomb, et maisons de poupées (avec tous leurs accessoires) fabriquées ici à l'ancienne mode. Chez Polichinelle, à deux pas de là, M. Franck vend de merveilleuses poupées anciennes (avec tout ce qu'il faut pour les habiller, les chapeauter, les mettre dans leurs meubles), et se charge en outre de restaurer avec une patience et une habileté remarquables celles que vous lui apporterez — quand bien même elles auraient perdu la tête.

SOPHIE DU BAC

● **7e** - *109, rue du Bac (548.49.01).*

Possède non seulement de très jolies poupées anciennes (fin XIXe et début XXe siècle) et en excellent état, mais aussi et surtout leur « environnement » et leur mobilier : tables, chaises, commodes, armoires, chiffonniers, dînettes, bijoux et garde-robes. Ces miniatures raffinées vous feront dépenser facilement 400 à 600 F, et les poupées davantage encore. Si vous destinez ces petites merveilles à vos enfants, sachez que Sophie du Bac est là pour réparer les dégâts : elle restaure les têtes en porcelaine, répare les caoutchoucs, refait les perruques, etc.

Jouets en bois, en chiffons, artisanaux

BOUTIQUE DU PALAIS-ROYAL

● **1er** - *9, rue de Beaujolais (260.08.22).*

Un choix intelligent et raffiné d'objets originaux et de gracieux jouets. De jolies boîtes à musique (de 25 à 7 000 F) à l'ancienne et de toutes les tailles voisinent avec les jouets « de toujours » : toupies, bilboquets, cubes, pantins, marionnettes, poupées, jeux de patience, etc.

LA BOUTIQUE VERTE

● **16e** - *83, rue du Ranelagh.*

Une multitude de petits cadeaux très astucieux, et tout pour décorer une table de fête pour un goûter d'enfants.

LE CERF VOLANT

● **13e** - *45, bd Saint-Marcel (707.98.50).*

Comme on peut s'y attendre, un choix incomparable de cerfs-volants de 15 à 240 F : chinois (gros papillons de papier), brésiliens (condors de coton aux teintes douces) ou américains (dirigeables et perfectionnés). Quelques petites montgolfières également, sans nacelle et propulsées à l'air chaud (60 F). Et puis, en vrac : des éventails chinois, des poupées russes, des marionnettes polonaises, des jouets de bois, de la bimbeloterie et des feux d'artifice intéressants.

DIFFUSION ARTS ET COULEURS

● **5e** - *10, rue Cardinal-Lemoine (354.99.51).*

Marionnettes, trains, miniatures diverses, presque tout fait appel au bois, au tissu et autres matériaux revêtus du label écologique. Choix fréquemment — et bien — renouvelé.

GRIBOUILLAGES

● **16e** - *74 bis, rue du Ranelagh (527.85.14).*

Bonne sélection de décoration pour les arbres de Noël et de petits jouets d'origine scandinave ou allemande pour les goûters d'anniversaires (de 1 à 30 F). Quelques jouets plus importants : une charmante maison de poupée en carton haute de 60 cm (les murs s'emboîtent et les meubles prédécoupés sont à coller : 70 F), des poupées à musique en porcelaine (450 F), de véritables machines à vapeur (400 F).

L'IMPRÉVU

● **12e** - *34, rue de Citeaux (343.03.60).*

Des « objets plaisants » qui se cachent et s'entassent — à l'abri d'une banale façade — au fond d'un sous-sol voûté (bien frais l'été) : échasses, casse-tête, kaléidoscopes en bois tourné (19 F), peluches classiques (le renard, le hérisson, la grenouille) ou exécutées d'après des dessins d'enfants (de 65 à 240 F). Et aussi, des tissages, de la vannerie et beaucoup de grès.

LE JARDIN DES ENFANTS

● **15e** - *20, av. Félix-Faure (233.80.83).*

Une boutique où l'on essaie de cultiver l'art d'amuser les enfants à peu (ou pas trop) de frais. Notamment avec des jouets en bois, simples, solides et pas sophistiqués. Mobilier d'enfant et de poupée sur mesure. Jeux d'extérieur : croquet, tonneau, etc. Et tout un choix de petits jouets originaux et bon marché pour des goûters d'anniversaire et autres réunions d'enfants.

MARIA KRISTINA

● **16e** - *59, rue de Boulainvilliers (524.31.14).*

Choix intelligent de jouets scandinaves en bois pour enfants de 1 à 8 ans (de 3,50 à 230 F), et tout pour meubler une chambre : lit, parc, coffre à jouets. Egalement quelques articles pour la maison venant aussi de Scandinavie.

GAÉTANE MÉRY

● **14e** - *17, rue Delambre (326.60.01).*

Grand choix de jouets en bois, marionnettes et cadeaux à petits prix, et au sous-sol, un rayon de meubles peints. Soldes (20 %) en février.

MINIMÔM

● **11e** - *31, rue Faidherbe (373.29.92).*

Des maisons de poupées (en carton ou en bois) et des meubles miniatures de tous les styles, pour former le goût des décorateurs en herbe. Des jeux éducatifs, des puzzles, des livres pour leur former l'esprit. Et pour la tendresse, de délicieuses poupées de chiffon.

LE MONDE EN MARCHE

● **6e** - *34, rue Dauphine (326.66.53).*

Pionnier du jouet en bois, le Monde en marche demeure l'un des meilleurs magasins du genre. Ses pantins (20 à 60 F), ses marionnettes à gaine ou à fils (30 à 120 F), ses petits trains (70 à 130 F) et son mobilier pour maisons de poupées témoignent toujours du même souci de qualité à des prix raisonnables.

MULTICUBES

● **15e** - *110, rue Cambronne (734.25.97).*

Jouets en bois de bonne qualité et bien choisis (de 2 à 1 200 F) et quelques meubles en pin pour décorer les chambres d'enfants.

PIROUETTE

● **14e** - *20 bis, rue d'Alésia (327.08.44).*

Jouets en bois, boîtes à musique (75 à 200 F),

peluches, marionnettes et pierrots... Soldes la 2e quinzaine de janvier et de juillet.

AUX POUPÉES D'ATOURS

● **5e** - *18, rue des Feuillantines (329.31.26).*

Pour les petites filles modèles ou pas, une boutique de tailleur assez peu ordinaire : on y prépare des collections de vêtements de poupées créés, taillés, coupés et cousus par la maison qui sont de jolies petites merveilles, et n'ont rien à voir avec la « confection ». Si vous possédez une poupée ancienne, on l'habillera avec des dentelles et tissus dénichés aux Puces, et si votre fille ne trouve pas parmi tous les modèles présentés (assez chers, mais à peine plus que ceux « de grande série ») celui qui convient à sa poupée, on lui taillera un costume sur mesure. Les déguisements pour enfants — clowns, pierrot, princesses, sultanes, petits chaperons rouges et bien d'autres — seront également ici délicieusement réalisés (de 170 à 250 F). Rien n'est impossible à ces fées du déguisement, qui créeront pour votre enfant le modèle dont il rêve, d'après ses propres explications.

Des jouets à défauts?

LE CENTRE NATIONAL D'INFORMATION DU JOUET

● **1er** - *11, rue du Marché-Saint-Honoré (261.45.17).*

C'est une sorte de médiateur (mot bien à la mode) entre le marchand de jouets et vous-même, si par exemple la moto téléguidée de votre fils tombe en panne peu après son achat, si la notice explicative d'un jeu est incompréhensible, etc. Un recours possible lorsque votre vendeur se désintéresse de vos petits problèmes.

RIGODON A PETAOUCHNOCK

● **6e** - *13 et 15, rue Racine (633.79.98).*

La peluche a son conservatoire chez Rigodon, une boutique au sol pavé où l'on n'entre pas sans avoir salué Giscard d'Estaing. Zoé l'araignée, Laurel et Hardy et autres marionnettes (de 28 à 1 800 F), animées par un patron facétieux. Les moutons en pure laine blanche y sont les plus drôles qu'on puisse trouver. Toute l'arche de Noé, de l'écureuil à l'âne superbe et grandeur nature. Et aussi des poupées de porcelaine, romantiques ou sophistiquées (200 à 800 F), et des jouets automates de 15 à 1 200 F).

LA SOURIS VERTE

● **8e** - *47, rue de Berri (563.22.05).*

Furetez et vous découvrirez que cette petite souris couleur de l'espérance (qui monte la garde tout l'été) est astucieuse et qu'elle a rassemblé beaucoup de bons jouets en bois (de la brouette au coffre à jouets-chariot-lit-tabouret), des jeux (« de société » ou pas), des livres, des disques et, pour les goûters d'anniversaire, une énorme surprise — un cornet d'un mètre de haut — bourré de petits objets (45 F). Vendeuses compétentes et aimables. Soldes en juillet. Réduction aux familles nombreuses.

Jouets classiques

ALI BABA

● **7e** - *29, av. de Tourville (555.10.85).*

Le meilleur et le plus complet des magasins traditionnels après le Nain Bleu. Sur trois étages, une sélection intelligente concernant tout l'éventail de l'industrie du jouet : poupées et leurs accessoires, voitures miniatures pour collections, vrais soldats de plomb, animaux de peluche grandeur nature (de 20 à 2 500 F), trains et maquettes, etc. Le rayon de modélisme et de jouets électroniques est particulièrement bien fourni. Livraisons gratuites dans Paris.

DOUBLE 7

● **17e** - *Centre International de Paris, porte Maillot (758.21.15).*

Grand et beau choix de marionnettes (de 30 à 1 000 F); maisons de poupées, métiers à tisser, billards Nicolas, etc.

FARANDOLE

● **16e** - *48, av. Victor-Hugo (704.58.40).*

Les têtes couronnées d'Europe et du Moyen-Orient viennent ici faire provision de jouets de bonne compagnie, scientifiques ou traditionnels, d'autos et motos à essence (pour enfants...), d'animaux en peluche et de divers jeux de (bonne) société. Cela, en dépit de vitrines peu engageantes et de vendeuses pas toujours souriantes.

HERTHALIE

● **94 Le Kremlin-Bicêtre** - *27, av. de Fontainebleau (588.12.09).*

Artificier de profession et — accessoirement — ancien steward d'Air France, Georges Gheldman donne ici libre cours à ses deux passions : les enfants pour lesquels il a sélectionné une multitude de jouets intelligents, traditionnels aussi bien que scientifiques (maquettes en plastique, radio-commandes, jeux électroniques, etc.); et les feux d'artifice : il a tiré pendant quatre ans ceux du 14 juillet au Palais de Chaillot et possède un stock varié qui va des pièces très importantes (pour les municipalités) à l'artifice à 1 franc (pour les enfants), en passant par les feux de jardin et autres feux de Bengale.

JOUETS EXTRAORDINAIRES

● **16e** - *70, rue d'Auteuil (651.15.70).*

Excellents, sinon réellement extraordinaires, jouets éducatifs anglais, allemands, etc. Un grand choix de puzzles et de merveilleux jouets de plein air à commander sur catalogue.

Jeux à louer

LUDOTHÈQUE DU LUXEMBOURG

● **6e** - *15, rue du Regard (544.67.56).*

Mardi et jeudi de 16 h à 18 h 30, mercredi de 10 h 30 à 18 h 30, vendredi de 15 h 30 à 19 h, samedi de 14 h à 17 h.

Près de 60 ludothèques de ce genre existent déjà en province. Voici la première de Paris, ouverte à tous (enfants et adultes de tous les arrondissements). Moyennant un droit d'inscription de 25 F par an et par famille. Vous pouvez y louer l'un des 1 500 jeux et jouets de tous âges mis à votre disposition — location quasi symbolique de 1,50 à 5 F — pour une durée maximum de deux semaines. C'est généralement plus qu'il n'en faut pour que les enfants se lassent d'un jouet.

LE NAIN BLEU

● **8e** - *406-410, rue Saint-Honoré (260.39.01).*

Ce nain a beaucoup grandi depuis sa naissance en 1836. C'est aujourd'hui le plus célèbre des magasins de jouets de Paris. Fournisseur des plaisirs et divertissements des petits princes, des potentats en herbe et de toutes les progénitures des « grands » de ce monde, ses trois étages sont un paradis des jouets comme même les enfants n'osent en rêver. Mais toutes ces merveilles ont donné au Nain Bleu une réputation de magasin hors de prix. Rien n'est plus faux. Si les spécialités uniques, œuvres d'artisans, comme les mallettes de jeux exécutées sur commande, l'atelier de couture pour poupées ou la reproduction — à moteur électrique — de l'ancienne camionnette de livraison du magasin (28 000 F), fort en vogue dans les émirats, ne sont évidemment pas bon marché, les autres jouets ne sont pas plus chers ici qu'ailleurs. Des marionnettes en porcelaine (exclusivité) habillées de dentelles anciennes aux dînettes de céramique blanche, en passant par les jeux d'échecs somptueux ou les dernières productions du jouet scientifique et les automates, tout ici conspire à vous faire regretter l'âge des culottes courtes et des tas de sable. Et, miracle, on vous sert avec le sourire. Soldes en janvier et février. Service après-vente. 5 % de réduction aux familles nombreuses et aux porteurs de cartes de crédit.

L'OISEAU DE PARADIS

● **7e** - *211, bd Saint-Germain (548.97.90).*

Jouets intelligents et de bonne qualité. Vendeuses aimables et bien inspirées.

OLIFAN

● **1er** - *253, rue Saint-Honoré (260.04.29).*

Ce vaste et moderne magasin propose un choix considérable de jouets en bois, de poupées, d'animaux en peluche ainsi qu'une sélection étendue de jeux éducatifs des grandes marques françaises et étrangères pour tous les âges.

LA PELUCHERIE

● **8e** - *Galerie Les Champs, 84, Champs-Elysées (359.49.05).*

Beaux et follement chers jouets en peluche (de 60 à 9 000 F).

LE TRAIN BLEU

● **16e** - *2, av. Mozart (520.86.44).*

Cette vieille maison pratiquant tous les prix et tous les genres reste l'un des très bons magasins de jouets de Paris. Personnel intelligent et de bon conseil.

Maquettes et modèles réduits

L'AUTOMOBILISTE

● **7e** - *42, rue du Bac (548.82.05).*

Le siège de la revue du même nom est devenu un véritable paradis pour les garçons épris d'automobiles. Une grande collection de voitures anciennes et modernes, des jouets mécaniques en tôle peinte, des robots et engins de l'espace à tous les prix et même des voitures à essence pour enfants. Accueil très aimable.

ÉOL'

● **5e** - *62, bd Saint-Germain (354.01.43).*
● **12e** - *10, rue Erard (347.21.06).*

Vaste choix de modèles réduits (voiliers en particulier) proposés par des vendeurs savants et attentifs. Jeux éducatifs scientifiques et coffrets de matériel technique (électricité, microbiologie, etc.).

JOUETS MONTPARNASSE

● **14e** - *33, bd Edgar-Quinet (320.98.79).*

Cette maison jouit d'une réputation de grand sérieux, acquise au temps où sa boutique était située dans la galerie marchande de la gare Montparnasse, et tenue alors, sauf erreur, par le cinéaste Méliès dans ses très vieux jours. On y trouve les tout derniers jouets scientifiques français et étrangers, des trains électriques anciens et modernes, et tout ce qui est nécessaire à la construction de modèles réduits et de maquettes. Catalogue en fin d'année.

LA MAISON DU JOUET

● **12e** - *41, bd de Reuilly (343.48.74).*

Spécialiste des maquettes en plastique (avions, engins blindés, bateaux), figurines en plomb (25 mm) pour jeux de guerre, et rayon de livres pour les collectionneurs de maquettes.

LE MODÈLE RÉDUIT

● **10e** - *154, fg Saint-Denis (202.74.56).*

De nombreux représentants de l'« International Plastic Modellers Society » viennent discuter ici et bien souvent acheter quelque modèle ancien ou récent d'avion, de voiture, de bateau, de train, et tous les accessoires et l'outillage pour les monter. Important rayon de trains électriques et de radiocommandes.

LA SOURCE DES INVENTIONS

● **10e** - *60, bd de Strasbourg (206.53.02).*

A la source de ces inventions, il y a celles de M. Michel, un bricoleur émérite, qui imagina, dans les premières années du siècle, différents aménagements d'appareils radio-électriques et contribua au développement des sonneries téléphoniques. Voulant faire profiter ses contemporains de ses dons naturels, il ouvrit en 1908 une boutique où les bricoleurs du dimanche pouvaient trouver les premiers appareils radio destinés à capter les signaux de la tour Eiffel. Ses successeurs y proposent toujours l'un des plus beaux et plus vastes choix que l'on puisse trouver à Paris en maquettes et modèles radioguidés. Roger Pierre, Jean-Marc Thibault, Gilbert Bécaud et Bernard Blier s'y rencontrent fréquemment.

Matériel éducatif

ART ET JOIE

● **9e** - *74, rue de Maubeuge (878.27.72).*

L'une des meilleures adresses pour tout ce qui concerne le matériel des jeux et loisirs éducatifs et des activités manuelles : céramique, peinture, tissage, etc.

Chaque mois
"Le Nouveau Guide Gault-Millau"
complète cet ouvrage et...
vous emmène en vacances.

B.R.S.M.E.

● **6e** - *15, rue Duguay-Trouin.*

Le Bureau de Recherche et de Sélection de Matériel Educatif vend en gros pour les collectivités un choix énorme de jouets éducatifs, mais n'est pas inexorable au particulier pourvu qu'il sache exactement ce qu'il désire. On trouvera un magasin plus accueillant de vente au détail au 46, rue Madame, 6e (222.23.39).

S.C.P.C.

● **5e** - *44, rue des Ecoles (633.33.00).*

L'un des bons endroits à Paris où trouver un hareng fossile de 22 millions d'années pour moins de 200 F, mais aussi et surtout un remarquable matériel éducatif pour parfait petit chimiste et géologue (minéraux, appareils de laboratoire, etc.).

Trains électriques

Voir chapitre « Jeux, loisirs, etc. ».

LES MEUBLES ET LES LANDAUS

AQUARELLE

● **1er** - *26, rue de Richelieu (296.01.41).*

Claudine Wayser a quitté la rive gauche pour s'installer près du Palais-Royal dans le magasin qu'occupait au XVIIIe siècle Rose Bertin, la modiste de Marie-Antoinette. Elle a repeint les murs en coquille d'œuf et les plafonds en rose et elle a décoré d'animaux naïfs les salles d'exposition consacrées aux très jeunes enfants : meubles en bois naturel ou laqués (les blancs sont les plus réussis), berceaux ou lits en rotin, lits peints et décorés à la demande (1 250 F), etc. Et aussi de la layette et de jolis vêtements (jusqu'à 6 ans).

LE BERCEAU DE FRANCE

● **7e** - *95, av. de La Bourdonnais (555.28.02).*

Très bonne et sérieuse maison pour les berceaux et lits d'enfants : lits gigognes, lits superposés, meubles de rangement en bois naturel ou laqué. Voitures d'enfants.

BONNICHON

● **5e** - *38, bd Saint-Germain (354.37.85).*
● **16e** - *7, av. Victor-Hugo (501.70.17).*

Merveilleux landaus. Le reste : mobilier d'enfants laqué en blanc, berceaux volantés d'organdi, couffins, etc., est d'un goût très discutable.

CARROSSERIE ENFANTINE

● **17e** - *4, rue Saint-Ferdinand (574.48.41).*

Superbes landaus anglais (Silver Cross) et judicieuse sélection de jouets pour les enfants de la Plaine Monceau.

LA MAISON DE LA PETITE GAMINERIE

● **6e** - *22, rue du Four (633.32.61).*

Succursale de La Petite Gaminerie, consacrée à l'aménagement des chambres d'enfants : meubles aux peintures naïves, bonne sélection de papiers peints, patchworks (à la commande) dont on choisit le thème et les couleurs, etc.

MARIA KRISTINA

● **16e** - *59, rue de Boulainvilliers (524.31.14).*

Voir « Jouets en bois, etc. ».

GAÉTANE MÉRY

● **14e** - *17, rue Delambre (326.60.01).*

Voir « Jouets en bois, etc. ».

MICRO-MÉGA

● **1er** - *14, rue du Cygne (508.44.96).*

Aux formes d'un canard, d'une pomme, d'une voiture, un mobilier complet en bois teinté pour une chambre d'enfant, et les accessoires assortis : porte-manteaux, miroirs, appliques, etc., créés et édités par Alain Pelletier. Egalement des jouets en bois. Ouvert l'après-midi seulement.

MINIMÔM

● **11e** - *31, rue Faidherbe (373.29.92).*

Contre les mauvaises inventions des petits Attila, des meubles d'enfants en pin naturel verni, costauds, jolis et bourrés d'astuces. Lits superposés (1 800 F la paire), que l'on peut séparer, dont les barreaux fixes servent d'échelle et sous lesquels on peut glisser des tiroirs à roulettes; coffres à jouets avec lesquels on ne peut pas se pincer les doigts; robustes commodes, berceaux, chaises hautes, etc.

MULTICUBES

● **15e** - *110, rue Cambronne (734.25.97).*

Voir « Jouets en bois, etc. ».

POLOCHON

● **8e** - *24, rue Boissy-d'Anglas (265.40.75).*

Charmant. Tout ce qu'il faut pour décorer une chambre d'enfant : papiers peints très gais, tissus, dessus de lit, meubles décorés, jolis couffins garnis de tissu, draps et couettes, poupées artisanales, etc.

LA PORTE OUVERTE

● **1er** - *201, rue Saint-Honoré (260.46.18).*

Mobilier d'enfant en pin massif ou en bois peint à charmants décors naïfs (de 650 à 1 500 F). Jeux éducatifs et jouets en bois, livres et disques, et vêtements à la mode de la naissance à 6 ans.

ROCHE-BOBOIS YOUNG STORE

● **2e** - *105, bd de Sébastopol (278.10.50).*
● **7e** - *213, bd Saint-Germain (548.33.42).*
● **12e** - *10, rue de Lyon (344.18.18).*

Mobilier de chambres d'enfants : lits jumeaux, gigognes, superposés ou incorporés, bureaux, bibliothèques, accessoires. Les formes sont astucieuses et presque toujours belles, les couleurs et les matériaux chaleureux (pin naturel, frêne teinté, tubes laqués, etc.). Prix assez élevés et délais un peu longs.

THIREAU

● **16e** - *65, av. Paul-Doumer (870.56.78).*

La Rolls des voitures d'enfants. Presque aussi chère que si elle en possédait le moteur et la calandre fameuse. Tout ici est raffiné (et coûteux) : des landaus aux lits de bébés, des berceaux aux paniers à layette, des brosses à cheveux aux robes de baptême à l'ancienne.

TOUPIN

● **16e** - *74, rue Saint-Didier (727.59.09).*

Pour ceux qui ne conçoivent les meubles de bébé que blancs, Toupin propose, à des prix raisonnables, berceaux, jolis lits à barreaux, chaises hautes, fauteuils en osier, vieux parcs pliants en bois, coffres à jouets, baignoires et commodes à langer, toises et lampes, laqués blanc.

UNIVERSITÉ 37

● **7e** - *37, rue de l'Université (548.26.20).*

Des lapins, des nuages, des dessins naïfs décorent les meubles d'enfants laqués de couleurs tendres (lits : 1 200 F, coffres à jouets : 750 F, bureaux, lampadaires, etc.) que crée avec beaucoup de charme Odile Gaufroy et qui seront réalisés pour vous sur mesure et à l'échantillon. Cette jeune décoratrice se charge aussi de la conception et de l'aménagement des chambres d'enfants : moquette, peinture, papiers peints, tissus, mobilier bien sûr, jusqu'aux lampes et objets décoratifs.

VERT POUCE

● **16e** - *66, rue de la Tour (520.16.13).*

Voir « L'habillement ».

Où manger quoi ? Voir p. 112.

Enfants : mercredis (gais ou studieux)

ATELIERS

L'ABÉCÉDAIRE

● **12e** - *68, rue Crozatier (343.25.36).*

Goldorak? Connaissent pas. Ou plutôt ne veulent pas connaître. Les deux jeunes femmes qui s'occupent avec passion de l'Abécédaire, une librairie destinée aux lecteurs de moins de 15 ans, entendent bien laisser ce personnage robotisé au vestiaire ainsi que tout ce qui lui ressemble de près ou de loin. Dans le « village » d'Aligre, on commence à savoir que leur atelier du mercredi rassemble au premier étage une dizaine d'enfants de 2 ans et demi à 7 ans, qui apprennent avec application la peinture, le modelage de la terre et le théâtre (170 F par trimestre pour une séance de 2 h le mercredi matin ou après-midi, fournitures comprises; 10 enfants maximum). Que du côté gauche de la boutique, elles ont soigneusement sélectionné les ouvrages qui donnent le goût de lire : albums réalisés par les meilleurs illustrateurs, livres de comptines, de chansons, de poésie, d'aventure, de documentation, contes, romans, œuvres de la littérature classique, dictionnaires, etc. Les jeux éducatifs sont alignés à droite : jouets à tirer, à pousser ou à rouler, formes à enfiler, à emboîter, véhicules à remplir ou à vider, boîtes à musique, jeux de société pour lesquels il n'est pas besoin de savoir lire. On trouve également ici du matériel artisanal : pâte à modeler, plâtre, peinture « au doigt », cartes à coudre, perles, gommettes, mobiles, découpages, etc., des disques, et aussi un rayon de livres de pédagogie courante destinés aux parents.

ASSOCIATION CULTURELLE ET SPORTIVE MAINE-MONTPARNASSE

● **14e** - *8, rue du Cdt-René-Mouchotte (566.03.46).*

Les enfants y sont nombreux. Dans un agréable et lumineux local (400 m²), qui est un peu l'âme du désert de Maine-Montparnasse, ils s'initient aux joies de la « chose artistique » à travers des activités multiples telles que modelage, travail sur plâtre, peinture, théâtre, marionnettes, danse, musique, divers travaux manuels, ainsi qu'à l'anglais par le jeu et aux sports (football, piscine). Ce club très vivant marche tambour battant depuis 1970. Horaires libres mais les enfants (et les adultes le soir pour poterie, danse, yoga) sont toujours encadrés par des moniteurs spécialisés. De 17 h à 19 h, sauf dimanche. Le mercredi de 9 h à 18 h 30 (on apporte son pique-nique) et le samedi de 14 h 30 à 18 h 30. Cotisation annuelle : 180 F. Assurance : 20 F. Inscription : 70 F.

ATELIER ANNE FÉLIX

● **19e** - *26, rue Pradier (203.48.35).*

Téléphoner le soir après 19 h sauf le mardi.

Les activités de l'atelier sont très variées. L'enfant peut choisir ce qu'il a envie de faire pendant un temps déterminé : peinture, poterie, modelage, émaillage, mosaïques, marionnettes, etc. 280 F par trimestre, toutes fournitures comprises pour 1 h 30 d'atelier.

ATELIER DES ENFANTS

● **4e** - *Centre d'Art et de Culture Georges Pompidou (277.12.33).*

Au milieu de cet univers de fer et de verre, une oasis de verdure : l'atelier des enfants. Une moquette gazon, des plantes vertes et de quoi passionner tout enfant quel que soit son tempérament. Danièle Giraudy a la responsabilité de cet univers, avec une trentaine d'assistants. plasticiens, marionnettistes, danseurs, comédiens qui, chaque jour, accueillent, surveillent et « animent » près de 500 enfants. Six ateliers fonctionnent en même temps, chacun d'eux consacré à un moyen d'expression différent : dessin, couleur, volume, audiovisuel. Les enfants ayant abandonné leurs chaussons de danse au vestiaire sont groupés (8 à 10) autour d'une « animatrice » et, dans le calme et la bonne humeur, passent des instants de rêve à dessiner, modeler, peindre et même à faire du pain ou des gâteaux. L'atelier de récréation est bien entendu celui qui connaît le plus grand succès avec ses marelles et damiers géants peints à même le sol, son théâtre de la jungle où l'on peut jouer avec la lumière et la couleur, ses luminographes pour photographier son ombre, son extraordinaire boîte à images avec un écran sur lequel on marche, etc. L'atelier est ouvert à tous les mercredi et samedi. Les enfants doivent se présenter quelques instants avant le début des séances (10 h, 14 h, 15 h 45). Celles-ci durent 1 h 1/2 et sont gratuites. Malheureusement, en raison du très grand nombre de postulants, chaque enfant ne peut y participer que pour un trimestre. Les autres jours sont réservés à l'animation de classes entières. Pour y participer, il faut et il suffit que, assez longtemps à l'avance, le professeur inscrive sa classe (6 séances par classe).

ATELIER NOOR-ZADÉ-BRENNER

● **15e** - *130, rue de Vaugirard (548.39.95).*

Remarquable atelier où les enfants dès l'âge le plus tendre apprennent à s'exprimer sans contrainte et à travailler à des créations collectives : peinture, modelage, collage, réalisation de maquettes, etc. Le mercredi matin et après-midi, le samedi après-midi. Inscription : 150 F, plus 150 F par mois.

LES BLEUS-BLANCS

● **12e** - *18, rue Sibuet (628.17.06).*

Cette ancienne et dynamique association « sportive et d'éducation populaire » couvre à peu près la totalité des besoins culturels et sportifs de tous les âges qu'il soit possible d'avoir à Paris : tennis, judo, danse, gymnastique, claquettes, yoga, échecs et bridge, théâtre, musique (solfège, flûte, clarinette, guitare, piano, percussion, chorale), ciné-club. Chacune de ces activités fait l'objet d'un encadrement particulier et de cotisations modestes. Ainsi pour la danse classique et moderne : 250 F par trimestre; pour le tennis : 500 F par an; pour les loisirs du mercredi (5 à 13 ans) : 27 F par jour repas compris, ou 9 F la demi-journée. Adhésion à l'association : 70 F.

CARRÉ SILVIA MONFORT (CENTRE D'ACTION CULTURELLE DE PARIS)

● **3e** - *66, rue Réaumur et 5, rue Papin (277.50.97).*

Depuis 1974, le Carré Silvia Monfort a présenté d'innombrables pièces de théâtre, des spectacles de ballets, de cirque (Gruss) ou de variétés, des expositions et des concerts. Le public peut à son tour se lancer très éclectiquement dans l'apprentissage de nombreux arts d'expression : à l'école du Cirque, dirigée par Alexis Gruss Jr., et à celle du Mime dirigée par Gérard Le Breton, ainsi qu'au Conservatoire d'Art magique ouvert en 77 par Gérard Majax où adultes et enfants apprennent des tours pour le prix modique de 120 et 80 F par mois (un cours par semaine). C'est aussi à Silvia Monfort que nous devons la création du Conservatoire National des Arts du Cirque et du Mime et le premier Festival international de Ballets pour enfants qui a eu lieu en mars 79.

CENTRE CULTUREL 17

● **17e** - *47, rue de Saussure (227.68.81).*

Excellente et sérieuse association pour les tout petits (2 à 4 ans) : atelier Tom Pouce (le lundi). Pour les plus grands (6 à 12 ans), des ateliers du mercredi aux activités très variées, danse, théâtre, judo, modelage, émaux et des sorties de plein air. Tarif moyen : 200 F par trimestre et par activité. Pour les journées continues du mercredi : entre 200 à 420 F par trimestre selon les revenus des parents. Enfin trois ateliers pour les jeunes gens de 15 à 20 ans : musique (percussion), audiovisuel et arts plastiques, le samedi de 14 h à 17 h : 250 F par trimestre. Le Centre ferme pendant les vacances scolaires.

CENTRE ÉDUCATIF D'ARTS APPLIQUÉS

● **10e** - *210, fg Saint-Martin (607.56.01).*

Carmen et Michel Bertrand font l'école depuis plus de 20 ans. Ils initient chaque année une centaine de stagiaires aux disciplines exaltantes de l'artisanat : céramique, poterie, pyrogravure, tissage, gainerie, vannerie, impression sur tissu, émaillage sur cuivre, etc. La clientèle est très diverse, l'atmosphère familiale et détendue : on ne travaille pas dans le génie. On peut s'initier au tissage en 10 leçons mais il faut 2 ans pour être bon potier. Pour les enfants (à partir de 6 ans) : 2 h par semaine : 460 F par trimestre, fournitures comprises. Voir aussi « Jeux, loisirs, musique, etc. ».

C.L.E.J.O.

● **13e** - *26, rue Charles-Fourier (589.07.73).*

Marionnettes, cuisine, photo, dessin, peinture, sports; possibilité de cantine.

ÉCOLE INDUSTRIELLE ET COMMERCIALE SAINT-NICOLAS

● **6e** - *92, rue de Vaugirard (222.83.60).*

Initiation sérieuse au travail du bois tous les mercredis de 18 à 20 h (sauf pendant les vacances scolaires) pour les garçons de 11 à 15 ans (13 ans est l'âge limite d'inscription). Droit d'inscription : 10 F, le cours de 2 heures : 30 F.

LES LOGES DE LA CUISINE

● **2e** - *31, rue Tiquetonne (233.93.93).*

Tous les mercredis, de 10 h à 12 h 30 ou de

14 h 30 à 15 h, par groupe de dix, les jeunes enfants de 5 à 12 ans, affublés — et enchantés de l'être — d'une toque et d'un tablier, apprennent ici les rudiments de cet art délicieux : la cuisine. La préparation des hors-d'œuvre (pour l'assemblage des couleurs) et des gâteaux (pour le malaxage des pâtes) est leur besogne favorite; et à la fin du cours ils emportent dans un petit panier les plats qu'ils ont préparés. 50 F la demi-journée.

Enfants à problèmes?

Appelez **Inter Service Parents** *(4, rue Brunel, 17e, 766.51.52).* Ce très sérieux organisme vous fournira — gracieusement — aide et conseils pour tout ce qui concerne l'éducation et la santé de vos enfants, les questions de droit, etc.

MUSÉE DE L'AFFICHE

● **10e** - *18, rue de Paradis (824.50.04).*

Les mercredi et samedi, de 10 h à 12 h, de 14 h 30 à 16 h 30 ou de 17 h à 19 h, les enfants de 6 à 14 ans dessinent et peignent très librement (par groupe de 30 au maximum) en compagnie de deux ou trois moniteurs qui ont pour ambition d'éveiller leur curiosité et de les initier à l'art. Cotisation annuelle de 30 F, plus 75 F par trimestre.

MUSÉE DES ARTS DÉCORATIFS

● **1er** - *107, rue de Rivoli (260.32.14).*

Une des plus sérieuses adresses du genre à Paris. On y apprend vraiment quelque chose sous la directive de professeurs compétents. Les candidats sont nombreux et il faut s'inscrire longtemps à l'avance. Tentez votre chance. Atelier des tout petits (4 à 6 ans) : dessin et peinture le jeudi à 14 h 30 (50 F d'inscription; 350 F de cotisation trimestrielle). Atelier des moins de 15 ans : dessin et peinture (6 à 15 ans) les lundi, mercredi et vendredi à 17 h, le samedi à 14 h 30; modelage (à partir de 9 ans) le samedi à 10 h et à 17 h (50 F d'inscription; 325 F de cotisation trimestrielle).

MUSÉE DES MONUMENTS FRANÇAIS

● **16e** - *Palais de Chaillot, aile de Paris, place du Trocadéro (727.35.74).*

Pour les enfants de 8 à 13 ans environ, quatre ateliers : d'architecture (manipulation de maquettes de bois en pièces détachées d'édifices romans et gothiques); de sculpture (examen des techniques et des styles de la sculpture médiévale); de fresque (initiation à cette technique par la réalisation de décorations peintes); de vitrail (technique, problèmes d'insertion dans l'architecture, etc.). Voici, très résumés, les programmes de ces ateliers; les enfants visitent en outre et bien entendu les salles du musée (moulages de sculptures, copies de peintures murales, de vitraux, maquettes d'édifices de l'art roman au XIXe siècle). 30 enfants par cours : les mercredi et samedi après-midi de 14 h à 17 h (15 F environ). Renseignements et inscriptions le matin.

L'ORANGE BLEUE

● **15e** - *48, rue Bargue (566.08.60).*

On y accueille les tout jeunes enfants non pas pour une banale garderie mais pour les faire jouer intelligemment, dès l'âge de 18 mois, les lundi, mardi, jeudi et vendredi de 8 h 30 à 12 h, les mardi et jeudi de 15 h à 18 h (abonnements 2 demi-journées par semaine : 180 F, 6 demi-journées : 380 F). Dès 4 ans ils s'initient à la peinture, au modelage, au travail des émaux, à la danse, à la musique (300 F par trimestre, le mercredi matin ou après-midi) ou assistent à des séances de ciné-club. Egalement pour les plus grands, des cours d'anglais par méthode audiovisuelle (2 h par semaine : 100 F par mois). Cotisation annuelle : 30 F, plus 20 F d'assurance par enfant.

LA RÉ-CRÉATION

● **3e** - *18, rue de Thorigny (278.41.82).*

Le mercredi (de 8 h 30 à 12 h et de 14 h à 18 h) et le samedi (de 14 h à 18 h), enfants et adolescents de 4 à 16 ans s'y adonnent, selon leurs goûts, à diverses activités : peinture, sculpture, poterie, musique, danse, etc. Sérieuse maison dans le genre « expression libre ». Une inscription annuelle de 30 F et un abonnement trimestriel de 330 F pour 2 h par semaine.

BIBLIOTHÈQUES POUR ENFANTS

BIBLIOTHÈQUE AMÉRICAINE DE PARIS

● **7e** - *10, rue Camou (551.46.82).*

Du mardi au vendredi de 14 h à 19 h; le samedi de 10 h à 19 h. F. dim. et lun. Abonnement : 75 F par an.

Prêts de livres pour les enfants connaissant bien l'anglais, et également de périodiques.

BIBLIOTHÈQUE BUFFON

● **5e** - *15 bis, rue Buffon (587.12.27).*

Tous les après-midi de 13 h 30 à 18 h 30, les mercredi et samedi de 10 h 30 à 12 h.

Bibliothèque de prêt (5 livres pour 3 semaines) pour enfants jusqu'à 14 ans. 8 000 livres.

BIBLIOTHÈQUE FLANDRE

● **19e** - *35, rue de Flandre (206.96.46).*

Les mardi, jeudi et vendredi de 16 h à 19 h, le mercredi de 10 h à 12 h 30 et de 14 h à 18 h 30, le samedi de 10 h à 12 h 30 et de 14 h à 18 h.

Bibliothèque de prêt (3 livres et 2 revues pour 15 jours) et de consultation. Plus de 7 000 volumes.

Pour connaître les bibliothèques de votre quartier

BUREAU DES BIBLIOTHÈQUES DE LA VILLE DE PARIS

● **4e** - *17, bd Morland (277.15.50).*

L'HEURE JOYEUSE

● **5e** - *6-12, rue des Prêtres-Saint-Séverin (325.83.24).*

Du mardi au samedi de 10 h 30 à 18 h 15, le vendredi de 14 h à 18 h 15.

Créée en 1924 par le « Book Committee » de New York (et depuis propriété de la Ville de Paris), c'est une bibliothèque pilote pour les enfants de 3 à 15 ans. Installations spéciales pour les plus petits, ouvrages en français dans tous les genres et aussi en langues étrangères. Les activités qu'on y propose sont nombreuses : lecture à haute voix, projections d'histoires en diapositives, cinéma, imprimerie, expositions, etc. Prêts de livres gratuits. La discothèque (prêts) est réservée aux éducateurs.

BIBLIOTHÈQUE VALEYRE

● **9e** - *22, rue Rochechouart (285.27.56).*

Tous les après-midi de 14 h à 19 h, le mercredi et le samedi de 10 h à 12 h et de 14 h à 19 h.

Pour les enfants jusqu'à 15 ans. Plus de 5 000 livres. Prêts de 4 livres pour 3 semaines. Egalement prêts de disques.

BIBLIOTHÈQUE-DISCOTHÈQUE BEAUGRENELLE

● **15e** - *36, rue Emeriau (577.63.40).*

Bibliothèque jeunesse : les mardi, jeudi et vendredi de 16 h à 19 h, les mercredi et samedi de 10 h 30 à 12 h 30 et de 14 h à 19 h. Discothèque : du mardi au vendredi de 12 h 30 à 19 h 30 et samedi de 10 h à 19 h 30.

Une de ces nouvelles bibliothèques polyvalentes où l'on peut tout aussi bien écouter un disque ou voir une exposition (une chaque mois, dans le hall d'accueil). 2 300 m² de salles spacieuses et bien meublées, avec un auditorium où se déroule chaque mois une séance de cinéma-débat et une conférence (accès gratuit). La bibliothèque-jeunesse, qui comporte un fonds de 12 000 volumes à consulter sur place (les enfants les choisissent eux-mêmes), ou à emporter chez soi (prêt gratuit pour 3 semaines), est complétée par des activités d'éveil (lecture de contes, peinture, modelage, cinéma). La discothèque — très fréquentée et la première de Paris — prête chaque mois plus de 7 000 disques (inscription : 5 F par an, plus 1 F par semaine et par disque).

BIBLIOTHÈQUE-DISCOTHÈQUE FAIDHERBE

● **11e** - *18-20, rue Faidherbe (371.71.16).*

Bibliothèque jeunesse : les mardi, jeudi et vendredi de 14 h à 19 h; les mercredi et samedi de 10 h 30 à 18 h 30. Discothèque : les mardi et vendredi de 13 h 30 à 19 h 30, les mercredi, jeudi et samedi de 10 h 30 à 19 h.

5 000 volumes attendent les enfants (au troisième étage); ils peuvent les consulter dans de vastes salles ou les emporter chez eux pour 3 semaines, gracieusement. Prêts de disques (5 F par an, 1 F par disque pour une semaine) sur présentation d'une pièce d'identité, d'une quittance et de la pointe de lecture de votre électrophone. Des activités variées sont également proposées : exposition, cinéma, heure du conte, imprimerie, etc.

Bibliothèques de la Ville de Paris : comment s'inscrire?

L'inscription et les prêts de livres sont gratuits. Les enfants doivent apporter une autorisation de leurs parents (plus une justification d'identité et du domicile). 5 F de droit annuel pour les disques et 1 F par semaine et par disque (prêt de 4 disques maximum).

BIBLIOTHÈQUE DISCOTHÈQUE GLACIÈRE

● **13e** - *132, rue de la Glacière (589.55.47).*

Les mardi et mercredi de 10 h à 19 h, le jeudi de 12 h à 19 h, le vendredi de 14 h à 20 h, le samedi de 10 h à 18 h.

Prêts de livres (20 000) et de disques (6 000). Gratuit.

BIBLIOTHÈQUE-DISCOTHÈQUE SAINT-FARGEAU

● **20e** - *16, rue du Télégraphe (366.84.29).*

Les mardi, jeudi et vendredi de 14 h à 19 h, le mercredi de 10 h à 12 h 30 et de 14 h à 19 h, le samedi de 10 h à 12 h 30 et de 14 h à 17 h.

1 200 volumes. Prêts de livres (3 volumes et un

périodique pour 3 semaines, gratuits) et aussi de disques (1 F par disque et par semaine). La discothèque reste ouverte entre 12 h et 14 h.

DANSE ET CLAQUETTES

JACQUES BENSE fut champion du monde de claquettes en 1935 et 36, avec plus de 1 200 battements à la minute (20 à la seconde). Voilà l'idéal qu'un nombre de plus en plus grand de parents ont fixé à leurs enfants en les inscrivant dans les cours qui prolifèrent depuis quelques années à Paris. C'est dire que les pas de deux et les tutus n'ont plus guère de succès, d'autant que la samba, le jazz, les rythmes africains et l'expression corporelle ne sont pas encore passés de mode. Voici quelques bonnes adresses de cours — pardon, de « centres d'arts plastiques » — où l'on vous initiera à ces diverses pratiques. Notez toutefois, pour tous renseignements, l'adresse de la **Fédération Internationale de Danse à Claquettes,** *177, fg Poissonnière, 9e (878.02.56).*

CENTRE DE DANSE DU MARAIS

● **4e** - *41, rue du Temple (277.58.19).*

Dans cet hôtel du XVIIIe siècle, ancien relais de poste de l'Aigle d'Or, Micheline Carrance, frêle ex-danseuse, a aménagé ce dédale d'ateliers qui n'abritent pas moins de trente-deux cours de danse classique ou moderne, expression corporelle, yoga, jazz, claquettes, mime, flamenco, afro-brésilien, comédie musicale, acrobatie, etc. Ce château branlant plein de charme, dont la grande cour aux pavés inégaux résonne de cris et de musique, abrite aussi le Café de la Gare et le théâtre Essaion-Valverde. Les enfants sont admis dans pratiquement tous les cours. Initiation à la danse (4 à 7 ans), jazz avec Barbara Pearce (à partir de 12 ans), danse moderne avec Carra (à partir de 7 ans). 220 F par trimestre.

CENTRE DE DANSE DE PARIS

● **8e** - *Salle Pleyel, 252, fg Saint-Honoré (561.06.30).*

Une adresse éminemment sérieuse et classique pour la danse du même nom. A partir de 5 ans, 25 F de l'heure. Carnet de 8 leçons : 192 F.

CERCLE MAILLOT

● **17e** - *20, rue Guersant (574.19.40).*

Un petit hôtel particulier dans le 17e arrondissement : la belle Tessa Beaumont y enseigne avec intelligence et autorité la danse classique (à partir de 6 ans). Mais rien ne vous empêche d'inscrire vos enfants au cours de claquettes ou de danse-jazz (à partir de 10 ans), à moins qu'ils ne préfèrent s'initier aux arts martiaux (dès l'âge de 4 ou 6 ans) : judo, viet vo dao (karaté vietnamien), etc. Danse : une heure par semaine : 100 F par mois. Arts martiaux : même tarif, mais les enfants peuvent venir s'entraîner aussi souvent qu'ils le désirent. Cours également pour les adultes.

ÉCOLE SYLVIA DORAME

● **8e** - *Salle Pleyel, 252, fg Saint-Honoré (551.63.07).*

Sylvia Dorame a derrière elle quinze ans de claquettes aux Etats-Unis. Elle considère cette danse comme un art d'expression totale (« ça part des pieds et ça finit dans les cheveux »); elle y adjoint des cours de danse de jazz « pour la tenue du corps ». Elle enseigne aussi bien les débutants qu'elle perfectionne les chevronnés (5 niveaux). Dans les sous-sols de Pleyel où elle délivre sa science, on peut voir s'ébattre des élèves dont l'âge s'échelonne entre 6 et 66 ans. Les neurologues lui envoient, affirme-t-elle, de nombreux clients, au nombre desquels figurent des hommes politiques, des mannequins et même un très sérieux père jésuite. 120 F par mois pour 4 cours.

EDITH GEORGES

● **6e** - *19, rue de Tournon (326.04.38).*

Une très sérieuse maison, comme l'annonce d'ailleurs sa belle et rassurante façade louis-philipparde. On y donne des cours de danse classique pour enfants à partir de 4-5 ans, et pour adultes à partir de 16 ans, par classe de 12 élèves. 305 F par trimestre, 1 h par semaine.

IRÈNE DE TRÉBERT - TAP DANCE SCHOOL

● **16e** - *27 bis, rue Copernic (727.46.32).*
● **16e** - *5, rue des Vignes (288.64.44).*
● **92 Vaucresson**
17 bis, av. de Villeneuve (970.00.85).

Irène de Trébert, alias Mademoiselle Swing, continue d'enseigner son art — les claquettes — à des générations de jeunes gens. Elle houspille volontiers ses élèves mais sait aussi rire de bon cœur avec eux. Cette dame énergique fut dès l'âge de 14 ans à la dure école du show américain : elle est titulaire du fameux Dance Masters of America, diplôme qu'elle fut la seule Européenne à remporter sans une faute. Vous sortirez de ses cours épuisés et ravis et au moins vous aurez appris quelque chose. 350 F par trimestre.

MAÎTRISE DOMINIQUE ET JANINE SOLANE

● **6e** - *1 bis, rue de la Grande-Chaumière (354.79.78).*

Aux petites filles dès l'âge de trois ans (et à leurs mères) Janine et Dominique Solane enseignent, sur de la musique de Bach, Beethoven, Mozart ou Debussy, le vocabulaire classique de la danse (sans les pointes) qui allonge la ligne et fortifie le dos. Les garçons ne sont acceptés que tout petits. 450 F par trimestre, ou 170 F par mois pour une leçon par semaine tout au long de l'année scolaire. Egalement cours de gymnastique de maintien et de danse pour les mères, sans limite d'âge.

SCHOLA CANTORUM

● **5e** - *269, rue Saint-Jacques (354.56.74).*

Cours de danse — classique, moderne ou « afro-jazz » — où l'on apprend aux enfants (à partir de 4 ans) à s'exprimer par le mouvement en faisant appel à toutes leurs facultés créatrices. 250 F par trimestre pour un cours par semaine.

STUDIO CHAUMONT

● **8e** - *16, av. de Wagram (924.41.63).*

Danse de caractère, selon la méthode Stens, danse populaire, danse classique, expression corporelle (à partir de 5 ans). L'assiduité est une condition d'inscription (200 F par trimestre) requise par le studio.

LANGUES VIVANTES

VOICI quelques adresses où vos enfants pourront apprendre dès l'âge le plus tendre et en jouant — ou presque — les rudiments d'une langue étrangère, et d'autres où les plus grands pourront perfectionner leurs connaissances de l'anglais et de l'allemand rapidement et sans douleur.

Anglais

AMERICAN CENTER FOR STUDENTS AND ARTISTS

● **14e** - *261, bd Raspail (354.99.92).*

Enseignement vivant et moderne sous la férule d'une jeune Américaine. Les enfants peignent, modèlent, découpent ou collent, sans cesser de parler anglais avec leur professeur. Ils ont à leur disposition des livres illustrés anglais. Cours le mercredi à 9 h 30 et à 11 h. Dès 5 ans.

CLUB ANGLO-FRANÇAIS

● **10e** - *12, rue de l'Acqueduc (206.86.19).*

Pour permettre aux enfants d'apprendre l'anglais tout naturellement en jouant, cette association, régie par la loi de 1901, organise des « English afternoons » (avec un « five o'clock » à la clef : gâteau au chocolat et jus de fruit) les mercredi et samedi après-midi (et les autres jours sur demande). Sous la conduite d'un moniteur de langue anglaise, les enfants « jouent en anglais » par groupe de 6 à 8 : chansons, comptines, disques ou dessin pour les plus petits (à partir de 4 ans), scrabble, monopoly pour les plus grands. Inscription : 40 F. Abonnement trimestriel : 350 F pour une séance de 2 h par semaine.

RELAIS UNIVERSITAIRES

● **8e** - *7, rue de Constantinople (387.01.31).*

Des écoles « Mini-Schools » d'anglais à domicile pour s'initier, si ce n'est apprendre l'anglais, dès l'âge de 6 ans (et jusqu'à 12 ans). Les cours ont lieu chez les élèves eux-mêmes par groupe de 8, sous la direction d'un moniteur qui présente films, bandes magnétiques et organise des jeux. 66 F de cotisation annuelle. 173 F par trimestre pour 10 séances d'une heure. Nombreuses formules de séjours d'études (6 à 20 ans) à l'étranger (Angleterre, Irlande, U.S.A., Allemagne).

R.E.M.I.

● **6e** - *39, rue de l'Abbé-Grégoire (222.70.90).*

Les Réalisations pour l'Enseignement Multilingue International se proposent d'apprendre l'anglais (ou l'allemand) aux enfants dès l'âge de 3 ans par des moyens audiovisuels et un programme de jeux et activités diverses (figurines, mime, etc.), à raison de 2 séances par semaine, en groupes de 15 enfants au maximum. On vous communiquera ici l'adresse des différents centres linguistiques extra-scolaires (à Paris, en banlieue ou en province) qui pratiquent la méthode R.E.M.I. Ou on vous vendra le matériel nécessaire pour l'utiliser à titre individuel.

Allemand

GOETHE INSTITUT (CENTRE CULTUREL ALLEMAND)

● **16e** - *17, av. d'Iéna (723.61.21).*
Annexes : 31, rue de Condé, 6e (326.09.21) et Maison de l'Allemagne, Cité Universitaire, 27, bd Jourdan, 14e (589.32.36).

Différentes possibilités de cours de perfectionnement (âge minimum : 17 ans). 2 séances de 90 minutes par semaine : 460 F par semestre ; 5 séances : 980 F. Cours intensifs l'été (avenue d'Iéna seulement).

JARDIN D'ENFANTS FRANCO-ALLEMAND

● **10e** - *134, fg Saint-Martin (032.47.70).*

Les enfants de 3 à 6 ans y apprennent la langue de Goethe en chansons et menus travaux tous les jours sauf le mercredi de 14 h à 17 h 30. 200 F par mois. Et pour les plus grands, de 6 à 10 ans, séances de jeux, travaux manuels, mime, chansons (en langue allemande) le mercredi de 14 h à 17 h 30 (80 F par mois).

OFFICE FRANCO-ALLEMAND POUR LA JEUNESSE

● **6e** - *6, rue Casimir-Delavigne (354.34.04).*

Donne tous renseignements relatifs aux séjours de jeunes en Allemagne selon la formule des échanges et rencontres.

LIBRAIRIES POUR ENFANTS

BIEN des librairies ont un rayon de livres pour enfants. Celles dont les noms suivent en font leur spécialité, ou sont particulièrement bien fournies.

L'ABÉCÉDAIRE

● **12e** - *68, rue Crozatier (343.25.36).*

Albums, livres de poésie, de chansons, d'aventures, contes et romans, ouvrages de littérature classique, soigneusement choisis par Elisabeth Préault pour les enfants de moins de 15 ans auxquels elle espère donner le goût de lire. Une bonne sélection de jeux éducatifs (Fisher Price, Ravensburger, Nathan), des disques et du matériel pédagogique.

CHANTELIVRE

● **6e** - *13, rue de Sèvres (548.87.90).*

La seule librairie de cette importance en France entièrement consacrée à la jeunesse. Plus de 5 000 titres : livres d'images, contes et romans, poésie, documentaires, livres de poche, beaux-arts, journaux, disques, jeux éducatifs, etc. Catalogue sur demande.

Où dîner le dimanche ? Voir p. 108.

LABARRE

● **6e** - *22, rue Dauphine (354.72.62).*

Magnifiques ouvrages anciens pour la jeunesse, dans la « nursery pour grandes personnes » de Claude Labarre, que Jacques Prévert appelait le mage des images.

LIBRAIRIE-GALERIE HUMOUR

● **14e** - *4, rue du Moulin-Vert (540.81.46).*

Cette librairie ne leur est pas spécialement consacrée mais possède un important rayon réservé aux petits : livres, jeux, kaléidoscopes, téléïdoscopes, boîtes à musique, feux d'artifices, images, mobiles, etc.

PALMIER 77

● **16e** - *77, rue de Longchamp (505.64.21).*

Livres (jusqu'à 13 ans) bien choisis en fonction de la qualité réelle des illustrations et des textes. Jeux éducatifs.

PIERRE SIEUR

● **7e** - *3, rue de l'Université (260.75.94).*

Ce sympathique boutiquier se nomme lui-même « marchand de rêve et d'évasion ». On trouvera chez lui, parmi d'innombrables objets curieux, jouets anciens et documents historiques, de merveilleux livres d'enfants et des vieilles bandes dessinées.

TRILBY'S

● **16e** - *18, rue Franklin (520.40.49).*

La librairie anglaise de la rue Franklin réserve à ses jeunes clients et à leurs mères un coin de livres d'enfants (en anglais bien sûr) où l'on peut trouver, des Nursery Rhythmes aux romans de Kipling, Kenneth Grahame ou Tolkien, la littérature qui convient à chaque âge.

MUSIQUE

AMERICAN CENTER FOR STUDENTS AND ARTISTS

● **14e** - *261, bd Raspail (354.99.92).*

Les étudiants des années 60 se souviennent peut-être encore de ce centre culturel effervescent et cosmopolite où nombre d'acteurs marginaux firent leurs débuts (telle Bulle Ogier avec Marc'o) et où, le samedi, se prenaient des thés très distingués dans la salle du rez-de-chaussée. Aujourd'hui, il n'y a plus ni piscine, ni cafétéria, mais, en revanche, le théâtre, les hootenanys (concerts de folk song) enfumés et les récitals de jazz y sont toujours florissants. Le centre se propose de devenir une véritable école-pilote d'activités créatrices : initiation musicale avec Guillaume Loizillon, rythmes et percussions avec Alain Poette et harpe avec Elisabeth Magnien. Inscription : 35 F le premier trimestre, 25 F les trimestres suivants; cours : 100 à 160 F par mois.

ÉCOLE DE MUSIQUE PAUL BEUSCHER

● **4e** - *17, bd Beaumarchais (887.57.27).*

Elle a quitté la rue Froment, se tient désormais au premier étage du magasin Beuscher récemment ouvert boulevard Beaumarchais. Leçons de solfège, piano, clarinette, flûte, saxophone, batterie, guitare, accordéon (8 heures par mois également partagées entre le solfège et l'instrument : 200 F), orgue (250 F). Aucune limite d'âge. Cours jusqu'à 21 h. Initiation musicale pour les enfants de 5 à 7 ans.

JEUNESSES MUSICALES DE FRANCE

● **4e** - *14, rue François-Miron (278.19.54).*

Tout le monde connaît cette organisation mais ignore généralement le grand nombre des possibilités qu'elle offre à ses adhérents. En payant un droit d'inscription minime (16 F) on peut dans des conditions fort intéressantes (5 à 8 F : concert junior, abonnement 5 séances concert : 30 F) assister à divers concerts, se rendre au Théâtre de la Ville, rencontrer des musiciens, des compositeurs, des chorégraphes ou des chefs d'orchestre. Le club lyrique (14-30 ans) prépare aux spectacles de l'Opéra et de la Salle Favart pour lesquels les J.M.F. ont réservé des places. Aux plus jeunes (de 7 à 10 ans) sont proposées des animations leur permettant une approche facile de la pratique musicale, ainsi une galerie sonore de 3 000 instruments d'Afrique et d'Asie qu'ils peuvent manipuler librement, ou bien la participation active à des mini-opéras. Au moment du Festival d'Aix-en-Provence, des stages d'été en Haute-Provence dans un moulin rénové regroupent les plus passionnés d'art lyrique (14 à 30 ans) que compte cette remarquable association.

LES MUSIGRAINS

● **4e** - *11, rue Saint-Louis-en-l'Ile (354.10.34).*

Germaine Arbeau-Bonnefoy organise une fois par mois, salle Pleyel, des concerts éducatifs pour des jeunes de 7 à 12 ans (les adultes peuvent accompagner leurs enfants). L'œuvre musicale y est présentée, commentée et expliquée simplement et de manière attrayante, durant une heure, pas davantage pour ne pas lasser les jeunes auditeurs. Le but de ces réunions est d'éduquer les oreilles enfantines pour leur donner le goût de la musique. Deux séances par jour. Abonnements de 5 séances de 60 à 83 F. Il est préférable de s'inscrire dès le mois de juin pour la rentrée.

SCHOLA CANTORUM

● **5e** - *269, rue Saint-Jacques (354.15.39).*

Ecole supérieure de musique fondée en 1896 et installée quatre ans plus tard dans ce qui fut — au grand siècle — le monastère-refuge des bénédictins anglais. Initialement vouée à l'enseignement de la musique liturgique par ses fondateurs — dont Vincent d'Indy — elle ne tarde pas à devenir l'un des plus ardents foyers

Chantez maintenant

Le plus simple moyen de développer « l'oreille » d'un enfant et son sens musical est encore de l'inscrire à une chorale ou manécanterie. Outre les conservatoires nationaux et les écoles nationales ou municipales de musique, voici quelques bonnes adresses à Paris.

CONSERVATOIRE DU LUXEMBOURG

● **6e** - *Mairie du 6e, 78, rue Bonaparte (325.79.82).*

Droit d'inscription : 60 F, plus 180 F par an. Garçons et filles de 9 à 14 ans.

FÉDÉRATION FRANÇAISE DES PETITS CHANTEURS

● **6e** - *1, rue Garancière (329.56.70).*

Garçons à partir de 8 ans. Le mercredi après-midi. Vous pouvez joindre le Père Revert, responsable des 35 chorales de Paris et de la proche banlieue, au 8, rue Massillon, 4e (354.65.43).

GROUPE CHORAL DE SAINT-GERMAIN-DES-PRÉS

● **6e** - *9, rue de l'Abbaye (325.04.23).*

Garçons à partir de 8 ans. Répétitions le mardi de 18 h 30 à 19 h 45; un concert par trimestre à Paris ou en province. 50 F par famille et par an.

MANÉCANTERIE DES PETITS CHANTEURS A LA CROIX BRÛLÉE

● **5e** - *14, rue Censier (331.44.84).*

Garçons seulement, à partir de 8 ans. Concerts à Paris et en province.

MANÉCANTERIE DES PETITS CHANTEURS DE SAINT-LAURENT

● **10e** - *20, rue du Terrage (607.34.41).*

Pour les garçons seulement, de 9 à 14 ans. Solfège et chant. Gratuit.

de la création musicale en général (Erik Satie en fut — tardivement — l'élève). Son programme actuel comprend, outre de nombreuses « classes » d'interprétation instrumentale, un cours de théorie musicale (solfège, écriture), un autre de direction d'orchestre, un autre encore d'histoire de la musique. S'y sont ajoutés récemment divers « ateliers » : danse, jazz, théâtre. 200 à 900 F par trimestre.

PROMENADES EN AVION

AIR 2000

● **12e** - *6, av. Maurice-Ravel (343.19.01).*

Les boucles de la Marne, les vallées du Grand et du Petit-Morin, la Brie forestière, les Yvelines (avec une vue générale de Paris) à découvrir — au départ du Bourget, de Toussus-le-Noble ou de Lognes — à bord d'un « coucou » qui emmène 3 à 6 passagers pour une promenade de 3 heures « au fil de l'air », à basse altitude et à petite vitesse. Réservation au moins 8 jours à l'avance (bureaux ouverts du lundi au jeudi, de 10 h à 17 h).

PROMENADES EN BATEAU

BATEAUX-MOUCHES

● **8e** - *Embarcadère pont de l'Alma rive droite (225.96.10).*

Promenades de 1 h 1/4 environ. Départs toutes les 1/2 heures de 10 h à 12 h, 10 F; et de 14 h à 18 h, 15 F. Nocturnes à 21 h, 21 h 30, 22 h, 22 h 30, 15 F.

Très vastes bateaux spécialement aménagés, les plus agréables pour les promenades sur la Seine car on peut circuler à loisir à l'intérieur ou sur le pont.

VEDETTES PARIS-TOUR EIFFEL

● **7e** - *Port de La Bourdonnais (705.50.00). Embarcadère : pont d'Iéna, rive gauche.*

Promenades de 1 h environ. Départ toutes les 30 minutes de 10 h à 17 h. Du 1er mai au 15 octobre, toutes les 20 minutes de 9 h à 22 h. 12 F. Enfants de moins de 10 ans : 6 F. Croisières des illuminations du 1er mai au 15 octobre, tous les soirs à 21 h 30 et à 22 h 30. 15 F.

Tous les enfants de Paris, ou presque, ont dû faire un tour sur ces vedettes, car des billets gratuits sont (astucieusement) distribués dans les écoles publiques pour récompenser les efforts... Paris défile joliment derrière les toits transparents des vedettes, mais la chaleur est intense dès que le soleil brille un peu fort, et l'on est bloqué à sa place durant tout le trajet.

VEDETTES PONT-NEUF

● **1er** - *Pont-Neuf, square du Vert-Galant (633.98.38).*

Promenade de 1 h environ. Départs à 10 h 30, 11 h 15, 12 h et toutes les 1/2 heures de 13 h 30 à 18 h. Tous les soirs du 1er mai au 15 octobre : croisière des illuminations à 21 h et 21 h 30. 12 F le jour, 15 F la nuit (pour les enfants de moins de 10 ans : 6 F et 8 F).

SCIENCES ET LOISIRS

ASSOCIATION POUR LA DÉCOUVERTE DE LA NATURE

● **3e** - *4, rue Paul-Gervais (535.17.14).*

Créée pour permettre à tous d'accéder à une connaissance meilleure et plus scientifique de la nature, l'association organise des stages (18 ans minimum) en Haute-Savoie, des randonnées pédestres en Ile-de-France, des visites de laboratoires et de musées, des sessions d'initiation à la biologie (le samedi matin tous les 15 jours). Séances de ciné-club et prêts de livres gratuits. Cotisation 10 F.

CLUB ALPHA-BRAVO CHARLIE

● **12e** - *6, av. Maurice-Ravel (343.19.01).*

Tous les mercredis pendant l'année scolaire, le club organise des séances de 1 h 30 d'initiation aéronautique pour les enfants de 8 à 13 ans : notions élémentaires de technologie et d'histoire de l'aviation par des projections de diapositives et des visites aux aérodromes et au musée de l'Air du Bourget; construction de modèles réduits (avions ou planeurs) et de cerfs-volants que les enfants feront voler — si le temps le permet — au cours de séances de plein-air; apprentissage du morse, et même une approche du pilotage sur simulateur de vol. Inscriptions en juin et en septembre. 230 F.

CLUB JEAN PERRIN - SOCIÉTÉ DES AMIS DU PALAIS DE LA DÉCOUVERTE

● **8e** - *Av. Franklin-Roosevelt (359.16.65).*

Les passionnés de sciences et de techniques âgés de 10 à 20 ans peuvent participer ici pour le prix très modeste de 70 F par an à des activités de laboratoire : astronomie, physique, chimie. Et pour 30 F par an à des visites de centres industriels ou de laboratoires de recherches (Institut français du pétrole, usine d'épuration des eaux, centre d'études nucléaires de Saclay, etc.). Le club organise aussi des excursions de quelques jours et des camps de vacances, voués à l'initiation à la géologie, à l'écologie ou à l'astronomie (environ 1 600 F pour un séjour de trois semaines).

Le « Club des grosses têtes »

JEUNES VOCATIONS ARTISTIQUES, LITTÉRAIRES ET SCIENTIFIQUES

● **14e** - *14 bis, rue Mouton-Duvernet (540.95.61).*

Vous savez que votre enfant est un petit génie : il a cinq ans et extrait déjà des racines carrées, il en a six et compose comme Mozart, il en a sept et dessine comme Léonard de Vinci, il en a huit et écrit comme Proust... Le centre Jeunes Vocations s'intéresse à votre prodige (et même éventuellement à des enfants beaucoup moins doués) et se propose, après un examen psychologique et des tests, de l'épanouir, de l'amuser et d'enrichir ses connaissances. Noble tâche s'il en est. Des écrivains, des historiens, des géographes, des mathématiciens, des astronomes, etc., le guideront dans ses recherches et répondront à toutes ses questions, ainsi qu'à celles de ses petits camarades. Rencontres les mercredi et samedi après-midi : les enfants (de 5 à 14 ans) choisissent les activités qui leur plaisent. Cotisation : 600 F par trimestre, mais Jeunes Vocations accorde aussi des bourses, partielles ou totales.

MAISON DE LA NATURE

● **92 Boulogne** - *Jardin Albert-Kahn, 9, quai du 4-Septembre (603.33.56).*

Tous les jours sauf le samedi et le dimanche. Gratuit.

La Maison de la Nature s'est ouverte depuis peu aux jeunes citadins d'âge scolaire que la flore, la faune et l'environnement intéressent. Les passionnés de la nature observent au rythme des saisons les arbres, arbustes et fleurs du délicieux Jardin Albert-Kahn, apprennent à reconnaître et à appeler par leur nom les plantes exotiques de la serre, à faire des semis de graines potagères et suivre leur développement, à examiner le comportement des oiseaux, des insectes ou des batraciens. Les autres, les « savants », étudient d'après des cartes et des photographies aériennes la topographie, ou l'évolution de l'habitat, apprennent les rudiments de la climatologie, ou observent la vie dans un aquarium.

SOCIÉTÉ FRANÇAISE DE PHOTOGRAPHIE

● **7e** - *9, rue Montalembert (222.37.17).*

C'est la plus ancienne société photographique du monde, fondée en 1854 par quelques savants, littérateurs et artistes (Eugène Delacroix, Hippolyte Bayard, Victor Regnault, le baron Cros, etc.). Elle ne s'intéresse pas moins aux techniques les plus actuelles. Outre des séries de conférences et des cours de préparation au C.A.P. de photographe, elle organise des stages de travaux pratiques : un week-end et 10 séances de 3 heures (de 19 h à 22 h) au cours desquelles les amateurs de tous âges (munis d'un appareil 24x36) peuvent s'initier à la prise de vue (en studio et en reportage) et aux travaux de laboratoire. Adhésion à la Société : 100 F. Frais de participation aux stages : 850 F. Le secrétariat est ouvert de 14 h à 18 h.

TOURING CLUB DE FRANCE-JEUNESSE

● **16e** - *65, av. de la Grande-Armée (502.14.00).*

Vaste éventail de loisirs et d'activités en plein-air pour les enfants de 6 à 16 ans, durant l'année scolaire. Cotisation annuelle : 40 F, plus participation aux frais.

VISITES - CONFÉRENCES

ARCUS

● **6e** - *21, rue Cassette (222.39.89).*

Cette association culturelle sans but lucratif propose, sous la conduite d'éminents universitaires, de faire découvrir aux enfants, aux étudiants et aux adultes (individuellement, en groupes scolaires, comités d'entreprises ou associations) l'histoire de l'art, celle des civilisations, l'archéologie et l'artisanat. Très vaste programme adapté à chaque âge, sous forme de visites de musées ou d'ateliers et de conférences sur des sujets très variés. Pour les enfants de 8 à 16 ans venant individuellement, inscription : 40 F par an, séance : 12 F (7 F pour la personne qui l'accompagne); adultes, inscription : 60 F par an, séance : 15 F. Abonnements, réductions et rendez-vous pour les groupes. Arcus offre également de nombreuses possibilités de voyages (Italie, Tunisie, Egypte, Grèce, Turquie, etc.).

L'ART ET LES JEUNES (Musée des Arts Décoratifs)

● **1er** - *107, rue de Rivoli (260.32.14).*

D'octobre à mai, des visites guidées d'un genre

très particulier et original. Deux programmes. Le premier pour les enfants de 5 à 8 ans, « Un objet raconte son histoire ». A partir d'un objet déterminé — l'armure d'un prince (thème de la visite : Au pays des mille et une nuits), un coffre, une arbalète (thème : L'époque des châteaux-forts), etc. — la « conférencière » fait une sorte de leçon de choses. L'enfant observe, pose des questions, puis dessine (papier et crayons sont fournis). Deuxième programme, pour les enfants de 8 à 12 ans : « La vie quotidienne à travers les siècles » et « Métiers et artisans ». Chaque visite guidée dure une heure environ et coûte 6 F. Rendez-vous le mercredi à 14 h 30 dans le hall du musée.

L'ART POUR TOUS

● **93 Epinay-sur-Seine** - *34, rue Félix-Merlin.*

Ancienne et remarquable association d'éducation populaire qui organise des visites-conférences dans les musées, les expositions, les monuments, etc. Un programme riche et varié, accessible aux adolescents. Inscription annuelle 60 F ; tarif des visites dérisoire (5 F) quand elles ne sont pas gratuites. Bulletin trimestriel envoyé gracieusement sur simple demande.

BUREAU D'ACTION CULTURELLE DE LA DIRECTION DES MUSÉES DE FRANCE

● **1er** - *Palais du Louvre (260.39.26, poste 30.12).*

Paris à travers les âges : visites-conférences pour enfants. Le programme est conçu selon la classe où se trouve l'enfant. Faire la demande 15 jours à l'avance.

ANNE FERRAND

● *(270.71.62 aux heures de bureau sauf le lundi matin).*

L'hôtel de la Monnaie, les Gobelins, la Mosquée sont au nombre des visites que cette bonne conférencière dédie particulièrement à ses plus jeunes auditeurs.

HÔTEL DE SULLY

● **4e** - *62, rue Saint-Antoine (887.24.14).*

On peut se renseigner à l'une ou l'autre de ces adresses sur les visites organisées à travers Paris et les différentes expositions susceptibles d'intéresser les enfants.

OFFICE DE TOURISME DE PARIS

● **8e** - *127, Champs-Elysées (720.04.96).*

Retenez votre table par téléphone.

PROMENADES ET CONFÉRENCES DE PARIS (Michèle-Mathilde Hager)

● **1er** - *62, rue J.-J.-Rousseau (233.01.53).*

M.-M. Hager organise des visites originales particulièrement étudiées pour les enfants (10 F, à partir de 10 ans) : les studios de la Télévision, le fournil de Poilâne, les caves de chez Nicolas, l'atelier d'un souffleur de verre, celui des fleurs artificielles de chez Trousselier, etc.

VISITES INSTRUCTIVES ET AMUSANTES

A.J.N.F. VOLCANS

● **17e** - *47, rue de Saussure (227.68.81).*

L'association des Jeunes Naturalistes Français Volcans regroupe les volcanophiles de tous âges et les réunit selon la saison autour de tables rondes ou d'authentiques cratères. Week-end en Auvergne, camps d'été en Islande ou sur le Stromboli, expositions, conférences, etc. Permanence de 18 h à 19 h le mercredi.

BEAUBOURG ATELIER DES ENFANTS

● **4e** - *Centre d'Art et de Culture Georges Pompidou (277.12.33).*

Voir « Ateliers ».

CATACOMBES

● **14e** - *2, pl. Denfert-Rochereau (329.58.00).*

Tous les samedis du 1er juillet au 15 octobre. Le 1er et le 3e samedi du mois du 16 octobre au 30 juin. A 14 h. 6 F.

Un immense ossuaire plus pittoresque que tragique : tous les débris humains trouvés dans le sol de Paris ont été déposés ici. C'est ce cadre « romantique » que choisit le grand Nadar pour faire la démonstration de la photographie en lumière artificielle dont il avait déposé le brevet en 1861.

ÉGOUTS DE PARIS

● **8e** - *Entrée face au 93, quai d'Orsay (705.10.29).*

Les lundi, mercredi et dernier samedi de chaque mois (sauf veille et lendemain de fête). De 14 h à 17 h. 5 F.

IMPRIMERIE NATIONALE

● **15e** - *27, rue de la Convention (575.62.66).*

A partir de 14 ans, une passionnante visite pour adolescents sérieux.

POMPIERS (Commandement de la Brigade des Sapeurs Pompiers)

● **17e** - *1, pl. Jules-Renard (572.18.18).*

Visite des installations et du matériel nickel. Prendre rendez-vous par lettre auprès du général commandant la brigade.

P.T.T. (Direction des Télécommunications)

Service des Relations Publiques

● **15e** - *18, bd de Vaugirard (540.33.33).*

ou Direction des Postes

● **14e** - *140, bd du Montparnasse (544.39.44).*

Pour visiter en groupe les centres de tris manuel et automatique et les centraux téléphoniques. Prendre rendez-vous.

R.A.T.P. (Service des Relations Extérieures)

● **6e** - *53 ter, quai des Grands-Augustins bureau 19 (346.33.33).*

Après cette visite, le RER n'aura plus de secret pour vos enfants. A partir de 13 ans. Prendre rendez-vous.

S.N.C.F.

A partir de 12 ans, par groupe accompagné, les enfants peuvent visiter une gare, les postes d'aiguillage, etc. Il suffit de téléphoner ou d'écrire au chef de la gare choisie pour prendre date. Pour visiter les dépôts et les ateliers de montage et d'entretien du matériel ferroviaire, il faut téléphoner au service des Relations extérieures de la S.N.C.F. : 285.62.59.

TOUR MONTPARNASSE

● **15e** - *33, av. du Maine (538.32.32).*

Tous les jours de 10 h à 22 h. 10 F. Enfants : 5 F.

N'y allez surtout pas par temps brumeux, vous risqueriez d'être dans du coton. Sinon la vue est « panoramique » et intéressante.

ZOOS ET JARDINS

AQUARIUM DU TROCADÉRO

● **16e** - *Av. Albert-de-Mun (723.62.95).*

Tous les jours de 10 h à 17 h 30. 2,50 F. Enfants 1,25 F.

Mille beaux poissons des rivières et des étangs de France, enfouis dans de caverneux viviers sous les jardins du Trocadéro.

Envoyez-nous vos bonnes adresses.

JARDIN D'ACCLIMATATION

● **16e** - *Bois de Boulogne, porte des Sablons (624.10.80).*

Tous les jours de 9 h à 18 h.

C'est le jardin favori de tous les enfants de l'ouest de Paris et le plus épuisant pour leurs parents. On peut y accéder par un petit train qui part de la Porte Maillot près de « L'Orée du Bois ». Sont gratuits : les parcs de jeux, la piste éducative de la Prévention Routière (très astucieuse), les pistes de patins à roulettes, le guignol et le hall de glaces déformantes. Le reste est payant et l'on dépense facilement quelques billets de 10 F en manèges, rivière enchantée, kart, poneys, pistes de skate-board et barbe à papa. C'est plus cher qu'une place de cinéma, mais les enfants en reviennent les joues plus rouges et le cœur plus en fête. Les petits citadins se passionnent aussi pour la ferme (gratuit), ses quatre bâtiments conçus à leur échelle où ils découvrent sur plus d'un hectare ces animaux étranges que sont les cochons, les chèvres et les poules (qu'ils connaissent moins bien que les lions et les ours de la télévision). Pour déjeuner au Jardin, on peut aller au Pavillon des Oiseaux qui propose un honnête menu à 43 F. On y sert un « plateau spécial » pour les enfants conçu à leur intention par une diététicienne (23 F). Intéressant programme d'animation dans le théâtre du jardin : piècettes et films d'enfants, matinées poétiques, contes enfantins, initiation à la musique (sous forme de concerts suivis de commentaires), projections et causeries et visite du Musée en herbe qui propose des expositions temporaires pour les enfants de 6 à 15 ans. Entrée 5 F.

JARDIN DES PLANTES

● **5e** - *Entrées rue Buffon, rue Cuvier et pl. Valhubert (336.14.41).*

Ménagerie et vivarium : tous les jours de 9 h à 17 h (18 h l'été). 6 F.

Un zoo charmant mais non pas des plus brillamment entretenus. Mais il faut courir voir les minéraux, le squelette du diplodocus et de l'archéoptérix, les merveilleux insectes (fort bien présentés dans une salle moderne de la rue Buffon), les raretés de l'étrange vivarium, la forêt tropicale des serres et la plus riche collection de papillons du monde. Voir aussi le chapitre « Visites et promenades - Jardins fleuris ».

PARC DE SAINT-CLOUD

● **92 Saint-Cloud** - *(602.24.20).*

Tous les jours de 7 h à 21 h. Piétons : entrée gratuite. Voiture : 4 F.

On peut louer à la Vélocipèderie (de 9 h à 19 h) des vélo-cross (16 F de l'heure), des tandems, triplettes ou quadriplettes, des « rosalies » (voitures pour 2 pédaleurs et 1 passager) et même des « rosa-quatre » (4 pédaleurs et 2 passagers) qui permettent de découvrir en famille et à loisir les beautés méconnues de ce bel espace vert rempli de pittoresque. Voyez la grande cascade, bien sûr, mais aussi le panorama sur Paris depuis la terrasse de la Lanterne à 94 m d'altitude.

PARC ZOOLOGIQUE ET DE LOISIRS DE THOIRY

● **78 Thoiry** - *Château de Thoiry (487.40.67).*

De 9 h 30 à 18 h. Le dimanche de 9 h 30 à 18 h 30. 26 F. Enfants : 15 F. Tarifs réduits pour les groupes à partir de 25 personnes.

On circule dans la réserve africaine en voiture (toutes vitres fermées), parmi les lions, éléphants, ours noirs d'Amérique et bon nombre d'autres animaux exotiques. On visite à pied les jardins à la française, le vivarium, l'île des singes, le parc des tigres et bien entendu le château où l'on peut tout aussi bien déjeuner en « libre-service ». Pour les enfants, pique-nique gratuit, jeux et activités multiples. Plus d'un million de visiteurs par an... c'est dire que certains dimanches les routes de Thoiry sont bouchées comme à l'Opéra.

PARC ZOOLOGIQUE DE PARIS

● **12e** - *20, av. de Saint-Maurice, Bois de Vincennes (343.84.95).*

Tous les jours de 9 h à 17 h 30 (l'été : 18 h). 7 F. Enfants : 3,50 F.

Vaste zoo (17 ha) ouvert au public en 1934. Les collections actuelles comptent environ 1 100 animaux répartis en 115 espèces de mammifères et 160 d'oiseaux, dont certaines fort rares : bongos, cerfs d'Eld, otaries à fourrure, okapis, grand panda, tapir laineux, casoars, flamants des Andes, manchots royaux, etc. Les animaux évoluent en liberté apparente; des galeries chauffées dissimulées sous des rochers artificiels permettent de présenter les plus fragiles même l'hiver. Atmosphère aimablement populaire.

ZOO JEAN RICHARD

● **60 Nanteuil-le-Haudouin** - *Ermenonville (4/454.00.28).*

De 10 h à 18 h en été; de 13 h 30 à 17 h en hiver. 8 F. Enfants : 4 F.

A l'orée de la forêt, lions, gorilles et otaries. De Paris, en car, par les Courriers de l'Ile de France, 5, quai de la Seine, 19e (607.72.35).

VACANCES

ASSOCIATION JEUNESSE ET AVENIR

● **9e** - *35, rue Saint-Georges (526.52.62).*

Organise des séjours de vacances pour les jeunes (sports d'hiver de 6 à 20 ans, camps d'été de 6 à 16 ans).

CASTEL ET CAMPING CARAVANING

● **16e** - *169, av. Victor-Hugo (727.07.38).*

Vous qui prenez encore le camping pour le tourisme du pauvre, savez-vous qu'une quarantaine de « camps » (catégorie 4 étoiles) sont installés dans les domaines et dépendances d'authentiques châteaux? C'est le propriétaire lui-même qui vous accueille sur le perron pour vous faire les honneurs de son domaine. Il vous assure des installations sanitaires confortables, vous fournit l'électricité pour votre caravane, et vous ouvre des salles de réunion (trois au moins), très souvent installées dans le château même, où l'on peut lire, jouer aux cartes, écouter de la musique, etc. Il se charge également de vous initier aux charmes de la région et de vous conseiller pour vos excursions. Possibilités de location de matériel de camping.

CLUB DU VIEUX MANOIR

● **1er** - *10, rue de la Cossonnerie (508.80.40).*

Ce club de jeunes gens bénévoles regroupe plus de 4 000 membres sur une vingtaine de chantiers disséminés à travers la France (surtout Sud-Ouest et Val de Loire) et même aux Antilles, tous consacrés au sauvetage de monuments menacés. Des chantiers permanents permettent de participer aux activités du club en dehors des périodes de vacances. Inscription annuelle et assurance : 20 F. Prix de pension : 20 F par jour. Durée du chantier : 15 jours. A partir de 15 ans (13 ans pour certains chantiers).

ENTRAIDE ALLEMANDE

● **8e** - *42, av. George-V (720.22.85).*

En collaboration avec l'Office franco-allemand pour la jeunesse, l'Entraide allemande organise pour les enfants de 12 à 17 ans (par groupe de 30) des séjours culturels de trois semaines (en juillet ou en août) dans des auberges de jeunesse ou centres de vacances, en Bavière, en Saxe, en Rhénanie ou dans le Wurtemberg; une à deux heures de cours (obligatoires) de langue allemande chaque jour, visites, conférences, excursions, invitation dans des familles, rencontres avec de jeunes Allemands du même âge. Inscription avant le 20 mars. Frais d'inscription : 50 F. Frais de séjour : 500 F minimum (et jusqu'à 2 000 F, selon les ressources de la famille).

LA MARELLE

● **5e** - *70, bd de Port-Royal (707.50.20).*

Des vacances en milieu familial : des familles accueillent un ou plusieurs enfants le temps d'un week-end ou des vacances scolaires et les fait participer à leur vie quotidienne. De 3 à 17 ans; 52 à 82 F par jour.

S.T.A.J.

● **10e** - *27, rue du Château-d'Eau (208.56.63).*

Cette association nationale (Service Technique pour les Activités de Jeunesse) agréée par l'Etat est spécialisée dans la formation des moniteurs et cadres de centres de vacances et de loisirs. Sessions de formation théorique (8 jours : 720 F), stage pratique dans un camp ou une colonie de vacances, session de spécialisation : spéléologie, artisanat, montagne, expression corporelle, etc. (6 jours : 540 F). Il faut avoir plus de 17 ans.

TOURING CLUB DE FRANCE

● **16e** - *65, av. de la Grande-Armée (502.14.00).*

Cyclisme, natation, équitation, montagne, tennis, nautisme, etc. Les activités proposées par le T.C.F. sont innombrables et s'adressent aux jeunes gens à partir de 6 ans. Trente ans d'expérience et une réputation de sérieux très jutifiée. Plus de 200 séjours de vacances proposés en France ou à l'étranger.

Coiffeurs

COIFFEURS POUR FEMMES

PATRICK ALÈS

● **8e** - *35-37, av. Franklin-Roosevelt (225.57.49).*
De 9 h à 18 h 30. F. dimanche et lundi.

Le salon qui s'étend sur deux immeubles est doté d'un jardin suspendu. Le personnel est toujours aussi discret pour ne pas remarquer les clientes célèbres comme Mme Pompidou, Jacqueline Onassis, Raquel Welch ou Sydne Rome. Patrick Alès est le créateur de la phytothérathrie. Les soins vous seront prodigués par Olga aux doigts de fée : massage à la polléine si vous perdez vos cheveux, cataplasme au phytohenné neutre s'ils sont gras, bain d'huile d'Alès s'ils sont secs. Roland, maître-teinturier, vous fera une coloration très étudiée. Marion vous soignera les pieds, tandis que l'aimable Romain, favori des vedettes et des femmes du monde, créera pour vous une coiffure personnalisée. Coupe : à partir de 80 F. Mise en plis : 60 F. Maquillage : 100 F. « Training » tous les jeudis de 18 à 20 h : coupe et coiffure gratuites (mais prenez rendez-vous).

ALEXANDRE

● **8e** - *3, av. Matignon (225.57.90).*
● **8e** - *120, fg Saint-Honoré (359.40.09).*
De 10 h à 19 h. F. dimanche, avenue Matignon; dimanche et lundi, faubourg Saint-Honoré.

Alexandre le Grand a bien évidemment fait établir son curriculum vitae, où l'on apprend, entre autres, qu'il descend par sa mère du général Pavone qui combattit sous Napoléon. Son ascendance ne remonte cependant pas tout à fait jusqu'au roi de Macédoine. On le lui pardonnera aisément puisqu'il est le maître incontesté de toutes les coiffures « princières » (Grace et Caroline de Monaco, la begum Aga Khan, et la duchesse de Windsor). Le music-hall fit également appel à lui et il connut « des heures palpitantes » avec Joséphine Baker, Liliane Montevecchi et Line Renaud. Ses salons drainent toujours la plus brillante clientèle du monde, celle qui se marie en juin à Saint-Honoré d'Eylau (grande spécialité de coiffures de mariée) et celle qui se tire les cheveux en chignon pour un gala à l'Opéra ou pour un bal sous des lustres et des girandoles de cristal. Coupe : à partir de 85 F. Brushing : à partir de 65 F.

CARITA

● **8e** - *11, fg Saint-Honoré (265.79.00).*
De 9 h 30 à 19 h. F. dimanche et lundi.

Une seule et unique maison à Paris, dirigée par Rosy Carita. Son prestige est indiscutable — et indiscuté. Elle garde avec Alexandre et quelques satellites le quasi-monopole des cheveux et postiches du Tout-Paris. Tous les soins imaginables, et même ceux qui le sont à peine, vous sont ici prodigués avec art : défrisages, brûlages, permanentes, « mèches », « balayages », traitement des cheveux et du visage, massages, maquillages, épilations, manucurie et pédicurie (à la chinoise ou à l'européenne), avant que Christophe (neveu de Rosy Carita) ou une pléiade de coiffeurs-vedettes s'activent sur votre chef ou sur celui de Catherine Deneuve (star fétiche de la maison), Isabelle Adjani, Marie-France Pisier ou Françoise Giroud. Coupe : à partir de 72 F. Brushing : 55 F.

INSTITUT PIERRE DARPHIN

● **8e** - *36, av. Matignon (359.61.93).*
De 9 h à 19 h. F. dimanche.

Le spécialiste du « coiffant modulé » qui, à partir d'une même coupe, permet de réaliser quatre coiffures totalement différentes. Décor fonctionnel et accueil aimable. Coupe : 70 F. Brushing : 70 F. Soins esthétiques également.

JEAN-LOUIS DAVID

● **8e** - *47, rue Pierre-Charron (359.75.16).*
De 10 h à 19 h. F. dimanche.
● **8e** - *50 bis, rue Pierre-Charron (359.54.54).*
● **8e** - *38, av. de Wagram (924.68.91).*
● **16e** - *50, rue de Passy (224.63.03).*
● **20e** - *9, cours de Vincennes (370.51.60).*

Un des plus brillants coiffeurs de Paris et sans doute le plus remuant. Des salons marron et blanc, modernes et confortables où vos cheveux seront parfaitement coupés et coiffés, à votre convenance, de la façon la plus échevelée ou très classiquement. (Coupe et brushing : 184 F). Ma maison-mère donne sa ligne de conduite à ses quatre enfants (« Diffusion ») dont l'un occupe, juste en face, les anciens

Coiffeurs pour femmes ouverts le lundi

INSTITUT PIERRE DARPHIN
● **8e** - *36, av. Matignon (359.61.93).*
De 9 h à 19 h.

JEAN-LOUIS DAVID INTERNATIONAL
● **8e** - *47, rue Pierre-Charron (359.75.16).*
De 10 h à 19 h.

Les salons « Diffusion » sont ouverts, eux aussi, le lundi, sauf avenue de Wagram.

DELUGA-LANG
● **8e** - *28, rue Boissy-d'Anglas (724.86.36).*
De 9 h 30 à 18 h 30.

HÔTEL HILTON
● **15e** - *18, av. de Suffren (273.00.26).*
De 9 h à 19 h.

HÔTEL MÉRIDIEN
● **17e** - *81, bd Gouvion-Saint-Cyr (757.16.17).*
De 9 h à 12 h et de 14 h à 19 h.

HÔTEL PLAZA-ATHÉNÉE
● **8e** - *25, av. Montaigne (225.43.30).*
De 9 h 30 à 19 h.

HÔTEL RITZ
● **1er** - *15, pl. Vendôme (260.38.30).*
De 9 h 30 à 18 h 30.

LAWRENCE
● **16e** - *48, rue Copernic (500.66.83).*
De 9 h 30 à 18 h 30.

LINTERMANS
● **8e** - *28, fg Saint-Honoré (265.17.84).*
De 10 h à 19 h.

LLONGUERAS
● **1er** - *229, rue Saint-Honoré (260.63.36).*
De 13 h à 19 h 30.

MANIATIS
● **8e** - *18, rue Marbeuf (359.21.66).*
De 9 h 30 à 18 h 30.

MOD'S HAIR
● **1er** - *131, rue Saint-Denis (233.12.08).*
● **8e** - *57, av. Montaigne (359.06.50).*
De 10 h à 19 h.

JEAN CHRISTIAN ONOSSIAN
● **8e** - *15, rue Tronchet (265.32.26).*
De 9 h à 18 h.

ROGER PASQUIER
● **8e** - *40, av. Pierre-Ier-de-Serbie (359.38.11).*
De 9 h 30 à 18 h 30.

LUCIE SAINT-CLAIR
● **15e** - *20, av. du Maine (548.00.40).*
● **16e** - *4, av. Pierre-Ier-de-Serbie (720.52.03).*
De 9 h 30 à 18 h 30.

SAINT-GILLES
● **16e** - *1, av. du Président-Wilson (723.79.00).*
● **92 Neuilly** - *137, av. du Roule (747.11.93).*
De 9 h à 19 h.

YANG INTERNATIONAL
● **15e** - *22, av. de Suffren (273.34.28).*
● **17e** - *Palais des Congrès, porte Maillot (758.23.26).*
De 9 h 30 à 20 h.

---

salons de Georgel. Là, pas de rendez-vous à prendre, un service à la carte et trois tarifs au choix : 55 F pour un shampooing et un brushing ; 140 F avec une coupe en supplément ; 240 F enfin, avec une permanente, une coloration ou un « balayage ».

DELUGA-LANG
● **8e** - *28, rue Boissy-d'Anglas (742.86.36).*
De 9 h 30 à 18 h 30. F. samedi et dimanche.

Un décor reposant, tout en bois et en plantes vertes, recréé à l'emplacement du « Bœuf sur le toit », où Catherine et Jean-Pierre, faits au moule de Carita, s'affirment dans la coupe courte aussi bien que dans la réalisation de chignons « rétro modernisés » sur le chef des jolies femmes qui refusent de leur sacrifier la chevelure. Laquelle aura été, au préalable, l'objet de soins délicieux et savants, tels que bains de plantes ou de boue marine, application de placenta ou de moelle de bœuf. Coupe : 60 F ; brushing : 40 F. Tarif spécial pour les jeunes filles (coupe, permanente et brushing : 200 F).

JACQUES DESSANGE
● **8e** - *37, av. Franklin-Roosevelt (359.31.31).*

Au rez-de-chaussée, dans la cour. Une suite de ravissants salons, marron clair et blanc, confortables et spacieux, jalonnés de plantes vertes. L'atmosphère de ruche qui règne ici ne fait pas obstacle à la courtoisie de l'accueil ni d'ailleurs à la qualité traditionnelle des soins qui vous seront dispensés avec le sourire. Coupe et brushing : à partir de 140 F. Dessange ayant essaimé aux quatre coins de Paris, vous trouverez aisément dans votre quartier un Dessange « bis » moins luxueux sans doute que la maison-mère (moins cher aussi) mais tout aussi fréquenté :

- **1er** - *2, rue du Pont-Neuf (261.42.69).*
- **6e** - *47, rue Bonaparte (633.05.29).*
- **6e** - *1, rue de l'Odéon (329.40.09).*
- **6e** - *15, rue des Saints-Pères (261.00.52).*
- **8e** - *Hôtel George-V, 31, av. George-V (723.93.48).*
- **11e** - *4, av. de la République (357.07.49).*
- **11e** - *5, av. du Trône (373.11.48).*
- **15e** - *17, rue de l'Arrivée (538.65.45).*
- **16e** - *32, av. Mozart (224.02.20).*

ÉDOUARD ET FRÉDÉRIC

- **8e** - *1, av. George-V (359.74.89).*

De 9 h à 19 h. F. dimanche et lundi.

Les bonnes manières sont l'apanage de cette maison qui coiffe classiquement — et avec classe — les femmes du monde et extravagamment — mais non sans bonheur — les mannequins d'Hanae Mori. Coupe : 60 F. Brushing : 50 F. Deux pédicures médicales.

GARANCE SAINT-GERMAIN

- **7e** - *3, rue Paul-Louis-Courier (222.04.36).*

De 9 h 30 à 18 h 30 (20 h 30 le jeudi). F. dimanche et lundi.

Un patron de talent, des coiffures « sans séchage », classiques ou d'avant-garde. Coupe : 35 F. Brushing 40 F. Forfait shampooing, soin, coupe, coiffure : 80 F.

LAURENT GAUDEFROY

- **2e** - *6, rue de la Paix (261.18.01).*

Coiffeur « complet », c'est aussi, et surtout, le champion incontesté des coiffures de charme ou sophistiquées pour le soir, et des coiffures « d'époque » (romantiques ou non, pour des bals costumés, ou pour se faire un soir la tête de George Sand ou celle de Mme Récamier). Coupe : 70 F à 110 F. Brushing : 75 F. Mise en plis : 49 F.

HARLOW

- **1er** - *24, rue Saint-Denis (233.61.36).*
- **16e** - *64-70, rue du Ranelagh (524.04.54).*

De 10 h 30 à 19 h 30 aux Halles. De 9 h 30 à 18 h 30 à Passy. F. dimanche et lundi.

Coiffures « Zig et Puce », « Lorraine », « Angie », « New wave », tels sont (ou ont été) les credo de ce spécialiste des « femmes qui n'aiment pas le coiffeur ». Lui — il n'en fait pas mystère — aime les femmes : votre silhouette, votre démarche, votre genre de vie l'intéressent au même titre que les traits de votre visage, et il vous examinera attentivement avant de décider de vous « changer » d'un (savant et sûr) coup de ciseaux ; une « brillance » si vos cheveux sont naturels, ou un « balayage » adroitement localisé en fonction de la coupe, achèveront votre métamorphose. Un seul regret (à la vérité, c'est plutôt un gros avantage) : Harlow vous conseillera de ne pas revenir avant six semaines : un shampooing sous la douche, un coup de peigne ou une main passée dans les cheveux suffiront à remettre votre coiffure parfaitement en place. Coupe : 95 ou 120 F. Brushing : 50 F.

RENÉ JAC

- **15e** - *95, av. Emile-Zola (579.01.56).*

De 9 h à 18 h. F. dimanche et lundi.

Suit raisonnablement l'évolution de la mode « haute-coiffure ». Après une bonne coupe et un « coup de soleil » dans vos cheveux, vous sortirez de cet agréable salon pimpante et rajeunie. Coupe : 23 F. Brushing : 44 et 56 F.

KATCHA

- **8e** - *9, rue du Cirque (359.37.31).*

De 9 h à 17 h 30. F. dimanche et lundi.

Le type même du coiffeur inspiré. Katcha a lancé les bases de la « nouvelle coiffure ». Après une mise en forme « technique et préparatoire », il sculpte en taille directe la masse de la chevelure pour en faire l'encadrement idéal adapté à chaque visage. Il n'y a donc ni coupe-type, ni coupe à la mode, mais seulement celle qui vous convient, et à vous seule. Vous pourrez retourner tous les mois chez M. Katcha qui réajustera votre coiffure d'un coup de ciseaux merveilleusement habile. Coupe : 120 à 150 F. Mise en plis : 55 F.

LAWRENCE

- **16e** - *48, rue Copernic (500.66.83).*

De 9 h 30 à 18 h 30. F. samedi et dimanche.

Olivia, alias Lawrence, travaillait voici trois ans à Courchevel. En ouvrant sa propre maison à deux pas de la place Victor-Hugo, elle a conservé sa clientèle de jolies jeunes femmes de beaux quartiers et de mannequins qui ont l'habitude de prendre le frais à la montagne. Vous rencontrerez peut-être aussi, dans cet agréable petit « salon », Claude Nougaro ou Enrico Macias, venus se faire coiffer par Olivia ou par Jean-Max ou — qui sait? — peaufiner leur connaissance des langues étrangères avec Catherine, la pédicure polyglotte attachée à l'établissement.

LINTERMANS

- **8e** - *28, fg Saint-Honoré (265.17.84).*

De 10 h à 19 h. F. samedi et dimanche.

Un décor noir et blanc, moderne et raffiné. Aucun « épi » ne résiste à la coupe aux ciseaux exécutée sur cheveux secs et mise au point par Aurélien Lintermans; elle offre, de surcroît, l'avantage de donner de l'épaisseur aux chevelures maigres et d'autoriser plusieurs types de coiffure. Dernière création de la maison : la « mi-brosse » pour les femmes. Coupe : 187 F (entretien : 145 F). Brushing : 90 F.

LLONGUERAS

● **1er** - *229, rue Saint-Honoré (260.63.36).*
De 9 h 30 à 18 h 30 du mardi au vendredi; le lundi : de 13 h à 19 h 30 et le samedi : de 9 h à 13 h.

Inégalable dans la coupe en dents de scie ou effilée avec application de bigoudis carrés; nuancé dans ses « patches » de couleur, remarquable pour ses permanentes souples « big perm » réalisées avec sept rouleaux, ni plus, ni moins; apprécié pour l'habileté de Noélie, sa maquilleuse. Vous retrouverez aussi Llongueras à Londres, Madrid, Barcelone et Palma. Coupe : 70 à 90 F; brushing : 46 à 50 F.

LOOK LEMON

● **16e** - *9, rue Gustave-Courbet (704.62.92).*
De 9 h à 18 h. F. dimanche et lundi.

Après un passage chez Lucie Saint-Clair, Dan a retrouvé — en patron cette fois — l'équipe avec laquelle il travaillait voici quelques années. Ses clientes louangent son heureux naturel, son inspiration et sa grande habileté à coiffer « juste », selon le caractère et la physionomie de chacune. Un excellent shampooing exécuté par Marinette avec un doigté parfait, une coupe (60 F), une permanente spéciale (20 % de la chevelure seulement) qui donne du volume aux cheveux fins et raides, un brushing (35 F), et vous sortirez de cet agréable salon sans avoir l'air de « sortir de chez le coiffeur ».

JEAN-MARC MANIATIS

● **6e** - *35, rue de Sèvres (544.16.39).*
De 9 h 30 à 18 h 30. F. dimanche et lundi.
● **8e** - *18, rue Marbeuf (359.21.66).*
F. samedi et dimanche.
● **16e** - *10 et 16, rue Pierre-Guérin (527.28.85).*
F. dimanche et lundi.
Et Forum des Halles (296.90.95).
F. dimanche et lundi.

Ce Grec talentueux a personnellement formé à son image une brillante équipe de coiffeurs qui suivent avec une égale aisance la ligne « Skateboard » et le style « Grease ». Cover-girls et jeunes femmes dans le vent, qui viennent ici sans rendez-vous, continuent d'y offrir leur tête pour des coupes « sauvages » et de précieux dégradés de couleurs. Coupe : 151 F. Brushing : 44 F.

Les prix changent : nous n'y pouvons rien.

MOD'S HAIR

● **1er** - *131, rue Saint-Denis (233.93.02).*
● **6e** - *90, rue de Rennes (544.47.02).*
● **8e** - *57, av. Montaigne (359.06.50).*
De 10 h à 19 h. F. dimanche et lundi (avenue Montaigne). F. samedi et dimanche (rue Saint-Denis et rue de Rennes).

Huit coiffeurs y travaillent en permanence pour les magazines de mode. Les autres — tous des vedettes — rompus aux difficultés de la transparence (pour la couleur) et de la mouvance (pour la coupe), se préoccupent de vous rendre aussi attrayante que possible. Et y parviennent. Le salon de l'avenue Montaigne est le plus élégant (et le plus coûteux). Vous pourrez y recevoir les soins (efficaces) d'esthéticiennes formées par Simone Mahler et vous faire servir un déjeuner léger. Coupe : 79 et 95 F. Brushing : 33 et 38 F. Tarif réduit pour les jeunes filles.

JEAN CHRISTIAN ONOSSIAN

● **8e** - *15, rue Tronchet (265.32.26).*
De 9 h à 18 h. F. samedi et dimanche.

En étage. Style classique. Bonnes coupes et balayages. Soins par les plantes. Coupe : de 30 à 100 F. Brushing : 55 F.

ROGER PASQUIER

● **8e** - *40, av. Pierre-1er-de-Serbie (359.38.11). 1er étage.*
De 9 h 30 à 18 h 30. F. samedi et dimanche.

Calme et chaleureux salon, où fréquentent beaucoup de dames bien nées et plus tout à fait jeunes. Balayages et colorations en douceur et permanentes précises et délicates selon la nature des cheveux à traiter. Coupe : 80 F. Brushing : 40 F.

LUCIE SAINT-CLAIR

● **15e** - *20, av. du Maine (548.00.40).*
● **16e** - *4, av. Pierre-Ier-de-Serbie (720.52.03).*
De 9 h 30 à 18 h 30. F. dimanche.

Jolies coiffures stylisées mais simples et faciles à refaire chez soi : la « bonzaï » en dégradé (60 % des femmes l'adoptent), la « flip » au carré pour les chevelures mi-longues et frisées, la « zazou » ultra-courte, au ras des oreilles. Trois salons : Top (av. Pierre-Ier-de-Serbie), Diffusion (même adresse), Rive-Gauche (av. du Maine). Les prix diffèrent (respectivement : 80, 49 et 67 F pour une coupe, 60, 42 et 50 F pour un brushing), mais les techniques sont les mêmes : coupe « sculptée » aux ciseaux, soins aux algues et aux plantes, permanente naturelle ou « inversée », coloration (cheval de bataille de la maison) « plein soleil » (du blond doré à l'« or brun ») et recoloration, mèche par mèche, au retour des vacances pour réparer les dégâts du soleil. Pédicure médicale (44 F). Tarif spécial pour les jeunes filles et maquillage des yeux offert aux nouvelles clientes.

Coiffeurs d'hôtels pour femmes (et aussi pour hommes)

GEORGE-V (Jacques Dessange)

● **8e** - *31, av. George-V (723.93.48).*
De 9 h 30 à 18 h 30. F. dimanche et lundi.
Coupe : 70 F. Brushing : 100 F.

HILTON

● **15e** - *18, av. de Suffren (273.00.26).*
De 9 h à 19 h. F. dimanche.
Coupe : 80 à 100 F. Brushing : 45 à 60 F. Cabine d'esthétique, pédicurie. Air conditionné.

MÉRIDIEN

● **17e** - *81, bd Gouvion-Saint-Cyr (758.12.30).*
De 9 h à 12 h et de 14 h à 19 h. F. dimanche.
Coupe : 60 F. Brushing : 60 F.

PLAZA-ATHÉNÉE

● **8e** - *25, av. Montaigne (225.43.30).*
De 9 h 30 à 19 h. F. dimanche.
Que vous soyez « descendu(e) » au Plaza ou non, Laurent ou Alain vous prodigueront les mêmes soins attentifs. Coupe : 100 F ; brushing : 65 F. Manucure et pédicure médicale.

RITZ

● **1er** - *15, place Vendôme (260.38.30).*
De 9 h à 18 h. F. dimanche.
Equipe formée par Elisabeth Arden. Coupe : 50 à 70 F. Brushing : 80 à 110 F. Cabine d'esthétique (soins et maquillage). Air conditionné.

SAINT-GILLES

● **16e** - *1, av. du Président-Wilson (723.79.00).*
● **92 Neuilly** - *137, av. du Roule (747.11.93).*
De 9 h à 19 h. F. dimanche.
Les hommes préfèrent les blondes. Du moins Georges Saint-Gilles le proclame bien haut : il vous préfère en blonde, les cheveux longs, flous et vaporeux. Dans ses luxueux salons, une escouade de teinturiers de premier ordre est prête à vous décolorer, recolorer, ensoleiller la chevelure, au besoin à l'aide de plantes, si vous êtes allergique aux produits couramment utilisés. Mais même si vous choisissez de rester brune, Saint-Gilles vous offre les services d'une équipe bien rodée : permanente, soins par les plantes, la moelle de bœuf ou la boue marine, coupe (100 F), brushing (65 F), soins esthétiques et maquillage, soins du buste, des mains et des pieds (pédicure chinois), et l'agrément d'une boutique d'accessoires pour les coiffures du soir (ou de mariée). Un chasseur est à votre disposition pour garer votre voiture ou promener votre chien.

YANG INTERNATIONAL

● **15e** - *22, av. de Suffren (273.34.28).*
● **17e** - *Palais des Congrès, porte Maillot (758.23.26).*
De 9 h 30 à 20 h. F. dimanche.
Salons confortables, élégants et fleuris où une équipe de stylistes internationaux colore avec talent, coupe avec esprit (ainsi qu'avec deux peignes et même une paire de ciseaux), frise « à faux crans », boucle à la « page boy » les cheveux de nos présentatrices de programmes télévisés et de bien d'autres belles dames. Coupe : 60 F. Brushing : de 50 à 65 F. Pédicure médicale chinoise.

COIFFEURS POUR HOMMES

PATRICK ALÈS MASCULIN

● **8e** - *35-37, av. Franklin-Roosevelt (723.35.82).*
De 9 h à 18 h. F. dimanche et lundi.
Soins par les plantes, « restaurant » (goûtez la salade Nathalie) et bonne coupe (90 F avec shampooing).

CARITA-MESSIEURS

● **8e** - *11, fg Saint-Honoré (265.79.00).*
De 10 h à 19 h. F. samedi, dimanche et lundi.
Si les femmes se refont une beauté au rez-de-chaussée, les hommes, eux, trouvent au premier étage une délicieuse oasis de style italo-japonais, où officient quelques-uns des grands ciseaux de la capitale (notamment Pierre, le meilleur tailleur de barbes de Paris), ainsi que d'expertes et charmantes shampouineuses. Marcello Mastroianni, Hubert de Givenchy, Johnny Halliday et bien d'autres célébrités viennent ici se faire couper (magnifiquement) les cheveux et se faire (éventuellement) soigner la chevelure (80 F), le visage (125 F), les pieds (pédicure chinois) et le corps tout entier. Service : 15 %. Chasseur pour les voitures.

CESARE

● **1er** - *6, rue Richepanse (260.17.72).*
De 9 h 30 à 18 h 30. F. dimanche et lundi.
Pour supermen superoccupés, qui ne peuvent

jamais se séparer de leur téléphone pour régler leurs grandes et petites affaires : un « combiné » est attaché à chaque fauteuil. 250 m² sur deux niveaux, des soins capillaires en tous genres, des teintures de cils pour les trop blonds, des massages décontractants pour les survoltés, et la patte de Cesare, le petit empereur des ciseaux.

Coiffeurs pour hommes ouverts le lundi

HÔTEL HILTON

● **15e** - *18, av. de Suffren (273.00.26).*
De 9 h à 19 h.

HÔTEL MÉRIDIEN

● **17e** - *81, bd Gouvion-Saint-Cyr (757.16.17).*
De 9 h à 12 h et de 14 h à 19 h.

HÔTEL RITZ

● **1er** - *15, pl. Vendôme (260.38.30).*
De 9 h à 18 h.

LLONGUERAS

● **1er** - *229, rue Saint-Honoré (260.64.48).*
De 13 h à 19 h 30.

MANIATIS

● **8e** - *18, rue Marbeuf (359.21.66).*
De 9 h 30 à 18 h 30.

LUCIE SAINT-CLAIR TOP MESSIEURS

● **16e** - *4, av. Pierre-Ier-de-Serbie (720.52.54).*
De 9 h 30 à 18 h 30.

HENRY COURANT

● **1er** - *5, rue Rouget-de-l'Isle (260.80.07).*
● **8e** - *29, rue Marbeuf (225.30.85).*

Henry Courant a pris possession des anciens locaux d'Alexandrom. Dans l'atmosphère feutrée de ses luxueux salons, on vient (le Tout-Paris) se faire traiter, masser, coiffer, manucurer et pédicurer. Eventuellement, et dans la plus grande discrétion, essayer une prothèse capillaire (en cheveux européens) : si le terme est barbare, l'effet est remarquable. Coupe et brushing : 100 F. Voir aussi « Instituts de beauté ».

DESFOSSÉ

● **8e** - *19, av. Matignon (359.95.13).*
De 9 h 30 à 18 h 30. F. dimanche et lundi.

Un patron né coiffé (David de Rothschild), un directeur efficace (Guillaume Sénéchal), un décor de charme (de Michel Boyer), des clients de qualité (VGE en tête), des services, enfin, parfaitement étudiés : coupe, frisage ou défrisage, coloration, soins complets (manucure, pédicure, massages, épilation, brunissage, etc.) effectués dans des cabines confortables équipées d'un fauteuil vibrant pour vous délasser le dos et les jambes et d'un téléphone pour que vous ne perdiez pas le fil, le temps (3 heures, y compris le déjeuner au bar devant la télévision) de vous refaire une beauté. Coupe et shampooing : à partir de 85 F. Brushing : 55 F.

JACQUES DESSANGE (Hommes)

● **15e** - *17, rue de l'Arrivée (538.72.08).*
Centre Commercial Maine-Montparnasse.
De 9 h 30 à 18 h 30. F. dimanche et lundi.

Sur la terrasse et dans la verdure. Coupe et shampooing : 81 F. A cela peuvent s'ajouter tous les traitements des cheveux et soins de la peau.

HARLOW

● **1er** - *24, rue Saint-Denis (233.61.36).*
● **16e** - *64-70, rue du Ranelagh (524.04.54).*
De 10 h 30 à 19 h 30 aux Halles. De 9 h 30 à 18 h 30 à Passy. F. dimanche et lundi.

Les hommes sont les bienvenus chez ce grand spécialiste de la coupe pour les femmes qui leur réserve les mêmes égards et les mêmes soins. En outre, ils pourront, aux Halles, se faire raser — pas gratis, mais au coupe-chou — et tailler (éventuellement) la barbe en musique par une orfèvre en la matière, la charmante Charlotte. Superbe décor d'avant-garde et air conditionné dans les deux salons.

LLONGUERAS

● **1er** - *229, rue Saint-Honoré (260.64.48).*
De 9 h 30 à 18 h 30. F. dimanche et lundi.

Vous le retrouverez à Barcelone, Madrid, Palma, etc. Coupe et shampooing : 84 F.

JEAN-MARC MANIATIS

● **6e** - *35, rue de Sèvres (544.16.39).*
● **8e** - *18, rue Marbeuf (359.21.66).*
Et Forum des Halles, niveau - 1.
De 9 h 30 à 18 h 30. F. dimanche et lundi.

Le coiffeur attitré des charmants éphèbes qui traînent leur oisiveté autour du drugstore Saint-Germain. Celui aussi d'Alain Delon. Coupe, shampooing, brushing : 123 F.

ROCK-HAIR

● **1er** - *9, rue de la Ferronnerie (508.08.89).*
De 10 h à 20 h. F. dimanche et lundi.

Rocky Nirschl est le champion des coupes « personnalisées » et des teintures « intégrales », qui ajoutent à la gloire de Dave, d'Asphalt Jungle, de Dallas Gang et autres « rockers » à succès. Coupe : 56 F pour les hommes (99 F pour les femmes); brushing : 45 F, musique comprise.

LUCIE SAINT-CLAIR TOP MESSIEURS

● **16e** - *4, av. Pierre-Ier-de-Serbie (720.52.54).*

De 9 h 30 à 18 h 30. F. dimanche.

Le salon pour les hommes, sorte de club anglais au décor de tabac, partage avec les femmes la même « réception » (mais pas le même numéro de téléphone) depuis l'ouverture d'un mur de séparation. Soins des cheveux par massage, bains d'algues ou de plantes, permanente (légère), savants « balayages », coupe « à la spartiate » (50 F), brushing (35 F), et, si l'on veut, soins esthétiques et pédicure médical. Tarif réduit pour les hommes vraiment très jeunes.

COIFFEURS POUR ENFANTS

CHAQUE coiffeur a son style propre. Nous le décrivons à la rubrique « Coiffeurs pour femmes ».

CAMILLE ALBANE - JACQUES DESSANGE

● **6e** - *47, rue Bonaparte (633.05.29).*

Coupe et shampooing : 95 F.

PATRICK ALÈS

● **8e** - *35-37, av. Franklin-Roosevelt (225.57.49). 1er étage.*

« Spécial enfants » le mercredi : shampooing, coupe, brushing : 50 F.

DELUGA-LANG

● **8e** - *28, rue Boissy-d'Anglas (742.86.36).*

Coupe : 60 F. Shampooing : 28 F. Brushing : 35 F.

LLONGUERAS

● **1er** - *229, rue Saint-Honoré (260.63.36).*

Coupe et shampooing : 60 F.

LUCIE SAINT-CLAIR

● **16e** - *4, av. Pierre-Ier-de-Serbie (720.52.03).*

Un coin est réservé aux enfants : sièges en forme de chevaux et bonbons à volonté. Coupe et shampooing : 41 F.

Où dîner le dimanche ? Voir p. 108.

PERRUQUES

ALEXANDRE

● **8e** - *120, fg Saint-Honoré (359.40.09).*

La réputation de ses perruques et postiches (en « confection » ou sur mesure) n'est plus à faire. Pour les femmes uniquement.

BERTRAND

● **9e** - *31 bis, fg Montmartre (770.29.62).*

Un toupet ou une perruque? Ce grand spécialiste de la fourniture de postiches pour le cinéma, le théâtre, etc., vous en confectionnera un « pour la ville », en cheveux italiens, implantés à la main sur du tulle de soie. Uniquement sur mesure, avec essayage et service après-vente. Ici, tout s'arrange, donc, même les crêpages de chignon.

CARITA

● **8e** - *11, fg Saint-Honoré (265.79.00).*

Perruques de luxe classiques en cheveux naturels (européens). Pour femmes à partir de 450 F (le « pouf ») et jusqu'à 6 000 F. Pour hommes, sur commande uniquement : 6 500 F environ.

JEAN GARRAUD

● **5e** - *9, rue Soufflot (354.02.85).*

Ce champion de la prothèse capillaire se fait fort d'adapter aux crânes les plus désolés un « natural top », postiche invisible exécuté sur mesure à l'aide de cheveux patiemment implantés un à un sur une peau artificielle (1 200 à 1 800 F). Le cuir chevelu « respirant » au travers, on peut — sans inconvénient — le garder huit jours sans l'enlever.

JEAN HUGO

● **9e** - *12, rue de Sèze (742.26.64).*

Un bon spécialiste des « cheveux adaptés » pour messieurs. En prêt-à-porter ou sur mesure. Ses perruques sont garnies à la main après avoir été teintées à l'échantillon. Deux à trois essayages sont nécessaires avant la pose. Egalement belles barbes et moustaches.

INSTITUT CAPILLAIRE BRIDGECAP

● **8e** - *116 bis, Champs-Elysées (225.59.49).*

Que vous soyez du beau sexe ou du sexe opposé, sachez qu'il vous faudra compter 4 à 6 semaines et un bon demi-million de centimes au bas mot avant de pouvoir vous parer du chef-d'œuvre capillaire que « montent » pour vous d'admirables petites mains aux doigts de fées.

SVENSON

● **8e** - *6, rue des Saussaies (265.31.96).*

Treize cabines individuelles pour soigner et traiter les cheveux. Et. éventuellement, adapter une prothèse capillaire avec un ingénieux système de fixation permettant de mêler aux cheveux (qui vous restent) d'autres cheveux de même teinte et de même texture. Pour hommes et femmes.

TOP BOY (Louise Glasman)

● **10e** - *35, bd de Strasbourg (770.40.78).*

Des barbes pour les papas, des moustaches à la Clark Gable, une perruque à la Louis XIV, ou plus simplement des perruques en cheveux naturels ou synthétiques façon 1980, qui seront faites à votre goût et à vos mesures, ou prêtes à poser sur votre chef. Signalons que certaines prothèses capillaires sont remboursées par la Sécurité Sociale, que la maison vend et loue ses propres productions (et qu'elle peut, à l'occasion, vous grimer en chat sauvage ou en bellâtre des années trente.

SOINS DES CHEVEUX (pour hommes et pour femmes)

PATRICK ALÈS

● **8e** - *35-37, av. Franklin-Roosevelt (225.54.49).*

Phytologue à tous crins, Patrick Alès prodiguera à votre chevelure, quelle qu'en soit la nature, des soins efficaces et durables, toujours à base de plantes : phyto 7 ou huile d'Alès si vos cheveux sont secs, henné neutre s'ils sont gras, polléine s'ils sont volages.

Pour retrouver rapidement une adresse consultez l'index, p. 641.

CARITA

● **8e** - *11, fg Saint-Honoré (265.79.00).*

Un arsenal impressionnant de shampooings traitants, de bains de plantes, d'huiles, d'onguents, d'électuaires et même d'ozone pour revitaliser les cheveux. Soins complets pour femmes : 100 F ; pour hommes : 80 F. Plus 15 % de service.

RENÉ FURTERER

● **17e** - *20, av. Mac-Mahon (380.27.22).*

Le « Jardinier du cheveu » : plus de vingt ans de bons et loyaux services dans l'étheirologie. René Furterer ne vous donnera pas de vains espoirs si votre crâne est véritablement désertique, mais ses applications de produits à base de pollen, gelée royale, extraits de fruits et de plantes feront merveille sur des cheveux clairsemés et vous rendront une séduction que vous n'espériez plus. Une séance (1 h à 1 h 30) : 105 F pour les femmes, 100 F pour les hommes. Après 10 séances, abonnement avec 20 % de réduction.

INGRID MILLET

● **8e** - *54, fg Saint-Honoré (266.66.20).*

Les cheveux sont remarquablement soignés à l'institut, grâce aux différentes ampoules de cellules vivantes lyophilisées que l'on applique raie par raie sur le cuir chevelu pour combattre le dessèchement et la fragilité, l'excès de sébum ou les chutes prématurées. Les soins peuvent également être suivis à domicile à raison de deux applications par semaine.

LUCIE SAINT-CLAIR

● **16e** - *4, av. Pierre-Ier-de-Serbie (720.52.03).*

Après étude de votre cas personnel, une charmante « trichologiste » vous massera longuement le cuir chevelu (à l'aide d'un appareil) pour y faire pénétrer le produit « maison » adapté à votre cas : lait aux aromates, crème « vitale », bain d'Ourika, de plantes ou d'algues (70 F). Dernière création : le shampooing à la saponaire. Soins pour les hommes : même adresse (720.52.54).

Beauté et soins du corps

« CLUBS » ET HAMMAMS pour être en forme

CERCLE FOCH

● **16e** - *33, av. Foch (704.38.88).*
Hommes et femmes.

Pour les amateurs de cartes prestigieuses, celle du « 33 » est à glisser entre le bristol du Polo de Bagatelle et le coupe-file du Cercle Interallié. Au « 33 », en effet, très mondain et très privé (deux parrains sont exigés), très cher (droit d'entrée : 3 500 F, cotisation : 2 000 F) et très luxueux, la mise en forme est un simple prétexte pour se retrouver entre gens du monde. Après une longueur de piscine (elle est monumentale), quelques mouvements de gymnastique ou passes d'escrime, de karaté ou de judo, suivis d'une séance de sauna et d'un bon massage, ceux-ci peuvent croquer un radis au snack ou s'asseoir à la table du restaurant, avant de se rendre dans quelque club extérieur, où leur carte de cercle (et un supplément de cotisation) leur permettra de pratiquer tennis, équitation, chasse ou aviation.

CLUB JEAN DE BEAUVAIS

● **5e** - *5, rue Jean-de-Beauvais (633.16.80).*
Hommes et femmes. Du lundi au vendredi : de 8 h à 21 h 30 ; le samedi : de 8 h à 18 h ; le dimanche : de 8 h à 13 h.

Non contents de nous nourrir — et bien nourrir —, les frères Layrac ont ouvert une quatrième maison, destinée celle-là à nous faire perdre tous les kilos accumulés dans la fréquentation du Muniche, du Petit Zinc ou de L'Échaudé-Saint-Germain, les trois restaurants qu'ils possèdent à Saint-Germain-des-Prés. Délicate préoccupation. L'originalité de ce club de remise en forme, situé dans le vieux quartier de la Maube, est d'avoir pris la place d'un ancien couvent : salles voûtées, pierres apparentes, poutres grattées. C'est dans ce décor remarquablement restauré que l'on vient suer et souffler sous la surveillance de M. Bastien, directeur musclé, aimable et compétent de cette superbe maison. Avec ses acolytes, il examine le cas de chaque postulant ou postulante, programme le travail selon l'ampleur des bourrelets, l'âge du pénitent, ses disponibilités et son ardeur à retrouver la forme. Sauna, gymnastique, solarium, yoga, danse moderne, boxe française, massages à air pulsé, constituent l'essentiel de l'équipement ultra-moderne du Club. L'abonnement — à l'année ou au mois : 2 400 F et 200 F — permet d'en user à volonté à longueur de journées et de semaines.

HAMMAM DU COLISÉE

● **5e** - *39, rue Geoffroy-Saint-Hilaire*
Hommes et femmes.

La devise du vigoureux M. Brahim, l'ancien masseur du Bey de Tunis : « La santé, ci de l'argent i la liberté ». C'est pourquoi, moyennant 40 F et deux heures de hammam tous les jours pendant deux semaines, il vous propose de vous faire perdre 8 à 9 kilos et de vous rendre votre taille d'adolescent (ou de jeune fille).

HAMMAM DE LA MOSQUÉE

● **5e** - *39, rue Geoffroy-Saint-Hilaire (331.18.14).*
Femmes : lundi, jeudi et samedi de 11 h à 17 h ; hommes : vendredi et dimanche de 11 h à 17 h.

Les vapeurs intenses de ce bain à l'ottomane n'empêchent plus désormais la découverte de l'extrême fatigue des installations. Il fonctionne, toutefois, à merveille et pour un prix encore raisonnable (20 F). En sortant, goûtez le thé à la menthe ou le café maure, c'est encore ce qui vous décevra le moins.

HAMMAM SAINT-PAUL

● **4e** - *4, rue des Rosiers (272.71.82).*
Femmes : mercredi et vendredi de 10 h à 22 h ; hommes : jeudi et samedi de 9 h à 22 h. Naturistes : vendredi soir.

Les dames et les messieurs du Marais s'y relaient à jours fixes. Vapeurs, sauna, douche, petite piscine d'eau tiède, massage (pratiqué pour les hommes en salle de sudation à 45°), salle de relaxation, pédicurie, coiffure (pour les femmes), etc. Un endroit délicieux et discret où l'on ignore délibérément les progrès fumeux de l'esthétique moderne mais d'où l'on sortira refait à neuf et le cœur en fête.

JOUVÉNIA

● **15e** - *48, rue de la Fédération (566.56.73).*
Hommes et femmes.

La gymnastique y est « analytique » (personnalisée) et, pour les femmes, « harmonique ». Les professeurs paraissent prendre au sérieux tous les cas et surveiller correctement les leçons, qui sont données en musique. Les locaux de bonne taille, avec leurs deux saunas et leurs salles de repos, composent un cadre raffiné qui fait de ce club bien équipé un des meilleurs de Paris. Culture physique et gymnastique féminine : 1 980 F par an ou 1 320 F par semestre, sauna compris. Options : yoga et danse moderne.

RELAX CENTER

● **2e** - *6, rue de la Paix (261.27.25).*
Hommes seulement.

Une réputation solide chez les hommes qui aiment allier l'utile à l'agréable, le hammam aux fameux « massages thaïlandais », que les Français semblent apprécier de plus en plus. Le forfait est tout de même tarifé 350 F, mais y a-t-il un prix à l'évasion?

SALLES DES CHAMPS-ÉLYSÉES

● **8e** - *55 bis, rue de Ponthieu (359.87.71).*
Hommes et femmes.

Deux salles de plus en plus fréquentées par les comités d'entreprise, et deux saunas. Un matériel de sport très complet, quoique pas toujours très jeune, et des prix ultra-compétitifs (500 F par an si on est plus de 30, ou 1 500 F en individuel). Les cours sont collectifs et les participants nombreux : on les entend souffler en chœur de la rue. Snack-bar et solarium.

SAMOURAÏ

● **8e** - *26, rue de Berri (359.04.58).*
Hommes seulement.

Le cadre est sobre et de bon goût. L'accueil plein d'égards. La gymnastique suédoise. Les moniteurs sont bardés de diplômes et très prévenants, même lorsque vous vous écroulez derrière les appareils de gymnastique, au seuil de l'apoplexie. Les saunas, les bains romains, les massages et le solarium sont là pour vous détendre. Pour un abonnement annuel de 2 040 F, c'est le club le plus sérieux de Paris, le plus calme et le plus propice à une véritable remise en forme physique. La section féminine se trouve au nº 28 de la même rue (720.57.94). Outre ces activités, on y pratique la danse moderne et l'expression corporelle.

VITATOP-FITNESS CLUB

● **6e** - *118, rue de Vaugirard (544.38.01).*
● **17e** - *Centre International de Paris, 58, bd Gouvion-Saint-Cyr (758.12.34).*
Hommes et femmes.

2 000 m², 2 970 F par an et des centaines, voire des milliers de fidèles d'une rigoureuse méthode de gymnastique importée de Suisse. Dans cette « usine à bonne santé », on peut aussi sacrifier au sauna, au bain turc, au solarium ou à la piscine.

INSTITUTS DE BEAUTÉ

AEGINA

● **7e** - *15, rue de Bourgogne (551.65.70).*
Femmes et hommes.

Ce centre de soins esthétiques dirigé et contrôlé par le Dr Emerit est l'une des plus belles réussites du genre parmi les maisons ouvertes à Paris ces dernières années. En vérité, nous ne connaissons pas d'endroit à Paris où le client (homme, femme ou adolescent) soit si sérieusement et personnellement examiné, traité et suivi. Un certain nombre de petites cabines individuelles et confortables permettent d'y pratiquer, sous contrôle médical, un traitement contre l'acné (58 F la séance), à base de plancton marin d'une étonnante efficacité (traitement qu'il est d'ailleurs possible de poursuivre à domicile). Un masque de beauté (pour le corps), à base d'argile, vous laissera la peau douce comme celle d'un bébé (120 F la séance).

JOSIANE BARON

● **6e** - *38, rue Madame (548.82.67).*
Femmes seulement.

Après avoir longtemps « opéré » chez Jacques Dessange, la voici dans ses meubles au coin de la rue Madame et de la rue Honoré-Chevalier. Un mini-institut — deux cabines roses — et des soins attentifs et sophistiqués (ionisation, gymnastique passive pour décrisper les traits, application de cellules fraîches, etc.) que dispensent Josiane Baron ou son assistante. Excellents maquillages pour le jour ou pour le soir.

LYDIA BLANC-DAIRE

● **16e** - *7, rue de Bassano (720.50.93).*
Femmes et hommes.

Tous les soins esthétiques et capillaires pour hommes et pour femmes, basés sur « l'aromathérapie » et la « phytothérapie », c'est-à-dire les soins par les plantes. Réduction de 10 % pour 12 séances payées d'avance.

CARITA

● **8e** - *11, fg Saint-Honoré (265.79.00).*
Femmes et hommes.

L'une des plus denses concentrations de célébrités que l'on puisse trouver à Paris témoigne ici éloquemment de la vocation des grands coiffeurs à entretenir la vie mondaine dans les sociétés policées. Accessoirement à vaporiser des fluides toniques, nettoyer les peaux (120 à 140 F), masser à l'européenne ou à la nippone (salon la méthode Shiat-su pratiquée par Sendi : 140 F) et pédicurer à la chinoise (Kao). De jeunes personnes en pantalon blanc font très bien dans le décor marron et l'on peut s'en remettre à elles pour ce qui concerne les soins du visage, les traitements anti-rides, les masques hydratants, les épilations (à partir de 85 F; et 100 F pour le dos des messieurs), les teintures de cils (70 F), etc. Le service (15 %) est perçu à la caisse.

CLARINS

- **4e** - *70, rue Saint-Louis-en-l'Ile (633.75.44).*
- **8e** - *35, rue Tronchet (265.30.70).*
- **12e** - *94, cours de Vincennes (343.35.43).*

Femmes seulement.

Les massages sous air rythmé de la maison Clarins ont permis à plusieurs centaines de milliers de femmes de perdre des mégatonnes de kilos superflus (600 F les 10 séances d'une demi-heure). Avant tout traitement, une esthéticienne établira votre « bilan esthétique » afin de vous renseigner immédiatement sur les résultats possibles et la durée du traitement. Spécialiste du traitement des poitrines découragées, Clarins pratique également un très apprécié lifting annuel biologique.

HENRY COURANT

- **1er** - *5, rue Rouget-de-l'Isle (260.80.07).*
- **8e** - *29, rue Marbeuf (225.30.85).*

Hommes seulement.

Henry Courant a pris possession des anciens salons d'Alexandrom. C'est ici que le grand et le petit monde de la politique, de la finance et des affaires vient traiter des problèmes qui sont, comme on sait, loin d'être secondaires : ceux du visage et de la silhouette. Un sauna, un massage, un bon gommage de peau, une désincrustation, un nuage d'ozone, un masque revitalisant, et voici les chevaliers d'industrie transformés en Casanova. Aux traitements esthétiques s'ajoutent (mais rue Marbeuf seulement) les commodités et agréments que l'on est en droit d'attendre d'un établissement de cette classe : bar, restaurant, boutique (chemises et accessoires), cireur et voiturier.

JEAN-PIERRE FLEURIMON

- **16e** - *71, av. Marceau (720.49.61).*

Femmes et hommes.

Célèbre pour ses maquillages personnalisés, Jean-Pierre Fleurimon y délivre quelques-uns de ses secrets indispensables à celles qui veulent se passer de ses services. Cours d'auto-maquillage : 190 F les 4 séances; et d'auto-soins : 220 F les 2 séances.

MARIA GALLAND

- **8e** - *25, rue de Chateaubriand (561.95.11). Et des instituts dans chaque arrondissement de Paris.*

Femmes et hommes.

Adepte de la non-violence — appliquée aux méthodes de traitements esthétiques — Maria Galland a mis au point un « masque modelant » efficace et rationnel, qui fait merveille pour réduire l'empâtement des traits et l'adiposité du corps qui vieillissent si vilainement les gens sédentaires ou surmenés, et presque toujours trop bien nourris que nous sommes. Examen-conseil, bilan physique, gymnastique, bronzage et modelage (20 minutes) dans des cabines d'une netteté quasi monacale.

JEANNE GATINEAU

- **8e** - *116, bd Haussmann (522.77.10).*

Femmes seulement.

Soins efficaces du buste (91 F la séance) et du visage (100 F la séance). Stimulation musculaire (142 F).

GEORGE-V ESTHÉTIQUE

- **8e** - *12, av. George-V (723.49.77).*

Escalier D, au 5e étage.

Femmes seulement.

Un institut de beauté minuscule, une clientèle célèbre et toujours sous pression (demoiselles du Crazy Horse et celles de Miss Bluebell, mannequins de la haute-couture, speakerines de la Télévision, fringantes journalistes, etc.), des rendez-vous qui se succèdent à un rythme effréné (mais avec une ponctualité très remarquable), rien de tout cela ne saurait altérer l'humeur de la délicieuse Antoinette, ni l'empêcher de bavarder gentiment avec vous tout en épilant vos jambes. Elle opère de façon tout à fait traditionnelle, à la cire vierge d'abeille et elle utilise une crème anesthésiante là où la peau est la plus sensible. Elle s'est adjoint les services d'une masseuse experte à faire fondre les bourrelets et habile à traiter les peaux grasses.

GUERLAIN

- **6e** - *29, rue de Sèvres (222.46.60).*
- **8e** - *68, Champs-Elysées (359.31.10).*

Femmes seulement.

Le véritable « institut » Guerlain se trouve aux Champs-Elysées, au premier étage au-dessus du magasin. Les soins — très classiques mais non moins efficaces que ceux proposés par des établissements plus tapageurs — vous seront dispensés dans des cabines spacieuses et confortables par des jeunes femmes aimables autant qu'habiles. Elles sont malheureusement en nombre insuffisant : prévoyez donc de prendre rendez-vous plusieurs semaines à l'avance. Soins complet du visage : 96 F environ (61 F pour les jeunes filles). Excellentes manucures.

Deux pédicures médicales. Quelques cabines sont également à votre disposition rue de Sèvres.

HARRIET HUBBARD AYER

● **8e** - *120, fg Saint-Honoré (225.21.08).*
Au premier étage.

Agréable institut de beauté installé dans le même immeuble que le coiffeur Alexandre. Sur fond de musique douce, votre peau sera soumise aux traitements « fondamentaux » les plus exquis (massage, masque, etc.) avant d'être maquillée (95 F). Si vous passez entre les mains du « maître » Olivier Echaudemaison — lequel « fit » le mariage de la princesse Caroline de Monaco, entre autres — il vous en coûtera la bricole de 200 F (sur rendez-vous seulement). Après quoi, vous pourrez vous faire coiffer et manucurer chez Alexandre, sur le même palier, ou descendre à la boutique, au rez-de-chaussée, et faire emplette d'accessoires de beauté ou de bijoux (exclusifs) créés pour Harriet Hubbard Ayer par la princesse Heliette Caracciolo.

INSTITUT PIERRE DARPHIN

● **8e** - *36, av. Matignon (359.61.93).*
Femmes et hommes.

La « beauté profonde », l'« euphorie tissulaire », la relaxation, les « soins fondamentaux » du visage, du buste et de tout le corps, tels sont les objectifs de Pierre Darphin. Et tels sont les noms des traitement qui vous seront donnés dans cet institut moderne et agréablement fonctionnel où une cabine est réservée aux hommes. Salon de coiffure également (voir à cette rubrique).

INSTITUT INGRID MILLET

● **8e** - *54, fg Saint-Honoré (266.66.20).*
Femmes et hommes.

Dans des cabines de soins blanches et reposantes, sur fond de plantes vertes et de musique douce, on rajeunit (presque à vue d'œil) avec un traitement aux cellules vivantes lyophilisées ou avec les ampoules « perle de caviar » qui ont fait la célébrité de la maison, et on se fait poser un masque assainissant à base de boue marine. Tous les soins du corps (massages, amincissement, bains de paraffine, raffermissement du buste, épilation, manucurie et pédicurie médicale) sont donnés par des esthéticiennes très qualifiées et dont l'égalité d'humeur et la gentillesse sont incomparables.

PAYOT

● **1er** - *10, rue de Castiglione (260.32.87).*

Dans l'hôtel de la Castiglione (la « divina contessa ») au rez-de-chaussée. Des cabines agréables (elles gagneraient cependant à être insonorisées) où des esthéticiennes chevronnées (certaines ont trente ans « de maison ») dispensent des soins qui pour être traditionnels n'en sont pas moins efficaces : le massage (demandez donc Georgine) et le masque « Spécial Institut » vous rajeuniront de dix ans en l'espace d'une heure et chasseront tous vos soucis (160 F). Pas de manucure mais une excellente pédicure médicale. Tarif réduit pour les jeunes filles (50 F). Accueil délicieux.

INSTITUT ANNA PEGOVA

● **1er** - *346, rue Saint-Honoré (260.41.56).*
Femmes et hommes.

Bon petit institut de beauté qui vous traite avec les produits de la maison. Mais la grande spécialité d'Anna Pegova (depuis plus de 50 ans) est le « peeling », opération délicate, coûteuse (3 000 F) et efficace, qui donne 30 ans aux femmes de 40 et guérit les jeunes gens qui ont la peau en fleur. Soigne aussi les taches solaires, de grossesse, de rousseur et l'acné. Nettoyage de peau : de 60 à 95 F.

INSTITUT JEANNE PIAUBERT

● **8e** - *129, fg Saint-Honoré (359.16.02).*

Dans le décor ultra-classique d'un grand appartement bourgeois (aux 4e et 5e étages). Soins spécifiques aux lendemains de maternité et sous surveillance médicale. 1 380 F les 20 séances pour le corps. Soins du visage : 85 F.

REVLON

● **8e** - *95, Champs-Elysées (723.71.44).*
Au premier étage.

Sa remarquable escouades de manucures mérite un détour, une halte de 45 minutes et une dépense de 55 F. Massage des mains sous infra-rouge. Pédicurie médicale.

MAQUILLAGES

ELIZABETH ARDEN

● **16e** - *59, av. Marceau (720.02.02).*

Superbes maquillages de Jacques Clemente qui officie pour les stars de cinéma et les cover girls. Il vous recevra — sur rendez-vous uniquement — du lundi au vendredi. 150 F la séance.

FERNAND AUBRY

● **7e** - *34, av. de La Bourdonnais (705.55.23).*

C'est Alain et France, anciens coiffeurs de Fernand Aubry, qui ont repris la maison depuis la disparition du maître. Le principe demeure inchangé : on vous y coiffe (coupe 45 F) et maquille (27 F) selon votre personnalité, même si vous en avez beaucoup. Et l'on vous pose de les vrais. Deux nouvelles cabines de « visagisme » et un excellent nettoyage de l'épiderme aux fruits, aux plantes et aux œufs (60 F).

JOSIANE BARON

● **6e** - *38, rue Madame (548.86.07).*

De très jolis maquillages pour le jour (50 F) ou pour le soir (80 F) et des « maquillages conseils » (ou leçon de maquillage personnalisé) réalisés par Josiane Baron, un transfuge de chez Jacques Dessange.

MICHEL DERUELLE

● **16e** - *12, av. Victor-Hugo (500.88.76).*

Ce magicien discret, qui maquille depuis des années comédiennes, danseuses et reines du cinéma, peut vous enseigner les « trucs » qui feront de vous ni tout à fait la même ni tout à fait une autre. Il vous montrera — sur rendez-vous — comment disposer les ombres et les lumières et utiliser des couleurs auxquelles vous n'auriez pas pensé. Une telle leçon a son prix, il est élevé : 200 F. Mais ses produits de maquillage, en revanche, ne sont pas plus chers que bien d'autres et d'une qualité remarquable.

JEAN D'ESTRÉES

● **8e** - *14, fg Saint-Honoré (265.63.29).*

Cet institut-école exécute d'excellents maquillages précédés d'un gommage, d'un soin spécial qui réduit efficacement les poches sous les yeux et d'un massage pour détendre les traits et tonifier l'épiderme. Maquillages-conseils accompagnés de croquis exécutés par le « maître » : 250 F. Maquillage par l'un de ses assistants : 150 F.

LANCOME

● **8e** - *29, fg Saint-Honoré (265.30.74).*

Jolis maquillages entre 50 F et 70 F avec les excellents produits de la maison.

PARFUMS ET PRODUITS DE BEAUTÉ

L'ARTISAN-PARFUMEUR

● **2e** - *5, rue des Capucines (296.35.13).*
● **7e** - *84 bis, rue de Grenelle (544.61.57).*

Tous les parfums d'Arabie — et d'ailleurs — vendus dans cette très jolie boutique dirigée par un artisan-parfumeur, Jean Laporte, qui élabore lui-même des mélanges délicats de senteurs diverses. Eaux de toilette (Cuir et Fruit de la Passion sont très demandés), pots-pourris en sachets ou en flacons, huiles pour le bain au santal ou au vétiver, photophores et bougies parfumées, boules de terre emplies d'ambre végétal (de 68 à 120 F) pour une note d'exotisme dans la maison, et pour parfumer les voitures, un mélange subtil d'orange bigarade et d'encens (46 F) ou le luxueux Parfum pour Limousine (90 F).

MISS BAMY

● **9e** - *3, bd Rochechouart (878.16.34).*

Perruques afro et produits et soins de beauté pour messieurs et dames à peau noire.

CHRISTIAN CAMBUZAT

● **2e** - *17, rue de la Paix (261.74.44).*

L'illustre tombeur des kilos superflus de Crans-sur-Sierre vend à Paris dans une minuscule boutique, mais rue de la Paix — snobisme oblige — la plupart de ses fameux produits de beauté et de rajeunissement dont la fraîcheur est garantie. Charmants petits pots et boîtes fleuries pour les crèmes aux plantes des glaciers, les shampooings « journaliers », etc.

DANS UN JARDIN

● **1er** - *1, rue du Marché-Saint-Honoré (260.45.14).*
Et Forum des Halles, niveau - 2.

Un frais décor vert et blanc très librement inspiré des kiosques fin de siècle, qui abrite depuis peu une moisson d'agréables produits de toilette. La petite marque d'origine anglaise ne demande qu'à grandir, et elle y parviendra sûrement. Elle a, en effet, mis dans son sac un pot-pourri très complet de ce qu'il faut pour réussir : joli décor, jolis emballages, jolies dames « bien nées » qui ont des relations et le nez fin, jolies senteurs. Vous trouverez donc tout cela rue du Marché-Saint-Honoré, et pour plus de détails : des savons frappés à vos initiales, des bains moussants, des accessoires raffinés pour la toilette, des bouquets secs parfumés, des carafes de nuit, etc. Les plus jeunes s'amuseront au « bar de maquillage » : 150 teintes différentes, dont certaines introuvables dans les autres marques, pour les yeux, les joues, les lèvres, et des poudres phosphorescentes que seules les stars d'Hollywood employaient jusqu'à présent. Une maquilleuse américaine tatoue le visage des moins expérimentées pour la somme de 55 F.

DIPTYQUE

● **5e** - *34, bd Saint-Germain (354.88.90).*

On trouvera ici les produits parfumés des grandes marques anglaises : Floris, bien sûr, mais aussi Mary Chess, Trumper, et Crabtree and Evelyn. Cette dernière eut la bonne idée de rééditer — dans une reproduction fidèle du flacon et de l'emballage d'origine — l'eau de Hongrie (au romarin et à l'écorce de citron), la plus ancienne des eaux de toilette connues, puisqu'elle date de 1370. Diptyque vend aussi des savons et des eaux de toilette exclusifs, un « vinaigre » de toilette à 80° (45 F le flacon de 260 cc), des pots-pourris, des bougies parfumées et tout un matériel en laiton poli ou chromé pour la barbe des messieurs (blaireaux, flacons, bols, etc.).

DJY

● **10e** - *42, bd de Strasbourg (208.16.74).*

Djy a quitté la rue des Lions pour s'établir boulevard de Strasbourg. Les messieurs et dames à peau noire y trouveront le même accueil aimable, des conseils éclairés, d'excellents produits de maquillage (Barbara Walden) dans toutes les couleurs de l'arc-en-ciel (les fards à joues mauves sont les plus demandés), et des produits capillaires efficaces pour lisser ou, au contraire, gonfler les cheveux à la mode « afro ».

GUERLAIN

● **1er** - *2, pl. Vendôme (260.68.61).*
● **6e** - *29, rue de Sèvres (222.46.60).*
● **8e** - *68, Champs-Elysées (225.52.57).*
● **16e** - *93, rue de Passy (288.41.62).*

Ne craignons pas d'être chauvins et proclamons bien haut que Guerlain est la plus grande maison de parfums de Paris, donc du monde. Par bonheur, la descendance de Pierre-François-Pascal Guerlain, un Picard « parfumeur-vinaigrier », n'a jamais manqué de nez et continue de nous offrir — depuis la fondation de la maison à Paris en 1828 — les plus admirables essences. L'Eau impériale (créée pour l'impératrice Eugénie), Jicky (qui date de 1889), l'Heure bleue (1912), Mitsouko (1919), Shalimar (1925), connaissent encore aujourd'hui le même succès que les plus récents Chamade, Parure et le dernier : Nahema. Les parfums, accompagnés d'une gamme de produits parfumés (eau de toilette, talc, savon, huile pour le bain, etc.) sont en vente, à Paris, uniquement dans les quatre magasins Guerlain. Inconvénient dont la maison se glorifie.

LIPSTICK

● **6e** - *43, rue de Rennes (548.84.20).*

Une bonne boutique-« bazar » pour se mettre en beauté et faire quelques (raisonnables) folies. Outre les produits de maquillage et les parfums de grande marque vendus au rez-de-chaussée, vous trouverez, en sous-sol une mine de petits objets plaisants pour votre salle de bains : porte-savons, en céramique, trousses de toilette, plateaux à maquillage, vide-poche, boîtes en plastique pour mettre le coton, ou gainées de tissus pour ranger les bijoux, serviettes d'invités, savons américains en forme de fruits, etc. Et aussi de la lingerie, des collants à couture ou à pois, des dessous variés, des tenues de lit depuis le T-shirt ample et long à 100 F jusqu'à la chemise de nuit faite à la main en satin de soie à 1 500 F, et un rayon de costumes de bain bien fourni même l'hiver.

MOLINARD

● **8e** - *21, rue Royale (265.21.01).*

Fournisseur en son temps de la Reine Victoria, Molinard vend toujours dans son magasin de la rue Royale de bonnes eaux de cologne « vieillies en cave » : Extra-Vieille, Cuir de Russie, Chypre, etc., et le célèbre Habanita, parfum des Années Folles. Auxquels s'ajoutent toute une gamme de produits parfumés : veilleuses, pots-pourris épicés ou fleuris, brûle-parfums, pochettes et trousses parfumées pour le voyage, et de beaux flacons, créés autrefois par Lalique et Baccarat, et réédités en tirages limités.

Parfums à prix réduits

Ces magasins pratiquent des réductions de 10 ou 15 % (par rapport aux prix « recommandés » par les fabricants) sur les parfums, eaux de toilette, produits de beauté de grandes marques :

AMERICAN PERFUMERY

● **1er** - *31, rue de La Sourdière (261.37.16).*

ARCADIE

● **8e** - *55, rue de l'Arcade (387.38.28).*

CAMÉLIA

● **9e** - *13, rue des Martyrs (878.26.59).*

CAPUCINES

● **2e** - *18, rue des Capucines (261.08.07).*

CHALAND

● **2e** - *4, rue Saint-Joseph (508.08.61).*

CODIP

● **15e** - *Centre Commercial Maine-Montparnasse (538.65.07).*

COSMOS

● **16e** - *2, rue Copernic (727.72.52).*

CYCLAMEN

● **7e** - *36, rue de Bellechasse (705.86.46).*

ELLES-PARFUMS

● **1er** - *35, rue de Richelieu (296.02.15).*

LE LAVANDOU

● **5e** - *138, rue Mouffetard (707.33.71).*

ROGER ET GALLET

● **8e** - *62, fg Saint-Honoré (266.45.65).*

Nos grands-parents se frictionnaient à l'eau de Cologne Jean-Marie Farina qui avait (et a toujours) le mérite de ne presque rien sentir et de laisser derrière soi une distinguée odeur de propre. Les savons de cette vénérable maison ont

— fort heureusement — conservé leurs jolis emballages « d'époque » qui ont bravé quelques modes et sortent triomphants d'un purgatoire pas si lointain où l'on trouvait bien anachroniques leurs fleurettes désuètes et leurs papiers plissotés. Ils portent des noms charmeurs : rose-thé, violette, œillet, orchidée... et vous récurent en douceur. On les trouve aussi dans toutes les parfumeries et pharmacies.

LA SAPONIFÈRE

● **6e** - *59, rue Bonaparte (233.98.43).*
Et Forum des Halles, niveau - 2.

Produits naturels américains et anglais à base de fruits, de fleurs, de sèves : savons, huile pour le bain, crèmes, laits, bains moussants, eaux de toilette, poudre de talc, etc. Et aussi un rayon de linge de toilette et d'accessoires de salle de bains dans le goût des années 30.

SEPHORA

● **16e** - *50, rue de Passy (527.54.80).*
Et Forum des Halles, niveau - 1.

Un immense self-service de produits de beauté (shampooings aux plantes, laits d'hamamélis, eaux de roses, savons aux essences rares, certains vendus au poids, etc.). Parfumerie de toutes les grandes marques, glaces, brosses, peignes, trousses de toilette, pèse-personnes, etc. Une folle griserie de cosmétique...

UPLA

● **1er** - *17, rue des Halles (261.49.96).*

On y trouve des eaux de toilette raffinées et artisanales. Celles de Floris ou de Penhaligon — dont aimait se parfumer Churchill (gardénia, muguet, violette). Et celles de Santa Maria Novella, à l'iris ou à la grenade, qui sont fabriquées à Florence dans un ancien monastère.

RASOIRS

DIDIER-NEVEUR

● **2e** - *20, rue de la Paix (261.68.01).*
● **8e** - *39, rue Marbeuf (225.61.70).*

La maison-mère, rue Marbeuf, a fêté son centenaire en 78. Les deux magasins sont hautement spécialisés en rasoirs électriques (tous les modèles et un service après-vente rapide), en brosserie fine (soies montées à la main sur bois de Macassar) et en coutellerie.

KINDAL

● **2e** - *33, av. de l'Opéra (261.70.78).*

Pour les adeptes irréductibles du rasoir mécanique — dont nous sommes — il n'y a qu'un modèle qui puisse satisfaire les mentons les plus exigeants. C'est celui qu'inventa il y a plus de soixante-dix ans le Suédois Magnus Kindal. Ce rasoir, qui a rasé toutes les barbes couronnées d'Europe, ajoute aux avantages du rasoir de sûreté ceux du coupe-chou, tout en en supprimant les inconvénients. La lame en acier suédois est très épaisse d'un côté et d'une extraordinaire finesse de l'autre. Et comme, pour des raisons mystérieuses, un acier qui se repose coupe mieux, sept lames, portant chacune le nom d'un jour de la semaine, sont fournies avec le rasoir. Bien sûr cette merveille n'est pas donnée : 1 100 F. Il est vrai que les lames de Kindal durent au minimum dix ans ! Et pour les mentons plus tendres : le Magnus Junior, 275 F.

PETER

● **8e** - *191, fg Saint-Honoré (563.88.00).*

Rasoirs à monture en argent massif (250 F) et pinces à épiler en acier suédois (50 F), et trousses spéciales pour la barbe ou la moustache.

TATOUAGES

BRUNO

● **18e** - *6, rue Germain-Pilon (264.35.59).*

Que vous soyez puissant ou misérable, du sexe fort ou du sexe opposé, Bruno vous recevra sans rendez-vous entre 9 h et 19 h (mais à l'heure du déjeuner... il déjeune, et le mercredi il va à la pêche). Il usera de son talent — qui est grand — pour vous tatouer la peau selon votre bon plaisir (les photos qui tapissent les murs de la boutique vous donneront des idées), et de sa patience : certains travaux de longue haleine et particulièrement délicats, des panoramiques notamment, peuvent s'échelonner sur plusieurs mois, voire des années. Au demeurant, vous n'aurez pas perdu votre temps.

ÉTIENNE

● **11e** - *40, rue de la Roquette (357.20.95).*

Il n'y a que deux tatoueurs patentés à Paris, Etienne est de ceux-là avec Bruno son collègue de Pigalle. Travail soigné et rapide, polychrome, indélébile, classique ou très spécial, sur épiderme de prince ou peau de gueux, décoratif ou symbolique, ingénu ou métaphysique. Il va de soi que ce mode d'expression invite à toutes sortes de développements d'ordre sociologique ou pathologique, mais là n'est pas notre propos, lequel est simplement d'évoquer ici le grand talent de ce jeune tatoueur et de préciser qu'il tatoue tout sur toute personne (du sexe ou pas : 20 % de dames dans sa clientèle) et sur tous recoins de l'épiderme, depuis le fond du nombril jusqu'entre les doigts de pieds en passant par le creux de la main, le sommet du crâne, le dessous des cheveux, l'intérieur de la bouche, le bas du dos et autres attributs à métamorphoses permettant les plus saisissants trompe-l'œil.

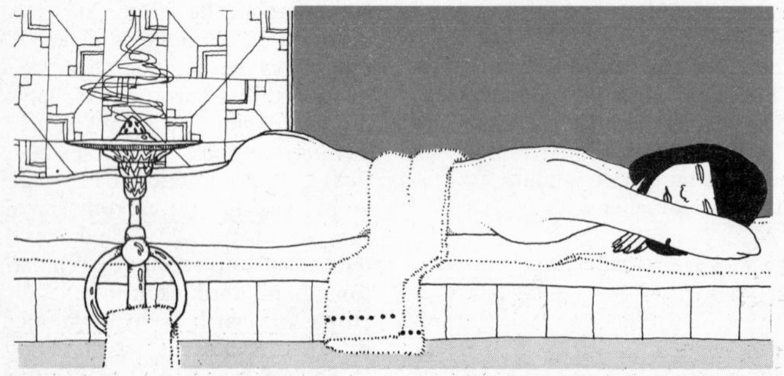

Santé

URGENCES ACCIDENTS

Les services publics (24 heures sur 24)

LES plus rapides, les plus efficaces et les plus sûrs. Disposent d'ambulances de réanimation avec médecin réanimateur, sont reliés par radio-téléphone au **SAMU** (Service Aide Médicale d'Urgence), vous emmènent soit directement à l'hôpital le mieux équipé en cas d'extrême urgence, soit dans l'hôpital le plus proche de votre domicile, soit dans l'hôpital le plus proche du lieu de l'accident. Appelez donc :

POLICE-SECOURS : Le 17

POMPIERS : Le 18

Service médical remarquablement organisé.

Pour avoir le nom du médecin de garde de votre quartier, appelez votre **commissariat de police** ou le **Service de garde des médecins de Paris : 533.99.11.**

Les médecins d'urgence (conventionnés)

A.U.M.P.
(Association pour les Urgences Médicales de Paris et de la Région Parisienne)
828.40.04.
Fonctionne 24 h sur 24. Une « antenne » à Paris avec 20 médecins (et 11 véhicules équipés), une autre à Drancy avec 15 médecins (et 7 véhicules équipés).

S.O.S. MÉDECINS
337.77.77.
Fonctionne 24 h sur 24. Cent trente médecins affiliés (et 80 véhicules équipés).

S.O.S. 92 - GARDES ET URGENCES M4DICALES
603.77.44.
Fonctionne 24 h sur 24. Une quinzaine de médecins affiliés (et 6 véhicules équipés).

SOINS D'URGENCE

Blessures graves aux mains

579.19.80 (hôpital Boucicaut)

Brûlures graves

- **Adultes**

344.33.33 (hôpital Saint-Antoine)
329.21.21 poste 403 (hôpital Cochin)

- **Enfants**

346.13.90 poste 32-54 (hôpital Trousseau)

Drogue

574.86.68 (hôpital Marmottan)
707.87.05 (hôpital Sainte-Anne)

Infirmières d'urgence

625.25.35. (S.O.S. Infirmières)

Empoisonnement

205.63.29 (hôpital Fernand-Widal)

Mal aux dents

265.06.77 (S.O.S. Dentistes)

Réconfort moral

825.70.50 (S.O.S. Amitiés)

AMBULANCES

NUIT et jour, dimanches et jours de fête, les malades ou les blessés sont transportés rapidement dans Paris, en province et à l'étranger dans des voitures équipées comme il convient.

Ambulances municipales

AMBULANCES DE LA VILLE DE PARIS

● **4e** - *3, av. Victoria (887.27.50).*

Avions-ambulances

S.A.M.U. : Appelez le 17 ou le 18
Service public. En liaison avec Police-Secours et les Pompiers a, à sa disposition, des avions-ambulances et des hélicoptères.

PHARMACIES DE NUIT

Toute la nuit

PHARMACIE DES CHAMPS-ÉLYSÉES

● **8e** - *84, Champs-Elysées (256.02.41).*

Jusqu'à 2 h du matin

DRUGSTORE SAINT-GERMAIN

● **6e** - *149, bd Saint-Germain (222.80.00).*

DRUGSTORE CHAMPS-ÉLYSÉES

● **8e** - *133, Champs-Elysées (720.39.25).*

Jusqu'à 1 h du matin

FAU

● **15e** - *10, pl. Raoul-Dautry (544.17.28).*
Jusqu'à 1 h, sauf le dimanche.

MACHELON

● **9e** - *5, pl. Pigalle (878.38.12).*
Jusqu'à 1 h 30.

Jusqu'à 23 h ou minuit

CARON

● **2e** - *24, rue de la Paix (742.56.25).*
Jusqu'à minuit.

CENTRALE DU NORD

● **10e** - *132, rue La Fayette (770.06.14).*
Jusqu'à minuit.

CHEIRON

● *Dans la Station Défense-R.E.R. (788.25.43).*
Tous les jours jusqu'à minuit. Les dimanches et jours fériés, elle ouvre à 20 h seulement.

CLICHY

● **9e** - *6, pl. Clichy (874.65.18).*
Jusqu'à minuit.

GARE DE LYON

● **12e** - *21, bd Diderot (343.96.95).*
Jusqu'à 23 h.

LAVENIR

● **7e** - *23, av. de La Motte-Picquet (705.40.61).*
Jusqu'à 23 h, sauf le dimanche.

MOZART

● **16e** - *14, av. Mozart (527.38.17).*
Juqu'à minuit.

PHARMACIE DES ARTS

● **14e** - *106, bd du Montparnasse (326.56.20).*
Jusqu'à minuit. Dimanche et jours fériés jusqu'à 1 h.

PUECH-MAUREL

● **12e** - *86, bd Soult (343.13.68).*
Jusqu'à minuit.

TILLET

● **13e** - *61, av. d'Italie (331.19.72).*
Jusqu'à minuit.

Jusqu'à 22 h

ARVISET

● **8e** - *239, fg Saint-Honoré (227.18.46).*

PRONIEWSKI

● **9e** - *5, pl. Blanche (874.77.99).*

Pharmacies étrangères

Elles ne vendent pas les médicaments étrangers mais possèdent une liste d'équivalences.

PHARMACIE ANGLAISE

● **8e** - *62, Champs-Elysées (359.22.52).*
Jusqu'à 22 h 30. F. le dimanche.

PHARMACIE ANGLO-AMÉRICAINE

● **1er** - *6, rue de Castiglione (260.72.96).*
De 9 h à 19 h 30. F. dimanche et lundi matin.

Sports : où les pratiquer

ARTS MARTIAUX

COMBAT et philosophie à la mode nipponne : essentiellement judo, karaté, kendo. Le judo continue d'attirer le plus grand nombre, mais le karaté — que les enfants peuvent pratiquer dès l'âge de 10 ans — bénéficie de la publicité spectaculaire que lui fait le cinéma. Le kendo, lui, utilise la technique du sabre japonais et nécessite donc un important équipement protecteur. Les clubs d'arts martiaux se sont multipliés ces dernières années, parfois avec abus. Nous vous en citons seulement deux mais vous en trouverez d'autres auprès des différentes fédérations que voici :

COMITÉ NATIONAL DU KENDO

● **15e** - *1, rue Lacretelle (ou téléphoner au président du C.N.K. : M. Hamot (828.55.62).*

LIGUE D'ILE-DE-FRANCE DE JUDO

● **14e** - *43, rue des Plantes (542.80.90).*

LIGUE D'ILE-DE-FRANCE DE KARATÉ

● **13e** - *11, rue Primatice (707.24.29).*

INSTITUT DES ARTS TRADITIONNELS JAPONAIS

● **17e** - *22, rue de Vernier (527.97.42).*

Ni fatigant, ni dangereux, ni ennuyeux, un enseignement qui s'adresse à tous et particulièrement aux hommes (et aux femmes) de quarante ans et plus : l'art du bâton (jo et kombo), du sabre (iaï), de la lance recourbée (naginata), ou du tir à l'arc (kyudo), pour 100 F par mois (assurance comprise) à raison d'un cours par semaine.

SHOBUDO - ARICA - ALBARRACIN

● **5e** - *34, rue de la Montagne-Sainte-Geneviève (329.00.41).*

27 champions de France, d'Europe et du monde ont été formés par maître Plee (8e Dan Karaté, 5e Dan Judo). La cotisation annuelle de 750 F (650 F pour les étudiants) donne droit à tous les cours de toutes les disciplines : karaté, judo, aïkido, tai-shi, kung-fu, kendo. Groupes de « recherche intérieure » Albarracin et Arica.

BOWLING

QUILLES de six, de huit, de neuf, asphalte, bowling, Saint-Gall, etc. se regroupent dans la même **Fédération Française des Sports de Quilles,** 17, rue Guérin, 94220 Charenton (368.61.54). Il existe une vingtaine de bowlings dans la région parisienne dont sept grands à Paris. Les prix varient suivant le jour et l'heure dans la semaine (de 10 ou 11 h à 2 h du matin). Il faut compter 2,50 F pour la location de chaussures spéciales. Licence : 40 F.

BOWLING DE LA DÉFENSE

● **92 Courbevoie** - *Centre olympique Charras (788.32.37).*

Dix pistes dans un vaste complexe sportif (piscine, patinoire) où lancer ses boules au pied des tours devient, pour beaucoup, un petit plaisir malin. De 5,50 F à 8 F. Réduction étudiants, licenciés : 0,50 F. Location de chaussures : 2 F.

BOWLING ÉTOILE-FOCH

● **16e** - *Entrée R.E.R., parking Foch (500.00.13).*

Le plus récent avec celui de la Porte Champerret (ouverts tous les deux depuis janvier 79). 15 pistes, un bar, une cafétéria, des salles de jeux électroniques et des salons de bridge. De 6 à 12 F.

BOWLING FRONT DE SEINE

● **15e** - *11, rue Gaston-de-Caillavet (579.21.71).*

Seize pistes auto-scorers au pied de l'Hôtel Nikko, où il arrive parfois que des géants du Texas passablement éméchés confondent les quilles avec des touristes nippons. De 5 F à 8,50 F.

BOWLING INTERNATIONAL MAURICE CHEVALIER

● **94 Nogent-sur-Marne** - *Centre Nautique, quai du Port (871.27.80).*

Douze pistes. Gestion et personnel très efficaces. De nombreuses compétitions y sont organisées. Le club abrite aussi une académie de billard (6 billards de compétition et 4 américains). De 3,50 F à 7 F.

BOWLING DE MONTPARNASSE

● **15e** - *27, rue du Commandant-Mouchotte (260.18.77).*

Seize pistes couplées avec la patinoire et le bar. Parking au Sheraton. De 6,50 F à 7,50 F. Location de chaussures : 2,50 F.

BOWLING DE PARIS

● **16e** - *Jardin d'Acclimatation, Bois de Boulogne (747.77.55).*

Vingt-quatre pistes, et une vraie tradition parisienne qui attire bon nombre d'étrangers débarquant ici par autocars entiers. Restaurant, sanck-bar, jeux divers. De 5 F à 7 F.

BOWLING PARIS-CHAMPERRET

● **17e** - *Rue du Caporal-Peugeot (754.67.17).*

Nouvel établissement (1979) : 16 pistes et un bar. De 6 F à 8,50 F.

PARIS LOISIRS BOWLING

● **18e** - *78, bd Ornano (606.64.98).*

Six pistes AMF américaines et six Brunswick allemandes, qui attirent Parisiens et banlieusards en grand nombre. Bar et jeux divers. De 5 F à 7,50 F. Réduction aux étudiants et licenciés : 0,50 F.

BOXE ANGLAISE

DES cours d'initiation sont organisés dans certaines écoles et quelques clubs à partir de 11 ans. Le véritable combat commence à 16 ans et peut se pratiquer fort longtemps au gré de la résistance du boxeur : l'entraînement physique est primordial. L'équipement de base (gants, maillot, culotte) coûte environ 500 F ; notons, pour les coquets, quelques accessoires utiles : le protège-dents (20 F), la coquille (52 F), le casque (250 F). Quant aux clubs, outre l'**A.S.P.T.T.** et le **Stadium** (patronné par J.-C. Bouttier), il vaut mieux contacter la ligue pour ne pas se perdre dans un milieu haut en couleur mais pas toujours très clair. Licence : 45 F.

LIGUE DE L'ILE-DE-FRANCE

● **9e** - **M. Lecler,** *55, fg Montmartre (878.14.93).*

BOXE FRANÇAISE

MONTHERLANT serait comblé. Ce sport qu'il voulait voir pratiquer par tous les jeunes Français est en pleine résurrection (environ 10 000 pratiquants). Héritière de méthodes de combat populaire (savate, chausson), la boxe française est le seul art martial véritablement français et efficace : son esthétique aristocratique et spontanée l'apparente à un ballet de finesse et d'intelligence tout à fait étranger aux mécaniques crispations nippones. Pour connaître tous les secrets du « groupé fouetté » ou du « chassé bas », aucune contre-indication médicale : femmes et enfants pratiquent sans problème. Equipement (gants et chaussures) : 500 F, forfaits trimestriels : de 50 à 200 F. Licence : 50 F. Collant noir et moustaches cirées sont facultatifs.

FÉDÉRATION FRANÇAISE DE BOXE FRANÇAISE-SAVATE

● **2e** - *25, bd des Italiens (742.82.27).*

ACADÉMIE DE BOXE FRANÇAISE

● **11e** - *43, rue Servan (700.94.90).*

Un des plus importants clubs de Paris dirigé par l'excellent M. Bretx. Il faut écouter ce jeune professeur raconter calmement sa passion pour comprendre tout l'accord de la boxe française avec l'esprit et la morphologie de l'Occidental. On « tire » alors sans complexe dans la magnifique salle tandis que sur le tatami voisin se collettent et se chiffonnent les judokas ébouriffés ! Cours de canne gratuits. Boxe française : 80 à 120 F, cotisation annuelle (avec licence) : de 70 à 100 F. Cotisation mensuelle : de 70 à 100 F. Création récente d'une section féminine à laquelle participent déjà une dizaine de femmes et de jeunes filles en fleur.

CYCLISME

ECONOMIQUE et hygiénique, donc écologique. Bref, la grande mode. Mais attention, on peut pédaler sur deux braquets : le cyclotouriste roule « les mains aux cocottes », c'est-à-dire à l'allure tranquille du facteur. Les cyclistes, eux, ont des prétentions plus sportives. Dans les deux cas, il est préférable de s'inscrire dans un club. Sans parler du hollandais, du chinois ou de l'anglais, le vélo français coûte d'environ 600 F à 6 000 F, et davantage (sur mesure). L'équipement : 300 F environ. Licence : de 21 à 108 F pour la compétition, 54 F pour le cyclotourisme.

COMITÉ D'ILE-DE-FRANCE DE CYCLISME

● **11e** - *7, rue d'Arbois (357.02.94).*
De 9 h à 12 h et de 13 h à 18 h 15.

FÉDÉRATION FRANÇAISE DE CYCLISME

● **10e** - *43, rue de Dunkerque (285.41.20).*

FÉDÉRATION FRANÇAISE DE CYCLOTOURISME

● **13e** - *8, rue Jean-Marie-Iégo (580.30.21).*

Pour tous renseignements sur les randonnées.

LIGUE D'ILE-DE-FRANCE DE CYCLOTOURISME

● **13e** - *105, rue Régnault.*
S'adresser à M. Astex.

BICY-CLUB DE FRANCE

● **9e** - *7, rue Ambroise-Thomas (523.36.62).*

Un organisme plein d'ambition et de succès, qui propose des journées « pique-nique » (25 F), des week-ends dans la région parisienne (190 F) et des séjours d'une semaine en Bretagne, en Poitou, dans les Charentes, etc. Location de bicyclettes. Cotisation annuelle et droit d'entrée : 90 F.

ÉQUITATION

SI l'on n'a pas la chance (ou les moyens) de faire partie d'un bon cercle du Bois de Boulogne ou des abords immédiats de Paris, le forfait d'une semaine ou d'un week-end loin de la capitale devient de plus en plus nécessaire pour pratiquer correctement ce sport, d'autant que la province, depuis quelques années, s'est remarquablement équipée. Méfiez-vous en tout cas des « ranchs » qui louent des chevaux (en piteux état le plus souvent) comme des bicyclettes. L'apprentissage en manège demeure toutefois indispensable. Les cotisations varient suivant le standing du centre, notamment pour les clubs omnisports. Bombe et bottes sont obligatoires, et la cravache, quoi qu'en pensent certains puristes, reste parfois bien utile.

LIGUE DE L'ILE-DE-FRANCE DE LA FÉDÉRATION ÉQUESTRE FRANÇAISE

● **17e** - *60, rue des Renaudes (766.10.03).*
De 9 h à 12 h 30 et de 13 h 30 à 18 h.

BAYARD - U.C.P.A.

● **12e** - *Av. du Polygone, Bois de Vincennes (365.46.87).*

Le club Bayard forme des cavaliers de concours hippique et de concours complet. Forfait trimestriel à jour et à heure fixes : 370 F et 310 F (comprenant l'assurance et éventuellement le prêt des bottes et bombe). Poney-club pour les enfants de 5 à 11 ans, doté de 20 « petits individus à sabots » : 1 heure de leçon par semaine durant 13 semaines : 175 F.

CERCLE HIPPIQUE DE CHANTILLY

● **60 Chantilly** - *Grandes Ecuries du Château, 7, rue du Connétable (457.00.97)*

Sous l'autorité du colonel de Parisot et du marquis du Vivier, 300 cavaliers pratiquent sous les murs du grand Condé. Deux manèges couverts, 2 carrières. Cotisation de 300 à 400 F. Entrée de 75 à 150 F. Reprises : de 26 à 37 F.

CHEVAL-VOYAGE

● **9e** - *8, rue de Milan (526.60.80).*

Pour les sportifs de la roulotte et les fanas des

chevauchées sauvages. Le meilleur organisme pour stages et forfaits. Cotisation accident 30 F (15 F pour les enfants de moins de 12 ans). Location également de house-boats pour la navigation fluviale (avec ou sans permis).

SOCIÉTÉ ÉQUESTRE DE L'ÉTRIER

● **16e** - *Route de Madrid aux Lacs, Bois de Boulogne (624.28.02).*

Deux installations au bois : le terrain de Madrid (manège olympique) et le pavillon Dauphine. On s'introduit dans cette Société à l'aide de deux solides parrains, en s'engageant de surcroît à monter très régulièrement. Cotisation : 300 F. Entrée : 300 F.

SOCIÉTÉ D'ÉQUITATION DE PARIS

● **16e** - *Route de Neuilly à la Muette, porte de Neuilly (962.37.65).*

Deux manèges dont un olympique. Equitation « sportive et d'extérieur ». Préparation aux examens d'équitation. Droit d'entrée : 400 F et 280 F; cotisation : 245 F et 215 F. Forfait mensuel de 4 leçons : 125 F (plat) et 140 F (obstacles).

SOCIÉTÉ HIPPIQUE DE L'ÉCOLE MILITAIRE

● **7e** - *1, pl. Joffre (555.92.30, poste 33-152).*

Pour 625 F par an et une heure par semaine, seuls les jeunes gens de 13 à 19 ans peuvent bénéficier d'un des plus prestigieux cercles de Paris. A condition de patienter deux ans sur la liste d'attente.

ESCRIME

ON ferraille à partir de 8-10 ans dans plus de 200 clubs de l'Ile-de-France. Réputé élitiste, voire réactionnaire depuis Richelieu, ce sport est beaucoup moins coûteux qu'on ne le croit (500 F environ) et l'équipement est très souvent prêté aux débutants. Les meilleures salles d'armes se trouvent dans les clubs omni-sport : le **Racing,** le **P.U.C.,** l'**A.S.P.P.** On note cependant d'autres cercles importants. Licence : de 35 à 70 F.

FÉDÉRATION FRANÇAISE D'ESCRIME

● **9e** - *13, rue de Londres (874.36.54).*

CERCLE MILITAIRE DE PARIS

● **8e** - *8, pl. Saint-Augustin (522.71.50).*

Assauts d'épée très réglementaires entre pachas en retraite et colonels de dragons. Réservé en principe aux officiers (et aux administrateurs rattachés au ministère de la Défense), on peut toutefois tenter sa chance, si l'on est « parrainé ». Cotisation : de 62 à 210 F.

SALLE D'ARMES DE LA GARDE RÉPUBLICAINE DE PARIS

● **4e** - *6, rue de Schomberg (887.65.10).*

La tradition des gardiens de la République au service de tous les citoyens. Ouvert à tous et en particulier aux jeunes.

GOLF

JUSQU'A ces derniers temps, tweed et flanelle régnaient sans partage sur les greens. Voici qu'ils doivent maintenant composer avec la toile Denim et le synthétique. En effet, la Fédération s'efforce de rajeunir ses effectifs et, selon la formule, de démocratiser cet exercice en accordant des conditions avantageuses aux étudiants et aux débutants (forfait 12 leçons : 150 F). Deux fois par an, les jeunes golfeurs de moins de 21 ans peuvent décrocher un brevet pour jouer ensuite sur les terrains privés. Licence : 100 F.

FÉDÉRATION FRANÇAISE DE GOLF

● **16e** - *69, av. Victor-Hugo (727.95.40).*

ÉCOLE DE GOLF DE L'ÉTOILE (Hubert Courtessi)

● **17e** - *10, av. de la Grande-Armée (380.30.79).*

Au-dessus du cinéma Napoléon, en plein ciel, et Paris à ses pieds, on peut s'entraîner (15 F la demi-heure), suivre des cours individuels (50 à 60 F la demi-heure) ou par groupe de quatre (20 F). L'équipement est fourni par le club. Une vingtaine de professeurs. De 8 h à 20 h du lundi au vendredi (et le samedi matin en hiver).

GOLF PUBLIC DE VILLERAY

● **91 Corbeil** - *Saint-Pierre-du-Perray (075.17.47).*

Un green pour M. Dupont. A l'initiative de la F.F.G., 18 trous sur 6 100 m pour 25 F (étudiants : 15 F) avec fourniture gratuite des cannes et des sacs. Leçon individuelle 40 F, leçon collective : 15 F.

MONTAIGNE GOLF

● **8e** - *49, av. Montaigne (723.35.93).*

Neuf professeurs de golf enseignent (par roulement) les rudiments ou les perfectionnements de cette discipline dans les trois « boxes » aménagés au sous-sol du magasin bien connu de l'avenue Montaigne. On choisit son jour (dimanche excepté), son professeur (toujours le même), on apporte des chaussures plates et, si l'on veut, ses clubs. A raison de 55 F la demi-heure de cours et à condition d'être assidu (et doué), on est assuré de faire rapidement bonne figure sur les greens.

MARCHE : les sentiers sportifs

UNE distraction hygiénique plus qu'un sport, mais qui connaît, l'écologie aidant, un succès croissant. Que ce soit sur les traditionnels et remarquables sentiers de grande randonnée (GR I et GR II autour de Paris) ou sur les C.R.A.P.A. (« circuits rustiques d'activités physiques aménagés »). Ceux-ci, moins connus, sont des parcours forestiers jalonnés d'obstacles naturels ou artificiels (bois de Vincennes et forêt de Saint-Germain-en-Laye).

COMITÉ NATIONAL DES SENTIERS DE GRANDE RANDONNÉE

● **18e** - *92, rue de Clignancourt (259.60.40).*

OFFICE NATIONAL DES FORÊTS

● **12e** - *2, av. de Saint-Mandé (346.11.68).*

NATATION : les piscines

HÉLAS ! Quelques-unes, pittoresques ou prestigieuses, ont disparu : la piscine de la Gare, la piscine Neptuna, la piscine Trévise, la piscine Royal et celle de l'Hôtel Claridge. D'autres sont momentanément fermées pour travaux : le Stadium, la piscine municipale des Amiraux. Elles restent cependant assez nombreuses et bien réparties, et le plongeon hebdomadaire ou quotidien n'est plus un défi hygiénique : filtrée aux diatomées et traitée aux hypochlorites de soude, l'eau des thermes parisiens n'est plus ce vivier de germes et de bactéries que certains combattaient héroïquement « à la Javel ». Nous avons donc répertorié toutes les piscines parisiennes (et quelques proches banlieusardes) en abandonnant à leur aristocratique ghetto celles qui nécessitent des conditions trop particulières d'inscription (clubs, écoles, associations...). Les longueurs de bassins et les tarifs (adultes et enfants) sont indiqués, mais nous vous abandonnons lâchement dans la jungle des trop capricieux horaires, et nous vous laissons le soin de vous renseigner auprès de chaque établissement, ou, d'une façon plus générale, auprès du **Bureau des Sports,** *17, boulevard Morland, 4e (277.15.50, poste 30-77)* qui vous enverra, sur demande, un dépliant très circonstancié.

CENTRE DE NATATION ROGER LE GALL

● **12e** - *34, bd Carnot (628.77.03).*

Couverte. Bassin « olympique » de 50 m. 7 F et 5,50 F.

Ce remarquable ensemble du Club des Nageurs de Paris bénéficie d'installations sportives très perfectionnées : bassin évolutif, toit escamotable, plongeoir hydraulique... Cela explique, au mètre cube, une des plus fortes densités de muscles olympiques. Salle de gymnastique et sauna.

PISCINE DELIGNY

● **7e** - *Face au 25, quai Anatole-France (551.72.15).*

Découverte. 50 m. 11 F.

Une institution parisienne, depuis 1785. Entre Concorde et Palais-Bourbon, une salle de gymnastique, des tables de ping-pong, un bar-restaurant. A partir de 16 h, initiation au ski nautique. L'hiver on y pêche la truite. Mais l'été, de 8 h à 20 h, on y découvre 3 000 m² de seins nus sur une rôtissoire encombrée d'inconditionnels très attentifs. Bateau-école toute l'année : permis en mer et sur rivière.

PISCINE ÉDOUARD-PAILLERON

● **19e** - *30, rue Edouard-Pailleron (208.72.26).*

Couverte. 33,33 m. 7,60 F et 5,70 F.

Solarium, salle de judo, station de gonflage pour plongée sous-marine et entrée commune avec la patinoire des Buttes-Chaumont.

PISCINE DE L'ÉTOILE

● **17e** - *32, rue de Tilsitt (380.50.99).*

Couverte. 25 m. 8 F et 6 F.

Ancienne boîte de nuit où Django Reinhardt et le Hot Club se produisaient (le bar, licence alcools, existe toujours). Une des toutes premières au palmarès des piscines parisiennes : accueil charmant et fleuri, propreté rigoureuse, ambiance musicale, originalité des bassins (le grand bain est au milieu). Véritable lieu de détente et de sympathie, discrètement dirigé par M. Lemesle. Solarium artificiel. Sauna (30 F). Sur réservation (24 heures à l'avance) l'établissement peut également ouvrir ses portes la nuit. Voir « Locations ».

PISCINE GEORGES-HERMANT

● **19e** - *4 et 10, rue David-d'Angers (202.45.10).*

Couverte. Bassin « olympique » de 50 m. 7,20 F et 5,60 F.

Oscar de l'architecture pour son toit à géométrie variable, cette piscine ultra-sophistiquée est conçue pour les sportifs. Le nageur moyen peut utiliser le solarium, admirer les plongeurs (5 m) ou visiter les merveilles de la machinerie.

PISCINE DE L'HIPPODROME D'AUTEUIL

● **16e** - *Porte de Passy (224.07.59).*

Couverte. 25 m. 5 F et 2,50 F.

Obtint en 1975 l'Oscar de l'architecture pour son intégration au paysage. Grandes baies vitrées sur le bois de Boulogne. Plongeoir de 3 m et tremplin à 1 m.

PISCINE KELLER

● **15e** - *14, rue de l'Ingénieur-Keller (577.12.12).*

Couverte. Bassin « olympique » de 50 m. 7 F et 5 F.

Cette piscine de l'A.S.P.T.T. a reçu l'Oscar de l'équipement en 1975. Toit ouvrant, cabines et douches neuves, snack-bar et sauna (25 F) : tout est remarquablement agencé.

PISCINE MAINE-MONTPARNASSE

● **15e** - *66, bd du Montparnasse (538.65.19).*

Couverte. 33,33 m et 25 m. 5 F et 2,50 F.

La plus grande et la plus moderne piscine de Paris. Mais aussi le système d'aération le plus mal étudié : l'atmosphère n'a rien à envier, en effet, à celle des parkings souterrains.

PISCINE COUVERTE MOLITOR

● **16e** - *2, av. de la Porte-Molitor (651.10.61).*

33,33 m. 7,60 F et 5,70 F.

Née en 1929, c'est la piscine des records nationaux et mondiaux. Depuis, tout a vieilli, la fréquentation décline régulièrement. Golf et culture physique.

PISCINE DÉCOUVERTE MOLITOR

● **16e** - *8, av. de la Porte-Molitor (651.10.61).*

Bassin « olympique » de 50 m. 8 F et 5,80 F.

Des allures d'arène coloniale où Tarzan en personne perfectionnait ses foudroyantes accélérations. C'était les années 30. De nos jours, solarium, bar et restaurant regroupent une clientèle estivale de bon aloi. On bronze en poursuivant le soleil de galerie en galerie.

PISCINE MUNICIPALE DES AMIRAUX

● **18e** - *6, rue Hermann-Lachapelle (606.46.47).*

Couverte, 33,33 m.

Inaugurée en 1930 avec un procédé original pour amortir les vagues et modernisée depuis, elle est fermée actuellement pour un temps indéterminé : travaux en cours.

PISCINE MUNICIPALE BLOMET

● **15e** - *17, rue Blomet (783.35.05).*

Couverte. Bassin « olympique » de 50 m. 5 F et 2,50 F.

La grande qualité au service du nageur : entretien, surveillance et ambiance sont en tous points remarquables. Très forte fréquentation en hiver. Tremplin à 1 m.

PISCINE MUNICIPALE DE BOULOGNE

● **92 Boulogne-Billancourt** - *165, rue du Vieux-Pont-de-Sèvres, square Henri-Barbusse (621.02.88).*

Couverte. 25 m. 6,20 F et 4,40 F.

Salle de sports au sous-sol et solarium de sable. Sauna (20 F).

PISCINE MUNICIPALE DE LA BUTTE-AUX-CAILLES

● **13e** - *5, pl. Paul-Verlaine (589.60.05).*

Couverte, 33,33 m et découverte, 25 m. 4,60 F et 2,30 F.

Très forte fréquentation estivale pour ces deux gentils bassins alimentés par un puits artésien.

Tire-laine et escarpes ont maintenant déserté les lieux, probablement fatigués des courants d'air et de l'inconfort des vestiaires. Plongeoir de 5 m réservé aux licenciés et tremplins à 3 m et 1 m. On vous demandera de passer sous la douche avant de vous jeter à l'eau et d'éviter — dans la mesure du possible — de fumer ou de pique-niquer au bord de la piscine.

PISCINE MUNICIPALE DE CHARENTON (Palais des Sports)

● **94 Charenton-le-Pont** - *4 bis, av. Anatole-France (368.27.72).*
Couverte. 25 m. 5,80 F et 3,80 F.

Une piscine bien connue des scolaires du Val de Marne, où l'on peut voir évoluer des plongeurs dans une très belle fosse. Cours de plongée.

PISCINE MUNICIPALE DE CHÂTEAU-LANDON

● **10e** - *31, rue de Château-Landon (607.34.68).*
Couverte. 25 m et 10 m. 5 F et 2,50 F.

Près de l'ancien gibet de Montfaucon, la plus vieille piscine couverte de Paris (1882), où s'ébattent volontiers les élèves gardiens de la Paix. La vôtre n'en sera pas troublée pour autant.

PISCINE MUNICIPALE DE CLIGNANCOURT

● **18e** - *12, rue René-Binet (254.51.55).*
Couverte. 25 m. 5 F et 2,50 F.

Elle date de 1976. Un bassin d'initiation de 12,50 m pour les enfants.

PISCINE MUNICIPALE DIDOT

● **14e** - *22, av. Georges-Lafenestre (539.89.29).*
Couverte. 25 m. 5 F et 2,50 F.

Une piscine moderne et très agréable : propreté, surveillance efficace, atmosphère toujours sympathique.

PISCINE MUNICIPALE DUNOIS

● **13e** - *62, rue Dunois.*
Couverte. 25 m. 5 F et 2,50 F.

La plus récente : fin 79. Un bassin d'initiation pour les enfants (12,50 m).

PISCINE MUNICIPALE ÉMILE-ANTHOINE

● **15e** - *9, rue Jean-Rey (567.10.20).*
Couverte. 25 m. 5 F et 2,50 F.

Ouverte en 1979, peu avant la piscine Dunois; elle est dotée d'un accès pour les handicapés. Bassin d'initiation de 12,50 m.

PISCINE MUNICIPALE GEORGES-DRIGNY

● **9e** - *18, rue Bochart-de-Saron (526.86.93).*
Couverte. 25 m. 5 F et 2,50 F.

Ouverte depuis 1978.

PISCINE MUNICIPALE GEORGES-RIGAL

● **11e** - *119, bd de Charonne (370.64.22).*
Couverte. 25 m. 4,60 F et 2,30 F.

Ouverte en août 1974. Grande luminosité et aération très efficace. Mais, en dehors des vacances scolaires, elle est rarement accessible au public. Pour les horaires, se renseigner sur place ou par téléphone.

PISCINE MUNICIPALE HÉBERT

● **18e** - *2, rue des Fillettes (607.60.01).*
Toit ouvrant. 40 m. 5 F et 2,50 F.

Vénérable antiquité marquée d'efforts de restauration, malheureusement dispersés. Connue, cependant, pour la qualité vaguement sulfureuse de son eau, puisée à 119 m sous terre.

PISCINE MUNICIPALE HENRY-DE-MONTHERLANT

● **16e** - *48, bd Lannes (503.03.28).*
Couverte. 25 m. 5 F et 2,50 F.

Ouverte en août 78, agréable et pas encore trop « courue », dotée d'une eau limpide et tiède (à 27°) et l'été d'un solarium. Salle de gymnastique. Tennis de plein air en préparation.

PISCINE MUNICIPALE D'ISSY-LES-MOULINEAUX

● **92 Issy-lesMoulineaux** - *70, bd Gallieni (554.86.43).*
Couverte. 25 m. 5 F et 3,50 F.

Un subtil traitement à l'ozone et un éclairage zénithal rendent ce bassin très agréable. Christine Caron s'y entraîne régulièrement. Le samedi de 9 h à 13 h, baby-club (avec assistance médicale) très suivi dès l'âge de 6 mois et jusqu'à 5 ans. Cours de plongée théorique et pratique. Solarium. Terrains de basket-ball, hand-ball et volley-ball.

PISCINE MUNICIPALE JEAN-TARIS

● **5e** - *16, rue Thouin (325.54.03).*
Couverte. 25 m et 15 m. 5 F et 2,50 F.

Ouverte en 1978. Dotée d'un accès pour les handicapés.

Apprenez à lire ce Guide : toutes nos adresses sont données par ordre alphabétique à l'intérieur de chaque rubrique.

PISCINE MUNICIPALE LEDRU-ROLLIN

● **12e** - *10, av. Ledru-Rollin (343.67.69).*
Couverte : 33,33 m.

Nef antique dans le ton de Métropolis où s'ébattent joyeusement les familles.

PISCINE MUNICIPALE « NATIONALE »

● **13e** - *178, rue du Château-des-Rentiers (585.18.26).*
Couverte. 25 m. 5 F et 2,50 F.

La discrétion de cette piscine toute moderne ne doit pas faire oublier ses nombreuses qualités, en particulier sa remarquable luminosité. Fréquentation familiale et quasi confidentielle.

PISCINE MUNICIPALE DE LA PORTE DE LA PLAINE

● **15e** - *13, rue du Général-Guillaumat (532.34.00).*
Couverte. 25 m. 5 F et 2,50 F.

Redoute futuriste au-dessus du périphérique Sud, mais conception peu pratique de l'ensemble vestiaire-douches. Mercredi et samedi, matinées populaires et vaguement licencieuses quand s'éclaboussent les costauds des fortifs.

PISCINE MUNICIPALE RENÉ-ET-ANDRÉ-MOURLON

● **15e** - *19, rue Gaston-de-Caillavet (575.40.02).*
Couverte. 25 m. 5 F et 2,50 F.

Ouverte en 1978. Un bassin d'initiation de 12,50 m.

PISCINE MUNICIPALE ROUVET

● **19e** - *1, rue Rouvet (607.40.97).*
Couverte. 33,33 m. 5 F et 2,50 F.

La refonte des locaux et l'installation d'un bon système d'aération ont rafraîchi cette piscine construite en 1932. Le bassin a d'ailleurs gardé son étonnante coloration chlorophylienne. Tremplin à 1 m.

PISCINE MUNICIPALE SAINT-MERRI

● **4e** - *18, rue du Renard (272.29.45).*
Couverte. 25 m. 5 F et 2,50 F.

Ouverte depuis 1975.

PISCINE MUNICIPALE VALEYRE

● **9e** - *22, rue Rochechouart (285.27.61).*
Couverte. 25 m. 4,60 F et 2,30 F.

Confort et sécurité, une piscine idéale pour les enfants. Ils y règnent, d'ailleurs, sans partage.

PISCINE OBERKAMPF

● **11e** - *160, rue Oberkampf (357.56.19).*
Couverte. 15x15 m. 7,50 F et 5 F.

Très petite piscine de 1887 en forme de L, où Jean Taris atteignit la perfection dans la technique du virage. Sauna.

PISCINE PONTOISE

● **5e** - *19, rue de Pontoise (354.82.45).*
Couverte. 33,33 m. 7,50 F et 5 F.

Fourrière municipale jusqu'en 1920, cet établissement a le mérite d'être bien situé. Et bien tranquille. L'étrange conception des douches n'y est peut-être pas étrangère. Salle de culture physique, sauna et solarium artificiel.

PISCINE DE SAINT-GERMAIN-EN-LAYE

● **78 Saint-Germain-en-Laye** - *Route Belle Auge (451.50.20).*
Couverte. 25 m. 7 F et 5 F.

Fréquentation en hausse croissante. Une des rares piscines à posséder 6 plongeoirs (de 1 à 10 m). Snack-bar au sous-sol et immense solarium (2 hectares).

PISCINE DU SOFITEL-SÈVRES

● **15e** - *2, rue Grognet (554.95.00).*
Couverte. 12 m. 25 F.

Baignade vertigineuse 22 étages au-dessus de l'héliport de Paris. Mais le bar à portée de la main. Gymnastique et sauna.

PISCINE UNIVERSITAIRE DU CENTRE JEAN-SARRAILH

● **5e** - *31, av. Georges-Bernanos (633.06.20).*
Couverte. 25 m. 4 F et 3,50 F.

Pour : le charme de l'accueil, le jeu étonnant des cabines-labyrinthes, la salle de musculation et le tremplin à 3 m. Contre : les horaires restrictifs (mercredi : 20 h à 22 h, samedi 10 h à 12 h et 14 h à 18 h).

STADE NAUTIQUE GEORGES-VALLEREY (Piscine des Tourelles)

● **20e** - *148, av. Gambetta (636.47.00).*
Découverte. Bassin olympique de 50 m, de mai à septembre : 9 F et 4,40 F.

Le seul bassin vraiment olympique depuis les jeux de 1924. 5 000 places de gradins pour vieux champions et espions qui observent patiemment la forme des jeunes ou la caserne du S.D.E.C.E. Douches grand confort et sauna. Plongée le dimanche matin.

Une bonne adresse de "chinois" ?
Voyez l'encadré "Où manger quoi", p. 115.

PATINAGE : les patinoires

CERTAINES ont fermé leurs portes en 1979 (le Palais de Glace, la patinoire Molitor, le Stadium) provisoirement pour travaux (ou définitivement). Autant vous avouer que nous avons eu bien du mal à dresser une liste des patinoires parisiennes ouvertes en 1980. Les services compétents de la Mairie de Paris se montrent particulièrement évasifs sur ce sujet. Voici cependant quelques adresses de patinoires où vous pourrez risquer une jambe sans risquer de vous « casser le nez ». Les prix d'entrée sont variables : 10 à 13 F pour les adultes, 8 à 11 F pour les enfants. La location des patins est de 7 F environ. Les patinoires ferment généralement de mai à septembre. Ne nous en veuillez pas si nous vous conseillons de vous renseigner vous-même par téléphone auprès de chaque établissement pour en connaître les fluctuants horaires et jours de fermeture.

PATINOIRE DES BUTTES-CHAUMONT

● **19e** - *30, rue Edouard-Pailleron (202.35.72).*

Découverte. 1 456 m².

Patinoire homologuée. D'octobre à mai, les lames prolifèrent entre Bolivar et Botzaris.

PATINOIRE DU CENTRE CHARRAS

● **92 Courbevoie** - *Pl. du Général-de-Gaulle (788.03.33).*

Couverte. 1 456 m².

Sous le Centre commercial. Couplée avec une piscine, un bowling et un bar, le Nautilus.

PATINOIRE FÉDÉRALE

● **92 Boulogne** - *4, rue Victor-Griffuelhes (521.09.00).*

Couverte. 1 800 m².

A deux pas des usines Renault, on loue à la chaîne des patins sans garantir pour autant l'espace nécessaire à leur évolution.

Pour retrouver rapidement une adresse consultez l'index, p. 641.

PATINOIRE MOLITOR

● **16e** - *8, av. de la Porte-Molitor (527.01.04).*

Découverte. 1 248 m².

Couplée avec la piscine du même nom. Fermée en 1979, elle doit rouvrir ses portes en 80.

PATINOIRE OLYMPIQUE GAÎTÉ-MONTPARNASSE

● **14e** - *27, rue du Cdt-Mouchotte (260.15.90).*

Couverte. 1 456 m².

Une installation moderne pour connaisseurs. Les débutants adoptent les heures creuses — celles du déjeuner — à tarif réduit (8,50 F). Bar. Curling.

PAUME

HENRI IV en fut champion toute catégorie. La paume se pratique encore aujourd'hui, avec une raquette étroite et des balles de chiffons serrés. On joue à la « courte » en salle et à la « longue » en plein air et sur un plus vaste espace.

JEU DE PAUME

● **16e** - *74 ter, rue Lauriston (727.46.86).*

Un des deux clubs français (l'autre est à Bordeaux). On y possède des balles centenaires dont seule l'enveloppe a changé. Cotisation : 560 F. Entrée : 560 F. Le cours particulier : 30 F la demi-heure.

PELOTE BASQUE

PELOTARIS et Basques bondissants pratiquent petit et grand chistera au seul fronton homologué de Paris. Licence, droit d'entrée et carte d'entraînement (obligatoire) : 250 F. Un conseil, il est recommandé d'affirmer de solides origines méridionales pour jouer tout à son aise à ce précieux fronton.

LIGUE D'ILE-DE-FRANCE DE PELOTE BASQUE Fronton Chiquito de Cambo

● **16e** - *2, quai du Point-du-Jour (288.94.99).*

Toutes les spécialités de pelote basque peuvent s'y pratiquer sur cinq frontons. Cotisation annuelle : 220 F (50 F pour les juniors).

PING-PONG

LES performances internationales des pongistes français redonnent confiance aux marginaux des arrière-salles de café. Ceux-ci lèvent haut la raquette et découvrent que leur passe-temps est aussi un sport, économique et complet, que l'on pratique à partir de 9 ans dans une infinité de clubs. Licence : 40 F. Cotisations variables : 70 à 300 F.

LIGUE RÉGIONALE DE L'ILE-DE-FRANCE

● **9e** - *18, rue de la Tour-des-Dames (874.83.26).*

SQUASH

ON joue à deux avec raquettes et balles dans un lieu clos de 4 murs (18,30 m x 9,15 m). Pendant 30 minutes, c'est un ballet paroxysmique qui sollicite toutes les ressources physiques et intellectuelles. Ce jeu étonnant, exigeant de réelles qualités de concentration, de souffle et de réflexe, est d'abord un sport de précision. Venue des pays anglo-saxons, la mode déferle depuis quelque temps sur Paris, et les amateurs de sudations frénétiques se pressent dans les clubs parisiens qui sont encore en nombre insuffisant.

CERCLE INTERALLIÉ

● **8e** - *33, fg Saint-Honoré (265.96.00).*

Club bon chic où l'on accède parrainé par 2 membres et après avoir réglé un droit d'entrée de 3 500 F. Pour la même somme (cotisation annuelle), on y « squashe » à volonté et on profite du sauna et de la piscine.

JEU DE PAUME

● **16e** - *74 ter, rue Lauriston (727.46.86).*

3 courts au même tarif que la paume (voir plus haut).

SQUASH CLUB FRONT-DE-SEINE

● **15e** - *19, rue Gaston-de-Caillavet (575.35.37).*

8 courts, des douches, 2 saunas, un bar, un restaurant (spécialités basques), des salles de gymnastique. Cotisation annuelle : 1 200 F plus 500 F de droit d'entrée. On peut aussi louer un court sans être membre du club : 12 F pour 45 minutes (et 6 F aux heures « creuses »).

SQUASH-MONTPARNASSE

● **15e** - *Tour Maine-Montparnasse, 37, av. du Maine (538.66.20).*

6 courts agrémentés d'un sauna, d'une salle de gymnastique, d'un solarium, d'un salon et d'un bar-restaurant. Abonnement : 1 500 F, plus 600 F de droit d'entrée. Location du court : 12 F (45 mn).

TENNIS

LES Centres de tennis municipaux sont en général bien accessibles ; les tarifs y sont dérisoires. Mais la fréquentation assidue des nombreuses associations sportives ou scolaires, l'affluence démentielle des beaux jours gênent une pratique normale.
Les clubs de tennis sont nombreux (plus de 400) et pratiquent des tarifs souvent prohibitifs : si la licence coûte 30 F, les cotisations varient considérablement (de 50 à 2 000 F sans compter le droit d'inscription).
Ceux de Paris, au demeurant, sont tous complets et les listes d'attente sont longues. Pour faire votre choix vous pouvez vous adresser à :

FÉDÉRATION FRANÇAISE DE TENNIS

● **16e** - *2, av. Gordon-Bennett (743.96.81).*

LIGUE D'ILE-DE-FRANCE DE TENNIS

● **8e** - *Rue de Rome (522.22.08).*

qui vous indiqueront l'adresse et le numéro de téléphone des diverses ligues de tennis de la banlieue parisienne.

ASSOCIATION SPORTIVE DE MEUDON

● **92 Meudon** - *Stade Triveaux, av. de Triveaux (027.00.49).*
16 courts.

Sous les lentilles des télescopes de l'Observa-

Consultez la table des matières : p. 631.

toire voisin, aucun balle ne se perd jamais. Personnel gentil. Droit d'entrée : 300 F ; cotisation : 250 F.

CENTRE DE TENNIS DU JARDIN DU LUXEMBOURG

● **6e** - *Jardin du Luxembourg (320.67.64).*
6 courts.

Courts très bien situés et quasiment gratuits (1,60 F de l'heure). Intéressant pour les nombreux socio-ethnologues du quartier : loi de la jungle et instinct territorial à l'ombre du Sénat.

CERCLE AMICAL DE VINCENNES

● **12e** - *Stade Jean-Mermoz, Polygone de Vincennes (328.18.15).*
11 courts.

Dans un environnement agréable (et historique). Il faut s'inscrire très tôt (janvier). Droit d'entrée : 750 F ; cotisation : 500 F.

TENNIS CLUB DES CHEMINOTS DE VAUGIRARD

● **15e** - *339, rue de Vaugirard (818.53.98).*
8 courts dont 1 couvert.

Sa très grande fréquentation rend toute inscription nouvelle pratiquement impossible avant plusieurs mois. Le personnel de la S.N.C.F. y est favorisé. Droit d'entrée : 520 F (et 330 F). Cotisation 520 F (et 330 F).

TENNIS DE LONGCHAMP

● **92 Boulogne** - *19, bd Anatole-France (603.84.49).*
10 courts.

Sur la dalle de l'autoroute de l'Ouest, un club tout nouveau, tout moderne. Cours, leçons et stages en tout genre : à la journée : 60 F. Droit d'entrée : 1 000 F. Cotisation annuelle : 1 800 F. Tarifs dégressifs pour les familles.

VIE AU GRAND AIR DE SAINT-MAUR

● **94 Saint-Maur** - *2, av. de Neptune (885.48.52).*
13 courts.

Courts en terre battue au bord de la Marne. Un club prestigieux et connu de tous les sportifs de la région. Inscriptions fin avril et mi-novembre. Cotisation plus droit d'entrée : 830 F.

Chaque mois,
un restaurant ouvre, un autre ferme.
Aussi va la vie parisienne...
Lisez notre Guide mensuel
pour en être régulièrement informé.

TIR

On compte à Paris trois clubs de tir à la cible et un club de tir au plateau. Disons tout de suite que les fanas du calibre et les maniaques de la poudre n'ont rien à y faire car une enquête, discrète, est menée en général avant l'inscription, et l'on prend soin d'insister sur le côté essentiellement sportif du tir. Il est possible de louer armes et munitions sur place.

LIGUE DE TIR DE L'ILE-DE-FRANCE

● **16e** - *16, av. du Président-Wilson (723.38.65).*

CERCLE DU BOIS DE BOULOGNE

● **16e** - *Allée de l'Etoile (624.00.26).*

Tir aux pigeons d'argile. Club sélect et méfiant, où l'on tire de mars à juin.

ASSOCIATION NATIONALE DE TIR DE LA POLICE (A.N.T.P.)

● **13e** - *M. Deloume, 1, av. de la Porte-de-La-Villette, 19e, et 4, rue Jules-Breton (570.11.58, poste 353).*

Tir au pistolet. En principe réservé aux fonctionnaires de la « grande maison », mais on peut s'inscrire, parrainé par deux membres, et dans la limite des places disponibles. Droit d'entrée : 310 F ; cotisation : 180 F.

CLUB TIR 1000

● **13e** - *90, rue Jeanne-d'Arc (583.34.41).*

Tir 1000 a aménagé au sous-sol de son magasin un stand de tir de 25 m aux normes U.I.T. (Union Internationale de Tir) ouvert aux membres de son club du mardi au samedi de 10 h à 19 h 30 (et le jeudi jusqu'à 22 h). Cours de tir (gratuits) le mardi de 19 h 30 à 22 h. Cotisation annuelle : 650 F (licence F.F.T. comprise).

CLUB DE TIR DE LA POLICE NATIONALE (C.T.P.N.)

● **92 Asnières** - *60 bis, rue de Nanterre (793.72.22).*

Tir au pistolet. Le sympathique M. Jumeau mène son club de main de maître, avec une passion qui n'exclut pas le sérieux. Cela explique l'énorme affluence et la nécessité de s'inscrire très tôt chaque année. Cotisation : 250 F environ.

Paris à la chasse

Le très sérieux petit livret « **Campagne de chasse 1978-1979 - Arrêtés d'ouverture et de fermeture de la chasse dans le département de Paris** » stipule : lisez plutôt...

Le ministre de l'Environnement et du Cadre de vie, vus les articles 371, 372, 373 et 393 du Code rural, vu l'arrêté ministériel du 5 avril 1962 modifié, vu également ceci et cela et tout bien considéré, arrête :

Article premier

L'ouverture de la chasse est fixée pour la ville de Paris au 24 septembre 1978 à 8 heures, pour tous les gibiers à l'exception du lièvre et du faisan pour lesquels l'ouverture est fixée au 8 octobre 1978.

Article 2

Le préfet de Police, les commandants de Gendarmerie, les commissaires de Police et tous agents de la force publique sont chargés, chacun en ce qui le concerne, de l'exécution du présent arrêté qui sera publié et affiché.

Clôture générale

Le 14 janvier 1979 au soir, pour tous les gibiers, sauf exceptions suivantes : canard colvert : 15 février 1979 au soir, autres gibiers d'eau : 11 mars 1979 au soir, bécasse : 11 mars 1979 au soir.

Nota

Il est rappelé aux chasseurs qu'aux termes de l'arrêté réglementaire permanent sur la police de la chasse applicable pour la ville de Paris en date du 8 juin 1961... sont interdits en tout temps la chasse de tous les petits oiseaux d'une taille inférieure à celle de la caille, de la grive ou du merle, sauf, toutefois, l'alouette et l'ortolan.

Tir en voiture

Il est interdit d'employer la voiture attelée, l'automobile, l'avion, tout bateau à moteur fixe ou amovible, tout hydroglisseur tels que pédalboat (?), pédalo, etc., comme moyen de chasse ou de rabat.

Qui disait que l'Administration avait l'humeur funèbre et l'humour défaillant? Qui parlait de mettre les villes à la campagne puisque c'est justement le contraire qui a été fait? Tels sont encore les bonheurs méconnus de Paris et les privilèges de ceux qui s'enorgueillissent d'y survivre. Eventuellement, mais non nécessairement, grâce au produit de leur chasse.

Nous n'avons pu, pour l'année 79-80, nous procurer à temps cet admirable petit livret. Si la Préfecture de Paris s'était mis en tête de le supprimer, c'est alors que — la fleur au fusil — nous partirions en guerre pour supplier qu'on réédite à tout prix ces « ordonnances » chasseresses.

TIR A L'ARC

UN vieux sport de l'Ile-de-France, de nouveau très à la mode, à la une de toutes les brochures de vacances. Tous, grands ou petits, peuvent y participer, il suffit de savoir se concentrer et contrôler sa respiration. Pour le reste, n'est pas un Tell qui veut, et il vous faudra bien 15 jours pour faire mouche sur la cible à 90 m. Assez onéreux (un bon arc coûte 500 à 2 500 F), l'équipement est souvent prêté aux débutants dans les compagnies d'arc. Une école gratuite pour les scolaires fonctionne au **stade Pierre de Coubertin** ainsi qu'à l'**I.N.S.E.P.**, à Vincennes. Licence : 40 et 80 F.

LIGUE DE PARIS

• **10e** - *92, rue de Maubeuge (200.16.20).*

Regroupe 110 clubs et près de 3 000 licenciés.

ARC CLUB PARIS 12e

• **12e** - *5, rue Fernan-Fourreau (344.00.24).*

On tire dans le bois de Vincennes. M. Mirguet est aussi le directeur de France-Archerie (voir : « Magasins de sports »); c'est dire le sérieux de ce club fort sympathique et très fréquenté. Si fréquenté qu'on n'y admet plus, pour le moment, de nouveaux membres, si ce n'est quelques fervents de cette discipline habitant l'arrondissement.

COMPAGNIE SAINT-PIERRE DE MONTMARTRE

• **92 Clichy** - *80, cité Jouffroy-Renault (200.16.20).*

La plus vieille compagnie d'arc puisqu'elle remonte au XVIe siècle et que M. de Villemondy, président de la Ligue de Paris conserve des archives depuis 1820. Droit d'entrée : 50 F. Cotisation annuelle : 160 F.

TRAMPOLINE

REBONDIR sur un matelas élastique permet de découvrir les subtilités mécaniques du ludion et les illusions de l'apesanteur, mais aussi de réaliser

Où dîner le dimanche ? Voir p. 108.

d'authentiques figures de voltige. Le trampoline est, par ailleurs, une excellente préparation physique aux autres sports.

FÉDÉRATION FRANÇAISE DES SPORTS AU TRAMPOLINE

● **12e** - *19, rue de la Lancette (343.73.71).*

CLUBS OMNISPORTS

ASSOCIATION SPORTIVE DE LA PRÉFECTURE DE PARIS (A.S.P.P.)

● **5e** - *4, rue de la Montagne-Ste-Geneviève (354.59.26).*

Les trois quarts des 3 000 adhérents sont fonctionnaires, mais la routine n'a jamais endormi cette institution née avec le siècle. A preuve, le nombre des sélectionnés et médaillés olympiques (Morelon, Trentin, Sarteur). 22 sections, du football à l'aviron et au sabre. Cotisation : 100 F. Entrée : 20 F.

CLUB ATHLÉTIQUE DES SPORTS GÉNÉRAUX (C.A.S.G.)

● **16e** - *Stade Jean-Bouin, av. du Général-Sarrail (651.55.40).*

Jean Bouin en fut le phare. Voilà pourquoi les traditions de l'athlétisme et de la culture physique restent vivaces pour les 2 000 sportifs de ce club. Très solides équipes de rugby et de volley-ball. Cotisations variables suivant les sports. Rugby : 260 F, volley-ball : 300 F.

PARIS UNIVERSITÉ CLUB (P.U.C.)

● **5e** - *31, av. Georges-Bernanos (326.97.09).*

Le grand club des jeunes et universitaires qui entretiennent depuis plus de 70 ans « l'ambiance P.U.C. » de Charléty. Sports collectifs surtout, ce qui n'empêche pas les sections tennis ou escrime d'être remarquablement cotées. Scolaires et universitaires sont, bien sûr, avantagés : droit d'entrée : 50 F, plus cotisation annuelle : 130 F (pour le tennis : 600 F). Quant aux « extérieurs », dénommés « honoraires », ils paient 400 F par an (1 280 F pour le tennis).

STADE FRANÇAIS

● **16e** - *2, rue Commandant-Guibaud (651.66.53).*

Un club centenaire mais bien modernisé. 7 000 membres parmi lesquels des « vedettes » : Guy Drut, Jean-Claude Killy, Marie-Christine Debourse, Patrice Dominguez. Tennis (32 courts), piscine, saunas, rugby, hockey et cross, à la Faisanderie dans le Parc de Saint-Cloud. Tennis encore (7 courts couverts), squash (3 courts), judo, basket, volley-ball, handball, au Centre Géo André, à la Porte de Saint-Cloud. Droit d'admission : de 50 à 3 000 F. Cotisation : de 200 à 1 800 F.

UNION SPORTIVE MÉTROPOLITAINE DES TRANSPORTS (U.S. MÉTRO)

● **10e** - *159, bd de la Villette (206.52.38).*

Six mille adhérents (75 % R.A.T.P.) y pratiquent 32 sports différents. On trouve, dans ce club, les meilleurs décathloniens de France (parmi lesquels Yves Leroy) et les équipes d'aviron et de canoë-kayak sont de niveau international. Cotisation annuelle pour les non R.A.T.P. : 136 F. Droit d'entrée : 10 F.

Vêtements et articles de sports

BOULES

PARIS PÉTANQUE

● **11e** - *60, av. de la République (357.11.27).*

Boules, porte-boules, soulève-boules, mesureurs de distance des boules (tous brevets), compte-points de poche, le tout des meilleures marques ou provenances. Cochonnets phosphorescents pour les couche-tard.

CAMPING

FNAC-SPORTS

● **1er** - *Forum des Halles, 1 à 7, rue Pierre-Lescot (261.81.18).*

La plus grande surface de vente spécialisée en France. Tout l'équipement pour le plein air, les randonnées pédestres ou équestres, le jogging, le trekking, etc. Sacs à dos, duvets, chaussures, etc.

LA HUTTE

● **5e** - *55, rue Claude-Bernard (707.38.67).*
● **10e** - *137, rue La Fayette (878.65.33).*
● **11e** - *87, bd Voltaire (700.31.95).*
● **12e** - *79, bd de Picpus (343.25.29).*
● **15e** - *72, bd de Grenelle (575.06.44).*
● **16e** - *66 bis, rue Saint-Didier (553.46.71).*
● **16e** - *173 bis, av. de Versailles (527.00.13).*

Une institution depuis 1924, et le premier magasin de sports en France. La plupart des grandes marques y sont présentées par un personnel généralement compétent. Outre le matériel de camping, on y trouve d'excellents équipements pour pratiquement tous les sports (tennis, ping-pong, ski, sports d'équipe, etc.) sauf la boxe et l'escrime.

LAFUMA

● **12e** - *74, bd de Reuilly (307.41.27).*

Qualité et diversité dans le mobilier de camping et les sacs de randonnée. Parmi ceux-ci, le « Brenva », très pratique, mis au point par Yannick Seigneur.

TRIGANO

● **19e** - *25 et 44, av. Jean-Jaurès (202.64.92).*

Un grand choix de tentes et de caravanes pliantes de tous formats. Une tente 2 places à double toit en nylon : 120 F.

AU VIEUX CAMPEUR

● **5e** - *48, rue des Ecoles (329.12.32).*

Quatre magasins tout proches, rue des Ecoles et rue de Latran, 1 250 m², pas moins, où viennent rêver les Sorbonnards voisins, dans le spleen des veilles d'examen, mais aussi les grands noms du Tout-Paris artistique et politique : soit plus de 200 000 clients en 1978. Au 48, rue des Ecoles, toutes les formes de l'aventure sportive, de l'alpinisme à la spéléologie — en passant par la randonnée et le cyclotourisme —, sont traitées au plus juste prix dans un choix dont l'étendue laisse pantois : 140 modèles différents de sacs à dos, 50 de chaussures, 90 de sacs de couchage. Equipe de vendeurs sympathique et efficace.

CHASSE ET TIR

ALEX

● **8e** - *68, bd de Courcelles (227.66.39).*

Une maison sérieuse où vous trouverez toutes les armes, des plus prestigieuses (Purdey, Boss) aux plus traditionnelles (Browning, Perrazi, Winchester), d'excellents vêtements de chasse (le « Barbour » contre la pluie) et surtout un atelier de réparation qui est l'arme maîtresse de ce bon armurier.

ARMURERIE DE LA BOURSE

● **2e** - *37, rue Vivienne (236.79.83).*

A l'emplacement de l'ancienne maison Verney-Carron. Grande et belle boutique bien fournie en armes de chasse de toutes origines. Atelier de réparation et de mise au point.

ATELIER SAINT-ÉLOI

● **93 Pantin** - *86, av. Jean-Jaurès (Porte de La Villette) (844.32.59).*

Depuis deux ans maintenant, Dominique

Renaudié, maître armurier, tient le pari de redonner à l'arquebuserie fine française l'éclat qu'elle a perdu depuis l'ère industrielle. Ici, en effet, fusils et carabines de grande chasse sont fabriqués — ou transformés — à la commande par une équipe de cinq artisans qui n'utilisent que des aciers de haute qualité et des bois précieux. En outre, chaque arme — nouvelle ou non — est personnalisée et les gravures (une spécialité) sont laissées à l'imagination du client; il suffit d'apporter son modèle, qu'il s'agisse du portrait de votre chien, d'une estampe japonaise ou d'une tapisserie d'Aubusson. Du matériel de très haute gamme, un atelier de gravure et de transformation (ou réparation) exceptionnel, et des prix élevés.

CALLENS ET MODÉ

● **16e** - *5, av. de la Grande-Armée (500.51.75).*

Un petit paradis cynégétique connu dans le monde entier. Les vêtements de chasse (lodens, chapeaux), les cadeaux, les accessoires divers voisinent dans cette merveilleuse boutique avec les cartouches « maison » et surtout les armes fines anglaises (Holland-Holland, Purdey), françaises et belges. Les armes pour la chasse en Afrique et les fusils à platine complètent cette étonnante panoplie. L'atelier de réparation, particulièrement compétent, est sur place et, tenant compte des délais d'immobilisation variables, le nécessaire est fait pour que les clients ne soient jamais privés d'arme. La succursale Sportir, 69, rue de Grenelle, 7e (222.10.19), est spécialisée dans les armes de tir et de compétition.

COURTY ET FILS

● **2e** - *44, rue des Petits-Champs (296.59.21).*

Fusils de chasse stéphanois d'artisans. Armes de poings. Atelier de réparation.

DEFOURNY

● **18e** - *32, bd Barbès (264.95.59).*

Tradition et qualité des fusils, soigneusement entretenues par une famille de Liégeois passionnés.

DIAM-GUNSTORE

● **16e** - *8, rue Gustave-Courbet (553.93.13).*

Le président Giscard d'Estaing et ses fils, comme tous les grands fusils de Paris y sollicitent les conseils de Robert Mélinette, champion de France et d'Europe, pour l'achat d'un fusil à platine Holland-Holland (à partir de 15 000 F) ou la mise aux mesures de leur arme.

FAURÉ-LE PAGE

● **1er** - *8, rue de Richelieu (296.07.78).*

Les fusils fins de Saint-Etienne à canons juxtaposés, signés Fauré-Le Page, sont toujours la gloire de la maison. Depuis 1716, la tradition lie ici la perfection à la finition des armes. L'accueil est en outre particulièrement compétent et aimable, et l'on n'hésite pas à donner aux clients les « tuyaux » intéressants concernant le petit monde de l'armurerie.

LE FUSIL KERNE

● **78 Versailles** - *18, rue des États-Généraux (950.28.18).*

Des armes et des vêtements pour la chasse. Catalogue sur demande.

GALET

● **9e** - *33, rue Godot-de-Mauroy (742.24.52).*

Fusils de fabrication fine, souvent exécutés à la main. Prix de 6 000 à 30 000 F.

GASTINNE-RENETTE

● **8e** - *39, av. Franklin-Roosevelt (359.77.74).*

Une vénérable institution qui sent bon le cuir et le bois ciré. Les armes de luxe — remarquables fusils fins anglais ou belges — voisinent avec un rayon de vêtements, d'accessoires et de cadeaux pour la chasse. Au sous-sol un stand de tir aux armes de poing (accès sans droit d'inscription).

GRASSET

● **10e** - *8, rue Saint-Quentin (607.79.77).*

Sympathique maison fondée en 1903 qui propose un très important choix d'armes rayées et de matériel pour gros gibiers, ainsi que des fusils Drilling mixtes (un double canon pour les plombs et la balle). Spécialiste des montage et réglage de lunettes-viseur.

RENÉ LIROLA

● **15e** - *12 bis, rue Devaux (783.22.86).*

Spécialité : les fusils de ball-trap (R. Lirola est un éminent tireur de pigeon d'argile). Mais on y achète aussi toutes les armes de chasse classiques (fusils et carabines) neuves ou d'occasion ainsi que les cartouches de la maison. Atelier de réparation et de mise au point. Un client fidèle : le baron Empain. Location de ball-trap.

MANUFRANCE

● **1er** - *42, rue du Louvre (233.71.43).*

Une grande maison très bien fournie, mais les vendeurs ne sont pas toujours aussi compétents et attentifs qu'on le souhaiterait. Grand choix d'accessoires.

METTEZ

● **8e** - *16, bd Malesherbes (265.33.76).*

Tous les chasseurs connaissent la veste Mettez en toile de lin (entre 700 et 1 000 F), les imperméables anglais, les chapeaux de tweed, les lodens en cinq ou six coloris, les feutres autrichiens, les pull-overs de cachemire ou de poil de chameau de très grande qualité que vend la maison et qui servent aussi bien pour les week-ends campagnards.

PALU-SPORT

● **8e** - *11, rue de Miromesnil (265.25.97).*

Une excellente adresse où trouver des vêtements de chasse — ou simplement de week-end à la campagne — de bonne coupe. Manteaux en loden (de 750 à 1 150 F), pantalons, vestes, blousons, jupes en gabardine, ou en loden de plusieurs coloris : vert « loden » classique, mais aussi gris, beige, marron ou bleu marine. Bottes de chasse et chaussures de marche. Soldes fin janvier et fin juillet.

PARIS-SPORT

● **11e** - *43, bd Voltaire (700.76.20).*

Depuis 1897, cette grande maison du boulevard Voltaire vend, répare, restaure et met au point fusils de chasse et carabines. Bon rayon d'archerie également. Parmi les clients célèbres et amateurs d'armes : Johnny Halliday, Coluche, Zavatta.

LE PETIT MATELOT

● **16e** - *27, av. de la Grande-Armée (500.15.51).*

Lodens véritablement autrichiens et tous les vêtements et accessoires pour la chasse et le safari.

SAINT HUBERT

● **8e** - *11, rue de Rome (387.79.24).*

Des fusils et des carabines de toutes sortes et à tous les prix, et un important rayon de vêtements de chasse (beaucoup de lodens).

TIR 1000

● **13e** - *90, rue Jeanne-d'Arc (583.34.41).*

Le plus grand choix d'armes de poings de Paris. Stand de tir 25 m aux normes U.I.T. (Union Internationale de Tir).

CYCLISME

L'AVENUE de la Grande-Armée est véritablement le fief des grands du vélo : **Gitane, Lejeune, Mercier, Peugeot,** etc. Vous trouverez également un intéressant rayon de bicyclettes (et tous leurs accessoires) au **B.H.V.** et à la **Samaritaine.**

BOISIS

● **16e** - *13, av. de la Grande-Armée (500.18.20).*

Si vous avez les jambes longues, le nez creux, le portefeuille bien garni, le goût de la « belle mécanique » pas voyante pour un sou et un peu de patience, vous demanderez à Muguette (née un 1er mai) Boisis de faire exécuter dans son petit atelier, avenue de la Grande-Armée, une bicyclette à vos mesures exactes, à trois vitesses, dans le coloris de votre choix (un très joli aubergine, par exemple), plus légère (13 kg) que la célèbre Raleigh, et plus « snob » encore. 1 995 F et 6 semaines de délai.

MOTOBÉCANE-PIEL

● **16e** - *49, av. de la Grande-Armée (500.13.90).*

Les cyclotouristes trouvent ici la qualité la plus sûre et les prix les plus stricts. Ils n'ont que l'embarras du choix : 800 modèles de bicyclettes, toute la gamme des cyclomoteurs et motos de 125 cm^3 (en stock sur 650 m^2).

POLYMARK

● **78 Orgeval** - *Les Glaisières, RN 13 (975.71.93).*

Cet importateur exclusif de la superbe Roadster Raleigh anglaise noire à col de cygne et à trois vitesses (1 525 F) vous communiquera l'adresse de ses dépositaires à Paris, parmi lesquels : Gastinne-Renette, 39, av. Franklin-Roosevelt, 8e ; Tunmer, 7, rue Roy, 8e ; La Maison du vélo, 8, rue de Belzunce, 10e ; Brayton, 10 bis, av. de la Grande-Armée, 17e, etc. Une assurance anti-vol comprise dans le prix de la bicyclette permet d'obtenir son remplacement dans un délai d'un mois si elle est volée durant la première année de son acquisition.

DANSE

REPETTO

● **2e** - *22, rue de la Paix (742.47.88).*

Remarquable maison — Mme Repetto, son fils Roland Petit et Zizi Jeanmaire y veillent —, qui s'honore de fournir le corps de ballet de l'Opéra et les grandes compagnies internationales de ballet. En vérité, il n'y en a pas de meilleure pour tout ce qui concerne les articles, accessoires et vêtements de danse que l'on peut trouver, sous sa marque, dans le monde entier.

SPORT CENTER

● **8e** - *162, fg Saint-Honoré (225.84.34).*

Chaussons de danse et chaussures de claquettes, maillots et jambières de couleurs vives. Et aussi tout l'équipement pour aller gaiement « jogger » au Bois.

ÉQUITATION

DUPREY

● **17e** - *5, rue Troyon (380.29.37).*

Sérieuse et excellente maison au décor inchangé depuis des lustres. Selles sur mesure et tout l'équipement traditionnel pour le cavalier et sa monture ; hormi les bottes que l'aimable M. Duprey vous conseillera de commander chez son voisin bottier, M. Codry, 9, rue Troyon (380.20.84) : sur mesure et entièrement faites à la main (3 500 F) ou en demi-mesure (1 650 F).

ÉQUISTABLE

● **8e** - *177, bd Haussmann (561.02.57).*

Cette luxueuse annexe du Moss de Covent Garden fournit, entre autres, les écuries du roi du Maroc et la famille Giscard d'Estaing.

HERMÈS

● **8e** - *24, fg Saint-Honoré (265.21.60).*

Une bonne quarantaine de selles sortent encore chaque mois de ses ateliers du faubourg Saint-Honoré. Entièrement montée et cousue à la main, une selle mixte de concours revient à 4 000 F environ, sur mesure un peu plus, et sur commande spéciale, en peau de crocodile : 19 000 F. Hermès exécute également, dans des soies exclusives et sur mesure, les plus prestigieuses casaques de jockey : les caractéristiques de chaque modèle, le nom et les couleurs du propriétaire sont jalousement consignés depuis le début du siècle dans les livres de la maison.

MALFROID

● **7e** - *35, av. de La Motte-Picquet (705.45.69).*

Bottes et bottillons de tous modèles (vénerie, Saumur, etc.) que l'on peut commander en toute confiance à ses mesures. Bottes pour tourisme équestre.

METTEZ

● **8e** - *16, bd Malesherbes (265.33.76).*

Cette remarquable maison créée en 1847 propose un large choix de vêtements (et de prix) de la simple culotte d'entraînement aux plus prestigieuses tenues d'équipages. Egalement des imperméables en toile de lin (1 100 F), des bombes recouvertes du même tissu que les manteaux, des gilets anglais en laine à carreaux, des vêtements de sportswear et tous les accessoires du bon cavalier.

PADD

● **8e** - *30, rue de Miromesnil (265.82.09).*
● **15e** - *20, rue de la Cavalerie (306.56.50).*

Du chapeau aux bottes sur mesure, du caveçon à la charrette anglaise quatre places, tout ce qui concerne le cavalier et sa monture est au rendez-vous de la rue de la Cavalerie : selles allemandes (obstacle et dressage), selle d'Orgeix : 2 200 F, selle Hanovre : 1 150 F, selle de poney : 900 F, toute une série d'étrivières, d'étriers, de muserolles, de bricoles et de cloches que complète une gamme très étendue de produits d'entretien et de maréchalerie. Livres et quelques cadeaux à motifs équestres. La nouvelle boutique de la rue de Miromesnil est plus spécialisée dans les vêtements et les accessoires (sacs, foulards, etc.).

LE PETIT MATELOT

● **16e** - *27, av. de la Grande-Armée (500.15.51).*

Gilbert Lion démontre, pièces à l'appui, tenir le plus vieux magasin du genre à Paris. Une chose est certaine, Balzac en vantait chaudement les mérites : voyez « César Birotteau ». Si la maison ne confectionne plus les tenues de chauffeurs de maître (les traditions, tout comme les maîtres, se perdent), elle reste la seconde, après Hermès, pour les casaques de jockeys. Bombes, culottes, vestes, accessoires et modèles anglais en exclusivité, à prix doux.

SCHILZ

● **9e** - *30, rue Caumartin (266.46.48).*

Vénérable sellerie fondée en 1815. Ses ateliers installés depuis 1862 rue Caumartin fabriquent, dans la meilleure tradition, des selles sur mesure (à partir de 2 500 F), des culottes (de 260 à 450 F), et des bottes Saumur en box fin (960 F en demi-mesure).

TALON

● **7e** - *62, av. Bosquet (705.87.36).*

Aucun défaut dans la taille des culottes sur mesure. Costumes d'équitation, tenues de vénerie, habits de dressage.

TUNMER

● **8e** - *5, pl. Saint-Augustin (522.75.80).*

Bien des célébrités sportives ne jurent que par ce grand spécialiste et n'iraient pas ailleurs se fournir en bottes, culottes, jodpurs, riding-coats, etc. Mais l'équitation n'est certes pas la seule corde à son arc et Tunmer est également l'une des premières adresses de Paris pour le tennis et pour le golf.

ESCRIME

SOUZY

● **11e** - *31, bd Voltaire (700.35.93).*

Cette sympathique maison guide l'escrimeur béotien à travers un important matériel. Elle est spécialisée aussi dans l'équipement de tennis et de boxe française.

FOOTBALL, RUGBY

ALLEN

● **2e** - *42, rue Etienne-Marcel (508.14.18).*
● **14e** - *30, pl. Denfert-Rochereau (322.62.25).*

Beaucoup de clubs et fédérations se fournissent ici pour leurs équipes. Toutes les grandes marques y sont distribuées.

SOMMS

● **3e** - *68, rue Réaumur (277.68.20).*
● **5e** - *30, rue Gay-Lussac (354.59.06).*
● **8e** - *61, bd Haussmann (265.54.99).*

Boutiques remarquablement spécialisées, fournisseurs du Racing et du Stade Français. Eventail complet de matériel sportif, cyclisme excepté.

GOLF

BRUNSWICK PRO'SHOP

● **16e** - *82, av. Victor-Hugo (553.39.49).*

Les élégants sportifs de ce beau quartier trouveront tout ce qui est nécessaire à la pratique du golf (comme à celle du tennis ou du ski) et même le superflu, dans ce vaste magasin où les vendeurs ne sont avares ni de leur sourire ni de leurs conseils.

CLUB BRITISH GOLF

● **16e** - *30, rue Raffet (647.81.31).*

Tout l'équipement est importé d'Angleterre ou des Etats-Unis. La demi-série de clubs : à partir de 600 F, la douzaine de balles : à partir de 40 F, les chaussures : à partir de 90 F.

MONTAIGNE GOLF

● **8e** - *49, av. Montaigne (359.37.33).*

Grand choix de clubs américains et anglais, sacs, chaussures à clous, élégants accessoires, matériel pour les enfants. Ecole de golf tous les jours sauf le dimanche (le cours d'une demi-heure : 55 F).

JUDO, KARATÉ

ICHIBAN

● **5e** - *220, rue Saint-Jacques (633.86.76).*

On y « distribue Matsuru » : les connaisseurs nous comprendront. Les autres ne nous comprendront qu'après s'y être pourvus en matériel (masques de plastique ahurissants) et uniformes nécessaires à l'épanouissement de l'entendement par la pratique de l'aïkido, du judo, du karaté, et du double bâton nippon « de défense ».

Un bain d'air chaud

SOCIÉTÉ FRANÇAISE DE SAUNA

● **10e** - *40, rue de Paradis (824.61.96).*

Un sauna chez soi, pourquoi pas : Yves Saint-Martin, Régine et Aznavour en ont bien. Pour deux personnes, il vous reviendra, entièrement équipé, à 17 800 F si vous le choisissez de fabrication française, moins cher (12 000 F) si vous le préférez d'importation finlandaise. Délai de livraison : un bon mois, mais installation dans la journée. Ses dimensions : 2 m x 1,60 m et 2 m de haut. Saunas sur mesure également et solarium (à partir de 2 200 F).

JUDO INTERNATIONAL

● **5e** - *34, rue de la Montagne-Sainte-Geneviève (354.12.64).*

Au fond d'une admirable cour restaurée, un magasin de fournitures où fréquentent notamment les adhérents de ce très sérieux club de sports de combat. Choix impressionnant.

MOTO

AMERICAN MOTO

● **11e** - *15, rue Keller (700.01.03).*

Le spécialiste français de « chopper » ou moto-pullman à l'américaine, confortables engins d'autoroute ou de longue randonnée. Et Jacques Deveaux propose aux amateurs les pièces indispensables (testées et vérifiées) à la transformation d'une banale « bécane » en authentique chopper. Il se charge de la modification des

Honda, Harley Davidson et « Kawa » 900, moyennant, hélas, une petite fortune et dans un délai d'un mois. Vente de pièces détachées en kit.

RAYMOND BABIN

● **11e** - *13 bis, av. Parmentier (379.54.35).*

Cette vieille sellerie artisanale a survécu bon an mal an au déclin de l'équipement « à la main » des carrosseries automobiles en se vouant aux articles de cuir (et de luxe) pour la moto de marque B.M.W. : cinquante modèles de sacoches (pas toutes disponibles) de coupe savante et une infinité d'accessoires sur mesure en cuir spécialement tanné. Accueil aimable, sans plus, quand le patron n'a rien d'autre à faire qu'à attendre le client au bord de son établi.

Moto rétro à gogo

BROOKLANDS MOTORS

● **19e** - *234, bd de La Villette (607.57.99).*

Vous les aimez pas toutes jeunes — des années 50 ou même d'avant 1910 —, anglaises surtout, ou italiennes, françaises, américaines, allemandes (mais pas japonaises), sportives enfin... Marc Raymondin et Didier de La Dessa qui ont comme vous de la tendresse pour les belles vieilles motocyclettes, s'emploient à leur rendre vie. Si quelque ancienne Zundapp, Gilera ou Norton dort dans votre cave, confiez-la donc à ces deux jeunes mécaniciens : pour une remise en état du moteur et une restauration des peintures et des chromes, comptez au moins 1 000 F (parfois bien davantage) et 1 à 3 mois de délai. Ils sont également vendeurs et acheteurs de machines de 15 ans d'âge au moins. Tirez donc le portrait de votre moto (profil droit et profil gauche), envoyez-le à l'adresse ci-dessus en indiquant votre prix : on vous répondra très vite.

EQUIP'MOTO

● **3e** - *29, rue Charlot (887.64.47).*

Le motard peut y faire réparer ses vêtements ad hoc, non pas le skaï des débuts malhabiles, mais le cuir de la maturité. M. Novault possède un remarquable magasin de fournitures à l'usage des motocyclistes.

FNAC-SPORTS

● **1er** - *Forum des Halles, 1 à 7, rue Pierre-Lescot (261.81.18).*

Très beaux choix de blousons, pantalons de route, bottes et autres accessoires pour cavaliers de petits et gros cubes. Prix intéressants.

LA MOTO VERTE

● **16e** - *85, rue Chardon-Lagache (224.56.56).*

Les fervents de rallyes ou de raids lointains confient leur superbes machines à ce spécialiste Yamaha qui les « prépare à la carte » selon le type de compétition (ou de parcours) envisagé. Sa compétence et son sérieux satisfont les « fanas » de moto exigeants que sont, parmi tant d'autres, Michel Legrand et Yves Mourousi.

PÊCHE ET CHASSE SOUS-MARINE

CENTRALE-SOUS-MARINE

● **8e** - *37, rue Pasquier (387.12.56).*

La spirotechnique de A à Z, et un joli rayon de mode adaptée aux sports de l'eau.

AU GARDON D'ARGENT

● **17e** - *173, rue Legendre (228.25.40).*

Le luxe et l'ordinaire, dans cette vieillotte maison où se fournissent les pêcheurs de chaussures, de chiens crevés et de paquets de lessive du Pont-Neuf. La consolation du chômeur, la raison de l'abstentionniste du premier tour et le défi obstiné aux rivières polluées.

PEZÉ

● **9e** - *8, rue Lallier (526.80.61).*

Bonne maison où l'on trouve toutes les fournitures pour le sport sous-marin. Accueil sympathique.

SCUBA MONGE

● **5e** - *52, rue de la Clef (707.20.20).*

S'est hissé au premier rang des spécialistes de la pêche (et de la photo) sous-marine.

AU VIEUX CAMPEUR

● **5e** - *50, rue des Ecoles (329.12.32).*

Tout le matériel de plongée sous-marine (de tennis et d'équitation également) au plus juste prix. Et des vendeurs qualifiés.

WYERS ET BREHIER

● **1er** - *30, quai du Louvre (233.99.71).*

L'une des plus sérieuses maisons de Paris et des mieux fournies. Rayon de pêche sous-marine conséquent.

Consultez la table des matières : p. 631.

SKI

LES magasins **La Hutte, Brunswick** et **Tunmer** possèdent également de remarquables rayons de fournitures de sports d'hiver.

FRED

● **92 Vanves** - *44, rue Antoine-Frataci (642.33.14).*

Semelles et prothèses spécialement adaptées aux chaussures de ski pour pieds à problèmes. De 10 à 150 F et une semaine de délai.

GO SPORT

● **6e** - *45, rue de Rennes (544.42.70).*
● **13e** - *Centre Commercial Galaxie (580.30.05).*
● **17e** - *Palais des Congrès (758.22.46).*

Un magasin tout neuf, vaste, clair et bien installé où des vendeurs compétents vous conseillent pour l'achat de skis, de vêtements et de chaussures de bonnes marques. Service après-vente efficace qui se charge par exemple de resserrer les fixations, de changer les fermetures à glissières, etc.

Bonnes affaires

SKI FRANCE DISTRIBUTION

● **15e** - *14, rue Letellier (577.78.60).*

Trois jeunes gens se mettent en quatre pour vous équiper à des prix imbattables (25 à 30 % moins cher que dans les « grandes surfaces » spécialisées). Leur idée de base est astucieuse : pas de frais publicitaires (ils touchent un large public en contactant directement les entreprises, clubs sportifs, associations diverses, les enseignants, le corps médical ; il faut donc, en principe, avant tout achat, justifier de son appartenance à une collectivité quelle qu'elle soit). Et pas de frais d'installation : un simple hangar dans le 15e. On peut toutefois essayer les vêtements et les vendeurs sont de bon conseil. Quatre sports seulement : tennis, ski, planche à voile, cyclisme. Et uniquement des grandes marques : Donnay, Rossignol, Fusalp, Windsurfer, Raleigh, etc.

SUN AND SNOW

● **92 Puteaux** - *35-39, rue Eugène-Eichenberger (772.36.72).*

1 500 m² et 3 étages pour la vente et la location (sans caution) de matériel, à l'américaine. Service après-vente unique en France.

TEAM 5

● **6e** - *44-46, rue Saint-Placide (222.27.33).*
● **8e** - *55, rue de l'Arcade (387.40.45).*

Tout pour le ski, de A à Z. On s'y fait expliquer, avant achat, toutes les subtilités du ski compact.

AU VIEUX CAMPEUR

● **5e** - *1 et 3, rue de Latran (329.12.32).*

Cette maison tentaculaire et à la dévotion des sportifs a réuni rue de Latran tout le matériel concernant le ski de piste ou de fond. Vous n'aurez que l'embarras du choix : 80 modèles de skis de piste, 41 de skis de fond, 78 modèles de chaussures (piste, raid ou fond). Faites donc confiance aux vendeurs qui vous aideront de leurs conseils. Le matériel concernant l'alpinisme est vendu au magasin proche du 48, rue des Ecoles.

TENNIS

BRUNSWICK PRO'SHOP

● **16e** - *82, av. Victor-Hugo (553.39.49).*

Vaste magasin à deux pas de la place Victor-Hugo, où l'on trouve tout l'équipement nécessaire à la pratique du tennis, du ping-pong, du badminton, etc. Raquettes (toutes les bonnes marques), vêtements (hommes, femmes et enfants) et accessoires classiques (Lacoste) ou à la toute dernière mode des « couturiers » du sport (Hechter, Dorotennis, etc.).

COCHET SPORTS

● **8e** - *21, rue de la Pépinière (387.40.94).*

Très vaste choix et réparations rapides.

TUNMER

● **8e** - *5, pl. Saint-Augustin (522.75.80).*

Les dernières nouveautés en matière de raquettes : Head, Cannon, Wilson ultra et Prince géante (en graphite), Davies (en bois) ; et tout l'équipement (vestimentaire) pour briller sur les courts.

TIR A L'ARC

FRANCE ARCHERIE

● **12e** - *6, rue Fernand-Fourreau (344.00.24).*

Tous les équipements possibles à partir de 245 F, du débutant au tireur chevronné. L'accueil est sympathique et très remarquable pour son efficacité (conseils, documentation). La Société France Archerie est essentiellement composée d'ex-champions internationaux pratiquant le tir à l'arc depuis plus de vingt années.

NEW ARCHERY

● **15e** - *16, av. de la Porte-Brancion (250.50.10).*

Equipe sur mesure les archers débutants ou confirmés (de 500 à 2 500 F environ). Conseils techniques.

PARIS-SPORT

● **11e** - *43, bd Voltaire (700.76.20).*

Emblème du Sagittaire et attribut de Diane, vous le choisirez, selon votre budget, coréen (350 à 900 F), américain (Hoyt : 1 800 F), ou japonais (Yamaha : 2 300 F).

YACHTING

Voir le bon rayon d'accastillage et de corderie du **B.H.V.**

EQUINOXE

● **15e** - *173, rue de Vaugirard (273.12.45).*
● **17e** - *70, av. des Ternes (572.18.64).*

Over-hit, cirés, sacs de couchage spéciaux, tout ce qui concerne le vêtement de mer. Les grands solitaires des océans ne s'y trompent d'ailleurs pas. Service après vente efficace.

MAZURA MARINE

● **92 Boulogne** - *36, quai Le Gallo (605.04.04).*

Galerie farfouille de la voile. Rapidité et économie.

MÉTAYER

● **4e** - *135, rue Saint-Antoine (272.18.44).*

Vieille maison qui fut longtemps la seule que fréquentèrent après guerre les pionniers fortunés de la plaisance. Accastillage, appareils électroniques, décoration marine, etc.

LE PETIT MATELOT

● **16e** - *27, av. de la Grande-Armée (500.15.51).*

Anciennement installée quai d'Anjou et fournisseur des mariniers de la Seine, la maison ne cesse d'honorer son enseigne depuis 1790 et demeure l'une des mieux fournies (à petits prix) dans le vêtement de bateau.

SILLINGER

● **12e** - *150, rue de Lyon (307.21.55).*

L'ancien café des Voûtes que fréquentait Feydeau est maintenant un superbe hall d'exposition de moteurs hors-bord, de canots pneumatiques et de cabines-cruisers. La Protection civile et la Marine nationale sont équipées par cette bonne maison.

Jeux, loisirs, musique, photo, etc.

LE BILLARD

LA plus élémentaire justice exigerait que la mode rétro rendît sans tarder au billard la place qu'il tint si longtemps dans la hiérarchie des loisirs distingués. Le billard, en effet — le seul qui vaille : quatre bandes et trois boules, point de sacs, de poches ou de plots — souffre d'une désaffection croissante imputable à l'âpreté des limonadiers qui, au cours de ces dernières années, ont bradé un nombre incalculable de ces meubles encombrants pour les remplacer par des tables de consommation d'un rendement autrement efficace.
Toutefois ce jeu véritablement génial, éminemment français, souverainement simple dans ses données et complexe dans son application, se pratique encore dans d'assez nombreux établissements (et quelques « académies »). En voici quelques-unes, que nous avons relevés au hasard de nos prospections à travers Paris mais vous en trouverez d'autres.

ACADÉMIE DE BILLARD DE PARIS

• **17e** - *47, av. de Wagram (380.35.60).*
De 11 h 30 à 23 h.
12 billards de match.

A L'ARMAGNAC

• **11e** - *104, rue de Charonne (371.49.43).*
Dans un superbe bistrot de quartier.

BILLARD CLUB DES HALLES

• **1er** - *49, bd Sébastopol (236.55.19).*
De 14 h à 3 h du matin.

BILLARD PALACE

• **9e** - *3, bd des Capucines (742.47.05).*
8 billards. Club privé.

CLICHY-MONTMARTRE

• **9e** - *84, rue de Clichy (874.08.64).*
De 13 h 30 à 23 h 30.
Club. 7 billards.

SALLE DE BILLARD DU CONCORDE

• **8e** - *108, rue Saint-Lazare (261.51.20).*

LES SPORTS

• **14e** - *108, bd Jourdan (540.62.60).*
De 7 h 30 à 22 h 30.

LES TRIOLETS

• **11e** - *33, rue de Montreuil (372.43.66).*
De 9 h 30 à 1 h du matin.
Ce club de billard possède 6 tapis verts.

LE BRIDGE

LE bridge est régi par la Fédération Française de Bridge et ses comités régionaux dans toute la France. Pour faire partie de cette fédération, il est indispensable de s'adresser au préalable à ces comités, seuls habilités à délivrer les licences et où se déroulent toutes les épreuves officielles. Pour Paris : 105, avenue Raymond-Poincaré, 16e (704.96.39). Mais l'apprentissage ou la pratique du bridge n'impliquent pas forcément cette formalité. Voici l'adresse de quelques clubs sérieux, parmi d'autres, qui vous donneront satisfaction.

LES AMIS DU BRIDGE

• **16e** - *7, rue Le Sueur (500.15.03).*
Tournois les lundi, mardi, jeudi et vendredi à 14 h 30; le dimanche à 16 heures. Ecole de bridge (leçons, tournois et duplicates) dirigée par Claude Delmouly. Ancien champion du monde, champion de France 1976, 78 et 79. Tournoi commenté les jeudis après-midi à 14 h 30. Direction du club : Félix Covo.

BRIDGE CLUB PIERRE ALBARRAN

● **16e** - *141, av. de Malakoff (500.23.25).*

Bridge, rami et gin de 16 h à 4 h du matin. Parties libres et duplicates d'entraînement tous les soirs mais ni tournois, ni école de bridge. Restaurant.

BRIDGE CLUB FRIEDLAND

● **8e** - *8, rue Alfred-de-Vigny (622.25.39).*

Tous les jours, toute l'année, parties libres à petit tarif à partir de 15 h et de 21 h dans un cadre rénové. Tournoi suédois le 1er mardi de chaque mois à 21 h. Bar, restaurant.

BRIDGE CLUB NEUILLY-MAILLOT

● **92 Neuilly** - *20 bis, av. Général-de-Gaulle (624.25.33).*

Ecole de bridge dirigée par Jean-Louis Meilland. Parties libres, surveillées et tournois. Cours d'initiation, de progression et de compétition. Backgammon, tous les après-midi et soirs.

BRIDGE CLUB DE PARIS

● **17e** - *68, bd de Courcelles (924.68.31).*

Rendez-vous des meilleurs joueurs français. Bridge, rami, tarots, gin-rummy, back-gammon et barbu. Un tournoi de bridge par paires tous les mardis à 21 h. Acceptation au titre de membre du club après avoir joué quelques fois. Cotisation modeste. Bar et restaurant le soir. Duplicates d'entraînement tous les jours à 16 h 30 et 21 h; les samedi et dimanche à 15 h. Club dirigé par D. Poubeau et A. Pruvost.

CLUB DU BRIDGEUR

● **8e** - *12, rue Marbeuf (359.40.23).*

Deux tournois par jour, un à 14 h 30, un autre à 20 h 30. Parties surveillées et cours tous les jours. Club dirigé par Nicole de Hérédia et Ursula Desrousseaux. Jusqu'à 1 h du matin.

CLUB 75

● **8e** - *169, bd Haussmann (563.35.28).*

Dirigé par Gérard Le Royer et Nany Long. Tournois tous les après-midi à 14 h 30; les vendredi et samedi soir à 20 h 45. Tournois « couche-tôt » les lundi et mercredi à 19 h 15. Ecole de bridge (10 séances de 2 h : 400 F).

ÉCOLE DE BRIDGE JACQUES DELORME

● **7e** - *57, av. de Suffren (567.27.83).*

Pour joueurs débutants ou confirmés : cours de bridge, sur rendez-vous, du lundi au vendredi : 850 F pour 10 séances de 2 heures (4 à 5 personnes), ou 250 F de l'heure pour une leçon individuelle. Club à 14 h 30 (samedi et dimanche exceptés) : tournois d'entraînement (10 séances : 250 F).

TRICOLORE BRIDGE CLUB

● **16e** - *1, av. Paul-Doumer (727.33.82).*

Ouvert tous les jours de 14 h à 1 h du matin. Dirigé par Patrick Arnett. Tournois (225 F les 10). Cours de bridge (400 F les 10 séances de 2 heures chacune).

LES ÉCHECS

VOICI, à Paris, l'adresse de quelques cercles où se pratiquent les échecs. Le plus connu est installé au siège même de la Ligue de l'Ile-de-France. Il s'agit du

CERCLE D'ÉCHECS CAÏSSA

● **9e** - *2, rue Pigalle (874.02.14).*

Académie d'échecs, tournois, tournois-éclair, initiation. Réunions tous les jours sauf le lundi.

ÉTOILE-ÉCHECS

● **17e** - *47, av. de Wagram (380.35.60).*

Tous les jours de 14 h à 23 h 45. Cotisation annuelle 125 F.

P.L.M. SAINT-JACQUES

● **14e** - *17, bd Saint-Jacques (589.89.80).*

Installé dans une des mezzanines de l'hôtel, ce club (ouvert tous les jours de 14 h à 2 h du matin) organise des tournois de bridge, de scrabble, d'échecs et de tarot, accueille les joueurs débutants et propose à ses membres des initiations par professeurs compétents. Droit d'inscription : 20 F par an. Cours de bridge : 350 F pour 10 séances de 2 h chacune.

Ajoutons à cette courte liste un café où se donnent rendez-vous, sans formalités, un grand nombre d'amateurs :

LE BELFORT

● **14e** - *110, av. Denfert-Rochereau (326.38.03).*

Le Cercle d'échecs Rive-gauche y réserve une salle. On joue tous les après-midi et le jeudi jusqu'à 23 h 30.

Apprenez à lire ce Guide : consultez la table des matières, page 631. Vous y trouverez en détail la liste de toutes nos rubriques.

MAGASINS DE JEUX

Billards

LES BILLARDS PROUST

● **13e** - *120, rue de Tolbiac (331.49.75).*

Un des grands fabricants de billards français. Sa belle et sobre boutique ne montre aucun modèle, mais il est facile de jeter un coup d'œil aux ateliers. Tous les accessoires bien entendu, à commencer par les queues, dont le choix est immense, et toutes les réparations. Quelques baby-foot de bonne qualité et quelques divertissements, pour adultes, sélectionnés avec soin : jeux de cartes et de casino, puzzles, solitaires, casse-tête, etc. Egalement de superbes maquettes de bateaux en bois (montées ou à monter), des tables de ping-pong, un appareil pour jouer tout seul au bridge et les échiquiers triangulaires. Billards (de 4 700 à 17 000 F) et queues (de 80 à 600 F).

BILLARDS TRUCHET

● **3e** - *30, rue Chapon (272.00.82).*

Fabrique de beaux billards de style ancien ou contemporain, avec chauffage électrique des ardoises (toutes dimensions, depuis la table de match de 3,10 m x 1,68 m jusqu'au billard dit « rustique » - 2,02 m x 1,11 m - avec un plateau amovible qui le transforme en table). Fabrication de queues de billard et de tous les accessoires. Réparation et restauration de billards.

CARO

● **11e** - *252, bd Voltaire (371.97.45).*

Nul ne sait si cette maison fondée en 1789 s'est ouverte le 14 juillet. Toujours est-il qu'elle ne tarda pas à révolutionner le marché « du jeu de société dit classique » : son enseigne l'en proclame encore « premier spécialiste européen ». Admirables billards de compétition et de salon, admirables objets de jeux de salon, voire de casino. Et admirable magasin aux sombres boiseries et meubles sculptés de la fin du dernier siècle. Choix immense de queues. Réparations.

J.-P. CHAUMET

● **17e** - *16, av. Mac-Mahon (380.57.37).*

Pour flambeurs de préférence argentés, une jolie sélection de jeux de (bonne) société : backgammon en marqueterie d'érable et loupe d'orme, luxueuses roulettes présentées dans des boîtes en noyer (4 280 F), jeux de dominos en laiton (625 F) et médiocres copies d'échiquiers anciens plaquées or et argent et vendues à des prix qui n'ont rien de réjouissant (38 000 F).

PHILIPPE MALIGRE

● **16e** - *8, rue Jasmin (224.81.32).*

Billards américains (9 600 F) et billards français (en 2,20 m ou en 2,60 m : à partir de 7 500 F) de formes et matériaux très contemporains.

JEAN MARTY

● **11e** - *16, bd des Filles-du-Calvaire (355.53.56).*

Le célèbre fabricant de billards nous propose ici des queues et des articles de tabletterie (jeux d'échecs et autres). Les billards sont ailleurs, mais vous aurez loisir de faire glisser une douzaine de queues entre l'index et le médium pour entretenir le geste. Et de choisir un échiquier à la mesure de votre talent.

Feux d'artifice

PYROPA

● **11e** - *18, rue de Crussol (700.61.88).*

Un spécialiste viendra vous installer chez vous un feu d'artifice, à moins que vous ne préfériez en régler vous-même l'ordonnance et la mise à feu avec les conseils de la maison. Concessionnaire exclusif de Ruggieri.

Jeux de société divers

ALI BABA

● **7e** - *29, av. de Tourville (555.10.85).*

Jeux d'échecs (anciens et modernes) : de 100 à 4 000 F. Soldats de plomb de collection (Staden Rose, etc.) : de 160 à 2 500 F. Puzzles jusqu'à 5 000 pièces (Vera Wilson, Fair Play, etc.).

LE BRIDGEUR

● **1er** - *28, rue de Richelieu (296.25.50).*

Un batteur électrique... pour battre les cartes à jouer, lesquelles se trouvent ici en 130 modèles différents (à partir de 3,20 F). On les posera sur une table de bridge (20 modèles) et l'on saura tout sur les jeux : backgammon, scrabble, échecs, go, master-mind, mahjong et bridge, quand on aura lu les deux cents livres qui leur ont été consacrés par les plus grands joueurs. Et si l'on n'a pas toujours un (ou des) partenaires sous la main, on achètera un micro-ordinateur pour s'entraîner au bridge ou aux échecs seul contre la machine (2 200 F environ). Le Bridgeur qui édite également plusieurs revues spécialisées : Le Bridgeur, Bridgerama, Scrabblerama et Europ-échecs, est l'une des plus sérieuses et parmi les moins chères maisons de la place dans le domaine des jeux de société ou des solitaires pour grande personne.

CANASTA

● **8e** - *Galerie Les Champs, 84, Champs-Elysées (256.22.23).*

Le paradis des jeux de société, de l'antique bilboquet aux scrabbles les plus modernes, en passant par les yoyos, les puzzles, casse-tête et autres solitaires. Choix imposant d'échiquiers, certains en bois précieux, d'autres modernes en acier et altuglas. Tous les jeux de cartes bien sûr et des machines à sous anciennes, des roulettes de casino en acajou, des sabots de backgammon et, sur commande spéciale, tous les jeux de casino : tables de baccara, de black-jack, etc.

DOUBLE 7

● **17e** - *Palais des Congrès, porte Maillot (758.21.15).*

Solitaires, casse-tête en bois et en métal, jeux d'échecs, puzzles, jeux de patience, de go, mikados, etc. dont raffolent nos ministres et les familles princières d'Arabie.

JEUX DESCARTES

● **6e** - *40, rue des Ecoles (326.79.83) et au Printemps, Parly 2 et Vélizy 2.*

Plus de 500 jeux de réflexion, originaux et récents, choisis et proposés par Peter Watts, un champion du marketing spécialisé dans les jeux pour adultes et adolescents. Du jeu du Président (on cherche à le devenir) au jeu écologique (un promoteur contre les petits oiseaux) en passant par le Lactorama (sujet : l'élevage des vaches), le Business Game (trafic juteux de minerais et brassage d'affaires) et quelques jeux tout à fait nouveaux dans leur esprit même, comme le Dungeons and Dragons, où la plus grande fantaisie est tolérée — et même requise.

JOUETS EXTRAORDINAIRES

● **16e** - *70, rue d'Auteuil (651.15.70).*

Puzzles pour tous les âges (anglais, allemands, etc.) de 20 à 180 F.

LIBRAIRIE SAINT-GERMAIN

● **6e** - *140, bd Saint-Germain (326.99.24).*

Tous les jeux d'échecs (échiquier et pièces au format de compétition, petits jeux de voyage) et tous les livres didactiques, initiatiques, métaphysiques et amphigouriques concernant cette passion. Egalement jeux de go, Yalta, Djambi.

LOISIRS-PYRAMIDES

● **1er** - *4, rue des Pyramides (260.67.55).*

Surtout des jeux d'échecs dont les prix s'échelonnent entre 100 et 4 000 F. Chess Challenger (2 190 F), roulette, backgammon, cartes à jouer. Livres sur les divers jeux de cartes et de société.

L'ŒUF CUBE

● **5e** - *24, rue Linné (587.28.83).*

La crinière rousse, l'embonpoint joyeux et le verbe haut, Tell Lauber satisfait la nouvelle passion des Français qui depuis deux ou trois ans se sont piqués au jeu du jeu. A son palmarès, près de 800 jeux représentant la somme de l'activité ludique mondiale et proposés dans sa boutique à l'enseigne pirouette : des cartes et des puzzles bien sûr, mais aussi des jeux électroniques et de stratégie et une formidable collection de jeux de mathématiques et de casse-tête (de 10 à 500 F) qui fait les délices des intellectuels du quartier et des étudiants de la Faculté des Sciences voisine.

Ils font tilt

JACK POTS

● **11e** - *34, rue Richard-Lenoir (379.08.68).*

Un commerce de sport en chambre, dans l'ombre du Japy, le plus vieux des gymnases parisiens. Flippers à un joueur, à deux joueurs, voire à quatre joueurs : Gilles et Jacky Lebaz les livrent adaptés, à la demande, aux jetons spéciaux ou aux pièces de monnaie. Quant aux machines à sous surchromées, dites, en Illinois, jack pots (traduisez gros lots), leur provenance américaine est bien entendu garantie, comme le sérieux du service après-vente et la haute maîtrise des dépanneurs.

PROHIBITION

● **4e** - *11, rue des Deux-Ponts (633.11.22).*

Une des plus anciennes apothicaireries parisiennes - sa superbe boiserie classée du XVIIIe siècle commençant en témoigne - rassemble des jeux de table (et des tables de jeux, de bridge entre autres) anciens pour la plupart, et précieux : ravissantes roulettes de toutes dimensions, en « bois des îles » (acajou notamment), backgammons, jeux de cartes, tarots, dés (petits ou grands), jetons en os (certains de casino fin de siècle), dominos, etc. Des billards Nicolas (japonais) aussi, et d'extraordinaires machines à sous américaines d'avant l'avant-dernière guerre. A quoi s'ajoute une sélection de jeux électroniques en provenance directe de Chicago, parmi lesquels une mini-roulette à clignotants propre à répandre la passion du jeu d'argent dans tous nos cercles de famille.

ROUGE ET NOIR

● **6e** - *26, rue Vavin (326.05.77).*

Le plus séduisant éventail de dissipations intellectuelles. Depuis les classiques puzzles (de 15 à

300 F selon le matériau : carton ou bois, et la découpe : à la machine ou à la main) jusqu'aux nouveautés les plus sophistiquées : le Stragone (inspiré par une vision très contemporaine de la logique et de la théorie des ensembles) et le Syntrat (160 F) également jeu de logique complet sollicitant davantage l'esprit tactique et stratégique. Quelques jeux plus charmeurs et désuets comme la mascotte (ancien jeu de foire) et le billard Nicolas à poire soufflante (450 à 550 F) qui connut un petit succès au début de ce siècle. Vous pourrez également réassortir ici les pièces manquantes de vos jeux habituels : lettres de scrabble, billes de solitaire, billets de monopoly, feutrines (imprimées) de backgammon ou de jeu de l'oie, etc.

HECTOR SAXE

● **4e** - *40, bd Henri-IV (271.61.70).*

Sobre et jolie façade pour cette maison tout entière vouée à l'activité ludique démentant une enseigne sur laquelle flotterait plutôt un air de musique. Billards américains à filets dont les dimensions (3,10 m sur 1,70 m) demandent autre chose qu'un deux-pièces-cuisine et superbes billards français en bois laqué ou en acier que la maison réalise selon vos désirs (à 50 000 F l'unité, il est vrai), comme elle l'a fait pour ce client qui souhaitait pour son billard un piétement s'harmonisant avec celui de son Steinway. On trouve aussi des jeux d'échecs de facture classique et d'autres d'inspiration contemporaine (en bronze, en cuivre ou en onyx). S'ajoutent des meubles et des objets de décoration intérieure : tables de jeu, miroirs, lampes en trompe-l'œil et imitant l'écaille, le vieil ivoire, les pierres semi-précieuses ou l'acajou de Cuba, à des prix assez élevés.

LE TRAIN BLEU PARENTS

● **16e** - *2, av. Mozart (520.86.44).*

Un magasin (annexe du Train Bleu enfants, au 6, avenue Mozart) réservé aux adultes. Bilboquets, puzzles, cartes, etc.

MICHÈLE WILSON

● **14e** - *116, rue du Château (322.28.73).*

Tout petits (100 pièces au format d'une carte postale) ou très grands (3 000 à 5 000 pièces), des puzzles en bois, découpés à la main sur des reproductions d'œuvres d'art choisies avec originalité.

BERNARD DE WITT

● **1er** - *7, rue de la Ferronnerie (508.95.46).*

Sa collection de vieilles machines à sous françaises et américaines aspire, non sans raison, à l'appellation d'antiquité si notoirement incontrôlée : caisses enregistreuses, distributeurs d'essence à briquet de 1937, machines murales à jetons (elles permettaient de « gagner » des consommations chez certains bistrots avant la dernière guerre). Certaines sont modernes : pachinkos japonais (1 000 F), flippers, juke-boxes (2 500 F) qu'on peut faire « personnaliser » en quelques jours : il suffit de fournir une photo ou un dessin.

Maquettes

LA MAISON DU JOUET

● **12e** - *41, bd de Reuilly (343.48.74).*

Spécialiste des maquettes d'avion, chars, bateaux et voitures, soldats de plomb peints ou à peindre, M. Vialard est le seul en France à proposer aux collectionneurs des figurines en plomb, hautes de 25 mm (toutes époques), pour revivre dans son fauteuil les grandes batailles du passé.

Trains électriques ou à vapeur

BABY TRAIN

● **5e** - *9 et 11, rue du Petit-Pont (633.90.79).*

Grand spécialiste des pièces détachées et de la radio-commande pour bateaux et avions.

CLAREL

● **11e** - *25, rue de la Roquette (700.98.94).*

Spécialisé dans le train électrique européen (de 80 à 10 000 F). Intéressant rayon de maquettes.

HOBBY TRAIN

● **4e** - *23, rue de Rivoli (272.27.61).*

Le meilleur spécialiste parisien, le plus compétent, le plus aimable, et le seul qui ne traite, exclusivement et passionnément, que le train électrique européen.

MAISON DES TRAINS

● **9e** - *24, passage du Hâvre (874.13.42).*

Le choix y est si étendu que la compétence des vendeurs, durement mise à l'épreuve, a du mal à rester à la hauteur.

AU PULLMANN

● **9e** - *70, rue d'Amsterdam (874.56.17).*

Spécialiste du « trois rails-alternatif » et fabricant de la voie en H.O. (86e) « Perfect pullmann » et de la locomotive en H.O. (86e) B.B. Diesel 63000 de la SNCF, M. Matton fait parfois visiter à ses plus fidèles clients le prodigieux circuit de 25 m qui s'étire dans sa maison de Verrières-le-Buisson.

STEAM

● **7e** - *21, rue de Bourgogne (555.05.79).*

La cuisine mène à tout, et notamment à la vapeur... Jean-Paul Delaby, son C.A.P. de cuisinier en poche, entreprit de réfléchir sur les pouvoirs du bain-marie rectifié par Denis Papin. Cela le conduisit bientôt à renverser professionnellement la vapeur et à prendre en main, rue de Bourgogne, un magasin consacré à la vente de toutes sortes de merveilleuses locomotives et autres machines — à vapeur et chauffées au charbon — motrices en modèles réduits (échelles classiques anglaises : 1/8, 1/11, 1/16). Steam, vraisemblablement seul magasin spécialisé en Europe dans l'achat, la vente (et accessoirement l'expertise) de documents anciens et de maquettes, édite et distribue également des pièces réduites de robinetterie. Un catalogue est sous pression.

TOUS LES TRAINS (H. Froment)

● **12e** - *71, rue de Lyon (343.39.65).*

Modèles réduits de bateaux, d'automobiles, d'avions et surtout de trains. L'arrière-boutique (qui s'ouvre rue Biscornet) est entièrement consacrée à leurs modèles les plus anciens : n'y ont, en conséquence, accès que de graves collectionneurs.

TRANS-EUROP

● **9e** - *51, rue de Douai (874.71.97).*

Le seul magasin à Paris où l'on puisse trouver les productions américaines. Superbes locomotives en laiton très recherchées par les amateurs fortunés (de 1 000 à 10 000 F). Modèles fonctionnant à la vapeur. Accueil aimable et efficace.

COURS DIVERS

Artisanat

CENTRE ÉDUCATIF D'ARTS APPLIQUÉS

● **10e** - *210, fg Saint-Martin (607.56.01).*

Organisme à but non lucratif. Poterie, céramique, émail sur cuivre, cartonnage, vannerie, impression sur tissu, tissage, tapisserie d'ameublement, pyrogravure, vitrail, etc. Du lundi au vendredi, de 14 h 30 à 18 h 30 (et le mercredi de 19 h à 22 h). Une à cinq séances par semaine : 380 à 1 050 F par mois, fournitures non comprises. Adhésion et assurance : 120 F.

Des fruits de mer, du poisson ?
Voyez l'encadré "Où manger quoi", p. 112.

FÉDÉRATION DES ŒUVRES LAÏQUES DE PARIS

● **9e** - *12, rue de la Victoire (526.12.30).*

Organisme à but non lucratif. Toutes sortes de stages d'initiation ou de perfectionnement : stages d'artisanat (poterie, tissage, reliure, macramé, dessin, cartonnage, sérigraphie, etc.) ; stages d'expression (musique, danse, expression corporelle, photographie) ; stages audio-visuels (formation générale, lecture rapide, dynamique corporelle, etc.). 240 F (fournitures comprises) pour 12 séances de 2 h 30 chacune.

Le futur dans un miroir

ASTROFLASH

● **8e** - *84, Champs-Elysées (256.26.13).*

Les ultimes perfectionnements de l'électronique au service de l'astrologie. Introduisez vos date et heure de naissance dans l'ordinateur : 30 secondes plus tard il a décortiqué votre personnalité en six pages de considérations, parfois, il faut le reconnaître, très surprenantes. 30 ou 100 F suivant « l'épaisseur » de la consultation.

NICOLE CORBASSIÈRE

● **15e** - *Résidence Arcadie, 27, rue Thiboumery (828.40.61).*

Une excellente voyante auprès de qui une fidèle clientèle de publicitaires, industriels, commerçants et hommes politiques viennent voir l'avenir en noir ou en rose, sans complaisance, par le langage classique du tarot normal et marseillais. La séance dure environ 1 h (fréquence conseillée : tous les quatre mois).

Bouquets de fleurs

ATELIER D'ART FLORAL COLETTE BAUMAN

● **6e** - *5, rue Jean-François-Gerbillon (222.26.62)*

Fille du célèbre fleuriste parisien, Colette Bauman ne faillit en rien à la tradition familiale et, avec le dynamisme et le talent qui lui sont propres, enseigne aux professionnelles et aux amateurs (beaucoup de dames très comme il faut) des quatre coins de la France l'art et la manière de l'arrangement floral. On y apprend donc à « communiquer avec les végétaux » en plusieurs sessions de deux ou trois jours chacune : art japonais, bouquets du XVIIIe siècle, branchages et feuillages, compositions modernes ou romantiques, entretien des végétaux, cueillette, etc.

Bricolage

ASSOCIATION DE FORMATION POUR LES FEMMES PAR DES FEMMES (3F)

● **13e** - *91, quai de la Gare (585.74.58). Au fond de la cour, 3e étage.*

On n'a pas toujours un bricoleur sous la main. Pour encourager les femmes à « se débrouiller » seules, 3 F organise des stages d'initiation à la plomberie, à l'électricité et à la menuiserie. En une journée (de 9 h à 18 h) ou deux soirées (de 18 à 22 h), on apprend à poser un chauffe-eau, monter des circuits électriques ou construire un bloc-tiroirs. Il faut apporter son marteau et ses pinces, mais on trouve sur place des outils plus sophistiqués : cintreuse, perceuse, lampe à souder, scie circulaire, etc., dont le maniement n'est pas si compliqué qu'on croit. 90 à 100 F la journée ou les deux soirées. L'adhésion à l'Association est obligatoire : 50 F.

Confiserie

MARGUERITE LAPIERRE

● **7e** - *122, rue du Bac (222.39.31). 1er étage.*

Tout ce que l'on peut faire chez soi, en confiserie, avec un appareillage rudimentaire. Il faut toutefois un marbre, mais Marguerite Lapierre se charge de mettre le « candidat » en relation avec un bon marbrier. Les cours de cette dame étonnante, sculpteur et fileuse en sucre, se répartissent en trois degrés (lundi et vendredi : 300 F pour 4 séances de 2 heures).

Coupe et couture

A LA BONNE RENOMMÉE

● **4e** - *54, rue du Roi-de-Sicile (272.03.86).*

Une formule agréable pour celles qui, sans être bien expertes, aiment coudre. L'atelier leur est ouvert deux vendredis et deux samedis par mois, de 11 h à 19 h. On apporte ses ciseaux, son dé et son tissu (qu'on peut aussi acheter sur place) et l'on apprend à couper, assembler et coudre le vêtement ou l'ouvrage qu'on a choisi parmi les modèles présentés (et vendus) dans la boutique (chemisiers, robes, jupes, tabliers, etc., de femme ou d'enfant, couvre-lits, sacs en tissu, etc.). On peut également suivre des cours de patchwork, d'appliqué et de broderie. On reste le temps qu'on veut. 30 F de l'heure. Machines à coudre, biais, rubans, chutes de tissus, etc. sont fournis par la maison.

Ne nous accablez pas si les prix ont grimpé depuis la parution de ce Guide.

Cuisine

LE CORDON BLEU

● **7e** - *40, av. Bosquet (705.79.90).*

A condition d'être tant soit peu gourmand et appliqué (et d'avoir 16 ans révolus), vous avez des chances de devenir un excellent cordon bleu après quelques semaines de cours, où l'on vous enseignera les secrets et embûches de la cuisine et de la pâtisserie françaises traditionnelles. Cours de débutants, cours moyens et cours avancés. De 9 h 30 à 11 h 30 et de 14 h à 16 h. Cours de cuisine (12 semaines) : 6 400 F (6 semaines) : 3 300 F; de pâtisserie : 5 660 et 3 000 F. Diverses autres possibilités. Vous pouvez aussi; l'après-midi, assister aux cours de démonstration (60 F la séance).

ÉCOLE DE CUISINE LA VARENNE

● **7e** - *34, rue Saint-Dominique (705.10.16).*

Fernand Chambrette enseigne « la » cuisine française, tous les jours du lundi au vendredi à 9 h 30. Durée des cours : 2 h 30 à 3 h. Prix pour une semaine : 1 550 F, avec 4 cours pratiques et 5 démonstrations. Celles-ci ont lieu les mêmes jours à 14 h 30 (le samedi à 10 h) et sont ouvertes au public, moyennant la somme de 65 F. Elles sont faites en français et en anglais et sont suivies d'une dégustation.

LES LOGES DE LA CUISINE

● **2e** - *31, rue Tiquetonne (233.93.93).*

Cuisine bourgeoise ou nouvelle cuisine étudiées et pratiquées par petits groupes (jamais plus de 10 participants des deux sexes et de tout âge) sous la houlette de Katherine Bouret. Chaque élève confectionne son plat dont il fait, sur place, son déjeuner ou qu'il emporte chez lui pour dîner. Abonnement de 6 cours (de 10 h à 17 h) par mois : 1 800 F (fournitures comprises). Le mercredi est réservé aux enfants : 50 F la séance, de 10 h à 12 h 30 ou de 14 h 30 à 17 h.

LE POT-AU-FEU

● **1er** - *14, rue Duphot (260.00.94).*

Du sérieux. La plus ancienne école de cuisine et de pâtisserie de France. « Méthode rapide, 85 ans d'expérience. Milieu recommandé ». Essayez donc le cours de perfectionnement conseillé pour les maîtresses de maison, les dames et les jeunes mariées (ce sont souvent les mêmes...). 500 F par mois à raison de deux jours par semaine.

Danse

Voir aussi « Enfants : mercredis ».

GEORGES ET ROSY

● **7e** - *20, rue de Varenne (548.66.76).*

Tango, mambo, rumba, paso-doble, fox-trot et valse anglaise. En avant la musique et ne craignez pas de risquer une jambe en compagnie d'autres néophytes sous la férule de Georges et Rosy, champions du monde de danse (en 1934). Cours particuliers pour les timides.

Dentelle

CONSERVATOIRE DE LA DENTELLE

● **2e** - *7, rue Louis-le-Grand (261.56.29).*

La technique paraît simple : il s'agit de croiser des fuseaux, mais essayez donc... Pour vous initier à la dentelle du Puy, inscrivez-vous dans ce « Conservatoire ». Stages d'une semaine : 580 F (ou 7 demi-journées : 320 F) ; trois semaines par an à Paris, et toute l'année au Puy.

Dégustation de vins

ACADÉMIE DU VIN

● **8e** - *Cité Berryer, 25, rue Royale (265.09.82).*

Institution créée par Patricia Gallagher et Steven Spurrier dans un local qui jouxte les Caves de la Madeleine dont ce dernier est l'heureux propriétaire. En quelques leçons, assis le verre à la main devant une assiette de fromages, entre une jeune fille du monde et un diplomate, vous apprendrez le rudiment des liturgies compliquées de la dégustation du vin et vous acquerrez un vocabulaire qui vous permettra de briller dans les dîners parisiens. A partir de 610 F pour six séances de 2 h une fois par semaine (de 19 h à 21 h). Egalement une session d'été en langue anglaise tous les jours de 11 h à 13 h pendant une semaine.

Jardinage

ASSOCIATION DES AUDITEURS DES COURS DU LUXEMBOURG

● **6e** - *55 bis, rue d'Assas.*

Sous cette très auguste appellation se cache une association de jardiniers-amateurs avides d'apprendre, de la bouche de conférenciers chevronnés, l'art et la manière de l'horticulture et de ses passionnants à-côtés : la création d'un potager, la rotation des cultures, la technique des semis, les décorations florales, la conservation des légumes, la culture des fraisiers, celle des champignons, etc. Autant de sujets, autant de réunions (chaque jeudi à 14 h, au pavillon Davioud du jardin du Luxembourg, sauf en juillet et août, et les lundis des mois d'hiver). La cotisation annuelle (de 45 F) donne le droit de participer à toutes les activités de l'Association, permet de recevoir gratuitement la revue « Plaisir du jardin » (6 numéros par an), ouvre les portes de la bibliothèque (avec prêts de livres) et celles de la coopérative pour la fourniture de bulbes, de produits de traitement, etc., et offre aussi la possibilité de voyages et de visites de jardins et d'expositions en France et à l'étranger au prix coûtant. Les 24 membres du conseil d'Administration sont tous bénévoles et ne travaillent que pour l'amour de l'art et de la nature.

ÉCOLE DE BREUIL

● **12e** - *Route de la Ferme, Bois de Vincennes (328.28.94).*

La Ville de Paris propose, pour la somme modique de 42,40 F par an (droit d'inscription) des cours publics d'horticulture, de floriculture et d'arboriculture d'ornement, répartis sur deux années, de novembre à avril. Les cours théoriques ont lieu le mardi ou le mercredi de 18 h à 19 h, 15, rue de la Bûcherie, 5e. Les cours pratiques le samedi matin, à l'école du Breuil, dans le bois de Vincennes. Inscriptions : le 3e samedi d'octobre.

SOCIÉTÉ NATIONALE D'HORTICULTURE DE FRANCE

● **7e** - *84, rue de Grenelle (548.81.00).*

Cours d'horticulture pour jardiniers débutants ou chevronnés, démonstration, expositions, visites de jardins. 6 séries de 4 cours par mois (le jeudi de 18 h à 19 h) d'octobre à mai : 40 F la série. Cotisation annuelle : 45 F. La Société publie également une revue : « Jardins de France ».

Navigation

CLUB DES EMOM
Editions Maritimes et d'Outre-Mer

● **6e** - *17, rue Jacob (329.06.20).*

A trois pas de la Seine, des cours de formation (audiovisuelle) à la navigation côtière ou en haute-mer, et aux techniques de matelotage, météorologie, radiotéléphonie, entretien et dépannage des moteurs marins. 300 F la série de 6 cours ou 60 F la séance de 2 heures. Cotisation annuelle : 100 F. Week-ends pratiques d'application toute l'année : 300 F environ, selon les bases et les bateaux. La librairie des Editions Maritimes et d'Outre-Mer, faut-il le préciser, dont ce Club dépend, est un grand vivier d'ouvrages se rapportant à la mer toujours recommencée...

Patchwork

LE ROUVRAY

● **5e** - *1, rue Frédéric-Sauton (325.00.45).*

Les cours dispensés par Mme Labbens consistent en 4 séances de 2 heures chacune (forfait : 240 F), les mardi, jeudi et samedi, de 14 h 30 à 16 h 30, sur rendez-vous. Vous est fourni : le nécessaire pour réaliser un premier coussin en patchwork (sauf les ciseaux).

Peinture sur tissu

LITZA BAIN

● **18e** - *24, rue Yvonne-Le Tac (254.33.33).*

Dans son atelier de Montmartre, Mme Bain enseigne toutes les techniques de peinture sur soie (dont l'aquarelle et le batik) et d'impression sur coton (linogravure, sérigraphie) ainsi que le montage d'abat-jour. Cours du jour et du soir : 70 F la séance de 3 heures.

Photographie

ESPACE CANON

● **4e** - *117, rue Saint-Martin (931.21.23).*

A ouvert ses portes, juste en face du Centre Pompidou, à tous les photographes, jeunes « apprentis » ou professionnels. Conférences-débats (gratuit) sur l'art et la technique photographique, concours, conseils et expositions.

Reliure

JACQUELINE HINSTIN

● **6e** - *1, rue du Pont-de-Lodi (326.73.77).*

Le matin de 10 h à 12 h les mardi, mercredi et vendredi. L'après-midi de 14 h à 16 h et de 16 h 30 à 18 h 30 tous les jours sauf le samedi et le dimanche. 60 F par cours de 2 heures, plus les fournitures.

MERCHER

● **6e** - *18, rue Visconti (326.40.41).*

Cet artisan-relieur enseigne les secrets de son art dans son atelier, au deuxième étage d'un bel immeuble du XVIIe siècle : cours pour groupe de 4 personnes (60 F la séance de 2 heures, fournitures comprises), tous les après-midi du lundi au vendredi et le samedi matin.

Tapisserie et broderie

JEUX D'AIGUILLES

● **1er** - *269, rue Saint-Honoré (260.22.19).*

Le « club » de cette excellente maison organise toutes les semaines des cours de tapisserie, de broderie, de smocks et de crochet. Broderie : 75 F la séance de 2 heures, tapisserie : 430 F pour 5 séances de 2 h 30 chacune.

MALBRANCHE

● **9e** - *17, rue Drouot (770.03.77).*

Tous les vendredis de 14 h à 20 h, Mme Denizot (Meilleur Ouvrier de France) initie les débutantes au point coulé, au point de feston ou au passé empiétant et enseigne aux plus expertes l'art délicat de la broderie sur mousseline. 8 séances de 2 h chacune : 380 F (10 élèves maximum).

Tissage

ARTEMIS

● **8e** - *12, rue de Castellane (265.05.81).*

Du lundi au vendredi, leçons de tissage à raison de 4 heures par jour : 420 F pour la semaine. Le samedi et le dimanche les cours sont donnés 50, rue Godefroy-Cavaignac, 14e (379.96.72) : 320 F pour le week-end.

ATELIERS PARIS-PROVENCE (Michèle Sayanoff)

● **5e** - *19, rue Frédéric-Sauton (325.77.10).*

Stages de tous degrés (30 h de stage), soit 5 soirs et un week-end, soit l'après-midi, soit les week-ends. Initiation : 620 F par stage, fournitures comprises ; perfectionnement : 770 F sans les fournitures. L'été, l'atelier se déplace en Provence, d'où son nom.

MALOURÈNE

● **5e** - *11, rue Lacépède (707.30.42).*

Sur des métiers Harris, des stages d'initiation de deux jours consécutifs d'enseignement (de 10 h à 18 h) : 250 F, fournitures comprises ; des stages d'initiation ou de perfectionnement d'une semaine (16 heures d'enseignement, le matin, l'après-midi ou le soir) : 300 F, fournitures comprises ; des cours théoriques de perfectionnement et la possibilité de louer un métier sur place. En vente, tout ce qui se rapporte au tissage : les laines et fils vendus au poids (laines de pays, brossée, cordelière berbère, mèche cordée, bouclette, mohair, alpaga, cotons, lins, soies, etc.); les métiers: Harris (importés d'Angleterre), Glimakra (venus de Suède); les rouets : Ashford (fabriqués en Nouvelle-Zélande); toutes les accessoires et toute la documentation (livres et revues) consacrée à ce vaste sujet.

TISSANOVA

● **10e** - *84, passage Brady (824.56.77).*

Vétuste, poussiéreux, encombré de caisses entrouvertes et d'énormes sacs de laine écrue, ce petit magasin du Faubourg Saint-Denis contribue depuis plus de quarante ans au bonheur des pénélopes qui se fournissent ici en laines et en métiers à tisser de toutes sortes, sur table à chaîne mobile pour les adultes ou fixe pour les enfants (60 à 550 F). Initiation gratuite tous les jours et cours de perfectionnement le mercredi et le samedi de 10 h à 17 h (30 F de l'heure).

DISQUAIRES

CLÉMENTINE DISQUES

● **6e** - *89, bd du Montparnasse (548.18.35).*

Francis Lopato et Alain Blanc, deux disquaires astucieux (leur magasin reste ouvert tous les jours, même le dimanche, jusqu'à 1 h du matin), anciens grossistes fournissant les Fnac et de nombreux disquaires parisiens ou provinciaux, se consacrent presque exclusivement aux disques d'importation (U.S.A., Angleterre et Allemagne surtout). Une grande part est faite à la musique pop, mais on peut aussi y commander n'importe quel disque dans n'importe quel genre. Promotion chaque semaine sur une nouveauté à prix coûtant. Possibilité de commandes spéciales de disques aux U.S.A. Vente de billets de concert.

DISLI

● **2e** - *9, pl. des Petits-Pères (260.96.50).*

Disques avec 20 % de réduction. Télévision et Hi-Fi moins chers que chez les moins chers.

DISQUE ET MUSIQUE

● **6e** - *165, rue de Rennes (548.63.37).*

Vous pouvez échanger les disques dont vous êtes las (au tiers de leur prix initial) contre des disques neufs ou d'occasion. Bon choix de disques rares ou épuisés.

DOLO MUSIC

● **5e** - *3, rue Clothaire (325.13.88).*

Disques, partitions (et photos) de jazz. En outre, Dolo Music donne 24 h sur 24 des informations sur le jazz (programme des concerts). Il suffit de téléphoner au 325.28.27.

DOUNIA

● **20e** - *116, bd de Belleville (797.47.92).*

Spécialiste de la musique orientale et d'Afrique du Nord. Disques, cassettes, cartouches. Vente d'instruments de musique arabe importés directement.

DRUGSTORES

● **6e** - *149, bd Saint-Germain (222.92.50).*
● **8e** - *53, Champs-Elysées (256.18.40). Pub Renault.*
● **8e** - *63, Champs-Elysées (225.96.16). New Store.*
● **8e** - *133, Champs-Elysées (723.54.34).*
● **8e** - *1, av. Matignon (359.38.70).*
● **9e** - *6, bd des Capucines (266.90.27).*
● **9e** - *15, rue de Rome (522.32.80).*

Tous les jours même le dimanche, jusqu'à 2 h du matin. (Rue de Rome, jusqu'à 21 h.)

Jazz, danse et variétés.

GIBERT JEUNE

● **5e** - *4, pl. Saint-Michel (236.82.84).*

Essentiellement pour les soldes sur les fins de séries américaines de jazz, très bon marché. Vendeurs connaisseurs et passionnés.

FNAC

● **4e** - *Forum des Halles, niveau - 2 (261.81.18).*
● **6e** - *136, rue de Rennes (544.39.12).*
● **8e** - *26, av. de Wagram (766.52.50).*

Les trois magasins de la Fnac sont très bien fournis, en particulier celui du Forum, même si les importations se limitent à certains catalogues, non point d'ailleurs les moins alléchants. Chaque point de vente possède son acheteur particulier ce qui explique qu'on ne retrouve pas nécessairement les mêmes enregistrements à l'un qu'à l'autre.

LIDO-MUSIQUE

● **8e** - *68, Champs-Elysées (225.30.86).*

De 10 h à 2 h du matin.

Choix immense de disques et de cassettes de jazz, de musique classique, de musique de film, de variétés françaises et étrangères. Considéré par ses pairs comme le magasin ayant l'éventail le plus large de France dans toutes les disciplines musicales.

MUSIC ACTION

● **6e** - *15, carrefour de l'Odéon (326.09.72).*

Un grand choix dans le domaine du free jazz. Des prix raisonnables et un responsable d'une compétence à toute épreuve.

NUGGETS

● **8e** - *30, av. George-V (723.51.14).*

A l'américaine, un super-marché qui vous débite des et des cassettes comme des boîtes de petits pois. On passe aux caisses, à la sortie, après avoir fait son choix au fil des larges allées. Présentation très aérée; tous les genres (classique, jazz, disco, etc.); pas question d'essayer les disques; quelques jeunes gens conseilleurs et des caméras qui vous regardent au fond des yeux et qui guettent les mains alertes.

Réservé aux jazzophiles

CENTRE D'INFORMATIONS MUSICALES (C.I.M.)

● **18e** - *83 bis, rue Doudeauville (258.03.40).*

Vous qui êtes amateur de jazz, ou qui souhaitez le devenir, apprenez que le Centre d'informations musicales en échange d'une cotisation annuelle des plus modestes (100 F), pourvoit à votre initiation, à votre perfectionnement ou à votre recyclage grâce à des auditions et autres écoutes commentées (tous les mardis), à des prêts de disques, de livres et de partitions. Pour le même prix vous êtes abonné à la revue du Centre, le « Jazzophone ». Votre carte de membre vous donne droit également à une réduction dans certains magasins (disques, haute fidélité, instruments de musique et partitions) et vous permet d'assister aux concerts organisés par le C.I.M. le samedi à 18 h, dans le cadre de ses « soirées club », pour 6 F seulement (8 F si vous ne prenez pas l'abonnement à dix séances). Enfin, le C.I.M. est aussi une école de jazz — la première du genre dans notre pays — où enseignent quelques-uns des professionnels français les plus prestigieux : Roger Guérin, Pierre Cullaz, Henri Texier, Patrice Caratini.

PAN DISQUES

● **6e** - *176, bd Saint-Germain (544.43.95).*
Ouvert jusqu'à 23 h 30. F. dim. et lundi matin.

Guy Milletre, premier prix de musicologie du Conservatoire, guide intelligemment votre choix aussi bien dans le domaine de la musique classique que dans celui du jazz et des musiques folkloriques, « pop » ou « disco » (10 % de réduction pour les étudiants). Son ancien magasin, 11 rue Jacob, est consacré désormais à la vente des appareils hi-fi, vidéo ou télévision en couleurs.

PANNONICA

● **6e** - *3, rue Racine (329.81.39).*

Pannonica c'est le nom d'une des plus belles compositions de Thelonious Monk. C'est aussi celui du magasin de Philippe Lobrot et Jacques Charpentier où se retrouvent les amateurs, les collectionneurs et toute l'ardente franc-maçonnerie du jazz, en quête de disques rares, voire introuvables ailleurs, de trésors qu'on n'espérait plus, de disques d'occasion et d'albums d'importation de tous pays. Sont affichés les avis de recherches concernant les références réputées inaccessibles ainsi que le programme des concerts du mois.

PARIS MUSIQUE

● **6e** - *10, bd Saint-Michel (326.96.41).*

Des importations et des disques de jazz de petits labels indépendants. Quelques soldes susceptibles de retenir l'attention.

TRIOMPHATOR

● **14e** - *72, av. du Général-Leclerc (540.55.36).*

La bande magnétique que vous apporterez à Guy Gunther sera immédiatement transformée en disque (à raison de 100 F pour 2 faces de 18 minutes en 33 tours). Vous pourrez également lui demander des copies de vos bandes magnétiques ou cassettes.

HI-FI, AUDIOVISUEL

PAUL BEUSCHER

● **4e** - *23-29, bd Beaumarchais (271.22.11).*

Toutes les grandes marques. Matériel d'amplification, notamment américain. Sonorisations d'orchestres, de discothèques et de domiciles particuliers.

LES CYCLADES

● **12e** - *11, bd Diderot (628.91.54).*

Très grand choix de pièces détachées pour la radio et la télévision.

DARTY

● **8e** - *Parking sous la Madeleine (265.84.71).*
● **11e** - *35, bd de Belleville (357.72.10).*
● **13e** - *168, av. de Choisy (585.80.31).*
● **14e** - *68, av. du Maine (539.41.11).*
● **15e** - *77, quai de Grenelle (575.62.85).*
● **20e** - *3-7, av. de la Porte-de-Montreuil (373.80.88).*

Toutes les grandes marques. Prix intéressants. Service après-vente efficace.

Les prix changent : nous n'y pouvons rien.

DISCOPHILE CLUB DE FRANCE

● **6e** - *6, rue Monsieur-le-Prince (325.23.73).*

Chaînes haute-fidélité. Toutes les grandes marques. Conseils compétents.

FNAC

● **1er** - *Forum des Halles, 1 à 7, rue Pierre-Lescot (261.81.18).*
● **6e** - *136, rue de Rennes (544.39.12).*
● **8e** - *26, av. de Wagram (766.52.50).*

Prix de 20 à 30 % moins chers que sur le marché traditionnel (plus une remise de 2 % aux adhérents). Beaucoup d'appareils sont testés, avant d'être mis en vente, par le laboratoire d'essais de la maison. Des étoiles — de 1 à 4 — récompensent chaque article d'un point de vue technique et sous le rapport qualité-prix. Vendeurs un peu pressés, mais compétents. Remarquable service après-vente. Dépannages rapides et de prix raisonnables (avec garantie de 6 mois).

GASTAUD

● **8e** - *2, rue d'Anjou (265.95.23).*

Comme l'ont fait le New Jimmy's-Régine, le Lido, Sylvie Vartan (et aussi Roger la Frite), vous pourrez faire installer chez vous, sur mesure, une installation stéréophonique, quelles que soient la décoration et la disposition de votre appartement. Installations hi-fi, vidéo, sono. Télécommandes avec ou sans fils. Un très grand spécialiste.

HEUGEL ET CIE

● **1er** - *56 à 62, galerie Montpensier (296.67.22).*

Les meilleures chaînes « haute-fidélité » et un personnel d'une remarquable compétence.

HIFISSIMO

● **5e** - *59, rue Cardinal-Lemoine (329.65.13).*

Boutique « hi-fi » exclusivement consacrée aux soldes de grandes marques (fins de série avec de légers défauts d'aspect ou d'emballage). Le matériel est vendu avec un rabais de 35 à 60 % environ et une garantie du constructeur (1 an, pièces et main-d'œuvre).

PAN

● **6e** - *11, rue Jacob (326.18.25).*

Hi-Fi, télévision (en couleurs) et vidéo, de qualité et à des prix toujours compétitifs. Trois auditoriums. Dans l'un d'eux, admirez les poutres peintes de la fin du XVIe siècle.

PYGMALION

● **1er** - *19, bd de Sébastopol (236.17.33).*

Matériel hi-fi des marques Tensaï, I.T.T., Sony et Sanyo, vendus à des prix intéressants : 2 % de moins que les gros concurrents.

SARP VIDÉO

● **8e** - *14, rue de Berri (225.65.54).*

Nouveau temple de la Vidéo où se ruent têtes en pointe et fans de la T.V. à toute heure du jour et de la nuit : magnétoscopes japonais (Sony et JVC), caméras portables (en couleur), T.V., location de films en tous genres.

INSTRUMENTS DE MUSIQUE (et partitions)

ARIOSO

● **9e** - *6, rue Lamartine (526.71.22).*

Bon choix de partitions classiques, neuves et d'occasion : répertoire courant et partitions importées de tous pays.

BEDEL-MASSON

● **92 Malakoff** - *25, rue de la Tour (657.08.18).*

Vente, achat et location de pianos. Restauration de tous pianos, y compris mécaniques et pneumatiques. Pianos d'occasion de grandes marques, restaurés et garantis pour 5 ans.

PAUL BEUSCHER

● **3e** - *68 bis, rue Réaumur (272.30.72).*

Succursale de Beuscher du boulevard Beaumarchais (voir ci-dessous). On n'y vend que des pianos et des orgues électroniques. Formules de location et de location vente.

PAUL BEUSCHER

● **4e** - *23-29, bd Beaumarchais (271.22.11).*

Tous les instruments désirables dans ce vaste magasin qui réserve un accueil très aimable à ses clients, qu'ils soient célèbres — le président Giscard d'Estaing s'y fournit, dit-on, en accordéons — ou inconnus. Méthodes instrumentales et recueils de chansons. Location, location-vente, réparation. Un nouveau magasin s'est ouvert en septembre 79, aux numéros 15 et 17 du même boulevard, spécialisé dans les pianos, orgues électroniques et synthétiseurs. Il abrite également désormais l'Ecole de musique Paul Beuscher. Voir « Enfants - Mercredis ».

J. CAMURAT

● **8e** - *49, rue de Rome (522.03.06).*

Violons, altos, violoncelles, guitares classiques. Dépositaire exclusif des admirables et coûteuses guitares espagnoles Ramirez. Atelier de réparation sérieux, délais rapides.

CAUCHARD

● **5e** - *23, quai Saint-Michel (354.20.96).*

Petite maison remarquablement fournie en partitions classiques neuves et d'occasion. Réductions aux Musigrains.

DISQUE ET MUSIQUE

● **6e** - *165, rue de Rennes (548.63.37).*

Flûtes et percussions authentiques en provenance d'Amérique du Sud. Instruments folkloriques.

HAMM

● **6e** - *135 à 139, rue de Rennes (544.38.66).*

Sur 2 500 m², 6 niveaux d'exposition : 4 étages de pianos (du piano d'étude : 8 350 F au piano de concert : 152 000 F), un étage d'orgues (d'appartement : de 4 000 à 64 000 F, synthétiseurs : de 2 000 à 17 600 F) et le rez-de-chaussée. réservé aux autres instruments (guitares, instruments à vent, etc.) et aux disques et partitions. Cours de piano (8 studios) et d'orgue. Ateliers de réparation et service d'entretien.

HEUGEL ET CIE

● **1er** - *56 à 62, galerie Montpensier (296.67.22).*

Toutes partitions et éditions de grands compositeurs. Assurément, et de très loin, la meilleure maison de Paris. Instruments à vent (flûte à bec, bombarde, etc.), instruments vendus en kit ou tout montés (clavicorde, épinette, clavecin, piano forte).

B. MILLANT

● **8e** - *56, rue de Rome (522.76.75).*

Remarquable spécialiste de l'archet.

PASDELOUP

● **5e** - *89, bd Saint-Michel (354.04.82).*

Location d'instruments de musique et de matériel de sonorisation. Téléphoner quelques jours à l'avance. Vente de partitions, disques, radios et téléviseurs. Service de réparation.

PIANO-CENTER

● **92 La Garenne-Colombes** - *71, rue de l'Aigle (781.93.11).*

● **93 Montreuil** - *122, rue de Paris (857.63.38).*

Deux grands magasins d'exposition : pianos à queue et pianos droits à La Garenne, orgues synthétiques et pianos droits à Montreuil. Vente et location. Un des fournisseurs du Conservatoire national supérieur de Musique de Paris et de l'Ecole Normale.

PIANO HALL

● **17e** - *178, rue de Courcelles (227.13.56).*

Pianos d'étude et de professionnels, neufs et d'occasion, orgues électroniques d'appartement. Location de pianos au mois et de pianos de concert à la soirée.

PUGNO

● **6e** - *19, quai des Grands-Augustins (326.14.80).*

Partitions neuves, anciennes et d'occasion. Excellente maison.

VATELOT

● **8e** - *11 bis, rue Portalis (522.17.25).*

L'un des plus grands luthiers du monde. (Voir « Artisans et réparateurs — Instruments de musique »).

PHOTO, CINÉMA, OPTIQUE

CIPIÈRE

● **11e** - *26, bd Beaumarchais (700.37.25).*

Pour les collectionneurs ou lorsqu'on cherche du beau matériel (photo) d'occasion. Bons conseils, location d'objectifs, service de réparation.

CLICHY PHOT

● **9e** - *35, rue de Clichy (874.01.43).*

Grandes marques. Vente, achat, échange, et aussi location de matériel de photo, de cinéma et de vidéo. Réparations et dépannages.

Epreuves sans peine

PHOTO-CINÉ SÉLECTION

● **8e** - *24, bd Malesherbes (742.33.58).*

A partir de l'original et sans négatif aucun, une machine qui ressemble étrangement à une photocopieuse reproduit en quelques minutes vos photographies, en noir ou en couleurs, pourvu que leur format ne dépasse pas 13 x 18 cm. La « copie » est très satisfaisante et fort peu onéreuse : 4 F l'une (ou 10 F les trois).

FNAC

● **1er** - *Forum des Halles, 1 à 7, rue Pierre-Lescot (261.81.18).*

● **6e** - *136, rue de Rennes (544.39.12).*

● **8e** - *26, av. de Wagram (766.52.50).*

Très bon choix des meilleures marques avec des rabais systématiques et réels d'environ 20 %, plus 2 % de remise aux adhérents. Bon service après-vente. Matériel de tirage et de développement. A la Fnac-Etoile : cours gratuits (par groupe de huit) d'initiation aux travaux de laboratoire, couleur et noir et blanc. Les boutiques Fnac installées dans certaines stations de métro R.E.R. vendent films, pellicules, cassettes vierges et développent les photos.

LA MAISON DU CINÉASTE

● **9e** - *67, rue La Fayette (878.62.60).*

Excellent spécialiste du cinéma amateur.

Appareils ancêtres

PIERRE BRIS

● **93 Montreuil-sous-Bois** - *35, rue de la Mare-à-l'Ane (287.13.41).*

Ce collectionneur d'appareils de photo, daguerréotypes, projecteurs, etc., reçoit uniquement sur rendez-vous (jusqu'à minuit). Il achète et échange.

AUX FONTAINES DE NIEPCE ET DE DAGUERRE

● **18e** - *20, rue André-del-Sarte (254.27.13).*

Voir « Antiquités - Appareils de photos ».

PHOTO MAYET

● **6e** - *4, rue Mayet (567.97.96).*

A droite en entrant, Jean-Christophe Doerr : un jeune homme photographe de son métier (tirages en noir et blanc, mais aussi dans le joli ton sépia qui donne aux clichés un petit coup de désuétude). A gauche, une longue étagère emplie à ras bords d'appareils anciens, d'obturateurs, de plaques, de machines prismatiques à dessiner, de pieds, de soufflets et de cônes agrandisseurs, entre une infinité d'autres accessoires vénérables, plus quelques lanternes magiques, des manuels techniques Belle Epoque, des daguerréotypes superbes et autres épreuves presque séculaires.

OPTAS

● **8e** - *71, rue de Rome (522.60.37).*

Tout le matériel d'optique d'occasion : des jumelles anciennes, des pendules de la Marine Nationale, des longues-vues, etc.

PHOTO-PLAIT

● **9e** - *39, rue La Fayette (285.06.76).*

Tout ce qui concerne la photo et le cinéma. Prix discount à peu près identiques à ceux de la Fnac. Location de projecteurs et caméras sonores S 8. Laboratoire d'essais pour démonstrations des procédés noir et couleur.

PHOTORUSH

● **18 Levet** - *B.P. n° 1 (36/25.32.76).*

Sur simple demande, cette excellente maison de travaux de photos par correspondance vous adressera la liste de ses tarifs et de ses services. Ceux-ci sont environ 40 % moins chers que dans un laboratoire normal pour les tirages couleur ou noir et blanc, les agrandissements, les posters ou les duplicata de diapositives. Remise jusqu'à 20 %, selon le montant de la commande, pour la fourniture de pellicules pour la photo ou le cinéma. Travail soigné et rapide.

PYGMALION

● **1er** - *19, bd Sébastopol (236.17.33).*

La maison propose, à des prix « concurrentiels » (2 % de moins que les gros marchands), tout le matériel pour la photo et le cinéma. Pas de réduction sur les films, ni sur le tirage des photos.

SHOP-PHOTO MONTPARNASSE

● **14e** - *33, rue du Cdt-Mouchotte (320.15.35).*

Gigantesque « complexe photo-cinéma », sans doute le plus important d'Europe, et même du monde. Sur 1 700 m², matériel et accessoires de toutes les grandes marques, immédiatement disponibles (Leica, Nikon, Canon, Pentax, Olympus, Minolta, etc.). L'immensité du choix risquant de laisser perplexe les acheteurs mal avertis des subtilités de cette industrie, chaque marque — et chaque service — possède son stand propre et des vendeurs « spécialistes-conseils ». Service de location, librairie bien documentée, département de matériel d'occasion (avec une garantie de six mois, pièces et main-d'œuvre), galerie de photo ouverte à tous (avec projection de diapositives ou de films super 8).

VIDÉO TECNIC

● **16e** - *178, av. Victor-Hugo (505.97.17).*

Boutique très moderne où vous trouverez quelques chaînes haute-fidélité grand-public mais aussi, et surtout, un matériel de télévision hyper-sophistiqué : magnétoscope pour enregistrer les classiques du cinéma (de 6 000 à 20 000 F), caméra couleur et un étonnant canon à électrons qui permet de projeter l'image de télévision sur grand écran (26.500 F).

Ecrivez-nous,
pour critiquer nos critiques,
en bien ou en mal,
dans tous les cas, vous nous rendrez service.
210, rue du Faubourg Saint-Antoine,
75012 Paris.

Cigares et articles de fumeurs

SI les restaurateurs de qualité semblent avoir compris que la vente des cigares, le choix proposé, et la conservation en cave ou dans un humidificateur étaient une affaire sérieuse (un bon cigare vaut le prix d'un verre de très grand vin), les buralistes eux, continuent, pour la plupart, de traiter ce produit de luxe par-dessous la jambe. L'achat d'un cigare est une loterie extrêmement hasardeuse. C'est bien navrant quand on sait que le goût des bons havanes ne cesse de se développer en France. Raison de plus pour vous indiquer les adresses des spécialistes sérieux et honnêtes. Osons au passage nous faire une modeste publicité : les cigares Gault-Millau-Senderens N° 1 et 2 sont des cigares de tabac de la Havane dans une cape blonde, hélas assez chers mais très fins, qui se fument à toute heure du jour, même après le petit déjeuner...

CIGARES

LA CIVETTE

● **1er** - *157, rue Saint-Honoré (296.04.99).*

C'est à La Civette qu'au XVIIIe siècle les Parisiens prirent le goût de pétuner. Jusqu'à ces dernières années, ce grand débit demeura le temple quasi-unique du fumeur mais s'il reste aujourd'hui le premier tabac de France, il n'est plus, tant s'en faut, le seul. Du moins est-il encore l'un des très rares à posséder en totalité les produits du Monopole, de l'humble carotte à chiquer jusqu'aux plus grands havanes. A ce propos, rappelons que La Civette fut le premier tabac à installer voici plus de 30 ans des caves humidifiées pour ses cigares et que nous devons à une action personnelle de son directeur M. Farin, d'avoir pu arracher au responsable des ventes du Seita, en 1969, l'introduction des Monte-Cristo en France. Le considérable débit de ce débit (garantie supplémentaire de fraîcheur), le soin apporté à la conservation et à la manipulation des cigare, le très grand choix de ses luxueux articles pour fumeurs (plus de 4 000 pipes), font qu'il demeure une des meilleures adresses de la place.

COURTIAL

● **10e** - *4, bd de Denain (281.05.51).*

M. Courtial a déménagé : quittant la mairie du 18e pour la gare du Nord, il en a profité pour moderniser encore ses installations (cave à humidificateur et vitrine humidifiée) qui conservent admirablement et mettent en valeur les cigares, sa passion.

DRUGSTORE DES CHAMPS-ÉLYSÉES

● **8e** - *133, Champs-Élysées (723.54.34).*
Ouvert jusqu'à 2 h du matin.

Une cave à humidifier les cigares.

DRUGSTORE MATIGNON

● **8e** - *1, av. Matignon (359.38.70).*
Ouvert jusqu'à 2 h du matin.

Fournit Lasserre, le Plaza et quelques autres grandes maisons en cigares de Havane. Réserve et « cave du jour » en rayon également humidifiées.

DRUGSTORE OPÉRA

● **9e** - *6, bd des Capucines (266.90.27).*
Ouvert jusqu'à 2 h du matin.

Bonne armoire à humidifier.

Tabac et toxicité

Si le S.E.I.T.A. est votre pourvoyeur — via les bureaux de tabac — en cigarettes, il est aussi bon prince, et peut vous renseigner sur la toxicité de ce que vous fumez. Appelez le 555.45.33. Et cessez (ou non) en toute connaissance de cause de salir vos poumons.

DRUGSTORE SAINT-GERMAIN

● **6e** - *149, bd Saint-Germain (222.92.50).*
Ouvert jusqu'à 2 h du matin.

Large sélection de tabacs humidifiés. Romain Gary et Serge Gainsbourg y achètent leurs Monte-Cristo.

LEMAIRE

● **16e** - *59, av. Victor-Hugo (500.75.63).*

Dans la somptueuse « vraie » cave à cigares de M. Blanchat, la plus belle de France, trois mille boîtes peuvent après leur voyage retrouver toute saveur et souplesse dans les conditions idéales : 60-65 % d'humidité, 15-17° de température. Elles reçoivent un visa le jour de leur entrée en « clinique ». Elles resteront ainsi trois ou quatre semaines en traitement, avant d'être vendues dans leur plus bel état de fraîcheur. Enfin, si votre humidor personnel (le choix en est ici immense, de la simple boîte de plastique à la grande armoire de luxe) se révèle insuffisant, Lemaire s'est aussi institué « banque à cigares ». Vos boîtes peuvent être conservées plusieurs mois et livrées sur demande. Signalons que la maison Lemaire a mis sur le marché national un délicieux petit cigarillo à sa marque, à base de tabacs de Java, Sumatra et Manille.

Du tabac pour les couche-tard

Vous pouvez acheter votre tabac jusqu'à 2 h du matin dans tous les drugstores. Quelques cafés-tabacs restent ouverts assez tard dans la nuit. Nous vous en citons deux :

LE VOLTAIRE

● **7e** - *27, quai Voltaire (261.17.49).*
Jusqu'à minuit (20 h le lundi).
Cigares bien humidifiés.

LE WEEK-END

● **8e** - *3, rue Washington (553.45.49).*
Jusqu'à 2 h du matin, toute la semaine.

LE POT A TABAC

● **6e** - *28, rue de la Pépinière (522.24.14).*

Une civette tout juste habillée de neuf et parfaitement équipée pour maintenir au bon degré hygrométrique tabacs de luxe et havanes (Davidoff, Monte Cristo, Quai d'Orsay, etc.).

AU SIAMOIS

● **8e** - *4, pl. de la Madeleine (260.27.69).*

Selon Charles Ritz, qui fut l'amateur le plus intransigeant en matière de cigares, c'est au Siamois que l'on trouve les « havanes » les plus scrupuleusement élevés et dorlotés de Paris. M. Aussutre en surveille jalousement l'affinage avant de les vendre à Orson Welles. Il vend également des pipes et, le cas échéant, les répare.

TABAC DU DÔME

● **14e** - *108, bd du Montparnasse (354.53.63).*
Ouvert jusqu'à minuit.

Les préposés au comptoir ne font pas grand-chose pour retenir la clientèle, mais M. Delpuech a installé dans les sous-sols de sa grande boutique une réserve parfaitement équipée pour la vente des cigares frais.

TABAC GEORGE V

● **8e** - *22, av. George-V (359.16.75).*

Cigares bien frais sous humidificateur et articles luxueux pour fumeur. Service très urbain.

TABAC DE LA MAIRIE

● **18e** - *113, rue Ordener (606.01.30).*

Ce gros café-tabac tout près de la mairie du 18e continue de vendre des cigares bien humidifiés, dans la tradition de son ancien propriétaire qui s'en est allé planter ses carottes aux alentours de la gare du Nord.

TABAC OPÉRA

● **9e** - *8, pl. de l'Opéra (742.46.52).*

Possède une cave à cigares au sous-sol et une armoire « humidifiée » dans le magasin.

LA TABAGIE

● **15e** - *Centre Commercial Maine-Montparnasse (538.65.18).*

Fournisseur de l'Elysée en fumée de luxe — et par conséquent de tous les chefs d'Etat en visite à Paris —, la maison conserve dans une cave parfaitement conditionnée toute la gamme des « havanes » que la Régie veut bien nous octroyer. Grand choix de pipes et vitrine d'exposition de tous les tabacs (à pipe) vendus en France. Briquets, coffrets humidificateurs, etc.

ARTICLES DE FUMEURS

LES grands bijoutiers — en particulier **Cartier, Chaumet** et **Van Cleef** — et certaines grandes maisons — **Christian Dior** et **Hermès** — proposent un choix d'accessoires somptueux et précieux : briquets, fume-cigarettes, boîtes à cigarettes, cendriers, etc.

ART ET PRESSE (AYCIL)

● **06 Nice** - *40, rue de la Buffa (93/96.52.95).*

Le fin du fin pour le fumeur de pipe, c'est bien sûr le silicate hydraté de magnésium naturel, plus connu sous le nom d'écume de mer. Une petite maison niçoise expédie de telles pipes d'écume (et exclusivement celles-là) à des prix à peine supérieurs à ceux d'une pipe de bruyère du milieu de gamme. Deux tailles et deux modèles classiques et, pour les amateurs, des pipes sculptées.

AU CAÏD

● **6e** - *24, bd Saint-Michel (326.04.01).*

S'il nous est arrivé un jour de déplorer l'accueil un peu rude d'une vendeuse, regrettons-le et louons l'affabilité des dames Schmitt qui proposent un bon choix de pipes (en terre, porcelaine, amiante ou merisier) et de porte-pipes. Grandes bruyères de grandes marques.

LA CIVETTE

● **1er** - *157, rue Saint-Honoré (296.04.99).*

Remarquable choix d'accessoires de luxe et de pipes des plus grandes marques. Pots-humidors, boîtes à cigares humidifiées, etc.

DENISE CORBIER

● **6e** - *3, rue de l'Odéon (326.03.20).*

Quelques pièces de l'intéressant et nouveau petit musée du Seita (dont nous vous parlons d'ailleurs à la rubrique « Musées ») proviennent de la jolie collection de tabatières et de pipes anciennes réunie par Denise Corbier, qui s'intéresse aussi aux bijoux (anciens) et aux boîtes en argent ou autre matériau précieux.

ALFRED DUNHILL

● **2e** - *15, rue de la Paix (261.57.58).*

La filiale française d'Alfred Dunhill vend dans un décor inchangé depuis 1924 les pipes Dunhill, fabriquées à partir de bruyères françaises ou d'Afrique du Nord et souvent ébauchées en France, qui sont parmi les meilleures du monde. Leur légèreté, la qualité incomparable des bois, l'excellence de leur finition justifient auprès des amateurs très fortunés la hauteur parfois à peine croyable de leurs prix. Ainsi, les modèles bagués à embout de vulcanite fait à la main peuvent atteindre dans la qualité « grain long » le prix exorbitant de 15 000 F. Tout comme les pipes (rares) en calabash, sorte de courge africaine que l'on modèle au fur et à mesure de sa croissance et que l'on double ensuite d'écume de mer. Innombrables et non moins luxueux et chers articles de fumeurs : briquets en argent massif (le « Sylphide » qui date des années 50 est particulièrement joli), en vermeil, en or gravé à la main ou incrusté de pierres précieuses (sur commande) ; « cabinets » de fumeur en noyer, humidificateurs, coupe-cigares, fume-cigarettes d'écaille ou d'ambre et beaux étuis en box ou en crocodile. Ne pas confondre les cigares Montecruz Dunhill (des Canaries) — vous ne les trouverez pas dans ce magasin mais ils sont distribués par le Seita — avec les Monte-Cristo. Les amateurs de « havanes » ne s'y trompent pas — en tout cas pas deux fois.

GUYOT

● **17e** - *7, av. de Clichy (387.70.88).*

M. Guyot est l'un des derniers maîtres-pipiers de Paris. Installé derrière son établi, il répare et restaure les pipes de toutes origines, celle de la grande époque pipière de la fin du XIXe siècle ou le tuyau mâchonné d'une pipe plus démocratique. Des pipes, il en propose de toutes sortes, d'écume (500 à 700 F), de bruyère (150 F), qu'il tourne avec un art consommé. N'hésitez pas à passer sa porte, ne serait-ce que pour découvrir là sa collection personnelle et le rayon de coutellerie de facture artisanale.

Cessez donc de fumer

D'innombrables méthodes prétendent vous « guérir » du vice tabagique, la plupart relevant de la fumisterie pure et simple. Si vous renoncez à utiliser la seule thérapie efficace, inoffensive et définitive qui est la volonté, sachez qu'il existe un **Comité national contre le tabagisme** (68, boulevard Saint-Michel, 6e, 325.07.08) qui vous conseillera au mieux sur les techniques d'abstinence, et les consultations données dans divers hôpitaux et dispensaires et remboursées par la Sécurité Sociale qui, en l'occasion (et pour une fois) ne perd pas de vue ses intérêts, ni les vôtres.

LEMAIRE

● **16e** - *59, av. Victor-Hugo (500.75.63).*

Luxueux articles pour fumeurs : étuis à cigarettes extra-plats, briquets de poche de grandes marques, ou de table en pierre dure, etc. Et une gamme très étendue d'humidificateurs : la plupart des coffrets sont équipés d'un système qui limite les recharges en eau à trois par an (de 440 à 8 000 F : en bois, laque d'ambre ou de Chine). Intéressant rayon de maroquinerie et de stylos.

AUX MINES D'ÉCUME

● **3e** - *35, bd Saint-Martin (272.69.19).*

L'enseigne est honorée par un grand choix de pipes en écume de mer, le Marché Commun par un grand choix de pipes hollandaises en terre ou en porcelaine, le goût parisien par un grand choix de tours Eiffel et la dévotion du quartier par un grand choix de Sacré-Cœur.

OFFICE DU FROID

● **92 Levallois** - *87, rue Aristide-Briand (739.45.45).*

Si vous décidez d'installer chez vous ce que les Anglais appellent une « maturing room » (une chambre à maturation), vous pouvez acheter un équipement pour moins de 900 F. En revanche, si vous préférez un matériel plus efficace et plus sophistiqué, souhaitable ou indispensable à partir d'une consommation (ou d'une vente) importante, il peut vous en coûter jusqu'à 30 000 F. Si vous êtes marchand, le Seita vous prêtera une partie de la somme à investir. Près de 80 % des installations réalisées en France dans les bureaux de tabacs à comptoirs humidifiés le sont par cette maison qui vend aussi des purificateurs d'air électrostatiques pour éliminer fumée et odeur de tabac.

A LA PIPE DU NORD

● **10e** - *21, bd Magenta (208.23.47).*

M. Voisin, maître-pipier, vous proposera les pipes maison vendues sous la marque de son enseigne. Les dites pipes seront, si besoin est, réparées ou restaurées sur place par l'atelier de cette vieille maison qui fut, dit-on, fondée avant l'avant-avant-dernière guerre.

SOMMER

● **2e** - *9, pass. des Panoramas (233.22.19).*
● **2e** - *11, 13, 15, passage des Princes (742.97.23).*

Les vieilles boiseries sombres, les tiroirs en carton vert, l'atelier de réparation pour la boutique des « Princes ». Une seconde boutique (ex-Lavisse) avec atelier de création aux « Panoramas » (où fonctionne un superbe tour de 1805, le plus vieux du monde). Voilà qui laisse à penser que cette maison, fondée en 1855, et toujours dans la famille après cinq générations, considère avec sérénité le destin de la pipe française dont elle est sans doute l'un des meilleurs fabricants. Elle en propose une centaine de sortes, de bruyère ou d'écume (certaines sculptées, motifs à la demande) à des prix assez élevés, mais très justifiés, ce dont peuvent témoigner Georges Brassens, Simenon, Jean Richard ou Charles Vanel entre autres célèbres parmi les célèbres fumeurs de pipe.

VAVIN FUMEUR

● **6e** - *10, rue Vavin (633.92.04).*

Excellent choix de pipes de marque, de 50 à 1 000 F et plus. Réparations rapides.

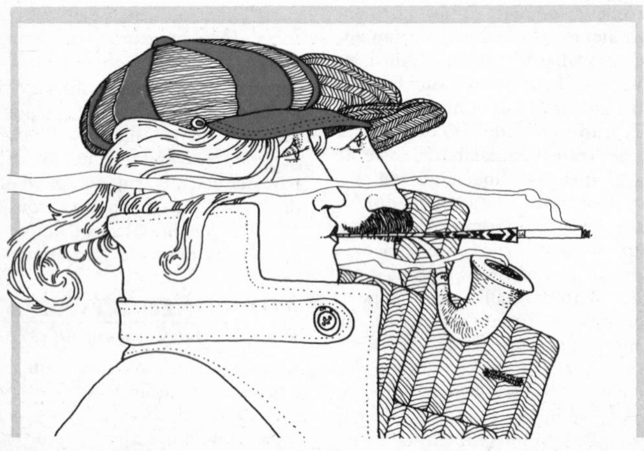

Le marché de l'art : antiquités

HAUTE ÉPOQUE, MOYEN AGE, RENAISSANCE, LOUIS XIII

LES meubles Haute Époque deviennent de plus en plus rares, en particulier les plus volumineux d'entre eux, lesquels sont d'ailleurs difficilement utilisables dans les appartements modernes. Ils sont remplacés par les moins encombrants cabinets, petites crédences ou petits coffres Renaissance. Mais tout cela coûte horriblement cher.

JACQUELINE BOCCADOR

● **7e** - *18, rue des Saints-Pères (260.75.79).*

Depuis près de cinq siècles, avec Domenico di Cortone, dit « le Boccador », la famille dont est issue cette antiquaire remarquable et passionnée se consacre à l'art sous toutes ses formes. Auteur, elle-même, d'ouvrages sur la statuaire et (prochainement) le mobilier du Moyen Age, Jacqueline Boccador sait faire partager sa passion pour les beaux meubles, les statues et les tapisseries qui, avec elle, « vivent » littéralement dans son magasin.

CHARLES ET PHILIPPE BOUCAUD

● **7e** - *25, rue du Bac (261.24.07).*

Célèbres pour leurs étains anciens, les Boucaud présentent également des sculptures de Haute Époque de belle qualité.

ÉDOUARD BRESSET

● **7e** - *5, quai Voltaire (260.78.13)*

et

GABRIEL BRESSET

● **6e** - *197, bd Saint-Germain (548.18.24).*

Les deux fils du « grand Bresset » monté de Marseille à la conquête de Paris sont toujours les meilleurs spécialistes mondiaux de la statuaire du Moyen Age en bois ou pierre naturels ou polychromes. Ils possèdent aussi des tapisseries gothiques que leur envient (ou leur achètent) les grands musées, et une vaste collection de tableaux, meubles et bois sculptés (merveilleux cabinets d'écaille ou d'ébène incrustés). A voir, quai Voltaire, de superbes caves voûtées.

JEAN-CLAUDE EDREI

● **7e** - *8, rue de Beaune (261.28.08).*

Une vaste et belle boutique, consacrée en grande partie à la Haute Époque et connue, en particulier, pour la qualité de ses faïences et de ses étains, mais on y voit également des tapisseries et quelques meubles.

Drouot dans ses meubles

Après quatre années d'exil — doré — à la gare d'Orsay (qui se soldent, entre autres, par un considérable accroissement du nombre des visiteurs), l'**Hôtel des Ventes** réintégrera en mai 1980 ses locaux de la rue Drouot, entièrement refaits à neuf : façade de glace et d'aluminium, toits « à l'impériale », trois « niveaux » de vente avec des salles plus spacieuses, mieux éclairées, climatisées, des escaliers mécaniques, un parking, etc. Drouot draine actuellement près de 5 000 visiteurs par jour. A ceux qui ne sont pas encore des familiers de la maison, rappelons que toute vente ou acquisition comporte des frais.

● Si vous êtes acheteur, vous aurez à acquitter :
16 % du prix d'adjudication jusqu'à 6 000 F,
11,5 % de 6 000 à 20 000 F,
10 % au-delà de 20 000 F.

● Si vous êtes vendeur, vous aurez à acquitter : 5 % du prix de l'adjudication. A cela s'ajoutent, s'il s'agit d'une pièce de qualité, les frais de publicité, d'impression du catalogue et les honoraires de l'expert (de 3 à 6 % du prix d'adjudication selon chaque spécialité).

MARC LAGRAND

● **7e** - *25, rue de Bourgogne (551.47.16).*

Remarquable mobilier Haute Époque et quelques pièces intéressantes du XVIIe siècle. Les Lagrand sont antiquaires de père en fils depuis 1890.

BRIMO DE LAROUSSILHE

● **7e** - *7, quai Voltaire (260.74.72).*

Un nom encore très réputé. Meubles, sculptures et objets d'art du Moyen Age et de la Renaissance, ainsi que quelques belles pièces d'archéologie.

CLAUDIE MARX

● **7e** - *15, rue de Lille (260.29.25).*

Peu de meubles mais des tableaux, des bronzes, des bibelots et des objets de curiosité qui forment un ensemble sans tristesse et de bonne qualité.

MYTHES ET LÉGENDES

● **4e** - *12, rue de Sévigné (272.35.43).*

Meubles et objets de collection du Moyen Age et de la Renaissance, parmi lesquels quelques grandes pièces.

PERPITCH

● **7e** - *240, bd Saint-Germain (548.37.67).*

Spécialiste depuis quarante ans de la Renaissance flamande et italienne et du gothique français, Antoine Perpitch vend aussi des sièges Louis XIII, des bahuts ou des tables de monastère d'une exceptionnelle qualité.

XVIIe et XVIIIe SIÈCLES

LE XVIIe et surtout le XVIIIe siècle — grande époque du mobilier français recouvrant Régence, Louis XV, Louis XVI et Directoire (voir la rubrique suivante) — sont la spécialité d'une multitude d'antiquaires parmi lesquels il est apparemment difficile de faire un choix.

ANTIQUITÉS DE BEAUNE

● **7e** - *14, rue de Beaune (261.25.42).*

M. Horwitz, président de l'association qui organise chaque année les « 5 Jours de l'objet extraordinaire », est un bon spécialiste des meubles provinciaux du XVIIIe siècle.

AVELINE

● **8e** - *20, rue du Cirque (266.60.29).*

Peu de meubles, mais tous ont la « qualité musée » et d'ailleurs nombre d'entre eux sont achetés par les plus grands musées du monde. Aveline est également un célèbre spécialiste de la « haute curiosité » et de l'objet de grande décoration.

LA COUR DE VARENNE

● **7e** - *42, rue de Varenne (544.65.50).*

Ce très beau magasin ouvre sur la rue mais aussi sur une cour exquise où subsistent les anciens « communs » de Mme de Staël. Laissez-y votre voiture et entrez dans le monde enchanté (sur deux niveaux) où Claude Lévy, sa délicieuse épouse et leur associé Bernard Steinitz accumulent leurs trésors : curiosités, horloges mais surtout meubles des XVIIe et XVIIIe dont certains époustouflants, et qui, si besoin est, sont restaurés sur place par un artisan hors-pair (demandez-lui donc de vous montrer ses admirables outils anciens). Prix élevés mais des pièces, grandes ou moins grandes, toutes d'une parfaite qualité.

Ils évaluent pour l'amour de l'art

CENTRE FRANÇAIS D'ESTIMATION

● **8e** - *120, Champs-Elysées (256.20.84).*

Vous possédez une « Savonnerie », un « Sèvres », une paire de cabriolets Louis XVI, mais vous n'êtes pas sûr de leur authenticité ou, simplement, vous aimeriez en connaître la valeur. Cette association d'amateurs d'art vous recevra avec l'objet en question (le mardi de 9 h 30 à 12 h 30 ou le jeudi de 14 h 30 à 18 h) et vous en donnera — gratuitement — une estimation. S'il s'agit d'un meuble encombrant, on viendra l'estimer à domicile, gratuitement toujours. Enfin si vous décidez de vous séparer de votre « trésor », le Centre Français d'Estimation peut vous mettre en rapport avec d'autres particuliers.

DARQUENNES

● **7e** - *92, rue du Bac (548.93.60).*

Commodes et secrétaires du XVIIIe siècle et meubles.

DUBREUIL

● **7e** - *25, quai Voltaire (261.24.21).*

Tous les meubles et objets sont vendus avec garantie d'époque. Bon et vaste choix de meubles et d'objets, sans grande fantaisie, mais de qualité sûre.

FABRE

● **8e** - *19, rue Balzac, (563.79.17).*

Des meubles, des objets d'art et des tapisseries des XVIIe et XVIIIe siècles, appréciés par les musées et les plus grands collectionneurs.

DENISE GATEAU

● **7e** - *33, quai Voltaire (261.19.92).*

Un petit magasin mais un stock de qualité. Meubles du XVIIIe siècle et tapisseries vendus à la « belle clientèle » internationale.

Cabinet-conseil en objets d'art

PHILIPPE RHEIMS

● **8e** - *26, av. George-V (720.74.03).*

Philippe Rheims répond à toutes les questions que l'on peut se poser sur le marché de l'art, procède à des expertises, agréé par les compagnies d'assurances et peut également vendre ou acheter pour vous.

JEAN P. HAGNAUER

● **6e** - *10, rue de Seine (326.36.54).*

Au fond d'une délicieuse cour, de bons meubles XVIIIe et début XIXe, parmi lesquels de vraies raretés mais aussi des tableaux de petits maîtres du siècle dernier et des objets de fantaisie. Décoration d'appartements.

KRAEMER ET CIE

● **8e** - *43, rue de Monceau (563.24.46).*

On peut être un des meilleurs spécialistes des XVIIe et XVIIIe siècles français, compter parmi sa clientèle les musées et les collectionneurs les plus célèbres de meubles, de sièges, de bronzes, d'objets d'art, et savoir rester modeste. C'est le cas de Philippe Kraemer dont l'éblouissante galerie pourrait figurer parmi les musées.

ÉTIENNE LÉVY

● **8e** - *178, fg Saint-Honoré, (225.33.47).*

Le charmant Étienne Lévy, antiquaire depuis 60 ans, est à juste titre tenu pour l'un des plus grands connaisseurs d'art à Paris. Grand spécialiste des XVIIe et XVIIIe siècles, il affectionne particulièrement les meubles qui présentent un caractère original ou exceptionnel : table à mécanique, tablette d'écrivain aventurinée. Le nouveau magasin au rez-de-chaussée et les sept salons d'exposition du premier étage sont un fastueux musée où transitent régulièrement les grands ébénistes du siècle des Lumières — Weisweiler, Georges Jacob, Leleu — et divers objets d'une perfection éblouissante : régulateurs, lustres de cristal de roche, ouvrages ciselés, presque tous estampillés et directement rattachés au souvenir d'une grande figure de l'Histoire.

Consultez la table des matières : p. 631.

LUPU

● **8e** - *43, fg Saint-Honoré (265.93.19).*

Entre l'Elysée et l'ambassade d'Angleterre, une boutique assez mal située mais dont la vitrine vous fait traverser la rue au galop. Des pendules-squelettes aux encoignures Louis XV, tout ici est d'une qualité, d'une beauté stupéfiantes. La seule évocation des prix qu'on y pratique vous étendrait raide-mort.

JACQUES PERRIN

● **7e** - *3, quai Voltaire (260.27.20).*

Dans un flamboyant décor contemporain, tout en laque rehaussé d'aluminium anodisé, Jacques Perrin met en scène les meubles les plus spectaculaires du « grand siècle » : commodes Boulle, bureaux Mazarin et d'autres grandes pièces — par la qualité — comme, par exemple, l'exquis petit bureau de voyage, ayant appartenu à Marie-Antoinette et dont il a fait don au château de Versailles, après en avoir fait une des « vedettes » des « 5 Jours de l'objet extraordinaire ».

MAURICE SEGOURA

● **8e** - *20, fg Saint-Honoré (265.11.03).*

Successeur d'Yvonne de Brémond d'Ars, Maurice Segoura expose, sur deux étages, des meubles, des objets d'art et des tableaux qui portent les estampilles les plus célèbres et les signatures les plus prestigieuses.

WANECQ

● **7e** - *12, rue des Saints-Pères (260.83.64).*

Jean Wanecq est un très sérieux spécialiste des meubles d'époque Louis XIV (les cabinets connaissent actuellement un grand regain de faveur et il lui arrive d'en exposer de fort beaux) et aussi d'objets et de mobilier du XVIIIe. Et encore de peintures du XVIIe au XIXe.

DIRECTOIRE, EMPIRE, RESTAURATION, CHARLES X

LE superbe et imposant mobilier Empire conserve encore, malgré une certaine désaffection, de farouches défenseurs. Le Grand Trianon a été entièrement remeublé en Empire par André Malraux (et le Mobilier national). Les vrais spécialistes en sont peu nombreux. Nous en citons ici deux. En revanche, sous le signe de l'élégance raffinée, les meubles Directoire et Charles X, « bois clair » et même « bois foncé », connaissent une vogue croissante.

AU DIRECTOIRE

● **7e** - *37, rue de Grenelle (222.67.09).*

Un bon spécialiste des meubles en acajou fin XVIIIe - début XIXe.

Une salle des ventes particulière

SALLE DES VENTES

● **8e** - *73, fg Saint-Honoré (266.90.01).*

Dans un hôtel particulier, en face du Bristol, Mes Loudmer et Poulain ont ouvert cette salle des ventes privée qui révolutionne la profession à deux titres : elle entame le centralisme et le monopole parisien du grand Drouot (voir p. 473); elle offre à sa clientèle une série d'avantages que seuls les grands commissaires-priseurs anglais proposaient — à l'étranger — jusqu'alors : catalogues avec estimations chiffrées, enchères dans deux salles à la fois grâce à un système de caméra-vidéo, sièges confortables, visites plusieurs jours à l'avance et plus tardives. Quatre à cinq ventes par semaine, parfois en nocturne, presque toutes spécialisées et de haut niveau. Mais un procès est en cours. Gageons que la salle du Faubourg ne fermera pas...

FABIUS FRÈRES

● **8e** - *152, bd Haussmann (227.39.18).*

Antiquaire à Paris de père en fils depuis le XIXe siècle, les frères Fabius ont parmi leurs clients les musées et les grands collectionneurs qui apprécient leurs meubles et leurs objets d'art Empire mais également des XVIIe et XVIIIe et aussi Napoléon III. De rares sculptures de toutes époques, dont les œuvres importantes de Barye et de Carpeaux.

NICOLE GÉRARD

● **6e** - *28, rue Jacob (326.26.43).*

Meubles de la Restauration, très raffinés, en bois clair et foncé et aussi des bibelots et de petits tableaux. Une des meilleures spécialistes de la place.

IMBERT ET CIE

● **8e** - *157, fg Saint-Honoré (359.54.89).*

Une petite vitrine sur la rue mais un stock important dans la cour et qui se distingue par la très grande qualité de ses meubles en bois clair, de ses bronzes et de ses opalines.

MANCEL-COTI

● **6e** - *42, rue du Bac (548.04.34).*

Une vieille maison sûre pour son mobilier, ses objets d'art et sa porcelaine Directoire, Consulat et Empire. Une clientèle de connaisseurs, parmi lesquels le prince Murat et le musée de la Légion d'Honneur.

RENONCOURT

● **6e** - *1, rue des Saints-Pères (260.75.87).*

Spécialiste de l'Empire, de la Restauration et du Charles X, Renoncourt n'admet dans sa boutique que des objets de toute première qualité : meubles de bois blond et d'acajou, pendules, bronzes, lustres et opalines, qui suscitent la convoitise des grands collectionneurs et des musées. M. et Mme Renoncourt vous accueillent de façon charmante, ce qui ne gâte rien, et savent vous faire partager leur passion pour ces styles qu'à tort certains trouvent « froids ».

LOUIS-PHILIPPE, NAPOLÉON III, FIN XIXe

APRÈS un long mépris — et parfois justifié —, le mobilier et les objets d'art des années 1830 à la fin du siècle, c'est-à-dire les styles Louis-Philippe, Napoléon III et 1880 — meubles d'acajou, peints ou incrustés d'ivoire, objets romantiques ou tarabiscotés — s'arrachent aujourd'hui à des prix vertigineux. Quant aux meubles en bambou et rotin revenus si fort à la mode — toutes les boutiques de décoration comme tous les « bazars » à l'orientale en proposent des copies plus ou moins réussies —, vous en trouverez encore « d'époque » chez quelques antiquaires (voir notre encadré).

CACTUS BAZAR

● **2e** - *35, passage Choiseul (742.63.61).*

De tout un peu dans l'amusant bric-à-brac de Sophie Desmarets mais peu d'espoir d'y faire des affaires « en or » car les prix, eux aussi, sont à la mode.

CALVET

● **9e** - *10, rue Chauchat (770.87.03).*

La troisième génération d'un des meilleurs spécialistes du mobilier de qualité, fait sous Napoléon III dans le style du XVIIIe par les grands ébénistes de l'époque.

MADELEINE CASTAING

● **6e** - *21, rue Bonaparte (354.91.71).*

Cette vieille dame, décoratrice et amie des peintres, fut à l'origine, il y a une vingtaine d'années, avec le merveilleux Jacques Damiot, de la redécouverte de ces petits meubles, de ces divans, de ces poufs et de ces bibelots Napoléon III, coloniaux, français, russes et anglais qu'elle sut ressortir des greniers et qui se vendent aujourd'hui à des prix parfois impériaux. Des stocks énormes, engrangés dans le quartier, mais des meubles qui nécessitent souvent de sérieuses réparations.

Bambou et rotin

Très en vogue sous le Second Empire et à la fin du siècle dernier, ces petits meubles de « jardin d'hiver » sont aujourd'hui vulgarisés par des copies industrielles mais on en trouve encore d'époque, notamment chez les antiquaires suivants :

MADELEINE CASTAING

● **6e** - *21, rue Bonaparte (354.91.71).*

MARTINE DOMEC

● **6e** - *40, rue Mazarine (354.92.69).*

IO CURIOSITÉS

● **92 Neuilly** - *4, rue de l'Église (745.60.88).*

LE JARDIN D'HIVER

● **7e** - *7, rue de Beaune*

Un nouveau magasin plein de charme dont l'enseigne traduit fidèlement l'esprit.

MAZOT-MEYER

● **7e** - *12, rue de Verneuil (261.08.39).*

ANDRÉE DEBAR

● **1er** - *Louvre des Antiquaires (297.28.08).*

● **7e** - *Au Bon Marché, 142, rue du Bac (260.33.45).*

Cette ancienne comédienne est devenue l'un des meilleurs experts du Second Empire : meubles et bibelots de très belle qualité, prix élevés.

IO CURIOSITÉS

● **92 Neuilly** - *4, rue de l'Église (745.60.88).*

Une très séduisante et nouvelle boutique dont la propriétaire, « Io », est parrainée par Jacques Damiot. Pas étonnant, donc, qu'on y trouve les meubles, les objets et les tableaux poétiques et insolites, Second Empire ou Belle Époque, que ce « prince des antiquaires » remit à la mode, il y a une vingtaine d'années.

On « chine » dans le Palais-Royal

LE LOUVRE DES ANTIQUAIRES

● **1er** - *2, pl. du Palais-Royal (297.27.00).*
De 11 h à 19 h. Ts les jrs (même le dim.). F. lundi.

Beaucoup plus important et raffiné que le Village Suisse, beaucoup mieux organisé et présenté que le marché aux Puces, le Louvre des Antiquaires est, dans le domaine du commerce des objets d'art, la plus belle réussite française et probablement du monde. Sans doute, parmi les quelque 250 antiquaires qui tiennent boutique dans les anciens magasins du Louvre, sur trois étages remarquablement aménagés, ne voit-on pas les enseignes les plus célèbres du marché des arts, encore que parfois une enseigne en cache une autre. Mais tous ces professionnels sont triés sur le volet et ne vendent que des articles dont ils garantissent l'authenticité. Des objets Art Déco au grand mobilier du XVIIIe siècle, des tableaux de petits maîtres aux maquettes de bateaux, des faïences anciennes aux timbres rares, il est à peu près impossible de ne pas trouver ce dont rêve un collectionneur ou un amateur. Les prix sont relativement raisonnables. Le Louvre des Antiquaires dispose d'un service de livraison, d'un club, de salons d'expositions, de bars et d'un ravissant restaurant, Le Jardin du Louvre (voir le chapitre « Restaurants »).

LECOULES

● **9e** - *62, rue Taitbout (874.69.69).*

Cette vieille maison vend à des collectionneurs du monde entier des meubles et sièges des grands ébénistes de la seconde partie du XIXe siècle.

HUGUETTE RIVIÈRE

● **15e** - *Village Suisse (sous-sol) (566.55.03).*

Une des meilleures spécialistes du Second Empire : chaises et meubles de nacre incrustée, canapés, jardinières peintes, etc.

VARNIER

● **16e** - *7, rue de la Tour (870.71.27).*

Jolis petits meubles Second Empire. Un choix limité mais des prix raisonnables.

ART NOUVEAU, ART DÉCO

LE style 1900 (dit encore Art Nouveau en Angleterre, Modern Style en France ou encore « nouille » et « métro », quand ce n'est pas « Liberty » selon une mode venue d'Italie, connaît à l'heure qu'il est l'apogée d'un fulgurant engouement soigneusement déclenché depuis une bonne douzaine d'années par quelques professionnels astucieux. Les pièces (généralement signées) de ce style ont en commun des formes évanescentes et alanguies, un aspect précieux et végétal, ainsi, généralement, qu'une remarquable finition. Pour les meubles, les grands noms sont Majorelle, Guimard, Gaillard, de Feure ; Daum et Gallé, pour les vases. Suivant la mode vestimentaire ou précédant celle-ci, la machine à redescendre le temps nous invite désormais à découvrir les insondables beautés de l'Art Déco avant de nous initier au Barbès-Henri II de l'après-guerre et, fatalement, de se mordre la queue. Dans la confusion générale, l'ensemble de ces activités a reçu le nom simplifié de « rétro », lequel fait la fortune d'un nombre incalculable de margoulins qui œuvrent ardemment à promouvoir la laideur avec une inquiétante impunité.

MARIA DE BEYRIE

● **1er** - *29, rue de la Ferronnerie (508.05.29).*

Du très beau 1900 (Majorelle, Gallé, Guimard, etc.), les grands noms des années 30 (Ruhlmann, Dunand, Legrain) et aussi les « meubles d'architectes » signés par Le Corbusier ou les émules de l'école allemande du Bauhaus. Depuis un an ou deux Maria de Beyrie s'attache à faire redécouvrir les œuvres de l'école viennoise « Sécession » et, en particulier, de Joseph Hoffmann, un précurseur de notre art moderne.

STÉPHANE DESCHAMPS

● **6e** - *19, rue Guénégaud (633.58.00).*

Salvador Dali, Annie Girardot, Yves Saint-Laurent et bien d'autres sont venus acheter des œuvres 1900 et 1925 à Stéphane Deschamps qui se spécialise également dans l'art académique des années 1850 et les dessins XIXe et début XXe.

MARTINE DOMEC

● **6e** - *40, rue Mazarine (354.92.69).*

Pas d'objets de collection mais un plaisant bric-à-brac où l'on peut dénicher des petits meubles en bambou, des jardinières 1900, des assiettes en barbotine et autres bibelots.

JEANNE FILHON

● **6e** - *29, rue Jacob (354.90.73).*

Meubles et tissus Art Déco (Paul Follot, Ruhlmann, etc.). Un des bons spécialistes du genre.

GALERIE VALLOIS

● **1er** - *15, rue Saint-Denis (508.40.03).*

Mobilier et objets 1925-1930, parmi lesquels des pièces importantes des créateurs les plus connus. Grande clientèle de collectionneurs et de personnalités de la mode.

ALAIN LESIEUTRE

● **7e** - *9, rue de Beaune (261.16.81).*

Ce jeune lion de l'Art Nouveau et de l'Art Déco ne vous vendra pas les objets de sa collection personnelle mais vous les montrera volontiers chez lui, sur rendez-vous. Et dans sa boutique d'angle, vous pourrez si vous avez un portefeuille très large, remplir votre cabas de vases de Gallé et de Daum, de bronzes de Bugatti, de statuettes de Chiparus, d'œuvres orientalistes, bref de tous ces objets dont les prix exigent qu'ils soient bons et beaux.

FÉLIX MARCILHAC

● **6e** - *8, rue Bonaparte (326.47.36).*

Ce remarquable expert qui vend au Metropolitan Museum et aux plus grands musées du monde propose toujours un mobilier Art Déco et des objets de la plus haute qualité.

RODOLPHE PERPITCH

● **7e** - *52, rue du Bac (548.24.29).*

Céramiques, bronzes, lampes, pâtes de verre : un bon spécialiste de l'Art Nouveau et de l'Art Déco.

ANGLETERRE

L'ENGOUEMENT pour le mobilier anglais est assez récent — une trentaine d'années — et l'abondance de copies qui encombrent depuis lors le marché impose la plus grande vigilance. Les vrais meubles anglais restent très chers, très rares et très prisés, exception faite pour ceux de l'époque edwardienne dont les prix demeurent encore assez abordables.

COLETTE BRANDICOURT

● **16e** - *54, av. Victor-Hugo (727.76.16).*

Peu de meubles chez cette experte en faïence dite de Jersey, mais un vaste choix de bibelots amusants (de 50 à 30 000 F), comme des malles de bateau, des coffrets victoriens, des boîtes à cigares, de la faïence de Jersey et des objets à motifs sportifs. Cartes à jouer personnalisées (avec vos initiales ou votre nom) disponibles en 24 heures.

BROCANTE STORE

● **6e** - *31, rue Jacob (260.24.80).*

Un choix immense de forts jolis meubles d'origine anglaise et un fouillis d'objets, de coffrets, d'instruments et de lampes, tous en provenance d'Angleterre.

MADELEINE CASTAING

● **6e** - *21, rue Bonaparte (354.91.71).*

Voir « Fin XIXe ».

JEAN-PIERRE DE CASTRO

● **4e** - *17 et 23, rue des Francs-Bourgeois (272.04.00).*

Jolie sélection de meubles en pin d'Ecosse ou d'Irlande de la fin du XIXe siècle ou en bois fruitier ciré de la même époque, que viennent regarder, en voisins, Annie Girardot, André Pieyre de Mandiargues et Serge Reggiani.

GALERIE REGENCY

● **7e** - *63, rue du Bac (548.33.10).*

Un choix considérable comportant du très bon, du bon et du moins bon : meubles, coffres, bibelots, tableaux, objets de curiosité, tout est là pour faire de vous un lord authentique à des prix qui rendraient malade un Ecossais. On y trouve aussi quelques objets parfois exceptionnels, de provenance autre que l'Angleterre.

GALERIE 13

● **7e** - *13, bd Raspail (548.77.31).*

Un choix étendu de meubles. Les tables, commodes et autres buffets-bureaux révèlent une exécution de grande qualité. Quelques boîtes d'écaille, et de beaux portraits — certains ravissamment naïfs — complètent la sélection d'objets des XVIIIe et XIXe siècles de cette récente galerie, où la traditionnelle anglo-saxonnerie bien parisienne trouvera sans doute de quoi se renouveler.

Pour retrouver rapidement une adresse consultez l'index, p. 641.

Ils se vendent comme des petits pains

Apparus il y a une dizaine d'années sur les marchés aux puces à Londres et à Paris, les meubles en pin décapés font l'objet aujourd'hui d'un intense trafic. C'est par tonnes qu'ils se déversent sur le marché et l'on peut bien sûr se poser des questions quant à l'authenticité de ce petit mobilier blond, sympathique et pas trop cher, qui a remplacé le « Louis-Philippe » chez les jeunes ménages. Beaucoup sont neufs, d'autres « refaits » mais, après tout, ce ne sont pas des chefs-d'œuvre de l'ébénisterie, alors... En tous cas, vous en trouverez le plus large choix aux adresses suivantes :

BRITISH IMPORT

● **92 Neuilly** - *23, bd du Parc, Ile de la Jatte (637.27.75).*

BROCANTE STORE

● **6e** - *31, rue Jacob (260.24.80).*

JEAN-PIERRE DE CASTRO

● **4e** - *17, rue des Francs-Bourgeois (272.04.00).*

COMPAGNIE ANGLAISE

● **12e** - *213, fg Saint-Antoine (372.52.14).*
● **17e** - *13, rue de Monceau (766.41.45).*

GALWAY

● **2e** - *54, rue Montmartre (508.16.62).*

CHRISTIAN GROUILLÉ

● **7e** - *64, rue du Bac (548.09.38).*

Le premier en date et le meilleur spécialiste sur la place. Ne vend que des meubles anciens et authentiques, de la meilleure qualité.

SIX PENCE

● **5e** - *23, rue de Bièvre (326.80.41).*

CHRISTIAN GROUILLÉ

● **7e** - *64, rue du Bac (548.09.38).*

Toujours spécialisé dans les charmants meubles en pin d'Oregon très clairs, qui connurent la grande vogue outre-Manche aux XVIIIe et XIXe siècles. Leurs prix, malheureusement, tendent à s'aligner sur ceux en acajou.

ANDRÉE HIGGINS

● **7e** - *54, rue de l'Université (548.75.28).*

L'une des toutes premières à avoir lancé le style anglais à Paris. Elle sélectionne ses meubles du XVIIIe et surtout du XIXe siècle avec infiniment de soin. Le retour au style colonial a peuplé son magasin de très séduisantes tables et secrétaires à panneaux de laque chinois, en vogue en Angleterre au début de ce siècle, mais le charme de cette boutique est qu'elle se renouvelle sans cesse. Lampes et objets de grande décoration et, depuis peu, de beaux meubles français des XVIIe et XVIIIe siècles.

Vente en entrepôt

Plusieurs importateurs rapportent régulièrement de Grande-Bretagne des meubles anglais, d'époque ou de style, qu'ils entreposent le plus souvent en banlieue. Les prix sont beaucoup moins élevés que dans le commerce, pour la bonne raison que ces meubles sont exclusivement vendus aux antiquaires. Mais, qui sait, vous avez peut-être la dégaine d'un antiquaire ? Il n'est pas interdit, en tout cas, de tenter sa chance. Sans aucune promesse de notre part. Par exemple :

ANTIQUITÉS IMPORT

● **92 Aubervilliers** - *43, rue de la Motte (352.38.54).*

BRITISH IMPORT

● **92 Neuilly** - *23, bd du Parc, Ile de la Jatte (637.27.75).*

SAXON-FRANCE

● **93 Montreuil** - *83, av. Faidherbe (858.83.16).*

VANTICA

● **92 Clichy** - *41, rue Gaston-Paymal (737.20.32).*

MAPPLE

● **9e** - *5, rue Boudreau (742.53.32).*

Ancien et belles copies de meubles anglais.

LAURENCE ROQUE

● **4e** - *69, rue Saint-Martin (272.22.12).*

Meubles en pin du XIXe siècle à des prix raisonnables, voisinant un bon assortiment de linge de maison et de faïences blanches.

MÉDITERRANÉE (Égypte, Rome, Grèce, Proche-Orient)

CETTE spécialité nécessite, pour être bien pratiquée, d'immenses connaissances archéologiques, artistiques, historiques et religieuses, capables d'embrasser les dizaines de civilisations et les deux ou trois millénaires qu'elle recouvre. Il va de soi qu'une telle formation, dans un domaine où les faux pullulent, est assez rare chez la plupart des marchands d'objets de fouille. Voici des spécialistes sûrs :

GALERIE NINA BOROWSKI

● **7e** - *40, rue du Bac (548.61.60).*

Parente du grand Borowski de Bâle, cette jeune femme érudite et charmante expose de nombreuses terres cuites, des vases, des bronzes et des marbres, grecs, romains et étrusques. Chaque année, elle organise deux expositions (catalogue en novembre) d'objets archéologiques variés, où il n'est pas impossible de dénicher, par exemple, de petites terres cuites grecques à partir de 2 500 F.

GALERIE DU SYCOMORE

● **6e** - *11, rue des Beaux-Arts (633.83.55).*

Un choix limité, mais de bonne qualité, d'objets archéologiques du bassin méditerranéen.

SIMONE DE MONBRISON

● **6e** - *22, rue Bonaparte (633.13.77).*

Dans une galerie spacieuse et mieux agencée que celle où elle fit ses débuts, Simone de Monbrison présente un ensemble très recherché et souvent spectaculaire de bons et beaux objets, notamment des époques archaïques de l'art grec et de l'art étrusque mais également des arts égyptien et romain.

MOUSEION

● **6e** - *48, rue Mazarine (326.35.11).*

Excellente et jolie petite galerie récemment créée par une jeune femme qui a vécu en Egypte et présente quelques belles pièces d'art égyptien et copte, mais aussi quelques autres d'un peu partout (Rome, bronzes khmers, icônes, statuettes Dogon). Authenticité garantie par certificat d'expert.

MYTHES ET LÉGENDES

● **4e** - *18, pl. des Vosges (272.63.26).*

Michel Cohen publie, une fois par an, un catalogue d'objets archéologiques (Egypte, Grèce, Rome, mais aussi Extrême-Orient et Amérique précolombienne), avec certificat d'expertise, qu'on peut acheter par correspondance. Mais il est bien sûr plus passionnant d'aller sur place, ne serait-ce que pour entendre l'histoire de cette brave dame qui voulait vendre un Christ en croix dont elle assurait qu'il datait du « 7e siècle avant Jésus-Christ » !

ORIENT-OCCIDENT

● **6e** - *5, rue des Saints-Pères (260.77.65).*

Jean-Loup Despras ne se contente pas d'exposer la meilleure sélection possible d'art égyptien, il est lui-même un véritable égyptologue, capable de déchiffrer n'importe quelle inscription sur une stèle et de déceler aussitôt le faux qui se cache sous la prétendue « antiquité ».

ARTS ISLAMIQUES

ARTS DE LA PERSE ET DE L'ORIENT

● **6e** - *21, quai Malaquais (260.72.91).*

Un ensemble superbe et admirablement mis en valeur par Annie Kevorkian de céramiques islamiques, dont elle est une des meilleures expertes, ainsi que de beaux bronzes et de miniatures.

L'OURIKA

● **6e** - *51, rue de Seine (354.57.65).*

Présentées avec beaucoup d'élégance des œuvres d'art islamique et moyen-oriental, mais aussi de très beaux bijoux en argent des tribus berbères du Sud Marocain et du Sahara, les uns anciens et les autres plus récents.

JOSEPH SOUSTIEL

● **8e** - *146, bd Haussmann (924.27.76).*

Depuis la chute du Shah, l'art persan n'est plus emporté par le vent de folie des dernières années, qui faisait grimper le meilleur comme le moins bon au sommet des prix. Néanmoins, les beaux objets n'ont pas souffert et ce sont ceux-là que vous trouverez — miniatures, céramiques, bronzes et métaux non seulement de Perse mais de l'Orient tout entier — chez ce célèbre expert dont la maison fut fondée il y a plus d'un siècle à Istanbul.

ARTS NÈGRE, PRÉCOLOMBIEN, OCÉANIEN

ARGILES

● **6e** - *16, rue Guénégaud (633.44.73).*

Belle galerie d'art nègre, avec de nombreux objets et statues, parmi lesquels des pièces de collection. Egalement de nombreux bijoux primitifs et orientaux.

ARTS DES AMÉRIQUES

● **6e** - *42, rue de Seine (633.18.31).*

Art précolombien dans une sympathique petite boutique à laquelle s'ajoute une belle cave voûtée où est présenté un vaste choix d'objets précolombiens de qualité, essentiellement du Mexique, du Costa-Rica et de Colombie.

DUPERRIER

● **6e** - *14, rue des Beaux-Arts (354.38.64).*

L'insolite et merveilleuse boutique de Robert Duperrier mêle un peu les genres, les continents et les époques. A côté de ses grandes statues ibos et de ses masques baoulés, de ses fétiches biafrais ou de ses grigris du Gabon, signalons donc aussi sa superbe collection de vêtements et objets « peau-rouge » et « western ».

GALERIE CARREFOUR (Vérité)

● **6e** - *141, bd Raspail (326.58.03).*

Au contraire de certains de ses confrères, M. Vérité (c'est son nom) a noté que l'art nègre était un genre assez riche et assez spécifique pour ne pas être mêlé aux objets précolombiens ou océaniens. Dans un extravagant fouillis, en une diversité infinie mais choisie (également quelques objets d'Asie), c'est donc l'art à peu près strictement africain que vous découvrirez et serez follement tenté d'acheter chez lui : Ibéji, Yorouba, masques Dan, statues Ibo, bronzes Achanti, portes Sénoufo, bijoux Akan, statuettes Baoulé, etc. Très large éventail de prix.

GALERIE MERMOZ

● **8e** - *6, rue Jean-Mermoz (359.82.44).*

Belle présentation d'œuvres précolombiennes.

GALERIE ROUDILLON

● **7e** - *198, bd Saint-Germain (548.55.54).*

Cette célèbre galerie, spécialisée dans les arts nègre, océanien et précolombien, n'est plus ouverte que pour des expositions temporaires.

M. Roudillon, expert dans de nombreuses ventes, examinera toujours très volontiers les objets que vous lui montrerez.

GALERIE 62 (Garcia)

● **15e** - *Village suisse, 78, av. de Suffren (783.93.03).*

Ouverte le dimanche.

Belle sélection d'arts primitifs, vendus avec certificats d'authenticité.

GALERIE URUBAMBA

● **5e** - *4, rue de la Bûcherie (354.08.24).*

Cette petite galerie très passionnante est la seule à se spécialiser exclusivement dans l'art indien des deux Amériques : coiffes en plumes, tissages, bijoux en turquoise et argent, des objets pour la plupart éblouissants, qu'ils soient anciens ou contemporains.

HÉLÈNE KAMER

● **6e** - *9, quai Malaquais (260.75.91).*

Dans un superbe magasin moderne aux murs de laque rouge, un choix de grands objets africains, mayas et océaniens, guettés par la riche clientèle internationale. Chaque année, des expositions sur des thèmes précis, généralement accompagnées d'un catalogue.

EXTRÊME-ORIENT

LA vogue des arts chinois, japonais, khmer, tibétain et indien a pris une intensité telle à Londres, à New York et à Paris que les prix ont crevé le plafond. Mais ce n'est pas le plus grave : la « belle marchandise », chez nous, est devenue rarissime. Les véritables amateurs, il est vrai, restent peu nombreux, et le gros public s'intéresse davantage aux objets de décoration (bois dorés thaïs, chinoiseries du XVIIIe siècle) qu'à l'archéologie.

BEURDELEY

● **7e** - *200, bd Saint-Germain (548.97.86).*

On n'ose plus dire qu'il est le fils d'un des plus grands spécialistes mondiaux de l'art d'Extrême-Orient. Jean-Michel Beurdeley est aujourd'hui en effet à son tour un grand marchand connu des connaisseurs du monde entier. Et si on ne le voit guère à Paris, sa galerie continue de rassembler les meilleures pièces de la Chine et du Japon (stèles, statues, paravents).

COMPAGNIE DE LA CHINE ET DES INDES

● **8e** - *39, av. de Friedland (563.83.28).*

Sur trois niveaux, une sélection de très haute qualité de terres cuites, de bronzes, de stèles, de porcelaine et de céladons (Chine, arts khmer et gréco-bouddhique). Certains objets sont de « qualité musée », et d'ailleurs Jean-Pierre Rousset a parmi ses clients les plus grands musées du monde.

BERNARD LE DAUPHIN

● **7e** - *21, rue de Grenelle (222.89.54).*

Bon spécialiste de l'Ancien Japon et en particulier pour les armes, les masques et les armures, de plus en plus appréciés par les collectionneurs.

ARIANE FAYE

● **6e** - *61, rue des Saints-Pères (222.14.43).*

Quelques très beaux objets extrême-orientaux de grande décoration, dont les prix — fort élevés — ne semblent pas effaroucher la brillante clientèle de la belle Ariane.

GALERIE ROBERT BURAWOY

● **4e** - *12, rue Le Regrattier (354.67.36).*

Les plus beaux masques, armes et armures japonais qui puissent se voir à Paris. Robert Burawoy est également un bon spécialiste de la peinture tibétaine.

GÉRARD LÉVY

● **7e** - *17, rue de Beaune (261.26.55).*

Avec Janine Loo, Beurdeley, Moreau-Gobard et quelques autres, Gérard Lévy est un des plus sûrs connaisseurs des arts de l'Extrême-Orient (Chine, Japon, Cambodge, Corée, Thaïlande) et dans sa jolie boutique qu'il vient entièrement de refaire, on croise les plus grands collectionneurs. Mais si Gérard Lévy vend d'importantes pièces, notamment aux musées, on trouve également chez lui des objets plus accessibles mais tout aussi bons et raffinés. Dans un tout autre domaine, signalons qu'il est aussi un passionné de photographies anciennes, et orfèvre en la matière.

LOO

● **8e** - *48, rue de Courcelles (227.53.15).*

Seuls les grands spécialistes ou les amateurs téméraires osent pénétrer dans cette singulière pagode, aménagée en 1928 sur les fondations d'un hôtel style rococo où Charles Dickens

Ne nous accablez pas si le numéro de téléphone de votre correspondant a changé depuis la sortie de ce Guide. Nous n'y sommes pour rien.

séjourna. Mais Janine Loo n'a rien d'un dragon. Depuis la mort de son père en 1957, elle continue d'accueillir avec la même gentillesse tous ceux qui veulent jeter un coup d'œil sur cet intimidant et fabuleux musée. Sonnez sans crainte, prenez l'ascenseur « chinois » et admirez les trésors entassés dans les trois vastes étages : paravents laqués, bas-reliefs provenant de temples hindous, porcelaines et bibelots, vases Ming, statuettes Han et chevaux T'ang. Notez que Mme Loo peut aussi exécuter, à vos mesures, de magnifiques tables d'inspiration chinoise.

MALLIE DE FONFAIS

● **8e** - *30, av. Pierre-1er-de-Serbie (225.28.14).*

Un des plus sûrs spécialistes parisiens de l'art d'Extrême-Orient. Ses terres cuites et ses porcelaines de Chine entrent dans les plus grandes collections privées et si vous débutez une collection, vous serez assuré de trouver auprès de cet excellent marchand les conseils les plus éclairés.

MARCO POLO

● **7e** - *210, bd Saint-Germain (548.99.87).*

Bon spécialiste de l'Inde, du Népal et du Tibet. A visiter, notamment si vous êtes amateur de miniatures indiennes.

YVONNE MOREAU-GOBARD

● **6e** - *5, rue des Saints-Pères (260.88.25).*

Yvonne, l'épouse du grand expert Jean-Claude Moreau-Gobard, présente dans une partie de la galerie de Jean-Loup Despras, spécialiste de l'Egypte, un choix très sûr de pièces archéologiques chinoises, indiennes et khmères.

MYRNA MYERS

● **7e** - *11, rue de Beaune (261.11.08).*

Impossible de ne pas s'arrêter devant les vitrines toujours magnifiques de Mme Myers mais, même si vous n'êtes pas collectionneur, poussez la porte de ce joli magasin pour y admirer un ensemble toujours remarquable de porcelaines chinoises des grandes dynasties.

JANETTE OSTIER

● **3e** - *26, pl. des Vosges (887.28.57).*

Une charmante petite galerie vouée principalement à l'art japonais : dessins, estampes, peintures, paravents peints, masques, boîtes en laque. Janette Ostier organise de merveilleuses expositions.

Apprenez à lire ce Guide : consultez le sommaire, page 5. Vous y trouverez en détail la liste de toutes nos rubriques.

PERRET-VIBERT

● **8e** - *170, bd Haussmann (227.15.85).*

Vaste choix de porcelaines de Chine, tables basses (de Chine et du Japon), etc. Parmi beaucoup d'objets de décoration, des pièces de belle qualité.

SLIM

● **1er** - *94, rue Saint-Denis (233.75.69).*

Séduisante collection d'antiquités des Indes, du Tibet et de l'Orient islamique. Pas de pièces capitales mais des objets amusants et quelquefois pas trop chers. Trois expositions par an sur des thèmes précis, au sous-sol du magasin.

RUSSIE

GALERIE ARTEL

● **6e** - *25, rue Bonaparte (354.03.77).*

Icônes anciennes et modernes. Atelier de restauration.

NIKOLENKO

● **7e** - *220, bd Saint-Germain (548.20.62).*

Les musées étrangers se disputent les icônes russes, byzantines et grecques de ce grand spécialiste (du XIIIe au XVIIIe siècle) qui publie régulièrement des catalogues extrêmement bien documentés.

POPOFF

● **8e** - *86, fg Saint-Honoré (265.38.44).*

Peintures, icônes, porcelaines miniatures, objets de vertu de grande qualité dans ce calme magasin en face de l'Elysée. Egalement des tableaux et dessins de l'école française et de la porcelaine allemande et française.

A LA REINE MARGOT

● **6e** - *7, quai Conti (326.62.50).*

Parfois de jolies icônes, parmi des objets de Haute Époque et des pièces d'archéologie de l'Extrême et du Proche-Orient. Pendant les fêtes de Noël, une jeune fille, timide, a demandé au propriétaire : « Auriez-vous la Victoire de Samothrace? ». Celui-ci répondit tranquillement : « Grandeur nature ? » « Je ne sais pas, dit la jeune fille, faites-voir ».

A LA VIEILLE CITÉ

● **1er** - *350, rue Saint-Honoré (260.67.16).*

D'admirables pièces d'orfèvrerie, de belles icônes, des objets de Fabergé, de la porcelaine, des peintures russes et une collection d'œufs de Pâques finement ouvragés constituent les trésors d'Alexandre Djanchieff.

APPAREILS DE PHOTOS (et photos anciennes)

Voir aussi dans le chapitre « Jeux, loisirs, musique, photo, etc. » notre encadré « Appareils-ancêtres ».

AUX FONTAINES DE NIEPCE ET DE DAGUERRE

● **18e** - *20, rue André-del-Sarte (254.27.13).*

Le vaste et superbe magasin-musée de Guy Bomet expose — et vend pièce à pièce — l'une des plus belles collections au monde d'appareils photographiques : du prisme ménisque de Chevalier (1823) aux objectifs à verres combinés (1840), de l'appareil-laboratoire de Dubroni (1864) au vélocigraphe de Ricard et Lacroix (1891). Près de 500 appareils fascinants et précieux que Guy Bomet et Serge Seillier se feront un plaisir de vous présenter, parmi les daguerréotypes, ambrotypes (plaques de verre en positif), photos sur émail ou sur porcelaine qui tapissent les murs et garnissent les vitrines de ce paradis pour amateurs de « machines à contempler le monde ».

GARNIER-ARNOUL

● **6e** - *39, rue de Seine (354.80.05).*

Spécialisé dans les photos d'artistes de spectacle.

GÉRARD LÉVY

● **7e** - *17, rue de Beaune (261.26.55).*

Spécialiste de l'Extrême-Orient, il s'est par ailleurs intéressé, parmi les premiers, à la photographie ancienne. Plusieurs de ses daguerréotypes et photos très rares ont été achetés par des musées et certains ont été exposés au Grand Palais lors de l'exposition sur le Second Empire. Reçoit sur rendez-vous.

L'OCTANT

● **8e** - *10, rue du 29-Juillet (260.68.08).*

Alain Paviot a renoncé depuis peu à s'intéresser aux instruments scientifiques et de marine pour se consacrer exclusivement — jusqu'à nouvel ordre — à une seconde passion : la photographie ancienne. Il collectionne donc, achète et vend des tirages de photographes français du XIXe siècle qu'il prête éventuellement pour des expositions à l'étranger ou qu'il expose lui-même dans son magasin-galerie.

Où dîner le dimanche ? Voir p. 108.

ALAIN VIAN

● **6e** - *8, rue Grégoire-de-Tours (354.02.69).*

Le frère de Boris Vian a ajouté à sa panoplie de spécialités la vente d'appareils photographiques anciens (et également de documents photographiques). Les instruments de musique demeurant vraiment son violon d'Ingres.

ARGENTERIE ET ORFÈVRERIE

ANDRIEUX

● **6e** - *15, rue de Sèvres (548.27.18).*

Une vieille et sérieuse maison où vous trouverez de belles pièces d'orfèvrerie ancienne et aussi des boîtes d'or et des objets de vitrine.

PIERRE ANDRIEUX

● **8e** - *66, fg Saint-Honoré (265.62.07).*

Mme Andrieux vend de l'orfèvrerie ancienne mais aussi un grand choix d'objets en métal argenté pour les cadeaux de mariage ainsi que des bracelets et des bijoux.

BAC STREET

● **7e** - *1, rue du Bac (261.24.20).*

Bien présentée, de la belle argenterie française et anglaise, surtout de la seconde moitié du XIXe siècle. Également des bijoux de la même époque.

ÉLÉONORE

● **8e** - *18, rue de Miromesnil (265.17.81).*

Très bonne boutique où l'on trouve un choix remarquable d'argenterie du XVIIIe, des objets de curiosité et où l'on peut compulser une documentation très complète sur les poinçons français et étrangers si l'on désire identifier sa propre argenterie.

JOSÉPHINE

● **6e** - *1, rue Bonaparte (326.49.73).*

Mme Coulommier est l'une des reines du marché de l'orfèvrerie ancienne, ce dont elle se défend avec une modestie farouche. Vous serez comblé par la variété, le goût et la magnificence des pièces (du XVIIIe siècle à nos jours) qu'elle présente.

JACQUES KUGEL

● **1er** - *279, rue Saint-Honoré (260.19.45).*

Le plus grand spécialiste en France et l'un des très grands du monde entier. On trouve chez Kugel des vaisselles princières, de l'argenterie royale, mais aussi des tableaux, des objets de haute curiosité, des meubles, des lustres, bref tout ce qu'il faut pour meubler un hôtel particulier avenue Foch.

AUX OCCASIONS DU BAC

● **7e** - *88, rue du Bac (222.11.42).*

De charmantes pièces anciennes, des petites boîtes, des bibelots et aussi des bijoux d'époque, à des prix modérés.

OXEDA

● **1er** - *390, rue Saint-Honoré (260.27.57).*

Belle orfèvrerie ancienne et moderne.

AU VIEUX PARIS

● **2e** - *4, rue de la Paix (261.00.89).*

Belles argenteries anciennes de Paris, sélectionnées avec un goût très sûr par Michel Turisk.

ARMES

BEAUCOUP d'antiquaires spécialisés dans les objets de curiosité vendent des armes anciennes, mais ils ne sont pas pour autant d'authentiques spécialistes de la question comme ceux dont les noms suivent. Sachez que l'arme ancienne est l'un des objets de collection les plus courus aujourd'hui, qu'il s'agisse de l'arquebuse ou de la baïonnette 14-18, en passant par le Winchester de la conquête de l'Ouest. C'est dire que les prix en sont fort élevés et aussi que les faux pullulent, parfois diaboliquement camouflés.

BONNARD

● **4e** - *23, quai aux Fleurs (633.66.31).*

Armes anciennes, coiffures et uniformes militaires.

R. JOHNSON

● **1er** - *16, quai du Louvre (236.56.61).*

Comme son père avant lui, cet homme étonnant est un spécialiste passionné, intarissable et incollable des armes, des équipements et des décorations de tous pays. Dans son vieux magasin voisinent pêle-mêle les uniformes de grognards et les cottes de maille, les couleuvrines, les sabres d'abordage et les fusils à mèche.

CHARLES MARCHAL (Aux Armes de France).

● **8e** - *46, rue de Miromesnil (265.72.79).*

Un des grands spécialistes français des armes de collection, des objets de marine, des décorations et des soldats de plomb qui compte parmi ses clients célèbres l'Elysée et M. Poniatowski.

ART POPULAIRE (et folklorique)

AUJOURD'HUI, toute menuiserie tenant à l'horizontale une masse de bois soigneusement mal équarrie prétend à la « table rustique ». Les trous de vers obtenus au sucre, à la vrille, au clou trempé ou au fusil de chasse, les fumages, brûlages, huilages et autres tripatouillages concourent merveilleusement à abuser le profane. Montrez-vous donc tâtillon, prudent, circonspect, surtout lorsque les prix vous semblent déraisonnables, ce qu'ils sont de plus en plus, eu égard à la vogue croissante du retour à la nature.

PIERRE-G. BERNARD

● **8e** - *1, rue d'Anjou (265.23.83).*

Un passionné de l'histoire des métiers qui collectionne et vend des outils anciens et tout ce qui se rapporte à l'art de la table (à manger et à écrire). Des casseroles gallo-romaines en bronze aux couverts individuels que l'on avait toujours sur soi en voyage jusqu'aux petits bols extrême-orientaux en étain rehaussé de cuivre, aux moules à beurre et à gâteaux d'autrefois. Qu'il s'agisse du vin — un de ses sujets préférés — ou de toute autre chose, Pierre-G. Bernard recherche — et trouve — tous les objets et documents qui s'y rapportent. Un véritable antiquaire-orchestre.

ROBERT GUIGUE

● **1er** - *16, rue des Halles (233.68.97).*

L'un des meilleurs spécialistes du meuble peint (principalement de la vallée du Rhin). Panneaux muraux Restauration. Autre boutique au Louvre des Antiquaires, allée Mackintosh.

SONKIN

● **7e** - *10, rue de Beaune (261.27.87).*

Une charmante galerie qui sent bon la cire et se trouve à l'emplacement même de l'ancienne caserne des Mousquetaires gris. On y trouve de beaux meubles rustiques anciens (armoires à pain, tables de ferme) et divers objets campagnards (marques à beurre, boîtes à sel, tables à gruyère, colliers de brebis, etc.), qui intéressent fort les musées français et étrangers.

ALIETTE TEXIER

● **1er** - *41, quai de l'Horloge (354.72.72).*

Meubles régionaux d'excellente qualité vendus

au prix fort avec toutes sortes d'objets de bois, d'étain, de cuivre et surtout de fer forgé, à usage rural et domestique. L'inventaire des dernières trouvailles de cette collectionneuse — qui s'est intéressée avant tout le monde à l'art populaire ancien — occuperait plusieurs pages de ce livre. Depuis la varlope du XVIIIe siècle jusqu'aux fers à faux de l'Ile-de-France, tout est là. Sa clientèle est fidèle, fortunée, et chaque jour plus étendue.

AUTOMATES ET POUPÉES

LA quête des poupées anciennes est hasardeuse, et les belles sont disputées. Leurs grands amoureux n'hésitent pas à sortir de leur bourse 4 000 F et même plus pour un sourire et des yeux de porcelaine. Quant à ceux qui ont le goût des automates, le musée des Arts et Métiers, à Paris, le merveilleux (et récent) musée de Neuilly (voir au chapitre « Musées ») et la collection de Galéa, à Monte-Carlo, les éblouiront à peu de frais. Voici quelques bonnes adresses de marchands :

SOPHIE DU BAC

• **7e** - *109, rue du Bac (548.49.01).*

Sa collection de poupées a eu son heure de gloire dans le film « Marie Poupée ». Ce sont de jeunes personnes de marque, nées pour la plupart avant 1914 et qui ne valent jamais moins de 1 000 F. Elles s'accompagnent de leur mobilier, vaisselle, et accessoires (vêtements, chapeaux, parapluies, etc.). Sophie du Bac se charge également de restaurer les poupées anciennes. Une spécialité amusante : les fèves en porcelaine que l'on cachait autrefois dans la galette des Rois (de 3 à 500 F).

ROBERT CAPIA

• **1er** - *24-26, galerie Véro-Dodat (236.25.94).*

Les collectionneurs connaissent bien le plus grand spécialiste des poupées anciennes installé dans le passage le plus oublié de Paris, la galerie ouverte en 1826 par les charcutiers Véro et Dodat. Les poupées Capia sont signées des noms de Jumeau, Steiner, Bru, Rohmer, Gaultier, Schmitt, etc. Avec leurs trousseaux entiers, enserrés dans leurs malles, elles déploient toutes leurs séductions. Le choix est immense et les prix — compte tenu de la qualité des poupées — sont « justifiés ».

CURIOSITÉS

• **7e** - *36, rue de l'Université.*

Amusant fouillis de bibelots romantiques, poupées anciennes, automates et boîtes à musique.

LA GALERIE PITTORESQUE

• **6e** - *133, bd Raspail (548.89.98).*

Pittoresque par ses poupées du XIXe siècle, de toutes tailles, exposées entre des pièces de vaisselle et de verrerie anciennes et de menus objets de vitrine en argent, en écaille ou en céramique.

NEW FORM

• **1er** - *33, rue Saint-Denis (233.37.01).*

Attention, seules les robes des poupées ont été taillées dans des coupons anciens. Les corps de tissu et les visages de porcelaine peints à la main ont été conçus par des artistes imaginatifs et habiles qui se sont librement inspirés des catalogues, des gravures de mode et des costumes de théâtre du temps passé. Réalisation, sur commande, de poupées exécutées d'après une photographie ou sur un thème donné.

MONSIEUR RENARD

• **6e** - *6, rue de l'Echaudé (325.70.72).*

Le premier étage de son magasin abrite les nombreuses poupées de sa collection personnelle. Mais Alain Renard est aussi marchand et vend des poupées anciennes des marques célèbres, dans leurs somptueuses robes d'origine, des automates de qualité et des jouets anciens. Dans la boutique-sœur (et contiguë), à l'enseigne du « Beau Noir », vous trouverez des curiosités 1900, des meubles en rotin ou Napoléon III et surtout des chiens et des nègres en terre cuite, fabriqués à Vienne à la fin du siècle dernier pour le marché américain et redevenus aujourd'hui très en vogue.

BIJOUX

LES BIJOUX ANCIENS

• **7e** - *16, bd Raspail (548.51.56).*

Les Sartorio ont un choix immense de beaux bijoux anciens, depuis le XVIIIe siècle jusqu'aux bracelets 1925, en passant par les bagues romantiques et les sautoirs Napoléon III. Les prix sont généralement assez peu élevés, compte tenu de la qualité et de l'authenticité des pierres. Collection de camées de la Renaissance à la fin du XIXe siècle. Grand choix de bagues de fiançailles.

GARLAND

• **2e** - *13, rue de La Paix (261.17.95).*

Mme Giscard d'Estaing, Jean Yanne, Juliette

Gréco, parmi beaucoup d'autres, affectionnent les bijoux rares et anciens que Minouche leur vend avec un petit pincement de cœur. Première femme antiquaire en bijoux de Paris, elle a vu passer dans sa vitrine le bracelet offert par le Tsar à Sarah Bernhardt et tout récemment un superbe collier du XIXe, ayant appartenu au roi Farouk. Une de ses spécialités est le bijou d'amoureux, destiné à porter témoignage d'une passion coupable ou cachée. Ces bijoux datent du début du XIXe siècle et sont aussi charmants qu'originaux et délicats. Egalement de nombreuses bagues de fiançailles anciennes qui permettent d'offrir à son élue un « bijou de famille ». Son mari, Bernard Messager, qui était chez Cartier, l'a rejointe pour créer des bijoux modernes, exposés ici même.

GILLET

● **4e** - *19, rue d'Arcole (354.00.83).*

Jolie boutique dissimulée parmi les magasins de souvenirs de Notre-Dame où l'on trouve un grand et beau choix de bagues romantiques et bijoux anciens, à partir de 350 F.

MICHEL PÉRINET

● **2e** - *26, rue Danielle-Casanova (261.49.16).*

Magnifiques bijoux Charles X, Napoléon III, 1900 (Lalique) et Art Déco (Fouquet, Templier) qui sont autant de merveilleux cadeaux pour la dame de vos pensées. Mais sachez que Périnet, lui, ne fait pas de cadeau.

SORELLE

● **6e** - *12, rue de l'Echaudé (633.59.41).*

Sympathique petite boutique où vous trouverez des bijoux « Arts Déco » en galalithe, des étuis et poudriers en laque et émail à dessins géométriques, qui font la joie de Paloma Picasso et de Karl Lagerfeld. Et aussi des lampes en pâte de verre, des lampes, etc.

STYLES

● **5e** - *33, rue des Ecoles (354.09.66).*

Stock innombrable de petits bijoux assez bon marché : bagues, bracelets, colliers, sautoirs, broches et boucles terriblement démodés et donc furieusement à la mode, celle des années 30 à 50. Objets de vitrine 1900.

BOIS DORÉS ET SCULPTÉS, CADRES, MIROIRS

Ils sont très rares et en conséquence très chers. Vous en trouverez dans ces excellentes maisons :

BAC

● **6e** - *37, rue Bonaparte (326.82.67).*

Un stock immense de cadres, consoles et glaces de bois doré des XVIIe et XVIIIe siècles, dont la qualité est bien connue des grands marchands de tableaux et des musées.

MARGUERITE FONDEUR

● **7e** - *24, rue de Beaune (261.25.78).*

Ce n'est pas dans cette vieille et bonne maison, fondée il y a cinquante ans par les parents de Mme Fondeur, que l'on trouvera des angelots odieusement trafiqués en Italie ou en Espagne. Mais l'acquisition d'un bel objet de bois doré du XVIIIe siècle et d'une authenticité à toute épreuve exige la possession d'un portefeuille argenté.

LEBRUN

● **8e** - *155, fg Saint-Honoré (561.14.66).*

Trumeaux, glaces, consoles, baromètres, bois sculptés mais surtout de merveilleux cadres (du XVe au XVIIIe siècle), constituant le plus grand stock de Paris. Restauration d'une qualité exceptionnelle et parking dans l'immeuble, ce qui est bien précieux !

NAVARRO

● **6e** - *15, rue Saint-Sulpice (633.61.51).*

Consoles, cadres anciens et beaux miroirs des XVIIIe et XIXe siècles en bois doré ou en écaille. Ces objets sont gracieusement prêtés avant achat pour être « essayés » à domicile et ont tous un certificat de garantie.

BOUTONS

CURIOSITÉS

● **7e** - *36, rue de l'Université.*

Un joli choix de boutons français et étrangers de l'époque romantique et aussi de la Belle Epoque.

MARGUERITE FONDEUR

● **8e** - *18, rue d'Anjou (265.11.56).*

Alignés là, en argent, en porcelaine, en nacre ou en strass, gravés à la main, de Louis XIV à la Belle Epoque, un choix étourdissant de vieux boutons. Aussi bien ceux qui ornaient les uniformes que ceux qui garnissaient les vestes masculines « du temps passé ». Cette spécialiste s'adresse aujourd'hui aux collectionneurs ou aux dandys soucieux de singulariser leur tenue avec des petits boutons de gilet 1900 en pâte de verre noire à fleurettes vertes ou, par exemple, une originale paire de boutons de manchettes argentés représentant des canards ou des bécasses gravés. La vendeuse est là depuis trente ans et vous accueille toujours avec la même gentillesse.

BRONZES

AIR DE CHASSE

● **7e** - *8, rue des Saints-Pères (260.25.98).*

Bronzes animaliers. Voir aussi « Objets insolites et jolie brocante ».

BRONZES DE STYLES

● **12e** - *74, fg Saint-Antoine (343.36.36).*

Une minuscule boutique où l'on peut trouver à peu près tous les modèles de poignées de portes et de tiroirs, de têtes de clés, de plaques de propreté et de luminaires fabriqués depuis Louis XIV jusqu'au début de ce siècle. Près de 6 000 modèles, exposés au premier étage, que vous pourrez faire copier à volonté. Les bronzes vendus ne sont pas anciens, mais la maison moule à la demande, sur catalogue, sur des moules anciens.

FRED GUIRAUD

● **16e** - *9, rue de Belloy (704.33.86).*

Bronzes animaliers des grands sculpteurs des XIXe et XXe siècles (Barye, Frémiet, Moigniez, Pompon, Bugatti). Uniquement des pièces d'époque, aucun retirage moderne. Egalement des marines du XIXe siècle de bonne facture : huiles, gouaches et aquarelles.

KUGEL

● **8e** - *279, rue Saint-Honoré (260.86.23).*

Grandes pièces, de la Renaissance au XVIIIe siècle, dignes des musées et des meilleures collections. Mais cela ne coûte rien d'y aller voir...

ALAIN LESIEUTRE

● **7e** - *9, rue de Beaune (261.16.81).*

Bronzes de la fin du XIXe siècle (Pompon, Barye, etc.). Clientèle très à la mode.

MOATTI

● **6e** - *77, rue des Saints-Pères (222.91.04).*

Grands bronzes européens, de la Renaissance au XVIIIe siècle, pour une clientèle de riches amateurs.

MOLOFF ET PIGNET

● **7e** - *33, rue Jacob (260.89.23).*

Choix très remarquable de bronzes anciens d'ameublement de toute époque. Reproductions sur modèles apportés par les clients. Réparations.

CANNES

MADELEINE GÉLY

● **7e** - *218, bd Saint-Germain (222.63.65).*

Plus de 400 cannes, toutes plus étonnantes les unes que les autres, de la canne-thermomètre à la canne-violon ou la canne-whisky.

PHILIPPE DE LA QUERRIÈRE

● **7e** - *27, rue de Beaune (261.00.84).*

Cannes anciennes, des plus simples aux plus onéreuses (à pommeau d'or).

CÉRAMIQUES, PORCELAINES, faïences, verrerie

CLAUDE BONNET

● **7e** - *20, rue de Beaune (261.22.61).*

Un bon spécialiste du XVIIIe siècle notamment des assiettes de l'époque de la Révolution.

CHARLES ET PHILIPPE BOUCAUD

● **7e** - *25, rue du Bac (261.24.07).*

Faïences populaires du XVIIIe siècle.

HÉLÈNE FOURNIER

● **6e** - *25, rue des Saints-Pères (260.21.81).*

Une boutique très classique, bien que relativement récente et un choix très sérieux de belles porcelaines et faïences des XVIIIe et XIXe siècles, notamment de Moustiers et des porcelaines de la Compagnie des Indes.

L'IMPRÉVU

● **6e** - *21, rue Guénégaud (354.65.09).*

Charmante petite boutique qui ravira tous les amateurs de barbotine et de faïence Belle Epoque : vases, assiettes imagées, toutes sortes d'objets amusants à collectionner et à offrir car bien que les prix grimpent sérieusement, ils sont encore accessibles.

KAOLINERIES

● **14e** - *150, bd du Montparnasse (326.37.87).*

Un bien doux nom pour cette boutique à la frange de l'antiquité et de la brocante, qui propose de bons objets de céramique et de cristal (services de vaisselle et de verres, etc.) dont se servaient nos grands-parents, et aussi quelques pièces plus précieuses.

GEORGES LEFÈVRE

● **7e** - *24, rue du Bac (261.18.40).*

Faïences, porcelaines et sculptures du XVIe au XVIIIe siècle vendues au Tout-Paris de la collection par ce grand expert de la céramique ancienne. Cette très vieille maison, qui fête son centenaire en 1980, a eu pour clients Victor Hugo, Marcel Proust et Georges Feydeau.

MOATTI

● **6e** - *77, rue des Saints-Pères (222.91.04).*

Spécialité de majoliques, parmi les bronzes, objets de vitrine et dessins de ce grand antiquaire.

NICOLIER

● **7e** - *7, quai Voltaire (260.78.63).*

L'un des plus grands de sa spécialité. Ses collections qui remontent à l'archéologie iranienne et chinoise sont d'une éblouissante richesse. On voit aussi chez lui de très nombreuses pièces de la Renaissance italienne (majoliques d'Urbino et de Gubbio). Les assiettes et les plats de faïence proposés par Nicolier sont, bien entendu, dans un parfait état, du moins quant à la fraîcheur de leur décoration et de leurs couleurs. Vente avec garantie, expertises.

JACQUELINE POLLÈS

● **8e** - *3, rue des Saussaies (265.47.90).*

Dans ce joli magasin refait à neuf, de très belles faïences anciennes des XVIIe et XVIIIe et un ensemble de céramiques chinoises d'une grande qualité.

PIERRE DE REGAINI

● **7e** - *6, rue de Beaune (261.25.36).*

Une vaste et belle sélection de porcelaines et faïences françaises des XVIIIe et XIXe siècles. Nombreuses miniatures et tabatières de Chine et d'Europe.

VANDERMEERSCH

● **7e** - *23, quai Voltaire (261.23.10).*

Un stock limité mais de qualité chez ce célèbre expert de céramiques anciennes.

CHEMINÉES (et accessoires)

BROCANTE DU BÂTIMENT (Hubert Vaudron)

● **10e** - *128, quai de Jemmapes (203.47.51).*

Fournit aux décorateurs et aux particuliers des cheminées, et aussi de beaux sols de récupération, de vieilles tuiles, des poutres anciennes, des auges, des cuviers, des lavoirs en pierre, qu'il va dénicher dans la France entière. Possède également un important dépôt à Boissy-le-Cutte, près d'Etampes.

DEHILLERIN

● **1er** - *18, rue Coquillière (236.53.13).*

Ce grand spécialiste des instruments de cuisine vend aussi des reproductions de plaques de cheminées anciennes.

FERNANDEZ

● **11e** - *36, rue Sedaine (700.67.59).*

Un grand choix de très belles cheminées, en pierre de Bourgogne, en bois, en marbre. Et aussi de fontaines de jardin. Clientèle de grands décorateurs et de personnalités.

LA JARDINIÈRE

● **9e** - *23, rue de Maubeuge (878.22.29).*

Très grand choix de reproductions anciennes. Voir « Décoration de la maison - Cheminées et accessoires de cheminées ».

JEAN LAPIERRE

● **3e** - *75, rue Vieille-du-Temple (274.07.70).*

Poutres, lambris, escaliers, parquets, entre autres vieilles pièces traditionnelles « dans l'état » (ou habilement restaurées). Mais surtout pierres anciennes, principalement du Mâconnais : cheminées entières ou en parties séparées (manteau, corniche, jambages, etc.), et curieuses margelles de puits.

ANDRÉE MACÉ

● **8e** - *266, fg Saint-Honoré (227.43.03).*

Cette excellente spécialiste a traversé la Seine pour installer sa maison centenaire connue jadis sous le nom de « Georges » dans le Faubourg Saint-Honoré. A côté d'objets d'art, de bustes, de statues, de puits et de fontaines, elle expose de merveilleuses cheminées d'époque, en pierre, en marbre et des plaques de cheminée anciennes.

PIERRE MADEL

● **6e** - *4, rue Jacob (326.90.89).*

Des landiers, des chenets, des pierres, des plaques, des pelles à cendre, tout pour la cheminée, en fer forgé poli. Et aussi des tournebroches, à poids et à ressorts, du XVIIe siècle à 1900.

POIRÉ

● **12e** - *2, passage du Chantier, 66, fg Saint-Antoine (343.27.21).*

Spécialiste et réparateur du marbre ancien, vend des cheminées de toutes époques à des prix raisonnables. C'est un fournisseur du Mobilier national.

ALIETTE TEXIER

● **1er** - *41, quai de l'Horloge (354.21.43).*

Plaques anciennes chez la meilleure spécialiste de Paris de l'art populaire.

CUIVRES ET ÉTAINS

ON en verra de magnifiques au musée des Arts et Traditions Populaires, route de Madrid, 16e.

PHILIPPE ET CHARLES BOUCAUD

● **7e** - *25, rue du Bac (261.24.07).*

Beaux étains de toutes époques. Le meilleur spécialiste de la place. Catalogue annuel, avec les prix, envoyé sur demande.

JACQUELINE DEBAY

● **16e** - *145, rue de la Pompe (727.42.33).*

Une mine de trésors pour les maisons de campagne et pour ceux qui possèdent à Paris cet autre trésor : une cheminée. Chenets, pelles et pincettes, porte-bûches, « club senders » (banquettes de cheminée), et autres objets en cuivre (chandeliers, lampes, etc.) du XIXe siècle, anglais surtout.

ALIETTE TEXIER

● **1er** - *41, quai de l'Horloge (354.21.43).*

Etains français de grande qualité chez cette célèbre spécialiste de l'art populaire.

HAUTE CURIOSITÉ

LES objets de « haute curiosité » sont aux simples objets curieux ce que les grands meubles estampillés sont à la brocante. Sous cette appellation entrent une infinité d'œuvres d'art qu'il serait vain de tenter d'énumérer mais qui, des nautiles aux bronzes de la Renaissance, en passant par les astrolabes, trouvent leur place dans les musées et les vitrines des grands collectionneurs, bardés de pedigrees prestigieux qui ne sont pas nécessairement usurpés. Le maître incontesté de la « haute curiosité » fut le merveilleux Nicolas Landau, disparu en 1979 et un des très rares hommes au monde à savoir faire « parler » les objets (et s'ils étaient muets sur leur origine, il parlait à leur place...).

DIDIER AARON

● **16e** - *32, av. Raymond-Poincaré (727.17.29).*

La plus belle clientèle de Paris achète ici, à prix d'or ses objets de vitrine, toujours fastueux et jamais à contre-courant de la mode.

AVELINE

● **8e** - *20, rue du Cirque (266.60.29).*

Un choix assez réduit mais un goût très sûr de l'objet rare (et aussi du meuble de grande collection). Les prix supersoniques n'effraient pas la richissime clientèle qui fréquente chez Aveline pour le plaisir de se laisser étonner.

LE CABINET DE CURIOSITÉ

● **7e** - *23, rue de Beaune (261.09.57).*

Mme Jean Hébert poursuit avec la même passion et la même gentillesse l'œuvre de son mari, disparu en 1979 et qui était un merveilleux curieux et un homme d'une rare modestie. Ses objets (instruments scientifiques, jeux, outils, bois anciens, etc.) n'ont d'autre ambition que de charmer l'œil et l'esprit. Choisis avec un goût délicieux, ils n'ont en tout cas rien à se reprocher et c'est toujours une joie d'aller fouiner dans cette boutique exquise.

GALERIE DEMACHY

● **7e** - *31, rue de Grenelle (222.69.56).*

Nouvelle galerie où Alain Demachy expose de très beaux et très raffinés objets du XVIIe au XIXe siècle qui n'ont d'autre lien entre eux que son goût très sûr. Egalement de rares et jolis meubles et des tableaux.

JACQUES KUGEL

● **8e** - *279, rue Saint-Honoré (260.19.45).*

Spécialiste n° 1 de l'orfèvrerie et de l'argenterie anciennes, Kugel a élargi considérablement le champs de ses activités. Ses connaissances encyclopédiques, son flair et ses moyens financiers font merveille dans les grandes ventes internationales où il est toujours parmi les premiers.

MOATTI

● **6e** - *77, rue des Saints-Pères (222.91.04).*

Dans son hôtel particulier, ce célèbre antiquaire présente un ensemble de bronzes et objets de collection des plus raffinés.

MICHEL SEGOURA

● **7e** - *11, quai Voltaire (261.19.23).*

Ce jeune et excellent antiquaire est d'abord un spécialiste des tableaux anciens, mais on trouve toujours dans sa galerie quelques objets précieux (cabinets, nautiles, objets de curiosité) choisis avec un goût très sûr.

INSTRUMENTS DE MUSIQUE

ANDRÉ BISSONNET

● **3e** - *6, rue du Pas-de-la-Mule (887.20.15).*

Un personnage que cet André Bissonnet. Frère du célèbre boucher Jean Bissonnet et lui-même dans le métier pendant des années, il s'est pris de passion pour les instruments musicaux anciens — dont il sait d'ailleurs parfaitement jouer — et se rendant à lui-même son tablier, il a fait de sa boucherie, au décor intact, un des magasins les plus amusants de Paris où vous trouverez d'incroyables instruments dont certains sont de vraies pièces de musée.

ROBERT CAPIA

● **1er** - *24-26, galerie Véro-Dodat (236.25.94).*

En plus des poupées anciennes (voir plus haut), Robert Capia collectionne les phonographes anciens, avec pavillons de cuivre ou tôle peinte. On peut aussi lui acheter des phonos à cylindres ; ils sont en parfait état de marche et l'atelier du premier étage assure le service après-vente. Les nombreux cyclindres permettent d'entendre la voix de Coquelin, de Sarah Bernhardt ou de Caruso.

RENÉE-LUCE DENIS

● **5e** - *11, quai de Montebello (633.43.63).*

A moitié ouvert (l'après-midi, et de 15 à 19 h seulement), à moitié fermé (par les hauts volets vermoulus de sa principale vitrine), ce magasin à l'ancienne (ravissant escalier en spirale) cache dans son demi-jour des instruments de musique plus anciens encore. Rares instruments à cordes pincées principalement : harpes, clavecins, épinettes, lyres, mandolines et autres mandoles.

ALAIN VIAN

● **6e** - *8, rue Grégoire-de-Tours (354.02.69).*

La boutique du frère de Boris qui tenait la batterie au Tabou est un amusant repaire de collectionneurs et de curieux. Spécialiste des instruments à cordes, anches et embouchures Alain Vian s'est reconverti — ces pièces devenant de plus en plus rares — dans la boîte à musique, l'orgue de manège, l'orchestrion, les accordéons anciens, les violons automatiques et les appareils de photo anciens. Son instrument chéri est l'orgue de Barbarie. Il ne se contente pas d'en vendre, il leur fabrique même de la musique moderne en bandes perforées. Alain Vian, secrétaire général de la Compagnie des Experts, se fait un plaisir d'examiner tous les objets qu'on lui apporte.

Envoyez-nous vos bonnes adresses.

INSTRUMENTS SCIENTIFIQUES ET DE MARINE

BALMÈS-RICHELIEU

● **3e** - *21, pl. des Vosges (887.20.45).*

M. Balmès possède quelques-uns des plus beaux objets de marine que l'on puisse trouver à Paris. Néanmoins les grandes spécialités de cet expert restent l'horlogerie et les instruments scientifiques du XVIe au XIXe siècle.

ALAIN BRIEUX

● **6e** - *48, rue Jacob (260.21.98).*

Le grand spécialiste des astrolabes. Et un choix d'objets, rigoureux et scrupuleux : instruments de physique, d'optique, et de médecine. Ouvrages anciens sur ces sujets.

LE CABINET DE CURIOSITÉ

● **7e** - *23, rue de Beaune (261.09.57).*

Charmante boutique où parmi les objets de collection, souvent insolites, de M. Hébert, vous trouverez des instruments scientifiques anciens.

CHAMBON

● **7e** - *6, rue de l'Université (260.22.66).*

● **8e** - *44, rue de Miromesnil (265.34.98).*

Vous trouverez dans les deux magasins, rive gauche et rive droite, de beaux instruments de la marine d'antan parmi les maquettes, tableaux de marine, soldats de plomb, souvenirs historiques ou militaires et autres curiosités intéressantes.

CHRISTOFER

● **16e** - *87, av. Paul-Doumer (527.65.05).*

Claude Lasserre est un spécialiste des antiquités de marine, des instruments scientifiques anciens et de haute curiosité. Il propose également des meubles au pied marin, de la ferronnerie et des tableaux, aquarelles et dessins — de marine, bien entendu.

MARCHAL

● **8e** - *46, rue de Miromesnil (265.72.79).*

Ce grand spécialiste des souvenirs historiques et militaires a toujours de très beaux objets de marine.

ROUX-DEVILLAS

● **6e** - *12, rue Bonaparte (354.69.32).*

Dans cette grande et belle boutique à l'ancienne, une bonne sélection d'instruments de marine, de physique et d'optique, ainsi que des cartes anciennes, des documents et de vieux livres de sciences et de géographie.

SUC

● **7e** - *30, rue des Saints-Pères (548.67.42).*

Gilbert Suc n'a pas changé d'adresse mais sa boutique se trouve désormais dans la cour et il n'y reçoit que sur rendez-vous. Ce remarquable antiquaire s'intéresse aux objets scientifiques et de navigation du XIIIe au XIXe siècle : globes, sphères armillaires, microscopes, sabliers, etc. Egalement quelques très beaux instruments de musique (violes) et toutes sortes d'objets insolites tels que des défenses de narval sculptées. La cour d'Angleterre, l'Elysée, le prince et la princesse de Monaco ont recours à ses bons offices.

La chine chez Emmaüs

COMMUNAUTÉS D'EMMAÜS

● **78 Bougival** - *Ile de la Loge (969.12.41).*

● **93 Neuilly-sur-Marne** - *7, bd Louis-Armand (300.05.52).*

● **93 Neuilly-Plaisance** - *38, av. Paul-Doumer (300.14.10).*

● **95 Saint-Prix** - *53, av. Général-Leclerc (416.68.53).*

● **94 Le Plessis-Trévise** - *41, av. Lefèvre (576.10.79).*

Du lundi au vendredi de 14 h à 17 h, le samedi de 9 h à 12 h et de 14 h à 17 h.

Des milliers d'objets de récupération s'entassent dans ses entrepôts créés par l'abbé Pierre, il y a vingt-cinq ans déjà. Les prix sont sans concurrence pour des objets parfois d'excellente qualité. On y trouve des vieux meubles, de la vaisselle, des appareils électro-ménagers en état de marche, des lits, des vêtements, etc. La Communauté féminine du Plessis-Trévise fabrique aussi à bas prix d'excellents matelas de laine. Quant aux meubles, vêtements et autres objets dont vous n'avez plus d'utilisation et qui peuvent encore servir, ils sont enlevés à domicile (téléphoner au 236.43.80).

IVOIRES

CLAUDE FERMENT

● **6e** - *7, rue des Saints-Pères (260.74.00).*

Sans changer de quartier, Claude Ferment a quitté son petit magasin au fond d'une cour, rue de Seine, pour s'installer rue des Saints-Pères, où il a désormais pignon-sur-rue et où il expose les plus beaux ivoires anciens qu'on puisse trouver à Paris et peut-être même en Europe.

JEUX ET JOUETS

ROBERT CAPIA

● **1er** - *24-26, galerie Véro-Dodat (236.25.94).*

Collectionneur de bilboquets (il ne les vend pas), Robert Capia, célèbre pour ses poupées, s'intéresse aussi, et de fort près, aux jouets anciens. Il en a d'innombrables, par exemple des jacquets, des dominos d'os ou d'ivoire, des jeux de construction du passé, illustrés de charmantes lithos et quelques automates.

Où manger quoi ? Voir p. 112.

GALERIE 13

● **6e** - *13, rue Jacob (326.99.89).*

Intelligente et belle sélection de jeux de société que l'on choisit, l'hiver, devant la cheminée où brûle un bon feu. On découvre ainsi les échiquiers des XVIIIe et XIXe siècles français, anglais ou chinois, des jeux de tric-trac de haute qualité à jetons en ivoire et en ébène, de mah-jong (de 800 à 2 000 F), de jaquet ou de backgammon, de dames, de dominos et de cartes. Boîtes et coffrets du XIXe siècle en marqueterie (à partir de 200 F). Parallèlement, la galerie expose (et vend) des pierres graphiques de Claude Boullé : paesineo, jaspe de l'Oregon, grès à paysages, septaries, marbres de Bristol (à partir de 50 F).

PAIN D'ÉPICE

● **9e** - *29-31, passage Jouffroy (770.82.65).*

Françoise Blindermann aime les planches d'images d'Epinal, les guignols, les découpages, les miniatures, les jeux d'échecs ou de cartes dont quelques-uns sont anciens. Nombreux accessoires de poupées, puzzles et jeux en bois, serrés dans des bocaux ou dans des paniers d'osier.

PIERRE SIEUR

● **7e** - *3, rue de l'Université (260.75.94).*

Chez ce « marchand de rêves et d'évasion »,

jeux de solitaires, cartes et casse-tête, ainsi qu'une intéressante collection de jouets d'aviation et de belles maquettes de voitures anciennes que se sont disputés ou se disputent encore Paul Claudel, Pablo Neruda, Michel Debré, Ingrid Bergman et Grace de Monaco.

STEAM

● **7e** - *21, rue de Bourgogne (555.58.27).*

Une fascinante et récente boutique entièrement consacrée aux machines à vapeur et locomotives anciennes. Voir « Jeux, loisirs, etc. ».

MA TANTE ZOÉ

● **15e** - *4, rue de la Croix-Nivert (567.95.73).*

Poupées, jouets et curiosités du siècle dernier. Zoé ouvre son magasin l'après-midi seulement.

A LA TOUPIE SAVANTE

● **5e** - *7, rue Frédéric-Sauton (329.37.08).*

La rieuse (et américaine) Jane Bouvard est devenue, en quelques saisons l'une des spécialistes de l'amusement « de société ». Vous trouverez en effet chez elle des jeux et des jouets anciens du monde entier, et notamment des toupies dont elle a rassemblé un choix extrêmement étendu : en bois, en ivoire, en bronze, en os, et aussi toupies primitives en pierre, encore en usage chez certaines tribus d'Océanie, et gyroscopes d'exécution extrêmement soignée, et sabots, entre autres toupies à fouet ou à lacet (cylindriques, coniques, plates), sans oublier les totons ni les autres toutes simples toupies à main, ni les modèles de toupies ronflantes et sophistiquées. Egalement des boules en bois et en ivoire, des jeux : tric-trac, échecs, loto-dauphin, fléchettes, croquet de salon, quilles, etc. Et parmi les objets les plus ostensiblement précieux : des coffrets à jeux divers combinant les bois précieux et l'ivoire. L'après-midi seulement.

BERNARD DE WITT

● **1er** - *7, rue de la Ferronnerie (508.95.46).*

Voir « Jeux, loisirs, musique, etc. - Magasins de jeux ».

LAMPES ET LUMINAIRES

COLIN-MAILLARD

● **8e** - *11, rue de Miromesnil (265.43.62).*

Un joli choix de potiches et d'objets anciens montés en lampes (ou à monter). Voir aussi « Décoration de la maison - Abat-jour ».

Consultez la table des matières : p. 631.

JOHN DEVOLUY

● **6e** - *3, rue Jacob (326.41.55).*

XIXe siècle anglais et français. Ancien et surtout copie d'ancien. Excellente maison.

LECOULES

● **9e** - *62, rue Taitbout (874.69.69).*

Maison très réputée pour ses luminaires exécutés par les grands artisans de la seconde moitié du XIXe siècle. Egalement des meubles et objets d'art.

RENONCOURT

● **6e** - *1, rue des Saints-Pères (260.75.87).*

Chez ce grand spécialiste de l'Empire et de la Restauration, d'admirables lustres du XIXe, français et parfois russes.

MINÉRAUX ET COQUILLAGES

BOUBÉE

● **5e** - *97, rue Monge (707.01.21).*

Fossile, cailloux précieux, insectes rares, trésors empaillés, squelettes et objets scientifiques : tout pour satisfaire aux exigences de l'Education Nationale et d'une clientèle de collectionneurs — en herbe ou avertis.

CLAUDE BOULLÉ

● **6e** - *13, rue Jacob (326.99.89).*

André Breton, Roger Caillois, Viera da Silva se sont passionnés pour les pierres d'intérêt graphique (pierres imagées, pierres à paysages) de cet excellent spécialiste qui a le goût des minéraux rares et insolites. Très belles coupes en calcaire de Toscane, marbres de Bristol, jaspes de l'Oregon, grès de l'Utah, etc., mais pas de coquillages.

MICHEL CACHOUX

● **6e** - *29, rue Guénégaud (354.52.15).*

Michel Cachoux propose à ses visiteurs un spectacle vraiment enivrant. Plusieurs mois par an, ce géologue va lui-même chercher ses trésors minéraux au Brésil, aux Etats-Unis, à Madagascar, en Amérique Centrale ou simplement dans les Alpes. Il les fait découper ensuite et polir avec un art prodigieux. De marchand de pierres étranges ou rares, il devient chaque saison un peu plus inventif et créateur proposant même à présent des bijoux de pierres rares, créés par la femme du sculpteur César. Il a ouvert juste en face une seconde galerie où l'on trouve des pierres à des prix plus accessibles. Deux fois par an, il organise des expositions thématiques du plus grand intérêt.

DEYROLLE

● **7e** - *46, rue du Bac (222.30.07).*

Salvador Dali s'y fournit en cornes de rhinocéros. Grand choix de coquillages et minéraux de qualité.

IVANA DIMITRIE

● **1er** - *36, galerie Montpensier (297.47.68).*

Beaux fossiles, coupes de pierres, broches en agathe et améthyste, bijoux exotiques.

MINÉRAUX ET GEMMES

● **8e** - *164, fg Saint-Honoré (256.32.67).*

Dans une belle boutique, de très belles pièces de minéralogie, importées directement. Plusieurs expositions chaque année. Bijoux d'or et d'argent, pièces uniques créées autour d'une pierre gemme.

MONNAIES ET MÉDAILLES

LES numismates sont proches du célèbre département des monnaies et médailles de la Bibliothèque Nationale.

ÉMILE BOURGEY

● **9e** - *7, rue Drouot (770.35.18).*

Un des grands spécialistes, avec Vinchon, de la numismatique dont il est un expert réputé.

NUMISMATIQUE ET CHANGE DE PARIS

● **2e** - *3, rue de la Bourse (297.50.74).*

Dans sa succursale, Jean Vinchon pratique le change des monnaies d'or et d'argent (avec garantie totale de reprise), vend des billets anciens, de la numismatique contemporaine et des ouvrages spécialisés.

JEAN VINCHON

● **2e** - *77, rue de Richelieu (297.51.78).*

Jean Vinchon et aussi ses deux filles, Annette et Françoise, sont les experts les plus écoutés de la spécialité. Ses monnaies datent de Crésus à nos jours, mais il possède aussi des documents pré-monétaires dont l'origine se perd dans la nuit des temps. C'est Jean Vinchon qui a aidé Roger Peyrefitte à constituer sa très fameuse collection de monnaies grecques qui fut dispersée pour un prix fabuleux. Nous avons vu dans ses médailliers des drachmes antiques en argent à partir de 1 000 F, des statères d'or à 5 000 F premier prix et des deniers romains d'argent à 500 F. C'est le prix auquel on peut trouver ces monnaies, plus que jamais de collection. Jean Vinchon se fait une joie de donner de précieux conseils aux apprentis collectionneurs.

OBJETS INSOLITES ET JOLIE BROCANTE

AIR DE CHASSE

● **7e** - *8, rue des Saints-Pères (260.25.98).*

Chez Janine Gerhard, la « Diane des Saints-Pères », on trouve tout ce qui se rapporte de près ou de loin à la chasse à tir et à courre : c'est-à-dire des gravures des XVIIIe, XIXe et XXe siècles, des bibelots, des bronzes animaliers, des appeaux et des oiseaux en terre cuite. Grande clientèle mondaine et chasseresse.

ARCANA

● **3e** - *83, rue Vieille-du-Temple (278.19.22).*

Le royaume de la boîte. Rien que des boîtes, en cuir, en marqueterie, en bois incrusté de nacre ou d'ivoire, en paille, en papier mâché, etc. Des boîtes à cigares, à musique, à pilules ou à fards, des écritoires de voyage, d'anciennes boîtes à thé, à café ou à épices en métal peint, des caves à liqueur et des boîtes à ouvrage.

ATALANTE

● **92 Levallois-Perret** - *23, rue Edouard-Vaillant (737.28.16).*

Antiquaire de son jeune état, M. Bardini cache, sous un patronyme giralducien, la passion de Paul Morand pour les bolides de l'entre-deux-guerres. On trouve en conséquence dans sa sombre échoppe toutes les revues françaises d'époque, spécialisées dans l'automobile. Et des morceaux savamment choisis des plus précieuses carrosseries européennes (notamment calandres). C'est chez lui, à n'en pas douter, qu'est née récemment la « collectionnite » de « mascottes », figures de proues ornant généralement les bouchons de radiateurs. L'aigle (Chenard et Walker), la cigogne (Hispano-Suiza), la cocotte (Voisin), le lion en trois tailles différentes (Peugeot), la victoire ailée (Farman), la Minerve (Minerve) et la légendaire lady (Rolls) comptent parmi les plus classiques. Mais il en est d'autres — uniques ou presque —, dues à l'imagination de dessinateurs célèbres : Lalique (allégorie de la vitesse pour Delage), Roland-Pilain (sphinx ailé), Pinchon (Bécassine), etc.

ATELIER 12

● **7e** - *12, rue des Saints-Pères (260.81.00).*

Des coquillages peints, des carapaces de tortue transformées en objets, des œufs d'autruche, des statuettes montées en lampe, etc. On aime... ou on n'aime pas, mais la vitrine — spectaculaire — mérite qu'on traverse la rue.

ATELIER MAZOT-MEYER

● **7e** - *32, rue de Verneuil (261.08.39).*

Un fouillis divertissant (meubles en bambou et rotin, etc.), où l'on déniche de l'amusante vaisselle en faïence fin de siècle et 1900 et en barbotine, notamment des plats à asperges et des assiettes à huîtres en trompe-l'œil, vendues à des prix plutôt moins fous qu'ailleurs.

AUTREFOIS

● **14e** - *10, rue Ernest-Cresson (540.61.63). De 14 à 19 h.*

Trois fois rien, mais de ces petites choses qui donnent du charme à la vie : tables de toilette, brocs à eau, guéridons, objets champêtres, vaisselle 1900, carafes et verrerie, lampes et abat-jour, cadres, linge ancien, etc.

JEAN-ALAIN BIDEGAND

● **16e** - *9, rue de la Tour (520.57.67).*

Uniquement des boîtes et des coffrets anciens et ravissants par dizaines, à partir de 1 000 F : boîtes à cigares, à gants, à bijoux, à parfum, caves à liqueurs, nécessaires de voyage, boîtes de chirurgien, etc.

BOUTIQUE DU HASARD

● **6e** - *26, rue Mazarine (326.46.96).*

De tout et de rien à débattre. Ancien : en osier (sièges), rotin (tables), bois massif (meubles de pitchpin), éventuellement tourné (banquettes)... Et moderne : de moins d'importance encore (petites boîtes, petits objets exotiques, et autres curiosités).

BROCANTE STORE

● **6e** - *31, rue Jacob (260.24.80).*

Forts jolis meubles anciens d'origine anglaise et un fouillis d'objets, de coffres, d'instruments et de lampes.

BRUGIDOU

● **7e** - *18, rue de Beaune (260.55.33).*

Quelques objets insolites de toutes les époques et en particulier de fort jolis objets de maîtrise. Spécialiste aussi bien des cuivres, des livres anciens et des meubles rustiques, Bernard Brugidou exerce également la profession de brocanteur. Il existe des centaines de gens comme lui pour vous acheter tout ce dont vous ne voulez plus, mais l'ayant expérimenté, nous pouvons en tout cas vous le recommander chaudement : il est rapide et, surtout, il ne cherchera pas à vous rouler (il vous dira même, si vous le lui demandez, le prix auquel il espère revendre ce qu'il vous achète).

JEAN-PIERRE DE CASTRO

● **4e** - *17 et 23, rue des Francs-Bourgeois (272.04.00).*

Au 17, Jean-Pierre de Castro vous propose une jolie sélection de meubles en pin d'Écosse décapé, de la fin du XIXe siècle. A deux pas, au 23, il vend des meubles français rustiques en bois fruitier, de la même époque. Il est prêt à reprendre au même prix (dans un délai d'un an et sans obligation de rachat) les meubles que vous avez achetés chez lui et qui ont cessé de vous plaire. Jean-Pierre de Castro édite également d'amusantes tasses à moustache.

LA CAVALE

● **5e** - *10, rue Claude Bernard.*

Petit choix d'objets, bibelots, peintures, etc., à motifs ou d'inspiration animaliers.

COLONNA

● **7e** - *1, quai Voltaire (260.22.43).*

Jolie galerie où Claudine Chatel, inspirée par le goût de l'insolite, sélectionne avec bonheur des meubles et des objets anciens fort divers, mais généralement originaires de l'Orient et de la Chine. Plus que des pièces de collection, ce sont de séduisants objets de décoration.

COMOGLIO

● **6e** - *22, rue Jacob (354.65.86).*

Cet antiquaire étonnant, spécialisé dans le bizarre et l'insolite, était le fournisseur de Jean Cocteau et de Christian Bérard. De nombreux décorateurs de théâtre, de cinéma et de télévision viennent encore louer ou acheter chez Jacques Lejeune, son successeur depuis 1965, des éléments de décoration originaux tels que boiseries, vitraux, papiers peints, meubles, etc.

LES DÉPÔTS FRANÇAIS

● **11e** - *186, rue de la Roquette (372.84.66).*

Deux mille mètres carrés de hangars étalés au pied du Père Lachaise. On y trouve beaucoup de ces meubles de salles à manger petites-bourgeoises que la fin du dernier siècle para de l'appellation Henri II, et que — fait tout de même curieux — certains amateurs d'Europe du Nord (notamment hollandais) s'arrachent férocement depuis quelques années. Mais la direction, fort avenante, tend à s'orienter vers la vente de pianos : à partir de 3 800 F pour un « type Conservatoire » entièrement révisé et garanti 3 ans.

DUGRENOT

● **1er** - *18, rue de Montpensier (296.02.43).*
Un goût prononcé pour les objets et meubles baroques ou insolites, anciens comme modernes.

FANFAN LA TULIPE

● **6e** - *55, rue du Cherche-Midi (222.04.20).*
André Hollande est un expert polyvalent ès souvenirs historiques, héraldiques et articles de fumeurs. Il vend aussi bien un candélabre de la duchesse de Berry qu'une peinture naïve du XIXe siècle ou tout autre objet rare, précieux ou insolite, comme des pots à tabac, des assiettes de Creil, des cannes-épées et des cannes à pommeau précieux dont il s'est fait une spécialité.

GALERIE JACQUES CASANOVA

● **1er** - *25, galerie Montpensier (296.23.52).*
Des objets curieux, bizarres, parfois érotiques, des instruments de sorcellerie, des dessins et des peintures modernes inspirés par le goût de l'insolite dans cette galerie qui vient de fêter son 25e anniversaire.

LES GALERIES MODERNES

● **1er** - *30, rue Saint-Denis (508.91.47).*
Sans aucun doute, et pour l'instant, la plus cocassement réussie des brocanteries au goût du jour. C'est-à-dire qu'on s'y passionne pour l'an 40 — et ce qui le précèda et ce qui s'ensuivit — pour peu que l'esprit du temps s'y exprime en version miteuse : luminaires à la translucidité louche relevée de motifs bêtas (entendez animaliers), pâtisseries de carton pâte, meubles en simili-macassar dans une manière mal démarquée de celle de Ruhlmann, broches en fausse galalithe, tailleurs « genre Lanvin », banderoles publicitaires pour foires-expositions campagnardes, panneaux-annonces de films pour Kursaal Palaces de banlieue, etc.

LA MANSARDE

● **1er** - *6, rue des Pyramides (260.47.58).*
Après 15 ans de music-hall, la blonde Frédérica a quitté la scène pour ouvrir boutique. Celle qui était la voix française de Marilyn dans « Niagara » s'est constitué une fidèle clientèle d'artistes et de chineurs. On trouve — entre autres — sur ses étagères encombrées, une extraordinaire collection de verrerie de la fin du siècle dernier (flacons, carafes, coupes, vases, verres à partir de 300 F), poupées de porcelaine avec mobilier et vaisselle, boîtes en écaille ou en corne, éventails, figurines, faces-à-main, sautoirs 1900, statuettes, dessins et objets de curiosité.

Antiquailles au dépôt

ART DÉPÔT

● **4e** - *24, rue des Rosiers (278.65.25).*
Au cœur du Marais, Renaud Paquin propose à des particuliers les objets que d'autres particuliers l'ont chargé de mettre en vente à un prix fixé par ces derniers (après conseil éventuel d'un expert). L'exposition de ces objets, meubles, tableaux et bibelots, fin de siècle pour la plupart, s'étire sur les 350 m² d'une longue et ténébreuse boutique de rez-de-chaussée prolongée par deux sous-sols biscornus où le meilleur semble toutefois l'emporter sur le pire, à des prix dans l'ensemble légèrement inférieurs à ceux du marché habituel de l'antiquité mâtinée de brocante. La maison se charge de l'assurance, de l'estimation, de l'expertise et du transport des objets, sa rémunération propre ne dépendant que de leur valeur, de leur encombrement et du temps de leur exposition compté par quinzaine.

V.V.M.

● **92 Neuilly** - *17, bd Vital-Bouhot (île de la Jatte) (637.31.86).*
De 12 h à 20 h tous les jours même dimanche.
Au pied du pont de Courbevoie — là où il y a presque un siècle Seurat peignit « Un dimanche » — une sorte d'ancien hangar ouvert à tous : curieux d'occasion, acheteurs de métier, vendeurs, échangeurs même. La formule de dépôt-vente appliquée ici permet — en gros — d'exposer au regard d'éventuels amateurs tous les objets dont on veut se « défaire », moyennant un abonnement annuel préalable de 100 F, puis d'en fixer soi-même les prix après consultation éventuelle de Gérard Vacher, créateur de l'entreprise. En cas de vente, l'abonné verse au dépositaire — comme le fait aussi l'acheteur — une commission de 10 pour cent. En cas de non vente, le tarif des objets est mensuellement rabattu d'autant. Objets de toutes valeurs et provenances : lustrerie de simili pâte de verre, sièges Louis XVI-Troisième République, jolies chromolithographies Second Empire, accessoires anciens de cuisine, etc.

MONSÉGUR

● **1er** - *12, rue de Turbigo (233.82.85).*
Ne pas se fier à l'enseigne qui parle de beurre et d'œufs frais : la maison est maintenant vouée à la vente d'accessoires d'hygiène fin de siècle (quelques baignoires somptueuses) et aux meubles (de jardin) en fer ou (d'hôtel) en cuivre.

Les prix changent : nous n'y pouvons rien.

L'OBJET AIMÉ

● **6e** - *52, rue Jacob (260.24.46).*

Un très séduisant petit cabinet de curiosités : chiens-pots à tabac, Noirs en terre cuite, œufs d'autruche, étuis à bouteilles ou à messages en buis ou en ébène, coffrets à jeux ou à cigares, meubles d'appoint ou de maîtrise, etc.

L'OBJET BRUT

● **1er** - *8, rue Mondétour (236.28.90).*
● **6e** - *9, rue Madame (222.27.34).*

Deux adresses, deux magasins « exotiques » où vous retrouverez sensiblement le même foisonnement : masques et statuettes, tambours et flûtes d'Afrique Noire, poteries marocaines, meubles et coffres afghans, marionnettes de Java et objets rapportés des Indes.

LA PASTORALE

● **16e** - *118, av. Mozart (525.73.56).*

Une toute petite boutique décorée à l'ancienne mode où deux dames charmantes — la mère et la fille — ont réuni, parmi les bouquets de fleurs séchées, quelques meubles campagnards en pin ou en rotin et des cadeaux romantiques : faïences, boîtes, cadres, jetés de lit de crochet. couvertures provençales, patchworks, nappes de dentelle, robes de baptême anciennes, etc.

QUATRE ÉTOILES

● **6e** - *12, rue Saint-Sulpice (329.69.91).*

Rien à voir avec un palace, ni même avec un « quatre étoiles ». Plutôt un bric-à-brac de brocante évoquant la vie paisible et familière des hôtels de sous-préfecture : vieux meubles désuets et kitsch, témoins d'une certaine époque de l'hôtellerie, celle des coiffeuses sans âge (450 à 650 F), des lits de cuivre aux mesures bâtardes (1,20 m et 1 200 F), voisinant avec des plats en métal argenté qui ont fait leur temps (100 à 300 F), des théières Art Déco, des tables bistro à plateau de bois et de marbre (1 000 à 1 200 F), des rampes de bar en cuivre où se sont accoudées des générations de pochards, et des cuillères à absinthe de « l'ancien temps ».

STAR

● **1er** - *21, rue Saint-Roch (261.74.79).*

De mobilier, point, mais une infinité de bibelots cocasses, de lampadaires, de glaces, d'objets d'art industriel, etc., le tout souvent marqué au coin du « modern style » en version populaire, ou de l'« art déco » attardé. A relever aussi quelques créations « maison », notamment dans les abat-jour. Et encore le goût marqué du patron — Richard — pour la réhabilitation de matières plastiques « des origines » (pour l'heure le rhodoïd, en attente, sans doute, de la galalithe). La classique céramique de ménage (essentiellement vaisselle) et la verrerie traditionnelle (vases, cendriers, coupes, etc.) trouvent refuge dans l'arrière-salle.

MARC TALOBRE
La Boutique d'Angélique

● **15e** - *31, rue de la Croix-Nivert (734.70.95).*

Un spécialiste d'art religieux qui propose de beaux bois sculptés des XVIIe, XVIIIe et XIXe siècles, des statues et des tableaux d'inspiration chrétienne, des reliquaires, des crucifix, images pieuses et missels anciens, bouquets, vases d'autels mais aussi des bibelots « païens » XVIIIe et XIXe.

YVELINE

● **6e** - *4, rue de Furstenberg (326.56.91).*

Charmante boutique s'ouvrant sur la célèbre place de Furstenberg, où l'on trouve des objets de curiosité d'un peu partout, des meubles et des lampes, jamais ennuyeux.

OPALINES

CHEZ de nombreux antiquaires déjà cités comme **Imbert, Renoncourt** et **Nicole Gérard** (voir « Directoire, Empire, Restauration, Charles X »), et aussi :

AU PETIT HUSSARD

● **7e** - *5, rue de Beaune (261.29.86).*

Une toute petite boutique entièrement vouée aux opalines, aux sulfures, aux statuettes de Jacob Petit et aux luminaires, de la première moitié du XIXe siècle. Un choix de grande qualité et des prix rigoureux.

PANORAMIQUES et papiers peints

LES panoramiques authentiquement anciens sont très rares et très chers. Apparus en France peu après la Révolution, ils sont toujours à la mode. On trouve par ailleurs de jolies reproductions chez quelques spécialistes du papier peint (voir « Décoration de la maison »).

CARLHIAN

● **16e** - *6, av. d'Eylau (727.75.46).*

Le fournisseur n° 1 des grandes demeures parisiennes.

JEAN-LOUIS CHASSET

● **5e** - *6, rue Saint-Victor (326.83.00).*

Quelques superbes papiers peints anciens et de nombreuses reproductions d'après des procédés des XVIIIe et XIX siècles.

PENDULES, montres, horloges

JEAN-BAPTISTE DIETTE

● **8e** - *4, av. Matignon (359.98.90).*

Le grand spécialiste des pendules des XVIIe et XVIIIe siècles (en parfait état de marche). L'Elysée fut client de la maison au temps du général de Gaulle et de Georges Pompidou.

MICHEL JOURNE

● **7e** - *30, rue de Verneuil (261.24.62).*

Ce jeune réparateur — un des plus compétents de Paris — connaît son métier d'horloger sur le bout des doigts et des yeux. Il vend aussi des montres et pendules anciennes, principalement « techniques ». L'après-midi seulement.

DÉCORATION DE JARDIN

BROCANTE DU BÂTIMENT (Hubert Vaudron)

● **10e** - *128, quai de Jemmapes (203.47.51).*

Voir plus haut « Cheminées ».

LA JARDINIÈRE

● **9e** - *14, rue Maubeuge (878.22.29).*

Voir « Décoration de la maison - Meubles de jardin ».

PIERRES ET VESTIGES (Andrée Macé)

● **8e** - *266, fg Saint-Honoré (227.43.03).*

Voir plus haut « Cheminées ».

SOLDATS DE PLOMB

JACQUES BITTARD (Les Drapeaux de France)

● **1er** - *34, galerie Montpensier.*

Peint et décore à merveille les très beaux sujets de sa fabrication (délai de 2 à 4 mois). Soldats anciens.

MARCHAL

● **8e** - *46, rue de Miromesnil (265.72.79).*

Soldats de plomb de collection chez ce grand spécialiste de l'art militaire.

MÉTAYER

● **93 Neuilly-Plaisance** - *71, rue Pasteur (535.50.55).*

Personne au monde, sans doute, ne connaît comme Fernande Métayer les uniformes et accessoires de toutes les armées depuis le XVIIIe siècle. Et personne ne possède son habileté et sa patience. Mais de la patience, il en faut beaucoup aux collectionneurs, car la paisible Mme Métayer est surchargée de batailles et elle ne reçoit plus que sur rendez-vous par écrit.

M.H.S.P.

● **5e** - *2, rue Malus (707.43.59).*

La Manufacture Historique des Soldats de Plomb fabrique (ou fait fabriquer) d'après des dessins d'Eugène Lelièvre, et vend (surtout par correspondance) à une clientèle marginale d'amateurs des figurines du Premier Empire à l'échelle réglementaire (54 mm du socle à la hauteur des yeux pour les piétons et 90 mm pour les cavaliers). Ces soldats « de plomb » sont exécutés, en fait, dans des alliages de zinc, aluminium, magnésium, cuivre, recouverts d'une couche d'argent patinée.

SOLDATS D'ANTAN

● **7e** - *12, rue de l'Université (260.89.56).*

Jean-Pierre Stella occupe à présent la première place dans le marché des soldats de plomb anciens.

VIEILLE FRANCE

● **1er** - *364, rue Saint-Honoré (260.01.57).*

Admirables figurines historiques et exécution de ravissantes compositions. Toutes la série des rois de France et des grands personnages de l'Ancien Régime. Tableaux militaires, décorations, ordres de chevalerie.

TAPIS

De nombreux antiquaires vendent des tapis anciens, mais il est beaucoup plus sage de s'adresser aux spécialistes qui se consacrent exclusivement à cet art.

ACHDTIAN ET FILS

● **8e** - *10, rue de Miromesnil (265.89.48).*

Depuis une vingtaine d'années, une galerie spécialisée dans les tapis anciens caucasiens, arméniens, chinois et aussi des nomades turkmènes, vendus à des prix compétitifs et dont certains d'une qualité « musée ». Nombreuses expositions à l'étranger et à Paris.

ROGER BECHIRIAN

● **92 Neuilly** - *11, av. de Madrid (624.53.18).*

Célèbre expert auprès des tribunaux et des douanes qui, uniquement sur rendez-vous, vous montrera sa collection de tapis anciens d'Orient, d'Extrême-Orient et aussi d'Aubusson ou de la Savonnerie.

BENADAVA

● **8e** - *28, rue La Boétie (266.12.21).*

Spécialiste des tapis très rares, qui vous seront présentés, si vous le désirez, à domicile. Catalogue sur demande. Restauration de tapis et tapisseries.

ROBERT DE CALATCHI

● **8e** - *135, bd Haussmann (563.80.58).*

Ce grand expert d'origine turco-italienne le dit lui-même sans gêne : « Je suis unique ». Seul de sa profession, il a en effet exposé son exceptionnelle collection au Pavillon de Marsan et dans des musées italiens, autrichiens et hollandais. C'est la raison pour laquelle il ne veut à aucun prix figurer sous la rubrique « marchand de tapis ». Et cependant, il se laisse aller volontiers à vendre l'un ou l'autre des 250 tapis qu'il a en permanence dans son joli magasin. Il en connaît l'histoire dans ses moindres détails. Son amour est exclusif et il n'a d'yeux vraiment que pour les tapis d'Orient qui ont au moins cent ans d'âge.

CATAN

● **8e** - *8, rue d'Anjou (266.33.28).*

Les amis de Josette Catan regretteront de ne plus la retrouver dans cet ancien hôtel de La Fayette dont elle avait fait le premier magasin d'Europe du tapis ancien mais, sous la direction à présent de Daniel et Sylvia Catan, cette considérable collection (France, Espagne, Portugal, Ukraine, Bessarabie, Tibet, etc.) est toujours là, pour le plaisir de vos yeux, sinon de votre portefeuille.

MONSEIGNEUR L'ANCIEN (J. Béhar).

● **7e** - *24, rue de Beaune (261.29.92).*

Une petite maison sérieuse qui ne force pas sur les prix. Pas de pièces exceptionnelles, mais de bons tapis anciens du Caucase en particulier ou contemporains et un excellent atelier de restauration.

A LA PLACE CLICHY

● **8e** - *93, rue d'Amsterdam (387.54.20).*

Ce célèbre magasin où l'on achète aussi bien de la moquette que des tapis modernes français ou étrangers possède un remarquable rayon de tapis anciens (Orient surtout, et Chine, Aubusson, Savonnerie).

GALERIE DARIO BOCCARA

● **8e** - *184, fg Saint-Honoré (359.84.63).*

Jacqueline Boccara a repris courageusement la succession de son mari, Dario, connu dans le monde entier pour la qualité exceptionnelle de ses tapisseries. Elle est elle-même expert et continue de fournir aux collectionneurs, grands ou moins grands, des pièces de toute première qualité. Expositions avec catalogue.

LEFORTIER

● **8e** - *54, fg Saint-Honoré (265.43.74).*

C'est ici que le général de Gaulle acheta la tapisserie dont il fit don au roi Baudoin et à la reine Fabiola. Vous y trouverez des pièces de tout format du XVe au XVIIIe siècle.

MEUNIER-BATIFAUD

● **7e** - *38, bd Raspail (548.05.78).*

Toutes les tapisseries jusqu'au XVIIIe siècle inclus ainsi que quelques meubles. Une belle maison familiale depuis 1863. Expertises et réparations.

Le marché de l'art : peinture, gravure

GALERIES D'ART MODERNE

LES galeries d'art contemporain se répartissent entre trois quartiers de Paris : le 8e arrondissement où, depuis l'entre-deux-guerres, se sont installés les grands marchands à la suite de Paul Guillaume ; la rive gauche (6e et 7e), où se sont groupés depuis 1950 des marchands plus jeunes — certains sont devenus très importants ; Beaubourg (3e et 4e) enfin, depuis la création du Centre Georges Pompidou, qui constitue un nouveau pôle d'attraction pour le marché de l'art moderne.

RIVE DROITE
8e arrondissement

GALERIE ARIEL

● **8e** - *140, bd Haussmann (227.13.09).*

J. Pollak défend depuis une vingtaine d'années des peintres de sa génération (nés entre 1919 et 1929), abstraits ou semi-figuratifs, tels Messagier, Appel, Tahichi, Debré, Corneille, Gillet, Marfaing, Bitran. Très déterminé à défendre la place de Paris dans le marché de l'art — contre les « débordements » du marché new-yorkais éventuellement.

ARTCURIAL

● **8e** - *9, av. Matignon (359.29.82).*

Comment une grande société — L'Oréal — joue les mécènes : elle choisit des artistes célèbres (Sonia Delaunay, Chirico, Etienne Martin, Agam, Arman, Berrocal), qu'elle expose sur plusieurs niveaux. Et dont elle édite des œuvres de dimensions — généralement — réduites, à tirages — relativement — limités. La disposition quelque peu confuse des salles nuit souvent à la qualité des accrochages. L'entreprise — proliférante — y acquiert un « style » qui relève plus de la bijouterie bien parisienne que d'un centre international d'art plastique. Une réussite incontestable, la librairie : tout s'y trouve, sur tous les arts, de partout...

GALERIE JEANNE CASTEL

● **8e** - *3, rue du Cirque (359.71.24).*

Fautrier, Derain, entre autres gloires consacrées. Et le souvenir de Jeanne Castel à qui l'avant-garde de l'immédiat avant-guerre doit d'être entrée dans les musées juste après.

GALERIE MATHIAS FELS

● **8e** - *138, bd Haussmann (924.10.23).*

On lui doit d'avoir beaucoup fait — en dépit de la modestie de ses locaux — pour la peinture apparue dans les années 70 : celle de Télémaque et de Sallejouand notamment.

GALERIE DE FRANCE

● **8e** - *3, fg Saint-Honoré (265.69.37).*

Créée pendant la guerre rue La Boétie, la Galerie de France, depuis son installation en 1950 dans ses locaux actuels, a défendu sous la direction de Myriam Prévot et de Gildo Caputo de nombreux et très bons artistes dont elle s'est assuré la collaboration depuis longtemps : J. Gonzalez, Prassinos, Le Moal, Manessier, Poliakoff, Hartung, Soulages, Alechinsky et Zao-Wou-Ki. Elle monte aussi et possède des œuvres de Maryan, Bergman, Dotremont, Jacobsen, Le Moal et Tamayo. Après la disparition de Myriam Prévot en 1977, Gildo Caputo vient d'adopter un certain nombre de jeunes peintres abstraits qui avaient été déjà exposés dans les galeries de la rive gauche : Meurice, Péricaud, Pincemin. Semble vouloir aussi s'attacher quelques sculpteurs américains.

GALERIE MAURICE GARNIER

● **8e** - *6, av. Matignon (225.61.65).*

Avec MM. Drouant et David, Maurice Garnier s'est consacré — depuis 1948 — à l'œuvre de Bernard Buffet, et d'une manière plus générale à la peinture figurative de l'après-guerre : Minaux, Jansen, Aizpiri, Rosnay. Associé un temps à Emmanuel David, il se voue désormais à la seule gloire de Bernard Buffet.

GALERIE HENRIETTE GOMES

● **8e** - *6, rue du Cirque (225.42.49).*

Vendit Fautrier, puis Brauner, à leurs périodes les moins « commerciales ». Vend maintenant Hélion et quelques jeunes (Yves Lévèque).

GALERIE LOUISE LEIRIS

● **8e** - *47, rue de Monceau (563.28.85).*

Haut lieu de l'art contemporain — c'est son fondateur Kahnweiler, qui acheta dès 1907 les Demoiselles d'Avignon — la galerie Louise Leiris est demeurée, malgré deux guerres, le marchand préféré de Picasso, et des deux André : Baudin et Masson.

GALERIE MAEGHT

● **8e** - *13 et 14, rue de Téhéran (563.13.19).*

Peut-être la plus célèbre des galeries d'art moderne depuis la guerre. Son importance s'est accrue par la création de sa maison d'édition, ses succursales à Barcelone et Zürich, son bureau de New York, la fondation qui porte son nom à Saint-Paul-de-Vence et qui est l'un des plus beaux musées méditerranéens d'art contemporain. Aimé Maeght a su s'attacher les meilleurs peintres de trois générations : Braque, Chagall, Miro, Bram van Velde, Calder, Giacometti, Tapies, Pol Bury, Riopelle, Ubac, et parmi les plus jeunes : Adami, Arakawa, Titus-Carmel, Télémaque et Garache.

GALERIE HERVÉ ODERMATT

● **8e** - *85 bis, fg Saint-Honoré (266.92.58).*

Dans les anciens locaux de la galerie new-yorkaise Knodler. Ses cimaises sont maintenant consacrées aux représentants de la nouvelle figuration. Plus particulièrement Velickovic.

RIVE GAUCHE
6e et 7e arrondissements

GALERIE BAMA

● **7e** - *80, rue du Bac (548.87.98).*

Le groupe Fluxus s'y manifeste dans un minuscule local : tous les pays dans toutes les disciplines...

GALERIE BERGGRUEN

● **7e** - *70, rue de l'Université (222.55.22).*

Depuis près de trente ans, vend, expose — et publie — des estampes qui comptent parmi les grandes réussites de l'art d'après-guerre : Klee, Kandinsky, Chagall, Max Ernst, Appel, Baj, etc. Organise, entre autres, trois ou quatre importantes expositions par an ; et édite, pour la circonstance, d'incomparables monographies : Léger, Morandi, Folon, etc.

GALERIE CLAUDE BERNARD

● **6e** - *5, rue des Beaux-Arts (326.23.81).*

Un des plus grands marchands de la deuxième génération d'après-guerre, Claude Bernard Haim — musicien de son secret état — a révélé depuis vingt ans aux Français quelques-uns parmi leurs plus jeunes maîtres : les peintres Marfaing, Maryan et Segui, le pastelliste — admirable — Sam Szafran, et le singulier sculpteur Ipousteguy. S'est en outre attaché quelques ténors d'âge plus « respectable » : Francis Bacon, Balthus, Estève. Et emploie le reste de sa grande énergie à entretenir la mémoire de créateurs inoubliables : Léger, Laurens, Giacometti, Rodin ; voire à la réveiller chez les amateurs oublieux du Tout-Paris : admirables morceaux choisis de Bourdelle.

GALERIE ISY BRACHOT

● **6e** - *35, rue Guénégaud (354.22.40).*

Outre-Quiévrain et outre-monde : le versant belge du surréalisme. O. Strebelle entre autres.

GALERIE JEAN BRIANCE

● **6e** - *23, rue Guénégaud (326.85.51).*

Très liée à une certaine figuration d'aujourd'hui — en particulier le groupe « Panique » avec Olivier O. Olivier et Topor —, mais aussi à l'un de nos meilleurs coloristes (Samuel Buri), un surréaliste (Courmes) et un expressionniste (Czapski).

GALERIE JEANNE BUCHER

● **6e** - *53, rue de Seine (326.22.32).*

Jaeger perpétue ici le travail de défrichage entrepris (boulevard du Montparnasse) par Jeanne Bucher. Aussi trouve-t-on chez lui des dessins de Nicolas de Stael qu'elle fut la première à encourager ; et des toiles d'artistes plus jeunes — notamment Nallard —, soucieux de préserver l'acquis du « métier » propre à la peinture occidentale. On notera en outre la quasi-exclusivité de deux parmi les plus grandes créatrices mondiales : la Portugaise Vieira de Silva (peintures) et l'Américaine Louise Nevelson (sculptures).

GALERIE C

● **6e** - *10, rue des Beaux-Arts (325.10.72).*

Après avoir ouvert — puis fermé — une première galerie et mis en place une organisation d'achats de tableaux, Carlotta Charmet s'est installée (récemment) rue des Beaux-Arts. Elle y promeut un courant de figuration dont Ernest-Pignon-Ernest est l'ancêtre déclaré.

Apprenez à lire ce Guide : consultez la table des matières, page 631. Vous y trouverez en détail la liste de toutes nos rubriques.

Courant qui associe Cueco, Kermarrec, Blondel, Casadesus à Voss et à Spadarri.

GALERIE JACQUES DAMASE

● **7e** - *61, rue de Varenne (705.55.04).*

Ecrivain d'art venu à la vente, Jacques Damase consacre depuis dix ans à la gloire des Delaunay : feu Robert et Sonia-la-flamme.

GALERIE NINA DAUSSET

● **7e** - *16, rue de Lille (297.41.07).*

Après un long parcours dans le « stylisme » et la chronique, Nina Dausset est revenue à l'art contemporain avec deux des meilleurs interprètes de la nouvelle figuration : Segui et Recalcati.

GALERIE LE DESSIN

● **6e** - *27, rue Guénégaud (633.04.66).*

Une des premières galeries à montrer (d'abord rue de Verneuil) le travail sur papier qui est devenu un mode d'expression très utilisé par les artistes contemporains. La récente installation de Claire Burrus rue Guénégaud lui a permis d'affirmer sa vocation en révélant un nouveau peintre : François Martin.

GALERIE DU DRAGON

● **6e** - *19, rue du Dragon (548.24.19).*

Max Clarac-Séron a pris possession de cette galerie qu'avait illustrée sa fondatrice, Nina Dausset. Il y a aussitôt révélé quelques jeunes peintres de premier plan : Velickovic, Crémonini, etc.

GALERIE LUCIEN DURAND

● **6e** - *19, rue Mazarine (326.25.35).*

Depuis vingt-cinq ans, Lucien Durand découvre des talents nouveaux et organise les premières expositions de jeunes artistes qui sont rapidement devenus des « grands », de César à Dmitrienko. Il s'intéresse maintenant à Rouan. Lucien Durand et sa femme comptent en outre parmi les commentateurs les plus pénétrants de l'art d'aujourd'hui.

GALERIE PAUL FACCHETTI

● **7e** - *6, rue des Saint-Pères (260.76.22).*

Paul Facchetti contribua à l'éclosion de la non-figuration lyrique avec le soutien fougueux de Michel Tapié de Celeyran. Il reste fidèle, rue des Saints-Pères, à ceux qu'il révéla rue de Lille dès la fin des années 50 (Hundertwasser, par exemple) ; mais s'est attaché quelques nouveaux venus : Noël et Fellini, entre autres.

GALERIE KARL FLINKER

● **6e** - *25, rue de Tournon (325.18.73).*

Après une première installation rue du Bac et une interruption de plusieurs années, Karl Flinker est revenu à la peinture en défendant le travail réalisé par Martial Raysse depuis 1968, la figuration d'Aillaud et d'Arroyo. Il reste cependant fidèle à ses admirations anciennes (en permanence : Magnelli).

GALERIE DANIEL GERVIS

● **7e** - *34, rue du Bac (261.11.73).*

Le plus jeune marchand de tableaux, lorsqu'en 1967 il rachète le local à Karl Flinker. Daniel Gervis se consacre à des personnalités aux tendances les plus diverses : Sondeborg, Blomstedt, Benrath, Malaval, et Bettencourt.

GALERIE LA HUNE

● **6e** - *14, rue de l'Abbaye (325.54.06).*

Fut de fondation — et demeure — un haut lieu mondial de l'art graphique. Et ce, depuis le lendemain de la dernière guerre. Un seul fait nouveau : le transfert de la librairie du tumultueux carrefour Saint-Germain dans ce calme local des cimaises de « La Hune-Galerie ». Zao Wou Ki, Alechinsky, et Monory en demeurent les grandes vedettes.

GALERIE ALBERT LOEB

● **6e** - *11, rue des Beaux-Arts (633.06.87).*

Suivant la voie tracée par son père, le grand marchand Pierre Loeb dont les travaux ont été l'objet d'une rétrospective au musée d'Art Moderne de la Ville de Paris en 79, Albert Loeb — après un long séjour aux Etats-Unis — a ouvert pour la seconde fois sa propre galerie. S'y signalent, parmi d'autres nouvelles recrues : Ivan Theimer, Guinan et Jeanclos.

ÉDITIONS ADRIEN MAEGHT

● **7e** - *42, rue du Bac (548.45.15).*

Le fils d'Aimé et de Marguerite Maeght édite, mais pour son propre compte, les mêmes artistes que ceux de la rue de Téhéran. Et — plus discrètement — de précieux ouvrages relevant de l'« archéologie automobile ».

GALERIE ANDRÉ-FRANÇOIS PETIT

● **7e** - *196, bd Saint-Germain (544.65.33).*

Tanguy, Dali, Brauner et les grands ténors du groupe surréaliste en occupent les « meilleures » cimaises. Quelques hyper-réalistes les ont rejoints. A noter les superbes poignées de porte de P.A. Gette, témoignant de l'ancienne direction de la galerie, assurée par Eugène Iolas.

LE POINT CARDINAL

● **6e** - *3, rue Jacob (354.32.08).*

Toujours attaché aux mêmes valeurs qu'il défend avec la même passion : Henri Michaux, Cardenas, Viseux, Sima, Claude Georges, Louis Pons.

GALERIE REGARDS

● **7e** - *40, rue de l'Université (261.10.22).*

A repris depuis 1974 une partie de l'héritage de la galerie Arnaud, à savoir les représentants de l'abstraction « chaude » des années 50 : Fichet, Guitet, etc. ; et aussi quelques transfuges de chez Rodolphe Stadler : Serpan, Georges, etc.

GALERIE DENISE RENÉ

● **7e** - *196, bd Saint-Germain (222.77.57).*

L'amie, le soutien et la grande avocate, depuis 1944, de tout ce qui sera (et fut) l'art optique ne montre ici que les multiples et les sérigraphies : les œuvres originales présentées autrefois rue La Boétie, le sont maintenant devant Beaubourg, après un périple à travers les galeries, portant ainsi jusqu'à New York — via toute l'Europe du Nord — le nom de Denise René ; et son surnom : Notre-Dame-de-l'Astraction-Froide.

GALERIE SONNABEND

● **6e** - *12, rue Mazarine (633.47.84).*

Représente la peinture américaine à Paris depuis Rauschenberg jusqu'aux plus jeunes peintres via les « minimalistes ». Leur associe à l'occasion quelques artistes européens. Menace de fermer ses portes...

GALERIE STADLER

● **6e** - *51, rue de Seine (326.91.10).*

Rodolphe Stadler révéla quelques-uns des créateurs les plus en vue de l'art d'aujourd'hui : Saura, Serpan, Delahaye, etc. On lui doit en outre d'avoir pu constater au jour le jour l'évolution des écoles d'avant-garde française (art corporel) et étrangères (américaines et italiennes notamment). On regrette en conséquence que son activité soit, depuis quelques années, ralentie.

GALERIE NANE STERN

● **7e** - *25, av. de Tourville (705.08.46).*

Géographiquement un peu à l'écart de ses confrères, Nane Stern, ancienne collaboratrice de Pierre Loeb, se consacre à la défense de peintres abstraits encore mal connus comme Ivackovic ou Kallos.

BEAUBOURG
3e et 4e arrondissements

GALERIE BEAUBOURG

● **4e** - *23, rue du Renard (887.31.51).*

Des trois associés qui avaient ouvert en 1973 une première galerie, rue Pierre-au-Lard, Patrice Trigano s'en est allé ailleurs et seuls restent Pierre et Marianne Nahon. Lesquels accueillent, rue du Renard, un groupe étendu de peintres : Mathieu, Schlosser, Messagier, César, Arman, Germaine Richier et Boucher. Sans oublier Bernard Dufour.

GALERIE JEAN FOURNIER

● **4e** - *44, rue Quincampoix (277.32.31).*

Marchand exemplaire. Ses premières expositions (avenue Kléber), en 1955, autour des premiers signes de l'abstraction appartiennent à l'histoire de l'art. Il a récemment quitté la rue du Bac et sa nouvelle (et formidable) installation à Beaubourg est à la mesure de son ambition. Sa méthode n'a pas changé : une librairie dans la galerie — et réciproquement. Mais surtout une grande disponibilité pour montrer et commenter lui-même ses choix d'exposants. A su ainsi défendre depuis très longtemps deux grands abstraits : Hantaï et Degottex, auxquels il a ajouter des références américaines : Sam Francis, Joan Mitchell, Bishop. Plus une tête de file de Support Surface (Viallat).

Si vous voulez en savoir plus

● « L'Officiel des Galeries » publie, chaque mois, la liste de toutes les expositions.

● « Le Monde », dans sa page du jeudi sur les Arts, « L'Express », « Le Point », « Le Nouvel Observateur », « Une Semaine de Paris », donnent chaque semaine une sélection des expositions les plus intéressantes.

● Pour une vue plus approfondie de l'évolution de l'art contemporain, ne manquez pas de rendre visite aux musées spécialisés (vous trouverez les adresses au chapitre « Musées ») :

— **LE CENTRE NATIONAL D'ART ET DE CULTURE GEORGES POMPIDOU** (avec le musée d'Art Moderne, les ateliers et les expositions particulières)

— **LE MUSÉE D'ART MODERNE DE LA VILLE DE PARIS** (avec l'Arc 2)

— **LES GALERIES NATIONALES DU GRAND PALAIS**

— **L'ASSOCIATION POUR LA DIFFUSION DES ARTS GRAPHIQUES ET PLASTIQUES** (régie par la loi de 1901) enfin, organise régulièrement d'intéressantes expositions dans ses propres locaux, 11, rue Berryer, 8e (622.05.13).

GALERIE GILLEPSIE-LAAGE

● **3e** - *24, rue Beaubourg (278.11.71).*

S'intéresse aux œuvres sur papier, plus précisément à tout ce qui n'est pas peint sur châssis, de Morellet à Venet, en passant par J.-P. Reynaud. Représente entre autres à Paris divers artistes américains.

GALERIE YVON LAMBERT

● **3e** - *5, rue du Grenier-Saint-Lazare (271.09.33).*

Poursuit son travail de pionnier commencé sur la rive gauche avec Carl André, Arakawa, Sol Lewitt, Daniel Buren, etc. L'avant-garde internationale, parisienne comprise.

GALERIE JEAN LARCADE

● **4e** - *20, rue du Temple (272.89.56).*

Un nom fameux dans le monde des galeries. On lui doit les expositions de Fautrier et de Francis Bacon, à l'orée de leur célébrité mondiale. Semble se limiter désormais à la nouvelle figuration, et à quelques vieux abstraits « lyriques » (Schneider).

GALERIE BAUDOIN LEBON

● **4e** - *36, rue des Archives (272.09.10).*

Expose quelques-uns parmi les jeunes peintres d'avenir. Et édite à l'occasion leurs « multiples »...

GALERIE DU LUXEMBOURG

● **4e** - *4, rue Aubry-le-Boucher (278.66.67).*

Quelques sages artistes oubliés des années folles : Boutet de Montvel par exemple. Mais aussi quelques nouveaux convertis au réalisme, et — un peu en marge — Rougemont.

GALERIE DENISE RENÉ (Beaubourg)

● **3e** - *113, rue Saint-Martin (271.19.61).*

La grande tradition de l'art cinétique parisien confrontée à l'art américain (Albers) et l'art abstrait constructif. Voir aussi « Rive gauche ».

GALERIE DANIEL TEMPLON

● **3e** - *30, rue Beaubourg (272.14.10).*

Première galerie installée dans le quartier (en mars 1972), elle s'est donnée les dimensions des galeries du bas New York. Daniel Templon a lancé en France l'art conceptuel, l'art langage et surtout toute une partie du Support Surface. Il expose aussi régulièrement Ben et Le Gac. Ses efforts actuels tendent, semble-t-il, à rapprocher les mouvements issus de mai 68 (époque où sa galerie était l'une des plus animées de Saint-Germain-des-Prés). En s'associant quelques ressortissants majeurs de l'abstraction américaine et française : Olivier Debré y expose.

Ecrivez-nous,
pour critiquer nos critiques,
en bien ou en mal,
dans tous les cas, vous nous rendrez service.
210, rue du Faubourg Saint-Antoine,
75012 Paris.

ESTAMPES

ARTCURIAL

● **8e** - *9, av. Matignon (359.29.82).*

Exposition et vente des maîtres français et étrangers du XXe siècle de l'estampe et de la peinture. Stand de diffusion de lithographies et reproductions « mécaniques » (posters) d'œuvres d'art, et boutique d'objets d'usage (tapis, couverts, bijoux, etc.) ou décoratif, produits plus ou moins en série d'après les maquettes (les « multiples ») d'artistes contemporains : Berrocal, Agam, Pomodoro, etc. Artcurial et son complexe renouvellent ainsi radicalement les conditions jusqu'alors artisanales du marché parisien de l'œuvre d'art.

HUGUETTE BERÈS

● **7e** - *25, quai Voltaire (261.27.91).*

Dans un élégant décor de boiseries anciennes, Huguette Berès présente de somptueuses expositions des grands maîtres anciens du dessin et de l'estampe japonais, choisis et présentés avec un discernement remarquable. Egalement un fonds d'œuvres françaises des XIXe et XXe siècles.

BERGGRUEN

● **7e** - *70, rue de l'Université (222.02.12).*

Gravures originales contemporaines : Klee, Picasso, Miró, Dali, Chagall, Folon. Voir aussi « Affiches » et « Galeries d'art moderne ».

BOUQUINERIE DE L'INSTITUT

● **6e** - *3, quai Malaquais (326.63.49).*

Gravures originales : Bonnard, Renoir, Dufy, Rouault, Braque, Chagall, Miró, Laboureur, Picasso, etc. Livres illustrés et affiches.

CARNAVALETTE

● **3e** - *2, rue des Francs-Bourgeois (272.91.92).*

Des livres mais aussi des estampes originales sur Paris, de bonne qualité, à des prix très raisonnables. Accueil charmant.

CHALCOGRAPHIE

● **1er** - *Musée du Louvre, pl. du Carrousel, entrée porte Denon (260.39.26, poste 36.45).*
Au 2e étage.

Institution tricentenaire, demeurée unique au monde. La Chalcographie conserve 14 000 planches gravées par les plus grands artistes du monde, d'Abraham Bosse à Camille Bryen en passant par Callot, Rigaud, Daubigny, Dufy, pour ne parler que des Français. De sorte que tout tirage exécuté par les services de la Chalcographie constitue une originale. La plupart des gravures ne sont vendues qu'à la demande, c'est-à-dire après tirage spécial, de manière à ne pas « fatiguer » inutilement les cuivres. De 15 à 500 F.

ALAIN DIGARD

● **4e** - *15, rue de La Reynie (887.41.13).*

Edition et diffusion d'estampes de peintres « non consacrés ».

GALERIE LE BATEAU-LAVOIR

● **6e** - *16-18, rue de Seine (354.96.83).*

Bel ensemble d'estampes et de dessins : Odilon Redon, Giacometti, Georges Braque, Paul Delvaux, etc. Mira Jabob organise deux intéressantes expositions chaque année.

GALERIE GUIOT

● **8e** - *18, av. Matignon (266.65.84).*

Expose en permanence les œuvres d'artistes figuratifs, tels Caillard, Cathelin, Desnoyer, Despierre, Kuwahara, Roland Oudot, Sarthou, Savary, etc., et propose un choix remarquable des estampes et lithos de Ciry, Carzou, Miró, Ortega, Picasso, etc. Œuvres de qualité qu'on peut acheter chez Robert Guiot en toute sécurité, sans crainte des truquages ou des faux « originaux ».

GALERIE DES PEINTRES GRAVEURS

● **6e** - *159 bis, bd du Montparnasse (326.62.29).*

Jacques Frapier expose et vend des œuvres graphiques d'excellente qualité et des lithographies originales (figuratives) des impressionnistes à nos jours. A la suite de son père, il édite des estampes originales d'artistes contemporains. Il a célébré en 79 le vingtième anniversaire de la galerie.

FRANÇOIS GIRAND

● **6e** - *76, rue de Seine (325.10.33).*

On peut fouiller pendant des heures dans les cartons de gravures et estampes diverses de cette plaisante boutique aux pierres et poutres grattées à neuf. Jolies cartes anciennes, atlas, régionalisme, vues de villes, reproductions de scènes de chasse, d'oiseaux, de fleurs (oh ! des roses de La Redoute, s'exclamait récemment une dame...).

LA HUNE

● **6e** - *14, rue de l'Abbaye (326.59.34).*

Une dépendance de la belle librairie du boulevard Saint-Germain. Estampes, multiples, éditions originales illustrées.

Chaque mois, le Guide de Paris Gault-Millau complète cet ouvrage et agrandit votre carnet d'adresses.

LOUISE LEIRIS

● **8e** - *47, rue Monceau (563.28.85).*

Expose toujours dans sa galerie, à côté de sculptures et tableaux modernes, de nombreuses estampes d'artistes contemporains.

LA LITHOGRAPHIE

● **8e** - *31, av. Matignon (266.34.42).*

Lithographies des peintures de l'Ecole de Paris essentiellement aussi bien abstraits que figuratifs : Sonia Delaunay, Chagall, Estève, Lanskoy, Roland Oudot, Terechkovitch, etc.

LOUIS LOEB-LAROQUE

● **9e** - *36 bis, rue Le Peletier (878.11.18).*

Cartes géographiques et vues de villes anciennes du monde entier, atlas et recueils de vues, livres à figures des XVe, XVIe et XVIIe siècles, estampes sur les métiers. Vous trouverez ici un vaste choix dans le domaine aujourd'hui très en vogue du régionalisme.

GASTON MAS

● **9e** - *48, rue La Fayette (824.77.77).*

Spécialité de portraits et d'estampes anciennes (histoire, topographie) dans cette vieille et sombre boutique.

JANETTE OSTIER

● **3e** - *26, pl. des Vosges (887.28.57).*

Nombreuses estampes de très grande qualité parmi d'autres objets de cet art japonais que Janette Ostier a contribué à réhabiliter auprès des collectionneurs.

PAUL PROUTÉ

● **6e** - *74, rue de Seine (326.89.80).*

C'est à juste titre que Paul Prouté est considéré comme le plus grand marchand de Paris. Son choix est immense : près d'un million de gravures (l'estampe sous toutes ses formes du XVe siècle à nos jours (et de dessins originaux anciens ou modernes (sauf les contemporains), classés par sujet, par époque et par genre. Si les grandes œuvres peuvent atteindre des sommets inattendus, il est toujours possible de trouver dans cette boutique unique au monde des petites choses charmantes et pas trop chères. Dommage que le personnel ne calque pas son accueil sur celui du maître de la maison ou de ses enfants.

ROBERT PROUTÉ

● **6e** - *12, rue de Seine (326.93.22).*

Mme Robert Prouté dirige cette maison de grande tradition où le choix est sans doute moins étendu que chez Paul Prouté, mais reste d'une qualité extrême dans toutes les époques.

MICHEL R.G.

● **5e** - *17, quai Saint-Michel (354.77.75).*

Maison sûre et de bonne tradition, présentant pêle-mêle des affiches de jeunes graveurs et des estampes de toutes époques.

ROUILLON (Galerie J.P.R.)

● **6e** - *27, rue de Seine (326.73.00).*

Une boutique au charme suranné où l'on peut trouver des estampes décoratives de bon niveau.

PAUL ROULLEAU

● **1er** - *108, rue Saint-Honoré (233.49.52).*

Maison spécialisée dans les gravures (et les livres) militaires.

MAURICE ROUSSEAU

● **9e** - *42, rue La Fayette (770.84.50).*

La maison date de 1862. C'est Denise Rousseau, demoiselle experte (près les tribunaux) et quatrième génération de Rousseau, qui tient le magasin, en tous points remarquable tant pour la sagesse de ses prix que pour le choix et la qualité de ses estampes originales — françaises et anglaises — des XIXe et XXe siècles.

SAGOT-LE GARREC

● **6e** - *24, rue du Four (326.43.38).*

Accueillante et moderne, la galerie, dirigée depuis trente ans par Jean-Claude Romand — président de la Chambre Syndicale de l'Estampe et arrière-petit-fils de Georges Sagot, le fondateur de la maison —, fêtera en 81 son centenaire. Estampes et dessins originaux des XIXe et XXe siècles ; estampes rares de collection, de Goya aux artistes contemporains (figuratifs principalement). De belles expositions chaque année : Villon en 78, Vallotton et Daumier en 79.

SARTONI-CERVEAU

● **5e** - *13, quai Saint-Michel (354.75.73).*

On trouve ici, dans le domaine des cartes géographiques, du régionalisme, de l'horticulture, des fleurs, des oiseaux, des plans anciens et des sujets sportifs, beaucoup de gravures extrêmement décoratives, sinon de grande valeur.

AFFICHES

CRÉÉE par un artiste pour une circonstance particulière, l'affiche est le témoin d'une époque et peut-être aussi le moyen d'acquérir une œuvre de valeur à moindres frais. Mais attention : ne pas confondre affiche originale, éditée en nombre limité selon la technique de la sérigraphie, et sa reproduction, qui est la simple photographie de l'original. Si votre œil n'est pas exercé à cette différence, regardez l'affiche à la loupe : une reproduction laissera aussitôt voir la trame du papier photographique.

BERGGRUEN

● **7e** - *70, rue de l'Université (222.02.12).*

Beau choix d'affiches par les plus grands artistes de notre temps.

CINÉ BAZAR MINOTAURE

● **1er** - *11 bis, rue des Halles (508.51.04).*

Des affiches (et aussi des photos) de films des origines à nos jours, ainsi que des disques de musique de films. Egalement, location de documents cinématographiques.

CINÉ-IMAGES

● **7e** - *68, rue de Babylone (551.27.50).*

Un jeune homme enthousiaste à ouvert en face du cinéma La Pagode cette boutique consacrée au 7e art, où des amateurs à tendance bressonienne viennent acheter des photographies et surtout des affiches plus ou moins anciennes.

DOCUMENTS

● **6e** - *53, rue de Seine (354.50.68).*

Lorsque, en 1953, Michel Romand mit en vente les merveilleuses collections d'affiches du grand Sagot, son bisaïeul, toutes les vitrines traditionnelles de la rue de Seine en frémirent d'indignation. Mais cette mode (qu'il lança) connut le rapide succès que l'on sait et on continue de s'arracher, les Américains surtout (Lauren Bacall en raffole), ses superbes affiches originales — ce sont toujours des lithographies — de l'époque 1875-1930 (Chéret, Toulouse-Lautrec, Grasset, Berthon, Mucha, Cappiello, Steinlen), lesquelles ont désormais valeur de placement.

GALERIE JEAN-LOUIS FIVEL

● **6e** - *20, rue Serpente (633.64.21).*

Nouveau spécialiste de l'affiche : il en vend déjà aux musées (de partout), mais aussi aux collectionneurs d'Amérique d'où provient — par voie de conséquence, sans doute — le meilleur de son choix, dominé de haut par certains panneaux-annonces de cirque dont le style populaire fin de siècle évoque parfois celui de Seurat.

Où dîner le dimanche ? Voir p. 108.

L'IMAGERIE

● **5e** - *9, rue Dante (325.18.66).*

L'un des plus vastes choix d'affiches publicitaires anciennes, françaises et étrangères, de nombreuses planches d'Epinal, des estampes originales de 1900 à 1930 et des estampes japonaises, des jeux et des dessins anciens et modernes, des curiosités : étiquettes, menus, cartes de vœux de 1925. Quatre expositions chaque année.

CARTES POSTALES

LA carte postale, quoique récent objet de collection, a ses grands collectionneurs, ses grandes « compagnies », ses experts, ses expositions, ses catalogues exhaustifs et aussi ses marchands, dont voici les plus importants :

FILDIER CARTOPHILIE

● **4e** - *4, bd Morland (272.09.64).*

La boutique est consacrée en priorité, vous l'aurez deviné, à la vente des cartes postales dont André Fildier est un collectionneur attentif et acharné depuis toujours, comme en témoignent ses séries fascinantes sur tous les sujets possibles et imaginables. Mais il a d'autres cordes à son arc : le commerce des « photos d'artistes » d'avant 14 et de l'entre-deux-guerres, celui des vieux catalogues de grands magasins ou de livres d'enfants d'autrefois, et la publication de l'Argus des Cartes Postales, du Guide Cartophilia (des marchands et club de cartes postales) et celle de différents albums (de cartes postales toujours).

JEHANNO

● **1er** - *6, rue Bailleul (260.93.68).*
L'après-midi seulement.

Dans un aimable fouillis de chromos, dessins programmes, calendriers, etc., Jean-François Jehanno vous montrera sa collection innombrable de cartes postales en tous genres : « artistiques », naïves, dessinées, coloriées, numérotées, etc.

EDOUARD PECOURT

● **1er** - *58 bis, rue du Louvre (407.06.75).*
De 15 h à 19 h.

Un bon choix de cartes postales, depuis 1879, date de la sortie de la première carte illustrée représentant la tour Eiffel.

Consultez la table des matières : p. 631.

Citons aussi ces bonnes maisons :

A.B.C. - GONTIER

● **11e** - *36, rue Richard-Lenoir (379.60.37).*
Les jeudi, vendredi et samedi de 13 h 30 à 19 h.

LE COLLECTIONNEUR (L.R. Neveu)

● **11e** - *43-45, rue de la Roquette (806.40.10).*

CARTOPHILIA

● **15e** - *63, rue Blomet (566.55.40).*

A L'IMAGE DU GRENIER SUR L'EAU

● **4e** - *9, rue du Grenier-sur-l'Eau (271.02.31).*
De 12 h 30 à 19 h (le mercredi jusqu'à 21 h et le samedi de 14 h à 18 h).

Excellent choix et charmant accueil. Edition de cartes modernes également.

CLAUDE SUEUR

● **4e** - *25, rue Charles-V (272.67.00).*

Un ancien prospecteur de mines, Claude Sueur, retour d'Afrique par les Wagons-lits (il y fut serveur quelque temps), s'est installé dans cette boucherie désaffectée du Marais pour y faire commerce de cartes postales. Mieux vaut savoir, avant d'en franchir le seuil, que les cartes postales françaises sont dites incunables avant 1889, post-incunables de 1890 à 1899, anciennes ou « d'âge d'or » jusqu'à 1920, récentes jusqu'à 1950 (période de déclin) et actuelles enfin lorsqu'on les trouve encore sur les tourniquets. Curieuse terminologie, curieux bonhomme, curieux choix, particulièrement étendu pour ce qui touche aux paysages et scènes villageoises d'avant les deux guerres. Les prix s'échelonnent de 5 F à 1 000 F.

PEINTURES ET DESSINS ANCIENS

NOUS ne prétendons pas signaler ci-dessous tous les négociants dignes d'intérêt. Voici seulement les noms de quelques marchands, grands et moins grands, qui vendent des tableaux anciens, XIXe siècle compris. Si vous redoutez, à juste titre, d'acheter « n'importe où » et de jouer les experts avec une lampe Wood (qui détecte les plus grossiers maquillages en faisant ressortir les repeints), sachez que vous pouvez vous adresser à eux en toute confiance.

DIDIER AARON

● **16e** - *32, av. Raymond-Poincaré (727.17.29).*

Ce grand antiquaire présente dans son hôtel particulier de belles expositions de tableaux et dessins anciens (XVIIe, XVIIIe et XIXe).

AUBRY

● **6e** - *2, rue des Beaux-Arts (326.27.27).*

Maison réputée, reprise par le fils à qui il arrive de pouvoir vous montrer encore des Géricault et quelques maîtres de la fin du XIXe siècle.

BRAME ET LORENCEAU

● **8e** - *68, bd Malesherbes (522.16.89).*

On trouve chez Hector Brame et Jean Lorenceau des œuvres signées entre 1820 et 1920. Corot, Degas, Pissarro, Picasso et dessins de Toulouse-Lautrec. Clientèle : le Gotha du goût et de la fortune.

PAULE CAILAC

● **6e** - *13, rue de Seine (326.98.88).*

Bons dessins des XVIIIe et XIXe.

CAILLEUX

● **8e** - *136, fg Saint-Honoré (359.25.24).*

« Mon métier est de vendre mais mon plaisir est de montrer », aime à répéter ce très grand spécialiste du XVIIIe siècle. Son royaume est un univers de nonchalance, de brocarts et de chairs pulpeuses. C'est le pays de Fragonard, de Watteau, de Boucher, de Lancret et d'Hubert Robert.

DABER

● **8e** - *24, av. de Friedland (924.24.02).*

Excellente galerie spécialisée dans les œuvres du XXe siècle.

JEAN-PIERRE DESCHANDOL

● **8e** - *159, fg Saint-Honoré (359.86.92).*

Beaux tableaux et dessins anciens, flamands, hollandais et français, parmi des objets de vitrine.

JACQUES FISCHER

● **7e** - *46, rue de Verneuil (261.17.82).*

Cet excellent spécialiste des peintures, sculptures et surtout dessins français du XIXe siècle a changé de trottoir. Vous le trouverez désormais au n° 46 de la même rue (de Verneuil).

HEIM GAIRAC

● **6e** - *13, rue de Seine (326.57.50).*

Tableaux anciens, depuis les primitifs jusqu'à l'école de Barbizon comprise.

GALERIE LOEB

● **9e** - *11, rue Chauchat (770.06.05).*

Excellent choix de grands et petits maîtres des XIXe et XXe siècles, français et étrangers.

HAHN

● **8e** - *36, rue de Berri (563.45.34).*

Un spécialiste des XVIIe et XVIIIe siècles italiens, à « grands sujets », faute d'être nécessairement l'œuvre des plus grands peintres.

HEIM

● **8e** - *15, av. Matignon (225.22.38).*

Une galerie à Londres, une autre à Paris tendue de velours vieil or. François Heim y expose des tableaux des XVIIe et XVIIIe siècles de toutes les écoles, ainsi que quelques belles œuvres néo-classiques et des maîtres anciens. Par ailleurs, il organise régulièrement de magnifiques expositions. C'est actuellement, parmi les marchands français, le plus grand connaisseur de peintures anciennes (il possède une extraordinaire documentation). Jusqu'à présent, il vendait surtout aux musées et aux très grands collectionneurs, mais il se dirige aussi vers un marché plus accessible aux collectionneurs moyens, sans offrir pour autant des œuvres médiocres.

KRAUS

● **8e** - *79, fg Saint-Honoré (266.69.18).*

Une superbe présentation de peintures et de dessins de maîtres hollandais et flamands des XVIIe et XVIIIe siècles, à des prix qui donnent souvent des frissons.

LEEGENHOEK

● **16e** - *96, av. Kléber (553.89.82).*

Un Flamand à Paris pour vendre, dans sa discrète galerie au deuxième étage, des paysages hollandais, des Brueghel, des Cranach, etc. Ce spécialiste de réputation internationale passe pour être aussi le meilleur restaurateur de Paris, mais il réserve ses soins aux seuls tableaux nécessitant des attentions toutes particulières : les siens et ceux des musées et fondations, français ou étrangers.

MARUMO

● **1er** - *243, rue Saint-Honoré (260.08.66).*

Beaucoup de choix et de qualité dans le domaine de la peinture du XIXe siècle (Ecole de Barbizon). Egalement de la peinture moderne.

MOATTI

● **6e** - *77, rue des Saints-Pères (222.91.04).*

A ouvert récemment dans son hôtel particulier, riche en sculptures et objets de collection, une belle galerie de dessins anciens.

MICHEL SEGOURA

● **7e** - *11, quai Voltaire (261.19.23).*

Le charmant frère de Maurice Segoura, le grand marchand de meubles du Faubourg Saint-Honoré, a ouvert assez récemment cette jolie galerie où il expose de bons tableaux, principalement français et hollandais, des XVIIe et XVIIIe siècles, parmi des objets de collection et de haute curiosité (bronzes, coffrets, nautiles etc.). L'ensemble forme un choix éclairé et d'une qualité très sûre.

TANAGRA

● **1er** - *138, rue Saint-Honoré (265.89.07).*
L'après-midi seulement.

Une excellente sélection de la peinture symboliste et des peintres « officiels » de 1850 à 1914 (avec quelques sculptures de même inspiration dite depuis peu « perfectionniste » mais plus couramment encore « pompier ») dans sa petite galerie drôlement parée de meubles signés Bugatti (père du grand constructeur automobile). Clairin, Cabanel, Meissonier et surtout Gérome, le méticuleux Cecil B. De Mille de la peinture, y déploient tous leurs fastes. A côté de beaux bronzes et de sculptures polychromes façon Périclès (marbre peint), ou façon Phidias : chryséléphantine (ivoire et métal).

WATTEAU

● **8e** - *182, fg Saint-Honoré (359.82.59).*

Son célèbre trisaïeul n'a pu faire qu'André Watteau s'adonnât au XVIIIe siècle : sa spécialité est la peinture pré-impressionniste et l'école de Barbizon. On voit donc chez lui des Millet, et des Meissonier, des Théodore Rousseau, des Corot et de remarquables dessins. André Watteau donne avec plaisir son avis d'expert sur les tableaux qu'on lui présente.

Musées

COLLECTIONS ALBERT-KAHN

● **92 Boulogne** - *10, quai du 4-Septembre (604.52.80).*

Sur rendez-vous.

Le « musée » Albert Kahn abrite l'ensemble des collections photographiques et cinématographiques constituées de 1910 à 1931, sous le nom d'« Archives de la Planète », par un financier philanthrope et philosophe — Albert Kahn — qui, rêvant bien avant la S.D.N. du rapprochement entre les peuples, voulut donner l'inventaire imagé de la « surface du globe occupée et aménagée par l'homme, telle qu'elle se présente au début du XXe siècle ». Fascinante entreprise à laquelle nous sommes redevables de quelque 72 000 clichés et de milliers de mètres de pellicule : clichés sur la géographie, l'habitat, l'architecture, les types humains, l'art, les religions, la vie quotidienne en Europe, Afrique et Asie principalement, plus une importante série en noir et blanc et en couleurs sur la guerre de 14-18; films sur l'actualité politique et sociale de l'époque. L'inventaire et le classement systématique de ces documents est en cours, mais faute de locaux disponibles pour l'instant, la consultation des collections se fait sur rendez-vous seulement et s'adresse plus particulièrement aux chercheurs.

HISTORIAL DE MONTMARTRE-MUSÉE DE CIRE

● **18e** - *11, rue Poulbot (606.78.92).*

De 10 h à 12 h et de 14 h à 18 h. 7 F. Enfants : 4 F.

L'histoire de la Butte Montmartre et de ses célébrités — en cire — y est retracée dans un décor et un environnement pittoresques. Le musée s'est adjoint une boutique de matériel pour les peintres : toiles, châssis, peinture, pastels, etc.

MAISON DE BALZAC

● **16e** - *47, rue Raynouard (224.56.38).*

De 10 h à 17 h 45. F. lundi. 3 F.

Adorable pavillon du XVIIIe siècle entouré d'un jardin non moins charmant. Balzac y vécut de 1840 à 1847 et y écrivit la dernière partie de la « Comédie humaine ». Documents, portraits, caricatures, objets personnels. Court audiovisuel évoquant la vie de l'écrivain. Il faut aller voir, en contre-bas, l'extraordinaire rue Berton, dernière sente campagnarde de Paris, où les dames (honnêtes et sentimentales) adorent se faire embrasser.

MAISON DE VICTOR-HUGO

● **4e** - *6, pl. des Vosges (272.16.65).*

De 10 h à 17 h 40. F. lundi et jours fériés. 3 F.

On ne retrouve pas ici (c'est l'ancien hôtel Rohan-Guéméné) le cadre réel où Hugo vécut pendant seize ans; ses meubles avaient été en effet vendus au moment de l'exil. Mais on y voit des souvenirs de sa vie, des portraits et des bustes de lui-même (dont l'un, par Rodin), un des chefs-d'œuvre de la peinture romantique, le portrait de Juliette Drouet, par Champmartin, une série de croquis de Victor Hugo sur l'aménagement de Hautville House, à Guernesey, et surtout la collection des dessins oniriques qu'exécuta le poète visionnaire au cours de ses voyages sur les bords du Rhin et en Suisse, en Belgique et en France. Il y en a près de 350, tous plus étranges et fantastiques les uns que les autres. Acquisitions récentes : nombreux manuscrits et portaits de famille. La bibliothèque Hugo et le cabinet d'estampes sont ouverts aux chercheurs sur demande.

MANUFACTURE DES GOBELINS

● **13e** - *42, av. des Gobelins (331.03.32).*

De 14 h à 16 h les mercredi, jeudi et vendredi seulement. 5 F.

Un bâtiment d'une imposante architecture (1916), mais aussi de belles maisons anciennes au charme provincial. Vous pourrez visiter les ateliers des liciers des Manufactures Nationales des Gobelins, de Beauvais et de la Savonnerie. En sortant, prenez à gauche la rue des Gobelins pour voir au 17 la grande maison à tourelle dite « château de la reine Blanche ».

MUSÉE ADAM-MICKIEWICZ

● **4e** - *6, quai d'Orléans (354.35.61).*

De 15 h à 18 h le jeudi seulement ou sur rendez-vous. Entrée gratuite.

La vie du poète polonais, son œuvre, et ses relations avec les grands romantiques français y sont évoquées et illustrées. Visitez à la suite le Salon Chopin où sont rassemblés des manuscrits musicaux, des portraits et le masque mortuaire du grand musicien par J.B. Clésinger. Enfin, une collection de peintures d'artistes polonais (du XIXe siècle et des débuts du XXe) ayant séjourné ou vécu en France.

MUSÉE DE L'AFFICHE

● **10e** - *18, rue de Paradis (824.50.04).*
De 12 h 30 à 18 h. F. lundi et mardi. 5 F.

Le dépôt parisien de ce qui fut la prospère manufacture de céramique Boulenger de Choisy-le-Roi abrite depuis février 1978, derrière sa mémorable façade polychrome Renaissance-fin de siècle, le deuxième musée de l'Affiche du monde (celui de Varsovie l'ayant d'assez longue date précédé). Les cinquante mille documents constituant la totalité de la collection de l'Union Centrale des Arts Décoratifs qui s'y trouvent depuis lors conservés font bien entendu l'objet de présentations successives. Affiches de « peintres-peintres », comme Toulouse-Lautrec et Bonnard, s'étant occasionnellement voués à la « réclame lithographique », affiches de cinéma (elles atteignent actuellement les plus hauts prix), etc. L'alimentation de détail (bière de Mars et cidre d'Isigny) se signale ici par de ravissantes images de la fin extrême du XVIIIe siècle. Et l'alimentation de gros par quelques chefs-d'œuvre datés pour le moins d'un siècle plus tard : la petite fille du chocolat Menier (de Bouisset, 1897), le lait de la Vingeanne (de Steinlen), les cocasses Nectar et Glouglou Nicolas (de Dranzy), en passant par les illustrations « apéritives » de Loupot (Saint-Raphaël) pour aboutir à la monumentale et obsédante tête du bœuf du bouillon Kub de Cappiello, datée de 1931. Plusieurs expositions intéressantes ont déjà eu lieu sur le thème de la publicité, la « petite reine », etc.

MUSÉE DE L'AIR

● **93 Le Bourget** - *Aéroport du Bourget (837.01.73).*

● **92 Meudon** - *8, rue des Vertugadins (027.75.01).*
De 10 h à 17 h (18 h du 1er mai au 30 sept.). Les samedi, dimanche et jours fériés : de 10 h à 12 h et de 14 h à 17 h (ou 18 h). F. mardi. Respectivement 5 F et 3 F.

Deux remarquables halls d'exposition au Bourget préfigurent le futur musée de l'Air et de l'Espace où seront réunies les collections du musée de Meudon dans un avenir qu'on dit pas trop lointain (1983?). Ces halls sont consacrés l'un à l'industrie aéronautique de 1919 à 1939, l'autre à la Seconde Guerre mondiale et on peut y voir les appareils les plus représentatifs de ces époques. A Meudon, un carrousel immobile de tout ce qui a volé ou tenté de voler depuis que les hommes rêvent en regardant les oiseaux et le ciel étoilé au-dessus de leur tête, retrace l'histoire de l'aéronautique, des premières montgolfières (en 1783) jusqu'aux glorieux appareils de la Grande Guerre en passant par l'Avion 3 de Clément Ader, le planeur de Lilienthal, l'aéroplane de Wilbur Wright, la Demoiselle de Santos Dumont, et bien d'autres qui, de toute évidence, enthousiasmeront vos enfants autant que vous-même.

MUSÉE ALBERT LONDRES

● **17e** - *23, rue Galvani.*

Le plus grand reporter français de tous les temps disposera ici d'un petit musée retraçant sa carrière tumultueuse. Nous n'en savons pas plus à l'heure où sont écrites ces lignes. Sinon que l'ouverture — qu'on nous assure prochaine — de ce musée « en appartement » rassemblera des meubles, des objets et toutes les archives du populaire justicier des quotidiens parisiens qui mourut en 1932 après avoir réclamé — et obtenu — la fermeture de l'odieux bagne de Cayenne, dénoncé les protecteurs « officiels » de la traite des Blanches, l'exploitation des Noirs dans nos colonies africaines et celles des pêcheurs de perles du Pacifique.

MUSÉE DE L'ARC DE TRIOMPHE

● **8e** - *Pl. Charles-de-Gaulle (380.31.31).*
De 10 h à 17 h. F. mardi. 7 F.

En haut des quelque 230 marches (l'ascenseur est capricieux), avant de pénétrer sur la plateforme de l'Arc de Triomphe, on traverse une grande salle (on y a installé l'audio-visuel) qu'il est un peu présomptueux de qualifier de musée, mais qui recèle des documents, archives, photographies et tableaux retraçant l'histoire du monument. La terrasse de l'Arc de Triomphe est l'un des tremplins à suicides les plus actifs de France.

MUSÉE DE L'ARMÉE

● **7e** - *Hôtel des Invalides (955.92.30 poste 33.922).*
De 10 h à 18 h (17 h en hiver). 6 F.

La section historique renferme des souvenirs aussi prestigieux que le boulet qui tua Turenne et la redingote grise de l'Empereur. L'une des plus belles collections d'armes et d'armures du monde y est présentée. De grands travaux de rénovation ont été entrepris : en 75 la salle de la Restauration, en 77 la salle Bugeaud et en 79 l'ouverture de la Salle Orientale, Islam et Extrême-Orient (armes et armures turques, indiennes, japonaises du XVIe au XIXe siècle, pièces chinoises du XVIIIe). Cinéma permanent et gratuit tous les après-midi à partir de 14 h : projection de films en exclusivité sur les deux dernières guerres mondiales. Bibliothèque, Cabinet des estampes, photothèque et, bien sûr, le tombeau de l'Empereur que l'on peut visiter jusqu'à 19 h en juillet et en août.

Un bon "chinois" : voir p. 115.

MUSÉE D'ART JUIF

• **18e** - *42, rue des Saules (257.84.15).*
De 15 h à 18 h les mardi, jeudi et dimanche. F. jours fériés et en septembre. 4 F.

Au 3e étage du Centre juif de Montmartre, cet étrange musée fondé en 1949 offre — dans des locaux rénovés — un aperçu assez complet de l'art israélite. On y remarque particulièrement un ensemble de maquettes de synagogues et une collection d'objets du culte. Sculptures, dessins, gravures contemporaines complètent avec des œuvres populaires d'Europe et d'Afrique du Nord cette vision d'un art peu connu des Parisiens.

MUSÉES D'ART MODERNE

— DE LA VILLE DE PARIS

• **16e** - *11, av. Président-Wilson (723.61.27).*
De 10 h à 17 h 40. F. lundi. 5 F.

— NATIONAL

• **16e** - *13, av. Président-Wilson (723.36.53).*
De 9 h 45 à 17 h 15. F. mardi et mercredi. 6 F.

Les choses étant devenues ce qu'elles sont — confuses — entre l'avenue du Président-Wilson et la Seine nous avons cru devoir réunir sous cette formule plurielle les deux musées d'Art Moderne abrités par le même édifice, dit à l'origine Palais de Tokyo. Un mot à son sujet : construit à l'occasion de l'Exposition de 1937, son architecture, longtemps décriée, apparaît tout compte fait comme l'une des plus caractéristiques de la manière bâtisseuse officielle de l'époque Troisième République. Une colonnade symétrique largement ouverte vers l'autre rive en réunit les deux bâtiments jumeaux parés de « tentures de bas-reliefs », selon l'expression adoptée par leur exécutant, Janniot, que nos brocanteurs rétrophiles s'apprêtent, n'en doutez pas, à « redécouvrir ». L'amateur de sculpture, lui, préférera « La France » de Bourdelle érigée au centre du péristyle.

• Le **Musée d'Art Moderne de la Ville de Paris** en occupe le pavillon Est (côté place de l'Alma). Inauguré en 1961, il se signale par l'équipement muséologique tenu pour le plus avancé de l'époque (plans inclinés, galeries mobiles, etc.), et encore par la richesse de ses collections d'œuvres d'art datées du début de ce siècle (fauvisme) à nos jours (cinétisme, etc.). Ensemble qui intègre, entre autres œuvres monumentales, la « Fée électricité » de Raoul Dufy, tenue à plus ou moins juste titre pour la plus grande peinture du monde (exposée au 1er étage), et l'admirable « Danse » de Matisse. S'y ajoutent, entre autres ensembles, des groupements d'œuvres de Derain, Modigliani, Rouault, Utrillo, Gromaire, Lurçat, Fautrier, etc., et des accrochages temporaires en vue desquels a été spécialement équipé le rez-de-chaussée haut (côté Wilson), riche, s'il faut en croire la toujours aussi rébarbative terminologie administrative, de « six circuits diversifiés »... Une section spéciale d'Animation, Recherche et Confrontation (l'ARC) complète l'activité de ce musée par des expositions temporaires et autres ateliers. La musique y trouve souvent place, comme la poésie. Un musée des enfants, aux caractéristiques encore floues, prolonge cette organisation, à laquelle certains créateurs font — déjà — reproche d'institutionnaliser l'avant-garde...

• Le **Musée national d'Art Moderne** — déclaré aux dernières nouvelles Palais de Tokyo sans plus de précision — n'en occupe toujours que l'aile Ouest (côté Trocadéro). Pour dire le vrai, c'est ce qui l'occupe qui fait, depuis l'ouverture du Centre Beaubourg, problème. Car mise à part l'activité de tissage qui en anime certaines salles — promues ateliers pour la circonstance (renseignements au 260.39.26, poste 30.12), rien ne s'y passe plus qui intéresse directement notre art moderne : les peintures, sculptures, dessins et autres objets d'art qu'on y voit en — relative — permanence datent pour le principal de l'époque post-impressionniste. Ils attendent là le jour qui les intégrera aux collections du futur musée d'Orsay qu'on souhaite de présentation plus vivante. Quant aux expositions temporaires d'œuvres généralement antérieures, elles relèvent directement du Louvre, qui dispose désormais ici de ses salles dites « d'Art et d'Essai ».

MUSÉE NATIONAL D'ART MODERNE (Centre National d'Art et de Culture Georges Pompidou)

• **4e** - *120, rue Saint-Martin (277.12.33).*
De 12 h à 22 h. Le sam. et le dim. : de 10 h à 22 h. F. mardi. 7 F.

Le gigantesque succès du Centre Pompidou et ses bonnes relations avec la Société des Amis du Musée national d'Art Moderne ont résolu fort heureusement les querelles provoquées par le transfert des collections de l'avenue du Président-Wilson jusqu'au plésiosaure pompidolien. Admirons la claire et remarquable présentation des collections, présentation souvent modifiée — sans changements fondamentaux — afin d'exposer alternativement le plus grand nombre possible d'œuvres des collections nationales. Elles réunissent, dans les domaines de la peinture, de la sculpture, de l'estampe, de la photographie et des films d'artistes, les œuvres majeures du XXe siècle, du cubisme à nos jours. Et applaudissons aux nouvelles acquisitions : entre autres, en 78, des œuvres de Bonnard, Lipchitz, de Kooning, Laurens, Malévitch, Arroyo, Raysse, etc. Fréquentes expositions temporaires destinées à mettre en valeur les différents aspects de l'art le plus actuel.

MUSÉE DES ARTS AFRICAINS ET OCÉANIENS

● **12e** - *293, av. Daumesnil (343.14.54).*
De 9 h 45 à 12 h et de 13 h 30 à 17 h 15. F. mardi. 6 F (3 F le dimanche).

Il est rare de trouver des gardiens aussi aimables, toujours à votre disposition pour quelque renseignement supplémentaire si les fiches distribuées à l'entrée vous paraissent insuffisantes. Nul doute qu'en leur compagnie vous découvrirez avec plus d'enthousiasme encore les mystères des arts et civilisations d'Afrique Noire, du Maghreb et d'Océanie, dont sculptures, bijoux, poteries, armes, broderies constituent le fonds. Une nouvelle salle consacrée au mobilier tunisien. Très bel aquarium tropical.

MUSÉE DES ARTS DÉCORATIFS (Pavillon de Marsan)

● **1er** - *107, rue de Rivoli (260.32.14).*
De 10 h à 12 h et de 14 h à 17 h. F. mardi. 6 F.

Panorama complet de la demeure française du Moyen Age à 1900, très riches collections de peintures, sculptures, mobilier, tapisseries, céramiques, etc., arts d'Orient et d'Extrême-Orient, donation Dubuffet. La Galerie Louis XV a été nouvellement rénovée, mais le musée ferme désormais ses portes à l'heure du déjeuner. On pourra toujours attendre la réouverture (14 h) en allant feuilleter dans la bibliothèque du rez-de-chaussée devant les jardins l'un des innombrables et passionnants volumes illustrés se rapportant au mobilier, aux boiseries, aux passementeries, etc. Ou en consultant le Centre national d'information et de documentation sur les Métiers d'Art (de 12 h 30 à 17 h 30), sur les moyens de formation (écoles et stages), les questions administratives, le fonctionnement des ateliers et la situation et les activités des artisans (fichier de 10 000 noms classés par ordre géographique et alphabétique). Visites guidées et conférences avec projections le mercredi à 14 h 30 pour les enfants de 5 à 12 ans.

MUSÉE NATIONAL DES ARTS ET TRADITIONS POPULAIRES

● **16e** - *6, route du Mahatma-Gandhi (747.69.80).*
De 10 h à 17 h 15. F. mardi. 6 F.

Créées en 1968, les galeries scientifiques de ce musée-laboratoire n'intéressaient pratiquement que les savants et les chercheurs. Mais depuis juin 1975 une autre galerie culturelle, destinée au grand public celle-là, ajoute singulièrement à l'intérêt du musée. Les objets de l'art populaire (de la civilisation pré-industrielle) y sont exposés d'une façon simple et claire, chacun dans son contexte sociologique et écologique (ateliers d'artisans, intérieurs régionaux). Les expositions temporaires de ce musée (deux à trois par an) comptent parmi les plus remarquables manifestations culturelles de la capitale (« L'Homme et son corps dans la société traditionnelle », par exemple). Laboratoire associé au C.N.R.S., le Musée national des Arts et Traditions populaires conduit également des recherches sur les patrimoines culturels de notre pays. Ces recherches donnent lieu à la publication de collections prestigieuses telles que : L'Architecture rurale française, Récits et contes populaires, Le Mobilier traditionnel français, Sources régionales, etc.

MUSÉE DE L'ASSISTANCE PUBLIQUE

● **5e** - *13, rue Scipion (337.59.51).*
De 10 h à 17 h les mercredi, samedi et dimanche. De 11 h à 17 h les jeudi et vendredi. F. lundi et mardi. 2 F.

Les Parisiens retrouveront dans ce petit musée (installé dans l'ancienne et somptueuse boulangerie des hôpitaux de Paris) les trésors si longtemps cachés dans leur précédent dépôt de l'hôtel de Miramion. Mais les innombrables documents, peintures, sculptures, souvenirs du siège de 70, instruments et appareils médicaux (extraordinaire collection de pots de pharmacie, principalement du XVIIIe siècle) et autres témoins passionnants de l'histoire de l'Hôtel-Dieu, ne peuvent ici, faute de place, être présentés que par roulement et expositions temporaires. Récentes acquisitions : des instruments chirurgicaux datant de 1830 et signés Charrière : le lithotome double de Dupuytren et la scie rachitome convexe double.

MUSÉE BOURDELLE

● **15e** - *16, rue Antoine-Bourdelle (548.67.07).*
De 10 h à 17 h 40. F. mardi. 3 F.

Ici vécut Bourdelle jusqu'à sa mort, en 1929. C'est seulement en 1948 que la veuve du sculpteur offrit à la ville de Paris les sculptures, plâtres originaux, peintures, gouaches et aquarelles du maître, en même temps que ses ateliers conservés intacts, avec son mobilier, ses outils, et son jardin. Allez le visiter, de préférence au printemps, quand les arbres sont en fleurs; vous admirerez l'Héraclès, le Monument à Alvear (étude pour celui de Buenos-Aires) ou le Centaure mourant et Sapho. Nouvelle acquisi-

Envoyez-nous vos bonnes adresses, vos critiques, vos commentaires : Le Nouveau Guide Gault-Millau, 210, fg Saint-Antoine, 75012 Paris.

tion en 78 : les lettres d'amour de Bourdelle. Un prix Bourdelle est exposé tous les deux ans.

MUSÉE BRANLY

● **6e** - *21, rue d'Assas (548.24.87).*
De 9 h à 12 h et de 14 h à 18 h. F. samedi et dimanche. Entrée gratuite.

Ce musée (en réalité une seule et unique salle), situé dans les jardins de l'Institut Catholique, présente les premiers circuits émetteurs et récepteurs du créateur de la radio.

MUSÉE BRICARD DE LA SERRURE

● **3e** - *1, rue de la Perle (277.79.62).*
De 10 h à 12 h et de 14 h à 17 h. F. lundi et mardi. 5 F.

La célèbre maison de serrurerie décorative a ouvert le 15 septembre 1976 cet intéressant petit musée où est rassemblée une collection de serrures, clefs, marteaux de porte, etc., de l'époque romaine à nos jours. Quelques vitrines ont été remaniées et de nouvelles acquisitions ont été faites : clés de chambellan et serrure aux armes de Calonne.

MUSÉE CARNAVALET

● **3e** - *23, rue de Sévigné (272.21.13).*
De 10 h à 17 h 40. F. lundi. 5 F.

Paris a son histoire : il a aussi ses histoires dont le musée Carnavalet conserve les multiples et précieux échos. Ses collections sont installées dans le cadre particulièrement attrayant d'un hôtel du XVIe siècle qu'agrémente en son milieu un jardin orné de broderies de buis taillés, bordés de plates-bandes fleuries. Les collections actuellement présentées s'étendent de la fin du XVIe siècle à nos jours (enseignes anciennes, plans-reliefs de quartiers, maquettes de monuments, boiseries, meubles et objets). Elles sont d'ailleurs constamment enrichies : ouverture d'un salon décoré par François Boucher et les peintres de son atelier (parmi lesquels Fragonard) et de nouvelles salles consacrées au XVIe siècle, au rez-de-chaussée du corps du logis datant de la même époque. Les toiles accrochées dans certaines salles — vues anciennes de la ville, portraits, scènes historiques et scènes de mœurs — forment une vaste et passionnante iconographie.

MUSÉE CERNUSCHI

● **8e** - *7, av. Vélasquez (563.50.75). Entrée par le 111, bd Malesherbes.*
De 10 h à 17 h 30. F. lundi et jours fériés. 5 F (gratuit le dimanche).

Célèbre collection d'art de la Chine et du Japon, admirablement présentée (en particulier : bronzes archaïques, une étonnante série de statuettes funéraires en terre cuite, et un Bodhisattva assis, du Ve siècle). Les Parisiens l'ignorent trop souvent.

MUSÉE DE LA CHASSE ET DE LA NATURE

● **3e** - *60, rue des Archives (272.86.43).*
De 10 h à 17 h. F. mardi et jours fériés. 6 F.

Dans le superbe hôtel Guénégaud, construit en 1654 sur des plans attribués à François Mansart, des armes admirables, des trophées, des objets sont exposés ainsi que des tableaux d'Oudry, de Desportes et de Chardin. Ce musée est l'un des rares qui passionnent les enfants de tous les âges.

MUSÉE CHRISTOFLE

● **93 Saint-Denis** - *112, rue Ambroise-Croizat (752.15.30).*
De 9 h à 13 h et de 14 h à 18 h. F. samedi et dimanche. Gratuit. Visites commentées sur rendez-vous.

Le canal glauque, l'usine rouge sur laquelle grimpe un peu de lierre. Le musée s'ouvre à main gauche, passée la porte monumentale. On y voit, parmi de scrupuleuses reconstitutions d'objets d'orfèvrerie antiques, quelques exquises pièces vraiment anciennes (aiguière du Grand Siècle, bouillons de mariée d'époque Louis XV, saupoudreuse Empire, etc.), et la fine fleur de la production Christofle, de l'époque Louis-Philippe — qui la vit naître — à nos jours, en passant par les successives confusions de styles de la seconde partie du siècle (bidet de la Païva exécuté ici à la demande d'un mystérieux admirateur), l'Art Nouveau (dont l'entreprise contribua à répandre l'extrême fantaisie « végétaliste » dans de singuliers modèles réalisés directement sur nature par brevet spécial galvanoplastique), l'Art Déco (Sue et Mare, puis Groult et Follot composèrent tour à tour de somptueux modèles), et le style « Expo 37 » (très beaux objets dus au talent aujourd'hui à tort méconnu de certain Danois Fjerdinstad). Notons aussi, dans l'infinité des types de couverts, l'immense variété des cuillères : à compote, à confiture, à fruits, à sucre, à sucrer (variantes diversement percées pour les pâtisseries et les fraises), à dessert (sans autre précision), à sel, à moutarde, à achards, à pickles, à huîtres, à sardines, à petits fours, etc. Plus quelques-unes pour la soupe...

MUSÉE DU CINÉMA - CINÉMATHÈQUE FRANÇAISE

● **16e** - *Palais de Chaillot, pl. du Trocadéro (704.24.24).*
Visites guidées et sur rendez-vous seulement. 5 F.

Plus de 80 ans de cinéma mondial traité par ordre chronologique. Les richesses du 7e art (appareils de photo, films, costumes, décors, souvenirs) sont trop souvent entassées dans de petites alcôves où l'on cherche en vain une quelconque explication. Projection cinématographique à la fin de la visite.

MUSÉE CLEMENCEAU

● **16e** - *8, rue Franklin (870.53.41).*
De 14 h à 17 h. F. lundi et vendredi. 4 F.

La maison où Georges Clemenceau vécut les dernières années de son étonnante existence. Mille objets de la vie quotidienne et de son décor modeste, depuis son blaireau jusqu'aux petites cariatides de Rodin, rappellent, de manière émouvante, les diverses heures que le « Tigre » passa là, devant le spectacle de sa victoire transformée en défaite.

MUSÉE DE CLUNY

● **5e** - *6, pl. Paul-Painlevé (325.62.00).*
De 9 h 45 à 12 h 30 et de 14 h à 17 h 15. F. mardi. 6 F.

Dans l'ancien et magnifique hôtel des abbés de Cluny, 27 salles consacrées aux arts gallo-romains et du Moyen Age (statues d'apôtres de la Sainte-Chapelle), chefs-d'œuvre de la tapisserie : la Dame à la Licorne et la Vie Seigneuriale. Voir la chapelle gothique flamboyante. Nouvelle acquisition en 78 : une croix limousine à double face, du début du XIIIe siècle. Une incomparable collection d'œuvres croupit depuis plus de 30 ans dans les réserves, riches de 20 000 numéros. On les exhume progressivement. Les collections de la Renaissance, mises en réserve lors de la réfection du musée après la guerre, sont en cours d'installation au musée de la Renaissance du château d'Ecouen (Val d'Oise); les travaux seront achevés en 82 avec l'ouverture de 29 salles.

MUSÉE COGNACQ-JAY

● **2e** - *25, bd des Capucines (073.55.66).*
De 10 h à 17 h 40. F. lundi et mardi. 3 F.

Les visiteurs ne s'y pressent pas véritablement en foule. Raison de plus pour flâner tout à loisir dans ce musée raffiné, consacré aux XVIIe et XVIIIe siècles, qui occupe les trois étages d'un hôtel particulier. L'Anesse de Balaam par Rembrandt, le Festin de Cléopâtre par Tiepolo, les dessins de Watteau, les pastels de Maurice Quentin La Tour et l'exceptionnelle collection de tabatières, petites boîtes et étuis en or, émaux et pierres dures réunie par le fondateur de la Samaritaine méritent que l'on s'y attarde.

MUSÉE DES COLLECTIONS HISTORIQUES DE LA PRÉFECTURE DE POLICE

● **5e** - *1 bis, rue des Carmes (329.21.57, poste 335).*
De 14 h à 17 h les mercredi et jeudi seulement. Entrée gratuite.

Transféré dans des locaux modernes et clairs, ce musée ouvert au début de l'année 1975 comporte d'intéressants documents relatifs à la police parisienne depuis le XVIe siècle : lettres de cachet, collections d'armes, documents sur les grands crimes historiques. Les collections — qu'on dit particulièrement bien fournies sur les mœurs — sont restées au quai des Orfèvres et toujours cachées aux yeux des profanes.

MUSÉE DE LA CONTREFAÇON

● **16e** - *16, rue de la Faisanderie (501.51.11).*
De 9 h à 12 h et de 14 h à 17 h. F. samedi et dimanche. Entrée gratuite.

Les mille et un cas de contrefaçon ayant fait l'objet de condamnations judiciaires — des faux vins de Narbonne vendus par les Gaulois en l'an 200 av. J.C. aux Chocolats Meinier (pour Menier), au « Perrenod », au « quinquina du poney » et aux nombreuses contrefaçons de parfums — sont exposés dans ce petit musée passionnant, installé dans un hôtel particulier du XVIIIe siècle qui est lui-même une contrefaçon : il a été construit en 1900 !

MUSÉE DU CRISTAL (Baccarat)

● **10e** - *30 bis, rue de Paradis (770.64.30).*
De 9 h 30 à 17 h 30. F. samedi et dimanche. Entrée gratuite.

Magnifiques et célèbres pièces. Histoire et fabrication du cristal intelligemment présentées.

MUSÉE DELACROIX

● **6e** - *6, rue Furstenberg (354.04.87).*
De 9 h 45 à 17 h 15. F. mardi. 4 F.

Un petit musée, en haut d'un escalier sombre, qui réunit dans l'appartement-atelier de Delacroix, où il vécut jusqu'à sa mort en 1863, quelques souvenirs personnels, lettres, peintures, dessins et esquisses, renouvelés régulièrement. L'atelier donne de plain-pied dans son jardin charmant et romantique. L'active Société des Amis d'Eugène Delacroix organise diverses expositions : Delacroix et son milieu parisien, Delacroix et Riesener, Delacroix et Paul Huet, etc.

MUSÉE D'ENNERY

● **16e** - *59, av. Foch (553.57.96).*
De 13 h à 16 h (sept.-mars) et de 13 h à 17 h (avril-juillet) : le dimanche seulement. F. août. Entrée gratuite.

Dans l'hôtel Second Empire, que légua d'Ennery à l'État avec ses collections, sont entassés statues d'animaux, meubles, figurines, témoins et témoignages religieux et populaires de la Chine et du Japon du XVIIe au XIXe siècle. La plus belle collection de netsukés et une jolie série de boutons ouvragés japonais. Une seconde salle, comportant objets d'art et documentation sur l'auteur des « Deux Orphelines », n'est ouverte que si la salle principale se trouve vide de tout visiteur.

MUSÉE GAMBETTA

● **92 Sèvres** - *14, av. Gambetta (027.61.22).*

De 10 h à 12 h et de 14 h à 18 h (16 h du 1er octobre au 31 mars). F. mardi.

Conciergerie, en quelque sorte, de ce qui fut la vaste propriété des Jardies où Balzac vécut, de café : cinquante tasses par jour disposées chaque matin sur la cuisinière de briques (à droite en entrant), et d'espérances (déçues) : il fut en effet contraint de renoncer à sa tentative de culture intensive d'ananas (dans le jardin, au bas-fond de l'entrée principale). Gambetta, lui, y mourut — accidentellement — le dernier jour de 1882. On visite son salon, au rez-de-chaussée, et sa chambre, au premier étage, le tout fortement marqué au coin du style Napoléon III finissant (par ses soins). Rien ne témoigne en revanche du passage (supposé, il est vrai) de Corot en cette demeure ; pas même la moindre amorce d'esquisse de paysage. Une demeure dont le charme relativement modeste est écrasé depuis bientôt un siècle par la présence, en façade, d'un pesant monument de Bartholdi érigé par « souscription volontaire » de ses électeurs alsaciens, en hommage à la mémoire de Gambetta, le fougueux organisateur de notre Défense Nationale.

MUSÉE GRÉVIN

● **9e** - *10, bd Montmartre (770.85.05).*

De 14 h à 19 h (de 13 h à 19 h les dimanche, jours fériés et pendant les congés scolaires). 16 F (enfants : 10 F).

et Forum des Halles, niveau - 2

De 11h à 22 h (de 13 h à 20 h le dimanche et les jours fériés).

Un monde fou mais enthousiaste (environ 600 000 visiteurs par an) pour un musée étrange, à la décoration en délire et aux lumières surprenantes, dernier refuge du surréalisme populaire. Redécouvert après-guerre par les Parisiens, ce musée qui fêtera en 81 son centenaire se consacre en partie à l'actualité brûlante : Giscard d'Estaing, Chirac, y remplacent impitoyablement de Gaulle et Pompidou. Sadate, Begin, Carter et Jean-Paul II y sont déjà « en vitrine »... On y retrouve des scènes historiques, de Charlemagne à Napoléon III (Roland, François Ier, Louis XIV à Versailles), qui valent bien les visions hollywoodiennes, et plusieurs merveilleux tableaux sur le théâtre et les ballets à travers le monde. Le Palais des Mirages et le Cabinet Fantastique complètent la visite de ce « musée » dont les grands et petits enfants ne se lassent jamais.

Un musée « filiale » a ouvert ses portes en septembre 79 au Forum des Halles. Il évoque l'actualité parisienne à la Belle Epoque en une vingtaine de « tableaux » (certains sont animés) : Victor Hugo à la fin de sa vie, Verlaine au Procope, Pasteur dans son laboratoire, Jules Verne dans le décor de Vingt mille lieues sous les mers, les grands boulevards, la Butte Montmartre, Worth et Paul Poiret, l'Exposition universelle de 1900, la grande Sarah dans Cléopâtre, Coquelin dans Cyrano, etc. et enfin une reconstitution du théâtre optique (praxinoscope) d'Emile Reynaud tel qu'il fonctionna boulevard Montmartre de 1892 à 1900, avant d'être définitivement « ruiné » par le cinématographe des frères Lumière (projection du « Pauvre Pierrot » véritable ancêtre du dessin animé).

MUSÉE GUIMET

● **16e** - *6, pl. d'Iéna (723.61.65).*

De 9 h 45 à 12 h et de 13 h 30 à 17 h 30. F. mardi. 5 F.

Département des Arts asiatiques des Musées nationaux, le musée Guimet est consacré aux arts de l'Asie orientale, centrale et extrême-orientale. Ses collections sont exposées sur trois étages. Au rez-de-chaussée : les arts lamaïques et les arts du Sud-Est asiatique : art khmer (Cambodge), art cham (Vietnam central), art de la Thaïlande, art de la Birmanie, art de l'Insulinde (Java et Bali). Au 1er étage : les arts de l'Inde et de la Chine (dont la collection de statuettes funéraires chinoises donnée en 1978 par M. Robert Rousset) et les arts anciens du Pakistan et de l'Afghanistan. Au 2e étage : les arts du Japon, de la Corée, du Sinkiang, et la collection de céramique chinoise (legs de Michel Calmann en 1977) comprenant en particulier des poteries et des porcelaines des époques Souei, T'ang et Song (VIe-XIIIe siècles). S'y ajoutera en cours d'année la nouvelle présentation de l'importante collection Grandidier consacrée spécialement aux porcelaines des époques Ming et Tsing (XIVe-XVIIIe siècles). Dans l'annexe du musée (19, avenue d'Iéna) est exposée une collection d'iconographie du bouddhisme japonais.

MUSÉE GUSTAVE-MOREAU

● **9e** - *14, rue La Rochefoucauld (874.38.50).*

De 10 h à 13 h et de 14 h à 17 h. F. lundi et mardi. 6 F.

André Breton fut longtemps le seul à crier dans son musée alors désert la grandeur de Gustave Moreau, dont l'unique mérite reconnu alors était d'avoir été le maître de Rouault et de Matisse, entre autres fauves. Le regain d'intérêt récent que son œuvres suscite tient en partie à la fraîche réhabilitation des valeurs symbolistes (à laquelle s'attacha Philippe Jullian), et — disons-le — au tout dernier caprice de la mode en version rétro. Il reste que cette œuvre témoigne de la profusion des goûts fin de siècle. Elle mêle le style « orfèvre » néo-renaissance des nazaréens allemands — rectifié par les préraphaëlites anglo-saxons — à des recherches de peinture pure annonçant l'abstraction lyrique (aquarelles). Baudelaire — maître incontestable « à rêver » de Moreau — relie ses diverses manières dans la même « modernité chimérique ». Laquelle, pour la circonstance, assigne à la femme le rôle du mal.

MUSÉE J.-J. HENNER

● **17e** - *43, av. de Villiers (924.42.73).*
De 14 h à 17 h. F. lundi. 4 F.

Rodin lui-même appréciait l'œuvre de ce peintre alsacien que Degas avait surnommé « Léonard de vingt sous ». Nos enfants s'interrogeront longuement sur les raisons de nos égarements mais on est toujours le pompier de ses enfants.

MUSÉE HENRI-BOUCHARD

● **16e** - *25, rue de l'Yvette (647.63.46).*
De 14 h à 19 h les mercredi et samedi seulement. Entrée gratuite.

L'atelier-musée que le sculpteur occupa de 1924 à sa mort en 1960 montre, à travers son œuvre, les diverses difficultés de la création rencontrées par l'artiste. C'est ici qu'il conçut la façade et diverses statues de Saint-Pierre-de-Chaillot. Visites-conférences sur demande, sous la conduite de Mme Bouchard, diplômée de l'Ecole du Louvre.

MUSÉE HERMÈS

● **8e** - *24, fg Saint-Honoré (265.21.60).*
Ouvert sur rendez-vous.

Pas un musée, mais une collection privée se rapportant au voyage, à la chasse et à l'équitation.

MUSÉE DE L'HISTOIRE DE FRANCE - ARCHIVES NATIONALES

● **3e** - *60, rue des Francs-Bourgeois (277.11.30).*
De 14 h à 17 h. F. mardi. 2 F.

L'admirable hôtel de Soubise (cour d'honneur, appartements du XVIIIe siècle) abrite le musée de l'Histoire de France (documents et autographes). La première salle (ancienne salle des gardes décorée de remarquables tapisseries) a été rénovée et expose en permanence 71 documents majeurs de notre histoire depuis les temps mérovingiens (un papyrus signé de la main du roi Dagobert) jusqu'à la Seconde Guerre mondiale (un rapport de Jean Moulin au ministre de l'Intérieur en 1940). Entre autres pièces prestigieuses : l'Edit de Nantes, la Déclaration des Droits de l'Homme, les testaments de Louis XIV et de Napoléon. Les salles suivantes abritent, dans les somptueux décors conçus par Germain Boffrand pour la jeune princesse de Soubise, des expositions temporaires de longue durée (1 ou 2 ans) sur l'Ancien Régime et le XIXe siècle : la France de 1789 d'après les Cahiers de doléances, Sport et Société de 1870 à 1914, etc. Possibilité de visites scolaires guidées (gratuites) sur rendez-vous.

MUSÉE DE L'HISTOIRE DE LA MÉDECINE

● **6e** - *12, rue de l'École-de-Médecine (329.21.77).*
De 14 h à 18 h les mercredi et vendredi seulement. F. congés universitaires. Entrée gratuite.

Importante collection d'objets et instruments médicaux. Portraits, manuscrits, médailles de médecins et chirurgiens du XVIIe au XIXe siècle.

MUSÉE HISTORIQUE DU DOMAINE NATIONAL DE SAINT-CLOUD

● **92 Saint-Cloud** - *Parc de Saint-Cloud (602.70.01).*
De 14 h à 18 h les mercredi, samedi, dimanche et jours fériés. Entrée gratuite.

Ouvert depuis avril 1975 et encore peu connu, un charmant petit musée qui peut fournir aux beaux jours, le prétexte d'une visite au parc de Saint-Cloud. Installé dans le pavillon des gardes, il retrace l'histoire du parc et du château incendié en 1871. Spectacle audio-visuel sur simple demande au gardien. En traversant le parc, on peut accéder au musée Gambetta récemment ouvert dans la maison des Jardies où vécut et mourut ce grand républicain.

MUSÉE DE L'HOMME

● **16e** - *Palais de Chaillot, Pl. du Trocadéro (505.70.60).*
De 10 h à 17 h (samedi et dimanche jusqu'à 20 h). F. mardi et jours fériés. 6 F.

A la fois musée scientifique et musée éducatif, exceptionnellement mal conçu pour l'initiation du grand public. De nombreuses visites commentées (le mercredi à 14 h 30, ou sur demande préalable) sur des thèmes précis (le nomadisme, les masques, etc.) permettent cependant aux profanes d'accéder avec profit aux grandes richesses des collections qui s'accroissent régulièrement : 100 collections nouvelles en 78. Galeries d'Afrique, d'Europe, d'Amérique, d'Asie et d'Océanie, centre de documentation, photothèque, bibliothèque, expositions temporaires, projections de films les lundi à 15 h 30, mercredi à 11 h et à 15 h 30, jeudi à 15 h 30 et 20 h 30. Cycle de conférences tous les mercredis à 20 h 30 (10 F) sur les sujets les plus divers, comme la poésie chantée des Pashaï de l'Afghanistan, le Fitampoha (cérémonie dynastique)

Apprenez à lire ce Guide : toutes nos adresses sont données par ordre alphabétique à l'intérieur de chaque rubrique.

chez les Sakalava-Menabe de Madagascar, ou la yourte mongole. Un restaurant-bar permet de passer une journée entière au musée.

MUSÉE INSTRUMENTAL DU CONSERVATOIRE NATIONAL SUPÉRIEUR DE MUSIQUE

● **8e** - *14, rue de Madrid (292.15.20).*
De 14 h à 18 h les mercredi, jeudi, vendredi et samedi. 5 F.

Des instruments, son nom l'indique : 3 000 en tout, de la Renaissance à nos jours, ce qui fait de ce musée l'un des trois plus grands du monde dans sa spécialisation. Et de tous sans doute le plus chargé de souvenirs. Berlioz en fut conservateur; comme jusqu'à sa mort — récente — Ginette de Chambure, à l'instigation de laquelle furent entrepris les travaux de rénovation de toutes les salles. On y trouve enfin exposés, comme ils le méritent, une infinité de documents sur l'évolution des techniques sonores occidentales.

MUSÉE JACQUEMART-ANDRÉ

● **8e** - *158, bd Haussmann (227.39.94).*
De 13 h à 18 h. F. lundi et mardi. 5 F.

Extrêmement riche mais assez austère, ce musée a été « découvert » par les Parisiens lorsque son conservateur d'alors, Jean-Gabriel Domergue, décida d'y présenter de grandes expositions temporaires. Les collections léguées à l'Institut de France par M. Edouard André contiennent des trésors de l'art italien (terres cuites de Della Robbia, magnifiques fresques de Tiepolo qui proviennent de la Villa Contarini, bronzes de Donatello, toiles de Carpaccio, Paolo Ucello), de l'art flamand (trois chefs-d'œuvre de Rembrandt : les Disciples d'Emmaüs, le docteur Tholinx et le portrait de Saskia, femme du peintre); enfin de bonnes œuvres de l'école française (Philippe de Champaigne, Fragonard, Nattier). Fort intéressantes expositions temporaires durant lesquelles les collections permanentes du musée peuvent se trouver « en réserve ».

MUSÉE DU JEU DE PAUME

● **1er** - *Jardin des Tuileries, terrasse donnant sur le quai (260.12.07).*
De 9 h 45 à 17 h 15. F. mardi. 6 F (3 F le dimanche).

Le plus grand rassemblement de peinture française de la seconde moitié du XIXe siècle, dans une présentation exemplaire. En d'autres termes, l'impressionnisme (Cézanne, Degas, Manet, Monet, Pissaro, Sisley, etc.), ses précurseurs (Corot) et ses successeurs immédiats (Gauguin, Seurat, Signac, Van Gogh, etc.); voire ses relations circonstancielles (Helleu). A signaler parmi les acquisitions récentes une œuvre de jeunesse de Degas (Sémiramis), une autre de la maturité de Manet (Combat de taureaux). Et par ordre d'apparition aux cimaises : Portrait des parents de l'artiste, du même Manet (donation 1977); Le port du Havre, de Boudin, et la Danse à la ville, de Renoir (donations 1978); Maison de la Folie Eragny, de Pissaro, La Pointe de la Beaumette, de Guillaumin, et les Patineurs, de Jongking (legs 1979). Ce musée est l'un des rares à mettre un plan à la disposition des visiteurs. Visite-conférence le vendredi à 15 h en français, le samedi à 15 h en anglais.

MUSÉE DE LA LÉGION D'HONNEUR ET DES ORDRES DE CHEVALERIE

● **7e** - *2, rue de Bellechasse (555.95.16).*
De 14 h à 17 h. F. lundi. 5 F.

Un guidage audio-visuel d'une étonnante clarté permet de suivre à merveille toute l'aventure des ordres et décorations français et étrangers à travers l'histoire. Le musée s'est enrichi en 78 d'une très belle collection de porcelaines décorées des insignes des grands ordres russes et ayant appartenu à l'impératrice Catherine II. Salle de projection (films court métrage). Visites-conférences.

MUSÉE DU LOUVRE

● **1er** - *Pl. du Carrousel (260.39.26).*
De 9 h 45 à 20 h. F. mardi. 6 F (gratuit le dimanche).

224 salles, non comprise la plus grande — dite pour cette raison « Grande Galerie » : 422 m de longueur de cimaise —, trois bons millions de visiteurs par an et 400 000 œuvres cataloguées, dont 500 en moyenne toujours (provisoirement) absentes pour raison de prêts à d'autres musées français ou étrangers. Autant convenir qu'il ne saurait être question d'en évoquer ici ne serait-ce que le millième. Nous vous conseillerons plutôt d'entrer dans le détail de notre principale collection nationale par la lecture d'un ouvrage spécialisé — le Guide Bleu par exemple —, et de vous inscrire à la Société des Amis du Louvre (107, rue de Rivoli, 1er, 260.70.64) qui offre divers avantages à ses adhérents : entrées gratuites, invitations pour les expositions, voyages d'études, conférences, etc. Nous ne recommanderons en outre jamais assez aux amateurs les présentations temporaires du musée, qui permettent d'admirer à la Galerie de Flore (2e étage) des œuvres de premier plan du Département des peintures, tenues en réserve dans l'attente d'une place définitive dans une salle non encore équipée. Ces présentations sont, à l'ordinaire, accompagnées d'expositions complémentaires (salles attenantes) permettant de comparer les esquisses à l'œuvre définitive, et éventuellement de mieux situer le tout dans son école particulière, ou dans le droit fil de l'histoire générale de l'art, voire des idées. Telle a été la présentation du Malatesta de Piero

della Francesca, superbe et nouvelle acquisition du musée en 1978. Le Cabinet des Dessins présente lui aussi par roulement ses richesses (fusains, sanguines, pointes d'argent, mines de plomb, crayons Conté, lavis, aquarelles, etc.) au Pavillon de Flore. Aux 90 000 pièces jusqu'alors rassemblées, ont été récemment ajoutés 104 dessins dus à la main de Mignard, et une œuvre de Degas (Modistes) qui a trouvé place dans la collection des pastels, la seule que les conservateurs de ce Département estiment pouvoir exposer en permanence sans risque d'altération sensible.

MUSÉE DE LA MARINE

● **16e** - *Palais de Chaillot, pl. du Trocadéro (727.71.13).*

De 10 h à 18 h. F. mardi. 6 F.

Une marée d'enfants bruyants, enthousiastes et touche-à-tout envahissent à longueur de journée les salles de la plus riche collection maritime du monde. Ils sont indifférents à la magnifique série de toiles de Vernet (Les ports de France) et n'ont d'yeux que pour les instruments de navigation anciens et modernes, les canons, les armes blanches et les merveilleuses et innombrables maquettes. Ils peuvent suivre les travaux de restauration des modèles, effectués dans une vitrine par deux maquettistes. Ou bien (le jeudi seulement) voir fonctionner une ancienne presse en taille douce de l'atelier hydrographique de la marine qui tire sous leurs yeux cartes et estampes. Salles d'audio-visuel : films sur les galères, la pêche à la baleine, etc.

MUSÉE MARMOTTAN

● **16e** - *2, rue Louis-Boilly (224.07.02).*

De 10 h à 18 h. F. lundi. 10 F.

Entre le Bois de Boulogne et les jardins du Ranelagh, le musée Marmottan est la demeure d'un collectionneur, léguée à l'Académie des Beaux-Arts. On peut y voir un bel ensemble de meubles, d'objets et de tableaux du Premier Empire, de remarquables primitifs flamands et allemands (Christ en croix attribué à Martin Schongauer, Vierge à l'enfant, de Mabuse, Résurrection de Lazare, de l'école de Cranach), une admirable série de tapisseries exécutées sous Louis XII, l'histoire de la Chaste Suzanne et (depuis 79) une nouvelle salle consacrée aux miniatures de la collection Wildenstein. Mais la plus grande surprise de cet étrange musée est sa formidable collection d'impressionnistes (donation Donop de Monchy et surtout legs de Michel Monet). 165 œuvres de Claude Monet dont plus de 80 huiles, parmi lesquelles le Pont de l'Europe et le célèbre Impression, Soleil Levant; et des œuvres de Berthe Morisot, Sisley, Renoir, Pissaro, Jongking, qui font du musée Marmottan le second de l'Impressionnisme à Paris, après le Jeu de Paume.

MUSÉE DE MEUDON

● **92 Meudon** - *11, rue des Pierres (534.15.76).*

De 14 h à 18 h. F. lundi et mardi. 1 F.

La jolie maison du XVIIe siècle qu'habita Armande Béjart, comédienne et femme de Molière, a été (en 79) l'objet de divers travaux de restauration. Le musée rouvrira ses portes en 80. Gravures et objets d'art retraçant l'histoire de la ville et de ses hôtes illustres (Rabelais, Rousseau, Wagner, Manet, Rodin, etc.), sculptures de Stahly, Arp, Dupuy, etc.

MUÉE DE MINÉRALOGIE DE L'ÉCOLE DES MINES

● **6e** - *60, bd Saint-Michel (329.21.05).*

De 14 h 30 à 17 h; de 14 h à 16 h 30 le samedi. F. dimanche et lundi. Entrée gratuite.

Importante collection fort bien présentée de pierres, minéraux, et météorites. Pour des visites groupées et commentées, en faire la demande écrite au conservateur.

MUSÉE DE LA MODE ET DU COSTUME

● **16e** - *Palais Galliéra, 10, av. Pierre-Ier-de-Serbie (720.85.23).*

De 10 h à 17 h 40. F. lundi et mardi. 5 F.

Créé en 1956, le musée de la Mode et du Costume de la Ville de Paris rassemble les collections conservées par le musée Carnavalet (legs Maurice Leloir), celle de Mme de Galéa et les garde-robes d'autres élégantes célèbres de la Belle Epoque (comtesses Greffulhe et de Castellane, duchesse de Talleyrand, princesse Murat, etc.). En tout 4 000 costumes complets et plus de 25 000 pièces illustrant les modes féminine, masculine et enfantine de 1735 à nos jours. Expositions temporaires et par thème : Haute-Couture d'après-guerre (en 1977), L'Atelier Nadar et la Mode (1978), etc.

MUSÉE DE LA MONNAIE Hôtel des Monnaies

● **6e** - *11, quai de Conti (329.12.48).*

De 11 h à 17 h. F. samedi et dimanche. Gratuit.

Le musée monétaire, créé sous Charles X, est installé dans l'admirable hôtel des Monnaies, l'un des plus beaux édifices construits sous Louis XVI (et demeuré presque intact), dont on peut ainsi visiter la cour d'honneur et les différents salons. Exposition des collections de monnaies, médailles et coins, depuis l'Antiquité jusqu'à nos jours, portraits d'artistes-médailleurs, maquettes de médailles, dessins, études, manuscrits et ouvrages sur les techniques de monnayage, presses monétaires, balanciers, etc. Egalement des expositions temporaires.

Consultez la table des matières : p. 631.

MUSÉE DE MONTMARTRE

● **18e** - *17, rue Saint-Vincent (606.61.11).*

De 14 h 30 à 17 h 30 (dimanche de 11 h à 17 h 30). 5 F.

Dans un bel hôtel du XVIIe siècle, qu'entourent la dernière vigne de Paris et deux charmants jardins, souvenirs et œuvres intéressants de grands Montmartrois : Steinlen, Willette, Poulbot, Gustave Charpentier, Mac Orlan, Dorgelès, etc., des affiches célèbres de Toulouse-Lautrec et une belle collection de porcelaines de Clignancourt. Une petite salle consacrée à la Commune de Montmartre. Expositions temporaires.

MUSÉE DES MONUMENTS FRANÇAIS

● **16e** - *Palais de Chaillot, pl. du Trocadéro (727.35.74).*

De 9 h 45 à 12 h 30 et de 14 h à 17 h 15. F. mardi. 6 F.

Quelques-uns des plus célèbres monuments français ont été réunis dans cet imposant, lumineux et passionnant musée, permettant de découvrir, sous forme de reproductions ou de moulages, la sculpture du IIe au XIXe siècle, les peintures murales du Moyen Age et, d'une manière générale, toute l'évocation de l'art monumental en France (chapiteaux, tombeaux, portraits, etc.). Les aménagements audio-visuels prévus ont été installés, et ils permettent donc de mieux suivre et comprendre cette prodigieuse épopée.

MUSÉE DE NEUILLY Château Arturo Lopez

● **92 Neuilly** - *12, rue du Centre (624.47.31).*

Ouvert de 14 h 30 à 17 h. F. mardi. 5 F.

Soixante automates, tous du siècle dernier, tous en parfait état de marche (mécaniques d'époque), et certains d'entre eux rendus à leur apparence initiale — comme l'exquise charmeuse de serpents qui retrouve, pour l'occasion, sa nudité originelle —, voici le principal de la collection offerte par le décidément fastueux Jacques Damiot au musée de sa ville d'adoption, Neuilly. Au surplus, le donateur, promu conservateur, présente lui-même (à 15 h précise) ses automates. Et sa science alliée à sa verve renouvellent une fois encore le seul « numéro » d'antiquaire proprement international, puisque Damiot fut estimé tel par des connaisseurs comme Greta Garbo, Orson Welles, Jean Cocteau, Gary Cooper et Arturo Lopez lui-même, dont le château « de style » abrite aujourd'hui l'exquis musée de Neuilly. Où sainte Cécile s'impatiente de vous voir venir la regarder battre des ailes en jouant de la harpe, tandis que la vache hoche le mufle (électriquement : c'est la seule), que la lune fume son cigare, avant que Pierrot fasse vibrer des cordes entre les pointes de son croissant blème. Plus loin, le poète, du haut de sa chaise, exhale des soupirs déchirants qui précipitent son flot de larmes (chef-d'œuvre particulièrement émouvant). Quelques souvenirs de comédiennes (chapeau d'Elvire Popesco, dans Nina), de danseuses (la Taglioni, dans Gisèle, en sous-verre), de souveraines (corset vert de Marie-Antoinette), un autographe de Marie Curie et les photographies des principales divas européennes de l'entre-deux guerres sont rassemblés au même étage. Il faut y voir l'amorce de ce qui deviendra le seul « musée de la Femme » au monde. De toute la femme : on peut voir plus loin le grand lit laqué et relevé de sculptures (par Dalou), tenu pour l'outil de travail principal de la Païva.

Pour dîner tard le soir et même après minuit, consultez notre liste de restaurants, p. 106.

MUSÉE NISSIM-DE-CAMONDO

● **8e** - *63, rue de Monceau (563.26.32).*

De 10 h à 12 h et de 14 h à 17 h. F. lundi, mardi et jours fériés. 6 F.

Dans un très bel hôtel particulier de la plaine Monceau, reconstitution d'un hôtel parisien au XVIIIe siècle. Tableaux de Drouais, Oudry, Vigée-Lebrun, et quelques-unes des plus belles pièces des grands artistes — ébénistes surtout — du XVIIIe siècle.

MUSÉE DE NOTRE-DAME DE PARIS

● **4e** - *10, rue du Cloître-Notre-Dame (325.42.92).*

De 14 h 30 à 18 h, le samedi et le dimanche seulement. 3 F.

5 000 gravures, reliques saintes et objets précieux y racontent la longue vie de la cathédrale. Le trésor est dans cette dernière.

MUSÉE DE L'OPÉRA

● **9e** - *1, pl. Charles-Garnier (073.90.93).*

De 10 h à 17 h. F. dimanche. 1 F.

Une longue (et triste) salle. Le monde de la danse et de la musique y est évoqué sans brio. Maquettes de décors et de costumes, dessins, souvenirs de grands artistes, collection des Ballets russes.

MUSÉE DE L'ORDRE DE LA LIBÉRATION

● **7e** - *51 bis, bd Latour-Maubourg (705.04.10).*

De 14 h à 17 h. F. dimanche. 5 F.

Dans l'hôtel de Salm. Souvenirs de la déportation, de la Résistance et de la Libération attachés à la seconde et dernière en date des guerres mondiales. Une nouvelle vitrine a été récemment consacrée aux décorations du général de Gaulle.

MUSÉE ORFILA

● **6e** - *45, rue des Saints-Pères (260.37.20, poste 42-05).*

De 14 h à 18 h tous les jours pour les chercheurs; les mardi et vendredi pour les visiteurs (sur demande écrite au conservateur). Gratuit.

Musée d'anatomie humaine, d'embryologie et d'anatomie comparée. Importantes collections d'ostéologie et d'anatomie cérébrale.

MUSÉE DU PAIN

● **94 Charenton-le-Pont** - *25 bis, rue Victor-Hugo (368.43.60).*

De 14 h à 17 h les mardi et jeudi seulement (tous les jours pour les professionnels). Entrée gratuite.

Ce délicieux petit musée privé, consacré au pain du fond des âges à nos jours est naturellement placé sous la protection de saint Honoré, patron des boulangers. Installées dans les greniers d'une meunerie, ses collections retracent l'histoire du pain avec des milliers de pièces (gaufriers, moules à hosties, panetières, documents et décrets) remarquablement présentées. Entre ceux qui mangent trop de pain et ceux, infiniment plus nombreux, qui n'en mangent pas assez ou pas du tout, n'oublions pas les autres, presque aussi malheureux, qui estiment, non sans raison, qu'à force de médiocrité on finira par leur en faire passer le goût. C'est dire comme nous encourageons tous les mitrons à demander un après-midi de congé pour aller se retremper, dans ce charmant musée, aux sources vivifiantes de la boulange traditionnelle.

MUSÉE PASTEUR

● **15e** - *Institut Pasteur, 25, rue du Dr-Roux Porte B, 2e étage (541.52.66, poste 523).*

De 14 h à 17 h. F. samedi et dimanche. 5 F.

Appartement habité par Pasteur de 1888 à 1895. Souvenirs personnels et scientifiques provenant de ses différents laboratoires (ballons, polarimètre, autoclave, etc.). Nombreux documents, travaux, lettres concernant Pasteur et les Pastoriens. Des visites-conférences sur les travaux de Pasteur et de l'Institut Pasteur peuvent être organisées sur rendez-vous. Photothèques historique et scientifique et centre de documentation ouverts de 9 h 30 à 12 h 30.

MUSÉE PAUL-LANDOWSKI

● **92 Boulogne** - *14, rue Max-Blondat (605.98.68).*

De 14 h à 17 h le mardi; de 10 h à 12 h et de 14 h à 17 h les mercredi et samedi; de 15 h à 17 h le dimanche. 5 F.

Un jardinet et un sous-sol cachés dans l'ombre du petit immeuble construit assez récemment en lieu et place du gigantesque atelier du maître à sculpter de la IIIe République académique : bronzes, plâtres, dessins, etc.

MUSÉE DU PETIT PALAIS

● **8e** - *Av. Winston-Churchill (265.12.73).*

De 10 h à 17 h 40. F. lundi. 5 F (gratuit le dimanche).

Quoique richissime, le Palais des Beaux-Arts de la Ville de Paris ne cherche pas à concurrencer le Louvre dans les domaines de la peinture ou de l'archéologie, mais il offre un excellent panorama de l'art, de l'antiquité égyptienne à l'impressionnisme français. La qualité primant sur la quantité, on verra dans ses salles à l'éclairage intelligent et aux couleurs recherchées les seuls Courbet de Paris, de rares Redon, des tableaux de Corot, de Manet, de Vuillard, ainsi qu'une remarquable collection flamande et hollandaise du XVIIe siècle.
Une partie, peut-être moins connue du public, est réservée aux mobiliers, tapisseries et objets du XVIIIe siècle (donation Tuck), une autre aux objets antiques égyptiens, romains et étrusques, ou encore aux objets d'art, du Moyen Age à la Renaissance. Expositions temporaires.

MUSÉE DU DÉPARTEMENT DE LA PHONOTHÈQUE NATIONALE ET DE L'AUDIOVISUEL

● **5e** - *19, rue des Bernardins (261.82.83, poste 560).*

De 9 h à 12 h et de 14 h à 17h. F. mardi, samedi et dimanche. Visites sur rendez-vous pris quelques jours à l'avance. Gratuit.

Créées en 1911, sur la proposition de Charles Pathé, par le grand linguiste Ferdinand Brunot, les archives de la Parole furent transformées en musée dès 1928. Y sont conservés — outre toute la documentation imprimée (livres et périodiques) et iconographique (photos, affiches, diapositives) —, 560 phonographes, entre autres « mécaniques musicales » ; plus des enregistrements uniques : voix d'Apollinaire, de Poincaré, de Dreyfus, etc. Les écoutes d'enregistrements sonores — entrée au n° 2 de la rue de Louvois — sont réservées aux chercheurs munis d'un laissez-passer fourni par le service d'accueil de la Bibliothèque nationale, 58, rue de Richelieu.

MUSÉE FRANÇAIS DE LA PHOTOGRAPHIE

● **91 Bièvres** - *78, rue de Paris (941.03.60).*

De 10 h à 12 h et de 14 h à 18 h, tous les jours. 6 F.

Un grand bâtiment du XIXe siècle voué depuis peu à sa contemporaine, la photographie, et ouvert de toutes ses hautes fenêtres sur la nature éternelle chantée par Victor Hugo dans les « Feuilles d'Automne », à l'époque où il y sacrifiait en compagnie de Juliette Drouet (sans mesure, s'il faut en croire la mémoire biévroise). Ce musée constitué à partir des collections d'objets réunis par MM. Faye père et fils, rend un compte — objectif — de toutes les étapes majeures de la technique photographique. Une extrême abondance de témoignages et de documents — tous ou presque de première main — groupés dans des vitrines, sur trois étages, et retraçant l'histoire de la photographie depuis les chambres obscures du XVIIIe siècle et la découverte de Niepce en 1816 jusqu'à nos jours. A cette collection unique en ce qu'elle rassemble en permanence un nombre impressionnant d'appareils « historiques », s'ajoutent au fil des saisons des images anciennes et modernes, les premières groupées en rétrospectives (dans les vitrines), les secondes en expositions temporaires (sur les murs) consacrées aux photographes de toutes les disciplines actuelles.

MUSÉE DES PLANS-RELIEFS

● **7e** - *Hôtel des Invalides (705.11.07).*

De 10 h à 12 h 30 et de 14 h à 18 h (17 h en hiver). F. mardi. 6 F (jumelé avec le Musée de l'Armée).

Fort impressionnante collection de maquettes de places-fortes réalisées pour la plupart au 1/600e et exécutées sur les ordres de Vauban et Napoléon Ier (Grenoble, Metz, Mont-Saint-Michel, etc.). Histoire de l'urbanisme.

MUSÉE POSTAL - MAISON DE LA POSTE ET DE LA PHILATÉLIE

● **15e** - *34, bd de Vaugirard (320.15.30).*

De 10 h à 17 h. F. jeudi. 5 F.

Les Parisiens, s'ils ne sont pas philatélistes, ignorent en général ce musée si intelligemment conçu. Ils auraient cependant raison de consacrer quelques heures aux quinze salles d'exposition disposées autour d'un axe sur les cinq étages d'un immeuble moderne situé en face de la gare Montparnasse. Et de découvrir l'histoire de la communication, depuis les « lettres d'argile » (vers 2500 av. J.C.) jusqu'à nos enveloppes timbrées actuelles. Les huit premières salles — la visite commence au 5e étage par un intéressant montage audiovisuel — sont consacrées à l'histoire de la poste, les cinq suivantes à la philatélie et les deux dernières aux perfectionnements de la poste moderne et à la mécanisation du tri du courrier. Au rez-de-chaussée : expositions temporaires et guichet de vente de timbres « en primeur ».

MUSÉE DU PROTESTANTISME FRANÇAIS

● **7e** - *54, rue des Saints-Pères (548.62.07).*

De 14 h à 18 h, le mercredi et le samedi. Entrée gratuite.

Musée modeste et ignoré qui renferme une collection, souvent d'un grand intérêt artistique, de tableaux, objets et documents retraçant l'histoire de la religion réformée en France. Très importante bibliothèque (ouverte tous les jours de 14 h à 18 h, sauf le lundi).

MUSÉE DE RADIO-FRANCE

● **16e** - *116, av. Président-Kennedy (224.21.80).*

De 10 h à 12 h et de 14 h à 17 h. F. lundi. 5 F.

L'histoire (et la technique) de la radio et de la télévision. On visite aussi éventuellement un studio.

MUSÉE RODIN

● **7e** - *Hôtel Biron, 77, rue de Varenne (705.01.34).*

De 10 h à 18 h (17 h en hiver). F. mardi. 6 F.

Magnifique hôtel de style Régence, entouré de ravissants jardins, dans lequel Cocteau habita. Les œuvres de Rodin sont disposées dans la cour d'honneur, le parc et l'hôtel lui-même. Les moulages, esquisses et ébauches du maître sont exposées dans un musée annexe, 19, avenue Auguste-Rodin, à Meudon.

MUSÉE DU SEITA

● **7e** - *12, rue Surcouf (555.91.50).*

De 11 h à 18 h 30. F. dimanche. Entrée gratuite.

Un musée qui revient de loin : son ouverture, en janvier 79, retarde de plus de quarante ans sur le rassemblement de ses premières pièces. Il n'est pas tombé loin, en revanche : la rue Jean-Nicot croise à quelques mètres.

Jean Nicot? Un diplomate du XVIe siècle qui fit connaître l'« herbe » aux Français. Découverte consécutive à celle de l'Amérique, comme chacun sait, mais qui n'eut ses premiers effets en France — côté jardin — que tout juste avant 1560 : un moine était parvenu à y acclimater quelques plants de solanacées, d'origine antillaise sans doute. Côté cour, son succès se répandit dans le Tout-Paris comme une traînée de poudre... à priser. D'admirables râpes sculptées en chêne, en ivoire et en corne, des mortiers de poche et autres « secouettes » témoignent ici de cet engouement qui n'affecta, curieusement, que la France ou presque et ce, jusqu'au début de ce siècle. Le XVIIIe siècle en produira dans des matériaux plus divers (métal vulgaire — parfois émaillé —, ou précieux et relevé d'écaille, de cuir repoussé, faïence, verre, etc.) et les ponctuera de motifs symboliques (astronomie, héraldique, proverbes, religion, franc-maçonnerie, corporations, etc.). Il perfectionnera aussi la pipe, qu'on a toutes les raisons de croire de création européenne dans la forme qu'on lui connaît : trois vitrines lui sont consacrées, qui ne nous conduisent pas moins, sur les cinq continents (plus l'Arctique), à travers une infinité de matériaux. Au fil des larges vitrines exemplairement équipées, on trouve aussi un rassemblement d'objets à la gloire de la cigarette (un seul panneau y suffit d'ailleurs :

machines à rouler individuelles, étuis, etc.) et à celle du cigare (meuble de conservation, moules, bagues, etc.). Le cigare, qui constitue techniquement la forme la plus élémentaire de consommation du tabac (tortillon de feuilles séchées), en est aussi la plus subtile : l'intérieur dit « tripe », la sous-cape et la cape (ou robe) peuvent être constitués de tabacs de trois origines différentes. Le Larousse du XIXe siècle lui assigna, sous la plume de George Sand, la destination de « complément indispensable à toute vie oisive et élégante ».
Précisons pour finir qu'au musée du Tabac, il n'est pas interdit de fumer...

MUSÉE SOCIAL (CEDIAS)

● **7e** - *5, rue Las Cases (705.07.90).*
Voir « Bibliothèques ».

MUSÉE NATIONAL DES TECHNIQUES (du Conservatoire National des Arts et Métiers).

● **3e** - *292, rue Saint-Martin (271.24.14).*
De 12 h à 17 h 45 en semaine (de 10 h à 17 h 30 le dimanche). 2 F.

Prestigieuse exposition de 8 000 pièces authentiques particulièrement représentatives de l'évolution des sciences et techniques du XVIIe siècle à nos jours. La collection, installée dans les bâtiments de l'ancien prieuré de Saint-Martin-des-Champs (chapelle du XIIe siècle), présente notamment des pièces historiques, originales, telles que la machine à calculer de Pascal, le métier à tisser de Jacquard, le four solaire de Mouchot, l'avion d'Ader, la voiture à vapeur d'Amédée Bollée, la caméra des frères Lumière, une très bel ensemble d'horlogerie et d'automates anciens. De nombreuses maquettes animées (machines thermiques, matériel agricole, etc.) montrent le fonctionnement des appareils.

MUSÉE DES TRANSPORTS URBAINS

● **94 Saint-Mandé** - *60, av. Sainte-Marie*
De 14 h 30 à 18 h les samedi et dimanche seulement. 5 F.

Toute l'histoire de nos transports publics : omnibus à chevaux, tramways, taxis, autobus, chemins de fer départementaux, métropolitain, etc., se trouve réunie sous la grande verrière d'un petit dépôt désaffecté de la R.A.T.P., à Saint-Mandé. En tout, une centaine de pièces, certaines uniques, et pour 80 d'entre elles en parfait état de fonctionnement : en témoignèrent récemment le G 7 des premières années 1930 dans le film « Robert et Robert » et, au détour d'« Un sac de billes », le petit tramway de Lausanne.
Mais l'exposition s'ouvre par des véhicules plus anciens : une patache à deux chevaux contemporaine des toutes premières compagnies parisiennes d'omnibus (1810), des tramways à chevaux, concurrencés par l'omnibus classique sous la forme achevée du Madeleine (ou Wagram)-Bastille, à impériale juchée tout autour de sept marches tournantes et abruptes, les premiers autobus Renault (roues en fonte à 5 rayons et bandages pleins) et aussi le modèle fin de l'entre-deux-guerres « rectifié » époque 1940 : énorme réservoir frontal à gaz de ville, et ausweiss collé au bas du pare-brise...

MUSÉE DU VAL-DE-GRACE

● **5e** - *277 bis, rue Saint-Jacques (329.12.31, poste 40-52).*
De 9 h à 12 h et de 14 h à 19 h (16 h le vendredi). F. dimanche et jours fériés. Entrée gratuite.

Collections intéressant la médecine, la chirurgie et la pharmacie militaires. Documents sur Ambroise Paré et le baron Larrey.

MUSÉE VALENTIN-HAUY

● **7e** - *5, rue Duroc (734.07.90).*
De 14 h à 17 h le mardi seulement. Sur rendez-vous pour les groupes. Entrée gratuite.

Le musée des aveugles Valentin Haüy, fondé en 1886, a été entièrement rénové. Il comporte une exposition à la fois historique, didactique et technique des divers systèmes et appareils conçus pour les aveugles : spécimens d'écriture en relief, tablettes, machines à écrire le braille, digicassette (appareil électronique pour la lecture du braille), etc. Il montre aussi des tableaux exécutés par des aveugles.

MUSÉUM D'HISTOIRE NATURELLE

● **5e** - *57, rue Cuvier (336.14.41).*
Au Jardin des Plantes. Galeries de paléontologie et d'anatomie comparée : de 13 h 30 à 17 h. F. mardi. Galeries d'entomologie et serres tropicales : de 14 h à 17 h. Ménagerie, vivarium, reptiles : ouvertures variables. 6 F.

Il s'est fait autour du Jardin des Plantes un tel tapage depuis quelques années, écrit tant d'articles indignés ou catastrophiques, raconté tant et tant d'anecdotes plus ou moins excessives que, pour finir, les choses ont commencé à bouger tout de bon et que l'on s'est ému vraiment de ce jardin-musée sur le point de tomber en ruine sous l'œil gourmand des promoteurs qui avaient déjà commencé de grignoter les annexes. Et voilà donc des expositions admirables draînant des centaines de milliers de visiteurs (250 000 à « l'Histoire naturelle de la sexualité »), des travaux énormes entrepris pour la réfection de la grande galerie de Zoologie, des projets ambitieux de rénovation des volières des rapaces et des bâtiments les plus vétustes de la ménagerie, etc. Les 6 millions de pièces du plus fabuleux herbier du monde, la collection de papillons et insectes, les merveilleux gemmes et joyaux, accumulés par les derniers Bourbon, dans la galerie de Minéralogie, le jardin alpin, les serres tropicales, le labyrinthe, les poissons rouges, les bruits d'enfants... Tout cela en vérité et bien d'autres merveilles propres à ce jardin délicieux devraient en faire le petit lopin chéri des Parisiens. Même si les plus sensibles d'entre eux, et attentifs à ses dégradations, s'interrogent sur la disparition inexplicable de l'éléphant de mer devant la maison de Cuvier coïncidant avec celle des joueurs de dames sous les marronniers de l'allée Jussieu. Mais ce sont là broutilles. Aux dernières nouvelles, le loup a trouvé, au fond de la ménagerie, un plus grand espace en bordure du quai Saint-Bernard où il rêve des rumeurs de la steppe dans le brouhaha empesté des caravanes d'automobiles.

OBSERVATOIRE DE PARIS

● **14e** - *61, av. de l'Observatoire (320.12.10).*
A 14 h 30 le premier samedi de chaque mois sur autorisation écrite, préalablement demandée au directeur. Visite guidée (gratuite).

Les générations de chercheurs qui se sont succédées dans ce temple de l'espace et du temps ont laissé ici leurs portraits et leurs étranges instruments de travail (horloge astronomique, cadrans solaires, sextants, lentilles, miroir ardent, etc.). Et, bien sûr, on peut voir également dans les sous-sols l'horloge parlante, dont la voix a été récemment rajeunie. Signalons toutefois qu'à l'heure où nous imprimons, et pour une période indéterminée, une partie des collections du musée n'est pas accessible au public.

PALAIS DE LA DÉCOUVERTE

● **8e** - *Av. Franklin-Roosevelt (359.16.65).*
De 10 h à 18 h. F. lundi. 5 F (9 F avec le planétarium).

Les principales découvertes des grandes disciplines présentées de façon moderne et claire. De nombreuses expériences sont effectuées par les démonstrateurs, et l'on peut actionner soi-même quantité d'appareils. Une nouvelle salle a été ouverte en 79, consacrée à l'électricité et à l'énergie nucléaire. Merveilleuses séances d'astronomie au planétarium. Un cinéma et une bibliothèque complètent ce musée de vulgarisation scientifique où sont organisées de passionnantes expositions temporaires et, certains samedis à 15 h, des conférences (gratuites) d'initiation aux sciences modernes. Publication mensuelle : la Revue du Palais de la Découverte.

Visites et promenades

LES touristes exigeants pourront sans dommage s'épargner la peine de lire les pages qui suivent. Ils trouveront mieux dans le « Guide Bleu » (une nouvelle édition est sortie au printemps 79), ou dans les savants ouvrages de Hillairet, Rochegude ou Pillement. Notre intention n'est donc pas de les surpasser mais de nous adresser rapidement aux Parisiens qui, comme chacun sait, ignorent presque complètement leur ville, et de leur faire un peu honte, si possible, en leur rappelant l'existence de quelques-unes des merveilles méconnues de leurs églises, le charme de leurs jardins, de leur fleuve ou de leurs cimetières.

BALADES SUR L'EAU

sur la Seine

LES BATEAUX-MOUCHES

● **8e** - *Quai de la Conférence, pont de l'Alma rive droite (225.96.10).*

Promenades de 1 h 1/4 environ. Départs toutes les 1/2 heures de 10 h à 12 h : 10 F; et de 14 h à 19 h : 15 F. Nocturnes à 21 h, 21 h 30, 22 h, 22 h 30 : 15 F. Déjeuner à 13 h : 100 F. Dîner à 20 h 30 : 200 F (tous les jours sauf lundi; réserver).

Les cargaisons de touristes, rangés derrière le long museau de ces modernes coches d'eau, font sourire les Parisiens goguenards du haut des ponts. Comme ils ont tort ! Une promenade sur l'un de ces bateaux — en début et fin de journée surtout, quand Paris a ses plus belles couleurs — est, au fond, le seul moyen de jeter un regard insolite et nouveau sur la capitale. A midi, et surtout le soir, ce dépaysement a lieu les pieds sous la table. Une table il est vrai aux plaisirs assez limités, mais dont le prix est relativement raisonnable compte tenu de l'agrément de la croisière. D'autant que le Louvre et le Pont-Neuf illuminés, n'en déplaise aux blasés, font oublier bien des choses.

LES VEDETTES PARIS-TOUR EIFFEL

● **7e** - *Port de La Bourdonnais (705.50.00). Embarcadère pont d'Iéna, rive gauche.*

Promenades d'1 h environ. Départ toutes les 30 minutes de 10 h à 17 h. Du 1er mai au 15 octobre, toutes les 20 minutes de 9 h à 22 h : 12 F. Enfants de moins de 10 ans : 6 F. Croisières des illuminations du 1er mai au 15 octobre, tous les soirs à 21 h 30 et à 22 h 30 : 15 F.

LES VEDETTES PONT-NEUF

● **1er** - *Pont-Neuf, square du Vert-Galant (633.98.38).*

Promenades d'1 h environ. Départs à 10 h 30, 11 h 15, 12 h et toutes les 1/2 heures de 13 h 30 à 18 h. Tous les soirs du 1er mai au 15 octobre : croisières des illuminations à 21 h et 21 h 30. 12 F le jour, 15 F la nuit (enfants de moins de 10 ans : 6 et 8 F).

sur les canaux

LA PATACHE

● **9e** - *Par QUIZTOUR, 19, rue d'Athènes (874.75.30).*

Réservation la veille par téléphone. Tous les jours excepté le lundi et les jours fériés, du 1er avril au 4 novembre. Embarquement le matin à 9 h, face au 15, quai Anatole-France, 7e. Arrivée vers 12 h 30 au bassin de la Villette. L'après-midi départ à 14 h, à l'angle du quai de la Loire et de l'avenue Jean-Jaurès, 19e, devant le café Les Palmiers ; arrivée vers 17 h au quai Anatole-France. Adultes : 60 F pour la demi-journée ; enfants de 6 à 12 ans : 30 F ; gratuit jusqu'à 6 ans.

Elle a fière allure la Patache amarrée au quai aménagé que l'on trouve en contrebas de la gare d'Orsay. Un catamaran de 12 mètres, plat comme la main, sur lequel on a bâti une curieuse petite maison blanche et verte destinée à mettre les passagers à l'abri. Trajet quotidien : la montée de la Seine, puis le cap sur le canal Saint-Martin. Les amarres larguées, le Vert-Galant vu du fleuve, le mouillage de la Cité où une bonne dizaine de péniches-résidences « ventousent », la flèche de la Sainte-Chapelle, la rosace de Notre-Dame. Passé le cap de l'île Saint-Louis, le bateau oblique vers la gauche (à moins que ce ne soit bâbord) pour se glisser dans la première écluse. Un grand bonjour à François, les portes se referment et l'eau commence à remplir le sas et à élever le niveau. Ça y est, la Patache a quitté le Paris classique et répertorié pour entrer dans un Paris plus laborieux et populaire. C'est à Napoléon Ier que l'on doit ce canal de 4,5 km, aujourd'hui un peu déserté par les péniches, qui relie la Seine au bassin de La Villette; 9 écluses le jalonnent et permettent de grimper une dénivellation de 26 mètres. Après le bassin de la Bastille, le bateau pénètre dans un étonnant tunnel. Deux kilomètres tout en voûte, avec de chaque côté un chemin de hâlage, qui suivent le tracé des boulevards Richard-Lenoir et Jules-Ferry. Etrange boyau éclairé de loin en loin par de larges orifices qui font penser aux catacombes. Le voyage se poursuit au rythme lent des ponts-tournants et des arrêts-écluses : très vite on est pris par le charme de ces installations d'un autre temps : écluses-oasis perdues parmi les arbres avec de petites maisonnettes mangées par la vigne vierge, où les éclusiers, assis sur le pas de la porte, prennent le frais en regardant les gens défiler sur les passerelles métalliques époque Baltard. Atmosphère, atmosphère, vous vous rappelez? C'était « Hôtel du Nord », Arletty et Louis Jouvet. Les souvenirs s'effacent. Trois heures après le départ, on atteint le bassin de La Villette, un peu mélancolique de mettre un terme à une si insolite et plaisante croisière.

CIMETIÈRES

CE n'est pas un caprice morbide qui nous fait évoquer ci-après les cimetières de la capitale : les jardins des morts sont parmi les plus vivants que l'on puisse arpenter à Paris. On y fait dans la verdure et sous les arbres d'émouvantes et tranquilles promenades.

CIMETIÈRE DES ANIMAUX

(Voir le chapitre « Animaux »).

CIMETIÈRE D'AUTEUIL

● **16e** - *57, rue Claude-Lorrain (288.20.83).*

L'agréable petit cimetière d'Auteuil fut ouvert en 1793 grâce aux dons d'un citoyen charitable souhaitant que l'endroit évoquât « l'idée d'une réunion d'arbres faisant ornement dans la plaine ». Il a été depuis plusieurs fois agrandi et l'on y voit, parmi d'autres, les tombes de la comtesse de Boufflers, Mme Helvetius, Hubert Robert, Gavarni et Gounod.

CIMETIÈRE DE BELLEVILLE

● **20e** - *40, rue du Télégraphe (636.66.23).*

A 128 m d'altitude, il n'y a pas dans tout Paris de morts plus près du ciel. Sinon un peu plus bas, dans la rue Haxo, la cinquantaine de suppliciés de la Commune (prêtres pour la plupart), si l'on en croit leur procès de béatification en cours. C'est sur ce point culminant de l'est de Paris (1,75 m de moins que sur la butte Montmartre) que Claude Chappe vint expérimenter le tachygraphe qui annonça les victoires de la République et Valmy, la première d'entre elles. Veuillez avoir l'extrême obligeance de ne point quitter ces lieux sans saluer la tombe de Jules Caillaux (1862-1916), « fondateur de l'union paternelle des fleurs et plumes ».

CIMETIÈRE DE CHARONNE

● **20e** - *Place Saint-Blaise (371.40.66).*

Dans cette délicieuse nécropole, la seule à Paris qui subsiste à côté de son église (avec le petit cimetière du Calvaire de Montmartre) reposent Robert Brasillach et les deux fils d'André Malraux, tués dans un accident de voiture. La plus grande tombe (huit mètres de côté) est toutefois celle du citoyen Bèque, patriote, poète, philosophe et soi-disant secrétaire de Robespierre, représenté grandeur nature sur un socle de pierre et brandissant dans sa main (droite il est vrai) une rose qui fit école.

CIMETIÈRE DE MONTMARTRE

● **18e** - *20, av. Rachel (387.64.24).*

La littérature et la philosophie, très majoritaires, tiennent là les assises éternelles de la plus prestigieuse des académies. Mme Récamier, qui repose ici, n'a jamais rêvé de son vivant tenir salon plus brillant et plus éclectique : Stendhal et Henri Heine, Vigny et les deux Goncourt, Renan, Marceline Desbordes-Valmore, Dumas fils et son héroïne Alphonsine Plessis, dite Marie Duplessis, la « Dame aux camélias », sans oublier Théophile Gautier, Sacha Guitry, etc.

Vous verrez aussi en quels lieux charmants dorment tous ces personnages illustres et tout ce que l'été prodigue ici d'ombrage et de verdure à la tombe de Charcot, à la dalle de Greuze qui «... peignit la vertu, la beauté, l'innocence et sut toujours garder l'honneur de ses pinceaux... » ou au magnifique gisant de bronze de Cavaignac, un des chefs-d'œuvre de Rude.

CIMETIÈRE MONTPARNASSE

● **14e** - *3, bd Edgar-Quinet (326.68.52).*

Cette nécropole raconte au long des allées rectilignes de ses dix-huit hectares une partie non négligeable de notre vie littéraire, artistique, historique et scientifique. Huysmans, François Coppée (non loin de la tour de l'ancien moulin de la Charité du XVIIIe siècle), Théodore de

Banville, Sainte-Beuve, Leconte de Lisle, Léon-Paul Fargue, Guy de Maupassant, et, bien sûr, Charles Baudelaire y attendent des jours meilleurs. Est-ce par goût de l'analogie que Vincent d'Indy voisine avec Saint-Saëns et qu'Alfred Dreyfus est proche de son avocat F. Labori ? Au cours des « divisions » les noms se succèdent : Soutine, Fantin-Latour, Othon Friesz, César Franck et Emmanuel Chabrier, sans oublier Rude, Houdon, Bourdelle, etc. Quelques monuments fort pittoresques, par exemple cette pierre blanche et haute représentant une jeune fille drapée, aux épaules nues, qui s'essaye à dessiner une fleur cependant qu'une gerbe de roses descend sur le côté et qu'une couronne de lauriers s'ébauche au-dessus : c'est le tribut d'élèves reconnaissantes à leur directrice. Ou mieux encore, l'extravagant mausolée représentant Mme Pigeon qui, armée de la fameuse lampe de son époux, tente d'arracher l'univers entier à ses ténèbres.

CIMETIÈRE DE PASSY

● **16e** - *2, rue Cdt-Schlœsing (727.51.42).*

Tout comme le Père-Lachaise est un peu le cimetière des héros de l'Empire et Montparnasse celui des gloires du XIXe siècle, Passy est le cimetière des grands hommes et des grands noms du XXe siècle naissant. L'une des célébrités en est Marie Bashkirtseff, la jeune poétesse (morte à vingt-quatre ans), qui écrivit un fameux « Journal » et passionna la France spirite. Elle repose dans une énorme chapelle pseudo-byzantine décorée de photographies, de grands tableaux et de bustes. On passe aussi devant le caveau du grand marchand de tableaux Paul Guillaume, qui fit connaître l'art nègre. Puis, plus loin, à l'angle de la place du Trocadéro et de l'avenue Paul-Doumer, une simple dalle blanche porte ce nom : Jean Giraudoux. L'auteur de « Siegfried » repose non loin de Tristan Bernard, du comte de Las Cases, compagnon de Napoléon à Saint-Hélène, et du pianiste Yves Nat, affligé d'une affreuse grotte en meulière. C'est ici en effet que l'on trouve la plus complète collection de chapelles néo-romanes, néo-byzantines, néo-gothiques de la fin de l'autre siècle et du début du nôtre.

CIMETIÈRE DU PÈRE LACHAISE

● **20e** - *16, rue du Repos (370.70.33).*

Nous ne saurions vous entraîner sans risquer de vous essouffler dans cet immense cimetière-jardin. Ses défunts célèbres sont innombrables. Il fait partie des circuits touristiques en tant que musée permanent des arts et curiosités funéraires. Mais toute curiosité satisfaite, lorsqu'on a vu les tombes d'Oscar Wilde et de Félix Potin (ou celle de Victor Noir au gisant de qui les dames viennent en foule rendre de curieux hommages), il n'est pas vain de savoir aussi que du haut de cette colline, à quelques pas du mur des Fédérés, le jeune Louis XIV observait la bataille que Turenne livrait à Condé. Et qu'une légitime inquiétude ne déparait pas sa majesté.

CIMETIÈRE PICPUS

● **12e** - *35, rue de Picpus (346.80.39).*

L'après-midi seulement. F. lundi.

Un cimetière secret, minuscule, campagnard, qui se cache derrière les hauts murs d'un couvent de la rue de Picpus, en bordure d'un long jardin, mi-potager, mi-fleuriste. Dans cette paisible et rare oasis de verdure, rien n'évoque les souvenirs historiques et sanglants ; c'est pourtant dans ce parc que furent enterrés, dans deux grandes fosses communes, en 1793 et 1794, les guillotinés de la « place du Trône Renversé », l'actuelle place de la Nation. Ils étaient, pour plus de la moitié, gens du peuple, mais parmi eux figuraient aussi les membres des plus grandes familles de France (ainsi que le poète André Chénier). Sous l'Empire, les descendants de ces aristocrates achetèrent le terrain afin de l'utiliser comme cimetière privé. Ainsi peut-on voir, dans un petit enclos planté d'arbres, les deux fosses historiques et, à côté, une cinquantaine de tombes qui forment le cimetière le plus huppé de France. Là reposent des Montmorency, des Lévis, des Mortemart, des Noailles, des Rohan, des Talleyrand, des Montalembert (dont la devise « Nous sommes les fils des croisés, nous ne reculerons pas devant les fils de Voltaire » orne le tombeau), des Polignac, des Roquelaure, etc. Et le général de La Fayette sur la tombe duquel est plantée la bannière étoilée des Etats-Unis, seul drapeau américain qui ait flotté en France pendant la dernière guerre. Un seul roturier y a exceptionnellement sa tombe, Georges Lenôtre, l'historien des « Vieilles maisons, vieux papiers », qui fit une savante étude sur ce cimetière.

CONFÉRENCES-PROMENADES

VOUS consulterez utilement les hebdomadaires spécialisés qui vous renseigneront avec précision sur les thèmes des visites, leurs horaires et leurs prix.

ANNE FERRAND

(260.71.62 aux heures de bureau sauf le lundi matin).

Excellente conférencière, elle inscrit régulièrement à son programme la Galerie Dorée de la Banque de France, les salons du ministère des

Finances, la Cour des Comptes, les hôtels du Marais, la Manufacture des Gobelins, la Maison de Balzac, le Palais-Bourbon, etc.

L'ART POUR TOUS

● **93 Epinay-sur-Seine** - *34, rue Félix-Merlin.*

« Association d'éducation populaire et non pas entreprise commerciale », et première société parisienne du genre (fondée en 1901). La cotisation (un an : 50 F + 10 F de droit d'adhésion) donne droit aux visites-conférences gratuites (à quelques rares exceptions près) dans les musées, les expositions, les demeures historiques, etc. Bulletin trimestriel gratuit sur simple demande.

CAISSE NATIONALE DES MONUMENTS HISTORIQUES

● **4e** - *Hôtel de Sully, 62, rue Saint-Antoine (887.24.14).*

Bureaux ouverts du lundi au vendredi de 9 h à 12 h 45 et de 14 h à 18 h.

Des visites-conférences sont organisées tous les jours dans les principaux monuments et quartiers de Paris sous la conduite de (généralement) remarquables conférencières des Monuments historiques. Ces conférences peuvent également être organisées sur la demande de groupes.

MUSÉE DU LOUVRE

● **1er** - *Cour du Carrousel (260.39.26).*

D'innombrables possibilités sont offertes aux adultes comme aux enfants : cours d'initiation, visites de salles fermées au public, conférences, etc. Vous pouvez adhérer à la Société des Amis du Louvre (Pavillon de Marsan, 107, rue de Rivoli, 1er, 260.70.64) qui réserve certains avantages à ses adhérents : entrée gratuite au Louvre et au Jeu de Paume, réduction de 50 % dans tous les musées nationaux et pour certaines conférences, journées gratuites dans les expositions en cours, service de la Revue du Louvre et des Musées de France.

PARIS ET SON HISTOIRE

● **9e** - *82, rue Taitbout (526.26.77).*

Visites-conférences tous les jours de l'année, excursions du dimanche, conférences et voyages. Depuis le musée privé d'un collectionneur de lunettes jusqu'à la Cour des Comptes, en passant par un atelier d'icônes, les coulisses de l'hôtel George-V et les grandes expositions qui font courir Paris.

Apprenez à lire ce Guide : consultez la table des matières, page 631. Vous y trouverez en détail la liste de toutes nos rubriques.

PROMENADES ET CONFÉRENCES DE PARIS (M.-M. Hager)

● **1er** - *62, rue J.-J.-Rousseau (233.01.53).*

Demandez à Michèle-Mathilde Hager son programme de conférences-promenades à travers Paris (artisans, commerçants célèbres, monuments historiques) dont certaines, le mercredi, sont étudiées pour les enfants. Elle organise aussi des journées ou voyages à thèmes littéraires : Balzac en Touraine, George Sand à Nohant, Proust à Illiers, Flaubert en Normandie, etc.

R.A.T.P. Services touristiques

● **6e** - *53, quai des Grands-Augustins (346.42.03).*

● **8e** - *Pl. de la Madeleine (côté marché aux fleurs) (265.31.18).*

La « Régie » organise de nombreuses excursions remarquablement commentées, que ce soit à Paris (« Paris moderne », « Paris historique », « Paris illuminations », « Paris la nuit », etc.), ou bien dans ses proches environs (Versailles, La Malmaison, Fontainebleau), ou encore dans quelque jolie province (la Sologne, les lacs du Morvan), ou enfin à l'étranger. Excursions (plus de 120 circuits) de l'après-midi (samedi, dimanche et fêtes : de 52 à 89 F), ou de la journée (mêmes jours : de 95 à 133 F). Renseignements, vente des billets et location des places aux deux adresses indiquées plus haut. Tous les départs ont lieu place de la Madeleine.

TOURISME CULTUREL

● **8e** - *39, Champs-Elysées.*

Visites guidées et commentées de vieux hôtels, expositions temporaires, ateliers d'artisans, ateliers des décors de l'Opéra, loges du Grand Orient de France, la Bourse en activité, etc. Pour recevoir les programmes, envoyer 10 F au CCP 5053 29 B Paris : Association Internationale de Tourisme Culturel.

ÉGLISES

NOUS ne ferons pas un tour complet des églises de la capitale, bien sûr. Nous préférons nous en tenir aux moins connues, à celles qui renferment — c'est le mot — des trésors ignorés ou oubliés, et jusqu'à présent épargnés par la frénésie de dépouillement qui s'est emparée du clergé au cours de ces dernières années. Au surplus, et sans sortir du propos strictement esthétique, l'œil s'offense singulièrement au spectacle de certaines de ces églises saccagées par des autels-établis, des panneaux électoraux, des installations électrophoniques abusivement voyantes, des stands de presse et tout un mobilier de pacotille pour la disparition desquels nous faisons d'ardentes neuvaines.

LES BILLETTES

● **4e** - *22, rue des Archives*

Vestiges d'un charmant petit cloître du XVe siècle, le dernier subsistant à Paris. Deux intéressantes toiles baroques ornent ce temple luthérien, ancien couvent du XIVe siècle.

CHAPELLE DU COLLÈGE DES IRLANDAIS

● **5e** - *17, rue des Carmes.*

Entre deux immeubles modernes assez laids, la façade subsiste, délabrée mais pleine de charme. A l'intérieur, ravissantes petites chapelles. Ici fut construit le collège des Lombards qui abrita le séjour parisien de saint Ignace de Loyola.

PORT-ROYAL

● **14e** - *119, bd de Port-Royal.*

Pascal a déambulé dans le cloître (transformé en prison sous la Révolution). Il s'est agenouillé dans la petite et ravissante chapelle dont les dalles du chœur recouvrent les restes de la mère Angélique Arnaud.

SAINT-AIGNAN

● **4e** - *19, rue des Ursins.*

Grâce à l'action du critique d'art Yvan Christ, cette petite chapelle négligée du XIIe siècle a pu être réaménagée. Elle a 10 m de long et montre ses voûtes d'arêtes sur quatre colonnes dont les chapiteaux sont de rares spécimens de la sculpture romane en Ile-de-France. On peut la visiter, en principe, le premier lundi de chaque mois, sauf les lundis fériés et ceux de décembre.

SAINT-FRANÇOIS-XAVIER

● **7e** - *12, pl. du Président-Mithouard.*

Une grande Cène du Tintoret orne cette assez médiocre église.

SAINT-GERMAIN-L'AUXERROIS

● **1er** - *2, place du Louvre.*

Cette église, dont les cloches ont sonné le massacre de la Saint-Barthélémy, est célèbre. Mais beaucoup moins l'admirable triptyque en bois doré (enfin bien éclairé) que nous comparerons sans hésiter à celui de Tolède. Placé au revers d'un magnifique banc d'œuvre dessiné par Le Brun, il fait face à une chapelle où se trouve, avec le prie-Dieu de la reine Marie-Amélie, un retable flamand en bois sombre, malheureusement plongé dans la pénombre. L'église a été remarquablement grattée à blanc. Son maître carillonneur a pris, hélas, sa retraite mais le carillon, restauré depuis peu, fait tout de même entendre ses cloches chaque mercredi à 18 h.

SAINT-GERMAIN-DE-CHARONNE

● **20e** - *4, place Saint-Blaise.*

Une église de village, en plein Paris. Construite au XIe siècle et reconstruite au XVe. La seule de Paris qui soit encore entourée de son cimetière.

SAINT-GERVAIS-SAINT-PROTAIS

● **4e** - *Place Saint-Gervais.*

Salomon de Brosse est sans doute l'auteur de l'imposante et somptueuse façade classique dont Voltaire affirmait qu'il suffisait de la regarder une minute pour croire en Dieu. Les huit Couperin qui en ont successivement tenu les orgues de 1656 à 1826 ont contribué à la célébrité de cette église, aujourd'hui dans la mouvance de la paroisse Saint-Paul-Saint-Louis et qui se livre depuis quelques années à diverses expériences de recyclage monastique non dépourvues d'intérêt.

SAINT-LEU-SAINT-GILLES

● **1er** - *92 bis, rue Saint-Denis.*

Très modifiée au cours des siècles, cette église du début du XIVe, récemment nettoyée, contient des œuvres d'art de qualité : un magnifique groupe de marbre du XVIe par Jean Bullant (Sainte Anne et la Vierge). Dans le style de Philippe de Champaigne, un mariage de sainte Catherine, de l'école du Pérugin, qui se trouvait à Rome, à Saint-Louis-des-Français. Un tableau de (ou d'après) Georges de La Tour et une Nativité de Simon Vouet.

SAINT-LOUIS-EN-L'ILE

● **4e** - *19 bis, rue Saint-Louis-en-l'Ile.*

Un véritable musée. On y remarque, en particulier, huit panneaux peints de l'école flamande du XVIe siècle, la Mort de la Vierge, groupe polychrome de l'école rhénane, les Disciples d'Emmaüs, du frère du Titien, un exquis petit tableau de l'école de Fra Angelico, d'admirables broderies médiévales, des statues en bois italiennes, allemandes et françaises, etc. Les statues de sainte Geneviève et de la Vierge sont tout ce qu'il reste de l'ancien mobilier : elles auraient été déguisées en déesses de la Raison et de la Liberté pendant la Révolution. Saint-Louis-en-l'Ile est le meilleur exemple du style mondain du Grand Siècle.

SAINT-MÉDARD

● **5e** - *39, rue Daubenton.*

La ravissante petite église campagnarde a été grattée de neuf et son magnifique triptyque du XVIe siècle restauré. La superbe nef flamboyante, d'une grande clarté, laisse admirer de nombreux et beaux tableaux de l'école française et un Christ mort dont il est à peine possible de douter qu'il soit de Philippe de Champaigne. Son petit square attenant, situé à l'emplacement de l'ancien cimetière, fut le théâtre des fameuses « convulsions » sur la tombe du diacre Pâris.

SAINT-MERRI

● **4e** - *78, rue Saint-Martin.*

La façade, très pittoresque, a été malencontreusement remaniée. La cloche est la plus vieille de Paris : elle sonne depuis Jean le Bon. Saint-Merri est un exemple caractéristique du style flamboyant tardif (1520-1612).

SAINT-NICOLAS-DES-CHAMPS

● **3e** - *254, rue Saint-Martin.*

L'intérieur de l'église est du plus grand intérêt, bien que la plupart des Parisiens l'ignorent. On y voit un superbe retable du XIVe (la vie du Christ), un retable du XVIIe qui contient deux des meilleures toiles de Simon Vouet, une très belle Vierge de la famille de Vic, qui serait de Frans Pourbus et qui met en scène un roi de France agenouillé, entouré de personnages aux visages extraordinairement expressifs. Le portail Sud de la Renaissance est d'une finesse exquise. Tout à côté, une pittoresque maison est ornée d'un cadran solaire du XVIIe siècle.

SAINT-NICOLAS-DU-CHARDONNET

● **5e** - *39, bd Saint-Germain.*

Rebâtie au XVIIe siècle, sous la direction de Charles Le Brun, cette église vaut surtout par la chapelle familiale de ce peintre (le tombeau de sa mère est d'une beauté dramatique) et ses magnifiques peintures : une Crucifixion de Pierre Breughel II, une jolie Annonciation de l'école flamande du XVIe siècle, le Martyre de saint Jean de Le Brun, de belles œuvres de Nicolas Coypel, André et Jean Restout. Dans la première chapelle, le Baptême du Christ par Corot, dont le paysage est plein de qualité et les personnages intéressants. Ces chefs-d'œuvre naguère ensevelis dans la poussière, l'indifférence et l'obscurité ont été méticuleusement nettoyés, tous les bois cirés, les cuivres astiqués à miroir, les bronzes bichonnés et chaque recoin pieusement épousseté par les squattères traditionnalistes de cette paroisse.

SAINT-PIERRE-DE-MONTMARTRE

● **18e** - *2, rue du Mont-Cenis.*

Les touristes, conduits en groupe au Sacré-Cœur, oublient cette église de style roman, si pleine de charme. La voûte d'ogive (1147) est la plus ancienne de Paris ; très beaux chapiteaux historiés. On voit des colonnes qui seraient des vestiges du temple de Mercure, lequel se dressait à cet emplacement. Certains auteurs les datent de l'époque mérovingienne.

SAINTE-ÉLISABETH

● **3e** - *195, rue du Temple.*

Très beaux objets d'art : une centaine de bas-reliefs du XVIe siècle provenant de l'abbaye de Saint-Vaast d'Arras. Magnifiques panneaux espagnols et italiens du XVe siècle. Marie de Médicis posa — en 1628 — la première pierre de ce bel édifice.

SAINTE-MARGUERITE

● **11e** - *36, rue Saint-Bernard.*

Admirable église où se respire le parfum caractéristique de la piété au XVIIIe siècle, lorsque la religion se réfugiait chez les petites gens. Il faut voir la chapelle des Ames du Purgatoire, décorée d'étonnantes grisailles en trompe-l'œil de l'Italien Brunetti (1765). C'est le décor le plus surprenant et le plus méconnu de Paris. Tout y simule avec une ingéniosité éblouissante la plus riche sculpture. Le sol est fait de pierres tumulaires sous lesquelles se trouvent des caveaux, dont celui de Vaucanson, le génial mécanicien du XVIIIe siècle. Dans une sorte d'émouvant petit cimetière (se faire ouvrir la porte par le « prêtre d'accueil »), complètement à l'abandon et jonché de détritus, se trouve la tombe présumée de Louis XVII.

LA SALPÊTRIÈRE

● **13e** - *47, bd de l'Hôpital.*

L'admirable et curieuse chapelle Saint-Louis où Bossuet et Bourdaloue ont prêché, mérite une visite, bien qu'elle se trouve dans un état peu reluisant. Depuis quelque temps, le culturel (concerts, manifestations diverses) y évacue progressivement le cultuel. Dans les quatre nefs en étoile sous le dôme octogonal du génial Libéral Bruant, hommes et garçons, femmes et filles, séparés les uns des autres, pouvaient suivre les offices sans communiquer entre eux. On voit encore quelques bonnes statues du XVIIIe siècle.

Pour retrouver rapidement une adresse consultez l'index, p. 641.

Messes traditionnelles et messes en latin

NOUS ne terminerons pas ce court chapitre consacré aux églises parisiennes sans vous communiquer quelques-uns des très rares endroits où il est possible d'entendre de belles messes en latin, avec ou sans chants grégoriens, selon l'ancien (saint Pie V) ou le nouveau (Paul VI) rite.

CHAPELLE ROYALE

● **78 Versailles** - *Dans le Château.*

Il convient d'arriver une bonne demi-heure à l'avance pour pouvoir entendre, à 11 h tous les dimanches, la grand-messe solennelle chantée dans l'admirable chapelle du château.

ÉGLISE POLONAISE

● **1er** - *Pl. Maurice-Barrès (260.93.85).*

Messes chantées (sauf pendant les vacances scolaires), le dimanche soir à 17 h 30. Voyez l'Adoration des Mages, par Van Loo, à droite de l'autel.

SAINT-EUGÈNE

● **9e** - *4, rue du Conservatoire (824.70.25).*

Cette belle et curieuse église néo-gothique dressée au chevet des Folies-Bergère propose une messe chantée du nouveau rite en latin, tous les dimanches, à 11 h 45.

SAINT-EUSTACHE

● **1er** - *2, impasse Saint-Eustache (261.47.99).*

A 11 h le dimanche, messe en français et latin du nouveau rite, avec chants grégoriens des admirables chœurs des chanteurs de Saint-Eustache.

SAINT-NICOLAS-DU-CHARDONNET

● **5e** - *39, bd Saint-Germain (354.21.00).*

Sous réserve d'une récupération de plus en plus problématique de l'église par le clergé officiel, messes et offices traditionnels avec chants par les paroissiens « sauvages » de Monseigneur Ducaud-Bourget. A 9 h et à 11 h le dimanche, à 11 h et à 19 h en semaine.

SAINT-ROCH

● **1er** - *24, rue Saint-Roch (260.81.69).*

Messe du nouveau rite en latin, le dimanche à 9 h 45.

SAINTE-GERMAINE-DES-HALLES

● **1er** - *12, rue de la Cossonnerie (508.06.17).*

Active petite paroisse sauvage installée dans un ancien magasin de fruits et primeurs. Messes tous les soirs à 18 h 30 et le dimanche à 9 h 45, 10 h 45 (chantée) et 18 h 30.

SALLE WAGRAM

● **17e** - *39, av. de Wagram (380.30.03).*

Messes traditionnelles le dimanche à 8 h 30, 9 h 30 et 10 h 30.

SÉMINAIRE DES CARMES

● **6e** - *70, rue de Vaugirard.*

Au-delà des arbres magnifiques, on aperçoit la coupole de la chapelle Saint-Joseph-des-Carmes, premier en date des dômes de la capitale qui renferme un beau trompe-l'œil du XVIIe siècle. Ce jardin, au charme provincial, où l'on ne rencontre aujourd'hui que les étudiants de l'Institut catholique, fut, sous la Révolution, le théâtre des massacres de Septembre.

LA SORBONNE

● **5e** - *Place de la Sorbonne.*

Magnifique tombeau en marbre blanc de Richelieu exécuté par Girardon sur dessin de Le Brun. Les médaillons du dôme sont de Philippe de Champaigne. Pour visiter, s'adresser au rectorat de l'Académie de Paris, 47, rue des Écoles, 5e.

TEMPLE SAINTE-MARIE

● **4e** - *17, rue Saint-Antoine.*

Affecté au culte protestant, ce bâtiment est une des grandes réussites de François Mansart. Bossuet y prononça l'oraison funèbre de Henriette d'Angleterre : « Madame se meurt... ». L'intérieur a été malheureusement saccagé par des menuisiers sacrilèges et transformé en tribunes modernes.

ÉGLISES ORTHODOXES

De la dizaine d'églises russes de Paris, la plus somptueuse et la plus connue est, bien sûr, la Cathédrale (12, rue Daru, 8e), où se font entendre d'admirables chœurs. Mais au 93, rue de Crimée (19e), se trouve une curieuse petite église-isba (Saint-Serge) en bois, perdue dans un jardin : avec un peu d'imagination, on se croirait en Russie.

JARDINS FLEURIS

NOUS vous épargnons ici la description des hectares de bois et de verdure qui font encore quelques belles taches vertes convoitées par les stratèges de l'immobilier. Les bois de Vincennes et de Boulogne, les parcs Monceau et Montsouris, les Buttes-Chaumont, etc. n'ont sûrement plus de secret pour vous. Mais ces parcs et jardins dont les noms suivent vous sont peut-être moins familiers.

JARDIN ALBERT-KAHN

• **92 Boulogne-sur-Seine** - *5, quai du 4-Septembre (603.31.83).*

Ouvert du 16 mars au 15 novembre de 14 h à 18 h.

La ville de Paris acquit, l'année du Front Populaire, ces jardins qu'un diamantaire fortuné avait imaginés au début du siècle pour avoir sous les yeux toutes les formes de paysages qu'il chérissait. Les fracas de la circulation ne gâtaient alors en rien son plaisir. Nous prendrons encore le nôtre à l'étonnant spectacle de ces multiples décors pleins d'accidents, de fantaisie, et permettant de traverser dans un si court espace un jardin japonais et une forêt vosgienne, un chaos rocheux et un parc à la française, un petit lac ombragé et un sinueux jardin anglais. C'est dans les dernières semaines du printemps que cet exquis jardin (si peu ouvert malheureusement) déploie toutes ses séductions (verger-roseraie). Donnant directement sur les jardins, la Maison de la Nature, ouverte depuis avril 79, abrite la bibliothèque du Centre de documentation de l'environnement et une salle d'audiovisuel. Elle organise trois ou quatre fois par an des expositions temporaires gratuites sur l'environnement (L'arbre et la ville. Le cycle de l'eau, etc.), et à longueur d'année des activités dirigées, gratuites elles aussi, pour les enfants d'âge scolaire. Voir aussi « Bibliothèques » et « Enfants : mercredis gais ou studieux ».

JARDIN FLEURISTE DE PARIS

• **16e** - *3, av. de la Porte d'Auteuil (651.71.20).*

Ouvert de 10 h à 18 h (17 h en hiver) 1,50 F (2,50 F pendant les expositions).

Ainsi nommé parce qu'il constitue la réserve de l'ensemble des jardins publics de la ville et fournit les décorations florales de toutes les réceptions officielles. Outre ses expositions d'azalées (2e quinzaine d'avril) et de chrysanthèmes (2e quinzaine d'octobre), on y visite une centaine de serres merveilleuses où abondent les plantes d'appartement et les orchidées. Jardin à la française et arboretum.

JARDINS DU MUSÉE RODIN

• **7e** - *77, rue de Varenne (705.01.34).*

Ouvert de 10 h à 18 h. F. mardi.

Deux mille rosiers ornent le jardin à la française du merveilleux hôtel Biron qu'habita le sculpteur. Le célèbre « Penseur » médite au milieu des fleurs.

JARDIN DES PLANTES

• **5e** - *Entrées rue Buffon, rue Cuvier et pl. Valhubert (336.14.41).*

Ouvert de 7 h à 20 h 45 (de 7 h 30 à 17 h 30 en hiver).

Malgré l'indifférence générale, le manque de crédits et les gaz d'autos, les petites fleurs du Groenland et de l'Himalaya continuent de lever comme vulgaires pivoines dans son délicieux jardin alpin voué à la flore des montagnes et des régions polaires, et, juste en face, la jungle tropicale témoigne dans ses immenses serres (de gros efforts ont été accomplis pour les rénover) d'une exubérance plus grande encore. Les trésors botaniques de l'ancien « Jardin royal » fondé par Guy de la Brosse sous Louis XIII comptent parmi les plus importants du monde. Par bonheur, et la mode écologique aidant, l'immense allée centrale, les carrés de plantes officinales et expérimentales, le jardin alpin ne connaissent pas les misères des secteurs zoologie, minéralogie ou paléontologie. On y voit donc au rythme des saisons une infinie variété d'espèces sur des parterres fort bien entretenus. Voyez aussi le cèdre du Liban que M. de Jussieu rapporta dans son chapeau et planta de ses mains. Il est aujourd'hui grand comme une maison et porte ombrage à tout le Labyrinthe (charmant monticule aux allées biscornues).

Voir également le chapitre « Musées ».

PARC DE BAGATELLE

• **16e** - *Dans le bois de Boulogne, au carrefour de la Porte de Madrid (637.58.50).*

Ouvert de 8 h 30 à 20 h. 2,70 F.

Blakaie, fameux jardinier anglais, dessina cet admirable jardin en 1775 pour le comte d'Artois, futur Charles X. Vingt-quatre hectares de roseraies merveilleuses (concours international en juin), d'incomparables explosions de tulipes, narcisses et jacinthes au printemps, d'enchanteresses floraisons de nénuphars (plus de 150 variétés) et d'iris au seuil de l'été. Un petit palais du XVIIIe siècle ajoute aux charmes des parterres, des murs végétaux et de l'orangerie que veillent, ici et là, des bustes de poètes et littérateurs romantiques. Agréable salon de thé en plein air.

PARC FLORAL DE PARIS

● **12e** - *Esplanade du Château de Vincennes, Bois de Vincennes (374.60.49).*

Ouvert de 9 h 30 à 20 h (17 h en hiver).

Les Floralies de 1969 nous ont laissé ce grand jardin de vingt-huit hectares, aménagé dans le « goût moderne » à grand renfort de béton, de constructions pavillonnaires et de sculptures monumentales de Calder, Agam, Penalba, Stahly (la fontaine), etc. Une promenade couverte s'aménage en jardin d'hiver (orangers, mimosas, camélias). Visitez le jardin des plantes aquatiques (1 200 m² de lotus, de juillet à octobre), la pinède (3 hectares de rhododendrons et d'azalées (en mai-juin) et les expositions trisannuelles qui se tiennent sous les pavillons : orchidées (fin février), camélias (mars), dahlias (septembre). Le dimanche après-midi (d'avril à octobre), musiciens, clowns et bateleurs se donnent en spectacle dans les pavillons ou les allées du parc.

ROSERAIE DE L'HAY-LES-ROSES

● **94 L'Hay-les-Roses** - *Rue Albert-Watel (660.02.12).*

Ouvert du 24 mai au 30 septembre de 10 h à 18 h (les vendredi et samedi, jusqu'à 23 h). 4 F.

Splendide roseraie, plantée à partir de 1892 par Jules Gravereaux, « l'apôtre de la rose », et l'un des fondateurs du Bon Marché. Environ 3 000 espèces de variétés de roses anciennes, sauvages, d'Extrême-Orient, etc., un joli parc et un petit musée de la Rose, consacré aux œuvres d'art inspirées par cette fleur.

Bibliothèques

TOUS les arrondissements et presque tous les quartiers de Paris possèdent une bibliothèque générale, parfois d'une étonnante richesse. Non seulement l'accès en est libre pour la consultation sur place, mais les prêts à domicile eux-mêmes sont gratuits. Les bibliothèques centrales d'arrondissement se trouvent dans les locaux des mairies, et c'est pourquoi nous pensons inutile d'en donner ici la liste. Voici, en revanche, les renseignements concernant un certain nombre de bibliothèques plus importantes ou plus spécialisées.

BIBLIOTHÈQUES D'ART

BIBLIOTHÈQUE DE L'ARSENAL

● **4e** - *1, rue de Sully (277.44.21).*

Ouv. de 10 h à 17 h. F. dim. et jrs fériés et 1re quinzaine de septembre. Présenter une carte de la Bibliothèque nationale ou une carte de l'Arsenal obtenue en justifiant d'études supérieures ou de travaux de recherches ; plus une pièce d'identité et 2 photographies.

Ce somptueux bâtiment est un Département de la Bibliothèque nationale. Fonds ancien (manuscrits et imprimés) encyclopédique, fonds moderne (principalement littéraire). Et aussi de passionnants documents : archives de la Bastille, Saint-Simonisme, Huysmans et ses amis, manuscrits d'écrivains parnassiens et symbolistes, etc. Egalement un département consacré aux arts du spectacle.

BIBLIOTHÈQUE DES ARTS DÉCORATIFS

● **1er** - *107, rue de Rivoli (260.32.14).*

Ouv. de 10 h à 17 h 30. F. lun. jusqu'à 13 h 45 et dim. Ouverte à tous pour la consultation sur place.

Fondée en 1864 et ouverte de toutes ses baies sur le jardin des Tuileries. On y trouve tous les ouvrages publiés en France et ailleurs sur l'architecture en général (intérieure et extérieure) et tout ce qui touche à l'ornement (du bois, du fer, des textiles, etc.). Mais ce qui la distingue de toutes les autres bibliothèques d'arts décoratifs du monde, c'est la mise à la libre disposition du public du fabuleux « don Maciet », ainsi nommé du nom du singulier collectionneur fin de siècle qui consacra sa vie à la collecte et au classement raisonné (par thèmes) de tous les documents graphiques concernant les arts en général. Soit 6 000 gros volumes régulièrement remis à jour pour le bénéfice de l'Union Centrale des Beaux-Arts Appliqués qui en hérita dès 1880. Précisons que ladite Union, qui avait déjà pour fin la réconciliation du goût français et des exigences de l'industrie, fut la première du genre dans le monde.

Apprenez à lire ce Guide :
toutes nos adresses sont données par ordre alphabétique à l'intérieur de chaque rubrique.

BIBLIOTHÈQUE DU MUSÉE DES ARTS ET TRADITIONS POPULAIRES

● **16e** - *6, av. du Mahatma-Gandhi (747.69.80).*

Ouv. de 9 h 30 à 12 h et de 14 h à 17 h. F. sam. et dim.

Ouvrages sur l'ethnologie, les arts et traditions françaises de tous les temps mais plus spécialement orientés sur les XIXe et XXe siècles. Phonothèque sur les mêmes sujets.

BIBLIOTHÈQUE FORNEY

● **4e** - *1, rue du Figuier (278.17.34).*

Ouv. de 13 h 30 à 20 h 30. Le sam. de 10 h à 20 h 30. F. dim. et lun. Gratuit.

Dans l'ancien Hôtel des archevêques de Sens, construit de 1475 à 1519. Art, arts décoratifs, métiers d'art, techniques. Fonds spéciaux sur les textiles, le mobilier et les papiers peints.

BIBLIOTHÈQUE DU MUSÉE GUIMET

● **16e** - *6, pl. d'Iéna (723.61.65).*

Ouv. de 10 h à 12 h et de 14 h à 17 h. F. mardi et dimanche. Admission sur demande au conservateur.

Civilisations de toute l'Asie, depuis l'Inde jusqu'au Japon : art et archéologie, histoire et géographie, musique, religions, etc.

ÉCONOMIE, SOCIOLOGIE, SCIENCES HUMAINES

BIBLIOTHÈQUE CEDIAS-MUSÉE SOCIAL

● **7e** - *5, rue Las Cases (705.92.46).*

Ouv. de 9 h à 12 h 30 et de 13 h 30 à 17 h 30. F. sam., dim. et jrs fériés. Ouverte à tous pour la consultation sur place.

Derrière son ancien nom de Musée Social (donné à l'origine en 1894), le CEDIAS abrite un centre d'étude, de documentation, d'information et d'action sociales qui comporte, entre autres services, une bibliothèque (100 000 volumes et dossiers) sur l'histoire du travail, du mouvement ouvrier et en général sur la « question sociale » (en France et à l'étranger) au sens où on l'entendait au XIXe siècle. Publication d'un Manuel de placement des enfants, des malades et des personnes âgées (dans toute la France) : homes d'enfants, établissements pour handicapés, centres maternels, maisons de repos, etc.

BIBLIOTHÈQUE DU CENTRE PROTESTANT

● **14e** - *8, villa du Parc-Montsouris (589.55.69).*

Ouv. de 10 h à 13 h et de 14 h à 18 h 30. F. merc., sam. et dim. Ouverte à tous pour la consultation sur place.

Environ 25 000 livres et 300 périodiques. Fonds documentaire, sciences humaines (à dominante théologique et philosophique). Publication d'un bulletin bibliographique chaque mois. Prêts de livres (20 F pour les abonnés au bulletin, 35 F pour les non abonnés, 25 F pour les étudiants). Service de recherches bibliographiques et documentaires à la demande.

BIBLIOTHÈQUE DE LA CHAMBRE DE COMMERCE ET D'INDUSTRIE DE PARIS

● **8e** - *16, rue Chateaubriand (561.99.00).*

Ouv. de 9 h 30 à 12 h et de 14 h à 18 h les lun., merc. et vend. ; de 9 h 30 à 20 h 30 les mar. et jeu. et de 9 h 30 à 14 h 30 le sam. Ouverte à tous pour la consultation sur place.

Bibliothèque très confortable. Droit, gestion de l'entreprise, économie, économie régionale, documentation sur l'étranger.

Où dîner le dimanche ? Voir p. 108.

BIBLIOTHÈQUE DE L'INSTITUT D'HISTOIRE ÉCONOMIQUE ET SOCIALE

● **5e** - *17, rue de la Sorbonne (329.12.13, poste 36-10).*

Ouv. de 9 h à 12 h et de 14 h à 17 h. F. sam. et août. Ouverte à tous pour la consultation sur place. Emprunts possibles.

Histoire économique et sociale du XVIe siècle à nos jours.

BIBLIOTHÈQUE MARGUERITE-DURAND

● **5e** - *21, pl. du Panthéon (326.85.05). (Mairie du 5e).*

Ouv. de 14 h à 18 h. F. sam. et dim.

Documentation féministe.

ÉTRANGÈRES

BIBLIOTHÈQUE AMÉRICAINE (American Library in Paris)

● **7e** - *10, rue du Gal-Camou (551.46.82).*

Ouv. de 14 h à 19 h, le samedi de 10 h à 19 h. F. dimanche et lundi. Accès payant : un jour, 10 F. Un an : 150 F.

En langue anglaise, auteurs anglais et américains ; section spéciale sur l'histoire et la littérature des Etats-Unis : périodiques ; collections pour les enfants.

BIBLIOTHÈQUE D'AMÉRIQUE LATINE

● **7e** - *28, rue Saint-Guillaume (222.35.93).*

Ouv. de 10 h à 18 h du lun. au vend., de 10 h à 20 h le jeudi. F. sam., dim. et de fin juil. au début de sept.

Histoire, littérature, vie contemporaine de l'Amérique latine. Périodiques et revues.

BIBLIOTHÈQUE ARMÉNIENNE

● **16e** - *11, square Alboni (870.03.18).*

Ouv. de 10 h à 12 h et de 14 h à 18 h. F. merc., dim., jrs fériés et sept.

Ouvrages d'histoire, d'architecture. Et toute la littérature en langue arménienne.

BIBLIOTHÈQUE BENITO-JUAREZ

● **14e** - *9, bd Jourdan (589.77.56). (Maison du Mexique).*

Ouv. de 10 h 30 à 13 h et de 14 h à 22 h. F. sam. et du 15 juil. au 1er oct.

Bibliothèque encyclopédique, très riche en ouvrages (le plus souvent écrits en langue espagnole) sur l'histoire du Mexique en particulier et l'Amérique du Sud en général.

BIBLIOTHÈQUE BENJAMIN-FRANKLIN

● **6e** - *1, pl. de l'Odéon (325.14.97).*
Ouv. de 13 h à 18 h. F. sam., dim. et juil.

Tout ce qui touche à la civilisation américaine (économie, politique, arts, architecture, éducation, histoire, littérature), à l'exclusion des disciplines scientifiques et techniques.

BIBLIOTHÈQUE DU BRITISH COUNCIL

● **7e** - *9 et 11, rue de Constantine (555.54.99).*
Ouv. de 11 h à 18 h. F. sam. et dim. (prêt par abonnement).

40 000 volumes en anglais relatifs à la civilisation, l'histoire, la politique, les sciences de la Grande-Bretagne, du Commonwealth et des pays anglophones.

BIBLIOTHÈQUE DU CENTRE CULTUREL ALLEMAND (Gœthe Institut)

● **16e** - *17, av. d'Iéna (723.61.21).*
Ouv. de 9 h à 20 h. F. sam. et dim. Gratuit. Carte d'identité et deux photos.

40 000 ouvrages et périodiques en langue allemande et française concernant la R.F.A. et les pays de langue allemande. Documentation sur la littérature contemporaine, le cinéma, le théâtre et l'actualité. Prêts de livres gratuits pour 2 semaines. Gratuits également les prêts de disques et de jeux pour les enfants. Diathèque. (600 séries de diapositives).

BIBLIOTHÈQUE DU CENTRE CULTUREL PORTUGAIS

● **16e** - *51, av. d'Iéna (720.86.84).*
Ouv. de 9 h à 18 h sam. et dim. Présenter une carte d'identité et deux photos.

Fonds essentiellement historique et littéraire. Prêts de livres gratuits. Cours de portugais (5 niveaux) en collaboration avec la Faculté de Vincennes-Paris VIII.

BIBLIOTHÈQUE DU CENTRE D'ÉTUDES CORÉENNES

● **16e** - *22, av. du Pt-Wilson (553.73.01, poste 59).*
Ouv. de 10 h à 18 h ; en juil. et sept. de 14 h à 18 h. F. sam., dim., vacances scol. et août. Demander un formulaire d'inscription.

Livres principalement en coréen, mais aussi livres usuels et généraux sur la Corée en français, anglais et allemand.

BIBLIOTHÈQUE DE L'INSTITUT CULTUREL ITALIEN

● **7e** - *50, rue de Varenne (222.12.78).*
Ouv. de 10 h à 13 h et de 15 h 30 à 18 h, le samedi de 10 h à 13 h. F. en août. Carte de membre de l'Institut, pièce d'identité, une photo pour le prêt. 50 F par an.

Uniquement des ouvrages en langue italienne. Prêts de livres (2 semaines), de diapositives et disques (1 semaine).

BIBLIOTHÈQUE MEDEM

● **10e** - *52, rue René-Boulanger (205.60.82).*
Ouv. de 14 h à 16 h les lun., jeu. et sam.

Le plus grand rassemblement de livres yiddish à Paris (20 000 volumes). Nombreuses traductions en français des meilleurs écrivains yiddish. Prêts de livres par abonnement (5 F par mois, plus une caution de 20 F).

BIBLIOTHÈQUE NORDIQUE

● **5e** - *6, rue Valette (329.61.00).*
Ouv. de 14 h à 18 h, le merc. jusqu'à 19 h 30. F. dim. et jrs fériés et du 14 juil. au 1er sept.

Bibliothèque d'étude (fonds de la Bibliothèque Sainte-Geneviève). Ouvrages scandinaves et finnois, et ouvrages en diverses langues sur les pays scandinaves et la Finlande.

BIBLIOTHÈQUE POLONAISE DE PARIS

● **4e** - *6, quai d'Orléans (354.35.61).*
Ouv. de 14 h à 18 h, le sam. de 9 h à 12 h. F. dim. et jrs fériés. Ouverte à tous.

Fondée en 1838 et installée quai d'Orléans depuis 1853, une des plus importantes bibliothèques spécialisées de Paris par la valeur de son fonds. 150 000 volumes en toutes langues, concernant l'histoire, la civilisation, la littérature, la politique, l'économie et la géographie polonaises ; des imprimés du XVIe au XVIIIe siècle ; des revues et périodiques polonais des XIXe et XXe siècles, les archives des insurrections polonaises de 1831, 1848, 1863, etc.

BIBLIOTHÈQUE ROUMAINE SERGESCO-KATERSKA

● **5e** - *39, rue Lhomond (337.82.74).*
Ouv. de 15 h à 17 h les jours ouvrables et sur rendez-vous. F. du 1er août au 20 septembre.

Sujets et documents concernant l'histoire, la littérature, la politique, les sciences, les arts, etc. roumains anciens et contemporains. Accès réservé aux universitaires. Photothèque.

BIBLIOTHÈQUE SLAVE

● **6e** - *14 bis, rue d'Assas (222.21.45).*
Ouv. de 14 h à 18 h. F. dim.

L'une des plus anciennes bibliothèques parisiennes (fondée vers 1850). Histoire politique, religieuse, etc. de la Russie. Collection de périodiques russes du XIXe siècle.

Consultez la table des matières : p. 631.

BIBLIOTHÈQUE TOURGUENIEV

● **5e** - *11, rue de Valence (535.58.51).*

Ouv. de 15 h à 19 h les merc., jeu. et sam. F. en août. Entrée gratuite sur présentation d'une pièce d'identité.

Fondée en 1875 par le plus occidental des grands romanciers russes. Ouvrages en langue russe : littérature, histoire, philosophie, etc., et traductions en français. Prêts de livres (5 F par volume et par mois).

BIBLIOTHÈQUE UKRAINIENNE SIMON-PETLURA

● **19e** - *6, rue de Palestine (202.29.56).*

Ouv. de 14 h à 18 h. F. dim. et en août. Gratuit.

Centre de documentation et d'études sur l'Ukraine, plus particulièrement sur la période 1917-1921.

GÉNÉRALES

BIBLIOTHÈQUE DE L'ASSOCIATION VALENTIN-HAUY

● **7e** - *5, rue Duroc (734.07.90).*

Ouv. de 9 h à 12 h 30 et de 14 h à 17 h 30. F. dim. et jrs fériés.

Ouverte à tous les aveugles. Deux sections : une bibliothèque (générale) de prêt gratuit de livres en braille ; une bibliothèque sonore du livre parlé (prêt gratuit également), strictement réservée aux non-voyants.

BIBLIOTHÈQUE DU CENTRE GEORGES POMPIDOU

● **4e** - *120, rue Saint-Martin (277.12.33).*

De 12 h à 22 h (et de 10 h à 22 h le samedi et le dimanche). F. mardi. Ouverte à tous pour la consultation sur place.

Une prodigieuse réussite qui séduit même les vieux habitués de la Bibliothèque nationale : 1 300 places, un million de documents français et étrangers sur tous les sujets, avec un fonds de diapositives (documentaires et encyclopédiques), de films et de vidéo-cassettes, en complément des livres, des micro-films pour les collections anciennes des quotidiens de grand format et pour les livres épuisés, des micro-fiches de livres épuisés ou rares. Dans la salle d'actualité, on peut consulter la presse française et étrangère et les derniers livres parus, ou bien écouter un disque. A ce « complexe » s'ajoutent la bibliothèque pour les enfants (de 4 à 14 ans), la médiathèque de langues (soixante-dix langues et dialectes), avec ses quarante cabines équipées de magnétophones. Accès libre, gratuit et sans formalité aucune.

Envoyez-nous vos bonnes adresses.

BIBLIOTHÈQUE DE L'INSTITUT CATHOLIQUE DE PARIS

● **6e** - *21, rue d'Assas (222.41.80).*

Ouverte de nov. à mai : les lun., mar. et merc. de 9 h à 12 h 30 et de 13 h 30 à 20 h 30 : les jeu. et vend. jusqu'à 19 h seulement ; le sam. de 9 h à 12 h 30. De juin à octobre : tous les jours sauf sam. de 9 h à 12 h 30. F. en août et pendant les congés scolaires.

Bibliothèque encyclopédique et bibliothèque générale pour les sciences religieuses. 600 000 imprimés et de nombreux périodiques français et étrangers. Accès réservé aux étudiants et professeurs de la « Catho » et aux personnes munies d'une carte délivrée par le Service administratif, moyennant 40 F par trimestre (ou 100 F par an). Prêts de livres (caution : 25 F).

BIBLIOTHÈQUE MAZARINE (INSTITUT DE FRANCE)

● **6e** - *23, quai de Conti (354.89.48).*

Ouv. de 10 h à 18 h. F. sam., dim. et jrs fériés et du 1er au 15 août.

Remarquable bibliothèque encyclopédique dotée d'une exceptionnelle collection de manuscrits, d'incunables, de livres anciens et de mazarinades d'un très grand intérêt pour l'étude de l'humanisme, de la Réforme et du jansénisme. Riche documentation sur l'histoire régionale et locale de la France.

BIBLIOTHÈQUE NATIONALE

● **2e** - *58, rue de Richelieu (261.82.83).*

Ouverte de 9 h à 20 h (le samedi et en août de 9 h à 18 h). F. dimanche, jours fériés, et durant 15 jours à partir du 2e lundi après Pâques.

Mieux vaut être bardé de diplômes ou parrainé par quelque mandarin pour avoir une chance de pénétrer dans le saint des saints. La B.N. entend, en effet, préserver ses trésors — ils sont périssables — et les réserver aux chercheurs de haut niveau. Au reste, elle n'offre que 380 places pour la consultation de 10 millions d'imprimés. Il est indispensable, en tout cas, d'avoir en poche un sujet de recherche bien étayé, si l'on ne veut pas être refoulé, aimablement mais fermement, par les dames de l'accueil vers d'autres bibliothèques parisiennes : Arsenal, Carnavalet, Muséum, etc. La grande salle rassemble sous sa verrière une docte assemblée composée surtout d'universitaires auxquels se joignent des écrivains (Montherlant y passait des heures à relire les stoïciens latins), des « nègres » en quête d'informations détaillées, et, bien entendu, des étrangers. Les vrais habitués préfèrent venir le samedi : il n'y a pas la presse des autres jours. Les autres Départements : Manuscrits, Cartographie, Estampes, Service photographique, Microfilms, etc., ont des horaires particuliers. Renseignez-vous sur place ou par téléphone. Les salles d'expositions sont ouvertes tous les jours de 11 h à 18 h.

BIBLIOTHÈQUE SAINTE-GENEVIÈVE

● **5e** - *10, pl. du Panthéon (329.61.00).*

Ouv. de 10 h à 22 h. F. dim. Justification d'identité et de domicile. Age requis : 16 ans minimum.

Fonds encyclopédique ; très riche fonds ancien. Documentation particulièrement abondante dans le domaine théologique, apologétique et liturgique.

HISTOIRE, PRÉHISTOIRE, GÉOGRAPHIE

BIBLIOTHÈQUE DU CENTRE DE GÉOGRAPHIE

● **5e** - *191, rue Saint-Jacques (329.01.47).*

Ouv. de 9 h à 19 h. F. sam., dim. et août.

Les volumes sont à consulter impérativement sur place. La bibliothèque est réservée aux professeurs et aux étudiants de Paris I, IV et VII, et sur lettre de recommandation pour des recherches très spécialisées.

BIBLIOTHÈQUE HISTORIQUE DE LA VILLE DE PARIS

● **4e** - *24, rue Pavée (272.10.18).*

Ouv. de 9 h 30 à 18 h. F. dim. Présenter une pièce d'identité.

Dans l'Hôtel Lamoignon, merveilleusement restauré : livres et documents sur l'histoire de Paris, la Révolution française, l'affaire Dreyfus, le féminisme, le théâtre, George Sand, Michelet, etc. Salle de lecture superbe et confortable.

BIBLIOTHÈQUE DE L'INSTITUT DE PAPYROLOGIE

● **5e** - *1, rue Victor-Cousin (326.42.21).*

Ouv. de 10 h à 12 h 30 et de 14 h à 18 h. F. sam., dim. et vac. universitaires. Sur autorisation du directeur.

Pour les recherches papyrologiques grecques et latines.

BIBLIOTHÈQUE DU MUSÉE DE L'HOMME

● **16e** - *Palais de Chaillot, pl. du Trocadéro (704.53.94).*

Ouv. de 13 h à 18 h lun. et sam., de 10 h à 18 h merc., jeu. et vend. F. mar., dim. et août. Gratuit.

Préhistoire, ethnologie, anthropologie, histoire des religions.

Où manger quoi ? Voir p. 112.

MUSIQUE

BIBLIOTHÈQUE DU CONSERVATOIRE NATIONAL SUPÉRIEUR DE MUSIQUE

● **8e** - *14, rue de Madrid (522.29.30).*

Ouv. de 9 h à 12 h et de 14 h à 18 h. F. dimanche et vacances scolaires. Ouverte à tous. Gratuit.

Musique classique et contemporaine : grandes éditions musicales, partitions courantes, ouvrages sur la musique (histoire, traités, biographie, etc.).

BIBLIOTHÈQUE DE L'OPÉRA

● **9e** - *Pl. Charles-Garnier (073.90.93).*

Ouv. de 10 h à 17 h. F. dim. et jrs fériés. Présenter une pièce d'identité.

En éditions originales ou en manuscrits, toutes les partitions jouées à l'Opéra depuis l'origine. Et une somme considérable d'ouvrages sur la musique, le théâtre et la danse, des maquettes de décor, des photos, des affiches, des programmes, etc.

SCIENCES ET TECHNIQUES

BIBLIOTHÈQUE DU CENTRE DE DOCUMENTATION DE L'ENVIRONNEMENT (Maison de la Nature)

● **92 Boulogne** - *9, quai du 4-Septembre (603.33.56).*

Ouv. de 9 h à 12 h et de 14 h à 18 h. F. samedi et dimanche. Entrée libre.

Ouverte depuis avril 79. Ouvrages français et étrangers sur la flore, la faune, l'environnement. Un rayon spécialisé sur le département des Hauts-de-Seine en général. Périodiques (français et étrangers) sur les mêmes sujets. Diathèque.

BIBLIOTHÈQUE DU CONSERVATOIRE NATIONAL DES ARTS ET MÉTIERS (C.N.A.M.)

● **3e** - *292, rue Saint-Martin (271.24.14).*

Ouv. de 14 h à 21 h les lun., mar., merc., jeudi et vend. ; de 9 h à 12 h le sam et de 10 h à 12 h 30 le dim. F. août.

Si l'on n'est pas membre du Conservatoire, une carte délivrée au secrétariat (10 F) donne accès à la plupart des ouvrages de la bibliothèque scientifique.

BIBLIOTHÈQUE DE LA DÉLÉGATION A L'AMÉNAGEMENT DU TERRITOIRE

● **7e** - *1, av. Charles-Floquet (783.61.20).*

Ouv. de 10 h à 12 h 30 et de 15 h à 18 h. F. sam. Ouverte à tous.

Tous documents sur l'aménagement du territoire (régional, expansion industrielle, prospective, environnement), l'urbanisme (architecture, habitat-logement, rénovation, sociologie urbaine, transports, villes et agglomérations urbaines).

BIBLIOTHÈQUE DE L'INSTITUT NATIONAL DE LA STATISTIQUE ET DES DIVISIONS ÉCONOMIQUES (I.N.S.E.E.)

● **14e** - *18, bd Adolphe-Pinard (540.12.12).*

Ouvert de 9 h 30 à 12 h 30 et de 13 h 30 à 17 h 30. F. samedi, dimanche et lundi matin.

Du P.N.B. au P.I.B., en passant par la balance des paiements et les accords de Bretton-Woods, tout ce qui concerne la vie économique du pays.

BIBLIOTHÉQUE DE L'INSTITUT DE PHYSIQUE DU GLOBE

● **5e** - *4, pl. Jussieu (336.25.25, poste 48.17).*

Ouvert de 10 h à 12 h et de 14 h à 18 h. F. dimanche, jours fériés et août.

Périodiques scientifiques à l'usage des chercheurs.

BIBLIOTHÈQUE DU MINISTÈRE DE L'AGRICULTURE

● **7e** - *78, rue de Varenne (555.95.50).*

Ouv. de 14 h à 17 h. F. sam., dim. et en août. Ouverte à tous pour la consultation sur place : possibilité de photocopies et microfiches.

Economie et politique agricoles en France et dans la C.E.E. Participe au Réseau de documentation en économie agricole automatisé (RESEDA).

BIBLIOTHÈQUE DU MUSÉE DE L'AIR

● **17e** - *91, bd Péreire (227.07.35).*

Ouv. de 10 h à 12 h et de 14 h à 17 h. F. mar., sam. et dim. Entrée libre.

Aérostation, aviation, astronautique. Catalogue illustré des collections de Meudon et du Bourget (appareils et maquettes). Photothèque.

BIBLIOTHÈQUE DU MUSÉUM D'HISTOIRE NATURELLE

● **5e** - *38, rue Geoffroy-Saint-Hilaire (331.71.24).*

Ouv. de 9 h 30 à 17 h 30. F. dim. et jrs fériés et pendant les vacances scolaires. Ouverte à tous pour la consultation sur place.

Remarquables ouvrages anciens de botanique, zoologie, géologie et géographie. Egalement un grand choix de revues scientifiques, françaises et étrangères.

BIBLIOTHÈQUE DES TABLES
Bureau Universitaire de la Recherche Opérationnelle (B.U.R.O.) de l'Institut de la Statistique de l'Université de Paris.

● **5e** - *9, quai Saint-Bernard (336.25.25, poste 33.41).*

Ouv. de 9 h à 12 h et de 13 h à 17 h 30. F. sam. et août.

Tables statistiques et tables mathématiques. Cette bibliothèque ne s'enrichit plus, hélas, faute de crédits.

Librairies

NOUS ne traiterons, ci-après, que les maisons se distinguant par quelque spécialité : la place nous manquerait en effet pour dresser la liste des très nombreuses excellentes librairies générales de Paris. Signalons toutefois que les librairies **Delatte** (15, rue Gustave-Courbet, 16e, 553.70.93) et **Gallimard** (15, boulevard Raspail, 7e, 548.24.84) possèdent de remarquables services de recherches d'ouvrages rares ou épuisés et vous réserveront le plus aimable accueil.

LIVRES RARES OU ANCIENS, ÉDITIONS ORIGINALES

LES ARCADES

● **1er** - *8, rue de Castiglione (260.62.96).*

Editions originales et livres anciens.

ROBERT CAYLA

● **6e** - *28, rue Saint-Sulpice (326.48.87).*

Originales et éditions rares (Céline, Drieu, Brasillach, Aymé, Cendrars, Maurras).

FRANÇOIS CHAMONAL

● **9e** - *40, rue Le Peletier (878.14.41).*

Choix remarquable de livres anciens. Prix raisonnables.

HONORÉ CHAMPION

● **6e** - *7, quai Malaquais (326.51.65).*

Un temple de l'érudition historique française, où Jeanne Laffitte et Michel Slatkine, les nouveaux directeurs, n'ont pas renoncé à leurs activités d'éditeurs (publications sur l'ensemble des cultures populaires de langue française et collection Ressources, consacrée aux titres célèbres devenus introuvables en bibliothèque, et hors de prix en originales).

CLAVREUIL

● **6e** - *37, rue Saint-André-des-Arts (326.71.17).*

Un grand libraire parmi les grands. Depuis sa fondation — en 1878 — la maison achète, expertise et vend des ouvrages historiques anciens (grand choix de publications anecdotiques sur Paris, la région parisienne et les provinces de France) et modernes (l'armorial belge).

C. COULET ET A. FAURE

● **9e** - *5, rue Drouot (770.84.87).*

Cette librairie, créé en 1880, est l'une des plus fameuses de la place pour les livres anciens et romantiques, les grands illustrés du XIXe siècle, etc. Catalogues.

EPPE

● **9e** - *49, rue de Provence (874.66.68).*

Dernier descendant d'une longue dynastie de « librairies d'ancien », Marcel Eppe est tenu par l'ensemble de la profession pour l'un de ses « rechercheurs » les plus intuitifs. Remarquables éditions reliées du XIXe siècle commençant, entre autres.

JAMMES

● **6e** - *3, rue Gozlin (326.47.71).*

Admirable boutique. Incunables, libertins érudits, poètes latins de la Renaissance, etc. André Jammes, le fils de Paul Jammes, est célèbre dans la profession par son Histoire de l'Imprimerie royale au XVIIe siècle, mais sa vraie passion, c'est l'histoire de la photographie et il est tenu, en France comme aux Etats-Unis, pour l'un des plus savants et remarquables « connaisseurs » en photographies anciennes.

JARDIN DE FLORE

● **3e** - *24, pl. des Vosges (277.61.90).*

Les livres d'art précieux sont la spécialité de cette librairie, mais aussi et surtout, la réédition, à tirage limité et selon des techniques artisanales (caractères séparés pour la typographie, enluminures et couleurs faites à la main, gravures sur bois, etc.), d'ouvrages illustrés, rares, voire inconnus. Fernand Pouillon dirige la collection consacrée à l'architecture.

LIBRAIRIE JULES VERNE

● **6e** - *5, rue de l'Odéon (326.49.03).*

Plus de quatre-vingts jours de lecture dans cette librairie consacrée à Jules Verne, le grand découvreur du monde en chambre.

RENÉ KIEFFER

● **6e** - *46, rue St-André-des-Arts (326.47.11).*

L'un des plus rigoureux de sa profession. Illustrés contemporains et romantiques, éditions originales brochées et reliées des XIXe et XXe siècles, graveurs et illustrateurs contemporains. Quatre catalogues par an.

LARDANCHET

● **8e** - *100, fg Saint-Honoré (266.68.32).*

De cette remarquable maison, beaucoup ne connaissent que le rez-de-chaussée voué plus particulièrement aux nouveautés. Et ignorent l'étage divisé en galerie de gravures (dirigée par la nièce de Dunoyer de Segonzac) et en librairie d'ancien où Mlle Pralus et M. Meaudre accueillent la fine fleur des bibliophiles du monde entier et leur proposent une infinité d'ouvrages dont la reliure de cuir s'orne des armes de Mmes de Pompadour et du Barry, de MM. Louvois, Colbert et Choiseul, etc. Restent encore à évoquer les grandes éditions modernes illustrées : graveurs comme Lepère, Laboureur, Chas Laborde, ou grands peintres : Toulouse-Lautrec (Histoire naturelle de Jules Renard), Derain, Dufy (Bestiaire, 1911), Dunoyer de Segonzac, Matisse, Chirico, Dali.

MARC LOLIÉE

● **7e** - *40, rue des Saints-Pères (548.40.19).*

Libraire de tout premier ordre, justement réputé pour ses éditions originales, ses ouvrages romantiques et ses autographes anciens et modernes.

NICAISE

● **6e** - *145, bd Saint-Germain (326.62.38).*

Le grand spécialiste du livre-objet (Editions di Dio principalement). Ouvrages surréalistes (et dadaïstes), livres illustrés des XIXe et XXe siècles, gravures modernes, autographes.

RIBOT-VULIN

● **8e** - *8, rue de Rome (387.39.46).*

● **9e** - *50, passage Jouffroy (824.98.89).*

Trente-cinq mètres d'étalage de livres d'occasion en libre-service où fouiller à l'abri dans le joli passage Jouffroy : grandes collections, beaux-arts, dictionnaires, ésotérisme, romans.

ROSSIGNOL

● **6e** - *8, rue Bonaparte (326.74.31).*

Livres de bibliophilie anciens et modernes.

LIBRAIRIES SPÉCIALISÉES

Agriculture

LA MAISON RUSTIQUE

● **6e** - *26, rue Jacob (326.50.33).*

L'art de cultiver son jardin. Tout ce qui concerne la nature et la vie à la campagne (agriculture, horticulture, etc.). Catalogues.

Animaux

LE BESTIAIRE

● **16e** - *58, av. Paul-Doumer (520.82.16).*

Accueillante petite librairie bien fournie en tout ce qui concerne les animaux, la chasse, la pêche, l'équitation (livres en français et en anglais). Catalogues. Quelques cadeaux venant d'Angleterre et d'Italie, pour les amoureux de la nature.

Architecture

VINCENT-FRÉAL

● **6e** - *4, rue des Beaux-Arts (326.54.02).*

« La » librairie parisienne d'architecture, et ce, depuis juste 90 ans. D'Auguste à Dominique, les Vincent ont édité, de grand-père à petit-fils, outre toutes les médailles des défunts prix de Rome, un grand nombre d'ouvrages traitant de l'art de bâtir en général, consultés dans tous les bureaux d'études du monde. Notamment cette « Architecture rurale et bourgeoise en France » de longue date, hélas, introuvable, qui vient de faire l'objet d'une quatrième réédition (provisoirement) définitive.

Art militaire - Armes

PIERRE PETITOT

● **7e** - *234, bd Saint-Germain (548.05.27).*

Documentations française et étrangère sur les armes anciennes et les uniformes de tous les pays. Ce spécialiste éminent de la littérature militaire profite un peu de ses compétences pour accueillir l'amateur à coups d'arquebusades. Ce qu'on lui pardonne volontiers, puisqu'il est certainement le meilleur du genre à Paris. Catalogues.

Artisanat

CENTRE INTERNATIONAL D'ARTS ET D'ARTISANATS

● **10e** - *88-92, passage Brady (523.34.67).*
Voir « Artisans-Matériel pour artisans ».

SCARABÉE

● **5e** - *3, rue de la Montagne-Sainte-Geneviève (326.23.94).*
Livres sur les activités manuelles et artistiques. Et aussi des matériaux d'artisanat (raphia, feutrine, rotin, etc.).

Bandes dessinées

L'AGE D'OR

● **14e** - *59, rue Raymond-Losserand.*
Tous les albums et illustrés pour enfants parus entre 1930 et 1960. Premières éditions d'ouvrages de S.F. et de policiers anciens. Découpages, imagerie d'Epinal et cartes postales.

AZATHOTH

● **6e** - *12, rue Grégoire-de-Tours (326.06.80).*
Voir plus loin « Esotérisme ».

B.-DIFFUSION

● **5e** - *40, bd Saint-Germain (326.72.48).*
Nouveau local plus vaste qui permet à cette jeune maison dynamique d'étendre sa diffusion aux libraires et aux particuliers dans tous les domaines de la B.D. : 150 titres en permanence dans le stock, dont illustrations de science-fiction d'importation, song books pop anglais et américains et albums de photos assez rares.

LA CHAMBRE D'HORUS

● **17e** - *14, rue Biot (387.46.71).*
De 14 h à 20 h.
La B.D. sous toutes ses formes : illustrés au numéro, recueils d'illustrés, albums, etc. Le magasin qu'a ouvert Alain Preseau à l'entresol d'une vieille échoppe de la rue Biot est tenu pour l'un des plus sérieux de France par le petit monde des collectionneurs : les « anciens » à qui rien n'indiffère de ce que publia L'Epatant un quart de siècle après sa naissance (soit 1933) et qui tiennent les premiers numéros de Hurrah (1935) et de Robinson (1936) pour les seuls lisibles ; et les plus jeunes qui s'intéressent au reste, avec une attention spéciale pour tout ce qui est paru depuis sa fondation dans Tintin. Alain Preseau a rédigé et publié pour ses propres éditions Horus le premier guide complet de la bande dessinée (alphabétique, par héros, puis auteurs) : 95 F.

FUTUROPOLIS

● **15e** - *130, rue du Théâtre (575.31.16).*
De 14 h à 19 h.
Bandes dessinées anciennes, modernes, françaises et étrangères. Catalogues.

LIBRAIRIE-GALERIE HUMOUR

● **14e** - *4, rue du Moulin-Vert (540.81.46).*
Christiane Charillon n'en manque pas. On trouve chez elle des originaux de Faizant et des albums de dessins humoristiques ainsi que des reproductions (et cartes) de Desclozeaux, Ronald Searle, Bosc et Folon.

PELLUCIDAR

● **4e** - *25, rue de la Reynie (508.13.02).*
Pellucidar est le nom d'un royaume souterrain où s'aventura le premier Tarzan de papier. C'est aussi celui d'une librairie qui fut l'une des premières de la rive droite vouée aux recueils de B.D. et autres publications à l'usage des analphabètes. S'y trouvent toujours un vaste choix de bandes dessinées et d'albums de grands dessinateurs, à côté de livres d'enfants anciens (un intéressant rayon de Jules Verne), de journaux innombrables de haute époque (et jusqu'à 68), d'ouvrages sur le cinéma, la mode, le sport, les arts décoratifs, sans oublier la science fiction et la littérature populaire.

TEMPS FUTURS

● **5e** - *5, rue Cochin (329.07.29).*
Voir « Fantastique, science-fiction ».

Beaux-Arts

ARTCURIAL

● **8e** - *9, av. Matignon (359.29.82).*
6 000 ouvrages (livres et revues) français et étrangers sur l'art plastique contemporain : peinture, sculpture, dessin, architecture, graphisme, design, photographie, artisanat. Librairie luxueuse, moderne et bien gérée. Vend aussi par correspondance. Catalogue.

DELAMAIN

● **1er** - *155, rue Saint-Honoré (place du Théâtre-Français) (261.48.78).*
Fondée à l'avènement de Louis XIII sous les arcades du Palais-Royal et installée rue Saint-Honoré depuis 1880. Beaux-arts, antiquités, artisanat d'art, cuisine, ésotérisme. Livres anciens (histoire et littérature). Catalogues.

LIBRAIRIE DE LA GALERIE DU LUXEMBOURG

● **4e** - *4, rue Aubry-le-Boucher (278.15.49).*
Librairie de galerie (de tableaux). Tout s'y

trouve de ce qui parut à Paris : revues d'époque Modern Style, Art Déco, etc.; et de ce qui paraît partout touchant aux beaux arts du XXe siècle et à leurs sources peintes, gravées, sculptées, décorées et construites à chaux, à sable, en pierre, en brique, et principalement en béton, en Europe et aux Amériques.

LA HUNE

● **6e** - *170, bd Saint-Germain (548.35.85).*

Une des plus grandes et belles librairies de Paris. Où l'on feuillette en toute liberté et jusqu'à une heure avancée de la nuit les livres d'art, français et étrangers (art contemporain, architecture, design) et les ouvrages d'avant-garde littéraire. Le premier étage est consacré aux arts graphiques, photographie, bandes dessinées, métiers d'art. A la Galerie, au 14 de la rue de l'Abbaye : estampes, multiples, éditions originales illustrées, catalogues. Ouverte du lundi au vendredi jusqu'à minuit, le samedi jusqu'à 19 h 30.

JULLIEN-CORNIC

● **8e** - *118, fg Saint-Honoré (225.03.39).*

Fondée au lendemain de la dernière guerre pour la diffusion des livres d'art. Plus précisément d'art décoratif. Et plus précisément encore des arts du costume. Les Jullien-Cornic continuent à en « documenter » tous les grands couturiers d'alentour. S'ajoute depuis peu un rayon international de musique, au renouvellement duquel s'attache le fils de la maison — Jérôme — organisateur de concerts à ses heures. On y vient d'en face (salle Gaveau). Et d'un tout petit peu plus haut à gauche : Georges Auric est un habitué.

LÉONCE LAGET

● **6e** - *75, rue de Rennes (548.90.18).*

Livres anciens sur l'architecture. Livres anciens et modernes sur la peinture et la sculpture, les métiers d'art. Vient, entre autres, de réimprimer « le » Roubo-Art du Menuisier (en 3 volumes : 2 100 F), le fameux Dom Bedos sur l'art du facteur d'orgues (1 200 F) et le Héré, recueil des constructions du roi de Pologne (1 800 F). Catalogues.

LEGUELTEL

● **9e** - *17, rue Drouot (770.33.00).*

Toute documentation ancienne et moderne sur les beaux-arts et en toutes langues. Catalogues.

LIBRAIRIE DU MUSÉE DU LOUVRE

● **1er** - *Place du Carrousel, entrée porte Denon (260.39.26).*

La plus importante, sans aucun doute, de toutes les librairies spécialisées dans l'art en France. On y trouve, en arrivant par la porte Denon, rangés des deux côtés des caisses du musée (salle du Manège) : à droite le stand dévolu aux affiches et autres reproductions de peintures, dessins et gravures, et une bonne partie des trente tonnes de cartes postales éditées annuellement par les services commerciaux de nos musées nationaux. Vient ensuite le comptoir des revues, puis la librairie proprement dite (éditions internationales). A gauche, les vitrines de moulages, plus loin les Bijoux du Louvre (bronze doré ou argent) et, juste avant le bureau des hôtesses et des conférenciers, la Diathèque. Au premier étage, la Chalcographie — « conservatoire » de la gravure fondé par Colbert — propose un choix de 17 000 gravures (de 15 à 500 F). Enfin, comme le musée, la librairie ferme le mardi mais reste ouverte le dimanche.

F. DE NOBELE

● **6e** - *35, rue Bonaparte (326.08.62).*

Maison créée en 1885. Le fichier le plus complet sur les livres d'art (majeurs et mineurs) anciens et modernes, français et étrangers, neufs ou épuisés. Catalogue. Fernand de Nobele est également l'éditeur d'ouvrages spécialisés sur l'ébénisterie et l'orfèvrerie (Dictionnaire des poinçons d'orfèvrerie).

LA PORTE ÉTROITE

● **6e** - *10, rue Bonaparte (354.26.03).*

Fondée en 1920. A réuni au fond de son labyrinthe Gide, Valéry Larbaud, Léon-Paul Fargue, Maurice Sachs et quelques autres. Depuis 1975, se consacre uniquement aux livres (neufs et anciens) sur l'art (beaux-arts, arts décoratifs, techniques artistiques, restauration de peinture, etc.). Nombreux ouvrages, français et étrangers, sur les vitraux.

Cinéma

CONTACTS

● **8e** - *24, rue du Colisée (256.17.71).*

Toute, vraiment toute (disponible ou sur commande) la littérature française et internationale concernant le cinéma : livres, albums, revues, ouvrages de référence, annuaires, etc. Service de vente par correspondance.

LES FEUX DE LA RAMPE

● **7e** - *2, rue de Luynes (548.80.97).*

Ouverte en 77. Tout sur le cinéma, depuis les scénarios des films muets jusqu'aux albums sur la grande Marlène. Spécialiste des burlesques américains. Collection complète des Cahiers du Cinéma, y compris les introuvables numéros des années cinquante, lorsque François Truffaut s'y faisait remarquer par ses critiques. Photos, affiches, expositions.

LIBRAIRIE DE LA FONTAINE

● **6e** - *13, rue de Médicis (326.76.28).*

Grand choix d'affiches, de photos, revues, livres, posters sur le cinéma. Egalement des ouvrages sur le théâtre, la musique et la danse. Toutes recherches de documents dans des délais très rapides.

OLYMPIC-ENTREPÔT

● **14e** - *7, 9, rue Francis-de-Pressensé (542.67.42).*

Dans ce merveilleux complexe-tanière des cinéphiles les plus actifs (trois salles et programmation avertie), une librairie qui les comble : des classiques aux toutes dernières publications.

ZINZIN D'HOLLYWOOD

● **5e** - *7, rue des Ursulines (633.48.43).*

L'affiche d'Autant en emporte le vent, celle du Guépard ou de La Famille Fenouillard, vous les trouverez (avec celles de tous les films de ces quinze dernières années) chez ce Zinzin d'Hollywood, qui vous fournira également en photos de stars (des origines du 7e art à nos jours) et bien sûr en livres (en français et en anglais) sur le cinéma. Une annexe est désormais consacrée aux affiches et photos (plus de 500 000), location pour les journaux et vente également par correspondance. Catalogues.

Droit

DALLOZ

● **5e** - *11 et 14, rue Soufflot (329.50.80).*

Le grand spécialiste des questions de droit, économie et gestion.

LIBRAIRIE GÉNÉRALE DE DROIT ET DE JURISPRUDENCE

● **5e** - *24, rue Soufflot (633.89.85).*

Droit, sciences économiques, sciences sociales, politique.

Écologie

ALTERNATIVE

● **1er** - *36, rue des Bourdonnais (233.08.40).*

Tout sur l'écologie, les énergies nouvelles, l'agriculture biologique, la vie quotidienne pratique. Publie la revue « Alternative ». Sœur de la librairie Parallèles. Catalogues sur demande et service de vente par correspondance.

ENTENTE

● **6e** - *12, rue Honoré-Chevalier (222.80.70).*

La seule librairie de Paris spécialisée dans l'écologie. Installée dans un immeuble du XVIIe siècle avec poutres d'origine. Egalement (et accessoirement et non corrélativement), des ouvrages sur l'histoire du mouvement ouvrier, le tiers monde, l'autogestion et la pédagogie. Catalogues.

Ésotérisme

AZATHOTH

● **6e** - *12, rue Grégoire-de-Tours (326.06.80).*

Anciennement Futuropolis II, cette bonne maison est spécialisée dans la B.D. (importation de Grande-Bretagne et des Etats-Unis), les policiers anciens, la S.F. et le fantastique comme l'indique sa nouvelle enseigne empruntée à la mythologie de Lovecraft. De 14 h à 20 h.

BUSSIÈRE

● **5e** - *30, rue Saint-Jacques (354.65.20).*

Née au début des années folles pour glorifier les sagesses antiques. Et diffuser — en tant que maison d'édition — des ouvrages sur l'astrologie, science à laquelle reste consacrée la majorité de ses rayons. Egalement, ouvrages sur le yoga, la magie et l'occultisme en général. Belles occasions. Catalogues et vente par correspondance.

ÉDITIONS ROSICRUCIENNES

● **3e** - *199 bis, rue Saint-Martin (271.99.17).*

Succursale parisienne de l'« Ancien et Mystique Ordre de la Rose-Croix » dont le siège français est dans l'Eure, au Neubourg. Ses adeptes — pardon, « fratres », ou encore « sorores » — s'y fournissent en ouvrages de Christian Bernard, grand maître et légat pour l'Europe, et de Spencer Lewis, imperator. En complément, divers ouvrages sur le bouddhisme, l'indianisme, le mystère des cathédrales, etc.

LES ÉDITIONS TRADITIONNELLES

● **5e** - *9-11, quai Saint-Michel (326.49.96).*

Astrologie surtout.

LIBRAIRIE DU GRAAL

● **1er** - *15, rue Jean-Jacques-Rousseau (236.07.60).*

Alchimie, astrologie, hermétisme, médecine (naturelle), orientalismes (noter le pluriel), radiesthésie, etc. Le tout en toutes éditions anciennes (certaines rares) et nouvelles (en toutes langues). Et matériel « prédictionnel » : grand choix de tarots d'origine anglo-saxonne.

LIBRAIRIE DE MÉDICIS

● **6e** - *3, rue de Médicis (326.79.16).*

Les dernières parutions concernant l'ésotérisme, le mysticisme et les religions d'Occident comme d'Orient, de l'alchimie au zen. Des fauteuils confortables permettent de consulter tout à loisir les grands classiques chinois comme le Yi King et le Tao Te King ainsi que l'intégralité de l'œuvre de Bô Yin Râ.

MAISON DE LA RADIESTHÉSIE

● **1er** - *16, rue Saint-Roch (260.41.84).*

Ouvrages didactiques et de vulgarisation sur la radiesthésie, le troisième œil et le sixième sens. Baguettes de coudrier, pendules et autres accessoires.

LE PONT TRAVERSÉ

● **6e** - *62, rue de Vaugirard (548.06.48).*

« On me demande souvent la signification de mon enseigne : c'est le titre d'un petit livre de Jean Paulhan », raconte Marcel Béalu, le propriétaire-poète de ce Pont Traversé, une ancienne et jolie boucherie où il milite ardemment pour la promotion de la poésie et du fantastique. Editions originales, livres rares, livres d'occasion. Siège de la Société des Amis de Max Jacob. Ouvert de 12 h à 19 h 30.

RELAIS D'OUTRE-MER

● **15e** - *20, bd du Montparnasse (734.50.95). F. jeudi.*

Livres techniques sur le magnétisme, l'hypnotisme, la magie, la voyance. Tout sur la vie posthume, la médecine psychonaturiste et les parfums magiques. Vente d'articles divers tels que : boule de cristal (300 et 450 F), planchette spirite à roulement à bille (150 F), pendule explorateur (70 F), miroir hindou, etc. Catalogues.

LA SOCIÉTÉ HUMAINE

● **5e** - *87, rue Pascal (336.00.97).*

Un illuminé charmant y fait commerce de ses propres œuvres : pamphlets et poèmes à compte d'auteur exaltant le mondialisme. L'auteur-vendeur s'appelle Georges Barthes. Sa boutique est un monde, elle vaut un coup d'œil en passant.

Fantastique Science-fiction

AZATHOTH

● **6e** - *12, rue Grégoire-de-Tours (326.06.80).*

Voir « Esotérisme ».

FLORENCE DE CHASTENAY

● **5e** - *76, rue Gay-Lussac (354.05.78).*

C'est l'ancienne Mandragore de la rue des Grands-Augustins. Ce ravissant petit cabinet de lecture offre un choix très sévère des meilleurs ouvrages classiques du fantastique, de la sorcellerie et de la S.F. Grand choix de belles éditions anciennes et bon petit rayon pour enfants.

HENNER

● **9e** - *9, rue Henner (874.60.38).*

Romans « noirs », littérature fantastique, éditions originales romantiques. Beaucoup de choses passionnantes et rares. Catalogues.

LUTÈCE

● **5e** - *29, rue Monge (326.32.16).*

Livres, albums, revues et « illustrés » d'occasion : toute la S.F. en B.D., y compris celle qui fut diffusée avant l'origine des sigles.

LE MINOTAURE

● **6e** - *2, rue des Beaux-Arts (354.73.02).*

Cornaille : un libraire tel qu'ils devraient l'être tous. Ce familier des ultimes grands ténors du surréalisme fut aussi le diffuseur privilégié du collège de pataphysique, et — Queneau et Vian applaudissant — le premier à Paris qui ait ouvert largement ses rayons au cinéma à orientation fantastique, de préférence frotté d'érotologie. Puis à la S.F., puis à la B.D., puis... Mais n'ayant pas reçu de nouvelles de Roger Cornaille depuis la semaine dernière, il nous est impossible d'en dire plus sur lui, car c'est moins de temps qu'il ne lui en faut pour défricher un nouveau filon de librairie, et l'abandonner à ceux qui s'en déclarent peu après les « premiers spécialistes de Paris ».

NUITS BLANCHES

● **14e** - *32, rue Delambre (327.69.47).*

Les fervents du « polar » trouveront ici les toutes dernières publications relevant, de près ou de loin, de la littérature du mystère ainsi que les classiques du genre en éditions françaises originales. Plus encore que les collections Scarabée d'or (38 F en moyenne), Scorpion (45 à 50 F) et Détective Club (mêmes prix), c'est la « Série Noire » première manière qui retient évidemment l'attention des collectionneurs, et les plus délicats orientent leur choix vers les « grands » du genre. Ainsi Dashiel Hammet (Le Faucon Maltais), Raymond Chandler (Le Grand Sommeil), Horace Mac Coy (On achève bien les chevaux) et Garner, sans oublier bien sûr Goodis et Mason et Spillane, ont encore beaucoup de nuits à blanchir grâce à ce tout nouveau cabinet de lectures noires. Et Simenon, qui s'y trouve estimé à sa juste valeur (la plus grande), face au triste immeuble de cette rue Delambre qu'il fit point de départ du fabuleux destin de son « Pauvre homme ».

TEMPS FUTURS

● **5e** - *5, rue Cochin (329.07.29).*

Toute la science-fiction de Jules Verne à nos jours. Bandes dessinées, comics, posters, underground, livres anglais et américains que Stan Barets vous aide à choisir avec discernement. Envois de livres par correspondance. Catalogues.

Gastronomie

DANIEL MORCRETTE

● **95 Luzarches** - *4, av. Joffre (471.01.58).*

Sur rendez-vous.

Premier spécialiste de livres anciens de gastronomie (mais aussi d'ouvrages littéraires), Daniel Morcrette possède une bibliothèque d'une immense richesse qu'il vous montrera avec une extrême gentillesse, tout en vous faisant bénéficier d'un savoir inépuisable et aussi peu conformiste que possible (demandez-lui par exemple ce qu'il pense de Carême ou du « Grand » Mouselet...). Il a largement contribué à établir les splendides collections de Raymond Oliver et de Lord Westbury, pour ne parler que des plus importantes, ce qui ne l'empêche pas de pratiquer des prix tout à fait raisonnables. Daniel Morcrette a réimprimé quelques-uns des plus célèbres ouvrages de la cuisine, du Viandier, de Taillevent à l'introuvable Plats Régionaux, d'Austin de Croze et à, tout récemment, l'œuvre de Marcel Rouff.

EDGAR SOETE

● **7e** - *5, quai Voltaire (260.72.41).*

Livres anciens et modernes de gastronomie, d'œnologie et de cuisine, menus et quelques estampes. Prix sévères. Edgar Soete réédite certains des grands classiques de la table.

Géographie et voyages

L'ASTROLABE

● **9e** - *46, rue de Provence (285.42.95).*

Raymond Chabaud a fermé sa librairie du 7 de la rue Saint-Lazare : Blondel-La Rougery. C'est désormais à L'Astrolabe, rénovée et agrandie sur deux niveaux, que vous trouverez l'ensemble de la production cartographique (plus de 10 000 cartes différentes) auparavant répartie dans les deux magasins. Choix immense de livres sur la France et le monde entier (guides, albums, etc.), livres sur le nautisme, l'aéronautique et l'alpinisme, livres anciens sur la France et Paris, mais aussi des itinéraires, des ouvrages d'ethnologie et d'histoire et plus de 12 000 fiches bibliographiques sur la littérature du genre. L'Astrolabe adresse gratuitement à ses clients des bibliographies-cartographies par pays ou par sujet.

FRANÇOIS CHAMONAL

● **9e** - *40, rue Le Peletier (878.14.41).*

Vieille et sérieuse maison : voyages, marine, géographie.

L'HARMATTAN

● **6e** - *18, rue des Quatre-Vents (354.79.10).*

Voir « Sciences humaines ».

INSTITUT GÉOGRAPHIQUE NATIONAL

● **8e** - *107, rue La Boétie (225.87.90).*

Tout l'éventail — immense, fascinant — des cartes levées par cet institut officiel qui emploie 2 500 personnes et utilise 12 avions « photographes » : la France routière, les séries des forêts, des îles, des massifs montagneux, des parcs nationaux. Un événement en 79 : toutes les cartes de France au 1/50 000 — c'est-à-dire les 1 100 cartes « d'Etat-Major » — sont présentées pliées, en format de poche. Et aussi la France découpée en 4 204 planches (au 1/25 000 : 1 cm représente 250 m) : un étonnant damier où l'on recherche avec passion sa propre maison, les bois, les sentiers, les moindres cours d'eau des alentours. Cartes en vente aussi dans les librairies, maisons de la presse, grands magasins et stations-service.

MICHELIN

● **7e** - *46, av. de Breteuil (539.25.00).*

Toutes les cartes et guides Michelin sont disponibles à cette adresse au même prix que chez les libraires. Avantage (considérable) : on est certain de s'y faire vendre la toute dernière édition.

LIBRAIRIE DU PACIFIQUE

● **6e** - *32, rue Monsieur-le-Prince (326.29.33).*

Maurice Bitter a voué sa vie au Pacifique dont il parle avec profusion et qu'il décrit avec amour dans de nombreux ouvrages. Outre les livres intéressant cette région (et le reste du monde), on trouvera chez lui de vrais trésors (à vendre) : paréos authentiques, pierres vaudou, tapas rapportés de ses voyages aventureux.

THOMAS-SCHELER

● **6e** - *19, rue de Tournon (326.97.69).*

Atlas anciens, cartes, relations de voyages des XVIIe, XVIIIe et XIXe siècles.

LE TOUR DU MONDE

● **16e** - *9, rue de la Pompe (504.26.20).*

Jules Verne en originales bien sûr, récits de voyages anciens, mais aussi très anciens (le Pyrard au Brésil de 1679), et les guides touristiques récents en toutes langues : on trouve dans ce magasin tout ce que promet sa sobre enseigne : 50 000 volumes y trouvent place. Mais Edmonde et Jean-Etienne Huret s'intéressent aussi aux grands ouvrages illustrés du dernier siècle, qu'ils soient satiriques (Robida, Caran d'Ache, etc.) ou romanesques (le magnifique Juif errant de Sue-Gavarni) et aux beaux cartonnages fin XIXe et début XXe siècles.

MICHÈLE TROCHON

● **6e** - *76, rue du Cherche-Midi (222.18.53).*

Une mine inépuisable sur les anciens territoires de la France d'Outre-Mer (histoire de la colonisation, voyages, etc.). Livres, documents, cartes et gravures. Catalogues.

ULYSSE

● **4e** - *35, rue Saint-Louis-en-l'Ile (325.17.35).*

Catherine Domain a pas mal roulé sa bosse avant de jeter l'ancre dans cette minuscule librairie de 16 mètres carrés. Avec plus d'une centaine de pays visités, elle a glané une somme incroyable de renseignements, de trucs, d'informations, qui lui permettent d'être plus qu'une simple libraire. Elle ne vous refusera pas un tuyau et pourra vous donner des conseils sur les ouvrages à acheter avant un voyage : soit de simples guides touristiques, soit des livres qui vous permettront d'approfondir vos connaissances dans à peu près tous les domaines : histoire, politique, sociologie, ethnologie, religion, etc., grâce aux 10 000 volumes qu'elle serre dans ses rayons. Et des cartes : tous les pays du monde.

LES VOYAGEURS ASSOCIÉS

● **4e** - *28, rue du Pont-Louis-Philippe (277.30.75).*

Une maison-gigogne qui se disperse entre une agence de voyages, des expositions de photos et d'artisanat et un rayon encore modeste de guides, de livres et de cartes de France et du monde entier qui ne demande qu'à se développer. Toute la collection des numéros du magazine « Partir », avec d'utiles renseignements pratiques sur bon nombre de pays.

Héraldique

PEYRE DE GROLÉE VIRVILLE

● **1er** - *151-154, galerie Valois (296.01.59).*

M. de Virville est l'un des plus savants experts de la place. Sa vieille maison (depuis 1761 au Palais-Royal) se charge de toutes les recherches héraldiques, des peintures et gravures d'armoiries, de la sculpture des sceaux et des chevalières. Collection unique de matrices de boutons armoriés (vénerie et livrées).

GASTON SAFFROY

● **6e** - *4, rue Clément (326.25.92).*

Documents manuscrits et imprimés : blason, généalogie, histoire régionale. Catalogues.

Histoire

LES ARCADES

● **1er** - *8, rue de Castiglione (260.62.96).*

Livres anciens : grands auteurs, histoire, beaux-arts. Belles reliures, reliures aux armes. Catalogues.

CLAVREUIL

● **6e** - *37, rue Saint-André-des-Arts (326.71.17).*

Voir « Livres rares ».

ANDRÉ DERUELLE

● **6e** - *30, rue des Saints-Pères (548.72.90).*

Mémoires, régionalisme, sciences naturelles anciennes et livres religieux. Quelques livres rares sur les voyages.

LE GRENIER

● **13e** - *93, rue de Tolbiac (583.21.22).*

Vaste librairie vouée à l'histoire et aux sciences politiques (beaucoup d'ouvrages révolutionnaires intéressant les faits sociaux). Livres (surtout illustrés) et documents rares : gravures anciennes, affiches, lithographies, imprimés singuliers et autographes. Un rayon important de livres de voyages.

PRIVAT

● **8e** - *162, bd Haussmann (227.14.49).*

Belle librairie d'ancien (histoire, beaux-arts, voyages) : éditions originales, livres illustrés, riches reliures.

Jeux

LE BRIDGEUR

● **1er** - *28, rue de Richelieu (296.25.50).*

La Présidence de la République, Omar Sharif et de nombreux amateurs se fournissent dans cette remarquable boutique où ils trouvent tous les livres et méthodes de bridge (en français et en anglais), ainsi que des ouvrages sur les échecs, le tarot, le jeu de go, le scrabble, le backgammon, etc.

L'IMPENSÉ RADICAL

● **6e** - *1, rue de Médicis (633.27.43).*

Depuis 1963, le temple des jeux intellectuels et intelligents, un lieu de réflexion presque politique. Y trônent, bien sûr, les échecs (échiquiers en bois hexagonaux), les jeux de stratégie, et surtout le Go dont le succès va croissant (le seul professeur reconnu par les initiés donne des cours au premier étage du café Le Trait-d'Union, 122, rue de Rennes, 548.70.66, M. Lim Yoo Yong, de 15 h à 21 h). Mais aussi, périodiquement, de nouveaux jeux sont livrés à la tactique aiguisée des « grosses têtes » : dames malgaches, échecs des animaux chinois.

SAINT-GERMAIN

● **6e** - *140, bd Saint-Germain (326.99.24).*

Livres sur les jeux, les échecs principalement.

Médecine

FRANÇOIS CHAMONAL

● **9e** - *40, rue Le Peletier (878.14.41).*

Médecine et sciences anciennes.

MALOINE

● **6e** - *27, rue de l'Ecole-de-Médecine (326.52.16).*

Austère mais précieuse adresse pour les ouvrages touchant aux sciences naturelles et para-mèdicales, à la médecine « naturelle », la diététique, etc. Catalogues.

THOMAS-SCHELER

● **6e** - *19, rue de Tournon (326.97.69).*

Les médecins bibliophiles dépensent de petites fortunes à piller les rayons de Lucien Scheler et de Bernard Clavreuil. Ils y trouvent des incunables, des manuscrits enluminés du XIVe au XVIe siècle, des thèses d'hommes de sciences célèbres (Pasteur, Claude Bernard) et de rarissimes éditions originales.

Mer

LIBRAIRIE DES ÉDITIONS MARITIMES ET D'OUTRE-MER

● **6e** - *17, rue Jacob (329.06.20).*

On trouvera ici, mieux que partout ailleurs, n'importe quel ouvrage touchant à la mer toujours recommencée dans son matelotage, ses récits de circumnavigation, ses batailles, ses phares et balises, ses cartes, ses innombrables romans et même ses diverses cuisines. Catalogues. Les EMOM ont un club qui fonctionne depuis deux ans. Les marins, novices ou chevronnés, peuvent y suivre des cours de navigation et de techniques maritimes.

MARINE ET VOYAGES

● **6e** - *8, rue de l'Echaudé (326.05.91).*

Livres anciens sur la marine et les voyages à travers le monde.

DE SAZO

● **4e** - *33, rue de Rivoli (272.02.58).*

Serge de Sazo (alias les Editions Optimistes) vous vendra — par correspondance uniquement — tous les livres traitant de la plongée sous-marine.

LE YACHT

● **16e** - *55, av. de la Grande-Armée (500.17.99).*

Cours et tables de navigation, codes de la mer, guides pratiques du plaisancier, dictionnaires de marine, etc., tout ce qui concerne la vie d'un bateau (et en bateau), depuis sa construction jusqu'à son départ pour une grande course-croisière. Ouvrages didactiques, historiques, récits de voyages, cartes du service hydrographique, revues.

Musique, Partitions

ARIOSO

● **6e** - *6, rue Lamartine (526.71.22).*

Bon choix de partitions classiques neuves et d'occasion, ou à prix réduit. Partitions d'importation. Disques classiques rares.

BONAPARTE

● **6e** - *31, rue Bonaparte (326.97.56).*

Rayon important de livres anciens sur la musique et l'opéra.

HEUGEL ET CIE

● **1er** - *56 à 62, galerie Montpensier (266.36.97).*

Editions musicales depuis 1812. Immense choix de partitions (musique classique, de piano, instrumentale, d'orchestre, dramatique, vocale, chorale, religieuse, ancienne). Catalogues.

NERRANTSOULA

● **5e** - *3, rue du Haut-Pavé (325.20.13).*

Ne cherchez pas : « Nerrantsoula, dit le maître de maison, Paul Chatenoud, désigne certaine chanson grecque « à danser » en même temps que l'héroïne (et le titre) d'un roman de Panaït Istrati ». Mais cherchez et vous trouverez ici d'anciennes revues musicales indénichables ailleurs, ainsi que de nombreux albums de comptines, quelques partitions et des disques d'occasion. Sans oublier le flot de savantes études sur nos musiques populaires, chanson comprise, d'Yvette Guilbert (Mémoires) à Gilles Vigneault (thèse de doctorat sur la vie et l'œuvre). Reste le principal, c'est-à-dire les rayons consacrés aux études sur les compositeurs. Ils recèlent tout ce qu'il faut savoir, dans l'ordre alphabétique, d'Adam (Adolphe) et son « Minuit chrétien » à Xenakis (Iannis) et ses variations électroniques, en attendant — éclectisme oblige — l'ouvrage qui donnera la dernière place à Yvain (Maurice), le plus injustement dédaigné aujourd'hui des créateurs de chansons des Années Folles.

PUGNO

● **6e** - *19, quai des Grands-Augustins (326.14.80).*

Partitions de musique classique : toutes éditions — françaises et étrangères.

P. SCHNEIDER

● **16e** - *61, av. Raymond-Poincaré (727.69.69).*

Le style Art Déco (en version austère) de la façade convient à merveille au sérieux de l'entreprise connue de longue date pour vendre et louer des partitions et du matériel d'orchestre des meilleures provenances notamment allemandes : Breitkopf, Peters (Leipzig) et Henle.

SERVICE DISTRIBUTION MUSICALE

● **2e** - *20, rue du Croissant (236.48.97).*

Un bon siècle de loyaux services scrupuleusement rendus à la défense de la chansonnette et à l'illustration de ses servants. Pour les amateurs de rengaines sentimentales et autres goualantes hilarantes qu'a chanté le Paris populaire : de Béranger à Bruant, d'Yvette Guilbert à Mistinguett, Chevalier, Damia et beaucoup d'autres.

Paris

CLAVREUIL

● **6e** - *37, rue Saint-André-des-Arts (326.71.27).*

Vieille librairie qui possède un fonds très vaste sur l'histoire de Paris et la région parisienne.

FRANCIS DASTÉ

● **6e** - *16, rue de Tournon (326.52.89).*

L'un des meilleurs spécialistes de Paris (surtout pour le XVIIIe siècle) : son histoire, sa topographie, ses monuments et curiosités, ses mœurs. La compétence de Francis Dasté n'a d'égale que sa patience et sa courtoisie. Prix très raisonnables.

LES INSOLITES

● **6e** - *41, rue Dauphine (326.24.09).*

On y trouve à peu près tout ce qui s'est fait sur l'histoire, la géographie, les arts, la littérature ou la poésie de Paris (et l'Ile-de-France). Livres anciens aussi bien que modernes.

PETIT-SIROUX

● **2e** - *45, galerie Vivienne (296.06.24).*

Charmante et très ancienne boutique installée depuis 1823 près de la B.N. Livres bien sûr, mais aussi revues et cartes postales.

Périodiques

CARNAVALETTE

● **3e** - *2, rue des Francs-Bourgeois (272.91.92).*

Grand choix de journaux du XIXe siècle (satiriques, politiques ou fripons), objet depuis quelques années de l'engouement accru des collectionneurs. Et par voie de conséquence de la flambée des prix. Maix ceux que pratique la maison sont assez raisonnables (5 à 30 F l'unité). Egalement de nombreuses gravures de même époque (Paris, province classée par département, etc., à partir de 18 F).

DENISE WEIL

● **6e** - *1, rue du Dragon (222.19.14).*

Il s'agit d'une librairie en étage (au 2e), spécialisée dans la vente et l'achat de toutes les revues consacrées aux disciplines les plus diverses : littérature, érudition, surréalisme, politique, histoire, régionalisme, sciences exactes et naturelles, etc. Vous pouvez y trouver une collection complète d'une revue paraissant depuis cent ans aussi bien que d'autres revues parfois éphémères et des numéros isolés des publications les plus diverses. Denise Weil (épouse d'un autre grand libraire, Lucien Scheler), qui dirige cette librairie depuis vingt-cinq ans, vous aidera volontiers dans la quête d'ouvrages rares ou de numéros épuisés. Catalogues.

Poésie

LA RÉPÉTITION

● **6e** - *27, rue Saint-André-des-Arts (326.31.44).*

Toutes les revues — ou presque — consacrées à la poésie, principalement contemporaine : Obliques, Solaire, Poétique, Poémonde, etc., et bien entendu Action Poétique, puisque cet établissement en est le centre d'activité. A cela s'ajoutent de nombreuses publications étrangères, et l'attrait d'une jolie boutique dans un immeuble d'époque Louis XV à balcon et macaron charmants.

Préhistoire

KALEVALA

● **5e** - *151 bis, rue Saint-Jacques (033.64.64).*

Ancienne et bonne maison bien connue des amateurs de préhistoire et d'archéologie françaises et étrangères. Rayon d'occasions bien fourni.

Régionalisme

GUÉNÉGAUD

● **6e** - *10, rue de l'Odéon (326.07.91).*

Le régionalisme vu sous son angle le plus vaste. Ouvrages anciens et épuisés sur les provinces et les villes de France, éditions et rééditions sur les mêmes disciplines (histoire, géographie, archéologie, beaux-arts, gastronomie). Catalogues.

PAM DE NAS

● **6e** - *30, rue des Grands-Augustins (354.04.84).*

Librairie occitane et catalane. Près de 800 titres en langue d'Oc dans les divers dialectes : auvergnat, gascon, languedocien, provençal, limousin; et sélection d'ouvrages en catalan : histoire, folklore, poésie, etc. Egalement des dictionnaires, des études de linguistique, des périodiques et des disques.

LES PROVINCIALES

● **5e** - *14, rue des Ecoles (354.75.47).*

Ouvert les jeudi, vendredi et samedi de 13 h à 19 h.

On y rencontre des Japonais bascophiles, des Gallois bretonnants, des Allemands occitanisants, et même des Parisiens passionnés de catalan, corse, alsacien, flamand, basque, breton, occitan, provençal, etc. Bref, Les Provinciales sont spécialisées dans les langues et cultures régionales, les arts et traditions populaires. Livres (neufs, épuisés et anciens), vieux et tout nouveaux almanachs, du Colon Limousin de 1911 à l'Almanach Vert le plus récent, et disques de chansons traditionnelles et revendiquantes permettant d'en suivre l'évolution de leurs sources à leurs tout derniers accomplissements. Riche rayon sociologique. Catalogues.

LA ROUE A LIVRES

● **5e** - *12, rue de la Sorbonne (633.77.13).*

Livres anciens et neufs sur les arts et traditions populaires, le régionalisme et l'ethnographie. Vente par correspondance sur catalogue.

Religions

Catholique

D.M.M.

● **16e** - *96, rue Michel-Ange (288.30.94).*

Antoine Barrois y perpétue la tradition de qualité du grand Dominique Martin Morin et s'emploie à rééditer des livres introuvables : ouvrages de théologie traditionnelle, de la Vulgate en latin et en français à Mgr Ducaud-Bourget, de Bossuet à la comtesse de Ségur (l'extraordinaire Bible d'une grand'mère), de Chesterton à Henri Pourrat (Saints de France).

NOUVELLES ÉDITIONS LATINES

● **6e** - *1, rue Palatine (354.77.42).*

Ouvrages catholiques traditionnels, mais aussi économie sociale, politique, tourisme et histoire.

PROCURE GÉNÉRALE DU CLERGÉ

● **6e** - *1, rue de Mézières (548.20.25).*

On trouve à la Procure tous les livres de littérature contemporaine et plus spécialement les livres religieux, les catéchismes, les livres de messe, les Sommes théologiques. Mais aussi des ouvrages de philosophie, sciences humaines, pédagogie. Avec ses 80 000 titres, la Procure est la plus grande librairie religieuse d'Europe.

Israélite

STÉ HEBRAÏCA-JUDAÏCA

● **4e** - *12, rue des Hospitalières-Saint-Gervais (887.32.20).*

Livres en toutes langues sur le judaïsme.

JACQUES LÉVY

● **14e** - *46, rue d'Alésia (327.08.79).*

Le monde juif et la pensée juive, et aussi l'histoire des religions en général. Livres anciens et modernes.

LIBRAIRIE DU PROGRÈS

● **4e** - *23, rue des Escouffes (272.94.44).*

L'accueil, lui, n'est malheureusement pas en progrès, mais la boutique reste étonnante : revues, journaux et livres judaïques.

Orientales

L'ASIATHÈQUE

● **6e** - *6, rue Christine (325.34.57).*

Voir « Librairies étrangères - Asiatiques ».

MAISONNEUVE

● **6e** - *11, rue Saint-Sulpice (326.86.35).*

Orientalisme : religion orientale, archéologie, beaux-arts. Les Maisonneuve œuvrent depuis quatre générations pour le développement des sciences orientales. Catalogues.

Protestante

LIBRAIRIE PROTESTANTE

● **6e** - *140, bd Saint-Germain (326.91.87).*

Livres religieux protestants.

Sciences humaines

LE DIVAN

● **6e** - *37, rue Bonaparte (326.84.73).*

Sciences humaines (en particulier la psychanalyse). Toutes les littératures étrangères en traduction française. Poésie, critique littéraire, littérature (du classique à l'avant-garde).

ALAIN FAURE

● **5e** - *16, rue du Val-de-Grâce (326.04.32).*

Une minuscule librairie, consacrée aux livres anciens en général : histoire de la Révolution française, histoire des idées, des sciences et des techniques, histoire sociale de la seconde moitié du XIXe siècle (choix particulièrement fourni sur la Commune). Beaucoup d'ouvrages consacrés à l'agriculture ancienne (notamment des traités d'agriculture du XVIIIe siècle).

L'HARMATTAN

● **6e** - *18, rue des Quatre-Vents (354.79.10).*

L'harmattan est le vent chaud et sec qui souffle du désert sur l'Afrique de l'Ouest. C'est aussi la « signature » de cette librairie qui s'est tournée vers la vie du peuple noir, de l'Afrique aux Antilles. Superbe travail qui a permis de réunir plus de 10 000 titres sur la politique, l'économie, la littérature, l'ethnologie depuis l'époque coloniale jusqu'à l'indépendance ; le tourisme et les voyages venant ensuite. L'Harmattan édite parallèlement toute une série de livres qui sont un peu le reflet de la vie intellectuelle africaine. Une spécialisation qui n'empêche pas d'ouvrir les rayons à l'Amérique du Sud et au Maghreb.

LIBRAIRIE DU C.N.R.S.

● **7e** - *15, quai Anatole-France (555.92.25).*

Voir « Sciences et techniques ».

LIBRAIRIE FISCALE ET SOCIALE

● **15e** - *62, rue des Entrepreneurs (579.38.39).*

Deux ou trois vendeuses espiègles fournissent depuis le printemps 78 les austères spécialistes — et aspirants tels — du proche Institut de gestion en revues techniques, recueils de barèmes, documents statistiques, dossiers graphiques, entre autres figures (imposées).

Sciences naturelles

LE BOA ET LE MYOSOTIS

● **14e** - *33, rue d'Alésia (322.09.66).*

Ouv. de 14 à 22 h.

Une superbe nature, Huguette, que la Nature intéresse plus que tout, et de longue date, bien avant qu'elle ouvre (puis ferme) un petit restaurant à l'enseigne de « Chez Huguette », au coin de la proche rue Bezout. La voici maintenant à la tête d'une librairie au nom de fable, consacrée à l'ensemble des sciences naturelles, et prolongée par un salon de lecture. Vous pouvez venir y consulter des essais traitant du peuplement des vases d'eau douce ou de l'élevage rationnel des escargots, en passant par tout ce qui est récemment paru en langue française sur les champignons vénéneux, les fleurs comestibles, les hiboux, les choux, les poux, les cailloux. Et bien entendu les toutous et les matous.

Sciences politiques

LIBRAIRIE DES SCIENCES POLITIQUES

● **7e** - *1 bis, rue de la Chaise (222.41.12).*
● **7e** - *30, rue Saint-Guillaume (548.36.02).*

Rue Saint-Guillaume : tous les ouvrages de sciences politiques et économiques ; rue de la Chaise : les revues concernant ces disciplines.

JEAN-JACQUES MAGIS

● **6e** - *12, rue Guénégaud (326.50.57).*

Fondée en 1925, la maison fournit les bibliothèques, instituts de recherches et fondations du monde entier en livres anciens (ou épuisés) d'histoire économique, politique, sociale, juridique, philosophique et technique. Catalogues.

P.U.F.

● **5e** - *49, bd Saint-Germain (325.83.40).*

Librairie essentiellement universitaire. Sur quatre niveaux, un stock général de près de 200 000 volumes consacrés aux sciences politiques, humaines, au droit, à la gestion, à l'économie, à la technique, à l'histoire, à la géographie, etc. Edite la célèbre collection « Que sais-je ? ». Bibliographies complètes pour les agrégatifs. Vente par correspondance.

Consultez la table des matières : p. 631.

Sciences et techniques

LIBRAIRIE DU CAMÉE

● **5e** - *3, rue de Valence (707.62.31).*

Michel Trochon vend sur place ou par correspondance des ouvrages de vulgarisation scientifique, de documentation générale et des livres sur les techniques et les métiers les plus variés. Un service de recherche spécial se mettra en quatre pour vous trouver l'introuvable.

LIBRAIRIE DU C.N.R.S.

● **7e** - *15, quai Anatole-France (555.92.25).*

Ouvrages écrits par des chercheurs et des universitaires à l'intention d'autres chercheurs et universitaires. Mais la maison offre aussi à Monsieur Tout le Monde un choix considérable de monographies savantes, de livres d'arts et de thèses scientifiques sur une infinité de sujets. Agréable et vaste salle pour la consultation sur place.

DESFORGES

● **6e** - *29, rue des Grands-Augustins (354.48.31).*

Ouvrages spécialisés dans les techniques du bâtiment, de la mécanique, de l'électricité. Important rayon consacré aux sciences occultes et à la radiesthésie.

LIBRAIRIE DE L'ENSEIGNEMENT TECHNIQUE

● **5e** - *61, bd Saint-Germain (329.21.99).*

Sciences et techniques (en langue française) : ouvrages concernant le bâtiment, les travaux publics, l'électronique, l'informatique, l'hydraulique, etc.

EYROLLES

● **5e** - *61, bd Saint-Germain (329.21.99).*

Spécialiste des ouvrages concernant le bâtiment. Mais aussi l'agriculture, la décoration et « l'agencement ».

LA MAISON DU DICTIONNAIRE

● **17e** - *95 bis, rue Legendre (229.48.36).*

Michel Feutry se pique d'être le seul libraire au monde à avoir su regrouper un aussi grand nombre (3 200) de dictionnaires en toutes langues. Dictionnaires généraux, bien sûr, mais, pour le principal, techniques. On y trouve, par exemple, en anglais, tout ce qui touche au ressort; en italien, aux résines; et en français — si l'on peut dire — les tout derniers résultats du décryptage de notre vocabulaire administratif.

LIBRAIRIE DU MUSÉUM

● **5e** - *36, rue Geoffroy-Saint-Hilaire (707.38.05).*

Remarquable librairie (unique en France dans sa spécialité, la minéralogie), installée depuis 1968 dans la maison de Buffon. Livres de sciences naturelles, posters, affiches et diapositives sur la nature, disques de chants d'oiseaux, insectes, papillons, minéraux, marteaux de géologues et matériel divers pour la minéralogie. Catalogues.

ROUSSEAU-GIRARD

● **2e** - *7, rue de la Bourse (297.44.09).*
● **6e** - *4, rue Dupin (548.31.37).*

Uniquement des livres d'occasion (même récents) sur les sciences naturelles, les sciences exactes (toutes disciplines, en toutes langues). Egalement un bon rayon de littérature française, des incunables jusqu'à la fin du XIXe siècle, et des livres de voyages. Catalogues.

Sports

Alpinisme

LIBRAIRIE DES ALPES

● **6e** - *6, rue de Seine (326.90.11).*

Alpinisme, pyrénéisme et montagne : livres anciens et modernes, cartes et guides français et étrangers. Spéléologie. Et aussi des éditions originales de Jules Verne. Catalogues.

Automobile

AUTO-MOTO

● **1er** - *6, rue des Halles (508.05.05).*
● **92 Levallois** - *77 bis, rue Voltaire (737.23.12).*

Livres et périodiques consacrés à l'automobile surtout et à la moto. On y trouve par exemple des revues anglaises : « Autosport », « Motoring News », « Classic Car »; américaines : « Car Classic »; italiennes : « Auto Sprint ». Un rayon de modèles réduits.

ÉDITIONS PRATIQUES AUTOMOBILES

● **6e** - *83, rue de Rennes (548.15.14).*
● **9e** - *92, rue Saint-Lazare (281.42.79).*

Tout ce qui concerne le sport automobile (l'histoire des courses, les circuits, les pilotes, les rallyes), la technique automobile (mécanique, etc.). Et aussi la moto, l'aviation, les véhicules militaires et les navires de guerre. Edite en novembre un catalogue (payant).

Où manger quoi ? Voir p. 112.

Chasse - Equitation

E. DE MONTBEL

● **8e** - *1, rue Paul-Cézanne (563.95.64).*

Un plaisant cabinet de lecture, et de beaux livres anciens sur la chasse et la vénerie, l'équitation, l'escrime et la pêche, exclusivement.

GEORGE V

● **8e** - *36, av. George-V (359.72.86).*

Tous les classiques anciens et modernes sur le cheval, l'équitation, la vénerie et les courses. Librairie générale, guides touristiques et pocket books anglais. Catalogues.

Divers

AU VIEUX CAMPEUR

● **5e** - *2, rue de Latran (329.12.32).*

Tous guides, cartes, itinéraires, livres de technique concernant le ski, l'alpinisme, la randonnée, la plongée, l'équitation, le tennis, la spéléologie et le camping. Les articles concernant ces disciplines sont d'ailleurs en vente dans le même magasin.

Théâtre - Danse

BONAPARTE

● **6e** - *31, rue Bonaparte (326.97.56).*

Cette librairie fut le siège de la revue « La Plume ». Elle se consacre aujourd'hui principalement aux arts du spectacle : théâtre, danse, cinéma, cirque, marionnettes, mime, music-hall, costumes. Catalogue annuel.

GILBERTE COURNAND (Librairie-Galerie La Danse)

● **7e** - *14, rue de Beaune (261.24.42).*

De la danse, rien que de la danse ; livres anciens et modernes, disques pour l'entraînement, documents, estampes, maquettes et sculptures.

GARNIER-ARNOUL (Librairie du Spectacle)

● **6e** - *39, rue de Seine (354.80.05).*

Livres rares (anciens, d'occasion ou neufs), gravures, affiches, photos, cartes postales et autographes concernant les arts du spectacle, c'est-à-dire le théâtre, la musique, le ballet, le mime, le cirque, le music-hall, les marionnettes et le cinéma. Important catalogue annuel.

LIBRAIRIE THÉÂTRALE

● **2e** - *3, rue de Marivaux (296.89.42).*

Pièces de théâtre, livrets d'opéra, ouvrages sur le spectacle. Librairie extrêmement bien fournie. Catalogues.

Mme S. ZLATIN

● **6e** - *46, rue Madame (222.06.47).*

Librairie en appartement (3e étage droite, l'après-midi seulement). Mme Zlatin propose un grand choix de livres anciens et épuisés sur le théâtre, la danse, le cirque, les marionnettes, la prestidigitation, les décors et costumes de théâtre. Catalogues.

Underground

ACTUALITÉS

● **6e** - *38, rue Dauphine (326.35.62).*

Poésie américaine, philosophie orientale, astrologie, B.D., comics U.S.

PARALLÈLES

● **1er** - *47, rue Saint-Honoré (233.62.70).*

Toute la presse « parallèle » et marginale. La littérature des premier et deuxième « sous-sol », française et étrangère, les écrits politiques, la bande dessinée et l'art graphique. Un foisonnement superbe et généreux. Parallèlement, vente et achat de disques d'occasion.

Urbanisme

MÉTROPOLIVRE

● **1er** - *8, rue de la Cossonnerie (508.16.75).*

L'urbanisme est sa spécialité, vu à travers l'écologie, la sociologie, l'économie, l'histoire, etc.

LIBRAIRIES ÉTRANGÈRES

Allemandes

MARTIN FLINKER

● **1er** - *68, quai des Orfèvres (354.48.60).*

Un hommage de Paul Eluard : « Ici, grâce à M. M. Flinker, l'on pense qu'on en sait plus et que l'on n'oubliera rien »... On n'oublie pas, en tous les cas, que Martin Flinker fut l'éditeur de l'« Hommage de la France à Thomas Mann » (dont il était l'ami). Littérature allemande classique et moderne, littérature française traduite en allemand et allemande traduite en français (essentiellement universitaire).

Apprenez à lire ce Guide : toutes nos adresses sont données par ordre alphabétique à l'intérieur de chaque rubrique.

Soldes

FONTAINE

- **2e** - *5, rue du 4-Septembre (742.03.84).*
- **8e** - *50, rue de Laborde (522.21.73).*
- **16e** - *28, rue de l'Annonciation (525.86.03).*
- **16e** - *95, av. Victor-Hugo (553.76.72).*

Littérature générale, livres d'art à prix réduits, livres de voyage et de tourisme, bandes dessinées, estampes et bibliophilie. Fondée en 1834 dans le passage des Panoramas, la librairie a connu d'illustres clients : Napoléon III et sa cour, Marcel Proust, et quelques autres.

GIBERT JEUNE

- **2e** - *15 bis, bd Saint-Denis (236.82.84).*
- **2e** - *4 bis, rue Saint-Sauveur (233.58.27).*
- **5e** - *5, pl. Saint-Michel (325.70.07).*
- **5e** - *23 à 27, quai Saint-Michel (354.57.32).*

Livres soldés d'occasion dans tous les genres.

HENRI-ANDRÉ

- **17e** - *117, av. de Clichy (627.90.34).*
- **17e** - *11, rue Collette (229.53.42).*
- **18e** - *96, av. de Saint-Ouen (627.39.59).*

Spécialiste de l'échange de livres. Alphonse Allais contre André Gide, René Boylesve contre le Père Dupanloup et ainsi de suite... Choix énorme dans tous les genres.

JOSEPH GIBERT

- **6e** - *26, bd Saint-Michel (329.21.41).*

Solde à 20 % surtout des livres de voyage, d'art, des ouvrages sur la nature et des dictionnaires. Atlas et B.D. soldés à 25 %. Livres d'occasion à tous les rayons.

L'ŒIL ÉCOUTE

- **6e** - *20, rue du Vieux-Colombier (548.32.69).*
- **6e** - *77, bd du Montparnasse (548.27.62).*
- **9e** - *80, rue Saint-Lazare (874.23.13).*

Littérature générale, livres d'art, vendus en solde ou à prix réduits. L'une des meilleures adresses du genre à Paris.

LES YEUX FERTILES

- **6e** - *2, rue Danton (326.91.51).*
- **6e** - *184, bd Saint-Germain (548.77.91).*

Livres d'art (photos, graphisme) à prix réduits.

Anglaises et américaines

ATTICA

- **5e** - *34, rue des Ecoles (326.09.53).*

Spécialisée dans la littérature anglo-américaine : livres directement importés des Etats-Unis. Toute la Nouvelle Littérature américaine en version originale uniquement.

BRENTANO'S

- **2e** - *37, av. de l'Opéra (261.52.50).*

Les Américains de Paris s'y retrouvent depuis 1895. Livres et périodiques américains, anglais et français. Une excellente adresse.

GALIGNANI

- **1er** - *224, rue de Rivoli (260.76.07).*

Fondée vers 1800 rue Vivienne et installée cinquante ans plus tard rue de Rivoli, cette librairie (la plus ancienne du genre sur le « continent ») s'honore d'être toujours tenue par un Galignani, libraires de père en fils et d'oncle en neveu depuis 300 ans. Livres anglais et américains, pocket books. Fourniture sur commande (2 à 6 semaines de délai) d'ouvrages nouveaux (anglais, américains et européens) intéressant les lettres, les arts et les sciences, répertoriés dans un nouveau catalogue périodique.

NOUVEAU QUARTIER LATIN

- **6e** - *78, bd Saint-Michel (326.42.70).*

Plus de 50 000 livres de poche en langue anglaise, des livres d'art américains, des livres d'enfants anglais. Et un service de recherches bibliographiques très souriant.

SHAKESPEARE AND COMPANY

- **5e** - *37, rue de la Bûcherie.*

George Whitman possède le plus grand choix de livres anglais d'occasion de tout le continent, à acheter ou compulser dans une extraordinaire boutique-salon littéraire permanent. Ouvert de midi à minuit.

SMITH AND SON

- **1er** - *248, rue de Rivoli (260.37.97).*

Nouveautés et livres de poche anglais et américains, livres scolaires, cassettes pour apprendre l'anglais. Peu de conseils à attendre de la part des vendeurs. Soldes en janvier.

TRILBY'S

- **16e** - *18, rue Franklin (520.40.49).*

Librairie spécialisée, la seule loin à la ronde, dans la littérature anglaise et américaine. Mme d'Hauteville s'informera de vos goûts et vous conseillera fort aimablement. Ouvrages en anglais et traductions françaises. Un coin est réservé aux livres d'enfants.

Asiatiques

L'ASIATHÈQUE

● **6e** - *6, rue Christine (325.34.57).*

Des prolégomènes du Vedanta au soufisme iranien, en passant par les haïku japonais et l'uranographie chinoise, cette jolie boutique se voue depuis quelques années à la quête perpétuelle de tout ce qui est paru, paraît ou va paraître sur l'Asie, de la Turquie à l'Extrême-Orient. On peut ainsi s'inviter au voyage sous de superbes poutres, mais surtout s'initier à l'art, la religion, la philosophie et plus généralement à la vie asiatique sous tous ses aspects. L'Asiathèque publie aussi sous son propre nom des monographies, des ouvrages d'érudition et des méthodes d'initiation aux langues indonésienne, japonaise et vietnamienne. Vaut le voyage.

LE PHÉNIX

● **3e** - *72, bd Sébastopol (272.70.31).*

Livres, revues, peintures, disques, cartes postales, affiches, timbres en provenance de la République populaire de Chine (en chinois et en français). Catalogues. Prêts de livres.

Canadiennes

A.C.D.L. QUÉBEC

● **6e** - *68-70, rue du Cherche-Midi (544.49.37).*

Toutes les belles lettres de la Belle Province (œuvres de Nelligan, romans d'Aquin et de Bessette); et rayon de disques québécois qu'on ne trouve nulle part ailleurs en Europe.

Espagnoles

EDICIONES HISPANO-AMERICANAS

● **6e** - *26, rue Monsieur-le-Prince (326.03.79).*

Littératures et civilisations hispaniques. Spécialisée dans l'importation d'ouvrages d'Espagne et d'Amérique du Sud.

Grecques

LA CHOUETTE

● **5e** - *3, rue des Patriarches (331.68.10).*

Ouvrages en langue grecque moderne. Et, en français, tous les livres concernant la Grèce Antique ou moderne. Disques et revues.

Libraires ouvertes le soir

N'OUBLIEZ pas les rayons librairies des différents drugstores, lesquels restent ouverts jusqu'à 2 h du matin, et les nocturnes des grands magasins.

LE BOA ET LE MYOSOTIS

● **14e** - *33, rue d'Alésia (322.09.66).*

Vouée à la nature et aux sciences naturelles. Jusqu'à 22 h.

BOURRELIER

● **6e** - *101, bd du Montparnasse (326.75.33).*

Bonne librairie générale. Toute la presse française et étrangère. Papeterie. Ouverte tous les jours, même le dimanche, dès 7 h 30 (le dimanche et le lundi 8 h) et jusqu'à minuit.

LA HUNE

● **6e** - *170, bd Saint-Germain (548.35.85).*

Littérature « vivante », sciences humaines, art contemporain, design, photo, architecture. Ouverte du lundi au vendredi jusqu'à minuit; le samedi jusqu'à 19 h 30. Voir aussi « Beaux-arts ».

MATTEI-LEROY

● **18e** - *40, bd de Clichy (264.95.70).*

Esotérisme, érotisme et littérature policière. Jusqu'à 1 h du matin.

TSCHANN

● **14e** - *84, bd du Montparnasse (326.74.57).*

Librairie très littéraire. Spécialité d'insolite, de poésie et de surréalisme. Service de recherche très efficace dans les vieux fonds d'éditions. Bandes dessinées et science-fiction. Jusqu'à 22 h 30.

Internationales

P.U.F.

● **5e** - *17, rue Soufflot (326.77.41).*

L'un des meilleurs choix de Paris en livres étrangers neufs dans toutes les langues.

Des fruits de mer, du poisson ? Voyez l'encadré "Où manger quoi", p. 112.

Italiennes

MAISON DU LIVRE ITALIEN

● **7e** - *54, rue de Bourgogne (705.03.99).*

Tout ce qui concerne l'Italie, en langue italienne ou française (livres, cartes, disques, diapositives, etc.).

Polonaises

LIBELLA

● **4e** - *12, rue Saint-Louis-en-l'Ile (326.51.09).*

Livres en langue polonaise, livres polonais traduits en français, livres français concernant la Pologne et affiches polonaises.

LIBRAIRIE POLONAISE

● **6e** - *123, bd Saint-Germain (326.04.42).*

Fondée en 1833, c'est la plus ancienne des librairies polonaises à l'étranger. Livres en langue polonaise et livres en français sur la Pologne (polonica) et sur l'Europe de l'Est. Grand choix d'affiches. Service de vente par correspondance.

Portugaises

LIBRAIRIE - CENTRE DES PAYS DE LANGUES ESPAGNOLE ET PORTUGAISE

● **5e** - *16, rue des Ecoles (354.46.16).*

On peut y trouver toutes les publications (livres, journaux, revues) en langues espagnole et portugaise (française aussi) concernant l'Amérique latine, les pays ibériques et les anciennes colonies d'Afrique. Un rayon est réservé aux enfants. Vente de disques. Conférences-débats, projections (vidéo et films) dans la grande salle aménagée au sous-sol et pouvant recevoir jusqu'à 100 personnes.

Russes et slaves

LE GLOBE

● **6e** - *2, rue de Buci (326.54.99).*

Librairie spécialisée dans les livres concernant l'U.R.S.S. Tout pour l'apprentissage de la langue russe : manuels, dictionnaires, grammaires, littérature classique et moderne; journaux et revues également.

MAISON DU LIVRE ÉTRANGER (DOM KNIGI)

● **6e** - *9, rue de l'Eperon (326.10.60).*

La plus ancienne librairie russe du monde occidental, fondée en 1929, rue de l'Eperon. Tout ce qui paraît (dans les domaines littéraires, scientifiques et techniques) dans le monde entier (U.R.S.S., pays satellites et Occident) en langue russe et aussi sur le monde russe, dans les principales langues européennes. Fournisseur attitré des principales universités et bibliothèques nationales d'Europe et des Etats-Unis, la maison dispose en outre d'un service de recherches bibliographiques et de documentation, unique en son genre, sur les sujets évoqués plus haut.

Papeteries

CARTES DE VISITES

ARMORIAL

● **7e** - *27 bis, bd Raspail (548.53.60).*
● **8e** - *98, fg Saint-Honoré (265.08.18).*
● **16e** - *26, av. Victor-Hugo (501.69.01).*
● **17e** - *Palais des Congrès, porte Maillot (758.23.08).*

Gravure soignée de cartes de visite, faire-part de mariage, papier à lettre, invitations. Jolie maroquinerie de poche et élégants articles de bureau. Livraison à domicile.

BENNETON

● **8e** - *75, bd Malesherbes (387.57.39).*

Les Benneton gravent pour le Gotha depuis 1880.

DESCOURTIEUX

● **7e** - *96, rue du Bac (548.21.47).*

Les ministères, les ambassades et les « grandes familles » du quartier commandent chez ce maître-artisan leurs cartes de visites, invitations et faire-part.

JEAN DINH VAN (PASQUE)

● **2e** - *7, rue de la Paix (261.66.21).*

La maison Pasque a disparu. Mais le bijoutier Jean Dinh Van a conservé son atelier de gravure (traditionnelle) et de maroquinerie (luxueuse).

MAQUET

● **8e** - *45, rue Pierre-Charron (256.36.45).*

Cette magnifique maison fondée en 1841 par M. Maquet, inventeur de l'enveloppe, grave depuis lors le papier à lettres, les cartes de visite, les billets de mariage, les menus, etc. du Tout-Paris. Ses ensembles pour bureau sont incomparables. Livrés dans un temps record, ils peuvent être réalisés dans une variété immense de maroquins ou de cuirs anciens de tous coloris, véritablement reliés à la main et dorés à la feuille avec des fers des XVIIIe et XIXe siècles dont vous choisirez le motif à votre goût. Egalement un choix très luxueux de maroquinerie : portefeuilles, étuis à cigares, porte-documents, etc.

SAINT-GILL

● **16e** - *18, av. Mozart (224.65.00).*

Louise de Eynde maintient la réputation que son mari, arbitre des usages et bonnes manières, avait su donner à son entreprise. Les faire-part de mariage, billets d'invitation, cartes de visite, gravures héraldiques (chevalières et boutons de manchettes) exécutés dans l'atelier de la maison portent, en effet, les noms les plus célèbres de Paris. Livraison à domicile. Création d'armoiries pour particuliers, communes ou Etats.

STERN

● **2e** - *47, passage des Panoramas (508.86.45).*

Le plus grand graveur de Paris. Admirable maison fondée en 1840, admirable décor. Fournisseur de Napoléon III, du duc de Morny, de l'Elysée, d'Alphonse XIII, d'Alexandre de Yougoslavie, des grands d'Espagne (le duc d'Albe) et du corps diplomatique. Gravure (et impression) de cartes de visite, têtes de lettre, billets d'invitation, ex-libris et de bagues et chevalières armoriées.

PAPETERIES, MATÉRIEL DE DESSIN

ARCADI

● **4e** - *51, rue des Francs-Bourgeois (278.11.33).*

Tous papiers pour tous usages et surtout pour les Beaux-Arts. Papiers chiffon (aquarelle, japon, à la cuve, etc.).

BEAUVAIS

● **7e** - *14, rue du Bac (261.27.61).*

Papiers à lettre de grand luxe, qu'ils soient de grande marque ou marqués au signe de la grande et vieille maison.

BORY-MOREAU

● **4e** - *21, rue du Temple (272.09.13).*

Grande maison. Tous travaux : plaques, gravures, tampons, enseignes, etc. Ne soyez plus un être anonyme. C'est le moment de vous faire connaître. Publiez-vous dans la rue, à votre porte et sur vos papiers par le cuivre ou le caoutchouc. Si vous commandez un tampon de la Présidence de la République ou de la Direction des Impôts, munissez-vous de références.

DUPRÉ

● **8e** - *141, fg Saint-Honoré (225.98.45).*

Remarquable (et chère) maison pour le matériel de dessin, de bureau, et notamment de bureau de dessin. Tables à dessiner, articles d'art graphique exposés sur deux étages. Si l'amabilité n'est pas la qualité la plus évidente des vendeuses, le service de livraison, en revanche, est d'une efficacité parfaite.

ÉLYSÉES STYLOS MARBEUF

● **8e** - *40, rue Marbeuf (225.40.49).*

Fournisseur du cabinet du Premier Ministre... et du comte de Paris. Sans doute le spécialiste le plus complet et le plus compétent pour tous les stylos de grandes marques françaises et étrangères. Beau choix de stylos en or massif. Réparation sur place des modèles courants.

JOSEPH GIBERT

● **6e** - *30, bd Saint-Michel (329.67.50).*

Le Sénat, l'Élysée, le C.N.R.S., Paul Vialar et François Mitterand, tous considérables consommateurs de papier, encre, billes ou plumes viennent s'alimenter dans cette vaste papeterie d'angle, l'une des mieux fournies de Paris et des plus raisonnables quant aux prix.

GIBERT JEUNE

● **5e** - *5, pl. Saint-Michel (325.70.07).*

Toute la papeterie : stylos, carterie, dessin, reproductions, cartes de visite. Enorme choix et soldes fréquents.

LETTER BOX

● **6e** - *7, rue d'Assas (222.40.03).*

Dans un aimable fouillis, un grand choix de créations originales, romantiques, à l'ancienne ou rétros : albums de photos, press-books, papier à lettre personnalisé, cartes illustrées anglaises, étiquettes, cahiers, carnets, stylos anciens ou « design », etc.

MARIE PAPIER

● **6e** - *26, rue Vavin (326.46.44).*

Cristal, pelure, kraft, soie, doré ou glacé, crêpé ou cellophane : plus de 1 500 sortes de papiers dans tous les formats et les couleurs. Et de quoi les noircir avec de bouleversants instruments comme le crayon à peler, le porte-mine, le crayon ultra-plat, etc. Cette charmante boutique propose par ailleurs, un énorme choix de blocs, ficelles, livres d'or, cartes, etc.

MICHAU

● **1er** - *48, rue des Lombards (236.75.94).*

Videz votre sac dans ceux de la maison Michau. Vous y trouverez assurément votre affaire parmi les multiples tailles en papier brun ou « cristal », etc., vendus par cent. Le papier kraft se débite ici à la feuille, et les carnets d'épiciers à feuilles détachables se vendent à la dizaine dans un joli assortiment de couleurs. N'oubliez pas les boîtes en cartons ouvertes, celles qu'utilisent les charcutiers. A quoi vous serviront-elles ? Peut-être à rien. Le magasin ouvre à 8 h mais ferme à 17 h 30.

MORA

● **6e** - *10, rue Séguier (354.99.19).*

La maison — minuscule et sombre — fut fondée en 1930 à l'enseigne de « Tout pour écrire ». Elle est restée spécialisée dans l'entretien, la réparation et la vente de porte-plume réservoirs d'époque, et plus encore d'époque antérieure.

PAPIER +

● **4e** - *9, rue du Pont-Louis-Philippe (277.70.49).*

De midi à 20 h.

Chez Laurent Tisné, rien n'est imprimé, un comble pour un ancien éditeur. De superbes livres blancs pour journaux intimes ou comptes domestiques en sept formats et présentés sous une infinité de couvertures (25 à 60 F). Des papiers à lettres somptueux vendus au poids — et à prix lourd (25 F la livre) —, des répertoires et toutes sortes de délicats petits objets de bureau pour jeune fille au cœur tendre, comme les amusantes pinces à dessin miniature, la cire à cacheter de toutes les couleurs (4 à 6 F le bâton), les poinçons à initiales, etc. Dans la petite succursale contiguë vous trouverez des papiers à la feuille pour le dessin, la gravure, la reliure, etc.

SENNELIER

● **6e** - *4 bis, rue de la Grande-Chaumière (633.72.39).*

● **7e** - *3, quai Voltaire (260.72.15).*

Depuis 1887, la maison du quai Voltaire au décor immuable a vu passé tous les grands peintres (Cézanne et Salvador Dali entre autres), et aussi les graveurs et les sculpteurs. Sennelier est l'un des plus éminents spécialistes en matériel pour artistes (couleurs fines, pastels, toiles, papiers velours, ingres, canson, etc.) ; bref, toutes les fournitures pour le dessin et la peinture, jusqu'à l'encadrement.

Artisans et réparateurs

Appareils de photo

DEDEPÈDRE

● **3e** - *19, bd Saint-Martin (278.45.00).*

Il restaure — c'est son unique objectif — toutes sortes d'appareils photographiques (jusqu'aux Vérascopes Richard), caméras, projecteurs (de cinéma et de diapositives), flashs électroniques et posemètres. Devis gratuits. Délais : de 8 jours à 3 semaines. Quelques clients sérieux émanant (entre autres) du C.N.R.S. et du C.E.A. de Saclay.

FOUCAT

● **14e** - *6, rue Schoelcher (354.12.14).*

S'il est un spécialiste de Nikon, il répare aussi toutes les grandes marques (rapidement pour les professionnels). Adaptation et transformation d'objectifs.

MÉCAPHOT

● **10e** - *5, rue de Lancry (208.56.39).*

Répare tout le matériel pour la photo et le cinéma (et vend les appareils Rollei et Braun). Devis gratuits. Environ 8 jours de délai. Contrôle gratuit du matériel sur des appareils électroniques de mesure.

Argenterie, bronze, étain, métaux anciens

ATELIER LA BOÉTIE

● **8e** - *60, rue La Boétie (563.91.12).*

Un vaste atelier au fond de la cour, où de bons artisans fabriquent des tables et des étagères en verre, laiton et inox (délai 5 semaines), des commodes en laque d'ambre ou en laque « traditionnelle » ainsi que des meubles modernes sur mesure (et sur plan).

BARNOLA

● **3e** - *119, rue du Temple (272.77.41).*

Au 2e étage.

Confiez-lui vos théières et vos cafetières en argent, vos casseroles de cuivre et vos couteaux : il répare les poignées, les anses et les manches, ou les remplace, selon le style du modèle, en travaillant le bois ou l'ivoire. 2 à 3 semaines de délai.

BRONZES DE STYLES

● **12e** - *74, fg Saint-Antoine (343.36.36).*

Tous les modèles de bronzes d'ameublement (poignées de portes et de tiroirs, miroirs, luminaires, etc.). Reproduction de bronzes d'époque de tous styles, toutes dorures et toutes patines. La maison a participé à la réfection de certains bronzes des meubles exposés au Louvre et au musée Camondo.

BURCKHART-BLETTON

● **11e** - *1, passage Saint-Sébastien (700.85.98).*

Que votre argenterie de famille soit en argent massif ou en métal argenté, vous aurez recours à M. Bletton : il réargentera les couverts et légumiers qui résistent mal aux lave-vaisselle contemporains et il réassortira les petites cuillers qui s'égarent si facilement dans les vide-ordures. Il fabrique lui-même toute pièce d'orfèvrerie en argent massif ou en métal argenté. Tarifs et délais modérés.

CAMUS-RIGAL

● **3e** - *24, rue des Gravilliers (887.70.96).*

Fondée en 1883, cette maison (qui travaille pour Puiforcat et Odiot) spécialisée dans la dorure, l'argenture et le nickelage restaure ou crée des objets nécessitant ces travaux et exécute toute transformation ou rénovation concernant l'orfèvrerie de table ou d'église. Délais : de 5 à 8 semaines selon l'importance des travaux.

CHASTEL

● **8e** - *190, bd Haussmann (563.20.59).*
● **94 Créteil** - *Place de la Mairie (207.71.28).*

Originaire de la région de Thiers, M. Chastel travaille seul dans son délicieux magasin en forme de quart de brie. Il affûtera et remontera vos couteaux démanchés, changera les lames de vos couteaux anciens (en inoxydable 330 F la douzaine, quinze jours de délai), réparera et polira vos couverts d'argent, redressera, soudera et remettra des poignées à vos théières en étain, en métal anglais ou en orfèvrerie et s'occupera aussi de faire réargenter vos objets. Vend également de nombreux modèles de couteaux qui « vont » dans les lave-vaisselle.

COUTELLERIE DE PASSY (Tissot)

● **16e** - *17, rue de l'Annonciation (224.77.46).*

Excellente et précieuse adresse pour le chromage des lames de couteaux anciens dont les manches sont beaux mais les lames oxydables (de 17 à 20 F le couteau). Toutes réparations de couteaux ; réassortiments. Huit jours à deux mois de délai. Egalement réargenture de couverts (56 F les deux pièces).

LA DÉCORATION DES MÉTAUX

● **3e** - *31, rue Charlot (272.15.52).*

Les antiquaires et brocanteurs du Village Suisse et des marchés Biron, Vernaison, etc., ont souvent affaire à M. Rieux qui, entre autres multiples activités concernant les métaux, s'occupera de la rénovation (y compris les soudures), du planage et de la réargenture (ou de la dorure) de vos pièces d'orfèvrerie ou de vos couverts de table, et de la remise à neuf — ou plutôt du « bronzage » — de vos bronzes d'ameublement. Devis gratuit. Un mois de délai (exceptionnellement deux).

DELEPOULLE-BUCHWEILLER

● **8e** - *163, bd Haussmann (225.78.28).*

Cette bonne maison possède un atelier spécialisé qui répare toute l'orfèvrerie (couteaux en argent massif ou métal argenté, objets de vermeil, étains à polir ou à rénover. Délais de 3 à 6 semaines. En outre, on accepte ici les travaux simples, c'est-à-dire ceux que la plupart des réparateurs exécutent de mauvaise grâce.

DORÉ ET ÉTIENNE

● **11e** - *4, passage Josset (355.33.42).*

Ces deux ciseleurs réparent tous objets, candélabres et lampes en bronze ou bien encore exécutent des pièces d'après dessin.

JEAN HARDOUIN

● **3e** - *26, rue des Gravilliers (278.73.70).*

Un spécialiste de la restauration des étains anciens et modernes. Délai : un mois ou deux.

SASSÉNUS

● **11e** - *49, av. Parmentier (805.89.15).*

De son père qui fut le plus grand patineur de son temps et qui travailla pour Rodin, Bourdelle et Maillol, Fabrice Sassénus a hérité le goût du monumental. Restaurateur talentueux des sculptures de bronze — comme en témoignent la façade de l'Opéra et la grande fontaine de Visconti dans le square Louvois —, il a entrepris (en 79) la remise en état des sculptures de bronze de Versailles et projette celle de la statue de la Liberté, à New York, dont le centenaire sera célébré en 86. Ne lui apportez donc pas des objets de médiocre qualité : il ne consent en effet à réparer ou à repatiner que des bronzes de grande valeur.

WERNER ET DELQUE

● **3e** - *18, rue des Gravilliers (272.30.16).*

Ces tourneurs sur bronze travaillent pour les grandes maisons mais aussi pour les particuliers. Tous les objets ronds ou ovales, même de très grand diamètre, en laiton, en bronze, en fer, en dural ou en plastique peuvent être fabriqués par eux (luminaires, pendules, orfèvrerie, médailles, potiches, robinetterie spéciale, serrurerie décorative, etc.). Délais : 2 à 12 semaines.

Armes

AUX ARMES D'ASNIÈRES

● **92 Asnières** - *86. rue Maurice-Bokanovski (790.17.58).*

A côté du magasin de vente de M. Riboulet, se trouve l'atelier de réparation où ce spécialiste qualifié mettra à vos mesures fusils de chasse et fusils de compétition de ball-trap.

CALLENS ET MODÉ

● **16e** - *5, av. de la Grande-Armée (500.15.10).*

Spécialiste des armes de chasse et de grande chasse, mais surtout des armes fines anglaises (Holland-Holland), françaises ou belges. Le choix de fusils et carabines de luxe de la maison est l'un des plus importants du monde. L'atelier de réparation se trouve sur place.

Automates, boîtes à musique

ATELIER D'ARTS ANCIENS LUBRANO

● **4e** - *5, rue des Lions-Saint-Paul (887.41.88).*

Georges Lubrano, maître-horloger restaurateur des musées nationaux, et son fils Michel accordent aux automates, boîtes à musique et autres oiseaux chanteurs les mêmes soins (attentifs et passionnés) qu'aux pendules anciennes. Ils redonnent vie aux mécanismes défaillants, reconstituent les parties ou les pièces manquantes et restaurent les décors, les boîtes et les cages.

ESQUIVE

● **10e** - *33, rue de Paradis.*

Ce maître horloger-pendulier restaure les boîtes à musique anciennes et les automates.

HORLOGERIE ANCIENNE

● **7e** - *9, rue Sédillot (551.23.39).*

Un bon horloger qui répare aussi boîtes à musique et oiseaux chanteurs.

LAUGEROTTE

● **9e** - *17, rue Lamartine (878.03.34).*

Spécialiste des mécanismes d'horlogerie (montres, pendules anciennes, horloges de type « comtoise »), il répare également ceux des boîtes à musique.

ALAIN VIAN

● **6e** - *8, rue Grégoire-de-Tours (354.02.69).*

Providence des amateurs de musique mécanique, collectionneurs d'orgues de manège ou de rue, de pianos pneumatiques ou mécaniques, à cylindres pointés, qu'il remet en état en deux semaines — ou quelques mois selon leur complexité —, Alain Vian, le frère de Boris, s'adonne en outre à la composition de chansons populaires et aussi — c'est dans l'air du temps — à la création de slogans publicitaires.

Billards

CARO

● **11e** - *252. bd Voltaire (371.97.45).*

Toutes réparations : bandes, tapis, ébénisterie.

PROUST

● **13e** - *120, rue de Tolbiac (331.49.75).*

L'une des dernières maisons, avec la précédente, capable de restaurer les billards anciens de quelque type qu'ils soient. Elle entretient et répare également les billards de fabrication récente.

Boiseries

ATELIERS JEAN MULLER

● **15e** - *158 bis, rue de la Croix-Nivert (828.66.52).*

Répare, restaure, adapte et copie, selon les techniques à l'ancienne, les boiseries sculptées ou non de tout style. Fournisseur du Mobilier national et des fournisseurs officiels de chefs d'État (Jansen, Ramsay, Alavoine, etc.), entre autres.

ETS MALEVILLE

● **7e** - *66, rue Saint-Dominique (705.81.57).*

Restaure à l'occasion, mais exécute surtout, d'après plan, des boiseries, entre divers autres travaux de plus fine menuiserie, voire d'ébénisterie.

Broderies, dentelles, étoffes

BROCARD

● **4e** - *1, rue Jacques-Cœur (272.16.38).*

Une vingtaine d'ouvrières réalisent tout ce qui peut se faire avec des fils précieux et une aiguille. La maison Brocard est maintenant bicentenaire (on lui confia, entre autres, la broderie du manteau de sacre de Napoléon, celle de son trône, comme de celui de son successeur). L'admirable rideau du théâtre de Trianon est l'un de ses derniers chefs-d'œuvre de cette entreprise fréquentée par les grands de ce (grand) monde et les conservateurs de musées. Mais on s'y charge de la restauration de tissus, de broderies et de tapisseries anciens à des prix normaux.

AUX FUSEAUX

● **16e** - *61, av. Mozart (288.15.38).*

Robes de baptêmes anciennes, voiles de mariée en dentelles. Nappes brodées sur mesure. Restauration de toutes broderies et dentelles et aussi d'éventails. 3 à 4 semaines de délai.

VINCENT HAMELIN (Atelier Carloni)

● **2e** - *25, rue du Mail (260.01.36).*

La broderie d'ameublement dans le style traditionnel ou contemporain n'a pas de secret pour Vincent Hamelin et ses ouvrières, spécialisées dans la broderie à la main, qui l'aident à travailler le velours et la soie et l'assistent lors de restaurations délicates : encadrement de fenêtres, dessus de lit, jetés de table, tentures de sièges, etc. Délais de 2 à 6 mois.

NOËL

● **8e** - *90, rue La Boétie (359.66.30).*

On répare les dentelles anciennes dans cet extraordinaire magasin qui brode, c'est sa principale activité, les plus belles nappes du monde.

LA SOIE DISANTE

● **7e** - *36, rue de Verneuil (261.23.44).*

Marie Cardon et Antoinette Tournier réalisent

de merveilleux tissus peints pour des jetés de lit matelassés, des coussins, des poufs, des rideaux-paysages de toutes dimensions. On trouve également chez elles des vêtements en soie peinte et en laine tricotée ou tissée à la main.

Céramiques

ATELIER LUMONT

• **92 Asnières** - *2, rue des Tilleuls (790.46.97).*

L'atelier du grand artisan Lucien Blanc-Lumont se trouve désormais à Asnières, entre les mains de son successeur et élève, Jean-Jacques Coron. Celui-ci restaure avec la même habileté que son maître les terres cuites, les faïences de qualité et les porcelaines anciennes. Les pièces réparées par ses soins continuent de « sonner » et ne présentent aucun jaunissement. Armez-vous cependant de patience, car ses délais peuvent atteindre 12 mois.

C. CHANDOU (Restauration de faïence)

• **7e** - *3, rue Perronet (222.62.91).*

Cécile Chandou reçoit seulement deux après-midi par semaine : le jeudi et le samedi, et consacre le reste de son temps à restaurer (attention : délais d'un an environ), avec une patience infinie et beaucoup de talent, les faïences anciennes du XVIIIe siècle ou antérieures. Sait-on seulement qu'elle a réparé, entre autres, le vase de M. Soisson?

DUCATEAU

• **3e** - *132, rue de Turenne (887.46.57).*

Il vous étonnera par son habileté à ressusciter une pièce ancienne en porcelaine ou en faïence ou à réparer des terres cuites, émaux, marbres et ivoires.

ROUART

• **13e** - *97, av. d'Italie (331.97.85).*

Au fond d'une courette campagnarde qu'ombrage un sycomore, c'est le plus injustement méconnu des ateliers de Paris. Peintre de talent et incomparable connaisseur des techniques du feu (il fit pour le « France » de merveilleux panneaux de céramique), Philippe Rouart recrée sur d'anciens moules et modèles des plats, des assiettes, des vases, des appliques d'une élégance à nulle autre pareille. Egalement de magnifiques carrelages et tous travaux sur commande à des prix et dans des délais plus que raisonnables. C'est dans ce même atelier que travaillait Chaumeil. Antiquaires et musées font régulièrement appel à lui car il est l'un des derniers céramistes capables d'exécuter un morceau manquant sur une pièce ancienne.

GASTON VOLUET

• **1er** - *76, rue Rambuteau (233.50.91).*

Ce grand restaurateur travaille pour les musées européens, et sa réputation n'est pas surfaite. Il répare les très belles pièces de céramique (Rouen, Moustiers, Saxe) et l'ivoire, la nacre et l'écaille avec la même science.

Cuirs

BETTENFELD

• **11e** - *47, rue Alexandre-Dumas (370.02.27).*

Pour gainer ses coffres, ses tables à jeux, ses sous-main, ses reliures, ses coffrets à bijoux, Bernard Rosenblum, le successeur de Jean Bettenfeld, se livre à de mystérieuses alchimies qui vieillissent le cuir à la perfection, recréent la chaleur des maroquins d'époque et la patine des vieux ors. Ce grand, très grand spécialiste de la gainerie d'ameublement a porté au pinacle la glorieuse réputation de la maison Bettenfeld. Délai : de 8 jours à 6 mois.

ROBERT DIOT

• **15e** - *22, rue de la Croix-Nivert (783.79.12).*

Répare les sacs, cartables, serviettes d'affaires, bagages, etc. Voir « Mode féminine - Maroquinerie ».

FLÉ

• **11e** - *26, rue de Charonne (700.81.22).*

Succédant à Adrien Flé, un des meilleurs artisans de sa spécialité, Martine Flé, sa fille, et Martine Long gainent des bureaux, des abattants de secrétaire, des coffrets, des sous-main, des tiroirs à argenterie, des meubles (en parchemin), montent des paravents (sur commande, à vos mesures) et restaurent le cuir de Cordoue. Martine Long vient d'ouvrir juste en face (au 27) un magasin d'exposition et de vente.

EUGÈNE JAUNY

• **9e** - *41, rue Taitbout (874.87.34).*

Un vieux et charmant gainier qui travaille surtout pour les antiquaires et les joailliers, et crée d'admirables écrins en cuir marqués au fer.

PARSAC

• **8e** - *31, rue Marbeuf (225.60.21).*

Réparation (et transformation) de toute maroquinerie, et des sacs en crocodile en particulier. Voir « Mode féminine - Maroquinerie ».

Documents anciens

BIHN

● **9e** - *60, rue Condorcet (878.55.10).*

Restaure avec amour les estampes anciennes.

JACQUIN

● **6e** - *8, rue de Nesles (354.58.03).*

Cet habile spécialiste restaure manuscrits, dessins originaux, gravures piquées, aquarelles, mais il n'a que deux bras qui suffisent à peine à contenter sa nombreuse clientèle.

ROUX-DEVILLAS

● **6e** - *12, rue Bonaparte (354.69.32).*

Si votre carte géographique ancienne (ou votre baromètre : voir « Instruments scientifiques et de marine ») nécessite une restauration, ce libraire vous orientera vers un artisan qualifié.

Dorure

JEAN ALOT

● **5e** - *5 et 9, rue du Pot-de-Fer (707.73.29).*

Il restaure (pour les musées nationaux, le Louvre, le château de Versailles), crée, copie et redore les bois dorés et sculptés anciens : cadres, sièges, consoles, glaces, etc.

JEAN ANGÉ

● **11e** - *23, rue Faidherbe (371.38.35).*

Miroirs, consoles, tables, guéridons de tous styles, en bois sculpté et doré à la feuille, sont exécutés ici à la commande sur dessin — mais on peut aussi les choisir dans l'importante collection de modèles que présente Jean Angé. De hauts personnages africains en font, par l'intermédiaire de leurs décorateurs, grande consommation, comme en témoigne l'Oscar de l'exportation obtenu récemment par l'entreprise. Vous trouverez l'atelier de Jean Angé rue Faidherbe, au fond de la cour, et son salon d'exposition 19, rue Chanzy, dans le 11e.

LA DÉCORATION DES MÉTAUX

● **3e** - *31, rue Charlot (272.15.52).*

Voir « Argenterie, bronze, étain, métaux anciens ».

LEBRUN

● **8e** - *155, fg Saint-Honoré (561.14.66).*

On restaure — chez ce très grand antiquaire spécialisé dans les cadres anciens — la dorure et la sculpture de tous les bois dorés (cadres, consoles, miroirs).

MAURY

● **3e** - *4, rue du Pas-de-la-Mule (887.95.89).*

M. Maury sculpte et restaure avec talent les bois dorés. Il a obtenu le titre de Meilleur Ouvrier de France en 1968.

Écaille, ivoire, corne

DESBORDES-LOGARIDES

● **3e** - *2, rue de Montmorency (277.39.94).*

Madeleine Logarides qui a succédé à la famille Desbordes n'a pas sa pareille sur la place de Paris pour réparer les sacs et les bourses en cotte de mailles, pour remettre en état un fermoir, et restaurer une tabatière aux incrustations d'ivoire, d'écaille ou de bois des îles. De 10 jours à un mois de délai.

PIERRE HECKMANN

● **6e** - *57, rue Bonaparte (354.71.09).*

Assis derrière sa vitrine, cet ivoirier habile (et connu depuis bien longtemps), sculpte des objets religieux, des bijoux, des miroirs et des brosses, des statuettes, des jeux et de jolies boîtes. Les réparations sont faites avec soin. Un petit mois de délai, parfois un peu plus.

JACQUES RAMEAU

● **3e** - *44-46, rue de Montmorency (278.57.87).*

De son atelier du Marais s'échappe une odeur caractéristique, celle des plaques de tortue en ébullition. Jacques Rameau travaille en effet à merveille l'écaille ainsi ramollie, dont il façonne à son gré des fume-cigarette, des brosses, des peignes, etc. Ce grand artisan exécute également dans cette même matière d'extraordinaires montures de lunettes, d'une légèreté sans pareille et qui sauvent véritablement la vie et la vue de tous les allergiques au métal ou au plastique. Les plus grands joailliers et opticiens se disputent ses services. Toutes réparations dans des délais raisonnables.

AUX TORTUES

● **8e** - *55, bd Haussmann (265.56.74).*

Fondée en 1864, cette maison spécialisée dans le travail de l'écaille, l'ivoire, la corne et les pierres dures restaure (ou crée) des objets dans ces différentes matières. Délais de 24 heures à 3 mois pour les travaux les plus délicats. Fournit également des plaques d'ivoire ou d'écaille pour la marqueterie ou la tabletterie. L'atelier est fermé en août.

Pour retrouver rapidement une adresse consultez l'index, p. 641.

Emballages

DENIS

● **3e** - *21, rue de Saintonge (272.11.16).*

Artisan « emballeur ». Sa vieille boutique est remplie de caisses, caissettes et coffrets de bois. Il emballe tout. Rien à voir avec les fanatiques de l'emballage éblouis par les facilités du plastique. C'est l'emballeur à papa. Après déballage, il vous restera de quoi faire soit, une étagère, une boîte à farine, un guéridon, soit des alumes-feux. La maison se charge de venir chercher à domicile les colis encombrants.

Encadrements

CENTRE DE L'ENCADREMENT

● **10e** - *34, rue René-Boulanger (206.11.53).*

Un foisonnement de baguettes en tous genres et tout le matériel pour réaliser soi-même ses encadrements. La maison se charge aussi des travaux d'encadrement que vous ne sauriez ou ne voudriez faire vous-même.

CUCCHIARINI

● **6e** - *19, rue du Dragon (222.20.37).*

Fin psychologue et artisan inventif, Claude Cucchiarini crée des encadrements originaux et parfaitement adaptés à l'œuvre qu'on lui confie, sa valeur et son futur « environnement ». C'est notre opinion, c'est également celle de Valéry Giscard d'Estaing, de Matta, de Brayer, de Desclozeaux, lequel a dessiné une caricature géante de l'encadreur... qui l'a encadrée. Délais : 15 jours à un mois.

PIERRE DENIZET

● **16e** - *6, rue Nicolo (525.25.81).*

Encadreurs de père en fils depuis quatre générations. Dans un délai de deux mois environ, Pierre Denizet restaure les cadres de tous styles, nettoie les gravures « piquées » et encadre à l'ancienne (dorure à l'or fin ou au cuivre) ou de façon moderne.

ENCADREMENT D'ART

● **9e** - *57, fg Montmartre (878.43.81).*

Création de sous-verre, de cadres pour tableaux, lithos et glaces, réparations, dépiquage et encadrement de gravures, nettoyage et restauration de peintures : tous ces travaux sont exécutés dans un délai de 3 semaines.

L'ENCADREMENT CONTEMPORAIN

● **19e** - *61, rue de Meaux (205.95.37).*

Confection classique et soignée de cadres anciens ou modernes dans des délais très raisonnables (en moyenne une dizaine de jours).

ENCADREMENT SAMSON

● **7e** - *27-29, rue Saint-Dominique (551.52.34).*

Vaste et vénérable maison fondée en 1864. Encadrement sur mesure, dorure et restauration des dorures, nettoyage des dessins et gravures. Travail classique et sérieux au plus juste prix. Délais : 10 à 30 jours.

GOUDE

● **4e** - *11, rue Le Regrattier (633.00.98).*

André Goude encadre avec talent tous les genres et tous les styles et plus spécialement les peintures contemporaines pour lesquelles il utilise un verre anti-reflet qui met l'œuvre à l'abri et supprime un inconvénient autrefois inévitable. Il restaure également des tableaux avec une technique très sûre. Ses délais sont très variables : 3 semaines ou 3 mois.

HAVARD

● **6e** - *123, bd du Montparnasse (322.34.87).*

Ancienne et célèbre maison où plus de 1 500 modèles de cadres (anciens, modernes et copies d'ancien) sont rassemblés à des prix élevés, certes, mais justifiés par la grande qualité des matériaux et du travail. Raymond Havard se charge aussi de la restauration des cadres et du nettoyage des peintures et des gravures. Délais : un à... six mois.

JAULT

● **14e** - *44, rue du Texel (320.22.61).*

L'une des très bonnes maisons de la place, qui encadre estampes, dessins (ancien et moderne).

LELARD

● **18e** - *17, rue Hégésippe-Moreau (387.30.40).*

Un vrai et excellent professionnel qui propose une grande variété d'encadrements traditionnels, copies d'ancien, classiques et modernes, compositions d'avant-garde, cadres métalliques, boîtes de verre, etc. Son activité étant purement artisanale, il n'accepte pas les travaux en grande série.

MONNERAIS

● **6e** - *5, pl. Saint-Sulpice (326.73.54).*

Encadrements de qualité. Dunoyer de Segonzac a été client de la maison durant plus de trente ans. M. Monnerais s'est fait une spécia-

Vous voulez dîner au frais l'été ?
Regardez vite notre liste de restaurants
à terrasse, à jardin, ou climatisés, p. 110.

lité du « boîtage » et de l'encadrement des médailles et surtout des éventails dont il fait d'ailleurs commerce.

CLAUDE DE MUZAC

● **6e** - *6, rue Bourbon-le-Château (354.09.55).*

Pas de cadres anciens mais des imitations très réussies et, faits sur mesure, de merveilleux cadres en écaille, en métal ou en onyx et noyer. Délais : un mois, parfois deux.

ROIFF

● **12e** - *52, rue de la Gare-de-Reuilly (307.24.92).*

Spécialiste de cadres pour miniatures. Dorure au cuivre et à l'or, vernissage au tampon, restauration de cadres (délai 4 à 6 semaines).

Mme VITTI

● **14e** - *9, rue Decrès (543.24.44).*

Beaux cadres de style fabriqués par cette excellente artisane qui se consacre en outre à la restauration.

Escaliers

ESCALIER TRADITIONNEL DE LUTÈCE

● **92 Montrouge** - *4, rue Radiguey (253.46.40).*

L'étonnant M. Maume, dit « Limousin l'ami du trait », a pris sa retraire non sans s'être assuré de dignes successeurs dans l'art infiniment complexe de la rampe et de l'escalier. M. Marchand tout d'abord, escaliéteur de père en fils et spécialiste du fer, et maintenant M. Barthe qui ne connaît que le bois et n'a pas son pareil pour les escaliers à courbes ou quartiers tournants. Le comte de Paris tout comme le président de la République — entre autres célébrités — n'en montent ni descendent d'autres dans le privé. Devis gratuits et délais tenus.

Étamage

DEHILLERIN

● **1er** - *18, rue Coquillière (236.53.13).*

Excellent service de rétamage. 10 jours environ de délai.

J. GAILLARD

● **10e** - *81, fg Saint-Denis (770.26.25).*

Travaille plus spécialement pour les restaurants et collectivités, mais accepte les casseroles des particuliers.

JACQUOTOT

● **13e** - *77, rue Damesme (588.42.36).*

Bon travail. Deux à trois jours de délai.

FRANCIS LEJEUNE

● **1er** - *16, rue de la Sourdière (261.02.00).*

Francis Lejeune, le fils de Michel Lejeune (voir ci-après), travaille pour bon nombre de grands restaurants parisiens : Ledoyen, Lasserre, L'Archestrate (dont il a aussi « monté » la cuisine), etc. C'est dire que vous pouvez lui apporter les yeux fermés vos casseroles, sauteuses, daubières à rétamer. Il vous les rendra comme neuves huit jours plus tard.

MICHEL LEJEUNE

● **92 Asnières** - *9, rue Louis-Armand (790.51.93).*

Téléphonez-lui (il vous enverra un plan détaillé pour vous rendre commodément à son atelier) avant de lui apporter vos casseroles à étamer que vous pourrez venir reprendre 10 jours plus tard.

Éventails

BARRILLIOT-LECOLLE

● **3e** - *133, rue Vieille-du-Temple (277.99.98).*

Grâce aux procédés très particuliers qu'elle a mis au point après des années de recherches, Marthe Barrilliot-Lecolle s'est fait une solide réputation auprès des collectionneurs et des antiquaires : elle restaure avec minutie miniatures, éventails, coffrets, tôles peintes, etc., dans un délai de 15 jours à deux mois.

DUVELLEROY

● **8e** - *37, bd Malesherbes (265.08.99).*

En 1827, M. Duvelleroy, grand-père du célèbre commandant Mouchotte, aviateur-héros de la dernière guerre, créait cette maison spécialisée dans l'éventail. Très vite sa célébrité devint grande puisqu'elle fournissait à la Ville de Paris les éventails offerts par cette dernière à l'Impératrice de Russie ou aux reines d'Angleterre, de Belgique, de Suède. L'éventail est passé de mode mais ses collectionneurs sont nombreux et souvent illustres (Ludmilla Tcherina, Georges Descrières, etc.) et connaissent bien l'adresse de cette sérieuse maison. De 50 F pour un changement de ruban à 500 F (et plus) pour un échange de pièce. Deux semaines à un mois de délai.

AUX FUSEAUX

● **16e** - *61, av. Mozart (288.15.38).*

Restauration d'éventails en dentelle. Voir aussi « Broderies, dentelles ».

Ferronnerie

BATAILLARD

● **18e** - *7, impasse Marie-Blanche (606.16.83).*

Chez Bataillard, on « ferronne » depuis le début du siècle. Le magasin de l'impasse Marie-Blanche propose des modèles courants : lustres et lampadaires, tandis que l'atelier (sis à Alfortville) exécute sur mesure balcons, défenses de fenêtres, heurtoirs, tables, flambeaux, jusqu'aux travaux monumentaux (modernes ou « de style »). Parmi les autres activités de la maison, citons la restauration des pièces de ferronnerie, le travail de l'inox, du laiton, de l'aluminium, la dorure à la feuille et le repoussé au marteau. Bataillard, entre autres restaurations, assure celle de la place Stanislas, à Nancy.

AUX FORGES DU ROY

● **93 Aubervilliers** - *30, rue de la Courneuve (833.74.54).*

Les feuillages des nouvelles grilles de la cour de marbre à Versailles doivent beaucoup à Roger Millot. Lui et son associé, M. Villecourt, dompteront pour vous le fer et la tôle : appliques, balcons, rampes d'escaliers, grilles. Devis gratuits.

STANISLAS STARON

● **93 Aulnay-sous-Bois** - *51, rue Louis-Blanc (929.93.57).*

Il exécute pour vous tous travaux de fer forgé, de la serrure de style à la grille de parc, du balcon à la rampe d'escalier. Prix sages. Réparations et copies d'ancien.

Gravures diverses

DEBADIER (A l'Enfant Jésus)

● **6e** - *4 bis, rue du Cherche-Midi (548.59.55).*

Grave en dix minutes pour une cérémonie ou un événement particulier une date ou un prénom sur des bougies de cire.

HINSBERGER

● **11e** - *9, rue Emile-Lepeu (371.44.78).*

Il n'y a plus que lui en France pour exercer son vieux métier : la gravure sur glace à la roue de cuivre préalablement enduite de pâte abrasive (émeri ou carborundum) selon la technique élaborée au Moyen Age par un bijoutier de Bohême nommé Lehmann. La pompe royale (Alphonse XIII), le théâtre (Marcel Achard) et les variétés lyriques (Luis Mariano) ont trouvé un reflet dans les miroirs que M. Hinsberger s'est fait la vocation de leur tendre. Un reflet flatteur encadré de rinceaux, d'étoiles, de figures du zodiaque, de nymphes, de sylphides, d'oiseleurs, d'arlequins et autres personnages de fantaisie.

PICTET ET SAALBURG

● **15e** - *9, rue François-Bonvin (783.61.10).*

Deux jeunes artisans-miroitiers (voir aussi « Décoration de la maison - Miroiterie ») appliquent ici sur des panneaux de verre une technique ornementale qui triompha à l'Exposition de 1937, et qui revient à la mode : la gravure dite « au jet de sable » — en fait, au jet de corindon, qui a, entre autres mérites, celui de ne pas provoquer de silicose. Leurs prix, nécessairement très élevés pour des petites commandes, peuvent être réduits pour de grandes surfaces ou des gravures en série : verres gravés à coordonner, par exemple, avec des motifs de tissu ou de moquette.

Instruments de musique

BALLERON

● **16e** - *13 bis, rue de l'Annonciation (288.64.29).*

Le directeur, Daniel Mouchebœuf, est agent général des pianos Bechstein, dont il fournit divers grands virtuoses : Michelangeli, Bernstein, etc. Il prend aussi en charge la réparation (délai : d'une semaine à quatre mois) de pianos de toutes marques, et fournit dans un délai rapide des pianos (toutes marques) et tous instruments de musique.

JOEL CHARROUX

● **18e** - *3, rue d'Orsel (606.40.66).*

Là où l'on dansait autrefois aux accords d'un piano mécanique — ce vieil atelier a en effet pris la place d'une guinguette des fortifs — M. Charroux accorde et répare avec beaucoup d'attention les pianos et les orgues automatiques à cylindres notés.

DANIEL LESUEUR

● **12e** - *10 bis, rue Montgallet (343.09.86).*

Son modèle unique de guitare classique de concert est destiné aux virtuoses et à l'enseignement de nos Conservatoires nationaux ou municipaux, et éventuellement à vous-même, si vous avez la patience d'attendre les 18 à 24 mois nécessaires à la fabrication de l'instrument qui vous convient. Daniel Lesueur ne répare que les guitares de sa propre fabrication.

VATELOT

● **8e** - *11 bis, rue Portalis (522.17.25).*

Menuhin, Stern, Tzering, Igor Oistrakh, Kogan, Francescatti et bien d'autres — même obscurs et sans grade — ne voudraient confier à aucun autre luthier le soin de toucher aux tables et éclisses de leurs instruments. Le jeune Étienne Vatelot est en effet le meilleur luthier du monde et ses prix parfaitement comparables à tous ceux de ses confrères moins prestigieux.

ALAIN VIAN

● **6e** - *8, rue Grégoire-de-Tours (354.02.69).*

Restaure les instruments de musique mécaniques et anciens ainsi que les phonographes. Voir plus haut « Automates, boîtes à musique ».

Instruments scientifiques et de marine

ATELIER D'ARTS ANCIENS LUBRANO

● **4e** - *5, rue des Lions-Saint-Paul (887.41.88).*

Pour les baromètres anciens à mercure.

BALMÈS

● **3e** - *21, place des Vosges (887.20.45).*

Pour la barométrie uniquement.

ROUX-DEVILLAS

● **6e** - *12, rue Bonaparte (354.69.32).*

Vous ne pouvez leur confier vos instruments anciens, scientifiques ou de marine, que s'ils ont vraiment de la valeur. Sur devis.

WERNER ET DELQUE

● **3e** - *18, rue des Gravilliers (272.30.16).*

Répare appareils d'optique, lunettes et timbres de pendule, sphères armillaires et canons de midi ; les luminaires également.

Laque

LUIS ANSA

● **11e** - *37 bis, rue de Montreuil (344.06.50).*

Excellent artisan, l'un des plus grands dans son domaine, la restauration des paravents et des commodes en laque de Chine. Réalise également d'étonnantes copies de meubles du XVIIIe siècle.

Consultez la table des matières : p. 631.

ATELIER PIERRE BOBOT

● **15e** - *32, rue Mathurin-Régnier (783.57.49).*

Malgré la disparition de son fondateur, créateur et restaurateur de talent, l'atelier poursuit son œuvre sous la direction de Roland Ingert avec autant de sérieux et de compétence et restaure laques anciennes et modernes.

BERNARD DUNAND

● **94 Villecresnes** - *9 bis, rue Jean-Philippe-Bertrand (599.05.28).*

Bernard Dunand est le fils de Jean auquel l'art décoratif français doit d'avoir assimilé, au début de ce siècle, l'antique technique de la (d'autres disent du) laque extrême-orientale. Fils digne de son père, en ce qu'il intègre à ses panneaux les matériaux les plus divers (y compris de tout nouveaux colorants de synthèse), mais d'inspiration plus abstraite.

GAROUSTE-JEMONT

● **11e** - *152, bd Voltaire (379.06.48).*

Spécialistes de la fabrication de meubles en laque de Chine (copies d'ancien) d'après plan et mesures donnés par ses clients. Délai 3 mois.

MIDAVAINE

● **17e** - *54, av. des Acacias (754.68.94).*

Des Années Folles, date de naissance de la laque moderne, Louis Midavaine était l'un des grands laqueurs, et son fils, Jacques, qui lui a succédé, continue de créer des panneaux décoratifs en laque et de restaurer avec talent les laques anciennes et modernes parmi lesquelles il lui arrive souvent de reconnaître des créations de son père. Délais de 15 jours à 6 mois.

JACQUES PEIGNAUX (Laque d'art et de création)

● **20e** - *20, rue Villiers-de-L'Isle-Adam (366.87.43).*

Jacques Peignaux est l'un des émules les plus doués de Jean Dunand qui passe à juste titre pour être le plus grand laqueur « à l'asiatique » français de tous les temps (et qui a signé en or sur fond noir quelques-uns des somptueux panneaux décoratifs de l'ancien paquebot Normandie). Frais émoulu de l'école des Arts Appliqués à l'Industrie, Peignaux a ouvert un atelier de laque d'art dans une ruelle industrieuse des confins de Ménilmontant et de Belleville. Spécialité principale : la laque d'argent oxydée, voire gravée jusqu'au bas-relief, la laque d'or, la laque « nuagée ». Ce qui destine ses travaux non seulement à l'ornementation mobilière (tables basses ou de salle à manger, etc.), mais aussi à l'architecture (toutes surfaces) et au revêtement des paravents monumentaux à l'articulation dite « modulaire ». Egalement, sur mesure ou en petites séries, de beaux coffrets à cigares.

VAN DINH

● **6e** - *16, rue du Cherche-Midi (222.00.49).*

Ce décorateur vietnamien et sa femme sont des spécialistes des laques de Chine du XVIIIe siècle. Ils possèdent un stock de meubles anciens : paravents, commodes, tables basses (certains les ont quittés pour l'Elysée ou l'Hôtel de Ville). Réparateurs tout aussi bien, ils ne reculent pas devant la nacre, l'ivoire, la porcelaine et les pierres dures. Travail extrêmement soigné.

Luminaires

ANTICA

● **7e** - *38, rue de Verneuil (261.28.86).*

Les prix varient selon la taille et les caractéristiques de l'objet à monter. Les abat-jour (voir « Décoration de la maison ») sont fabriqués par Antica et ceux qui en valent la peine peuvent y être réparés. Délais : une quinzaine de jours.

ART ET STYLE

● **11e** - *43, rue Saint-Bernard (700.87.74).*

Michel Souyri crée des lustres sur mesure d'après un plan ou un document que vous lui apporterez, réalise des copies d'ancien et restaure encore luminaires en bronze et candélabres de ce même métal. Il s'occupe également du montage de lampes. Comptez 3 à 5 semaines de délai.

ATELIER LA BOÉTIE

● **8e** - *60, rue La Boétie (563.91.12).*

Monte en lampe l'objet désiré, bouteille de chianti ou bronze de Barbedienne, mais ne fabrique ni ne vend l'abat-jour.

MOINEAU

● **20e** - *1, rue de Lagny (373.20.23).*

Ce spécialiste de la restauration des lampes anciennes (antérieures à 1925) et du rééquipement et reperlage des lustres possède un choix énorme de verres pour lampes à huile ou à pétrole et de tulipes en pâte de verre (parfois signées). Il montera en lampe (abat-jour compris) tous vases, potiches, statues, etc. que vous lui confierez, mais il refuse systématiquement de percer les objets. Délais assez courts. Vente également de lampes anciennes.

DIDIER TISSOT

● **18e** - *73, rue Labat (606.77.65).*

Il monte en lampe le vase ou l'objet que vous aimez et fabrique lui-même les abat-jour.

Maquettes de bateaux

GÉRARD SCHMITT

● **77 Villeparisis** - *9 bis, av. du Parc (427.03.59).*

Ce très grand modéliste, lauréat de la Fondation de la Vocation, crée d'admirables maquettes marines pour les musées, les antiquaires et les collectionneurs. Travail de spécialiste. Quant au délai, vous n'ignorez pas que la première qualité du modéliste est la patience. M. Schmitt se charge également des restaurations.

Marbre, pierre

MARBRERIE RÉGIS

● **95 Deuil-La-Barre** - *85, rue Cauchoix (964.16.33).*

Répare, colle, repolit et restaure les marbres (dessus de commode, de table, socles de pendules, etc.), dans un délai de 3 à 6 semaines. Restaure également la pierre dans toutes ses formes.

Matériel pour artisans

ADAM

● **14e** - *11, bd Edgar-Quinet (320.68.53).*

A fourni en toiles, châssis, huile de lin, térébenthine et pinceaux de martre et de soie de porc — dans l'ordre — Modigliani, Cappiello, à l'occasion Soutine, Stael, Fautrier et fournit encore Soulages, Dubuffet — voire Buffet — ce qui prouve l'étendue de son éclectisme. Bref, la fine fleur montparnassienne du box-painting office mondial. Alors pourquoi pas vous... Également toutes les fournitures pour la sculpture, les travaux manuels et les métiers d'art, tout le matériel pour les maquettes, tous les types de peinture pour la décoration intérieure et des tables à dessin.

ARCADI

● **4e** - *51, rue des Francs-Bourgeois (278.11.33).*

Fournit « tout pour les Beaux-Arts » aux peintres et sculpteurs professionnels et amateurs du Marais. Tout pour les arts décoratifs aussi (peintures sur tissu, colles, encres sérigraphiques, couleurs diverses et vernis). Avec un rayon plus particulièrement orienté vers les arts du feu en général (poterie), l'émaillage plus particulièrement (de la terre et des métaux divers). Excellents conseils, ouvrages techniques et documentation sur ces diverses activités manuelles ainsi que sur la confection de fleurs en crépon ou d'abat-jour (vente de fournitures), le « patinage » des bois, la pyrogravure, le batik, etc.

BUISINE

● **1er** - *44, rue du Louvre (233.05.11).*

Fournit tout le matériel de sérigraphie (encres, pochoirs, outillage, etc.).

CASSOU

● **6e** - *55 bis, bd du Montparnasse (548.99.22).*

Quincaillier spécialisé depuis plus de cinquante ans dans l'outillage et le matériel pour sculpteurs montparnassiens ou autres. César s'y fournissait en mirettes et ébauchoirs du temps (lointain) qu'il modelait encore la terre. Il fabrique également un système d'accrochage de tableaux bien connu des galeries et musées.

CENTRE DE L'ENCADREMENT

● **10e** - *34, rue René-Boulanger (206.11.53).*

Toutes les fournitures : baguettes, cartons, verre, accessoires et matériel pour réaliser soi-même ses encadrements. La maison se charge aussi des travaux d'encadrement que vous ne sauriez ou ne voudriez faire vous-même. Le centre organise des sessions d'initiation à l'art d'encadrer : 3 séances de 2 heures chacune : 300 F.

CENTRE INTERNATIONAL D'ARTS ET D'ARTISANATS

● **10e** - *88-92, passage Brady (523.34.67).*

On y trouve d'abord tous les livres français et étrangers sur les arts et techniques artisanales à la mesure des amateurs : poteries, émaillage, teinture (batik), tissage, traitement du cuir et peintures sur tous matériaux anciens et modernes (du papier au plastique, en passant par divers métaux), etc. On y trouve aussi tous les outils et matériaux, et de patients techniciens conseillers-vendeurs. Enfin le Centre propose des stages réguliers d'initiation aux arts et techniques évoqués plus haut. Expositions de peintres et d'artisans.

LA DROGUERIE

● **1er** - *9, rue du Jour (508.93.27).*

Une ancienne boucherie devenue caverne d'Ali Baba où l'on trouve, vendues à la louche, plus de mille sortes de perles en bois, verre, métal, plastique, os, coco, etc., des paillettes comme s'il en pleuvait, des fermoirs, des boutons, des galons, des ficelles pour faire du macramé, des carcasses d'abat-jour, des laines à tricoter, des cotons chenillette de toutes les couleurs, etc. Bref, une mine de trésors (bon marché) pour ceux et celles qui ont de l'invention jusqu'au bout des doigts.

GAIGNARD-MILLON

● **11e** - *24, rue Jules-Vallès (371.28.96).*

Maison spécialisée dans les outils des artisans du bois : sculpteur, modeleur, tourneur sur bois.

G. HARLEY

● **94 Saint-Maur** - *34, av. de Tunis (883.53.30).*

Fourniture pour naturalisation : outillage, écussons, yeux artificiels, etc.

HOBBY SHOP

● **10e** - *144, fg Poissonnière (526.88.63).*

Cette succursale du fameux Tairnbacher propose plus de 3 000 articles pour tous les travaux manuels.

LOISIRS-CERAM

● **18e** - *130, rue du Mont-Cenis (606.41.99).*

Des moules, des tours, des métaux, des oxydes, de la barbotine, des fours électriques, etc., pour les céramistes. Et aussi tout le matériel pour les émailleurs sur cuivre. Les uns comme les autres peuvent faire des essais de matériel et de fournitures et aussi suivre des cours de poterie ou d'émaillage dans l'atelier-laboratoire qui est mis à leur disposition.

RELMA

● **6e** - *6, rue Danton (326.58.33).*

Magasin spécialisé dans les fournitures pour relieurs : cuirs (également pour l'ameublement), papiers marbrés, etc.

ROUGIER ET PLÉ

● **3e** - *13-15, bd des Filles-du-Calvaire (272.82.90).*

Outillages pour professionnels et amateurs dans l'exercice des disciplines artisanales les plus diverses. Plus précisément de celles qui touchent au décor : du cuir (fers, matériel de relieur), de la terre (tours de potier, fours céramiques), du bois (encadreuses, scies à onglet), du métal (outils à repousser, émaux), des pierres (quartz, mosaïques multicolores), du carton (massicots), du papier (choix d'imprimés pour la reliure ou autres : chinés, lissés, pointillés, flammés, vernis, marbrés, « à la cuve », etc.), des tissus (peinture et teinture), du rotin, etc. Démonstration (gratuite) sur place et aussi cours d'initiation et de perfectionnement dans l'atelier contigu. Haut lieu de la bricole esthétisante parisienne, ce magasin résume le contenu de ses trois gigantesques niveaux dans un catalogue destiné aux acheteurs par correspondance, petit chef-d'œuvre de clarté dans l'information et le classement (demande, moyennant 5 timbres, à B.P. 46, 91122 Palaiseau Cédex).

SENNELIER

● **6e** - *4 bis, rue de la Grande-Chaumière (633.72.39).*
● **7e** - *3, quai Voltaire (260.72.15).*

Ce grand spécialiste de fournitures pour les artistes peintres et graveurs vend aussi des teintures végétales et du matériel pour la peinture sur tissus, le batik, les inclusions, les céramiques et l'encadrement.

TAIRNBACHER MAJOLIKA

● **9e** - *183, fg Poissonnière (526.88.63).*

Toutes fournitures pour émaux sur métaux : fours, outillage, émaux, décors, peintures, métal pré-découpé pour bijoux, etc.

Meubles

ANDRÉ

● **11e** - *107, bd de Charonne (370.40.20).*

Voir « Objets archéologiques ».

FABRY

● **15e** - *4, rue Gramme (250.94.64).*

Restaure les meubles du XVIIIe siècle en acajou et aussi la marqueterie dans un délai de 2 à 4 mois.

FLECKENSTEIN

● **15e** - *2 bis, villa Santos-Dumont (532.25.04).*

Ancien élève de l'École Boulle, il restaure les (beaux) meubles du XVIIIe siècle et spécialement la marqueterie.

GROUMIN

● **93 Montreuil** - *67, rue Marceau (808.10.08).*

L'atelier de Robert Groumin — quatre ébénistes et deux vernisseurs — est spécialisé dans la reproduction de meubles anglais Regency et Chippendale mais aussi dans la restauration et le revernissage au tampon de meubles (principalement en acajou : anglais, Empire et Louis-Philippe). M. Groumin peut se déplacer pour examiner la pièce à copier ou évaluer l'importance de la restauration.

JOUAN

● **7e** - *10, rue Perronet (548.64.20).*

Jean-Paul Jouan, toujours à la recherche de vieux bois de placage, travaille seul, utilisant les mêmes outils et les mêmes méthodes qu'au XVIIIe siècle. Il fabrique lui-même son vernis, refait les sculptures et les marqueteries manquantes et répare tous les meubles et sièges de qualité, de préférence antérieurs à l'Empire. Délais variables selon l'état des meubles, mais il vaut mieux être patient.

ALAIN DE LAVALADE

● **5e** - *48, rue Galande (354.11.15).*

Diplômé de l'École Boulle, Alain de Lavalade a participé à la restauration du Grand Trianon à Versailles, et travaille en permanence pour le Mobilier national. Sa spécialité : la restauration des meubles marquetés des XVIIe et XVIIIe siècles (Boulle, nacre, ivoire, or, argent, étain, écaille).

LOUBINOUX

● **13e** - *31, rue de la Butte-aux-Cailles (580.43.45).*

Réparation de meubles et vernissage au tampon. Jacques Loubinoux s'est fait d'autre part une spécialité du vernis plastique anti-acide pour le dessus des tables ou des bureaux.

MOCQUÉ ET FILS

● **11e** - *95, fg Saint-Antoine (343.12.13).*

Le père et le fils Mocqué (maison fondée par le grand-père en 1882) sont d'anciens élèves de l'École Boulle, spécialistes de la restauration de meubles et de sièges d'époque et de la reproduction de beaux meubles estampillés. S'ils demandent un mois pour une réparation légère, leurs délais peuvent atteindre six à huit mois pour une pièce importante (toujours exécutée à la main).

PASTINELLI (Le Rotin d'Aujourd'hui)

● **20e** - *65-67, av. Gambetta (636.90.32).*

M. Pastinelli se charge de remettre en état les meubles en rotin abîmés ou cassés. Si les dégâts sont irrémédiables, il vous proposera de les reproduire, identiques au modèle, dans un délai d'environ deux mois.

POISSON

● **20e** - *94, rue des Haies (371.73.09).*

Jacques Poisson (3e génération de restaurateurs de meubles) est un des très grands spécialistes de la restauration de la marqueterie Boulle (Louis XIV et Napoléon III) et des incrustations précieuses : écaille, cuivre et étain, et éventuellement nacre, corne et ivoire. Délai : de 3 à 10 mois environ.

SCHMITZ

● **18e** - *8, cité Germain-Pilon (252.23.08).*

Il restaure les meubles des XVIIe, XVIIIe et XIXe siècles et grâce à un stock important d'éléments d'époque, il est habile à reconstituer les parties abîmées ou manquantes. Il sait rendre à l'acajou son éclat naturel. Vernissage au tampon. Délai : 45 jours à 3 mois.

VERGAIN

● **5e** - *10, rue Maître-Albert (633.47.92).*

La science de l'École Boulle, la verve de la Maube. Un étonnant personnage doublé d'un grand artisan, mais le problème, c'est de mettre la main dessus. Restauration de meubles des XVIIe et XVIIIe siècles et de boiseries. Restauration de marqueterie et travail de la corne verte sur les cartels Louis XV. Prévoir 3 ou 4 mois de délai (c'est du moins de qu'il nous assure). Attention : les mois de Vergain comptent parfois double.

Montres, horloges, pendules

ATELIER D'ARTS ANCIENS LUBRANO

● **4e** - *5, rue des Lions-Saint-Paul (887.41.88).*

L'exaltant service des mécanismes à dire, prévoir, remonter, mesurer ou défier le temps et la splendeur des rouages n'ont plus — depuis beau temps — aucun secret pour la famille Lubrano. Ces prodigieux artisans, Georges le père, et Michel le fils, remettent en état les pendules et les horloges anciennes, les baromètres à mercure, les automates et les boîtes à musique. Ils reconstituent patiemment les pièces abîmées ou manquantes et restaurent les dorures, marqueteries et autres décors selon les caractéristiques de leur époque. Leurs délais : un mois en moyenne.

JEAN-BAPTISTE DIETTE

● **8e** - *4, av. Matignon (359.98.90).*

Le grand antiquaire spécialisé dans les pendules des XVIIe et XVIIIe siècles dirige aussi un atelier de réparateurs parfaitement rompus aux techniques anciennes.

ESQUIVE

● **10e** - *33, rue de Paradis.*

Les activités de Jacques Esquive, qui s'intitule tout à la fois « maître-horloger-pendulier-designeur », sont la restauration des pendules anciennes, des boîtes à musique et des automates, et aussi — c'est son côté designeur — la création de pendules et d'horloges modernes (entre autres pour Christofle, Leroy, Jansen, le Mobilier International, etc.).

GENDROT

● **5e** - *12, bd Saint-Germain (354.18.84).*

Un des plus grands réparateurs parisiens, cofondateur de l'Union des Maîtres Restaurateurs en Horlogerie Ancienne, Jean-Claude Gendrot travaille beaucoup pour les musées mais consacre une partie de son temps à retrouver celui — exact — des pendules, cartels ou régulateurs qu'on lui confie, à condition qu'ils soient de qualité. Il ne se charge ni des montres, ni des horloges. Il n'ouvre que l'après-midi (de 14 h à 19 h) et ses délais vont de 5 minutes à... 300 heures.

HORLOGERIE ANCIENNE

● **7e** - *9, rue Sédillot (551.23.39).*

Le mouvement des montres et des pendules, le son des boîtes à musique d'autrefois, retrouveront la vie entre les doigts habiles de Pierre Blanchet. Deux à trois mois de délai.

JACQUES HUDELOT

● **4e** - *11, rue de Sévigné (272.09.94).*

Ce passionné de chronométrie de marine consent à soigner les pendules et les horloges jusqu'à la Restauration. Il reconstitue les mécanismes brisés ou abîmés et les pièces disparues et fait réparer les accidents survenus au décor par un doreur, un fondeur, un marqueteur ou un ciseleur. Délais de 1 à 3 mois. Notez que la maison est ouverte le mercredi soir jusqu'à 23 heures et que vous pouvez garer votre voiture dans la cour.

MICHEL JOURNE

● **7e** - *30, rue de Verneuil (261.24.62).*

Beaucoup de collectionneurs s'adressent à ce jeune homme, l'un des trois ou quatre grands réparateurs de la place. Michel Journe, qui a fait son apprentissage en Suisse, rendra la vie à vos montres et pendules anciennes, en reconstituant les mouvements ou en refaçonnant si besoin est les pièces manquantes ou défectueuses. Délais : de trois heures à plus d'un mois. Ouvert l'après-midi seulement.

LAUGEROTTE

● **9e** - *17, rue Lamartine (878.03.34).*

Ce bon artisan remet en état les pendules, montres anciennes et comtoises. Il peut exécuter pour celles-ci un cabinet ou caisse dans le bois et dans la forme de votre choix, décoré ou non de peintures à l'ancienne, d'après une gravure ou un dessin (documentation sur place). Il profite de ses jours de repos, samedi, dimanche et lundi, pour mettre les bouchées doubles et travailler tranquillement et efficacement.

NIEL

● **92 Suresnes** - *23, av. Edouard-Vaillant (506.17.39).*

Georges Niel se déplace chez ses clients pour établir des devis et répare avec minutie montres, horloges ou pendules anciennes, des plus simples aux plus compliquées. Délai : de quatre à douze semaines.

Moulage

LORENZI FRÈRES

● **6e** - *19, rue Racine (326.38.68).*

Le moulage n'est plus à la mode. La tradition du masque mortuaire se perd. Les répliques en plâtre ne trouvent plus preneurs. Et Lorenzi est l'un des derniers à Paris dans cette spécialité. Zouc et Coluche cependant se sont fait mouler par lui les mains, Gréco, Aznavour, Lamoureux, Johnny et Sylvie sont venus suffoquer pendant vingt minutes sous masque de plâtre. Les déceptions sont fréquentes : votre image en trois dimensions est souvent moins flatteuse que dans le miroir. Recette de Lorenzi : prendre un sujet calme, graisser le visage et déposer un fil à hauteur du nez. Appliquer le plâtre sans oublier les deux trous aux narines pour que le masque ne soit pas mortuaire. Laisser figer, démouler par le milieu en tirant sur le fil. Reconstituer, remplir le moule, laisser figer à nouveau, briser l'écorce. Pour les mains, il suffit de les plonger dans un bac. Il en coûte 900 F pour une main, 1 000 F pour un visage. Lorenzi travaille beaucoup pour le cinéma et les artistes (Salvador Dali lui a commandé la tête hybride de Marylin-Mao, travail délicat), mais aussi pour les mairies de la République dont il est le fournisseur de Marianne exclusif. Et dans sa boutique, il vend aussi des statues de jardin, bancs de pierre reconstituée (1 300 F), vasques, fontaines (1500 F) et de très beaux moulages d'œuvres d'art.

Nettoyage

BOBIN-MADROUX

● **92 Montrouge** - *27, rue de la Vanne (657.64.00).*

Cette excellente maison travaille depuis des lustres pour le Mobilier national, les grands musées (nettoyage des célèbres tapisseries de la Dame à la Licorne, au musée de Cluny, en 75). et les décorateurs parisiens. Autant dire que vous pouvez lui faire confiance pour le nettoyage à domicile des moquettes, tentures murales et fauteuils, comme pour celui — en usine — des rideaux, voilages, tapisseries et tapis (anciens ou modernes), qui seront pris chez vous et rendus dans un délai de dix jours. Si nécessaire, on vous proposera les services d'ouvrières qualifiées qui se chargeront de la restauration des tapis d'Orient ou des Savonneries : réparation des franges et des lisières ou reconstitution de parties endommagées. Enfin, sur simple appel téléphonique, on vous dira comment procéder vous-même à un détachage d'urgence.

Une bonne adresse de "chinois" ? Voyez l'encadré "Où manger quoi", p. 115.

Objets archéologiques

ANDRÉ

● **11e** - *107, bd de Charonne (370.40.20).*

Alfred André, restaurateur de céramiques, fonda la maison en 1859. Jean-Michel André, son arrière-petit-fils, bien connu des Musées nationaux et des grands collectionneurs, est le spécialiste incontesté de la restauration des pièces d'archéologie (bronzes antiques et objets de fouilles), qu'il se charge également de socler.

Papiers peints

JEAN-LOUIS CHASSET

● **5e** - *6, rue Saint-Victor (326.83.00).*

Restauration de papiers peints anciens (panoramiques, paravents, etc.). Reproductions faites à la planche d'après des modèles d'époque. Entoilage d'affiches.

Peinture, faux marbre, etc.

MICHEL BENARD

● **92 Clichy** - *13, allée Léon-Gambetta (737.38.85).*

Des spécialistes polyvalents : trompe-l'œil, fausses moulures, imitation du bois, du marbre, de la pierre et autres matières pour décorer les appartements. Ils connaissent, en outre, l'art de patiner sièges et boiseries, peindre des panneaux décoratifs, coller des papiers, dorer, laquer, etc.

JACQUES CHANTELOZE

● **8e** - *15, rue Durantin (606.73.96).*

Spécialiste du décor peint en trompe-l'œil (fleurs, motifs divers, panoramiques). Et du faux bois (loupe d'amboine), du faux marbre, de la fausse écaille... sans oublier le vrai rechampi.

MÉRIGUET-CARRÈRE

● **15e** - *84, rue de l'Abbé-Groult (828.48.81).*

Dans son vaste atelier, Paul Mériguet imite avec une confondante perfection le bois, le marbre, le bronze, la pierre, sur n'importe quel support à l'aide de secrets mélanges. Il s'occupe aussi de restauration de tableaux, de dorure et de la pose des papiers peints particulièrement délicats et précieux.

Poupées, jouets

ROBERT CAPIA

● **1er** - *24-26, galerie Vérot-Dodat (236.25.94).*

Il possède un atelier de réparation de poupées anciennes qui restaure les robes et les perruques, retend les élastiques et remet en état chaque modèle en respectant les particularités de montage de chaque marque. Toutefois il ne répare pas l'irréparable, en l'occurrence un visage brisé.

CLINIQUE DES POUPÉES

● **15e** - *22, rue Gerbert (532.54.26).*

Les poupées ont souvent une vie mouvementée. Leur corps de porcelaine, de celluloïd ou même, tristesse des temps, de matière plastique, sera soigneusement réparé. Les articulations, les cheveux, les yeux et la voix seront remis à neuf (sauf, bien sûr, si la poupée parle japonais...).

MONSIEUR RENARD

● **6e** - *6, rue de l'Échaudé (325.70.72).*

Cet amoureux des poupées les fait réparer sur place, mais pour les automates que vous lui apporterez, un voyage en Suisse est quasiment obligatoire. Délai : une à trois semaines.

A LA POUPÉE MERVEILLEUSE

● **4e** - *9, rue du Temple (272.63.46).*

Sous cette enseigne connue depuis deux générations, M. Barouhiel a succédé à Mme Farcy. On continue ici de réparer les poupées (anciennes en majorité) qu'elles soient « merveilleuses » ou tout simplement les enfants chéries de vos enfants, et on vend également des farces et attrapes, des cotillons et des articles de fête, de théâtre, de maquillage, etc.

LA VIE EN ROSE

● **9e** - *57, rue de Clichy (874.48.27).*

C'est dans cette bonne clinique qu'il faut aller si votre fille voit la vie en noir depuis qu'elle a cassé sa poupée préférée.

Reliures

ARTISANAT MONASTIQUE

● **14e** - *68 bis, av. Denfert-Rochereau (633.29.50).*

Le travail est bien fait et les prix très doux. Comptez, pour deux livres, un délai d'un mois.

BUISSON

● **12e** - *4, rue d'Aligre (307.19.25).*

Pour le lavage et la restauration des belles reliures souffrantes, une excellente adresse. Egalement lavage d'estampes.

CESBRON

● **17e** - *13, rue Jacquemont (627.43.56).*

Françoise Cesbron nettoie, reteinte et restaure toutes sortes de reliures. Elle remettra à neuf, dans la mesure du possible, les objets de maroquinerie ancienne (coffrets, sous-main, etc.) que vous lui confierez. Délais : 3 à 24 semaines.

ROGER DEVAUCHELLE

● **10e** - *98, fg Poissonnière (878.67.12).*

Ses reliures d'art (classiques ou modernes) et ses très belles copies de reliures anciennes font de Roger Devauchelle (Meilleur Ouvrier de France et auteur d'une remarquable Histoire de la reliure parue en 1960 et introuvable ailleurs qu'en vente publique et à prix d'or) un très grand artisan bien connu des bibliophiles du monde entier. Son fils Alain, auquel il a transmis son savoir-faire, le seconde. Lavage et restauration de livres.

GAUCHÉ

● **6e** - *30, rue Jacob (326.90.56).*

Reliures artisanales très soignées.

CLAUDE HOUDART

● **13e** - *77, rue Broca (331.40.36).*

Reliures classiques, robustes et soignées. Délais : six semaines à deux mois.

LIX

● **9e** - *42, rue Condorcet (526.92.33).*

Bon petit artisan-relieur (la maison existe depuis 1910) qui pratique des prix modérés. Ses délais habituels (5 à 6 semaines) sont ramenés à 8 jours pour ses clients les plus pressés. S'il préfère relier les beaux livres en pleine peau de chagrin, il accepte néanmoins les commandes plus modestes, comme la reliure (en toile) des partitions de l'Opéra de Paris, ou la remise en état de dictionnaires que trois générations de lycéens auront mis en pièces.

Mme ALIX

● **6e** - *52, rue Saint-André-des-Arts (354.28.17).*

Reliure d'art classique et moderne, de très haute qualité.

MERCHER

● **6e** - *18, rue Visconti (326.40.41).*

Daniel-Henri Mercher, installé au deuxième étage d'un bel immeuble du XVIIe siècle, est un relieur d'art qui crée des formes contemporaines où il ne craint pas d'utiliser le plexiglas, le bois ou le métal. C'est aussi un traditionaliste, qui relie et dore comme autrefois (il possède plus de 5 000 fers à dorer). Délais d'exécution : 3 à 6 mois. Cours de reliure : voir « Jeux, loisirs, etc. ».

JEAN-PAUL MIGUET

● **6e** - *47, rue Bonaparte (326.10.84).*

Meilleur Ouvrier de France en 1952 pour ses très belles reliures d'art classiques et modernes, qu'il continue de créer pour les amateurs. Ne fait pas de restauration.

MINET-FOURNET

● **3e** - *11, passage Vendôme (272.08.89).*

Fondée en 1785 par Thouvenin, relieur en renom, cette maison n'a jamais cessé son activité depuis cette date. Et MM. Minet et Fournet, à la suite de l'excellent André Gresle, prodiguent tous leurs soins aux délicats travaux de reliure que vous voudrez bien leur confier et qu'ils effectueront dans un délai de 1 à 3 mois.

LA RENAISSANCE DU LIVRE

● **6e** - *8, rue Mabillon (354.71.24).*

Spécialiste des reliures toile et veau en demi ou pleine peau. Livres, revues et albums seront remis en parfait état avec beaucoup de patience. Un à trois mois de délai.

RIEDER

● **12e** - *6, rue Abel (343.34.89).*

Très grand restaurateur de reliures anciennes.

VAN DE WALLE

● **8e** - *157, fg Saint-Honoré (563.47.57).*

Des doigts habiles de Gisèle Van de Walle naissent de très belles reliures en peau, en toile et en maroquin (ouvrages de tous formats, délais : deux mois environ). Cette artisane se charge également des restaurations. Travail soigné.

Rempaillages

CARINI-BERTHON

● **17e** - *5, passage Geffroy-Didelot (387.24.11).*

Cannage et rempaillage, réparation de sièges. Délais : 1 à 4 semaines. Vient chercher les sièges à domicile.

GALLIN

● **6e** - *108 bis, rue du Cherche-Midi (548.69.04).*

Spécialiste de travaux de cannage chevillé sur les lits, banquettes, cache-radiateur, et de paillage en seigle vieilli ou en paille de couleurs, il peut effectuer également des réparations d'ébénisterie. Il vient chercher les sièges à domicile et les rapporte dans un délai de 3 semaines. Travail soigné.

VICTOR ORIOT

● **20e** - *68, rue Pelleport (360.56.28).*

Cannage et rempaillage, tapisserie à l'ancienne et restauration de sièges et de meubles anciens. Prise des meubles à restaurer à domicile.

SABAU

● **11e** - *58, rue de Charonne (805.29.40).*

Rempaillage en paille de seigle, cannage chevillé à l'ancienne et à la main (10 à 15 jours de délai). Sabau ne connaît pas le cannage industriel et travaille, entre autres, pour le Mobilier national, le Sénat, etc.

Socles

CLAUDE DE MUZAC

● **6e** - *6, rue Bourbon-le-Château (354.09.55).*

Apportez-lui l'objet à présenter, elle a le don de trouver ce qui le mettra le mieux en valeur. Vous avez le choix entre les socles en bois ou en marbre, les vitrines en verre ou en plexiglas ou encore les chevalets (demandez un devis). Delai : environ 15 jours pour le plexiglas, un mois pour le marbre et le bois, deux mois pour le métal. A remarquer, de très jolis socles en laiton de différentes nuances. Travail de qualité. Prix en rapport. Jetez un coup d'œil à la « grotte-galerie » installée sous une voûte romane et où Mme de Muzac expose et vend ses plus beaux objets.

MICHEL ET PAUL SAUREL

● **6e** - *21, rue Guénégaud (354.76.06).*

Dans leur atelier au fond de la cour, les deux frères se font fort de socler n'importe quoi, mais si possible, bien sûr, un objet de quelque valeur. Selon le matériau employé (plexiglas, transparent, noir ou fumé, marbre, acier naturel ou patiné) et la taille du socle, les prix varient, mais restent toujours raisonnables. Petits socles en plexiglas, à partir de 70 F.

Tableaux

ARTEL

● **6e** - *25, rue Bonaparte (354.93.77).*

Un spécialiste des icônes, qui restaure celles-ci quelle que soit leur origine, tout comme les peintures sur bois et les tableaux.

ATELIER P.-A. MORAS (Jean-Claude Cellier)

● **11e** - *28, rue Sedaine (355.97.33).*

Les artisans qui participèrent autrefois à la restauration de la coupole du Val-de-Grâce sont aujourd'hui dirigés par Jean-Claude Cellier et continuent d'accorder tout leur temps et tous leurs soins aux tableaux anciens et modernes qui leur sont confiés (rentoilages, marouflages, parquetages, etc.). Peintures décoratives à l'ancienne. Les délais varient selon l'importance des travaux.

BARRILLIOT-LECOLLE

● **3e** - *133, rue Vieille-du-Temple (277.99.98).*

Restaure méticuleusement miniatures et tableaux dans un délai de 2 à 8 semaines.

BOCQUILLON-HUVELIN

● **16e** - *34, rue Vital (520.41.11).*

Josette Huvelin se consacre essentiellement à la restauration des toiles appartenant à l'État (conservées au Louvre) ou aux Monuments Historiques. Mais la clientèle privée (reçue sur rendez-vous) peut aussi lui confier ses tableaux de prix pour rentoilages, marouflages et autres travaux de restauration.

JACQUES BOUCHOT

● **20e** - *8, place du Guignier (366.29.75).*

Ne le chezchez plus rue Richer : M. Bouchot a déménagé. Pour autant, il n'a pas perdu la main et restaure avec son habileté coutumière les tableaux anciens et modernes, effectuant aussi les renvoilages, transpositions et parquetages.

GENOVESIO (ancienne maison Malesset)

● **14e** - *3, rue Asseline (320.03.69).*

Restauration, transposition et parquetage. Pose et dépose de fresques.

ANDRÉ GOUDE

● **4e** - *11, rue Le Regrattier (633.00.98).*

Excellent restaurateur de tableaux. Délais : 3 semaines à 3 mois.

GUILHEM-MELLIER

● **7e** - *19, rue de l'Exposition (555.29.04).*

Rentoilage, transposition et parquetage de tableaux ainsi que leur restauration. Contre-collage des papiers et soies orientales. Travaille pour les Monuments historiques.

Apprenez à lire ce Guide :
consultez la table des matières, page 631.
Vous y trouverez en détail la liste
de toutes nos rubriques.

LE TOURNEUR

● **7e** - *22, rue du Général-Bertrand (548.07.58).*

Un brillant ancien élève des Arts Décoratifs, spécialiste des restaurations invisibles sur les pastels et tableaux anciens.

Tapis

BEHAR (Monseigneur l'Ancien)

● **7e** - *24, rue de Beaune (261.29.92).*

Cet excellent artisan (et ses trois ouvrières), que fréquentent Michel Piccoli, Jacques Chirac, Juliette Gréco et M. Couve de Murville, fait des merveilles et ressuscite les loques les plus désespérées dans un délai de 2 à 4 semaines. Il vend par ailleurs, à des prix raisonnables, de ravissants tapis (du Caucase en particulier).

CHEVALIER

● **6e** - *12, rue Notre-Dame-des-Champs (548.10.62).*

Ateliers :

● **92 Courbevoie** - *64, bd de la Mission Marchand (788.41.41)*
et dans le Maine-et-Loire.

Nettoie et restaure à merveille dans ses ateliers tous les tapis, qu'ils soient anciens ou modernes.

MISSISTRANO

● **9e** - *60, rue Saint-Lazare (874.48.29).*

M. Missistrano vous dira si votre tapis d'Orient vaut la peine d'être restauré. Il se chargera aussi de son battage, lavage, nettoyage ou encore de sa garde.

Tapisseries, tissages

ABEL

● **18e** - *35, rue Marx-Dormoy (607.88.75).*

« Tringles, rideaux et voilages ». Et recouvrage de fauteuils, exécution de tapisseries destinées aux sièges et à la literie et réfection des tissus usés ou en mauvais état.

ABELIN

● **7e** - *45, rue de Bourgogne (551.62.06).*

Cet artisan confectionne des garnitures de sièges et des rideaux modernes en tapisserie et s'occupe de restaurer celles que les années ou les mauvais traitements ont usées ou déchirées.

ATELIER PARIS-PROVENCE (Michèle Sayanoff)

● **5e** - *19, rue Frédéric-Sauton (325.77.10).*

Quelques très beaux modèles de couvertures en mohair, tentures murales multicolores et vêtements en tous genres tissés par cet artisan et entassés dans sa boutique-atelier, où l'on peut suivre des cours de tissage.

BALSAN

● **17e** - *41, rue Saint-Ferdinand (574.29.64).*

Restaure des tapisseries pour les fauteuils, les rideaux et les tentures murales, modernes ou anciens.

LA DEMEURE

● **5e** - *19, rue Lagrange (354.83.59).*

Au 3e étage.

Il n'est pas exagéré de prétendre que Denise Majorel joue depuis trente ans le même rôle dans la diffusion des tapisseries d'Aubusson que celui tenu trente ans auparavant par son ami Jean Lurçat dans leur orientation artistique. Un rôle de rénovateur : Sonia Delaunay, Calder, Le Corbusier, Gilioli, Singier, Prassinos, Mategot, et Vasarely lui doivent une part de leur juste gloire. Partagée avec quelques-uns des meilleurs lissiers de la terre.

LEROY

● **1er** - *12, rue Duphot (261.55.51).*

Recouverture à l'ancienne et selon les vieilles méthodes des sièges et lits « d'époque ». La réparation (éventuelle) des bois étant assurée au préalable par deux ébénistes attachés à la maison. Délais : 4 à 6 semaines.

YANIC

● **10e** - *25 bis, passage du Prado (770.94.82).*

Elle teint elle-même les laines dont elle tisse à la commande et sur mesure ses belles tentures murales et ses tapisseries, que vous pourrez voir à la galerie La Demeure, 3, rue Lagrange, 5e. Voir plus haut.

Taxidermie

ART ET VIE

● **15e** - *69, rue des Entrepreneurs (579.27.88).*

Naturalise tous trophées de chasse, papillons et animaux domestiques.

BOUBÉE

● **5e** - *97, rue Monge (707.01.21).*

Boubée tient à votre disposition plus de deux millions d'échantillons de minéraux et animaux naturalisés et apporte tous ses soins à la délicate opération de naturalisation d'un animal ou d'un trophée de chasse. Il ne faut pas être pressé : pour une chouette, compter 6 mois à un an de délai.

DEYROLLE

● **7e** - *46, rue du Bac (222.30.07).*

De trois à quatre mois de délai pour un passereau ou un petit rongeur. Beaucoup plus pour un saurien, un pachyderme, une girafe ou une licorne.

Toutes réparations

RÉPARATION-SERVICE DE LAZULI

● **17e** - *9, bd Péreire (227.02.70).*

L'après-midi seulement.

Seul le raton laveur échappe au réseau des services de M. de Lazuli dont l'impressionnante variété de talents réjouirait Jacques Prévert. Savez-vous en effet qu'il répare aussi bien un carillon qu'une comtoise, un hygromètre qu'une cotte de maille, un soldat de plomb qu'une statuette en cire perdue, une pipe qu'un manche de couteau, un fermoir de sac qu'une opaline ou qu'une tête de poupée et qu'il a mille autres cordes à son arc. Il s'abstient seulement quand le jeu n'en vaut pas la chandelle ou que les outrages subis sont vraiment irréparables. Pas d'objets trop lourds non plus, ou trop encombrants (les grands meubles). Devis gratuit. Délais : 15 jours à trois mois.

RÉPARE-TOUT

● **5e** - *39, rue Claude-Bernard (331.88.39).*

3 % d'échecs en plus de trente ans d'exercice, c'est ce qu'avoue Sydney Launay, spécialiste des valises sans poignée, théières qui fuient, poupées désarticulées, pipes cassées, bibelots irréparables et autres machines bizarres nécessitant d'urgentes interventions. Ancien des Beaux-Arts converti à la chirurgie des ours en peluche et à la médecine des parapluies, vaporisateurs, poudriers, voitures d'enfants, etc., M. Launay nous prie de préciser toutefois que nous lui avons à tort attribué la faculté d'identifier les vistemboirs. Devis et délais (15 jours à 3 mois) absolument sans surprise.

Verrerie, cristallerie

ARYSTAL

● **10e** - *69, rue d'Hauteville (824.84.07).*

Effectue toutes réparations (et gravures) sur cristaux. Un mois de délai.

CRÉTIAUX

● **16e** - *109, av. Victor-Hugo (727.85.36).*

On peut faire restaurer les verres de cristal ébréchés dans cette bonne maison de vaisselle et de cristallerie. L'atelier de flétage les rendra, diminués de la profondeur de la brèche, dans un délai de 2 à 3 mois, pour le prix de 27 F l'unité.

JEAN MULLER

● **10e** - *61, fg Saint-Denis (770.29.04).*

Jean Muller a repris l'atelier Simelio et Soeber au fond de la cour et opère à son tour les mêmes étonnantes métamorphoses : transformation d'un grand vase brisé en un autre plus petit ou en un cendrier, réparation de toutes les verreries ébréchées ou plus gravement endommagées (cristal, verre, opaline ; délai de 1 à 2 mois), réassortiment des services de verres et intérieurs de sucriers, salières, huiliers, moutardiers, etc. (2 à 6 mois) et gravures à la commande. Reproduction de modèles anciens.

JEAN-PIERRE ROYER

● **10e** - *20, rue Chabrol (770.46.74).*

Ne jetez plus vos verres et vases ébréchés, Jean-Pierre Royer les retaillera. Il montera aussi en lampe (et éventuellement percera) tout objet que vous lui apporterez (le matin seulement). Délais : de 3 semaines à 4 ou 5 mois.

SCHWEITZER

● **10e** - *84, quai de Jemmapes (607.26.42).*

L'atelier d'Albert Schweitzer (oui, comme l'organiste de Lambaréné) existe depuis 1896. C'est l'un des rares endroits de Paris où l'on taille le cristal. On y répare, crée, transforme, ressuscite ou reproduit tous les objets de cristal avec une apparente et stupéfiante facilité.

Vitraux

ATELIERS DUCHEMIN

● **15e** - *38, bd Lefebvre (532.64.33).*

Claude Duchemin, descendant d'une famille de verriers (5e génération), est l'un des rares artisans parisiens à confectionner sur mesure des vitraux pour fenêtres et porte-fenêtres de tous styles. Il possède en outre un grand stock de panneaux d'occasion 1900 à 1930 à motifs floraux, pouvant être mis aux mesures de ses clients. Et il restaure aussi les vitraux anciens. Magasin de vente et d'exposition : 38, bd Lefebvre ; ateliers : 14, av. Georges-Lafenestre, 14e (542.84.17).

Où manger quoi ? Voir p. 112.

BONY-HÉBERT-STEVENS

● **6e** - *12, rue Jean-Ferrandi (222.11.88).*

L'atelier où Bazaine, Le Corbusier et Brianchon ont travaillé à leurs œuvres fut fondé en 1924 par Jean Hébert-Stevens. Ce sont désormais la fille et les gendres de ce dernier qui exécutent, selon les méthodes de la Renaissance, de merveilleuses mosaïques de verre. Certains Parisiens fortunés décorent leurs fenêtres avec leurs créations ; mais les vitraux d'églises anciens ou modernes l'emportent sur les vitraux « civils ». On doit à cette famille de grands verriers l'exécution des vitraux de Rouault de l'église du plateau d'Assy, ceux de Matisse, à Vence, ou encore ceux de Braque (chapelle Saint-Dominique à Varengeville).

JACQUES BOUTZEN

● **14e** - *5, rue du Général-de-Maud'Huy (539.79.77).*

Le successeur du célèbre Ghiglione (qui déposa en 1939 les vitraux de la Sainte-Chapelle et les reposa en 1945) est, lui aussi, passionné par son noble métier. Il restaure les vitraux anciens et en exécute de modernes. Il reçoit fort aimablement les architectes, artistes ou groupes de personnes qui désirent visiter son atelier.

LA MAISON DU VITRAIL

● **15e** - *69, rue Desnouettes (250.88.03).*

Création et restauration de vitraux de tous styles. La maison organise aussi des stages d'initiation à la technique du vitrail.

ANNE THISSEN

● **16e** - *4, rue de l'Assomption (288.70.90).*

Il y a eu l'époque du gemmail, voici celle du verrail « inventé » par une jeune graphiste anglo-belge : Anne Thissen. Cette technique consiste à couler du plomb directement sur la surface vitrée, à la verticale. Puis, dans les cloisonnements ainsi formés, à passer des vernis de couleurs. Elle réalise ainsi à votre domicile et rapidement (2 à 5 jours) tous les genres de dessins, harmonisés au style de votre maison ou de votre appartement. Ses prix sont raisonnables (de 500 à 1 000 F le mètre carré) et, ce qui ne gâte rien, elle n'est pas moins avenante que passionnée.

Voitures d'enfants

PINOT

● **20e** - *68, rue des Grands-Champs (373.87.46).*

Répare landaus et poussettes de toutes marques (mais quand le jeu en vaut la chandelle).

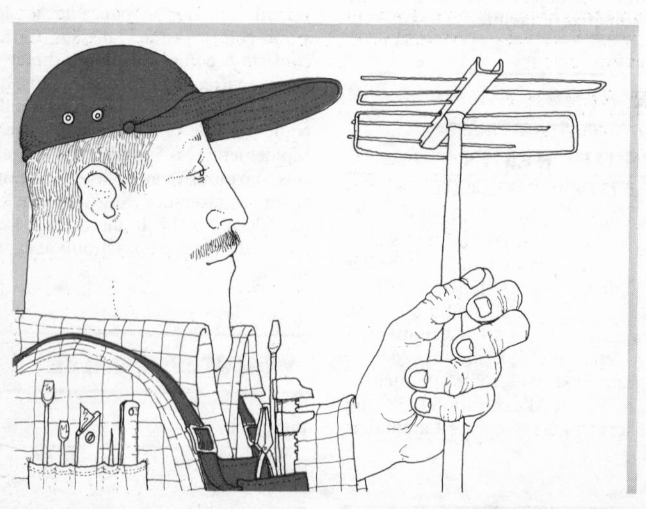

Dépannages et travaux d'urgence

PEU de rapport en apparence entre une jeune fille au pair et une fermeture « éclair » coincée ou un déboucheur de lavabos. C'est que nous avons rangé sous cette rubrique un certain nombre de professionnels du dépannage, liste extrêmement succincte, il va de soi, mais dont la nécessaire diversité ne doit pas surprendre.

Les factotums du dépannage

LUDÉRIC SERVICE

● **16e** - *11, rue Pétrarque (505.93.93).*

280 F pour un particulier, 450 F pour une société, c'est le prix de l'abonnement annuel qui vous permet de bénéficier des nombreux avantages de cette société à tout faire, qui met à votre service des « Ludériciens » (avec mobylette, voiture ou camionnette) se transformant en coursiers, déménageurs, baby-sitters, chauffeurs, dépanneurs, hommes « toute-main », extras, etc. Les prix sont très raisonnables : 29 F H.T. l'heure d'un coursier, 20 F H.T. celle d'un maître-d'hôtel. Cette société en pleine expansion ne cesse d'ailleurs d'étendre ses services et propose à ses abonnés des ventes en promotion ou à prix réduits de toutes sortes de produits de luxe. Voir aussi « Alimentation-Caviar et saumon fumé ».

MADAME SERVICE

● **7e** - *76, rue Lemercier (228.15.30).*

Organise de A à Z — sauf bien entendu à mettre en rapport les conjoints — les mariages (et autres réceptions), en fournissant des voitures fleuries (ou un carrosse tiré par des chevaux blancs, ou une escorte motorisée, ou encore un hélicoptère), les cartons d'invitation, les places de préséance à l'église. Louera pour vous un château des environs de Paris, un salon du Marais, une péniche, s'occupera de la décoration florale, du personnel et du buffet, etc.

SEXTAN

● **92 Malakoff** - *10-14, rue Eugène-Varlin (655.10.16).*

Sur rendez-vous.

Sur simple appel, Gérard Nouette-Delorme illuminera votre jardin, décorera entièrement votre appartement pour une réception, vous procurera un orchestre, tirera un feu d'artifice, convoquera le traiteur et montera tentes et parquets de bal. Ses prix ne sont pas supérieurs à ceux que vous proposerait chacun des fournisseurs directement contactés.

Où trouver des jeunes filles au pair ?

NOUS ne saurions vous décrire les quelques avantages (physiques) et les innombrables inconvénients (familiaux) que procurent ou suscitent les jeunes filles au pair. Disons très succinctement qu'une jeune fille au pair n'est pas nécessairement jolie puisque c'est votre femme qui la choisit, qu'elle n'est pas non plus forcément travailleuse, patiente avec les enfants, délicate, etc., et qu'en échange des cinq heures de travail qu'elle doit à votre service, vous devez la loger, la nourrir et la payer (600 F environ par mois ; cette somme étant considérée comme de l'argent « de poche »). Mais il arrive qu'elle ait toutes les vertus, et ce système d'aide familiale n'a plus alors que des agréments et des avantages. Il existe plusieurs organisations pourvoyeuses de jeunes Allemandes, Scandinaves, Américaines, etc. Voici celles dont nous n'avons eu qu'à nous louer :

ACCUEIL FAMILIAL DES JEUNES ÉTRANGERS

● **6e** - *23, rue du Cherche-Midi (222.50.34).*

De toutes, c'est la plus efficace et la plus

sérieuse. Une cotisation (220 F pour l'année scolaire) est exigée, et dans les jours qui viennent l'organisme envoie chez vous des jeunes filles de la nationalité souhaitée jusqu'à ce que vous ayez jeté votre dévolu sur l'une d'entre elles. Pour les trois mois d'été, la cotisation est réduite à 150 F et, moyennant 4 heures de liberté par jour et 520 F d'argent de poche par mois, un grand nombre de jeunes étrangères sont prêtes à vous suivre en vacances pour garder les enfants et seconder la maîtresse de maison.

AMITIÉ MONDIALE

● **1er** - *39, rue Cambon (260.99.68).*

ENTRAIDE ALLEMANDE

● **8e** - *42, av. George-V (720.22.85).*

INSTITUT CATHOLIQUE

● **6e** - *21, rue d'Assas (548.31.70).*

MISSION HOLLANDAISE

● **17e** - *39, rue du Docteur-Heulin (627.49.02).*

Où trouver un baby-sitter?

IL (ou elle) surveillera vos enfants, le soir, la nuit, ou pendant la journée, que vous soyez chez vous ou à l'hôtel. Avec un peu de chance, il (ou elle) vous accompagnera même pendant vos mois de vacances à Perros-Guirec ou Saint-Jean-de-Luz. Cela vous coûtera (pour les services courants) de 10 à 18 F de l'heure, plus 15 à 30 F par jour (commission de l'agence). Les derniers chiffres étant ceux de Nurse Service dont le personnel est de « haute compétence ».

BABY-CLUB

● **17e** - *15, rue Saussier-Leroy (766.34.72).*

Propose aussi des « baby profs » qui font faire les devoirs aux enfants et donnent des leçons d'anglais, de sciences ou de français.

BABY-SITTING SERVICE

● **92 - Boulogne** - *20, rue Henri-Martin (609.17.79).*

INSTITUT CATHOLIQUE

● **6e** - *21, rue d'Assas (548.31.70).*

KID SERVICE

● **1er** - *17, rue Molière (296.04.16).*

NURSE SERVICE

● **17e** - *33, rue Fortuny (622.26.22).*

Où trouver une nurse ou une garde-malade?

LA BOUÉE

● **8e** - *114, Champs-Élysées (359.74.60).*

Cette association d'entraide procure (rapidement) à ses membres (cotisation de 200 F valable un an de date à date) une infirmière, garde-malade, promeneuse, dame de compagnie, nurse, institutrice ou puéricultrice à la journée, à la nuit, à la semaine ou au mois (18 F de l'heure, 200 F la nuit, ou 2 700 à 3 000 F par mois).

Il vous faut un bon artisan...

ARTISANS SERVICE

● *(720.91.91).*

Vous donnera l'adresse d'un vrai professionnel dans n'importe quel corps de métier et vous renseignera sur toute question touchant aux diverses professions artisanales. Gratuit.

... un chauffeur

SKOPE

● **10e** - *28, rue des Petits-Champs (246.33.33).*

Vous êtes invité à déjeuner à l'Élysée, vous avez du mal à vous garer devant l'Opéra les soirs de gala, vous avez (occasionnellement) besoin de « paraître » ou simplement vous avez un « retrait » de permis de conduire ? Skope vous enverra, en moins d'une heure, un chauffeur pour conduire votre propre voiture. 100 F la première heure et 50 F les heures suivantes (assurance tous risques comprise).

S.O.S. CHAUFFEUR

● *(357.43.42).*

Huit heures minimum : 34,90 F H.T. de l'heure.

... un plombier

ALLO PLOMBIERS

● **15e** - *40, rue des Volontaires (734.04.73).*

Travail effectué dans la journée. 60 F de l'heure, plus 60 F de déplacement.

BOGET

● **11e** - *8, passage de Ménilmontant (357.38.02).*

Dépannage sous 48 heures. 60 F de l'heure plus 60 F de déplacement.

DÉPANNAGE PLOMBERIE

● *(371.00.33).*

Si les dégâts sont importants vous serez dépannés dans les deux heures, sinon dans la journée. Prix forfaitaire selon le travail plus 62 F de déplacement.

... un dépanneur à tout faire

VOTRE baignoire est bouchée, la serrure de la porte d'entrée ne fonctionne plus, les plombs ont sauté et votre voiture est en panne... Les organismes « tous travaux » sont à votre disposition :

PÉPINS-SERVICE

● *(520.96.58).*

Tous travaux de menuiserie, blindage de porte, plomberie, électricité, électro-ménager, télévision, réglés dans la journée. Environ 55 F de déplacement et 61 F de l'heure (majoration de 50 % la nuit et le dimanche).

S.O.S. DÉPANNAGE

● **5e** - *7, rue Linné (707.99.99).*

Fonctionne de jour et de nuit. Serrurerie, plomberie, électricité, chauffage, vitrerie, remorquage automobile, etc. Déplacement 95 F. Dans la journée : 22,50 F le 1/4 d'heure. A partir de 20 h et jusqu'à 7 h du matin, et dimanches et jours fériés : 25 F le 1/4 d'heure. S.O.S. se charge également de tous travaux (de peinture, menuiserie, etc.) sur devis.

Votre chauffe-eau est cassé

S.O.S. CHAUFFE-EAU

● *(345.67.68).*

Dépannage dans les 48 heures. 48 F de l'heure, plus 45 F de déplacement.

Il y a de l'eau dans le gaz

ADAM SERVICE

● *(357.64.33).*

Forfaits de dépannage : 120 F H.T. pour une chaudière, 100 F H.T. pour un radiateur, 485 F H.T. pour un chauffe-eau.

DÉPANNAGE GAZ

● *(887.61.72).*

Dépannage dans la journée ou au plus tard le lendemain de tous les appareils à gaz, sauf les cuisinières. Prix forfaitaires : 147 à 224 F T.T.C. pour une chaudière, 120 à 150 F T.T.C. pour un radiateur, 140 F T.T.C. pour un chauffe-eau. Garantie de 3 mois.

La machine à laver et le réfrigérateur sont en panne

A.S. DÉPANNAGE

● *(533.94.44).*

Dépannage dans la journée : appareils électroménagers, plomberie, électricité, télévision. Déplacement : 66 F plus 19 F T.T.C. le quart d'heure.

TECHNI-MÉNAGER

● *(576.40.40).*

Spécialiste des marques allemandes ; réparation dans les 48 heures. 65 F pour le déplacement et 50 F de l'heure.

Votre téléviseur ne fonctionne plus

S.O.S. TÉLÉ

● *(306.41.23).*

Téléphonez avant midi pour être dépanné avant le début des programmes. Forfaits : 78 F pour le noir et blanc, 134 F pour la couleur, plus les pièces éventuelles.

TÉLÉ-SECOURS

● *(578.68.91).*

Dépannage dans la journée (le lendemain au plus tard) de tous postes en noir et blanc (104,77 F H.T., prix forfaitaire pour 40 minutes maximum de travail, 10 à 12 F le quart d'heure supplémentaire) ou en couleur (125,39 F H.T.).

Votre chaîne hi-fi a des problèmes

HIFI-AVIE

● **18e** - *17-29, rue Lambert (225.01.63).*

Réparation, modification et mise au point des

appareils de haute fidélité à domicile (75 à 90 F H.T. de l'heure selon les modèles, déplacement compris). Adaptations spéciales sur demande en laboratoire.

Votre voiture est en panne

G.7 DÉPANNAGE

● *(257.33.44).*

Dépannage et remorquage de tous véhicules sur appel téléphonique. 53 F H.T. pour un dépannage dans Paris n'excédant pas 20 minutes.

Vous avez perdu vos clefs

FAITES certifier sur les lieux par votre concierge ou un témoin que la porte à ouvrir est bien la vôtre.

CLÉ MINUTE

● *(754.46.47 ou 224.66.58 ou 387.99.79).*

60 F plus le temps passé.

CLÉS INSTANTANÉES

● *(553.22.95).*

Forfait de 60 F.

Vous avez un transport urgent à faire

ACTIFRET

● *(820.64.79).*

Camionnettes disponibles rapidement : les véhicules sont radioguidés. Pas d'abonnement. Tarif horaire : 95 F T.T.C. Les 10 premiers km sont gratuits, ensuite : 2,30 F du km.

ALLO-TRANSPORT

● *(233.19.87).*

Transport immédiat dans Paris et sa banlieue, de la boîte de chocolats au piano à queue.

G 7 FRET

● *(257.33.44).*

Une camionnette avec chauffeur chez vous dans l'heure (90 F de l'heure). Même le dimanche, à condition de réserver la veille (130 F de l'heure).

S.V.P. TRANSPORT

● *(733.26.60).*

Prix selon le poids des objets et la distance à parcourir.

Serrures, verrous, portes blindées, barres verticales, sirènes et autres systèmes d'alarme

Tout est bon pour tenter de décourager les aigrefins, surtout avant un départ en vacances. Ces maisons se chargeront de la pose de tous ces appareils.

B.H.V.

● **4e** - *1, rue des Archives (274.90.00).*

Fournit, en outre, toutes les indications pour les poser soi-même.

BRICARD

● **1er** - *39, rue Richelieu (296.14.44).*

FICHET-BAUCHE

● **78 Vélizy** - *15, av. Morane-Saulnier (946.96.44).*

MONO-BLOC

● **1er** - *26, rue du Mont-Thabor (260.74.85).*

PORTENSEIGNE

● **93 Montreuil** - *51, rue Gaston-Lauriau (858.91.31).*

● **92 Nanterre** - *208, av. Georges-Clemenceau (204.10.58).*

Vous êtes empêché de faire vos courses...

UN paquet à livrer à l'autre bout de Paris, une lettre urgente à déposer ou une course à faire ? Appelez donc à l'aide l'une de ces maisons spécialisées dans les livraisons rapides par coursier à vélomoteur (en général pas plus de 15 kg de charge). Choisissez-la en fonction du lieu de votre domicile ou de votre bureau : les déplacements seront plus rapides et moins chers.

ALLO-COURSES

● **9e** - *8, rue Blanche (281.44.44).*

Courses à mobylette ou à moto dans Paris et sa banlieue. 37,91 F T.T.C. la course (ou 2 437 F par carnet de 50 courses).

COURSE SERVICE

● **12e** - *16-18, rue Abel (344.67.35).*

Courses à vélomoteur (38 F H.T. la course ; carnet de 25 courses : 28 F H.T. la course ; 50 courses : 20,60 F la course ; 200 courses : 18,40 F la course) ; courses en fourgonnette ou en camionnette avec chauffeur (57, 85, 100, ou 135 F H.T. de l'heure selon la puissance du véhicule ; facturation minimum de 2 heures). Avant 8 h 30 et après 18 h : tarif doublé.

INTER-COURSES

● **18e** - *147, rue Lamarck (627.60.58).*

Courses à vélomoteur. Tarif horaire : 26,46 F T.T.C. Carnets de 25 courses (544 F), 50 courses (1 011 F), 100 courses (1 882 F).

LIAISON COURSES

● **17e** - *178, rue Legendre (229.22.33).*

25 F H.T. la course à vélomoteur (16,50 F par carnet de 50 courses). 55 F H.T. de l'heure en voiture (Renault 4L). Tous transports dans l'heure par camionnette équipées de radios (65 à 80 F H.T. de l'heure + 50 % la nuit).

... ou un petit travail de couture

S.O.S. COUTURE

● **16e** - *22, rue des Belles-Feuilles (553.45.95).*

Retouches, travail à façon, fermetures à glissière, etc. Travaux effectués sur vêtements féminins de préférence dans la semaine, ou exceptionnellement dans la journée. Personnel très qualifié et très aimable.

Votre fermeture à glissière est coincée

EXPRESSO-SERVICE

● **8e** - *107, bd Haussmann (265.32.24).*

Répare et décoince toutes les fermetures à glissière sur les vêtements, les sacs, etc.

Les carreaux sont sales

LAVEURS DE PARIS

● **15e** - *136, rue du Théâtre (577.19.19).*

Comptez 55 F H.T. la première heure et ensuite 27,50 F par demi-heure pour les services (excellents) de ces laveurs de carreaux. Possibilité d'abonnement mensuel avec une réduction de 10 %.

Vous ne savez plus que faire d'un vieux sommier, d'un réfrigérateur hors d'usage, etc.

CENTRE D'ACTION POUR LA PROPRETÉ DE PARIS

● *(278.78.78).*

Cet organisme officiel vous indiquera le numéro de téléphone à appeler en fonction de votre adresse et de votre arrondissement pour faire ramasser — gratuitement — les objets que vous aurez déposés devant votre porte.

S.O.S. DÉBARRAS

● *(878.55.78).*

Votre appartement, votre grenier ou votre cave sera débarrassé dans la journée ou dans les 48 heures de tout ce qui l'encombre. A partir de 82 F le m³ en rez-de-chaussée (10 F en supplément par étage).

S.O.S. taches

BOBIN-MADROUX

● *(657.64.00).*

Vous avez renversé une cafetière sur une moquette blanche ou un plat de lentilles au lard sur une savonnerie, vos enfants essuient leurs bottes sur les couvre-lit : appelez Bobin-Madroux qui vous dira immédiatement quoi faire — ou ne pas faire —, et qui vous enverra un « tableau de détachage » indiquant les accidents les plus courants, leurs remèdes et la méthode à suivre. En cas d'échec, un technicien se rendra chez vous pour établir — gracieusement et sans engagement de votre part — un devis de remise en état.

Un mauvais plaisant vous réveille la nuit en vous téléphonant.

Toutes les cinq minutes, vous recevez des menaces ou de mystérieux appels. Déposez une plainte contre X au tribunal de la Juridiction dont vous dépendez : elle sera transmise au service spécial des P.T.T. qui tentera de localiser le farceur.

Un bon coup de plumeau

JAMMES

● **17e** - *14, bd de Courcelles (246.32.48).*

Vous avez des bibelots trop rares pour être époussetés par n'importe quelle souillon, des meubles anciens qu'il faut vernir avec soin, des moquettes à shampooiner, des parquets à vitrifier, un appartement à remettre entièrement en état ? M. Jammes, artiste en nettoyage, sur un simple coup de téléphone, débarque chez vous, évalue les dégâts, établit un devis et revient faire le travail, tout seul ou, si besoin est, avec sa petite équipe. Ses tarifs sont, somme toute, raisonnables : 600 F pour nettoyer en une seule journée et avec trois collaborateurs un hôtel particulier de fond en comble.

Où trouver un « gorille » ?

CENTURY SECURITY

● **8e** - *102, Champs-Elysées (256.36.26).*

Un garde du corps, discret, bien entraîné, au casier judiciaire garanti vierge, prêt à assurer — dans l'heure — la « protection rapprochée » de votre personne, de jour et de nuit, quels que soient votre mode de vie, vos déplacements, vos exigences : voilà ce que vous propose cette très sérieuse maison. Sachez cependant qu'il vous en coûtera 70 à 150 F de l'heure selon « l'évidence du risque ». Tarif majoré, la nuit, de 20 %.

LUDÉRIC SERVICE

● **16e** - *16-20, rue Pétrarque (505.93.93).*

Non content de servir vos dîners, de garder vos enfants, de trouver des idées chocs pour lancer votre entreprise, d'organiser pour vous congrès ou séminaires, voyages à thème et réceptions de tous genres, de livrer vos bûches ou de faire vos courses, Ludéric se charge aussi de votre sécurité personnelle et vous propose, selon vos besoins, un berger allemand accompagné de son instructeur (50 F de l'heure) ou un « agent de sécurité » (armé ou non), avec éventuellement une voiture radio (à partir de 60 F de l'heure, mais surtout sur devis).

A la chasse au rat

DESBROSSE-DUBUISSON

● **11e** - *8, bd Richard-Lenoir (355.57.57).*

Vous débarrassera des rats et rongeurs. Tarifs sur devis.

AU RENARD BLANC

● **1er** - *8, rue des Halles (236.73.88).*

Depuis plus de cent ans, ce Renard-là fait la chasse aux rats — les trophées « de chasse » (des rats empaillés de 800 g !) qui décorent la vitrine valent à eux seuls le déplacement — et à tous les animaux nuisibles, du cafard au putois et de la puce au campagnol, en passant par les taupes. Devis gratuit à domicile. Pour les souris (les plus difficiles à attraper de tous) comptez 200 à 300 F pour un seul déplacement et 800 à 1 000 F pour un contrat annuel de tout l'immeuble (visite tous les 2 mois). Vous trouverez également ici de la gelée « répulsive » pour éloigner les pigeons.

Vous désirez envoyer une lettre recommandée en pleine nuit.

PARIS R.P.

● **1er** - *52, rue du Louvre (233.71.60).*

Locations

DE l'appareil à barbe à papa à la cape de vison, en passant par un poète inspiré et un pupitre de d'orateur, il n'est rien ni même personne qui ne puisse à Paris être loué pour une heure, un jour ou un an. Le tarif de ces locations n'est pas toujours aussi élevé qu'il y paraît, compte tenu des énormes services qu'elles peuvent être amenées à vous rendre. Ne serait-ce qu'en vous évitant parfois des achats coûteux et inutiles.

LOCATIONS DIVERSES

Un animal

MAURICE

● **1er** - *33, rue des Petits-Champs (297.55.76).*

Perroquets, mainates, tous les canaris chanteurs à louer (à partir de 100 F pour un ou deux jours), avec leur cage (1900 ou moderne). La caution est égale à la valeur de l'oiseau.

Un appareil à barbe à papa

CATILLON LOCATION

● **8e** - *14, fg Saint-Honoré (265.20.93).*
● **15e** - *58, rue de l'Eglise (828.51.74).*

Pour 24 h : 330 F H.T. plus les frais de livraison.

HÉGELÉ

● **10e** - *32, rue Bichat (205.35.35).*

Fournisseur, entre autres, de Gaston Lenôtre. Un appareil à barbe à papa pour un week-end se loue 150 F.

Un appareil électroménager

LOCAVAM

● **92 Neuilly** - *31, av. Charles-de-Gaulle (637.59.14).*

Pour un minimum de six mois, location de machines à laver le linge (110 à 120 F par mois), à laver la vaisselle (12 couverts : 120 F par mois), de congélateurs (220 litres : 100 F par mois). Après un an de location, tarif dégressif de 10 %. Entretien et dépannage gratuits des appareils. Possibilité d'achat du matériel loué.

Un appartement, une maison

DENIS CHEVALIER ET CIE

● **8e** - *103, bd Haussmann (265.29.12).*

Un agent immobilier à l'esprit vif, qui comprendra en un instant ce que vous cherchez (et que peut-être vous-même ne savez pas encore). Il vous conseillera en outre avec prudence dans vos ventes de biens immobiliers.

INTER-URBIS

● **8e** - *1, rue Mollien (563.17.77).*

Les appartements confiés à Inter-Urbis — par des propriétaires qui s'absentent occasionnellement — pour des locations de courte durée (2/3 mois : 2 000 F environ par mois pour un studio, 3 000 F environ par mois pour un living-room et une chambre, etc.) sont en général élégamment meublés. Les locataires sont invités à montrer « patte blanche » et à fournir garanties et références de premier ordre. Le système Inter-Urbis fonctionne bien sûr à double sens : si vous désirez louer votre appartement ou si vous cherchez à vous loger pour un laps de temps réduit.

Des armes

JEANNOT

● **92 Levallois-Perret** - *9, rue Louise-Michel (757.53.20).*

C'est le seul armurier parisien qui loue des

fusils (avec éjecteur automatique : 125 F pour le week-end, plus une caution) et des carabines de grande chasse (avec lunette : 35 F par jour, plus une caution). Spécialité d'armes rayées et très grand choix d'armes d'occasion. Dans le fond de la cour, un stand de tir pour la mise au point des armes. Atelier de réparation très important. Accessoires de chasse en tout genre. Archerie. Accueil très aimable.

Des articles de sport

DETHY

● **4e** - *20, place des Vosges (272.20.67).*

Cette boutique-débarras est la plus intéressante adresse de Paris pour la location des skis, chaussures, vêtements et matériels de camping. Reprises et échanges. Skis : 10 à 18 F par jour. Chaussures de ski : environ 3,50 F par jour. Tente à armature (4 places) : 300 F pour un mois. Remorque à bagages de 280 kilos de charge : 390 F pour un mois, etc.

DRUGSPORT-AU BIVOUAC

● **10e** - *226, rue La Fayette (607.12.58).*

Tout le matériel de ski (chaussures, skis de descente et de fond pour adultes et enfants). Location pour un week-end, forfaits à la semaine ou pour les vacances de Noël, de février ou de Pâques. Réglage gratuit des chaussures sur les skis. Locations sans caution.

L.V.S.

● **6e** - *113, rue de Rennes (544.53.10).*
● **18e** - *2, rue Caulaincourt (387.72.37).*

Pour les occasionnels de la neige, de bons vêtements de ski pour hommes, femmes et enfants (à partir de 2 ans) sont loués ici à un prix élevé mais encore très avantageux par rapport à leur prix d'achat : blouson et salopette : 200 F pour 8 jours, après-ski : 50 à 70 F. Caution : 300 F. Et aussi, location par correspondance, sur catalogue, de vêtements qui vous seront alors expédiés 3 jours avant le départ.

MI-TEMPS

● **12e** - *Tour Gamma, 193, rue de Bercy (345.88.82).*

Si vous partez par la gare de Lyon, retenez vos skis un mois à l'avance mais passez les chercher à la dernière minute : le magasin est ouvert le vendredi jusqu'à minuit et le lundi à partir de 6 h 30. La Tour Gamma est reliée à la gare par une passerelle. Location pour une semaine : skis d'initiation (99 F), de compétition (175 F) assurance bris et vol comprise, skis de fond (64 F), chaussures (30 et 35 F). La caution de 400 F vous sera rendue au retour.

TEAM 5

● **6e** - *44-46, rue Saint-Placide (222.27.33).*
● **8e** - *55, rue de l'Arcade (387.40.45).*

Skis de fibre : 100 F pour une semaine, de compétition : 120 F. Chaussures de ski ordinaires : 45 F pour une semaine, de compétition : 70 F.

Un autocar

AUTOCARS-SERVICE

● **13e** - *52, bd Masséna (583.38.29).*

Cars de 16 à 60 places ; certains sont équipés avec l'air conditionné.

Un avion

AIR AFFAIRES

● **93** - *Aéroport du Bourget (838.92.70).*

Divers avions au départ du Bourget (5 à 10 passagers) pour vos voyages d'affaires. La prise en charge quotidienne varie de 615 à 3 995 F H.T. (et davantage), à quoi s'ajoutent un forfait par escale (200 à 600 F H.T.) et le prix du kilomètre (4,90 à 8,50 F H.T.).

EURALAIR

● **93** - *Aéroport du Bourget (284.60.80).*

Un avion. Rien moins que ça. Si vous êtes un big boss, ne lisez pas ce qui suit : vous connaissez déjà cette adresse fort sérieuse, celle d'Euralair, qui propose aux hommes dont le temps vaut beaucoup d'argent (et qui en possèdent eux-mêmes beaucoup) de les emmener d'un coup d'aile, 24 h sur 24, confortablement et discrètement, sur les lieux de leurs activités en France et hors de France. Les prix d'Euralair, on s'en doute, sont à la mesure de l'économie de temps ainsi réalisée. Facturation minimum : 6 500 F par jour pour un Learjet 25, par exemple, et bien davantage pour un Mystère 10 ou 20. Pas de souci pour garer sa voiture : on la laisse quasiment entre les pattes de l'avion.

Une balance

LES BALANCIERS RÉUNIS

● **3e** - *82, rue Notre-Dame-de-Nazareth (887.32.61).*

Une balance de commerce semi-automatique : 800 F H.T. par an (plus une caution).

Apprenez à lire ce Guide : toutes nos adresses sont données par ordre alphabétique à l'intérieur de chaque rubrique.

Une bassine à confitures

KITCHEN BAZAAR

● **15e** - *11, av. du Maine (222.91.17).*

On n'a pas toujours la place d'entreposer chez soi à longueur d'année une bassine à confitures, une turbotière, un couscoussier, etc. Kitchen Bazaar vous les louera : 20 à 30 F par ustensile et par 24 heures. Chèque de caution de 100 à 300 F.

Une bicyclette

AUTOTHÈQUE

● **2e** - *80, rue Montmartre (236.87.90).*

Voir « Locations - Un vélomoteur ».

PARIS-VÉLO (RENT-A-BIKE)

● **5e** - *2, rue du Fer-à-Moulin (337.59.22).*

Bicyclettes à louer à la journée (20 F), au mois (250 à 300 F), à l'année (tarif réduit et contrat d'entretien). Stand de location également dans le bois de Vincennes, au carrefour de la Porte Jaune, avenue de Nogent.

VÉLOCIPÈDERIE DE LA GRANDE GERBE

● **92 Saint-Cloud** - *Parc de Saint-Cloud (602.24.20).*

Entrer par le parc côté tunnel de l'autoroute ; devant le deuxième bassin. Bicyclettes pour enfants : 8 F de l'heure ; pour adultes : 9 à 15 F ; tandems, triplos, quadruplos et voitures à pédales : 30 à 40 F environ de l'heure.

Un bureau équipé

CENTRE COMMERCIAL ET INDUSTRIEL (C.C.I.)

● **20e** - *5, 7 bis et 8, rue de Lesseps (371.49.69).*

Locations de sièges sociaux, de bureaux meublés, à l'heure ou à la journée. Domiciliations (depuis 90 F H.T. par mois), secrétariat téléphonique, et implantation « d'antennes » parisiennes de sociétés dont le siège est en province.

I.B.O.S.

● **16e** - *15, av. Victor-Hugo (502.18.00).*

Toutes les commodités qu'est en droit d'attendre d'un bureau un homme d'affaires qui voyage : à savoir, le local meublé lui-même (de 16 à 30 m²), des services de secrétariat, de traduction, de courses, etc. Locations à la demi-journée (160 F environ pour un bureau de 16 m²), à la journée, à la semaine, au mois. Egalement location de salles de conférences (de 15 à 40 personnes).

Un camion, une camionnette

AVIS-CAMIONS

● **93 Bagnolet** - *150, rue de Noisy-le-Sec (360.72.60).*

Une camionnette Citroën C 35 : 179 F par jour, plus 0,80 F du km. Caution : 600 F.

HERTZ

● **92 Courbevoie** - *44, rue Emile-Deschanel (270.91.07).*

Une camionnette Peugeot J 7 : 164 F par jour, plus 25 F d'assurance tous risques, plus 0,64 F du km.

LUT

● **92 Montrouge** - *49, rue Aristide-Briand (655.41.41).*

Location à la journée (ou à la demi-journée) de camions, camionnettes ou camping-cars (4 à 6 couchettes). De la fourgonnette Renault 4 : 64,68 F T.T.C. par jour plus 0,48 F du km jusqu'au Saviem JK 60 (33 m³, 3 200 kg) : 376,32 F plus 1,53 F du km. Forfaits pour le week-end. Dix-sept stations dans Paris et en banlieue.

MATTEI AUTOMOBILE

● **12e** - *205, rue de Bercy (346.11.50).*
● **12e** - *108, bd Diderot (628.27.50).*
● **18e** - *102, rue Ordener (264.32.90).*

Location (à la journée ou longue durée) de véhicules « utilitaires » à des tarifs intéressants. Par exemple une Renault 4 (fourg. 350 kg) : 89,38 F par jour, plus 0,59 F du km ; une Citroën (fourg. C 35, 1 885 kg) : 103,49 F par jour, plus 0,65 F du km). Ces prix sont dégressifs, bien entendu, pour une location au-delà d'une semaine.

MILLEVILLE

● **92 Boulogne** - *20, bd Jean-Jaurès (604.68.68).*
● **92 Asnières** - *35, rue de Chanzy (790.31.31).*
● **92 Montrouge** - *34, rue de la Vanne (656.14.18).*

Une camionnette Peugeot J 7 : 195,80 F pour 24 heures, plus 0,63 F du km. Egalement locations de camions, voitures et « kits » de déménagement.

Des caves pour les réceptions

Voir le chapitre « Où donner ses réceptions? ».

Une chaîne hi-fi, des magnétophones, etc.

ELECTROSONIC

● **17e** - *124, bd Pereire (754.26.44).*

Amplificateurs, haut-parleurs, magnétophones, micros, tables de mixage, lumière noire, psychédélique. Une chaîne hi-fi pour le week-end (platine TD, ampli 2 x 35 w et 2 baffles : 350 F). Un disc-jockey : 250 F de l'heure, tout le matériel (avec disques, sono, double platine) compris.

NOVA-TEL

● *(739.40.40).*

Plusieurs points de location à Paris et dans sa banlieue. Un téléviseur en couleurs : à partir de 140 F par mois pour un contrat de 6 mois minimum ; en noir et blanc : à partir de 70 F par mois. Pas de caution à verser. Service après-vente gratuit et efficace : dépannage le jour même (le lendemain au plus tard).

PASDELOUP

● **5e** - *89, bd Saint-Michel (354.04.82).*

Magnétophones, amplificateurs pour instruments, matériel de sonorisation.

TÉLÉVISOR

● **16e** - *69, av. Kléber (727.70.60).*

Radios, télévisions, magnétoscopes, chaînes hi-fi. Un magnétoscope couleur à K7 : 700 F pour sept jours (caution de 3 000 F). Etc.

Des châteaux pour les réceptions

Voir le chapitre « Où donner ses réceptions? ».

Un chauffeur sans voiture

ALLO-CHAUFFEUR

● **10e** - *12, pl. Jacques-Bonsergent (205.96.96).*

Téléphoner la veille pour le lendemain ou le matin pour l'après-midi pour retenir un chauffeur « de direction », éventuellement bilingue. 4 heures minimum : 40,25 F H.T. de l'heure.

CHAUFFEURS-SERVICE

● **6e** - *132, rue d'Assas (633.75.20).*

Sur simple appel téléphonique, fournit jour et nuit des chauffeurs pour une demi-journée, une journée ou à plein temps. Une journée de 8 h maximum : 230 F H.T. Tarifs doublés le dimanche.

Un chauffeur-livreur en camionnette

ALLO-FRET

● *(655.88.80).*

Un chauffeur-livreur en camionnette (1 500 kg, 9 m³ à votre service dans la demi-heure. Tarif au forfait, ou au taxi-mètre : 50,56 F T.T.C. de prise en charge, 2,76 F du km dans Paris, 4,70 F en banlieue et 19,40 F le quart d'heure d'attente ou de travail.

Un coffre-fort

SOLON

● **11e** - *126, bd Richard-Lenoir (805.94.21).*

Louer un coffre-fort ou une armoire forte réfractaire chez Solon, c'est la sagesse. En outre, livraison (et dépannage) sont assurés dans un délai très court.

Un costume historique

PATHÉ-CINÉMA

● **18e** - *8, av. de Clichy (387.21.80).*

30 000 costumes de toutes les époques, qui ont été portés avant vous par les vedettes du muet et du parlant, y sont disponibles en permanence (entre 140 et 200 F); réservez 3 jours à l'avance.

S.F.P. - VACHET

● **9e** - *17, rue Rodier (878.70.85).*

Vous pourrez louer ici une perruque Louis XV, un haut-de-chausses, un talon rouge ou un bas bleu : tous les costumes de toutes les époques (en particulier le stock de la télévision). 185 à 300 F le costume.

Un décor

ETS GAÉTAN LANZANI

● **11e** - *19, rue Bastroi (379.00.74).*

Dans cette « rue Jacob du pauvre », plusieurs

milliers de mètres carrés investis par les meubles, les tapisseries, les flambeaux, les statues les plus saugrenues et les plus invraisemblables. Décor de style, décors turcs, chinois, rustiques, Louis XIV, le choix est infini. Egalement un atelier de restauration de meubles et de sièges.

SOUBRIER

● **12e** - *14, rue de Reuilly (372.93.71).*

Si les meubles sont disponibles, vous pouvez les emporter immédiatement : Louis XV, Louis XVI, Napoléon III, Empire, moderne, meubles chinois ou arabes, presque tous les styles figurent à son catalogue. Un devis est toujours proposé, qui peut prévoir le concours de techniciens pour s'occuper de la décoration proprement dite.

Des disques

LES bibliothèques-discothèques de la Ville de Paris vous loueront des disques sous ces conditions : apporter sa pointe de lecture, une pièce et une photo d'identité, une attestation de domicile. L'inscription est de 5 F par an et permet la location de 4 disques par semaine (1 F par disque : classique, folklore, jazz, témoignages, etc.). Les jours et heures d'ouverture variant d'une bibliothèque à l'autre, il est préférable de se renseigner par téléphone. Voici une bonne quinzaine d'adresses dans tous les quartiers de Paris :

- **5e** - *15 bis, rue Buffon (587.12.27).*
- **6e** - *78, rue Bonaparte (354.88.78).*
- **9e** - *24, rue de Rochechouart (285.27.56).*
- **10e** - *11 à 15, rue de Lancry (203.25.98).*
- **11e** - *18-20, rue Faidherbe (371.71.16).*
- **12e** - *23, rue du Cl-Rozanoff (345.68.86).*
- **12e** - *70, rue de Picpus (345.82.22).*
- **13e** - *211-213, bd Vincent-Auriol (580.21.75).*
- **13e** - *132, rue de la Glacière (589.55.47).*
- **14e** - *80, av. du Maine (540.96.19).*
- **15e** - *40, rue Emeriau (577.63.40).*
- **16e** - *4-8, rue du Ct-Schloesing (704.70.85).*
- **18e** - *29, rue Hermel (254.13.93).*
- **18e** - *18, av. de la Porte-Montmartre (255.60.20).*
- **19e** - *12-24, rue Janssen (209.81.73).*
- **20e** - *16, rue du Télégraphe (366.84.29).*

Pour dîner tard le soir et même après minuit, consultez notre liste de restaurants, p. 106.

Des films, des caméras, des projecteurs

AUDIO 6

● **9e** - *6, rue de Chateaudun (878.28.56).*

Location de vidéo-cassettes : 50 F par cassette et par semaine. Cotisation annuelle : 600 F.

CINÉMA LOCATION GHILBERT

● **16e** - *62, rue Chardon-Lagache (288.36.46).*

Matériel de prises de vues, de projection et de son, avec ou sans technicien. Location d'une caméra pour une semaine : 55 F, d'un projecteur super 8 pour une journée : 30 F, d'un film pour enfants : 10 F. La maison existe depuis plus de trente ans et prodigue de précieux conseils. Possibilité de livraison et de reprise du matériel.

CINÉMATHÈQUE GOULARD

● **8e** - *47, rue d'Amsterdam (874.24.08).*

Spécialisée dans les films super 8 sonores (une heure de film revient à 60 F en N et B, 90 F en couleurs). Grands classiques, policiers, westerns, et beaucoup de films pour les enfants. Location de projecteurs.

CINÉMATHÈQUE DE PARIS

● **8e** - *68, bd Malesherbes (522.22.36).*

Au fond de la cour à droite de 11 h à 19 h, on loue des films au mètre : 9 F les 50 m de super 8 muet en noir et blanc pour 2 ou 3 jours. 50 % de plus pour 4 à 7 jours. 50 à 60 F les 100 m de super 8 sonore en couleur. Soit : 102 F l'heure de projection en noir et blanc, 200 à 230 F en couleur.

FRANFILDIS

● **8e** - *70, rue de Ponthieu (359.84.13).*
● **17e** - *53, rue Bayen (267.12.00).*

Chaplin à domicile, ou encore Gary Cooper, ou Fred Astaire, ou Emmanuelle, des dessins animés, des westerns, la coupe du monde de football. En super 8 sonore à louer à la journée à partir de 24 F (28 F pour un week-end) et jusqu'à 190 F (et 225 F pour un week-end). Plus le matériel : 250 F environ. Faites le calcul, c'est plus cher qu'une place de cinéma, mais vous ne perdrez pas votre temps à faire la queue et le temps, comme on sait, c'est beaucoup d'argent. Location à des prix nettement plus élevés de longs métrages récents. Caution proportionnelle à la valeur du matériel loué.

L.M.A.

● **17e** - *7 et 9, rue Waldeck-Rousseau (574.26.00).*

Matériel de vidéo, projection, sonorisation.

Location avec ou sans technicien. Un projecteur 16 mm sonore : 110 F H.T. par jour.

SHARP VIDÉO

● **8e** - *14, rue de Berri (225.65.54).*

Grand choix de films en vidéo-cassettes. Location : 50 F par film et par semaine. Dépôt de garantie : 650 F par film. Plus une cotisation annuelle de 600 F.

VIDÉO-CLUB DE FRANCE

● **8e** - *41, rue du Colisée (256.25.24).*

Moyennant une cotisation annuelle de 1 000 F, vous pourrez louer ici des films en vidéo-cassettes (V.H.S. ou Bétamax). 49 F par film pour 10 jours. Plus un dépôt de garantie de 450 F.

Une fourrure

BELZ

● **10e** - *47, rue d'Enghien (824.52.68).*

Une cape de vison : 300 F pour 48 heures, un manteau de vison dark garni de renard : 600 F. Forfaits spéciaux pour week-ends ou voyages.

RAOUL LAUDE

● **10e** - *1 bis, rue de Paradis (770.30.00).*

Vous louerez ici (pour trois jours) une veste, une cape, un manteau de vison ou d'astrakan, sur simple présentation d'une pièce d'identité et d'une quittance d'électricité. Pas de dépôt de garantie.

Des gens de maison

MADAME SERVICE

● **17e** - *76, rue Lemercier (228.15.30).*

Dépannage intérimaire rapide : femmes de ménage, « extras » pour le service de table, cuisiniers, maîtres d'hôtels.

MAISON SERVICE

● **8e** - *104, bd Haussmann (387.20.22).*

Dépannages en femmes de ménage, femmes de chambre, cuisinières, lingères, etc. 35 F H.T. de l'heure pour une femme de ménage (minimum 4 heures) ; pour une femme de chambre ou une cuisinière : 250 F T.T.C. pour 4 heures.

L'impossible

MADAME SERVICE

● **17e** - *76, rue Lemercier (228.15.30).*

Un 14e à table, un 4e au bridge, un garde du corps, un garçon d'honneur, etc.

Des instruments de musique

PAUL BEUSCHER

● **4e** - *23 à 29, bd Beaumarchais (271.22.11).*

Des pianos (de 150 à 300 F par mois), des flûtes traversières (350 F), des saxo-alto (600 F), des batteries (300 F pour un week-end, 600 F pour un mois). Un piano peut être livré pour une soirée (600 F, transport compris). Caution par chèque exigée. Téléphonez auparavant car tous les instruments ne sont pas toujours disponibles.

HAMM

● **6e** - *135 à 139, rue de Rennes (544.38.66).*

Location de tous les instruments, à l'heure (en studio : de 9 à 13 F), à la soirée, au mois (à partir de 160 F).

PASDELOUP

● **5e** - *89, bd Saint-Michel (354.04.82).*

Tous instruments de musique. Une mandoline : 20 F par mois (dépôt de garantie de 50 F), un bandonéon : 80 F par mois (200 F de dépôt), une batterie de jazz : 70 à 300 F par mois (100 à 300 F de dépôt), un orgue électrique : 180 F par mois (dépôt : 300 F). Fournir une pièce d'identité et une quittance de loyer, de gaz ou d'électricité.

Des jeux

GAMES COMPANY

● **92 Châtillon-sous-Bagneux** - *5, bd de Stalingrad (657.79.03).*

Baby-foot, flipper, juke-box, jack pot, roulette, etc. : de 300 à 470 F pour 48 heures plus 1 000 F de caution.

BILLARDS TRUCHET

● **3e** - *30, rue Chapon (272.00.82).*

Billards français et américains en location (300 F H.T. par mois pour un an minimum), ainsi que tous les accessoires.

BERNARD DE WITT

● **1er** - *7, rue de la Ferronnerie (508.95.46).*

Juke-boxes, flippers, machines à sous, brefs tous appareils que les vrais amateurs d'origine se refusent à appeler autrement que « billards

Chaque mois, le Guide de Paris Gault-Millau complète cet ouvrage et agrandit votre carnet d'adresses.

électriques », se louent ici pour 48 heures à 10 % de leur valeur. Un flipper : 200 F.

Une machine à coudre

COMPTOIR GÉNÉRAL DES MACHINES A COUDRE

• **10e** - *45, bd de la Chapelle (526.89.51).*

150 F par mois pour une bonne machine (600 F de caution).

PARIS LOCATION

• **14e** - *42, rue Gassendi (540.83.30).*

Une machine à coudre à point simple ou zigzag (30 et 35 F par jour). Caution de 300 F. Fournir une pièce d'identité, une quittance de loyer ou de téléphone.

Un magicien

MYSTAG

• **20e** - *31, rue des Prairies (366.80.26).*

Un spécialiste de la voyance et de la télépathie exerce ses talents à domicile dans un spectacle qui réunit le fakirisme, le spiritisme et la manipulation des flammes. Il lit dans les pensées, hypnotise, mange le feu et poignarde sa femme pour la somme globale et forfaitaire de 700 F, quelle que soit la durée du programme.

Un marionnettiste

GEO-TEROS

• **18e** - *179, rue Ordener (606.97.24).*

Marionnettes et théâtre d'ombres chinoises.

LUIGI TORRELI

• *(637.07.87).*

Luigi possède un bon quart de siècle d'expérience dans la manipulation des marionnettes dont il propose plus de 300 sortes en bois et à gaines, évoluant dans quelque 200 décors différents et une demi-douzaine de théâtres miniatures adaptés à la dimension des appartements où vous le conviez à exercer son art. 700 F de l'heure environ (en comptant l'installation des théâtres), mais un peu plus cher pendant les périodes de fêtes.

Du matériel audiovisuel

Voir aussi « Une chaîne hi-fi, des magnétophones, etc. » et « Des films, des caméras, des projecteurs ».

SHOP-PHOTO

• **14e** - *33, rue du Cdt-Mouchotte (320.15.35).*

Location d'appareils de photo, de caméras, projecteurs, magnétophones, magnétoscopes, etc. et accessoires. Pour les appareils les plus délicats, on peut vous fournir l'aide d'un technicien.

TECPHOT

• **4e** - *5, rue Saint-Bon (278.14.04).*

Deux solutions pour louer un laboratoire : s'abonner pour 65 F par an (30 F la première heure, 25 F la deuxième et 21 F les heures suivantes) ; ne pas s'abonner : 36 F par heure. Les laboratoires, remarquablement équipés, permettent de réaliser tous les agrandissements, etc. et sont ouverts de 10 h à minuit (le dimanche jusqu'à 21 h seulement).

Du matériel de bureau

LOCAMAC

• **92 Asnières** - *4, rue Louis-Armand (790.65.24).*

Machines à calculer, à écrire, à photocopier louées pour un mois minimum. Une machine à écrire électrique : 194 F H.T. par mois.

PROBURO

• **10e** - *38-40, rue de Chabrol (770.55.22).*

En courte ou longue durée, machines à écrire et à calculer (I.B.M., Olivetti, Olympia).

SATAS

• **92 Clichy** - *107, rue Henri-Barbusse (270.85.40).*

Toute la gamme de machines et appareils pour plier, cacheter, affranchir, décacheter et détruire le courrier.

Du matériel de jardinage

Voir « Des outils pour le bricolage ».

Du matériel pour handicapés

LE MATÉRIEL PARA-MÉDICAL

• **6e** - *1, rue Danton (326.75.00).*

Location (et vente) de tout le matériel pour malades et handicapés : béquilles, lits basculants, fauteuils roulants, etc.

Du matériel pour les réceptions (chaises, tables, vaisselle, linge de maison, etc.)

BLIN (Le Marchand d'Oubli)

● **78 Versailles** - *37, rue Carnot (953.10.16). (953.10.16).*

Ce décorateur de fêtes — et loueur depuis le Second Empire — vous aidera à vous consacrer au seul plaisir de recevoir, en oubliant tous les soucis qu'occasionne une réception. Vaisselle, verrerie, argenterie, linge, tables, chaises, vestiaire, parquet, dais, tentes, podiums, etc. sont loués à la journée. Catalogue-tarif sur demande.

CATILLON-LOCATION

● **8e** - *14, fg Saint-Honoré (265.20.93).*
● **15e** - *58, rue de l'Eglise (828.51.74).*

Tout le matériel nécessaire à une réception ou à une fête loué à la pièce et à la journée (devis si nécessaire). Pour Noël, s'y prendre dès la fin novembre. Vous pouvez également louer un parquet de danse (600 F H.T. pour 10 m²), une estrade-podium, un chandelier Louis XV, des chaises (16 modèles de 4 à 18 F H.T.), des tables de toutes dimensions, un vestiaire (38 F H.T. pour 30 personnes), une tente (60 F H.T. du m²). Possibilité d'installation provisoire de cloisons, stands, éclairages, sonorisation, etc. Frais de transport en supplément.

NILSSON

● **8e** - *34, fg Saint-Honoré (265.24.93).*

Vénérable maison fondée en 1860. Tout le matériel pour les réceptions : tables, chaises, vestiaires, linge, argenterie, vaisselle, etc. Une chaise Napoléon III : 10 F H.T.; une chaise pliante : 2,50 F H.T.; un verre de cristal : 1,60 F H.T. Le personnel peut être fourni sur demande.

Des meubles

ALMO

● **18e** - *37, rue Marcadet (606.15.92).*

Meubles contemporains.

GAÉTAN LANZANI

● **11e** - *19, rue Basfroi (379.00.74).*

Une commode Louis XVI, une chaise curule, un buffet Régence, vous les louerez pour une journée ou plus (un à quatre jours : 8 % de la valeur du meuble + TVA; 15 jours : 10 % + TVA). Lanzani fabrique aussi, vend et restaure toutes sortes de meubles et boiseries de style.

LITERIE AMEUBLEMENT

● **15e** - *127, rue du Cherche-Midi (734.80.58).*

Les draps ne sont pas compris dans la location de la literie : 130 F par mois pour un sommier et un matelas d'une personne, 150 F pour 2 personnes. Réfection de literie dans la journée.

RUBY & CIE

● **16e** - *11, rue Chanez (651.39.27).*

Tout le mobilier « de style » ou moderne nécessaire pour aménager un appartement vide, pour toute durée (meubles, linge, vaisselle, machine à laver, etc.). Egalement location de lits : une personne : 120 F H.T. par mois ; deux personnes : 140 F H.T. par mois.

Une montgolfière

CLUB D'INTERVENTION AÉROSTATIQUE (Librairie Roux-Devillas)

● **6e** - *12, rue Bonaparte (354.69.32).*

Ascensions-promenades en montgolfières qui peuvent emmener jusqu'à 4 passagers : 350 F par personne et par heure ; en revanche, si vous désirez louer un aérostat pour vous rendre à quelque garden-party, il vous en coûtera (pilote compris) 4 000 F pour la première heure et 700 F pour les heures suivantes (3 passagers). Prévoir une pelouse d'atterrissage de 50 × 50 m.

LES MONTGOLFIÈRES DE FRANCE

● **4e** - *55, quai Bourbon (271.39.25).*

Location de montgolfières, avec pilote et équipage : baptêmes de l'air, promenades (400 F de l'heure), ascensions en ballon captif (4 500 F par jour). Les exercices d'aérostation se déroulent, précisons-le, dans la verte campagne et non pas au-dessus de Paris.

Des monuments pour les réceptions

Voir le chapitre « Où donner ses réceptions? ».

Ne nous accablez pas si les prix indiqués ont grimpé depuis la sortie de ce Guide, nous n'y pouvons rien, hélas !

Un moule à gâteau pour un anniversaire

OGGETTO

● **4e** - *143, rue Saint-Martin (278.55.55).*

Pour préparer un goûter d'anniversaire : un très beau moule en forme de chiffre (vraiment inutile à acheter) pour un gâteau de 8 à 10 personnes : 8 F par jour.

Un navire, une barque

BATEAUX MOUCHES

● **8e** - *Quai de la Conférence, pont de l'Alma, rive droite (225.96.10).*

On peut les réserver et y donner différentes sortes de réception à la commande : cocktails, buffets, lunchs de 50 à 500 personnes (100 à 175 F par convive). Equipement pour conférences et séminaires également.

LE CHALET DES ÎLES

● **16e** - *Au Bois de Boulogne (288.04.69).*

Une promenade en barque sur les lacs coûte 14 F de l'heure. De 8 h à 19 h.

VEDETTES PARIS-TOUR EIFFEL

● **7e** - *Port de La Bourdonnais (705.00.32).*
Embarquement Pont d'Iéna, rive gauche. Parking.

20 personnes : 9 F par personne pour une heure de promenade. Groupes scolaires : 4, 5 ou 6 F selon les âges.

Un numéro de cirque ou de music-hall

GEO-TEROS

● **18e** - *179, rue Ordener (606.97.24).*

Des numéros très variés (prestidigitation, marionnettes, guignol pour animer les goûters d'enfants et les fêtes de famille. Le tarif varie selon la difficulté et l'originalité des exécutions.

MISTER JOHN

● **94 Villejuif** - *Rue des Jardins, 3, allée Berlioz (677.01.87).*

Mime-automate, magicien-automate. 1 300 F par jour (forfaits au-delà).

VARIÉTÉS-SPECTACLES

● **18e** - *13, rue Christiani (264.33.11).*

Organisation de dîners-spectacles, spectacles de variétés et de matinées enfantines.

Un orchestre

LES BALADINS DU CRÉPUSCULE

● **6e** - *169, rue de Rennes (544.68.81).*

Les Baladins du Crépuscule, un joli nom et surtout un numéro de téléphone à retenir puisque sur simple appel, Jacqueline Levasseur-Beuste, la directrice de cette association, enverra chez vous le chanteur d'opérette, le clown, le guitariste, le mime, le marionnettiste, le conteur, le groupe folk ou l'orchestre tzigane capables de meubler votre solitude ou d'égayer votre salon. Pas d'amateurs, mais une sélection rigoureuse de 800 professionnels dont vous pourrez visionner au préalable les numéros enregistrés sur bandes vidéo-cassettes. Comptez 1 000 F H.T. au moins pour un spectacle à domicile. La maison assure également la sonorisation et l'éclairage des locaux.

J. MÉDINGER

● **18e** - *18, rue Ferdinand-Flocon (606.12.20).*

Jacques Médinger, secrétaire du Syndicat national des Chefs d'orchestre de variétés, vous dira comment obtenir le concours d'un orchestre de danse, de variétés, de jazz, « typique », ou tzigane. Il faut compter entre 500 et 600 F par soirée et par instrumentiste.

Des outils pour le bricolage

MULTILOCATION

● **20e** - *13, rue des Réglises (371.60.90).*

Bricolage (décolleuse à papier : 24 F par jour ; agrafeuse pneumatique : 80 F), nettoyage (raboteuse à parquet : 75 F par jour), jardinage (tondeuse : à partir de 50 F par jour), cinéma (caméra S 8 : 20 F par jour), etc. Pièce d'identité, 8,50 F de prise en charge, acompte sur la location.

PARIS LOCATION

● **10e** - *42, bd Magenta (203.51.28).*
● **13e** - *7, rue Ch.-Bertheau (584.48.00).*
● **14e** - *42, rue Gassendi (540.83.30).*
● **92 Boulogne** - *112, route de la Reine (603.10.72).*
Et aussi à la Samaritaine.

Tout le petit matériel pour percer, souder, décoller (le papier peint), poncer les parquets, agrafer le tissu, peindre, jardiner, scier, etc. Vous paierez par exemple 40 F pour une décolleuse électrique à papier et 48 F une agrafeuse de tapissier électrique louées à la journée (plus 400 et 600 F respectivement de caution). Fournir une pièce d'identité et une quittance d'électricité ou de téléphone.

Une perruque

BERTRAND

● **9e** - *31 bis, fg Montmartre (770.29.62).*

Pour un dîner de tête ou une soirée costumée (et aussi et surtout pour le théâtre, le cinéma, la télévision et le music-hall), Bertrand vous louera une perruque ou un postiche de style Louis XIV (ou autre) ou moderne (de 150 à 300 F pour 3 jours; caution de 300 à 600 F; délai de commande; minimum une semaine à l'avance pour la mise au point de la perruque). Vend également divers favoris, barbes et moustaches (de 120 à 600 F) et confectionne tous les postiches pour hommes et femmes.

LA BOITE A PERRUQUE

● **16e** - *16, av. Mozart (224.89.98).*

Perruques Dessange: 70 à 100 F par jour (même prix pour un week-end, du samedi soir au mardi matin).

Une piscine, la nuit

PISCINE DE L'ÉTOILE

● **17e** - *32, rue de Tilsitt (380.50.99).*

Aux noctambules musclés, aux « nababs » qui supportent mal de partager l'eau de leur bain, ou simplement aux amateurs de bains de minuit, M. Lemesle ouvrira les portes de son établissement — et réservera la piscine à leurs seuls ébats. A partir de 22 h et pour 300 F de l'heure. Prendre iendez-vous par téléphone, avant 16 h.

Une place de théâtre sans faire la queue

COURIR tout Paris (et faire éventuellement la queue sans succès) en quête d'un billet d'entrée risque de gâcher votre plaisir. Voici deux agences spécialisées, bien pratiques si vous allez souvent « au spectacle » et si vous êtes disposé à en payer le prix (fort): elles vendent en effet les meilleures places, donc les plus chères, et prennent leur commission au passage. Le principe est le suivant: vous déposez un premier chèque de provision (et par la suite vous alimentez votre compte) et l'agence vous indique, par téléphone, le numéro des places que vous inscrivez vous-même sur le chéquier (personnel) qu'on vous aura remis.

S.O.S. THÉÂTRES

● **8e** - *73, Champs-Élysées (225.67.07).*

CHÈQUES-THÉÂTRE

● **9e** - *33, rue Le Peletier (770.94.11).*

Une planche à voile

NAUTI-STORE

● **17e** - *40, av. de la Grande-Armée (755.61.55).*

Une planche à voile se loue ici 200 F pour un week-end (elle coûte de 2 à 5 000 F à l'achat) et une combinaison isotherme: 30 F.

Une plante verte

BON nombre de fleuristes, les grands surtout, ont un service de location de plantes vertes. Voir aussi la rubrique « Fleurs ».

DECLERCQ

● **16e** - *91, av. Kléber (553.79.21).*

Plantes vertes et plantes fleuries en jardinières. Un laurier (boule ou pyramide) de 1,80 m se loue 100 F H.T. par jour, un kentia de 1,80 m: 150 F.

ETS MASSOT

● **78 Le Vésinet** - *13, bd d'Angleterre (966.56.54).*

A la journée, pour des réceptions, des cocktails, des vernissages, etc.: de 70 à 180 F H.T. environ la plante (commandes acceptées et livrées gratuitement à partir de 350 F H.T.). Décorations florales (et entretien) dans les salons et expositions, les bureaux, les hôtels, etc. Aménagement de bacs sur les terrasses.

Des pneus cloutés

LE RELAIS DU PNEU

● **4e** - *33, bd Bourdon (887.46.76).*
● **12e** - *29, bd Diderot (628.73.30).*

Location de pneus neige et de chaînes.

Un poète

LE CLUB DES POÈTES

● **7e** - *30, rue de Bourgogne (705.06.03).*

Téléphonez la veille pour vous faire déclamer des vers à domicile (200 F pour la soirée). Si vous voulez doubler votre plaisir, avec des vers chantés c'est à peine plus cher : 250 F, mais prenez date au moins huit jours à l'avance.

Un pupitre d'orateur

CATILLON-LOCATION

● **8e** - *14, fg Saint-Honoré (265.20.93).*
● **15e** - *58, rue de l'Eglise (828.51.74).*

Un pupitre d'orateur muni d'une rampe électrique? On vous le louera 100 F H.T. pour 24 heures. Et — indispensable pour une prestation de belle tenue — une estrade : 60 F H.T. du m², podium en supplément. Plus les frais de transport.

Une remorque pour un bateau

GENTIL MARINE

● **16e** - *21, av. de la Grande-Armée (500.23.52).*

Pour un week-end, une semaine ou un mois de vacances en mer, vous pouvez louer ici une remorque pour votre bateau. Il est prudent de retenir le modèle voulu 10 jours ou 3 mois à l'avance selon la taille et la saison. Une remorque pour un bateau de 1 800 kg : 365 à 550 F environ pour 3 jours, 2 150 F environ pour un mois. Caution : 700 à 2 500 F.

Des restaurants (à Paris et aux environs) pour les réceptions (salons particuliers)

Voir le chapitre : « Où donner ses réceptions? ».

Une robe de baptême

TANTE AMÉLIE

● **9e** - *2, rue Pierre-Haret (280.49.24).*

On vous louera ici une robe de baptême ou une aube pour un week-end (du vendredi au mardi avant midi). Location : 70 à 150 F ; caution : à partir de 150 F, mais pouvant atteindre 3 000 F pour une robe de baptême en dentelles anciennes, qu'on vous demandera surtout de ne pas laver ou nettoyer avant de la rendre.

Une robe de mariée

PRONUPTIA

● **9e** - *18, fg Montmartre (770.23.79).*

Pas à proprement parler une location. Les robes de mariée qui ont « fait le séminaire » sont vendues de 150 à 300 F. Retouches et nettoyage (éventuels) en supplément, mais on peut aussi refaire soi-même l'ourlet de la robe.

Une robe du soir

TROC DE TRUC

● **8e** - *37, rue du Colisée (256.08.00).*

Pour une sortie « en long » à l'improviste vous trouverez ici quelques robes du soir à louer : 200 à 250 F pour 48 heures.

Une salle de spectacle ou de projection

CENTRE AUDIOVISUEL DE L'ENTREPRISE

● **8e** - *21, rue Clément-Marot (359.98.71).*

Plusieurs salles de projection pour films de 35 mm et de 16 mm pouvant être louées à partir d'1/4 h (39 places) : 200 F l'heure. Salle de conférence (50 places) : 550 F la journée de 9 h à 18 h ou 400 F la demi-journée. La cinémathèque propose en outre des films de formation professionnelle. La série concernant l'hôtellerie par exemple aborde des sujets aussi variés que ceux-ci : Service aux heures de pointe, Comment éviter le gaspillage, Destruction des rongeurs et des insectes, Art et manière de téléphoner, Comment éviter les chutes dans la cuisine, etc. D'autres séries sont disponibles : Vente, Relations humaines, Sécurité, etc.

HIPPODROME DE PARIS JEAN-RICHARD

● **19e** - *207-209, av. Jean-Jaurès (205.41.12).*

Le chapiteau du cirque Jean Richard (de 1 500 à 6 000 places) sera à votre disposition pour vos galas, conférences, spectacles, etc. Premier prix : 15 000 F par soirée.

MAISON DE LA CHIMIE

● **7e** - *28 et 28 bis, rue Saint-Dominique (705.10.73).*

Plus de 20 salles (dont 9 salles de cinéma et 7 d'interprétation simultanée) pour congrès, conférences, séminaires, arbres de Noël, galas, projections cinématographiques privées et autres spectacles. Grand auditorium de 850 places : 6 500 F H.T. par jour ; théâtre équipé de 800 places : 5 650 F H.T. par représentation ; salle de 200 places : 3 850 F H.T. par jour ; salle de 15 places : 400 F H.T. Et aussi salons de réception (jusqu'à 1 800 personnes) et salle à manger (de 60 à 550 couverts).

PAVILLON GABRIEL

● **8e** - *5, av. Gabriel (260.34.90).*

Trois grands salons avec jardin peuvent se transformer en salles de spectacle ou de projection avec techniciens sur place, traduction simultanée et éclairages spéciaux.

THÉATRE NATIONAL DE CHAILLOT

● **16e** - *Palais de Chaillot, pl. du Trocadéro (505.14.50).*

Vous voulez vous donner en spectacle ? Deux salles sont à votre disposition (l'une de 500 places, l'autre de 1 500) hors la saison théâtrale, à savoir, en juin, juillet et septembre.

Des salons de réception

Voir le chapitre « Où donner ses réceptions? ».

Un smoking, un habit, une jaquette

AU COR DE CHASSE

● **6e** - *40, rue de Buci (326.51.89).*

Du smoking « romantique de soirée » à la jaquette, du smoking blanc à l'habit avec cape, tout se loue son prix, au Cor de Chasse : de 260 à 280 F pour un smoking, de 250 à 350 F pour un habit ou une jaquette, 60 F pour un chapeau (éventuellement haut-de-forme). Caution de 500 F.

JEAN-JACQUES

● **6e** - *36, rue de Buci (354.25.56).*

Jean-Jacques loue des vêtements depuis 1867, et ses tarifs demeurent fort raisonnables. Pour une jaquette : 220 F (gris foncé) et 260 F (gris clair), pour un smoking : 160 F, un habit : 240 F. Retouches et nettoyage compris.

Une sono

PAUL-LOUIS GASTAUD

● **8e** - *2, rue d'Anjou (265.95.23).*

Un très grand spécialiste. Location de matériel de sonorisation pour l'intérieur ou le plein air : groupe électrogène, magnétophone et sa bande de danse pour 5 h ou super-sono psychédélique avec orgue lumineux, rayon laser, projecteur de bulles, disc-jockey, technicien, etc. 10 000 F et plus. Prendre date au moins un mois à l'avance.

SEXTAN

● **92 Malakoff** - *10-14, rue Eugène-Varlin (655.10.16).*

Sonorisation, éclairages, décoration et organisation de réceptions. Pour une « sono », compter à partir de 1 000 F avec les disques et le personnel.

Une télévision

LOCATEL

● **8e** - *52, Champs-Élysées (758.12.00).*

A fêté en 79 son millionième abonné. Mille points de location en France. Installation ultra-rapide. Une télévision en couleur : 180 F par mois pendant les 6 premiers mois ; 167 F par mois à partir du 7e mois. Une télévision en noir et blanc : 81 F par mois pendant 6 mois ; 78 F par mois à partir du 7e mois. Loue aussi des magnétoscopes et des régies vidéo.

TÉLÉVISOR

● **16e** - *69, av. Kléber (727.70.60).*

Une T.V. en couleur avec écran de 67 cm : 1 200 F pour six mois (caution de 1 000 F).

Une tenue de concours hippique

SAADETIAN

● **3e** - *18, rue de Picardie (887.99.06).*

Locations de tenues pour concours hippique et chasse à courre. Vente de vêtements d'équitation, d'uniformes militaires et de tenues de groom.

Un triporteur motorisé

STA

● **19e** - *31, quai de l'Oise (607.73.40).*

Vous le louerez pour six mois ou pour un an et

vous paierez 1 150 ou 950 F H.T. par mois la volupté de rouler dans Paris sur un instrument vraiment original.

Un vélomoteur

AUTOTHÈQUE

● **2e** - *80, rue Montmartre (236.87.90).*

Location de mobylettes, solex et vélos. Une mobylette se loue 45 F par jour, 200 F pour une semaine, assurance comprise. 500 F de caution.

Une voiture avec chauffeur

BERNARD DURAND & CIE

● **92 Neuilly** - *2 bis, rue de l'Église (624.37.27).*

Pour une demi-journée, une journée, une semaine, un mois et plus, pour des voyages touristiques ou d'affaires, pour toutes les cérémonies, des voitures de luxe ou de grand tourisme avec chauffeurs bilingues et stylés. 350 F tout compris pour une Peugeot 604 de 9 h 30 à 13 h (35 km dans Paris), etc.

FAST

● **16e** - *42, av. d'Iéna (723.88.92).*

Un service à la carte pour les gens « importants ». Une Rolls Royce Silver Shadow (ou une Mercedes 450 SL), avec stéréo, téléphone et bar, plus les services d'un chauffeur bilingue : 300 F de l'heure le jour, 360 F la nuit, 350 F pour un trajet à Orly, 400 F pour Roissy, 2 700 F pour un forfait « grande journée » de 24 heures. Tous ces prix sont hors taxes.

MURDOCH ASSOCIÉS

● **8e** - *59, av. Marceau (720.08.57).*
● **16e** - *30, av. Pierre-1er-de-Serbie (225.28.14).*

Un chauffeur (professionnel et bilingue) en tenue bien sûr et une Rolls Royce (avec téléphone et stéréo comme il se doit) : 1 965 F TTC par jour pour 15 h de service et 150 km (117 F de l'heure supplémentaire).

Une voiture sans chauffeur

AVIS

● **15e** - *26, pl. Dupleix (550.32.31).*

Une Renault 5 : 70 F par jour plus 0,82 F du km. Une Peugeot 504 : 94 F par jour plus 1,12 F du km. Téléphoner trois jours à l'avance.

C.I.F.A.

● **15e** - *80-82, bd Garibaldi (567.35.24).*

Voitures Peugeot (de l'année), « livrées » gratuitement dans Paris durant les heures ouvrables. Par exemple, 504 berline : 85 F H.T. par jour, plus 1,05 F du km. Réseau en province et à l'étranger. Possibilité de location avec chauffeur.

CITER

● **12e** - *4, bd de la Bastille (345.01.20).*

Uniquement des Citroën. Une GS : 73 F par jour plus 0,74 F du km. Une Visa : 67 F par jour plus 0,68 F du km.

EUROPCARS

● **7e** - *42, av. de Saxe (273.35.20).*
Réservations à l'étranger : 645.21.25.

Une Renault 5 : 69,38 F par jour, plus 0,79 F du km. Une Renault 30 TS Automatic : 155,88 F par jour, plus 1,76 F du km. Forfaits à kilométrage illimité et tarifs longue durée.

GARAGE DE FRANCE

● **16e** - *73, rue d'Auteuil (520.41.60).*

Une Renault 5 : 60,24 F par jour plus 0,51 F du km. Une Renault 16 : 77,16 F par jour plus 0,61 F du km.

HERTZ

● **15e** - *159, rue Blomet (533.29.29).*

Une Renault 5, une Ford Fiesta ou une Peugeot 104 : 81 F par jour plus 0,87 F du km.

LUT

● **92 Montrouge** - *49, av. Aristide-Briand (655.41.41).*

Dix-sept stations à Paris ou aux portes de Paris où vous pouvez louer une voiture à condition d'être âgé de 21 ans (30 ans pour les voitures « de luxe »). A la journée, une Renault 5 : 76,44 F T.T.C. plus 0,41 F du km. Une Peugeot 604 : 229,32 F T.T.C. plus 0,94 F du km. Une Mercedes 450 SL : 529,20 F T.T.C. et 3,53 F du km. Forfaits pour les week-ends et remise pour les locations de longue durée.

MATTEI AUTOMOBILE

● **12e** - *205, rue de Bercy (346.11.50).*
● **12e** - *108, bd Diderot (628.27.50).*
● **18e** - *102, rue Ordener (076.32.90).*

Location à la journée ou longue durée. Renault 5 (TL ou GTL) : 70,56 F par jour (pour moins d'une semaine), plus 0,53 F du km ; Renault 20 TS : 105,84 F, plus 0,94 F du km. Les journées sont décomptées par période de 24 heures, mais les locations du vendredi à 17 h au lundi à 9 h ne sont facturées que pour 2 journées. Tarifs dégressifs au-delà de 6 jours.

Étudiants : jobs de vacances

VOUS êtes jeune (étudiant ou non) et désirez occuper tout ou partie de vos vacances d'été à des travaux rémunérés. Vous voulez quitter Paris ou y rester. De la cueillette des fraises à la garde d'enfants en passant par la visite de la capitale au volant d'une voiture (guide-accompagnateur), le gardiennage d'usines ou de bureaux, la vente de bonbons, le rangement de caisses, etc., voici un petit éventail d'emplois et quelques tuyaux pour obtenir ces postes souvent très convoités, même s'ils sont loin, souvent, de procurer tout l'argent, les « contacts » et les joies souhaités. Notre liste est loin d'être exhaustive, et vous pourrez aussi vous adresser utilement (très tôt dans l'année) aux services du recrutement ou du personnel des banques, compagnies d'assurances, colonies de vacances, stations-services, plages de grandes stations balnéaires, P. et T., S.N.C.F., etc.
Trois organismes vous donneront, en outre, toutes informations utiles concernant la recherche d'un travail pour l'été :

C.I.D.J. (Centre d'Information et de Documentation Jeunesse)

• **15e** - *101, quai Branly (566.40.20).*

Le C.I.D.J. vous renseignera (et vous enverra de la documentation) sur tous les sujets qui intéressent les jeunes gens : études, métiers, emplois temporaires, hébergement, sports, etc.

C.R.O.U.S. (Centre Régional des Œuvres Universitaires et Scolaires)

• **5e** - *39, av. Georges-Bernanos (329.12.43).*
Pour les étudiants seulement.

LOISIRS JEUNES

• **8e** - *36, rue de Ponthieu (225.60.28).*
Expédie ses brochures (10 F).

A PARIS

Etre chauffeur, guide-accompagnateur...

CHAUFFEURS-SERVICE

• **6e** - *132, rue d'Assas (633.75.20).*

• Commencer les démarches en avril.
• Ne pas téléphoner, ne pas écrire. Se présenter au service du personnel.
• Emplois pour les garçons seulement : chauffeurs (toutes catégories).
• Conditions requises : 20 ans minimum, permis de conduire de plus d'un an ; extrait de casier judiciaire de moins de 3 mois. Durée minimum d'engagement : variable.
• Salaires : 91 F environ net par jour, plus les heures supplémentaires.
• Possibilité de cantine chez certains clients de la maison.

EUROP ASSISTANCE

• **9e** - *23-25, rue Chaptal (285.85.85).*

• Commencer les démarches début avril.
• Ne pas téléphoner, ne pas se présenter. Ecrire au service du personnel.
• Emplois pour les garçons : de bureau, interprètes, chauffeurs.
• Emplois pour les filles : de bureau, interprètes, hôtesses.
• Conditions requises : 18 ans minimum (21 ans pour les chauffeurs) ; connaissance de langues rares pour les postes d'interprètes (yougoslave, polonais, etc.); permis de conduire de plus de 2 ans pour les chauffeurs. Durée minimum d'engagement : 2 mois consécutifs.
• Salaires : de 2 700 à 3 200 F environ brut selon la durée du « stage ».

Pour retrouver rapidement une adresse consultez l'index, p. 641.

INSIDE FRANCE

● **8e** - *18-20, pl. de la Madeleine (742.37.17).*

• Recrutement : prendre rendez-vous en téléphonant.

• Emploi pour les garçons et les filles : guide-accompagnateur (faire visiter Paris et ses environs à des touristes de diverses nationalités).

• Conditions requises : disposer d'une voiture « bourgeoise » à 4 portes ; parler couramment au moins une langue étrangère ; habiter Paris ou la très proche banlieue et disposer d'un téléphone.

• Salaire : de 200 à 500 F environ par jour pour quelqu'un disposant d'une Peugeot 504 ou d'une CX (sans compter les pourboires).

... Travailler dans un grand magasin...

BAZAR DE L'HOTEL DE VILLE

● **4e** - *55, rue de la Verrerie (274.90.00).*

• Commencer les démarches en mai.

• Ne pas téléphoner. Ecrire ou se présenter au service du recrutement : 34, rue de la Verrerie, 4e.

• Emplois pour les garçons : agents d'exploitation, vendeurs.

• Emplois pour les filles : marqueuses, vendeuses, employées administratives ou aux écritures.

• Conditions requises : 18 ans minimum ; « bonne présentation » ; apporter une photo et sa carte de Sécurité Sociale.

• Salaire : à la journée. Emploi : 3 jours par semaine seulement.

• Possibilité de cantine.

BON MARCHÉ

● **7e** - *38, rue de Sèvres (260.33.45).*

• Commencer les démarches en mai.

• Ne pas téléphoner, ne pas écrire. Se présenter au service du personnel.

• Emplois pour les garçons et pour les filles : aide-vendeurs, manutentionnaires.

• Conditions requises : 17 ans minimum. Engagement au mois ou à la journée.

• Salaires : 2 300 F par mois ; 100 F à la journée (de 8 heures).

• Possibilité de cantine.

INNO-MAINE

● **14e** - *31, rue du Départ (320.69.30).*

• Commencer les démarches la 1ère quinzaine d'avril.

• Ne pas téléphoner, ne pas écrire. Se présenter au service du personnel.

• Emplois pour garçons et filles.

• Conditions requises : 17 ans pour les vendeurs (et vendeuses), 18 ans pour les caissiers (et caissières). « Dynamisme, amabilité et bonne présentation ».

• Salaire : 2 000 F brut environ par mois pour 40 heures par semaine.

• Possibilité de cantine.

MAGASINS RÉUNIS ÉTOILE

● **17e** - *Av. des Ternes, av. Niel (380.20.00).*

• Commencer les démarches en mars/avril.

• Ne pas téléphoner. Ecrire ou se présenter au service du recrutement.

• Emplois pour les garçons et les filles de plus de 17 ans : manutentionnaires, vendeurs.

• Condition requise : autorisation des parents pour les mineurs.

• Salaires : 2 000 à 2 200 F par mois (semaine de 40 heures).

• Possibilité de cantine.

MONOPRIX

● **8e** - *3, rue Paul-Cézanne (563.15.15).*

• Commencer les démarches en mars.

• Ne pas téléphoner. Ecrire au service du recrutement (4, rue Paul-Cézanne).

• Emplois pour les garçons : approvisionneurs, manutentionnaires.

• Emplois pour les filles : aides-comptables, sténos-dactylos, employées de bureau (titulaires au minimum d'un C.A.P.), vendeuses, caissières de libre-service (18 ans minimum), approvisionneuses.

• Conditions requises : 17 ans révolus ; « coiffure soignée, port d'une blouse et d'un badge » Durée minimum d'engagement : 1 mois.

• Possibilité de cantine.

PRIMISTÈRES-FÉLIX POTIN

● **93 La Courneuve** - *53, rue de Verdun (838.92.92).*

• Commencer les démarches à la mi-avril.

• Ne pas téléphoner, ne pas écrire. Se présenter au service du recrutement : 108, av. de Villiers, 17e.

• Emplois pour les garçons seulement : réception des marchandises, réassortiments, rangements, etc.

• Conditions requises : 16 ans révolus, « courage et sérieux ». Durée minimum d'engagement : 1 mois.

• Salaire : 2 100 F environ par mois (semaine de 40 heures).

• Pas de possibilité de cantine.

PRINTEMPS

● **9e** - *26, rue Joubert (285.32.21).*

• Commencer les démarches en mars.

• Ne pas téléphoner, ne pas écrire. Se présenter au service du recrutement.

• Emplois pour les garçons : aides-vendeurs,

caissiers (plus de 20 ans), manutentionnaires.
- Emplois pour les filles : aides-vendeuses, caissières (plus de 20 ans), quelques (rares) postes administratifs (avec dactylo), hôtesses quadrilingues.
- Conditions requises : 18 ans minimum (17 ans l'été) ; « présentation très correcte et motivation pour le poste recherché ; C.A.P. de vente très apprécié ; tenue ultra-classique pour la vente (pas de jaune, pas de rouge) ». Durée minimum d'engagement : 1 mois (pas pour tous les postes).
- Salaires : à partir de 2 100 F par mois, à temps complet.
- Le mois de juillet est réservé aux enfants du personnel mais les samedis et lundis restent disponibles (91 F par jour).
- Possibilité de cantine.

SAMARITAINE

- **1er** - *19, rue de la Monnaie (508.33.33).*
- Commencer les démarches début mai.
- Ne pas téléphoner, ne pas écrire. Se présenter au service du personnel.
- Emplois pour les garçons et pour les filles : aide-vendeurs, manutentionnaires.
- Conditions requises : 18 ans révolus. Apporter papiers d'identité. Durée minimum d'engagement : 1 mois.
- Salaire : 91 F net par jour.
- Possibilité de cantine.

... Faire du gardiennage

GROUPE 1 PROTECTION

- **8e** - *50, rue de Londres (292.04.15).*
- Commencer les démarches fin mai.
- Ne pas téléphoner, ne pas écrire. Se présenter au service du personnel.
- Emplois pour les garçons seulement : gardiennage d'entreprises.
- Conditions requises : 20 ans minimum ; « excellentes condition physique, présentation et moralité, port obligatoire de l'uniforme ». Pas de durée minimum d'engagement.
- Salaire : le S.M.I.C.
- Pas de possibilité de cantine.

HORS DE PARIS

Retourner à la terre...

CENTRE DE DOCUMENTATION ET D'INFORMATION RURALES

- **13e** - *92, rue du Dessous-des-Berges (583.04.92).*
- Commencer les démarches en mars.
- Téléphoner, écrire ou se présenter.
- Emplois pour les garçons et pour les filles : cueillette des cerises, fraises, asperges (20 mai-30 juin environ) ; manutention du foin et de la paille ; conduite de tracteur (garçons seulement : juin-juillet-août) ; écimage du maïs (10 juillet-15 août environ) ; cueillette de fruits, légumes, tabac (garçons seulement, août-septembre-octobre) ; cueillette des pommes (15 septembre-31 octobre environ) ; vendanges (20 septembre-30 octobre environ).
- Conditions requises : 16 ans révolus. Durée minimum d'engagement : 15 jours..
- Salaire : S.M.I.C.
- 8 heures environ de travail quotidien. Logement et nourriture assurés par les agriculteurs, dans la majorité des cas (avec retenue d'environ 20 à 30 F par jour). Également possibilité d'hébergement seul (avec une cuisine mise à votre disposition) et de camping gratuit (pour les travaux du maïs, apporter son matériel complet : tente, réchaud, etc.).

Être jeune fille « au pair »

ACCUEIL FAMILIAL DES JEUNES ÉTRANGERS

- **6e** - *23, rue du Cherche-Midi (222.50.34).*
- Commencer les démarches 2 mois avant la date de départ choisie. Droit d'inscription : 180 F.
- Séjours en Italie (selon lieux de vacances des familles).
- Téléphoner, écrire ou se présenter (de 10 h à 16 h).
- Conditions requises : 18 ans minimum. Séjours de 1 à 3 mois. Autorisation parentale pour les moins de 21 ans. Certificat médical. Deux lettres de références provenant de professeurs ou amis de la famille. Carte d'identité.
- Travail à mi-temps.
- Argent de poche : 25 à 30 000 lires par mois.
- Possibilité de séjours de 6 mois et plus pendant l'année scolaire.

AMICALE CULTURELLE INTERNATIONALE

- **9e** - *27, rue Godot-de-Mauroy (742.94.21).*
- Inscriptions et départs toute l'année.
- Séjours en Angleterre.
- Ne pas téléphoner. Ecrire ou se présenter.
- Conditions requises : 18 ans révolus. Durée minimum d'engagement : 6 mois.
- Environ 5 h de travail par jour, plus du baby-sitting 2 à 3 fois par semaine.
- Salaire : 9 à 10 £ par semaine.
- Autre possibilité : travail temporaire (minimum 10 semaines) dans les clubs de vacances anglais Butlin's, au bord de la mer (de fin avril

à début octobre). 40 à 42 heures de travail (ménager) par semaine pour 32 à 35 £. Inscriptions de janvier à mars.

AMITIÉ MONDIALE

- **1er** - *39, rue Cambon (260.99.68).*
- Commencer les démarches avant la Pentecôte.
- Séjours en Angleterre, Allemagne, Espagne, Italie.
- Téléphoner, écrire ou se présenter avant le 15 avril.
- Conditions requises : 18 ans minimum (17 ans pour l'Angleterre). Durée minimum d'engagement : 2 mois (juillet-août).
- 5 heures de travail par jour, du lundi au vendredi inclus.
- Salaire : 100 F environ par semaine.
- Possibilité de séjours toute l'année.

RELATIONS INTERNATIONALES

- **9e** - *100, rue Saint-Lazare (874.93.65).*
- Commencer les démarches en février.
- Séjours en Angleterre.
- Conditions requises : 18 ans minimum. Durée minimum d'engagement : 2 mois.
- 5 heures de travail par jour.
- Salaire : 400 à 500 F par mois.
- Possibilité de demi-pair (3 à 4 heures de travail par jour et pension gratuite mais pas d'argent de poche), ou de demi-payant (2 h 30 de travail par jour et participation financière de 7 £ par semaine).
- Possibilité de séjours au pair de 2 à 6 mois dans d'autres pays : Grèce, Italie, Espagne, Allemagne.

Consultez la table des matières : p. 631.

Tourisme et voyages

ORGANISMES OFFICIELS

Secrétariat d'Etat au Tourisme

- *8, av. de l'Opéra, 1er (296.10.23).*
- *Renseignements pour le public :*
92, rue de Courcelles, 8e (766.51.35).

Office de Tourisme de Paris

127, Champs-Élysées, 8e (720.62.33).

Vous y trouverez toute la documentation existant sur Paris et la région parisienne. Ainsi que bon nombre de cartes, de dépliants, d'horaires relatifs à la France entière. On peut aussi réserver sa chambre d'hôtel, gratuitement, avec toutefois un délai d'avance de six jours maximum pour la province. Beaucoup de monde donc et des hôtesses souvent débordées, mais aussi un lieu de rendez-vous aujourd'hui traditionnel pour les touristes.

Maison des Provinces à Paris

Créées par les régions, les départements ou les villes, les maisons des provinces à Paris sont des centres de renseignements touristiques et économiques. Vous y trouverez des dépliants sur les hébergements, les syndicats d'initiative, les offices de tourisme, les « produits » offerts (forfaits), et vous pourrez même éventuellement y faire vos réservations (hôtels, locations meublées).

- **Maison des Alpes-Dauphiné** (Isère).
2, pl. du Théâtre-Français, 1er (296.08.43).
- **Maison d'Alsace** (Bas-Rhin, Haut-Rhin, Vosges).
39, Champs-Elysées, 8e (256.15.94).
- **Maison d'Auvergne** (Allier, Cantal, Haute-Loire, Puy-de-Dôme).
53, av. Franklin-Roosevelt, 8e (225.37.99).
- **Maison de Bretagne** (Côtes-du-Nord, Finistère, Ille-et-Vilaine, Loire-Atlantique, Morbihan).
Centre Commercial Maine-Montparnasse 17, rue de l'Arrivée, 15e (538.73.15).
- **Maison de la Drôme** (Drôme).
14, bd Haussmann, 9e (246.66.67).
- **Maison du Gers et de l'Armagnac** (Gers).
16, bd Haussmann, 9e (770.39.61).
- **Maison des Hautes-Alpes et de l'Ubaye** (Hautes-Alpes et vallée de l'Ubaye).
4, av. de l'Opéra, 1er (296.05.08).
- **Maison du Limousin** (Corrèze, Creuse, Haute-Vienne).
18, bd Haussmann, 9e (770.32.63).
- **Maison du Lot-et-Garonne** (Lot-et-Garonne).
15-17, passage Choiseul, 2e (297.51.43).
- **Maison de la Lozère** (Lozère).
4, rue Hautefeuille, 6e (354.26.64).
- **Maison de la Normandie** (Calvados, Eure, Manche, Orne, Seine-Maritime).
342, rue Saint-Honoré, 1er (260.68.67).
- **Maison du Périgord** (Dordogne).
30, rue Louis-le-Grand, 2e (742.09.15).
- **Maison de Poitou-Charentes-Vendée** (Charente, Charente-Maritime, Deux-Sèvres, Vendée, Vienne).
4, av. de l'Opéra, 1er (296.05.08).
- **Maison des Pyrénées** (Ariège, Haute-Garonne, Pyrénées-Atlantiques, Hautes-Pyrénées, Pyrénées-Orientales).
24, rue du 4-Septembre, 2e (742.21.34).
- **Maison de la Région du Nord-Pas-de-Calais** (Nord, Pas-de-Calais).
18, bd Haussmann, 9e (770.19.32).

• **Maison du Rouergue** (Aveyron).
3, rue de la Chaussée-d'Antin, 9e (246.94.03).

• **Maison de Savoie** (Savoie, Haute-Savoie).
16, bd Haussmann, 9e (770.76.84).
Horloges des Neiges : 246.53.14.

• **Service Tourisme des Dom-Tom**
8, av. de l'Opéra, 1er (296.12.40).

• **Centre d'accueil de la Corse**
17, rue Joubert, 9e (878.97.91).

Maisons des stations de sports d'hiver

Certaines stations de sports d'hiver ont également ouvert des boutiques à Paris afin que le public puisse s'informer et faire ainsi ses réservations directement.

• **Maison des Arcs**
98, bd du Montparnasse, 14e (322.34.91).

• **Maison d'Avoriaz**
105, bd Haussmann, 8e (266.65.78).

• **Maison du Corbier**
30, av. de Friedland, 8e (755.95.31).

• **Maison de La Plagne**
66, Champs-Elysées, 8e (723.30.94).

Offices de Tourisme étrangers

Ils ont un rôle semblable — d'information principalement — à celui de nos maisons de provinces et sont chargés par leur gouvernement respectif de faire connaître et apprécier leur pays par les Français.

• **Toute l'Afrique :** *104, Champs-Elysées, 8e (225.51.99).*
• **Afrique du Sud :** *9, bd de la Madeleine, 1er (261.82.30).*
• **Allemagne :** *4, pl. de l'Opéra, 2e (742.04.38).*
• **Asie du Sud-Est :** *163, av. du Maine, 14e (540.56.30).*
• **Bahamas :** *22, rue de Chateaudun, 9e (280.10.01).*
• **Belgique :** *21, bd des Capucines, 2e (742.41.18).*
• **Boutan :** *Voir Inde.*
• **Brésil :** *Ambassade, 34, cours Albert-1er, 8e (225.92.50).*
• **Bulgarie :** *45, av. de l'Opéra, 2e (261.69.58).*
• **Canada :** *4, rue Scribe, 9e (742.22.50).*
• **Ceylan** (Sri Lanka) : *15, rue d'Astorg, 8e (266.35.01).*
• **Chypre :** *50, Champs-Elysées, 8e (225.25.97).*
• **Colombie :** *25, rue d'Artois, 8e (563.57.51).*
• **Côte d'Ivoire :** *24, bd Suchet, 16e (524.43.28).*
• **Corée :** Tour Maine-Montparnasse, *33, av. du Maine, 14e (538.71.29).*
• **Danemark** (et Groenland) : *142, Champs-Elysées, 8e (225.17.02).*
• **Egypte :** *90, Champs-Elysées, 8e (225.94.42).*
• **Espagne :** *43 ter, av. Pierre-1er-de-Serbie, 8e (720.90.54).*
• **Etats-Unis ;** *23, pl. Vendôme, 1er (260.41.47).*
• **Finlande :** *13, rue Auber, 9e (266.40.13).*
• **Grande-Bretagne :** *6, pl. Vendôme, 1er (296.47.60).*
• **Grèce :** *3, av. de l'Opéra, 1er (260.65.75).*
• **Haïti :** *64, rue La Boétie, 8e (563.66.97).*
• **Hong-Kong :** (par lettre ou par téléphone seulement) : *38, av. George-V, 8e (256.39.53).*
• **Hongrie :** *27, rue du 4-Septembre, 2e (742.05.61).*
• **Inde :** *8, bd de la Madeleine, 9e (265.83.86).*
• **Indonésie :** *49, rue Cortambert, 16e (503.07.60).*
• **Irlande :** *9, bd de la Madeleine, 1er (261.84.26).*
• **Israël :** *14, rue de la Paix, 2e (261.01.97).*
• **Italie** (ENIT) : *23, rue de la Paix, 2e (266.66.68).*
• **Japon :** *4, rue Sainte-Anne, 1er (296.07.94).*
• **Jersey :** *6, pl. Vendôme, 1er (296.47.60).*
• **Kenya :** *5, rue Volney, 2e (260.66.88).*
• **Luxembourg :** *21, bd des Capucines, 2e (742.90.56).*
• **Madagascar :** *4, av. Raphaël, 16e (504.18.29).*
• **Maroc :** *16, rue Saint-Honoré, 1er (260.47.24).*
• **(Ile) Maurice :** *68, bd de Courcelles, 17e (227.30.19).*
• **Mexique :** *34, av. George-V, 8e (720.69.15).*
• **Népal :** *7, rue Dufrénoy, 16e (504.62.38).*
• **Norvège :** *10, rue Auber, 9e (742.24.12).*
• **Pays-Bas :** *31-33, Champs-Elysées, 8e (225.41.25).*
• **Philippines :** *Atlantic Associates, 253, rue Saint-Honoré, 1er (260.90.90).*
• **Pologne :** *49, av. de l'Opéra, 2e (742.07.42).*
• **Portugal :** *7, rue Scribe, 9e (742.59.81).*
• **Roumanie :** *38, av. de l'Opéra, 2e (742.25.42).*
• **Sénégal :** *14, av. Robert-Schumann, 7e (705.39.45).*
• **Seychelles :** *voir Hong-Kong.*
• **Suède :** *11, rue Payenne, 3e (278.67.06).*
• **Suisse :** *11 bis, rue Scribe, 9e (742.45.45).*
• **Tchécoslovaquie :** *32, av. de l'Opéra, 2e (742.38.45).*

• **Thaïlande :** *90, Champs-Elysées, 8e (225.86.56).*
• **Tunisie :** *32, av. de l'Opéra, 2e (742.72.67).*
• **Turquie :** *102, Champs-Elysées, 8e (225.78.68).*
• **U.R.S.S. :** *7, bd des Capucines, 9e (742.47.40).*
• **Yougoslavie :** *31, bd des Italiens, 2e (297.57.56).*

LES TRANSPORTS

S.N.C.F.

• BUREAU CENTRAL DE RENSEIGNEMENTS :

Tous les jours, de 8 h à 22 h : 261.50.50.
Et, dans les gares de :
Austerlitz : *584.16.16.*
Est : *208.49.90.*
Lyon : *345,92.22.*
Montparnasse : *538.52.29.*
Nord : *280.03.03.*
Saint-Lazare : *538.52.29.*

• TRAINS AUTO-COUCHETTES

Renseignements et réservations (tous les jours, de 8 h à 20 h) dans les gares de :
Austerlitz : *584.15.20.*
Est : *607.81.25.*
Lyon : *345.93.33 et 307.71.19.*
Montparnasse : *538.52.39.*

• VOITURES SANS CHAUFFEUR

Tous les jours, sauf dimanche et fêtes, de 8 h 30 à 19 h, et le samedi de 8 h 30 à 17 h : 292.02.92.

Compagnies aériennes

• **Aer Lingus**
38, av. de l'Opéra, 2e (742.12.50).

• **Aeroflot**
33, Champs-Elysées, 8e (225.43.81).

• **Aerolinas Argentinas**
77, Champs-Elysées, 8e (359.02.96).

• **Aeromexico**
10, rue de la Paix, 2e (261.57.22).

• **Air Afrique**
104, Champs-Elysées, 8e (225.51.99).

• **Air Algérie**
20, rue des Pyramides, 1er (260.31.00).

• **Air Anglia**
Voir K.L.M.

• **Air Bahama International**
Voir Loftleidir.

• **Air Canada**
24, bd des Capucines, 9e (742.45.14).

• **Air France**
119, Champs-Elysées, 8e (535.61.61).
Aérogare des Invalides
Esplanade des Invalides, 7e (550.32.20).
Agence Maillot
C.I.P., Porte Maillot, 17e (758.20.05).

• **Air India**
1, rue Auber, 9e (266.13.72).

• **Air Inter**
12, rue de Castiglione, 1er (539.25.25).
47, rue de Ponthieu, 8e (256.12.68).
Aérogare des Invalides
2, rue Esnault-Pelterie, 7e (555.07.72).
Agence Maillot
C.I.P., Porte Maillot, 17e (758.20.38).

• **Air Madagascar**
7, av. de l'Opéra, 1er (260.30.51).

• **Air Mali**
14, rue des Pyramides, 1er (260.31.13).

• **Air Malta**
92, Champs-Elysées, 8e (563.17.53).

• **Air Zaïre**
38, av. de l'Opéra, 2e (742.09.26).

• **Alia (Royal Jordanian Airlines)**
12, rue de la Paix, 2e (261.57.45).

• **Alisarda**
9, bd de la Madeleine, 9e (261.61.50).

• **Alitalia**
138, Champs-Elysées, 8e (256.65.00).

• **Austrian Airlines**
12, rue Auber, 9e (742.55.05).

• **Avianca**
12, bd des Capucines, 9e (266.30.44).

• **Braniff**
47. av. George-V, 8e (720.42.42).

• **B.I.A. (British Island Airways)**
160, av. Charles-de-Gaulle, 91420 Morangis (934.50.08).

• **British Airways**
91, Champs-Elysées, 8e (720.12.77)
et **Tour Winterthur**
Cédex 18, 92085 Paris-La Défense (778.14.14). Réservations générales.

• **British Caledonian Airways**
5, rue de la Paix, 2e (261.50.21).

• **C.A.A.C. (Civil Aviation Administration of China)**
Voir Air France.

• **Cameroon Airlines**
12, bd des Capucines, 9e (742.55.11).

• **Canadian Pacific Air (C.P. Air)**
24, bd des Capucines, 9e (742.55.11).

• **Cathay Pacific Airways**
38, rue de Ponthieu, 8e (359.77.26).

• **C.S.A. (Ceskoslovenske Aerolínie)**
32, av. de l'Opéra, 2e (742.38.45).

• **Cyprus Airways**
50, Champs-Elysées, 8e (225.22.99).

• **Dan Air**
124, av. Jean-Jaurès, 19e (203.46.00).

• **Eastern Airlines**
7, pl. Vendôme, 1er (261.53.54).

Pour renseignements seulement (réservations uniquement chez les agents de voyages).

• **Egyptair**
1 bis, rue Auber, 9e (266.55.59).

• **El Al Israel Airlines**
24, bd des Capucines, 9e (742.45.19).

• **Ethiopian Airlines**
10, rue Auber, 9e (742.64.77).

• **Finnair**
11, rue Auber, 9e (742.33.33).

• **Garuda Indonesian Airways**
17, av. Hoche, 8e (563.05.66).

• **Giecar**
18, rue de la Pépinière, 8e (266.57.40).

Air Alpes, Air Alsace, Air Anjou, Air Centre, Air Champagne-Ardennes, Air Limousin, Air Littoral, Air Rouergue, Air Vosges, Europair, Touraine Air Transport (T.A.T.).

• **Iberia**
114, Champs-Elysées, 8e (261.57.40).

• **Icelanoair**
Voir Loftleidir.

• **Iran Air**
63, Champs-Elysées, 8e (225.99.06).

• **Iraqi Airways**
144, Champs-Elysées, 8e (225.62.25).

• **Japan Airlines** (J.A.L.)
75, Champs-Elysées, 8e (225.85.05).

• **J.A.T. (Jugoslovenski Aerotransport)**
31, bd des Italiens, 2e (297.43.03).

• **Kenya Airways**
8, rue Daunou, 2e (261.82.93).

• **K.L.M.**
36 bis, av. de l'Opéra, 2e (266.57.19).

• **Korean Airlines**
9, bd de la Madeleine, 1er (261.58.46).

• **Kuweit Airways**
6, rue de la Paix, 2e (261.24.25).

• **Lan-Chile**
29, rue des Pyramides, 1er (261.52.90).

• **Libyan Arab Airlines**
90, Champs-Elysées, 8e (256.33.00).

• **Loftleidir**
32, rue du 4-Septembre, 2e (742.52.56).

• **Lot (Polskie Linie Lotniesze)**
18, rue Louis-le-Grand, 2e (742.05.60).

Comment rejoindre son aéroport depuis Paris

EN CAR :
Vers **Orly** ou **Roissy-Charles-de-Gaulle :** départ toutes les 15 ou 20 minutes, tous les jours, de 6 h à 23 h, depuis le **Terminal Maillot** C.I.P., place de la Porte-Maillot, 17e (758.20.18), ou depuis le **Terminal Invalides,** Esplanade des Invalides, 1, rue Fabert, 7e (350.32.30). Enfin, un départ toutes les 20 minutes (de 6 h à 23 h) pour le parcours de Roissy-Charles-de-Gaulle à Orly Ouest ou Sud.
Durée du trajet de Maillot à Roissy-Charles-de-Gaulle : 30 minutes ; des Invalides à Orly : 40 minutes ; de Roissy-Charles-de-Gaulle à Orly : 75 minutes. Prix 14 F pour Orly ou Roissy-Charles-de-Gaulle et 29 F de Roissy-Charles-de-Gaulle à Orly.

PAR LE TRAIN (+ autocar) :
Départ toutes les 15 minutes, tous les jours de 5 h 30 à 23 h, pour **Orly** avec « Orly-Rail », depuis la **gare d'Orsay,** la **gare Saint-Michel** ou la **gare d'Austerlitz** (40 minutes de trajet : 14 F), et pour **Roissy-Charles-de-Gaulle** avec « Roissy-Rail », depuis la **gare du Nord** (30 minutes de trajet : 14 F).

• **Lufthansa**
21-23, rue Royale, 8e (265.19.19).

• **Luxair**
Voir Air France.

• **Middle East Airlines (M.E.A.)**
6, rue Scribe, 9e (266.93.93).

• **National Airlines**
102, Champs-Elysées, 8e (563.17.66).

• **Olympic Airways**
3, rue Auber, 9e (265.92.42).

• **Pakistan International Airlines (P.I.A.)**
152, Champs-Elysées, 8e (359.31.82).

• **Pan Am**
1, rue Scribe, 9e (266.45.45).

• **Philippines Airlines**
Voir K.L.M.

• **Quantas**
7, rue Scribe, 9e (266.52.00).

• **Royal Air Maroc**
34, av. de l'Opéra, 2e (266.10.30).

• **Sabena**
19, rue de la Paix, 2e (742.47.47).

• **S.A.S.**
30, bd des Capucines, 9e (742.06.14).

• **Saudia (Saudi Arabian Airlines)**
55, av. George-V, 8e (720.68.20).

• **Singapore Airlines**
35, av. de l'Opéra, 2e (261.53.09).

• **South African Airways**
12, rue de la Paix, 2e (261.57.87).

• **Swissair**
38, av. de l'Opéra, 2e (581.11.01).

• **Syrian Arab Airlines**
1, rue Auber, 9e (742.11.06).

• **T.A.P. (Transportes Aereos Portugueses)**
9, rue Scribe, 9e (266.67.80).

• **Thai Airways International**
123, Champs-Elysées, 8e (720.66.25).

• **T.H.Y. (Turkish Airlines)**
34, av. de l'Opéra, 2e (742.60.85).

• **Tonis Air**
17, rue Daunou, 2e (261.50.83).

• **T.W.A. (Trans World Airlines)**
101, Champs-Elysées, 8e (720.62.11).

• **United Airlines**
102, Champs-Elysées, 8e (225.03.06).

Informations pratiques

• **Réservations par téléphone :**
AIR FRANCE : 535.61.61.
AIR INTER : 539.25.25.

• **Informations sur les vols en cours ou attendus**
AIR FRANCE (et les compagnies assistées)
Vols Arrivée : 320.12.55.
Vols Départ : 320.13.55.

• **Autres Informations :** 320.14.55.
Et, pour toutes les compagnies, dans chaque aéroport :
ROISSY-CHARLES-DE-GAULLE : 862.22.80.
ORLY (SUD et OUEST) : 707.85.55.
LE BOURGET : 834.93.90.

• **U.T.A. (Union de Transports Aériens)**
3, bd Malesherbes, 8e (776.41.52).

• **Varig**
27, Champs-Elysées, 8e.

• **Viasa**
Voir K.L.M.

Où se faire vacciner ?

AIR FRANCE
• *1, square Max-Hymans, 15e (273.41.41).*

Compagnies maritimes

Pour partir en croisière :

Les grandes compagnies

• **Adriatica**
3-5, bd des Capucines, 2e (266.46.50).
Afrique Occidentale, Méditerranée.

• **Carras**
15, rue de Bassano, 16e (723.55.14).
Europe du Nord, Méditerranée.

• **Chandris**
36 bis, av. de l'Opéra, 2e (266.90.16).
Europe du Nord, Méditerranée.

• **Costa France**
3-5, rue Scribe, 9e (742.52.03).
Afrique, Caraïbes, Europe du Nord, Méditerranée, tour du monde.

• **Cunard**
11, rue Scribe, 9e (266.03.99).

• **Hellenic Mediterranean Lines**
19, rue de la Michodière, 2e (742.22.84).
Méditerranée.

• **K.D. German Rhine**
9, fg Saint-Honoré, 8e (742.52.27).
Croisières sur le Rhin.

• **Paquet**
5, bd Malesherbes, 8e (266.57.59).
Europe du Nord, Méditerranée.

Les agences spécialisées

• **Explorator**
16, pl. de la Madeleine, 8e (266.66.24).
Représente LINDBLAD (Antarctique, Pacifique, Polynésie, etc.).

Ne nous accablez pas si le numéro de téléphone de votre correspondant a changé depuis la sortie de ce Guide. Nous n'y sommes pour rien.

- **Transports et Voyages**
8, rue Auber, 9e (266.90.90).
Représente EPIROTIKI (Méditerranée, mer Rouge, Caraïbes), SIOSA (Méditerranée), ROYAL VIKING (Europe du Nord, tour du monde, Pacifique) et IRISH CONTINENTAL LINES (ferries vers l'Irlande).
- **Transtours**
26, rue Saint-Roch, 1er (261.58.28).
Représente plusieurs croisières soviétiques en mer ou sur la Volga.
- **Worms**
10, rue Auber, 9e (260.35.20).
Représente les lignes turques.

A bord d'un bananier, d'un cargo

- **SOTRAMAT**
12, rue Godot-de-Mauroy, 8e (742.90.61).

Pour passer sa voiture...

... en Corse...

- **Société nationale Corse-Méditerranée - SOTRAMAT**
12, rue Godot-de-Mauroy, 8e (266.60.19).

... En Grande-Bretagne...

- **Hoverlloyd** (aéroglisseur)
24, rue Saint-Quentin, 10e (202.58.79).
- **Normandy Ferries**
9, pl. de la Madeleine, 8e (266.40.17).
- **Sealink-Seaspeed**
12, bd de la Madeleine, 8e (266.90.53).
- **Townsend Thoresen**
41, bd des Capucines, 2e (261.51.75).

... en Grèce...

- **Chandris**
36 bis, av. de l'Opéra, 2e (266.90.16).
- **Karageorgis Lines**
38, bd des Italiens, 9e (246.72.08).
- **Mediterranean Sun Lines**
19, rue de la Michodière, 2e (742.22.84).
- **Navifrance**
20, rue de la Michodière, 2e (266.65.40).
- **Paquet**
5, bd Malesherbes, 8e (266.57.59).

... en Irlande

- **Irish Continental Line**
12, rue Godot-de-Mauroy, 8e (266.90.90).

LES VOYAGES

« Tours operators »

CE sont les fabricants de voyages, ceux qui mettent sur pied, organisent, programment enfin les voyages « à forfaits » (séjours ou circuits) que vous lisez dans les catalogues, chez votre agent de voyages. Ces « forfaits tout compris » proposent généralement le transport — en avion (vol régulier ou charter), train ou autocar —, les transferts sur place, les hôtels et les excursions, pour un prix souvent inférieur au prix du billet d'avion seul, mais avec, dans certains cas (de moins en moins), des obligations de dates de départ et de retour fixes. Il existe en France un peu plus d'une centaine de ces fabricants de voyages. Ils peuvent être spécialisés sur telle ou telle région du monde ou bien couvrir les cinq continents ou encore proposer des voyages à thème.

Les « généralistes »

AIRTOUR-EURO 7

- **2e** - *36, av. de l'Opéra (266.03.29).*

L'un des plus importants, notamment par tous les moyens-courriers et les week-ends en Europe.

CLUB MÉDITERRANÉE

- **2e** - *Pl. de la Bourse (296.10.00).*

A partir de ses villages, et même parfois directement depuis Paris, le Club organise des circuits d'une très grande qualité dans une bonne trentaine de pays.

DELTA

- **5e** - *54, rue des Écoles (329.21.17).*

Autrefois Fédération mondiale des villes jumelées, c'est aujourd'hui l'un des plus importants Tour operator sur l'Asie et le continent américain. Outre des circuits hors des sentiers battus, il propose, pour chaque destination, plusieurs formules allant du voyage « à la dure » bon marché au voyage de grand luxe.

Consultez la table des matières : p. 631.

FRAM

● **8e** - *79, Champs-Elysées (720.52.33 ou 723.69.51).*

L'un des plus gros fabricants de voyages sur l'Espagne et l'Afrique du Nord.

KUONI

● **8e** - *95, rue d'Amsterdam (285.71.22).*

Société française du groupe Kuoni Suisse, plutôt orientée vers les circuits longs-courriers d'excellente qualité, notamment en Asie, en Afrique de l'Est et en Amérique du Sud.

JET TOURS

● **92 Saint-Cloud** - *209, bureaux de la Colline (602.70.22).*

Fait partie de la Sotair, elle-même filiale d'Air France. C'est l'un des tout premiers fabricants de voyages français, tant pour les séjours que pour les circuits (très classiques) dans le monde entier : il programme également des « Eldorados », sortes de clubs ou de villages-hôtels, des week-ends en Europe, et des formules de chasse et de pêche. Toujours au sein de la Sotair, deux autres marques : Jet'am Tours (pour les vacances en Amérique du Nord) et Jumbo (pour les jeunes).

NOUVELLES FRONTIÈRES-TOURAVENTURE

● **6e** - *66, bd Saint-Michel (329.12.14).*

Lancée par ses vols à tarifs réduits et autres charters il y a un peu plus d'une dizaine d'années, cette agence du quartier latin est devenue, avec son activité de tour operating (séjours, circuits, organisés), l'un des trois ou quatre premiers fabricants de voyages français.

PLANÈTE

● **1er** - *45, rue de Richelieu (296.10.50).*

Au départ spécialisé sur le Maroc, il propose aujourd'hui des séjours et des circuits un peu partout dans le monde, avec notamment une marque spécifique pour l'Asie : Orientissimo.

RÉPUBLIQUE TOURS

● **11e** - *8 bis, pl. de la République (355.39.30).*

Un spécialiste, depuis des années, pour les séjours en Grande-Bretagne, en Irlande et les week-ends en Europe, il programme aujourd'hui également des circuits et des séjours dans le monde entier (marque Cap Soleil).

TOURING VACANCES

● **13e** - *45, rue Eugène-Oudiné (584.08.00).*

Le fabricant de voyages du Touring Club de France, pour de grands circuits dans le monde entier.

TOURISME FRANÇAIS

● **9e** - *96, rue de la Victoire (280.67.80).*

Le plus ancien des fabricants de voyages français (son premier voyage date de 1905 à l'occasion du Carnaval de Nice), avec trois marques, l'Europe en Autocar, Air Vacances (séjours et clubs de vacances moyens-courriers) et Horizons Lointains (circuits classiques à travers les cinq continents).

TOUROPA

● **1er** - *2, rue du Pont-Neuf (233.44.60).*

Société française d'un des tout premiers fabricants de voyages allemands (Touropa), plutôt orienté vers les séjours moyens-courriers (Baléares, Tunisie, Espagne, etc.).

VACANCES 2000

● **6e** - *141, rue de Rennes (544.38.58).*

Le fabricant de voyages de la S.N.C.F. avec surtout des séjours moyens-courriers, et quelques circuits à thème ; l'un des plus importants pour les forfaits de sports d'hiver.

VOYAGE CONSEIL

● **7e** - *50, rue Fabert (555.91.60).*

L'agence de voyages du Crédit Agricole (également l'un des premiers distributeurs français), spécialisée dans les départs de villes de province ; le premier à avoir fait voyager dans le monde entier la « France rurale ». C'est aujourd'hui le plus dynamique et le plus important des fabricants de voyages, avec, notamment, deux départements : la France verte et la Chasse et la Pêche.

Et encore...

HOTELPLAN

● **2e** - *48, rue Vivienne (233.44.73).*

EUROTOUR

● **2e** - *31, av. de l'Opéra (261.44.22).*

PAYSCOPE

● **2e** - *6, rue de la Paix (261.50.02).*

PLEIN SOLEIL

● **9e** - *43, rue Vivienne (260.35.09).*

SUNAIR

● **92120 - Montrouge** - *4, rue René-Barthélémy (735.98.50).*

Envoyez-nous vos bonnes adresses, vos critiques, vos commentaires. Nous vous en serons obligés.

Les « spécialistes » pour...

... l'Afrique...

• **AFRICATOURS**
9-11, av. Franklin-Roosevelt, 8e (723.78.59).

• **JET TOURS** (Sénégal, Kenya)
209, bureaux de la Colline, 92213 Saint-Cloud (602.70.22).

• **KUONI** (Kenya)
95, rue d'Amsterdam, 8e (285.71.22).

• **REV' VACANCES**
9, rue Keppler, 16e (723.55.30).

• **TROPICATOURS**
35, av. Pierre-1er-de-Serbie, 8e (723.78.25).

... l'Amérique du Nord...

• **CAMINO**
21, rue Alexandre-Charpentier, 17e (380.55.58).

• **JET'AM TOURS**
209, bureaux de la Colline, 92213 Saint-Cloud (602.70.22).

• **TOURAMEX**
11, rue Scribe, 9e (266.09.99).

• **TOURWEST**
205, rue Saint-Honoré, 1er (260.30.85).

• **VISIT USA SERVICE**
3, rue Meyerbeer, 9e (824.73.22).

• **WINGATE TRAVEL**
19 bis, rue du Mont-Thabor, 1er (260.39.85).

• **ZENITH**
14, rue Thérèse, 1er (296.49.51).

... l'Amérique Latine...

• **AIR ALLIANCE**
4, rue de la Michodière, 2e (742.60.14).

• **AMERICATOURS**
16, bd de Garibaldi, 15e (567.35.11).

• **ANDESTOUR**
7, rue du 29-Juillet, 1er (260.38.39).

• **BRASITOUR**
20, rue des Petits-Champs, 2e (296.38.20).

• **CLIMATS** (Amazonie, Matto Grosso)
62, bd du Montparnasse, 15e (548.02.73).

• **KUONI** (grands circuits panoramiques, séjours à Rio)
95, rue d'Amsterdam, 8e (285.71.22).

• **TOURISME FRANÇAIS - HORIZONS LOINTAINS** (grands circuits panoramiques)
96, rue de la Victoire, 9e (280.67.80).

• **TOURWEST**
205, rue Saint-Honoré, 1er (260.30.85).

• **UNICLAM**
63, rue Monsieur-le-Prince, 6e (329.12.36).

... l'Angleterre...

• **BRITTOURS**
4, rue de Suresnes, 8e (266.52.14).

• **RÉPUBLIQUE TOURS**
8 bis, pl. de la République, 11e (355.39.30).

• **THOMAS COOK**
2, pl. de la Madeleine, 8e (260.33.20).

... les Antilles...

• **AIR ALLIANCE** (Haïti)
4, rue de la Michodière, 2e (742.60.14).

• **COMITOUR** (Caraïbes, Haïti, Bermudes).
161, rue Saint-Honoré, 1er (260.38.55).

• **JET TOURS**
203, bureaux de la Colline, 92213 Saint-Cloud (682.70.99).

• **V.A.T.** (Voyages Antillais)
22, rue Saint-Augustin, 2e (266.20.40).

... l'Asie du Sud-Est et l'Extrême-Orient...

• **AIR ALLIANCE**
4, rue de la Michodière, 2e (073.63.50).

• **ASIE TOURS**
16, bd Garibaldi, 15e (567.35.11).
Probablement le spécialiste le plus expérimenté et le plus sérieux pour tous les pays situés entre l'Inde et le Pacifique.

• **CONNAISSANCE DU MONDE**
36, av. de l'Opéra, 1er (266.09.29).

• **GO VOYAGES** (Corée)
22, rue de l'Arcade, 8e (266.18.18).

• **KUONI** (grands circuits)
95, rue d'Amsterdam, 8e (285.71.22).

• **ORIENTISSIMO**
26, rue de Richelieu, 1er (296.10.50).

• **TRANSASIA**
35, rue Galande, 5e (329.21.27).

... la Chine...

• **ARTS ET VIE**
39, rue des Favorites, 15e (828.40.41).

• **ASSINTER**
38, rue Madame, 6e (544.45.87).

• **ASSOCIATION DES AMIS DE L'ORIENT**
19, av. d'Iéna, 16e (723.64.85).

• **ASSOCIATION DES AMITIÉS FRANCO-CHINOISES**
162, rue du Château, 14e (322.03.08).
• **ATELIER DES VOYAGES**
5, rue Jean-du-Bellay, 4e (329.63.10).
• **DARO VOYAGES**
24, rue Royale, 8e (260.34.06).
• **DINER'S CLUB**
18, rue François-1er, 8e (723.78.05).
• **JET TOURS**
209, bureaux de la Colline, 92213 Saint-Cloud (602.70.22).
• **KUONI**
95, rue d'Amsterdam, 8e (285.71.22).
• **WAGONS-LITS**
14, bd des Capucines, 2e (260.33.10).

... l'Égypte...

• **REV'VACANCES**
9, rue Keppler, 16e (723.55.30).
• **TOURORIENT** (Klat Travel)
205, rue Saint-Honoré, 1er (260.30.85).

... la Grèce...

• **AIR GRÈCE**
25, rue du Renard, 4e (277.74.05).
• **CRUISAIR CHANDRIS**
36 bis, av. de l'Opéra, 2e (266.90.16).
• **SIRT TOURS**
5, av. de l'Opéra, 1er (260.31.66).

... l'Inde...

• **AIR ALLIANCE**
4, rue de la Michodière, 2e (742.60.14).
• **ASIE TOURS**
16, bd Garibaldi, 15e (567.35.11).
• **ASSOCIATION FRANÇAISE DES AMIS DE L'ORIENT**
19, av. d'Iéna, 16e (723.64.85).
• **KUONI**
95, rue d'Amsterdam, 8e (285.71.22).
• **TOURORIENT**
205, rue Saint-Honoré, 1er (260.30.85).

... Israël...

• **SIRT TOURS**
5, av. de l'Opéra, 1er (260.31.66).
• **TOURORIENT**
205, rue Saint-Honoré, 1er (260.30.85).

Critiquez nos critiques : nous vous en serons obligés.

• **ZENITH**
14, rue Thérèse, 1er (296.49.51).

... l'Italie...

• **C.I.T.-EVASION**
3-5, bd des Capucines, 2e (266.46.50).

... le Moyen-Orient...

• **TOURORIENT**
205, rue Saint-Honoré (260.30.85).

... l'Océan Indien...

• **AFRICATOURS**
9-11, av. Franklin-Roosevelt, 8e (723.78.59).
• **M.V.M.** (Maine Voyages Montparnasse)
16, rue Littré, 6e (544.38.41).

... le Sahara...

• **ATELIER DES VOYAGES**
5, rue Jean-du-Bellay, 4e (329.63.10).
• **EXPLORATOR**
16, pl. de la Madeleine, 8e (266.66.24).
• **GUILDE EUROPÉENNE DU RAID**
11, rue de Vaugirard, 6e (354.52.53).
• **MIGRATOR**
12 bis, rue Domat, 5e (329.68.72).
• **TERRE D'AVENTURE**
5, rue Saint-Victor, 5e (329.94.50).

... la Scandinavie...

• **BENNETT**
5, rue Scribe, 9e (742.91.89).
• **SCANDITOUR**
122, Champs-Elysées, 8e (720.38.05).

... la Tunisie...

TUNISIE CONTACT
30, rue de Richelieu, 1er (266.23.55).
• **VACANCES ET LIBERTÉ**
14, av. de l'Opéra, 2e (296.31.62).
Et aussi tous les généralistes comme Airtour-Euro 7, Fram, Jet Tours, Jumbo, Planète, République Tours, Sunair, Touropa, Voyage Conseil, etc.

... la Turquie...

• **COSMOVEL**
12, rue de la Paix, 2e (261.57.33).
• **TOURORIENT**
205, rue Saint-Honoré, 1er (260.30.85).

... l'U.R.S.S...

• FRANCE-URSS
61, rue Boissière, 16e (501.59.00).

• FRANCE VOYAGES
78, rue Oliver-de-Serres, 15e (828.40.00).

• TRANSTOURS
49, av. de l'Opéra, 9e (pas de n° de téléphone).

... la Yougoslavie

• YUGOTOURS
11, rue Jean-Mermoz, 8e (225.75.11).

Les voyages « culturels » pour tout petits groupes

• LES AMIS DU LOUVRE-POINTS CARDINAUX
125, fg Saint-Honoré, 8e (359.09.63).
Les voyages les plus chers et les plus snobs de Paris sans doute, mais aussi il faut bien l'avouer, les plus raffinés et les plus originaux. Une carte de visite qui ouvre les portes de n'importe quel musée (visites réservées) ou grande collection privée du monde entier... 10 voyages très exceptionnels par an, le plus souvent à thème, et toujours accompagnés des plus éminents spécialistes ou professionnels de l'Art.

• ASSOCIATION FRANÇAISE DES AMIS DE L'ORIENT
19, av. d'Iéna, 16e (723.64.85).
L'Asie avec des (passionnants) voyages « de civilisation », sous le patronnage du Musée Guimet et d'éminents archéologues.

• L'ATELIER DES VOYAGES
5, rue Jean-du-Bellay, 4e (354.63.10).
Un tout petit et sérieux tour operator qui, grâce à une longue expérience, organise de remarquables périples, sur mesure le plus souvent, n'importe où dans le monde avec quelques spécialités toutefois : le Yemen, le Sahara, le Pacifique et l'Asie.

• S.I.P. LARONDE
1, rue Garancière, 6e (329.56.70).
Des voyages à thème « chrétiens », des pèlerinages.

Les voyages « fleuris » ou pour botanistes

• FRÉVAL VOYAGES
19, rue Martel, 10e (246.82.44).

• SOCIÉTÉ NATIONALE D'HORTICULTURE DE FRANCE
84, rue de Grenelle, 8e (548.99.76).

Les contrées « sauvages » ou insolites

• ASSINTER
38, rue Madame, 6e (544.45.87).

• ATELIER DES VOYAGES
5, rue Jean-du-Bellay, 5e (329.63.10).

• CONTINENTS EN FÊTE
82, rue Quincampoix, 3e (271.42.12).

• DELTA
54, rue des Ecoles, 5e (329.21.17).

• EXPLORATOR
16, pl. de la Madeleine, 8e (266.66.24).

• FORUM
1, rue Cassette, 6e (544.38.61).

• GUILDE EUROPÉENNE DU RAID
11, rue de Vaugirard, 6e (354.52.53).

• ITHAF
4, rue Balzac, 8e (359.19.51).

• JEUNES SANS FRONTIÈRES
7, rue de la Banque, 2e (261.53.21).

• JUMBO
72, rue Gay-Lussac, 5e (354.74.35).

• MIGRATOR
12 bis, rue Domat, 5e (329.68.72).

• NOUVELLES FRONTIÈRES-TOURAVENTURE
66, bd Saint-Michel, 6e (329.12.14).

• TERRE D'AVENTURE
5, rue Saint-Victor, 5e (329.94.50).

Les vacances moins chères, en famille

• LOGIS DE FRANCE
23, rue Jean-Mermoz, 8e (359.91.99).

• O.C.C.A.J.
9, rue de Vienne, 8e (296.15.02).

• VILLAGES VACANCES FAMILLE
5, bd Vaugirard, 15e (538.28.28).

Pour retrouver rapidement une adresse consultez l'index, p. 641.

Les vacances à la ferme...

• **GITES DE FRANCE**
35, rue Godot-de-Mauroy, 9e (742.25.43).

... sur les canaux...

• **HAVAS VOYAGES**
26, av. de l'Opéra, 1er (261.80.56).
• **NAUTIC VOYAGES**
8, rue de Milan, 9e (526.60.80).
• **QUIZTOURS**
19, rue d'Athènes, 9e (874.75.30).
• **VOYAGE CONSEIL**
43-45, av. de l'Opéra, 1er (296.12.71).

... en autocar...

• **CARTOUR**
10, rue Vignon, 9e (266.14.90).
• **EUROPABUS**
17, rue d'Amsterdam, gare Saint-Lazare, 8e (270.56.00).
• **GREYHOUND**
15, rue Daunou, 2e (261.52.01).
• **HORIZONS EUROPÉENS**
96, rue de la Victoire, 9e (280.67.80).
• **TOURISME S.N.C.F.**
Dans les gares.

... en roulotte ou en calèche...

• **CHEVAL VOYAGES**
8, rue de Milan, 9e (526.60.80).
• **DÉCOUVERTE DU MASSIF CENTRAL** (Maison de l'Auvergne)
53, av. Franklin-Roosevelt, 8e (225.37.39).
• **HAVAS VOYAGES**
26, av. de l'Opéra, 1er (261.80.56).
• **VOYAGE CONSEIL**
43-45, av. de l'Opéra, 1er (296.12.71).

... à cheval...

ASSOCIATION NATIONALE POUR LE TOURISME ÉQUESTRE (A.N.T.E.)
12, rue du Parc Royal, 3e (277.48.56).
• **CHEVAL VOYAGES**
8, rue de Milan, 9e (526.60.80).
• **DÉCOUVERTE DU MASSIF CENTRAL** (Maison de l'Auvergne)
53, av. Franklin-Roosevelt, 8e (225.37.99).
• **VOYAGE CONSEIL**
43-45, av. de l'Opéra, 1er (296.12.71).

... à bicyclette...

• **BICY-CLUB DE FRANCE**
8, pl. de la Porte-de-Champerret, 17e (766.55.92 ; de 9 h 30 à 13 h 30).
• **TOURING CLUB DE FRANCE**
65, av. de la Grande-Armée, 17e (727.89.89).

... à pied...

• **SENTIERS DE GRANDE RANDONNÉE**
92, rue de Clignancourt, 18e (259.60.40).
• **TERRES D'AVENTURE**
5, rue Saint-Victor, 5e (329.94.50).
• **U.C.P.A.**
62, rue de la Glacière, 13e (336.05.20).

... en voilier...

Avec ou sans équipage, vous le retrouverez aux Antilles, aux Seychelles, à Tahiti, en Grèce, aux Baléares, etc.

• **CLUB MÉDITERRANÉE**
Pl. de la Bourse, 2e (296.10.00).
• **MONDOVOILE**
230, fg Saint-Honoré, 8e (563.05.27).
• **ODYSSÉE**
137, rue du Ranelagh, 16e (288.82.66).
• **TABARLY YACHTING**
156, av. Paul-Doumer, 92500 Rueil-Malmaison (749.28.19).
• **VOILE VOYAGE**
8, rue Domat, 5e (329.30.30).
• **VOYAGE MARSAN-MICHEL GONDARD**
41, rue D'Ybry, 92200 Neuilly (758.12.40).

... en stage d'artisanat...

Renseignements et informations (parfois réservations) dans les Maisons Régionales installées à Paris, mais aussi quelques forfaits avec :

• **DÉCOUVERTE DU MASSIF CENTRAL** (Maison de l'Auvergne)
53, av. Franklin-Roosevelt, 8e (225.37.99).

• **HOBBY VOYAGES**
8, rue de Milan, 9e (526.60.80).
• **VOYAGE CONSEIL**
43-45, av. de l'Opéra, 1er (296.12.71).

... dans un « club »

• **CLUB MÉDITERRANÉE**
Pl. de la Bourse, 2e (296.10.00).
Et aussi les « Eldoradors » de Jet Tours, les villages-hôtels d'Airtour-Euro 7, etc. (Voir « Généralistes »).

Individualistes : profitez des tarifs habituellement réservés aux groupes.

• **AFRICATOURS** (toute l'Afrique et l'océan Indien)
9-11, av. Franklin-Roosevelt, 8e (723.78.59).
• **AIR ALLIANCE** (Asie du Sud-Est, Inde, Amérique Latine)
4, rue de la Michodière, 2e (742.60.14).

Les jeunes : où trouver un billet d'avion à bon marché...

• **A.T.I.T.R.A.** (Association Technique Interministérielle des Transports)
• **9e** - *2, rue Rossini (523.00.85).*
Organisme officiel.

ASSINTER
• **6e** - *30, rue Madame (544.45.87).*

DELTA
• **5e** - *54, rue des Ecoles (329.21.17).*

FORUM (ex-Alliance Européenne de l'Air)
• **6e** - *1, rue Cassette (544.38.61).*

JEUNES SANS FRONTIÈRES
• **2e** - *7, rue de la Banque (261.53.21).*

JUMBO
• **5e** - *72, rue Gay-Lussac (354.74.35).*

NOUVELLES FRONTIÈRES
• **6e** - *66, bd Saint-Michel (329.12.14).*

• **AIR GRÈCE** (Grèce)
25, rue du Renard, 4e (277.74.05).
• **AMÉRICATOURS** (Amérique Latine)
16, bd Garibaldi, 15e (567.35.11).
• **ASIE TOURS** (Asie)
16, bd Garibaldi, 15e (567.35.11).

Ils sont là pour vous informer

CENTRE D'INFORMATION ET DOCUMENTATION JEUNESSE
• **15e** - *101, quai Branly (566.40.45).*

LOISIRS-JEUNES
• **8e** - *36, rue de Ponthieu (225.60.28).*

• **ASSINTER** (Asie, Amérique)
38, rue Madame, 6e (544.45.87).
• **CAMINO** (Amérique du Nord)
21, rue Alexandre-Charpentier, 17e (380.55.38).
• **DELTA** (partout)
54, rue des Ecoles, 5e (329.21.17).
• **GO VOYAGES** (Corée)
22, rue de l'Arcade, 8e (266.18.18).
• **JETAM** (Amérique du Nord)
209, bureaux de la Colline, 92213 Saint-Cloud (602.70.22).
• **JUMBO** (partout)
72, rue Gay-Lussac, 5e (354.74.35).
• **KUONI** (Asie)
95, rue d'Amsterdam, 9e (285.71.22).
• **MUM** (Océan Indien)
16, rue Littré, 6e (544.38.41).
• **NOUVELLES FRONTIÈRES**
66, bd Saint-Michel, 6e (329.12.14).
• **ORIENTISSIMO** (Asie)
26, rue de Richelieu, 1er (296.10.50).
• **TOURWEST-TOURORIENT** (toute l'Amérique, l'Inde, le Moyen-Orient et Israël)
205, rue Saint-Honoré, 1er (260.30.85).
• **UNICLAM** (Amérique Latine)
63, rue Monsieur-le-Prince, 6e (329.12.36).
• **VAT** (Antilles, Pacifique, Océan Indien)
22, rue Saint-Augustin, 2e (266.20.40).
• **VISIT U.S.A. SERVICE** (Etats-Unis)
3, rue Meyerbeer, 9e (824.73.22).

• **WINGATE** (Amérique du Nord)
19 bis, rue du Mont-Thabor, 1er (260.39.85).

• **ZENITH** (Amérique du Nord, Israël, Antilles)
14, rue Thèrese, 1er (296.49.51).

Les vacances sportives

• **TOURING CLUB DE FRANCE**
65, av. de la Grande-Armée, 17e (727.89.89).

• **U.C.P.A.**
62, rue de la Glacière, 13e (336.05.20).

AGENCES DE VOYAGES

CE sont les boutiques où vous allez chercher les catalogues et brochures des « tour-operators » (que nous venons de citer), puis acheter votre « forfait » de vacances, mais aussi votre simple billet d'avion ou de train. Il en existe plus de 2 000 en France. Les plus importants de ces distributeurs se sont regroupés en chaîne ou G.I.E. et suivent ainsi une politique de vente commune (choix des tour-opérators, distribution, promotion, publicité, etc.). Ce sont, par exemple, **Havas-Voyages** (214 agences), **Wagons-Lits Cook** (150 agences), **Sélectour** (114 agences). Plus un cas particulier, celui de **Voyage Conseil,** « revendu » dans les 6 000 agences du Crédit Agricole.
Parmi les agences parisiennes, voici quelques adresses extrêmement sérieuses et efficaces :

AMERICAN EXPRESS

• **9e** - *11, rue Scribe (266.09.99).*

COMPAGNIE GÉNÉRALE DE TOURISME ET VOYAGES

• **15e** - *16, bd Garibaldi (567.35.11).*

DARO VOYAGES

• *24, rue Royale (260.34.06).*
• **16e** - *155, av. Victor-Hugo (727.43.19).*

FRIEDLAND VOYAGES

• **8e** - *43, av. Friedland (563.07.39).*
• **16e** - *4 pl. Victor-Hugo (727.17.59).*

TRANSPORT ET VOYAGES

• **9e** - *8, rue Auber (266.90.90).*

Syndicat national des agents de voyages

• **17e** - *6, rue Villaret-de-Joyeuse (755.61.20).*
En cas de litige avec un agent de voyages et s'il est membre du syndicat seulement.

Animaux

PARIS possède d'innombrables magasins spécialisés dans le commerce ou l'entretien des animaux de compagnie. Du plus grand nombre d'entre eux, nous préférons taire les adresses. Ce que nous écririons ne ferait aucun plaisir à leurs propriétaires et ne serait d'aucune utilité pour personne.
Le docteur Rousselet-Blanc, remarquable vétérinaire, nous a aidés à établir ce court chapitre et à sélectionner les adresses que nous vous conseillons.

LES CHIENS

MALGRÉ la loi du 22 décembre 1971 et son application (depuis 1975) réglementant le contrôle des chenils et le libre commerce des animaux, personne n'a la moindre garantie lors de l'achat d'un animal, et notamment d'un chien dans un chenil, même si certains d'entre eux commencent à faire de sérieux efforts sur le plan de l'hygiène. Ces risques, bien connus des vétérinaires et de tous ceux qui, d'aventure, se sont laissés séduire par le plus adorable des chiots exposé dans une vitrine, existent donc toujours. Risques de maladies (la maladie de Carré et l'hépatite ne sont que deux fléaux parmi beaucoup d'autres), de malnutrition, de consanguinité, etc. La majorité des animaux que l'on trouve dans ces chenils arrivent de Hollande ou de Belgique — où ils sont élevés en masse — par camions entiers, entassés dans des caisses, et passent la frontière plus ou moins frauduleusement, sans le moindre contrôle d'hygiène. Sevrés à un mois seulement, donc peu résistants, ils attrapent toutes les maladies possibles et débarquent à Paris, souvent à demi-morts, quand ce n'est pas tout à fait. Quant à leur passage dans les chenils, mieux vaut n'en pas parler. Le manque total d'hygiène, d'air, d'espace, ainsi que la sous-alimentation, semblent y être une règle commune. A notre connaissance (comme à celle de nombreux vétérinaires), aucun chenil parisien ne pouvant échapper à un moment ou à un autre à cet état de fait absolument scandaleux, nous prenons donc le parti de les passer sous silence.
Par ailleurs, acheter un chien dans un chenil vous reviendra aussi cher que dans un « Club de Races » ou chez un éleveur — c'est ce dernier qui détermine les prix en fonction de la mode — avec en plus, le risque de la maladie. Alors pour acheter un chien, adressez-vous plutôt à votre vétérinaire, qui possède le « Memento Canin », où sont répertoriés les élevages contrôlés officiellement, ou encore à :

CENTRALE CANINE

● **2e** - *215, rue Saint-Denis (233.61.67).*

C'est l'organisme qui vous communiquera l'adresse des Clubs de Race (il y en a 70 en France) et des éleveurs sérieux : les Clubs de Race sont généralement présidés par des colonels en retraite ou des dames de la bonne société, à qui, souvent, il vous faudra « montrer patte blanche », si ce n'est votre propre pédigree. A tout le moins un portefeuille confortablement matelassé. En tout cas, devenir un inconditionnel de la race.

Pedigree

Lorsque vous achetez un cocker ou tout autre animal « pure race » voici le dossier que le vendeur doit impérativement vous remettre, outre le contrat de vente Prodaf : une carte d'immatriculation par tatouage, un certificat de vaccination et le certificat de naissance à entête de la Société Centrale Canine lorsqu'il a

moins d'un an ou un pedigree définitif si votre chien est adulte et confirmé auprès de l'Association de la Race ; ou du moins la promesse écrite que ces certificats existent...
Le pedigree provisoire ou définitif est un document officiel sur lequel figurent l'arbre généalogique du chien (quatre générations), sa race, son tatouage, ses signes particuliers, etc. Il vous permet de vérifier que votre chien est bien inscrit au Livre des Origines Françaises (à la Centrale Canine). Après cette vérification, pour plus de tranquillité, empressez-vous de montrer votre chien à un vétérinaire.

Adoption

Ces deux organismes charitables vous permettront également de recueillir à peu de frais un des innombrables animaux que d'autres ont abandonnés :

ASSISTANCE AUX ANIMAUX

● **10e** - *90, rue Jean-Pierre-Timbaud (355.76.57).*

Munissez-vous d'une carte d'identité et d'une quittance EDF avant de venir choisir, entre 13 h 30 et 17 h 30, votre chien (180 F minimum) ou votre chat (100 F). L'un et l'autre seront vaccinés, tatoués et médaillés (et le chat, en plus, stérilisé). Voir aussi — pour les chiens seulement — le stand A.A.A. du Printemps (magasin du Havre, 6e étage) de 13 h à 17 h.

SOCIÉTÉ PROTECTRICE DES ANIMAUX (S.P.A.)

● **92 Gennevilliers** - *Refuge Grammont, 30, av. du Pont-de-Saint-Denis (798.57.40).*

Mêmes formalités et mêmes conditions qu'à l'A.A.A. Sans aller jusqu'à Gennevilliers, vous trouverez un choix (moindre) au stand S.P.A. de la Samaritaine (magasin 3, 5e étage) de 13 h à 17 h.

Toilettage

DOG'S SHOP

● **16e** - *73, rue des Vignes (520.45.50).*

Toilettage pour chiens (70 F pour un caniche ou un fox, 65 F pour un cocker, 130 F pour un lévrier afghan, etc.). Vous y entrez avec un quadrupède indéfinissable, innommable, vous en sortez soit avec un joli lion parfumé, soit avec une gazelle ondulée, souvent avec un chien.

LA DOGUERIE

● **17e** - *34, av. de Villiers (924.06.26).*

Bain, tonte, toilettage (70-100 F pour un caniche, 150 F pour un chien plus « important ») et trimming, derrière la superbe façade métallique de cette boutique de cadeaux et d'articles de voyage.

NOUKY CLUB

● **7e** - *38, rue Chevert (705.94.60).*

Daniel, l'esthétichien du Nouky Club, s'est rendu maître dans l'art d'assortir les griffes d'un chien aux ongles de sa maîtresse. Tout le personnel de cet « institut » renommé pratique les toilettages avec une incomparable douceur (caniche 70-80 F ; lévrier afghan : 120 F). Vente de tous les innombrables accessoires.

Gardiennage

A Paris, pas de gardiennage valable — à moins d'être dans les petits papiers des gardes du Bois de Boulogne — mais, outre le recours (efficace) à votre vétérinaire habituel qui sait, lui, à qui confier les animaux, vous pouvez laisser votre animal à de généreux (une cotisation vous sera tout de même demandée, de 20 à 50 F par jour) particuliers dont vous trouverez la liste à l'**Assistance aux Animaux** (90, rue Jean-Pierre-Timbaud, 10e, 355.76.57) et à la **Société Protectrice des Animaux** (39, boulevard Berthier, 17e, 380.40.66).
D'une façon générale et pour le bien-être de votre chien (chat, canari, etc.) il est préférable d'aller rendre une visite surprise à ces particuliers ou à ces pensions, et de regarder attentivement la manière dont les animaux sont logés, leur nourriture, leur nombre, la gentillesse des maîtres de ces lieux... Et surtout, pensez-y deux ou trois mois à l'avance sans oublier la mise à jour des vaccinations de votre animal.

Apprenez à lire ce Guide : consultez la table des matières, page 631. Vous y trouverez en détail la liste de toutes nos rubriques.

CHENIL DE LA TUILERIE

● **77 Provins** - *Saint-Hilier (400.15.45).*

En pleine campagne. Recommandé par le Syndicat national des vétérinaires. Les chiens y jouissent d'un box individuel avec niche et pelouse (18 à 35 m²). Pour les grands chiens méchants, on a prévu un chenil grillagé et pour les bêtes fragiles et souffreteuses un chenil chauffé pour l'hiver. On ne prend ici que les animaux munis d'un carnet sanitaire à jour et, moyennant supplément, on viendra les chercher à domicile. De 25 à 35 F selon la taille par jour pour les chiens et 15 F pour les chats (25 F pour un couple). On accepte aussi les oiseaux (dans leur cage et avec leurs graines), les hamsters, et autres animaux de (bonne) compagnie (10 F).

LES FILAOS

● **78 Bonnières** - *La Villeneuve-en-Chevry (093.06.21).*

Une pension — le patron, M. Chevalier, est éleveur de cockers — fort sérieuse où votre chien sera dorloté et soigné avec amour. Pour la nuit, il dormira dans son box particulier (niche), et pour la journée, il gambadera sur une grande pelouse en compagnie de petits camarades. Carnet sanitaire à jour obligatoire. Il faut amener son chien et s'y prendre très à l'avance. 32 F par jour.

En cas d'urgence

AMBULANCES ANIMALIÈRES

● **93 Bobigny** - *5, quai Anatole-France (874.48.24).*

24 h sur 24 tous les jours.

S.A.M.U. VÉTÉRINAIRE

● **92 Levallois-Perret** - *131, rue Louis Rouquier (731.20.61).*

Vient à domicile 24 h sur 24 pour toute urgence.

S.O.S. VÉTÉRINAIRE

● *(871.20.61).*

La nuit seulement, de 20 h à 8 h du matin (ou les dimanches et jours fériés de 8 h à 20 h). Dans la journée, consultez votre vétérinaire habituel.

LES LOUVAUX

● **27 Neaufles-Saint-Martin** *(16.27/55.24.97).*

En pleine campagne et seulement pour chiens : chacun d'eux dort dans son box particulier (niche) en maçonnerie soigneusement isolée thermiquement et partage avec un ou deux autres compagnons un parc ou plutôt une « cour d'ébats » bétonnée. Carnet sanitaire à jour obligatoire. 27 à 30 F par jour. Régimes et cas spéciaux sont examinés sur demande.

MOTEL DU VIEUX MOULIN

● **28 La Ferté-Vidame** - *Domaine du Mazurier, Rohaire (37/37.64.67).*

Près de Verneuil-sur-Avre (100 km de Paris), une pension très isolée en pleine nature. M. Laporte fait loger chaque chien dans un box avec une pelouse de 40 m² (pour les tout petits) à 500 m² (pour les saint-bernard) et une niche ouverte en permanence sur ces jardins privés. Aux repas : « bœuf haché de première qualité » avec petits légumes (on peut lui préparer des menus spéciaux). Carnet sanitaire à jour obligatoire. De 25 à 35 F par jour, selon la taille de votre chien. Ramassage hebdomadaire à Paris. Les chats, quant à eux, sont logés en « volière », sorte d'abri grillagé de 2 m sur 2 m, avec sable et une planche pour « bronzer », et nourris selon le désir de leur maître pour 12 F par jour. Si vous avez des oiseaux, il faut les apporter dans leur cage avec leur nourriture pour la durée du séjour (5 F par cage et 10 F pour les perroquets ou autres grands oiseaux). Pour les singes : 20 F par jour.

Soins

DISPENSAIRE POPULAIRE DE SOINS POUR ANIMAUX

● **5e** - *8, rue Maître-Albert (354.24.36).*

De 9 h 30 à 18 h 30 sauf samedi après-midi et dimanche.

Votre chien a la truffe tiède ? Votre chat besoin d'un rappel de vaccination ? Votre canari ne chante plus ? Allez vite les faire examiner au (seul) dispensaire des animaux où, moyennant 20 F (c'est le maximum pour les dons), les deux vétérinaires attachés à cet extraordinaire refuge tenteront de redonner le goût de l'existence à votre animal familier. Ne craignez pas, bien sûr, l'inconfort de ce minuscule local où patientent dans les larmes et l'inquiétude des dizaines de mémères à chien et de célibataires pathétiques. Ils entrouvriront pour vous le cabas ou le panier d'osier où gémit la prunelle de leurs yeux en vous expliquant que le monde n'en serait pas où il en est si les humains étaient aussi gentils que les bêtes.

ÉCOLE VÉTÉRINAIRE DE MAISONS-ALFORT

● **94 Maisons-Alfort** - *7, av. du Géneral-de-Gaulle (375.92.11).*

Le matin seulement. 10 F pour les dons.

INSTITUT DE BIO-ERGODYNAMIE

● **15e** - *170, rue Saint-Charles (557.79.12).*

Le premier centre européen de rééducation et de gymnastique pour chiens (uniquement) créé par le Pr Francis Lescire de l'École Vétérinaire de Toulouse. Avec un équipement extrêmement complet et sophistiqué, deux kinésithérapeutes guérissent, améliorent, manipulent votre malade ou tout simplement entretiennent sa forme. Piscine, salles de massage, tapis roulants, rayons ultra-violets, appareils pour stimuler électriquement les muscles, etc. Possibilité de prothèse pour chiens handicapés.

Si vous venez d'être mordu(e) par un animal enragé

INSTITUT PASTEUR

● **15e** - *25, rue du Docteur-Roux (541.52.66, poste 513 ou 826).*

Consultations en semaine de 9 h à 12 h ; les samedi, dimanche et jours fériés, de 9 h à 10 h 30.

Quant à l'animal coupable, si c'est un familier et que cela est possible, enfermez-le au plus vite et appelez d'urgence un vétérinaire.

Assurances

MUTUELLE GÉNÉRALE FRANÇAISE

● **8e** - *17-21, fg Saint-Honoré (265.72.90).*

La première société d'assurance (elles le font toutes aujourd'hui : par exemple, l'U.A.P.) à avoir pensé à votre animal familier. Elle l'assurera contre les accidents, la maladie et les interventions chirurgicales.

Ils ont aussi leur club

LE CLUB DU CHIEN

● **15e** - *Centre Beaugrenelle, 36, rue Linois (575.73.17).*

Moyennant 150 F de cotisation annuelle, votre corniaud ou votre « pure race » aura droit à une Assurance Responsabilité Civile, une Assurance Mortalité, une médaille avec son nom, son adresse, son numéro de tatouage s'il en a et son numéro d'inscription au Club qui permettra une identification rapide en cas de perte. En outre, vous recevrez chaque mois la revue « 30 millions d'Amis » et vous bénéficierez d'un service d'information très complet (liste des hôtels et restaurants admettant les chiens, liste des vétérinaires, pensions, dresseurs, élevages, formalités douanières, etc.) et d'un autre consacré aux annonces matrimoniales.

Offrez-lui une médaille

S.P.A.

● **17e** - *39, bd Berthier (380.40.66).*

Sur laquelle seront gravés non seulement le nom et l'adresse, mais aussi un numéro d'immatriculation facilitant les recherches et les identifications rapides. Envoyer tous les renseignements avec un mandat de 5 F.

Il vient d'être arraché à votre affection

Il existe un service spécial dans toutes les préfectures, mais aussi une société privée :

ANIMAUX SERVICE

● **17e** - *90, rue Nollet (627.60.18).*

S'occupe de l'enlèvement de la bête à domicile, lui fait sa toilette, lui assure un service de pompes funèbres et l'enterre dans son propre cimetière, à Villepinte.

Il vous a faussé compagnie : 798.98.98

C'est le numéro du service de recherche de la S.P.A. Car la fourrière, hélas, doit de par la loi contre la rage, piquer tout animal perdu après deux jours s'il n'est pas identifié (médaille, tatouage) et huit jours s'il porte un moyen d'identification. L'animal ne peut légalement pas être adopté mais il existe heureusement bon nombre d'amendements... Pour le retrouver, voici les démarches indispensables à suivre en même temps : aller au commissariat de police et à la S.P.A. chaque jour, mettre des annonces chez les commerçants du quartier et enfin téléphoner aux vétérinaires.

Vous désirez lui offrir une sépulture décente

CIMETIÈRE DES ANIMAUX

● **Ile d'Asnières,** *au Pont de Clichy (793.87.04).*

En semaine de 9 h à 11 h 45 et de 14 h à 17 h 45. Le dimanche et les jours fériés, de 14 h à 17 h 45. Entrée : 6 F.

Le célèbre Barry, monumentalement immortalisé dans le bronze (c'est le saint-bernard qui sauva plus de quarante vies humaines durant la guerre), veille sur ce lopin funèbre de l'île des Ravageurs, dont Eugène Sue nous a décrit tous les crimes et les stupres. Il gît ici dans ce jardin secret, avec le chat de Barbey d'Aurevilly et le chien de François Coppée. C'est (depuis 1899), non seulement le plus insolite mais aussi le plus fréquenté et le plus fleuri des cimetières parisiens. Ce ne sont que gerbes de roses et brassées de lilas, géraniums arborescents et luxueux chrysanthèmes de plastique débordant sur les plaques et les médaillons, les édicules, les simples pierres, les reposoirs fastueux et les magnificents tombeaux : « Hercule, regrets éternels ; Chouquette, Biquette, Jacquette, je ne t'oublierai jamais ; Reviens-moi, Bambi ; A toi Kiki, à toi, Pompon ». Une lionne, une gazelle, des canaris, des perroquets reposent aussi dans la terre de cette nécropole fleurie où, malgré le vacarme de la circulation qui vous parvient des berges, se laissent entendre de déchirants sanglots. Mais qui donc vient encore, de temps à autre, jeter des œillets blancs sur la tombe de Kroumi, le chat d'Henri Rochefort, qui se laissa mourir huit jours après son maître? Concessions annuelles renouvelables.

S.P.A. bis

LA SAMARITAINE (Magasin 3)

● **1er** - *Rue de Rivoli (508.33.33, poste 27 83).*

Une petite antenne permanente de la S.P.A. qui propose quelques chiens et chats. Vaste rayon d'accessoires pour animaux : cages, aquariums, etc. De 13 h à 17 h.

LES CHATS

VOUS n'aurez aucun mal à trouver un chat de gouttière, voire un joli bâtard, chez votre vétérinaire, à la S.P.A. ou à l'A.A.A., qui sont littéralement submergés de chats à piquer. Les chats de race sont des animaux d'une extrême fragilité ; on ira donc les chercher chez les éleveurs qui les sélectionnent, les suivent de près, et vous donnent toutes garanties sanitaires ou d'authenticité. Leurs adresses vous seront communiquées par :

ASSOCIATION DES CERCLES FÉLINS FRANÇAIS

● **8e** - *16, rue Marignan (359.79.71).*

CAT CLUB ET FÉDÉRATION FÉLINS FRANÇAIS

● **15e** - *11, rue Copreau (734.66.32).*
Permanence les mardi et vendredi de 14 h à 18 h.

Si vous voulez l'abandonner entre de bonnes mains

LES INSULAIRES

● **4e** - *34, rue Saint-Louis-en-l'Ile (326.44.72).*

Plus encore que les livres et les cahiers, Mme Fain aime les animaux dont elle entretient une dizaine de spécimens en permanence dans sa papeterie. En venant acheter un porte-plume, on peut même lui laisser sa propre bête si l'on n'en veut plus, pour peu qu'elle soit sociable, en bonne santé et dûment sevrée. Si le client suivant a le coup de foudre, il l'emportera moyennant 50 F, que Mme Fain remettra au Club des chiens-guides d'aveugles des Flandres.

Faites-lui faire un brin de toilette

Mme MARTINET

● **92 Meudon-la-Forêt** - *18, av. de-Lattre-de-Tassigny (630.97.94).*

Toilettera votre chat persan (et d'une autre race éventuellement).

Gardiennage

Voir « Les Chiens ».

LES OISEAUX

SI vous allez au Marché aux Oiseaux (le dimanche, place Louis-Lépine, île de la Cité), vous aurez du mal à ne pas vous laisser tenter. Si vous vous adressez aux marchands, c'est parfait. Mais en tout cas, gare aux vendeurs à la sauvette : ce serait un miracle si le malheureux canari rapporté à la maison ne mourait pas huit jours plus tard. Le quai de la Mégisserie demeure aussi, en dépit de l'intense trafic automobile et des vapeurs délétères qui s'y respirent à longueur de jour, un des grands marchés avicoles de Paris (mais aussi d'autres animaux, comme les hamsters, les lapins, les tortues, les singes et, bien sûr, les chats et les chiens). Serrées les unes contre les autres, une dizaine de boutiques répandent sur le trottoir d'innombrables cages, desquelles s'échappent une infinie variété de cris et de gloussements. Coqs, ramiers, poules, faisans, mainates, pies, et toute la gamme de volatiles précieux ou exotiques. Sachez enfin que vous vous rendez coupable de délit si vous achetez un oiseau protégé tel que bouvreuil, mésange, chardonneret, etc.

LA JACASSERIE

● **20e** - *14, rue Auger (373.20.32).*

Considérant que la chaussure n'était pas le pied, Jean-Pierre Wolf abandonna ce premier métier pour suivre la vocation que lui soufflait la voix des oiseaux parleurs. Aussi s'est-il imposé de leur sacrifier ses veilles et ses loisirs pour vivre avec eux dans l'atmosphère d'étuve tropicale indispensable à leur bonne conversation. Ces précieux volatiles sont en effet des mainates, dits autrefois merles des Indes (à partir de 1 500 F) et des perroquets d'Australie (cacatoès blancs), d'Amazonie (à robe verte) ou d'Afrique (gris du Gabon à partir de 2 100 F). Oiseaux parleurs est d'ailleurs improprement dit puisque leur caractéristique commune est justement de ne point parler encore, afin que les futurs maîtres aient tout loisir de leur transmettre le vocabulaire de leur choix. Une aide précieuse leur sera fournie par Raoul Ours, le maître du barreau, qui s'est fait leur maître-chanteur dans un étonnant disque-enseignement. Curieux homme que ce Wolf, jeune loup dans une Jacasserie ornée de cages de plexiglas joliment modernes (995 F). Il est, dit-il, le premier à s'être lancé en France dans le commerce en boutique de ce genre d'oiseaux, et plus récemment encore, à proposer de les héberger en pension (12,50 F par jour).

LE MERLE BLANC

● **1er** - *22, quai du Louvre (233.36.85).*

Pour les perroquets, les perruches, les mainates, les bengalis, les tangaras, etc.

OISELLERIE DU PONT-NEUF

● **1er** - *18, quai de la Mégisserie (236.42.01).*

Des centaines d'oiseaux aux couleurs fantastiques, du minuscule mandarin gris au superbe paon, du mainate parleur au cacatoès, des perruches multicolores au moineau du Japon, des petits et charmants capucins tricolores à la tendre tourterelle. Au milieu de ces raretés cohabitent sans problème les hamsters, les gros canards de basse-cour, les coqs agressifs, les poules agitées et presque tous les autres animaux de la ferme (lapin, dindon, pigeon, etc.). Et pour loger tout ce beau monde, on trouvera là, bien sûr, une variété extraordinaire de cages, en osier ou en grillage, pour l'intérieur ou pour le jardin, aux formes modernes ou baroques, avec des arbres à l'intérieur, des balançoires, des reposoirs et mille sortes de mangeoires et d'abreuvoirs.

VILMORIN

● **1er** - *4, quai de la Mégisserie (233.61.62).*

Une des plus anciennes oisellerie de Paris, mais aussi l'une des plus sérieuses.

Gardiennage

Voir aussi « Les Chiens ».

GRAINETERIE DUPLEIX

● **15e** - *32, rue Dupleix (783.42.52).*

Cette boutique a la particularité de prendre en pension les oiseaux. Tous les oiseaux, du canari (60 F par mois, 90 F pour deux oiseaux, à la tourterelle (68 F par mois, 105 F pour deux), ou au perroquet (120 F par mois). Et aussi, même les lapins, très à la mode ces temps-ci (120 F par mois) et autres petits animaux. Au-delà de deux, les prix sont dégressifs.

LA JACASSERIE

● **20e** - *14, rue Auger (373.20.32).*

Voir plus haut.

Dépigeonnisation

EUROPE SERVICE

● **10e** - *206, quai de Jemmapes (208.75.89).*

Ne tuent pas les bêtes mais les éloignent par produits répulsifs ou les attrapent au filet.

Défendez-les

LIGUE POUR LA PROTECTION DES OISEAUX

● **92 Saint-Cloud** - *29, rue du Mont-Valérien (771.02.87).*

Cette association à vocation scientifique a pour but de protéger les oiseaux et notamment les espèces en voie de disparition. On lui doit ainsi d'avoir contribué pour une large part à la sauvegarde des rapaces en France. Ce bureau de représentation de la Ligue (siège à Rochefort-sur-Mer, tél. : 99.59.97), vous fournira tous renseignements relatifs à cet apostolat et vous expliquera par quels moyens vous pouvez contribuer à l'aider.

LES POISSONS

Ils sont discrets, peu encombrants, chatoyants et fascinants ces poissons qu'on achète bien souvent pour distraire ses enfants au hasard d'une promenade dominicale sur les quais. Il n'est pas rare, ensuite, qu'on se pique à leurs jeux et qu'on passe du vulgaire poisson rouge aux espèces exotiques les plus précieuses et, partant, du modeste bocal à l'aquarium géant et sophistiqué.

BERNARD AQUARIUM

● **3e** - *53, bd Beaumarchais (887.86.07).*

Bonne boutique vendant des aquariums et des poissons, ensemble ou séparément. Même transparente, une prison fait outrage à la dignité animale. La protection des bêtes sauvages ne s'inquiète pas encore des petits poissons en bocal, profitez-en.

LE DÉCOR EXOTIQUE

● **10e** - *22, rue Eugène-Varlin (208.07.46)*
Pour l'eau de mer.

● **10e** - *187, fg Saint-Martin (607.47.60).*
Pour l'eau douce.

LA DÉCORATION AQUATIQUE

● **17e** - *120, rue de Courcelles (924.71.83).*

Claire et séduisante petite boutique. Très grand choix de poissons rares, bizarres, fabuleux, et de jolis aquariums. Quelques ravissants et minuscules oiseaux exotiques.

LES ILES

● **14e** - *90, rue de l'Ouest (543.12.69).*

De fabuleux meubles-aquariums, 1930 ou futuristes, en polyester laqué noir, crème, rouge, bleu, marron, etc. (de 15 000 à 21 000 F). Et aussi des poissons exotiques (uniquement) parmi les plus rares et les plus beaux.

OISELLERIE DU PONT-NEUF

● **1er** - *18, quai de la Mégisserie (236.42.01).*

Très grand choix de poissons, au sous-sol.

PARAMOUNT

● **20e** - *279, rue des Pyrénées (797.11.45).*

Un choix infini d'aquariums et de poissons rares. Presque aussi beau à visiter que le vivarium du Jardin des Plantes.

LA RÉSERVE

● **17e** - *3, rue de Tocqueville (622.20.87).*

Les riverains viennent dans cette ancienne boulangerie acheter des vers de farine pour leurs rossignols du Japon. Poissons exotiques, oiseaux.

LA VIE AQUATIQUE

● **6e** - *115, rue du Cherche-Midi (548.61.31).*

Que vous soyez simple débutant, innocent amateur ou banalement anxieux de vous passer un caprice, M. Favré vous conseillera sûrement d'aller acheter un poisson rouge sous sachet plastique, au quai de la Mégisserie. Mais en aucun cas il ne vous vendra le moindre de ses poissons que vous n'ayez prouvé un enthousiasme durable pour l'aquarophilie. A cette fin, il vous en expliquera les beautés et les pièges, les satisfactions les plus exaltantes et les servitudes les moins ragoûtantes. Après quoi, il ne vous restera plus qu'à choisir parmi ses innombrables et merveilleux poissons de tous climats et de toutes eaux, diaphanes, éclatants chevelus, sphériques. Laissez-le s'occuper lui-même de l'aménagement floral de votre aquarium, vous ne serez pas déçu par la délicatesse de ses compositions.

Gardiennage

Voir aussi « Les Chiens ».

LA DÉCORATION AQUATIQUE

● **17e** - *120, rue de Courcelles (924.71.83).*

Prendre « rang » quelque temps à l'avance pour faire garder ses poissons. Par semaine, il faut compter 30 F pour les poissons aquatiques et 15 F pour les poissons rouges.

LES REPTILES ET LES FAUVES

Une loi promulguée et appliquée depuis décembre 74 interdit l'importation de toute espèce de reptiles, fauves et autres animaux dits sauvages. Ceci non pas tant pour éviter aux particuliers d'être dévorés par le lion qu'ils font coucher dans la baignoire — fait divers classique — mais surtout dans le but de protéger ces espèces et de limiter les trafics scandaleux. Seuls désormais quelques zoos peuvent obtenir une dérogation à cette loi, après de multiples et stricts contrôles. A moins que vous ne connaissiez un stewart courageux... et qu'aucun arrêté municipal n'interdise aux particuliers la possession d'un de ces animaux.

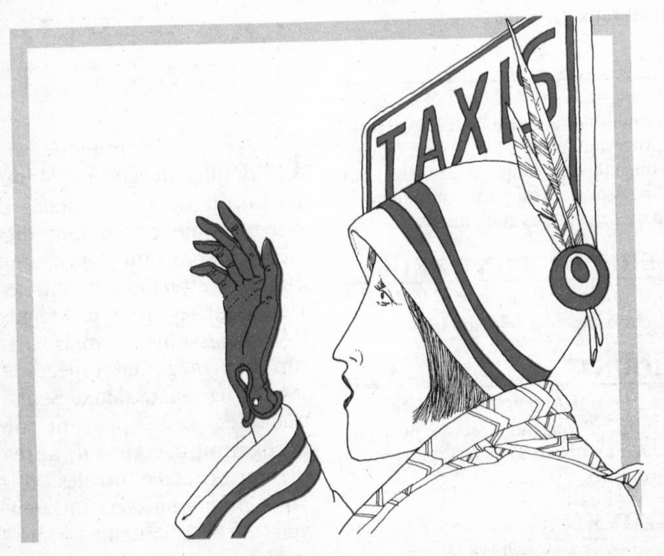
TAXIS

Taxis

TAXIS PAR TÉLÉPHONE

Allo Taxi : 200.67.89

Bolivar Taxi : 205.77.77

Rad Art Taxi : 735.22.22

Taxi Radio : 203.99.99

Taxi Radio G7 : 739.33.33

BORNES-TAXIS

Il en existe beaucoup d'autres. Nous en avons choisi une, deux ou trois par arrondissement.

- **1er arrondissement**

Pl. du Châtelet (233.20.99)
Pl. du Théâtre-Français (260.61.40)

- **2e arrondissement**

Angle bd Saint-Denis et rue Saint-Denis (236.93.55)
17, bd des Capucines (742.75.75)

- **3e arrondissement**

Rue de Bretagne (278.00.00)

- **4e arrondissement**

Face au Métro Saint-Paul, rue de Rivoli (887.49.39)
23, bd Morland (277.59.88)

- **5e arrondissement**

67, bd Saint-Michel (633.00.00)
Pl. Monge (587.15.95)

- **6e arrondissement**

91, bd Saint-Germain (326.00.00)
Face au 73, bd du Montparnasse (222.13.13)

- **7e arrondissement**

83, av. Bosquet (555.18.79)
Bd des Invalides à l'angle rue de Babylone (551.82.62)
Pl. du Palais-Bourbon (705.03.14)

- **8e arrondissement**

Rond-Point des Champs-Elysées (256.29.00)
1, av. de Friedland (561.00.00)
Pl. de l'Alma (359.58.00)

- **9e arrondissement**

Pl. Estienne-d'Orves (874.00.00)

- **11e arrondissement**

1, av. de la République (355.92.64)
Pl. Léon-Blum (379.50.12)

- **12e arrondissement**

Pl. de la Bastille (345.10.00)

- **13e arrondissement**

Pl. d'Italie (331.75.56)
Av. de la Porte de Choisy (585.40.00)

- **14e arrondissement**

Bd du Montparnasse, av. de l'Observatoire (325.00.00)
297, bd Raspail (354.00.00)

- **15e arrondissement**

Pl. Charles-Michels (578.20.00)
1, bd de Grenelle (579.17.17)
159, rue Lecourbe (842.00.00)

- **16e arrondissement**

Chaussée de la Muette (288.00.00)
Pl. de la Porte de Saint-Cloud (651.60.40)
Pl. de Barcelone (527.11.11)
Pl. du Trocadéro (727.00.00)
Pte Dauphine - Av. Bugeaud (553.00.00)

- **17e arrondissement**

Pl. du Mal-Juin (227.00.00)
Pl. de la Porte des Ternes (574.00.00)
1, av. de Villiers (622.00.00)

- **18e arrondissement**

Pl. Jules-Joffrin (606.00.00)
Pl. de la Chapelle (208.00.00)

- **19e arrondissement**

Av. de la Porte de La Villette (208.64.00)
211, av. Jean-Jaurès (607.21.10)

- **20e arrondissement**

Pl. Gambetta (362.70.99)

Table des matières

Restaurants 7

Où donner une réception 117

Drugstores 123

Salons de thé 125

Cafés, cafés-brasseries 131

Bistrots à bière, à vin 135

Bars 141

La nuit 151

Hôtels 173

Alimentation 193

Décoration de la maison 277

Boutiques de cadeaux 317

Fleurs 327

Enfants : habillement, jouets, meubles 391

Enfants : mercredis (gais ou studieux) 401

Coiffeurs 415

Beauté et soins du corps 423

Santé 431

Cette table des matières en forme de sommaire vous indique les grands titres de chapitres, les différentes rubriques et les principaux "encadrés", dans l'ordre de leur parution. Pour retrouver rapidement un nom ou une rubrique, consultez l'index général, page 641, où le classement est fait par ordre alphabétique.

Sports : où les pratiquer? 433

Vêtements et articles de sports 447

Jeux, loisirs, musique, photo, etc. 455

Cigares et articles de fumeurs 469

Le marché de l'art : antiquités 473

Le marché de l'art : peinture, gravure 501

Musées 511

Visites et promenades 527

Bibliothèques 537

Librairies 543

Papeteries 561

Artisans et réparateurs 563

Dépannages et travaux d'urgence 583

Locations 589

Étudiants : jobs de vacances 603

Tourisme et voyages 607

Animaux 621

Taxis 629

Index général

A

B

Siège Social : Allée du Vignoble, 51061 Reims - Tél. : (26) 06.09.18
Bureau et Magasin à Paris : 24, rue Duret, 75116 Paris - Tél. : 500.56.51 ou 96.73

INDEX GÉNÉRAL

ERCUIS
Ercuis, à tous moments
témoigne de votre art de vivre
Orfévrerie argentée, objets précieux de tous les jours.

C

Avec nos compliments

D

CIGARES GAULT~MILLAU

sélection SENDERENS

Cigare nº 1. Double Corona. Longueur : 178 mm. Diamètre 18 mm. 35 F l'unité. 875 F le coffret bois de 25.
Cigare nº 2. Corona. Longueur 165 mm. Diamètre 18 mm. 30 F l'unité. 750 F le coffret bois de 25.
omposition : Tripe longue de San Juan y Martinez et San Luis (Vuelta Abajo) Sous Cape Volados de la Vuelta Abajo.
Cape en provenance de Bloomfield (Connecticut). Confection entièrement manuelle.

Prix en vigueur en novembre 1979

E

F

G

INDEX GÉNÉRAL

H

LA PURETÉ.

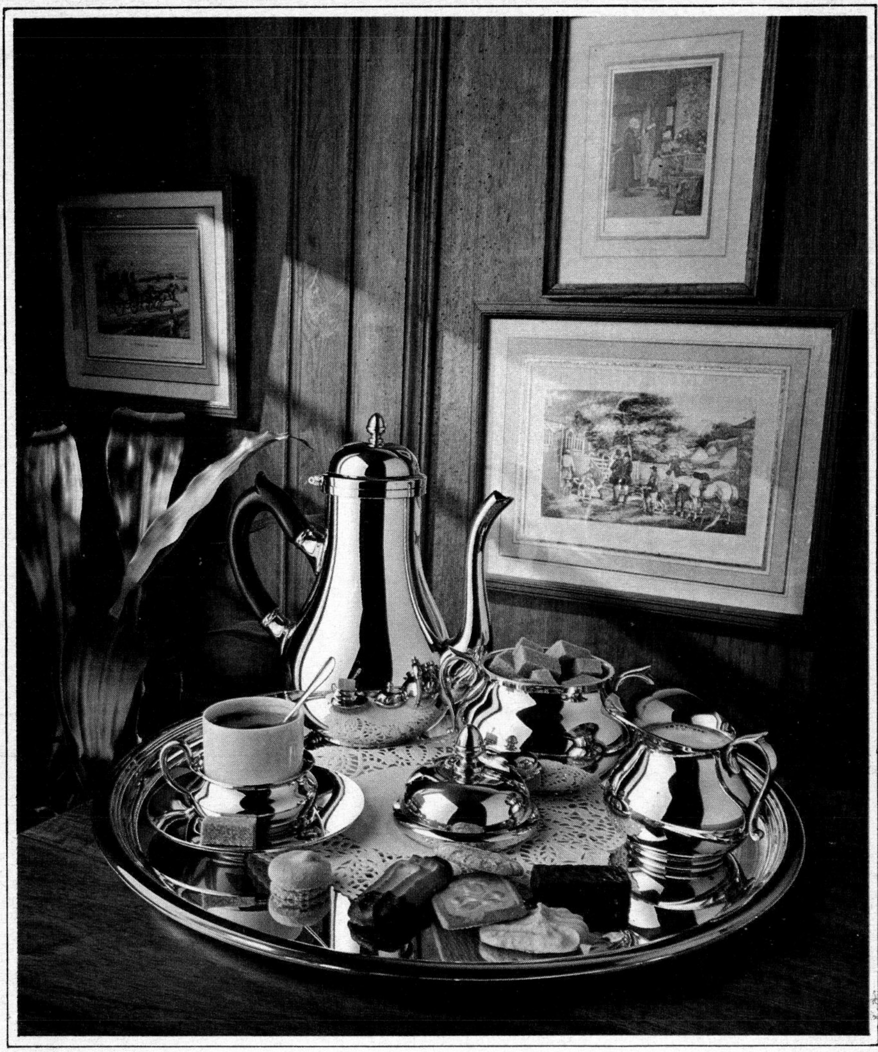

Pureté des lignes, pureté du brillant, pureté de la tradition...
Les Etains du Manoir, depuis Corlieu et Sarasin en 1696, perpétuent la tradition des maîtres-potiers d'étain.

Depuis Corlieu et Sarasin en 1696.

En leur atelier de la Ville-aux-Nonains, les Etains du Manoir possèdent certainement la plus belle collection au monde de moules anciens.

MASH

I

J

K

Godiva
CHOCOLATIER BELGE
MONDIALEMENT RÉPUTÉ

DÉPOSITAIRES AGRÉÉS A PARIS :
237, rue Saint-Honoré. Tél. 260.44.64.
102, Champs-Élysées. Tél. 225.55.17.
96, avenue Paul-Doumer. Tél. 504.11.03.
157, avenue Malakoff. Tél. 500.39.04.
17, boulevard Saint-Jacques (PLM). Tél. 589.89.80.
Boutique Printemps-Haussmann.

A NEUILLY :
160, avenue Charles-de-Gaulle. Tél. 624.08.24.

A VERSAILLES :
23, rue de la Paroisse. Tél. 950.39.28.

Godiva
PARIS • BRUXELLES
NEW YORK

L

M

POUR ÊTRE ENCORE ÉLÉGANT SUR LES GREENS.
Tunmer
Tunmer
5, PLACE ST-AUGUSTIN PARIS.
POUR LA BEAUTÉ DU SPORT DEPUIS 1895.
AVACO

N

O

P

Balafre va bien aux hommes en pleine forme.

BALAFRE MONSIEUR : LA NOUVELLE GAMME DE PRODUITS POUR HOMMES

LANCÔME
PARIS

Q

R

S

R6

LEGERE EN NICOTINE ET GOUDRONS.
AROMES DE TABACS PLUS CORSES.

B&B Benton & Bowles

R6 est une cigarette composée d'une sélection de tabacs blonds
à très faible taux en nicotine et goudrons
et d'arômes naturels de tabacs plus corsés.
(nicotine 0,45 mg - goudrons 9,5 mg).

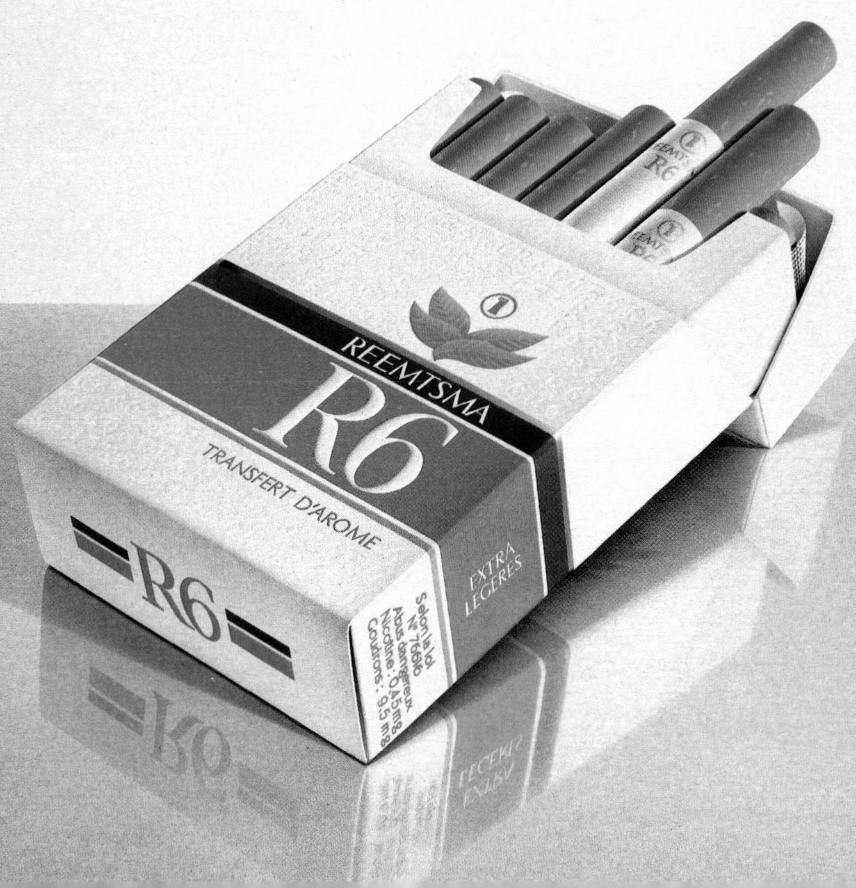

Maison familiale de tradition artisanale
fondée en 1908

BLOC DE FOIE GRAS DE CANARD MI-CUIT EN BOCAL

Très fin,
excellent goût,
net et bien marqué.
Produit très remarquable.

8/10 au banc d'essai du Nouveau Guide Gault et Millau de novembre 1978.

2 boutiques à Paris

13/15, rue Taitbout (9ème)
88bis, Av. Mozart (16ème)

Si vous avez le goût de l'authentique, si vous aimez les bons produits du Sud-Ouest préparés dans le respect des recettes familiales, vous apprécierez nos magnifiques **foies gras,** et des entrées aux desserts, **les succulentes spécialités régionales** de notre Carte Gourmande.

Envoyez-nous vite le bon gratuit ci-contre. Vous recevrez par retour et sans engagement notre documentation et, en cadeau, le manuel «cuisine et tradition en pays gascon».

Merci et à bientôt.

Bon gratuit à détacher (ou à recopier) et à adresser à:
Comtesse du Barry, 1bis rue Monplaisir - 32200 Gimont

Veuillez me faire parvenir, gratuitement et sans engagement, votre documentation complète sur les spécialités Comtesse du Barry comprenant: la Carte Gourmande et, en cadeau, le Manuel «cuisine et tradition en pays gascon».

M. Mme ....

N° ....Rue ....

....

|_|_|_|_|_| Ville ....
code postal

GPGM/80 - RC 396720310B AUCH

T

U

Publicité : Médiazur
12, av. de la Grande-Armée, 75017 Paris
Tél. : 755.72.30
Directeur de la Publicité : Guy Kornfeld
assisté de Janine Hull, Anna Lesne, Gilberte Miraton et Xavier Potel

Edité par la Société Anonyme Jour-Azur
4, rue de Presbourg, 75116 Paris

Achevé d'imprimer chez Avenir Graphique
325, rue de Charenton, 75012 Paris

Photocomposition : Compos Juliot
11, rue des Fontaines-du-Temple, 75003 Paris

Façonnage : C.E.D.I.G.
171, bd de Stalingrad, 94400 Vitry-sur-Seine

Dépôt légal N° 4759/1134 - 4e trimestre 1979
XXV/N.M.P.P./TAX.